プロメテウス
解剖学コア アトラス 第4版
PROMETHEUS
Atlas of Anatomy 4th Edition

PROMETHEUS
Atlas of Anatomy
4th Edition

Edited by
Anne M. Gilroy
Brian R. MacPherson
Jamie C. Wikenheiser

Based on the work of
Michael Schünke
Erik Schulte
Udo Schumacher

Illustrations by
Markus Voll
Karl Wesker

Thieme
Stuttgart・New York

プロメテウス
解剖学
コア アトラス 第4版

監訳
坂井 建雄　順天堂大学保健医療学部特任教授

訳
市村 浩一郎　順天堂大学医学部主任教授
澤井 直　順天堂大学医学部助教

医学書院

著者
Anne M. Gilroy, MA
University of Massachusetts Medical School, Worcester, MA
Brian R. MacPherson, PhD
University of Kentucky College of Medicine, Lexington, KY
Jamie C. Wikenheiser, PhD
UC Irvine School of Medicine, Irvine, CA

執筆協力
Michael Schünke
Erik Schulte
Udo Schumacher

イラスト
Markus Voll
Karl Wesker

Original title: Atlas of Anatomy, 4/e, edited by
Anne M. Gilroy, Brian R. MacPherson, Jamie C. Wikenheiser.
Based on the work of Michael Schünke, Erik Schulte, Udo Schumacher.
Illustrations by Markus Voll and Karl Wesker.

Copyright © 2020 of the original English language edition by
Thieme Medical Publishers, New York City, NY, USA.
© Fourth Japanese edition 2022 by Igaku-Shoin Ltd., Tokyo
Printed and bound in Japan.

> **注意**
> 医学は常に発展途上にあって進歩し続けている科学分野です．人類の医学知識はたゆまぬ研究と臨床経験によって現在も成長を続けており，とくに治療や薬物療法に関しては，その質・量ともに日々高まっています．本書で採用した用量や投薬方法の記述に関しては，著者および発行者ともに，制作時点での水準に照らして最新の内容となるように最大限の配慮を施しています．
> しかしながら，本書における各種薬剤の用量や投薬方法に関する記載は，臨床上の投薬や用量に対して保証や責任を負うものではありません．服用あるいは投薬する際には，薬剤に添付されている使用上の注意を読んで注意深く検討する必要があります．また，服用量や服用スケジュールに関する本書と添付文書との相違に関しては，必要に応じて医師や専門家にお問い合わせください．このような対応は，使用頻度の少ない薬剤や新規に導入された医薬品でとくに大切で，服用量や服用スケジュールについては，使用者が自己責任のもとに設定しなければなりません．

プロメテウス解剖学コア アトラス

発　行	2010 年 6 月 1 日　第 1 版第 1 刷
	2012 年 8 月 1 日　第 1 版第 2 刷
	2015 年 1 月 1 日　第 2 版第 1 刷
	2016 年10月 1 日　第 2 版第 3 刷
	2019 年 1 月 1 日　第 3 版第 1 刷
	2021 年12月15日　第 3 版第 5 刷
	2022 年11月 1 日　第 4 版第 1 刷
	2023 年12月 1 日　第 4 版第 2 刷
監訳者	坂井建雄
発行者	株式会社　医学書院
	代表取締役　金原　俊
	〒113-8719　東京都文京区本郷 1-28-23
	電話　03-3817-5600（社内案内）
印刷・製本	三美印刷

本書の複製権・翻訳権・上映権・譲渡権・貸与権・公衆送信権（送信可能化権を含む）は株式会社医学書院が保有します．

ISBN978-4-260-04858-3

本書を無断で複製する行為（複写，スキャン，デジタルデータ化など）は，「私的使用のための複製」など著作権法上の限られた例外を除き禁じられています．大学，病院，診療所，企業などにおいて，業務上使用する目的（診療，研究活動を含む）で上記の行為を行うことは，その使用範囲が内部的であっても，私的使用には該当せず，違法です．また私的使用に該当する場合であっても，代行業者等の第三者に依頼して上記の行為を行うことは違法となります．

JCOPY〈出版者著作権管理機構　委託出版物〉
本書の無断複製は著作権法上での例外を除き禁じられています．複製される場合は，そのつど事前に，出版者著作権管理機構（電話 03-5244-5088，FAX 03-5244-5089，info@jcopy.or.jp）の許諾を得てください．

＊「プロメテウス／PROMETHEUS／プロメテウス解剖学」は株式会社医学書院の登録商標です．

第4版 訳者序

『プロメテウス解剖学コア アトラス』の第4版を，解剖学を学習する多くの医学生と医療職の学生のみなさんにお届けする．2005年にドイツで出版された『プロメテウス解剖学アトラス』3巻本は，肉筆の原画とCG技術を組み合わせた高品質の解剖図により高く評価され，世界を席巻した．その3巻本をもとにアメリカで新たに編集された1冊本の解剖学アトラスが本書の原著である．3巻本のプロメテウスに掲載された高品質の解剖図を生かしながら，人体解剖実習での使いやすさを重視して全体の構成を部位別に改め，頁の構成を見開きの形にまとめてある．さらに，理解を助けるための概念的な模式図や，要約の表を多数付け加えて，コンパクトでわかりやすい全く新たな解剖学教材を実現したものである．アトラスと銘打ってはいるが，解剖図だけを配した従来の解剖学アトラスの域をはるかに超えて，これ1冊で解剖学の学習を可能にする統合的な教材となっている．今回の第4版では，各単元の最後の画像診断に関する内容を拡充し，臨床BOXをさらに充実させた．頭頸部の単元では頸部の章を頭部の章の前に移した．さらに腹膜，鼠径部，会陰部など解剖学的に難しい部分の理解を助けるために，記述や図版を改善した．

21世紀に入って医療が急速に進歩し，新型コロナウイルス感染症のパンデミックの影響もあり，人間の健康と生命を守る医療に対する社会からの期待と要求がますます高まっている．多くの若者が医師とそれに関連する職種を目指して，医学の専門的な知識と技術を学んでいる．人体の構造と機能について知る解剖学は，医学を学ぶための最重要の基礎であり，その教材に対するニーズもますます高まっている．人体の構造そのものが大きく変化するわけではないが，コンピューターによる画像処理や情報技術の発展，さらに画像診断技術の普及を背景に，解剖学の教材も大きく進化し，印象的で理解しやすいものが数多く登場している．『プロメテウス解剖学アトラス』シリーズは，高品質の解剖図と洗練された編集により，圧倒的な迫力と内容をもつ新しい時代の解剖学教材として世界的に高い評価を得てきた．その日本語訳も好評を博し，数多くの読者に迎えられている．

翻訳にあたっては，解剖学の研鑽を積んだ市村浩一郎と澤井直が日本語訳の作業を行い，坂井が全体に目を通して監訳を担当した．特に3巻本の『プロメテウス解剖学アトラス』の内容および日本解剖学会が定める解剖学用語との整合性に配慮した．日本語訳にあたっては瑕疵がないように細心の注意をしたつもりではあるが，至らぬところは監訳者の責である．

本書『プロメテウス解剖学コア アトラス』が，多くの学生たちに行きわたり，よりよい医療者となるべくその基礎となる解剖学の学習に役立てていただけるを願うものである．

坂井建雄

2022年7月
八王子の寓居にて

初版 訳者序

　21世紀に入って，人間の健康と生命をまもる医療に対する社会からの期待と要求が高まっている．多くの若者が医師とそれに関連する職種をめざして，医学の専門的な知識と技術を学んでいる．人体の構造と機能について知る解剖学は，医学を学ぶための最重要の基礎であり，その教材に対するニーズもますます高まっている．人体の構造そのものが大きく変化するわけではないが，コンピューターによる画像処理や情報技術の発展，さらに画像診断技術の普及を背景に，解剖学の教材も大きく進化し，印象的で理解しやすいものが数多く登場している．その中でも，2005年にドイツで出版された『プロメテウス解剖学アトラス』全3冊は，高品質の解剖図と洗練された編集により，圧倒的な迫力と内容をもつ新しい時代の解剖学教材として世界的に高い評価を得てきた．その日本語訳も好評を博し，数多くの読者に迎えられた．

　本書『プロメテウス解剖学コア アトラス』は，このプロメテウスのドイツ語版をもとに，アメリカで新たに編集された1冊本の解剖学アトラスの日本語訳である．3冊本のプロメテウスに掲載された高品質の解剖図を生かしながら，人体解剖実習での使いやすさを重視して全体の構成を部位別に改め，頁の構成を見開きの形にまとめてある．さらに，理解を助けるための概念的な模式図や，要約の表を多数付け加えて，コンパクトでわかりやすいまったく新たな解剖学教材を実現したものである．アトラスと銘打ってはいるが，解剖図だけを配した従来の解剖アトラスの域をはるかに超えて，これ一冊で解剖学の学習を可能にする統合的な教材となっている．

　翻訳にあたっては，若手の優秀な解剖学者である市村と澤井が日本語訳の作業を行い，坂井が全体に目を通して監訳を担当した．とくに3冊本の『プロメテウス解剖学アトラス』および解剖学用語との内容および用語の整合性に配慮した．日本語訳にあたっては瑕疵がないように細心の注意をしたつもりではあるが，至らぬところは監訳者の責である．

　本書『プロメテウス解剖学コア アトラス』が，多くの学生たちに行き渡り，よりよい医療者となるべくその基礎となる解剖学の学習に役立てていただけるととを願うものである．

坂井建雄

2009年12月1日
八王子の寓居にて

第4版 まえがき

本書 Atlas of Anatomy の今回の第4版では，最大の努力を払って人体解剖を明瞭かつ正確に記述したことをわれわれは誇りにしたい．この努力の重要な部分は，新しい共著者にカリフォルニア大学アーバイン校の Dr. Jamie C. Wikenheiser が加わったことである．彼は解剖学を愛し，細部に注意を払い，あらゆるレベルの学生に解剖学の精髄を教えるための学識に誇りをもっており，それにより編集陣の適格な一員となり，本書アトラスの継続的な発展を確かなものにしてくれた．

われわれは前版と同様に，世界中の読者たちからの要望，意見，批判にことごとく対応しようと努力してきた．われわれはいつも，解剖学が変化し続ける科学だと考えている．概念や用語が生み出されると，これを取り上げ，本書アトラスの該当部分を更新する責任を感じる．今回の版での当初の課題は，すでにアトラスに存在する材料を更新し，より明確にすることであった．こうした変更の中で特に大きいのは，自律神経回路の多数の模式図の改訂であった．今回は交感性と副交感性の要素，節前線維と節後線維が統一的に描かれ，明確に区分されるようになった．多くの表についても，内容を再整理し記述を改め，文字を大きくする改善をした．第3版で各部に導入した断面解剖と画像解剖の章は，40枚を超える MR と CT 画像を追加して拡充し，本書アトラスのすべての断面画像と同様に簡略な位置づけ図を新たに添えた．

今回の版のもう1つの特徴は，複雑な解剖学的概念のために，記述や図式による情報を増やしたことである．ここには，他の画像を補完する模式図や，画像の説明文の拡充や，とりわけ30個ほどの臨床BOX（ほとんどは図入り）を各部に追加したことが含まれる．これらは，機能，病理学，解剖学的変異，臨床的処置，診断技術，胎児発生や年齢変化に関わるものである．

われわれはまた，解剖学の難しい領域について，章の内容をよりよく編成し，図解を用いて，わかりやすいものにする努力を続けている．前版までに多用した見開き構成は，今回の版でも維持したが，内容の一部を表にしたり，120を超える新しい図と画像を追加したりして，頁構成を改善する努力も行った．今回の版で読者は，2つの領域で大きな変更があったのに気づかれるだろう．腹部と骨盤部では，会陰，腸間膜，腹膜隙に大きく焦点を当てた．鼠径部は学生にとって難しい領域で，新しい画像と表を使って拡充し，会陰構造でも画像の追加と改訂を行った．頭頸部についても大きな改訂を加えた．解剖実習室で通常行われる手順にこれらの材料が揃うようにするために，頸部の章を頭部の章の前に移し，解剖の視点がわかる新しい図版を加えた．海綿静脈洞，翼口蓋窩，側頭下窩，口腔と鼻腔などの領域について，再整理とより明確な図版が追加されたことがわかるだろう．最後に，脳神経系の章の導入として新しく拡充した概観をつけた．

いつもながら，多くの同僚たちや査読者たちが，これまでの版に重要な意見を返し，不正確さと曖昧さを指摘し，新しい材料へのヒントを分け与えていただいたことに大いに感謝する．

われわれの努力がどれほどのものであったとしても，それはこの教科書を最後まで完成させる過程のほんの一部である．Thieme 社のチーム全体が，この過程全体を通じてわれわれの努力を応援し支援してくれた．最重要の貢献を頂いた Judith Tomat（企画編集者），Delia DeTurris（成果編集者），Barbara Chernow, PhD（製作責任者）には，それぞれの分野で献身的に専門性を発揮し，質の高い原稿を作成するわれわれの能力を信頼していただいたことに感謝したい．

Anne M. Gilroy
Worcester, Massachusetts

Brian R. MacPherson
Lexington, Kentucky

Jamie C. Wikenheiser
Irvine, California

2019年12月

初版 まえがき

本書の著者らはそれぞれ，Michael Schünke，Erik Schulte，Udo Schumacher による『プロメテウス解剖学アトラス』のために創られた解剖図の傑出した詳細さ精確さ美麗さに，驚嘆し感銘を受けた．これらの図は，過去50年間において解剖学教育に付け加えられた最も意義あるものと感じ，好奇心と情熱のある健康科学の学生向けに簡潔な1冊の解剖学アトラスを創ろうと取り組む際の礎として，これらの卓抜なイラストを使おうと決めた．

われわれが最初に取り組んだのは，この膨大な図版の集成から，現在の解剖実習において最も教育的で実例となるものを選び出すことであった．しかしながら，1冊の解剖アトラスを創り上げることは，単に図を選び出す以上のことであると，われわれは理解するようになった．すなわち，それぞれの図は大量の細部まで伝える一方，強調と指示文字は清潔で落ち着いたものでなければならない．そのため数百の解剖図を新たに描いたり修正したりして，この新しい解剖アトラスに相応しいものにした．さらに，必要に応じて重要な模式図や単純化して要約した表を付け加えた．また数十の関連する医用画像と関連する重要な臨床事項を，適切な場所に加えた．また体表解剖図には質問を付して，診察において最重要の解剖学的事項に学生の注意を向けるようにした．これらの主要事項の要点は部位ごとに配置して，解剖実習において使いやすいようにした．それぞれの部位の中で，さまざまな要素を系統的に吟味し，それに続いて部位の中で局所的な画像を器官系と結びつけるようにした．このすべてにおいて，解剖学的構造について臨床的な視点をとった．この本の特色である見開き構成によって，読者の目は探求する領域・話題に引きつけられる．

これらの努力は，明晰で情熱ある学生たちに解剖学という学問を教える百年近い歳月の成果であり，ここから包括的で使いやすい教材かつ参考書が生み出されることを願うものである．

われわれは Thieme 社の人たちによる専門的な支援に感謝したい．Cathrin E. Schulz, M. D.（編集主幹，教育編集部）は丁重に締切を想い出させてくれ，問題の解決にいつでもつきあってくれた．このことに感謝しすぎることはない．さらに重要なのは，彼女がわれわれを励まし，支援し，敬意を表してくれたことである．

とくに感謝したい人として，Bridget Queenan（企画編集者）は，情報の可視化と直感的な流れに飛び抜けた才能をもち，原稿を編集し発展させてくれた．彼女が，この間に多くの細部を受け取り，図版と指示文字の変更の要求にいつも我慢強く対応してくれたことにとくに感謝する．

最大の感謝を捧げる人として，Elsie Starbecker（上席制作編集者）は，2,200 を超える図版をもつこのアトラスを，細心の注意をもって迅速に制作してくれた．最後に，校正の段階でチームに加わってくれた，Rebecca McTavish（企画編集者）にも感謝したい．かれらの勤勉な仕事が，この解剖学アトラスを実現したのである．

Anne M. Gilroy
Brian R. MacPherson
Lawrence M. Ross

2008 年 3 月
Worcester, MA, Lexington, KY, and Houston, TX

謝 辞

本書の元となり賞を獲得した Thieme Atlas of Anatomy の3巻本の著者の Michael Schünke, Erik Schulte, Udo Schumacher と，画家の Karl Wesker, Marcus Voll が，その著作を作り上げた年余の尽力に対して感謝したい．

多くの教師たち，学生たち，英語以外の版の訳者たちから，私たちの仕事への評価や，誤りや不確かさや新しい情報も，また話をよりわかりやすくするための示唆もいただいた．頂戴した情報は，本書アトラスを使って教えた経験とともに，この新版の道しるべとなった．

第3版を査読していただいた以下の方たちからは，特に重要な情報を返していただいた．

- Jennifer Brueckner-Collins, PhD
  University of Louisville School of Medicine
  Louisville, Kentucky
- Jennifer Carr, PhD
  Salem State University
  Salem, Massachussetts
- C. Cem Denk, MD, PhD
  Hacettepe University
  Faculty of Medicine
  Ankara, Turkey
- Gary J. Farkas, PhD
  University of California, San Francisco School of Medicine
  San Francisco, California
- Derek Harmon, PhD
  University of California, San Francisco School of Medicine
  San Francisco, California
- Lindsey Kent (Class of 2020)
  West Virginia School of Osteopathic Medicine
  Lewisburg, West Virginia
- Barbie Klein, PhD
  University of California, San Francisco School of Medicine
  San Francisco, California
- Nancy Lin (Class of 2021)
  CUNY School of Medicine
  New York, New York
- Luís Otávio Carvalho de Moraes, PhD
  Federal University of São Paulo
  São Paulo, Brazil
- F. Baker Mills IV, MS (Class of 2021)
  University of South Carolina School of Medicine
  Columbia, South Carolina
- Stephen M. Novak, MD, JD
  Harvard University
  Cambridge, Massachusetts
- Joy R. Patel (Class of 2021)
  NYIT College of Osteopathic Medicine
  Old Westbury, New York
- Paisley Lynae Pauli, MHA (Class of 2021)
  University of the Incarnate Word
  School of Osteopathic Medicine
  San Antonio, Texas
- Guenevere Rae, MS, PhD
  Tulane University School of Medicine
  New Orleans, Louisiana
- Sherese Richards, MD
  The College of St. Scholastica
  Duluth, Minnesota
- William J. Swartz, PhD
  LSU Health Sciences Center
  New Orleans, Louisiana

序言

　この解剖学アトラスは，これまで作られた1巻本の人体解剖図譜の中で最も素晴らしいものであると私は思う．これには2つの要素がある．図とその構成の方法である．

　画家のMarkus VollとKarl Weskerは，解剖図の洗練の新しい標準を作り上げた．洗練された半透明の使用と，光と陰の繊細な表現により，読者はあらゆる構造を精確に三次元的に理解することができる．

　著者らは，図の配置を工夫して，学生が人体のイメージを明確に頭の中に作り上げるのに必要な情報の流れを与えている．見開きのそれぞれの頁には，必要な教材が揃っており，経験深く思慮深い教師の手腕をさりげなく見せている．私自身，学生の頃にこの本を使いたかったものだ．それができる今の学生たちをうらやましく思う．

Robert D. Acland
（1941〜2016年）

2015年12月
Louisville, KY

献辞

　これまで何千人もの学生たちが学んで，あらゆる専門分野に分かれ，この国のあらゆる場所へと移って数多の人々の生命をよりよいものにするための仕事に貢献してきた．彼らの共感力と優しさに私は心打たれ，彼らの旅路の一部となれたことに感謝する．
　そしていつも，ColinとBryanに対しても．

——Anne M. Gilroy

　私の友人かつ指導者であるDr. Ken McFaddenは，私に対して肉眼解剖の初期教育を行い，教育においても成功のお手本であった．これまで40年以上にわたって教えてきて，私を多少はましな教師にしてくれた何千人かの学生たちから，お返しをもらったことに深く感謝したい．しかし私の人生における成功は，亡くなった妻Cynthia Longの変わりない支持，助力，応援がなければ得られなかった．

——Brian R. MacPherson

妻のJenと息子のQuinnに捧げる．

——Jamie C. Wikenheiser

目次

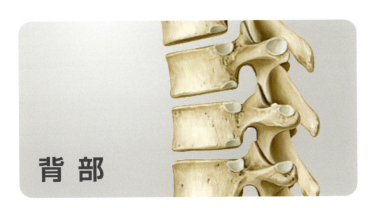

背部

1. 体表解剖
- 体表解剖 ………………………………………… 2

2. 骨，靱帯，関節
- 脊柱：概観 ……………………………………… 4
- 脊柱：構成要素 ………………………………… 6
- 頸椎 ……………………………………………… 8
- 胸椎と腰椎 ……………………………………… 10
- 仙骨と尾骨 ……………………………………… 12
- 椎間円板 ………………………………………… 14
- 脊柱の関節：概観 ……………………………… 16
- 脊柱の関節：頭蓋との連結 …………………… 18
- 脊柱の靱帯：概観，頸部脊柱 ………………… 20
- 脊柱の靱帯：胸腰部脊柱 ……………………… 22

3. 筋
- 背部の筋：概観 ………………………………… 24
- 頸部脊柱の固有筋 ……………………………… 26
- 固有背筋 ………………………………………… 28
- 個々の筋(1) …………………………………… 30
- 個々の筋(2) …………………………………… 32
- 個々の筋(3) …………………………………… 34

4. 血管・神経
- 背部の動脈と静脈 ……………………………… 36
- 背部の神経 ……………………………………… 38
- 脊髄 ……………………………………………… 40
- 脊髄分節と脊髄神経 …………………………… 42
- 脊髄の動脈と静脈 ……………………………… 44
- 背部の血管・神経（局所解剖） ……………… 46

5. 断面解剖と画像解剖
- 背部の画像解剖(1) …………………………… 48
- 背部の画像解剖(2) …………………………… 50

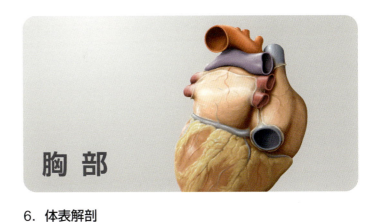

胸部

6. 体表解剖
- 体表解剖 ………………………………………… 54

7. 胸壁
- 胸部の骨格 ……………………………………… 56
- 胸骨と肋骨 ……………………………………… 58
- 胸郭の関節 ……………………………………… 60
- 胸壁の筋 ………………………………………… 62
- 横隔膜 …………………………………………… 64
- 横隔膜の血管・神経 …………………………… 66
- 胸壁の動脈と静脈 ……………………………… 68
- 胸壁の神経 ……………………………………… 70
- 胸壁の血管・神経の位置 ……………………… 72
- 女性の乳房 ……………………………………… 74
- 女性乳房のリンパ管 …………………………… 76

8. 胸腔
- 胸腔の区分 ……………………………………… 78
- 胸腔の動脈 ……………………………………… 80
- 胸腔の静脈 ……………………………………… 82
- 胸腔のリンパ管 ………………………………… 84
- 胸腔の神経 ……………………………………… 86

9. 縦隔
- 縦隔：概観 ……………………………………… 88
- 縦隔の構造 ……………………………………… 90
- 心臓：機能と周辺構造との関係 ……………… 92
- 心膜 ……………………………………………… 94
- 心臓：表面と部屋 ……………………………… 96
- 心臓：弁 ………………………………………… 98
- 心臓の動脈と静脈 ……………………………… 100
- 心臓の刺激伝導と神経支配 …………………… 102
- 出生前・後の循環 ……………………………… 104
- 食道 ……………………………………………… 106
- 食道の血管・神経 ……………………………… 108
- 縦隔のリンパ管 ………………………………… 110

10. 胸膜腔
- 胸膜腔 ……………………………………………… 112
- 胸膜：区分，陥凹，神経支配 …………………… 114
- 肺 …………………………………………………… 116
- 肺の気管支肺区域 ………………………………… 118
- 気管と気管支樹 …………………………………… 120
- 呼吸機構 …………………………………………… 122
- 肺動脈と肺静脈 …………………………………… 124
- 気管気管支樹の血管・神経 ……………………… 126
- 胸膜腔のリンパ管 ………………………………… 128

11. 断面解剖と画像解剖
- 胸部の断面解剖 …………………………………… 130
- 胸部の画像解剖（1） ……………………………… 132
- 胸部の画像解剖（2） ……………………………… 134
- 胸部の画像解剖（3） ……………………………… 136

腹 部

12. 体表解剖
- 体表解剖 …………………………………………… 140

13. 腹壁
- 腹壁の骨構造 ……………………………………… 142
- 前腹壁・側腹壁の筋 ……………………………… 144
- 腹直筋鞘と後腹壁 ………………………………… 146
- 腹壁の筋 …………………………………………… 148
- 鼠径部と鼠径管 …………………………………… 150
- 鼠径部と鼠径ヘルニア …………………………… 152
- 陰嚢と精索 ………………………………………… 154

14. 腹腔
- 腹腔・骨盤腔の区分 ……………………………… 156
- 腹膜，腸間膜，網嚢 ……………………………… 158
- 腸間膜と腹膜陥凹 ………………………………… 160
- 小網と網嚢 ………………………………………… 162
- 腸間膜と後腹壁 …………………………………… 164

15. 内臓
- 胃 …………………………………………………… 166
- 十二指腸 …………………………………………… 168
- 空腸と回腸 ………………………………………… 170
- 盲腸，虫垂，結腸 ………………………………… 172
- 肝臓：概観 ………………………………………… 174
- 肝臓：肝葉と肝区域 ……………………………… 176
- 胆嚢と胆管 ………………………………………… 178
- 膵臓と脾臓 ………………………………………… 180
- 腎臓と副腎（1） …………………………………… 182
- 腎臓と副腎（2） …………………………………… 184

16. 血管・神経
- 腹壁と器官の動脈 ………………………………… 186
- 腹大動脈と腎動脈 ………………………………… 188
- 腹腔動脈 …………………………………………… 190
- 上腸間膜動脈と下腸間膜動脈 …………………… 192
- 腹壁と器官の静脈 ………………………………… 194
- 下大静脈と腎静脈 ………………………………… 196
- 門脈 ………………………………………………… 198
- 上腸間膜静脈と下腸間膜静脈 …………………… 200
- 腹壁と腹部内臓のリンパ節 ……………………… 202
- 後腹壁のリンパ節 ………………………………… 204
- 腹部上部のリンパ節 ……………………………… 206
- 腹部下部のリンパ節 ……………………………… 208
- 腹壁の神経 ………………………………………… 210
- 自律神経支配：概観 ……………………………… 212
- 自律神経支配と関連痛 …………………………… 214
- 前腸と泌尿器の神経支配 ………………………… 216
- 腸の神経支配 ……………………………………… 218

17. 断面解剖と画像解剖
- 腹部の断面解剖 …………………………………… 220
- 腹部の画像解剖（1） ……………………………… 222
- 腹部の画像解剖（2） ……………………………… 224

骨盤と会陰

18. 体表解剖
- 体表解剖 …………………………………………… 228

19. 骨格，靭帯，筋
- 下肢帯 ……………………………………………… 230
- 女性骨盤と男性骨盤 ……………………………… 232
- 女性骨盤と男性骨盤の計測 ……………………… 234
- 骨盤の靭帯 ………………………………………… 236
- 骨盤底と会陰部の筋 ……………………………… 238
- 骨盤底と会陰部の筋の詳細 ……………………… 240

20. 骨盤腔
- 骨盤の内容 ………………………………………… 242
- 腹膜の位置関係 …………………………………… 244
- 骨盤と会陰 ………………………………………… 246

21．内臓
- 直腸と肛門管 ... 248
- 尿管 ... 250
- 膀胱と尿道 ... 252
- 生殖器の概観 ... 254
- 子宮と卵巣 ... 256
- 骨盤深部の靱帯と筋膜 ... 258
- 腟 ... 260
- 女性の外生殖器 ... 262
- 陰茎，精巣，精巣上体 ... 264
- 男性の付属生殖腺 ... 266

22．血管・神経
- 骨盤器官と骨盤壁への血管供給の概観 ... 268
- 男性骨盤の動脈と静脈 ... 270
- 女性骨盤の動脈と静脈 ... 272
- 直腸と外生殖器の動脈と静脈 ... 274
- 骨盤部のリンパ流路 ... 276
- 生殖器のリンパ節 ... 278
- 生殖器の自律神経支配 ... 280
- 泌尿器と直腸の自律神経支配 ... 282
- 男性と女性の会陰の血管・神経 ... 284

23．断面解剖と画像解剖
- 骨盤と会陰の断面解剖 ... 286
- 女性骨盤の画像解剖 ... 288
- 男性骨盤の画像解剖 ... 290

上 肢

24．体表解剖
- 体表解剖 ... 294

25．肩と上腕
- 上肢の骨 ... 296
- 鎖骨と肩甲骨 ... 298
- 上腕骨 ... 300
- 肩の関節 ... 302
- 肩の関節：肩関節（肩甲上腕関節） ... 304
- 肩峰下腔と肩峰下包 ... 306
- 肩と上腕の前面にある筋(1) ... 308
- 肩と上腕の前面にある筋(2) ... 310
- 肩と上腕の後面にある筋(1) ... 312
- 肩と上腕の後面にある筋(2) ... 314
- 個々の筋(1) ... 316
- 個々の筋(2) ... 318
- 個々の筋(3) ... 320
- 個々の筋(4) ... 322

26．肘と前腕
- 橈骨と尺骨 ... 324
- 肘関節 ... 326
- 肘関節の靱帯 ... 328
- 橈尺関節 ... 330
- 前腕の筋：前面 ... 332
- 前腕の筋：後面 ... 334
- 個々の筋(1) ... 336
- 個々の筋(2) ... 338
- 個々の筋(3) ... 340

27．手首と手
- 手首と手の骨 ... 342
- 手根骨 ... 344
- 手首と手の関節 ... 346
- 手の靱帯 ... 348
- 手首の靱帯とコンパートメント ... 350
- 指の靱帯 ... 352
- 手の筋：浅層と中間層 ... 354
- 手の筋：中間層と深層 ... 356
- 手背 ... 358
- 個々の筋(1) ... 360
- 個々の筋(2) ... 362

28．血管・神経
- 上肢の動脈 ... 364
- 上肢の静脈とリンパ管 ... 366
- 上肢の神経：腕神経叢とその枝 ... 368
- 腕神経叢の鎖骨上部からの枝，後神経束 ... 370
- 後神経束：橈骨神経と腋窩神経 ... 372
- 内側・外側神経束 ... 374
- 正中神経，尺骨神経 ... 376
- 上肢の皮静脈，皮神経 ... 378
- 肩の後面と腕 ... 380
- 肩の前面 ... 382
- 腋窩 ... 384
- 上腕前部と肘の局所解剖 ... 386
- 前腕前部・後部 ... 388
- 手根 ... 390
- 手掌 ... 392
- 手背 ... 394

29．断面解剖と画像解剖
- 上肢の断面解剖 ... 396
- 上肢の画像解剖(1) ... 398
- 上肢の画像解剖(2) ... 400
- 上肢の画像解剖(3) ... 402
- 上肢の画像解剖(4) ... 404

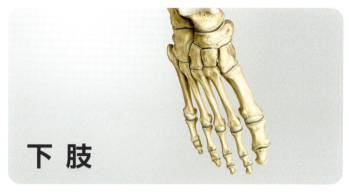

下肢

30．体表解剖
体表解剖 408

31．骨盤と大腿
下肢の骨 410
大腿骨 412
股関節：概観 414
股関節：靱帯と関節包 416
骨盤部，殿部，大腿の前面にある筋(1) 418
骨盤部，殿部，大腿の前面にある筋(2) 420
骨盤部，殿部，大腿の後面にある筋(1) 422
骨盤部，殿部，大腿の後面にある筋(2) 424
個々の筋(1) 426
個々の筋(2) 428
個々の筋(3) 430

32．膝と下腿
脛骨と腓骨 432
膝関節：概観 434
膝関節：関節包，靱帯，滑液包 436
膝関節：靱帯と半月 438
十字靱帯 440
膝関節腔 442
下腿の前面と外側面にある筋 444
下腿の後面にある筋 446
個々の筋(1) 448
個々の筋(2) 450

33．足首と足
足の骨 452
足の関節(1) 454
足の関節(2) 456
足の関節(3) 458
足首と足の靱帯 460
土踏まずと足底弓 462
足底の筋 464
足の筋と腱鞘 466
個々の筋(1) 468
個々の筋(2) 470

34．血管・神経
下肢の動脈 472
下肢の静脈とリンパ管 474
腰仙骨神経叢 476
腰神経叢の枝 478
腰神経叢の枝：閉鎖神経と大腿神経 480
仙骨神経叢の枝 482
仙骨神経叢の枝：坐骨神経 484
下肢の皮神経と皮静脈 486
鼠径部の局所解剖 488
殿部の局所解剖 490
大腿の前面，内側面，後面の局所解剖 492
下腿の後面と足部の局所解剖 494
下腿の外側面・前面と足背部の局所解剖 496
足底の局所解剖 498

35．断面解剖と画像解剖
下肢の断面解剖 500
下肢の画像解剖(1) 502
下肢の画像解剖(2) 504
下肢の画像解剖(3) 506
下肢の画像解剖(4) 508

頭頸部

36．体表解剖
体表解剖 512

37．頸部
個々の筋(1) 514
個々の筋(2) 516
個々の筋(3) 518
頸部の動脈と静脈 520
頸部のリンパ管 522
頸部の神経支配 524
喉頭：軟骨と構造 526
喉頭：筋と区分 528
喉頭の血管・神経，甲状腺と副甲状腺（上皮小体） 530
頸部の局所解剖：部位と筋膜 532
前頸部の局所解剖 534
前頸部と外側頸三角部の局所解剖 536
外側頸三角部の局所解剖 538
後頸部の局所解剖 540

38．頭部の骨
頭蓋：側面と前面 542
頭蓋：後面と頭蓋冠 544
頭蓋底 546
脈管の頭蓋腔への通路 548
篩骨と蝶形骨 550

39. 頭部・顔面の筋
- 表情筋と咀嚼筋 ... 552
- 頭部の筋，起始と停止 ... 554
- 個々の筋(1) ... 556
- 個々の筋(2) ... 558

40. 脳神経
- 脳神経の概観 ... 560
- 脳神経：嗅神経(CN I)と視神経(CN II) ... 562
- 脳神経：動眼神経(CN III)，滑車神経(CN IV)，外転神経(CN VI) ... 564
- 脳神経：三叉神経(CN V) ... 566
- 脳神経：顔面神経(CN VII) ... 568
- 脳神経：内耳神経(CN VIII) ... 570
- 脳神経：舌咽神経(CN IX) ... 572
- 脳神経：迷走神経(CN X) ... 574
- 脳神経：副神経(CN XI)と舌下神経(CN XII) ... 576
- 自律神経系の分布 ... 578

41. 頭部・顔面の血管・神経
- 顔面の神経支配 ... 580
- 頭頸部の動脈 ... 582
- 外頸動脈：前枝，内側枝，後枝 ... 584
- 外頸動脈：終枝 ... 586
- 頭頸部の静脈 ... 588
- 髄膜 ... 590
- 硬膜静脈洞 ... 592
- 顔面浅層の局所解剖 ... 594
- 耳下腺咬筋部と側頭窩の局所解剖 ... 596
- 側頭下窩の局所解剖 ... 598
- 側頭下窩の血管・神経 ... 600

42. 眼窩と眼
- 眼窩の骨 ... 602
- 眼窩の筋 ... 604
- 眼窩の血管・神経 ... 606
- 眼窩の局所解剖 ... 608
- 眼窩と眼瞼 ... 610
- 眼球 ... 612
- 角膜，虹彩，水晶体 ... 614

43. 鼻腔と鼻
- 鼻腔の骨 ... 616
- 副鼻腔 ... 618
- 鼻腔の血管・神経 ... 620
- 翼口蓋窩 ... 622

44. 側頭骨と耳
- 側頭骨 ... 624
- 外耳と外耳道 ... 626
- 中耳：鼓室 ... 628
- 中耳：耳小骨連鎖と鼓膜 ... 630
- 中耳の動脈 ... 632
- 内耳 ... 634

45. 口腔・咽頭
- 口腔の骨 ... 636
- 顎関節 ... 638
- 歯 ... 640
- 口腔の筋 ... 642
- 口腔の神経支配 ... 644
- 舌 ... 646
- 口腔と唾液腺の局所解剖 ... 648
- 扁桃と咽頭 ... 650
- 咽頭筋 ... 652
- 咽頭の血管・神経 ... 654

46. 断面解剖と画像解剖
- 頭頸部の断面解剖(1) ... 656
- 頭頸部の断面解剖(2) ... 658
- 頭頸部の断面解剖(3) ... 660
- 頭頸部の断面解剖(4) ... 662
- 頭頸部の断面解剖(5) ... 664
- 頭頸部の画像解剖(1) ... 666
- 頭頸部の画像解剖(2) ... 668
- 頭頸部の画像解剖(3) ... 670

脳神経系

47. 脳
- 神経系：概観 ... 674
- 神経系：発生 ... 676
- 脳，肉眼組織 ... 678
- 間脳 ... 680
- 脳幹，小脳 ... 682
- 脳室と脳脊髄液の空間 ... 684

48. 脳の血管
- 脳の静脈と硬膜静脈洞 ... 686
- 脳の動脈 ... 688

49. 機能系
- 脊髄の解剖と構成 ... 690
- 一般感覚と運動の伝導路 ... 692

50. 自律神経系
- 自律神経系(1)：概要 ... 694
- 自律神経系(2) ... 696

51. 断面解剖と画像解剖
- 神経系の断面解剖 ... 698
- 中枢神経系の画像解剖 ... 700

英文索引 ... 704
和文索引 ... 734

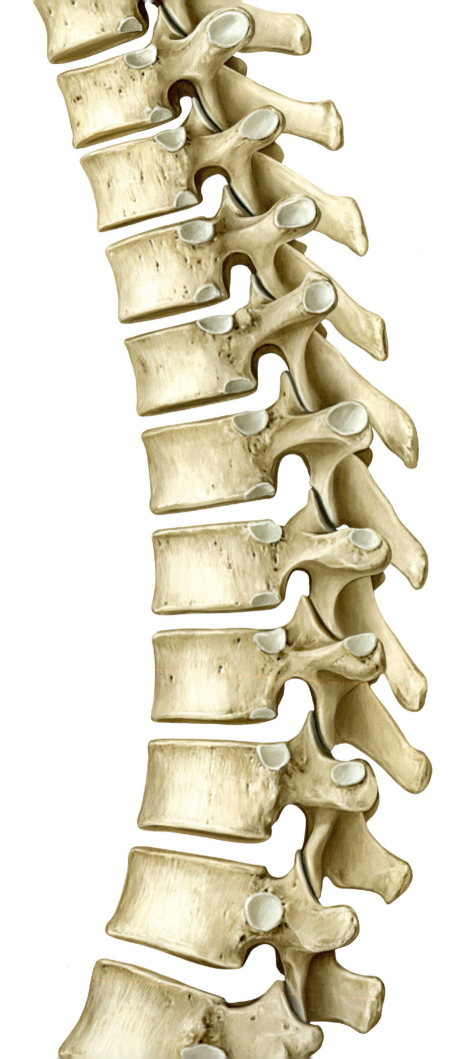

背部
Back

1. 体表解剖
体表解剖 ··· 2

2. 骨，靱帯，関節
脊柱：概観 ··· 4
脊柱：構成要素 ··· 6
頸椎 ··· 8
胸椎と腰椎 ·· 10
仙骨と尾骨 ·· 12
椎間円板 ··· 14
脊柱の関節：概観 ··· 16
脊柱の関節：頭蓋との連結 ·· 18
脊柱の靱帯：概観，頸部脊柱 ··· 20
脊柱の靱帯：胸腰部脊柱 ··· 22

3. 筋
背部の筋：概観 ·· 24
頸部脊柱の固有筋 ··· 26
固有背筋 ··· 28
個々の筋(1) ··· 30
個々の筋(2) ··· 32
個々の筋(3) ··· 34

4. 血管・神経
背部の動脈と静脈 ··· 36
背部の神経 ·· 38
脊髄 ··· 40
脊髄分節と脊髄神経 ·· 42
脊髄の動脈と静脈 ··· 44
背部の血管・神経(局所解剖) ··· 46

5. 断面解剖と画像解剖
背部の画像解剖(1) ··· 48
背部の画像解剖(2) ··· 50

1 体表解剖

体表解剖
Surface Anatomy

図 1.1　体表から触知できる構造
後方から見たところ．

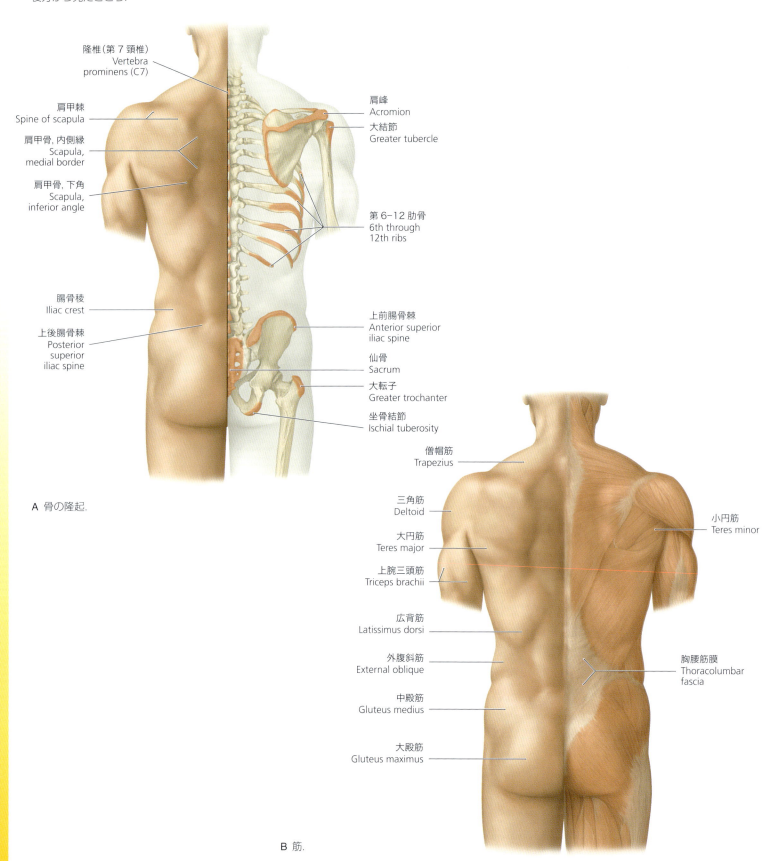

A　骨の隆起．

B　筋．

図 1.2　背部と殿部の領域
後方から見たところ.

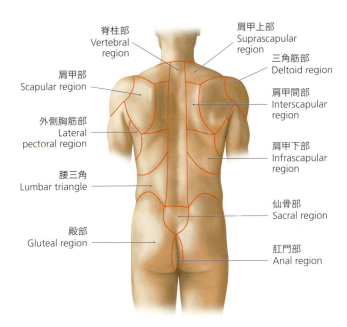

図 1.3　棘突起と体表から触知できる骨の隆起
後方から見たところ.

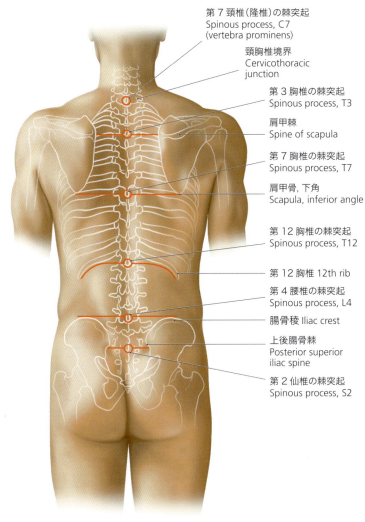

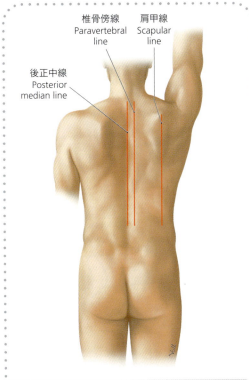

表 1.1	背部の基準線
後正中線	棘突起を結ぶ垂線
椎骨傍線	横突起を結ぶ垂線
肩甲線	肩甲骨の下角を通る垂線

表 1.2	背部において位置指標となる棘突起
椎骨の棘突起	位置指標
C7	第7頸椎の棘突起の突出は体表から明瞭に視認，触知できる．このため，第7頸椎は隆椎とも呼ばれる
T3	肩甲棘
T7	肩甲骨の下角
T12	第12肋骨の下縁
L4	腸骨稜の頂点
S2	上後腸骨棘（腸骨稜後端に位置し，その部分の皮膚はやや陥没している）

2 骨，靱帯，関節
脊柱：概観
Vertebral Column: Overview

脊柱は4つの領域（頸部，胸部，腰部，仙骨部）に区分される．脊柱の頸部と腰部は前方に弯曲し（前弯），胸部と仙骨部は後方に弯曲する（後弯）．

図2.1 脊柱
左外側方から見たところ．

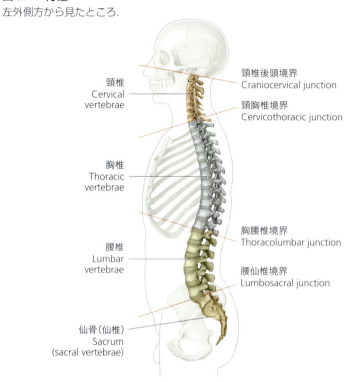

A 脊柱の4領域．

> **臨床 BOX 2.1**
>
> **脊柱の発達**
> 成人の脊柱に見られる特有の弯曲は生後発達の過程で現れる．ただし，新生児の脊柱でも弯曲は部分的に形成されており，全体として後方に弯曲している（A）．腰椎の前弯は生後に発達し，思春期に安定化する（C）．
>
>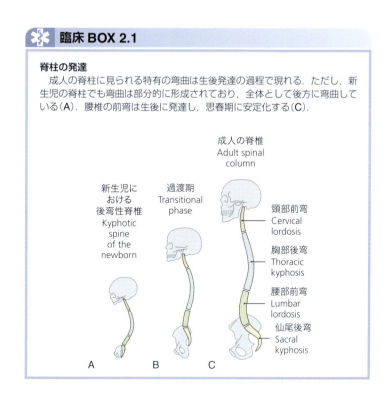

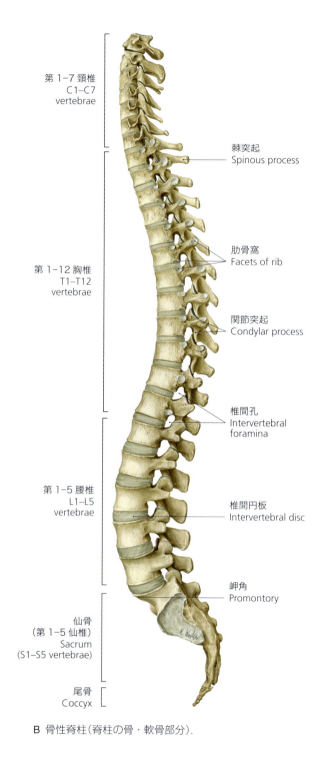

B 骨性脊柱（脊柱の骨・軟骨部分）．

図2.2 脊柱の解剖学的正位置
左外側方から見たところ．

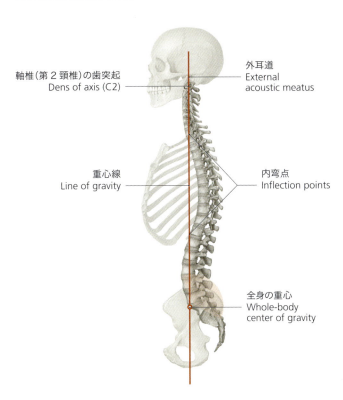

A 重心線．重心線は脊柱における特定の場所を通る．頸部と胸部，胸部と腰部の境界は脊柱の変曲点であり，重心線はこの2つの点を通る．重心線はさらに下方へ続き，重心（仙骨の岬角の前方）を通り，股関節，膝，踵へと連なる．

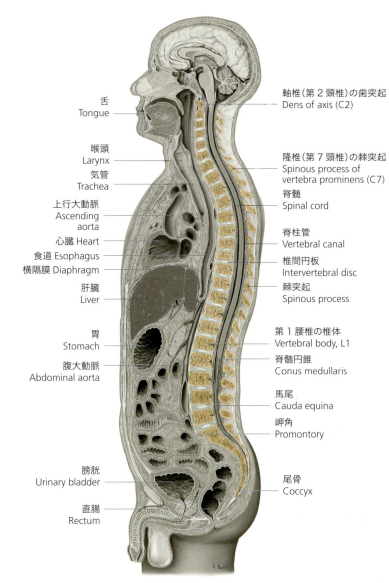

B 成人男性の正中矢状断．

臨床 BOX 2.2

異常な脊柱の弯曲

A 正常　　B 過度の後弯　　C 過度の前弯　　D 側弯　　E 右に凸の胸椎側弯

脊柱：構成要素
Vertebral Column: Elements

図 2.3 脊柱を構成する骨
腰椎の肋骨突起は，横突起と肋骨の遺残体が融合してできたものである．

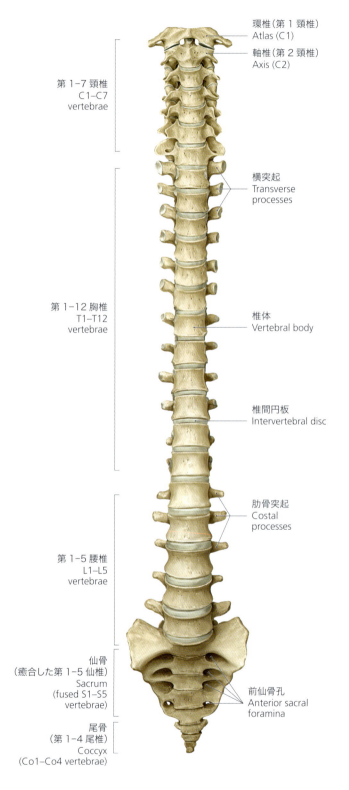
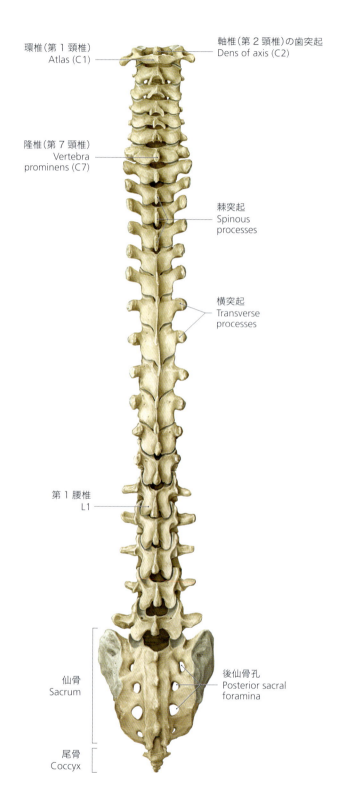

A 前方から見たところ．　　　　B 後方から見たところ．

図2.4 椎骨の構成要素
左後上方から見たところ．例外〔環椎（C1）と軸椎（C2）〕を除いた全ての椎骨は同じ構成要素によって形成されている．

図2.5 典型的な椎骨
上方から見たところ．

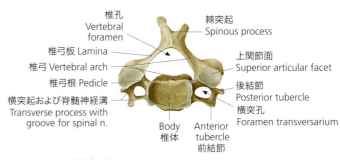

A 頸椎（C4）．

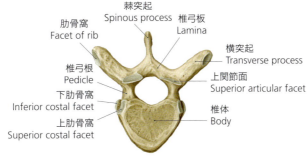

B 胸椎（T6）．

C 腰椎（L4）．

D 仙骨．

表2.1　椎骨の構成要素

椎骨	椎体	椎孔	横突起	関節突起	棘突起
頸椎* C3-C7	小さい（腎臓型）	大きい（三角形）	小さい（C7では消失していることもある），前結節と後結節が横突孔を囲む	上後方もしくは下前方を向く，関節面は水平面から約45°傾いている	短い（C3-C5），二分する（C3-C6），長い（C7）
胸椎 T1-T12	中間（ハート型），肋骨窩（肋骨頭との関節面）が見られる	小さい（円形）	強大，下方のものほど短い，T1-T10では横突肋骨窩（肋骨との関節面）が見られる	後方（やや外側）もしくは前方（やや内側）を向く，関節面は冠状面内にある	長い，後下方に向かって伸びる，突起の先端はすぐ下にある椎体の高さにまで達する
腰椎 L1-L5	大きい（腎臓型）	中間（三角形）	肋骨原基は椎弓根に融合して肋骨突起となり，"横突起"状の形態をとる．本来の横突起は乳頭突起・副突起に変化する	後内側（内側）もしくは前外側（外側）を向く，関節面は矢状面内にある，上関節突起の後面に乳頭突起が見られる	短い，幅が広い
仙椎（仙骨） S1-S5（癒合）	底から尖にかけて小さくなる	連なって仙骨管を形成する	発生期にできる肋骨と融合している（肋骨についてはpp.56-59参照）	仙骨の上関節突起は上後方を向く，関節面は冠状面内にある	連なって正中仙骨稜を形成する

*C1（環椎）とC2（軸椎）は非典型的な椎骨である．詳しくはpp.8-9を参照．

頸椎
Cervical Vertebrae

頸部脊柱を構成する7つの椎骨（頸椎）は，一般的な椎骨の形態からかけ離れている．頸椎は頭部の重量を支えつつ，首をあらゆる方向に動かすことを可能にしている．C1とC2はそれぞれ環椎，軸椎という別名で知られている．また，C7は触知しやすい長い棘突起を持つため，隆椎とも呼ばれる．

図2.6 頸部脊柱
左外側方から見たところ．

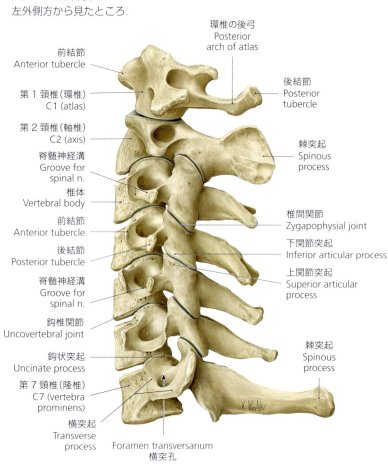

A 頸部脊柱を構成する骨．左外側方から見たところ．

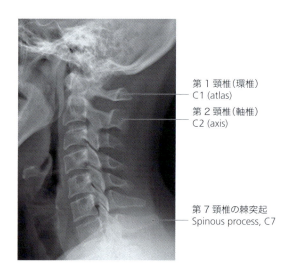

B 頸部脊柱のX線像．左側面像．

図2.7 環椎（第1頸椎，C1）

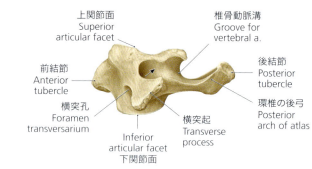

A 左外側方から見たところ．

図2.8 軸椎（第2頸椎，C2）

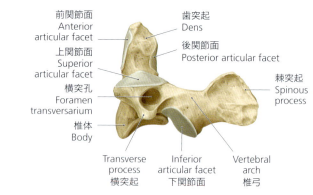

A 左外側方から見たところ．

図2.9 典型的な頸椎（第4頸椎，C4）

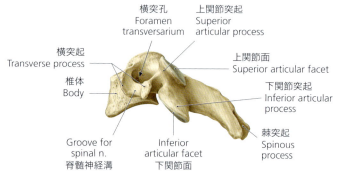

A 左外側方から見たところ．

臨床 BOX 2.3

頸部脊柱の外傷

頸部脊柱は過伸展に起因する外傷（例えば，むち打ち症）を受けやすい部位である．これは頭部が通常の可動域をはるかに超えて後方に引っ張られた場合に生じる．頸部脊柱に最も多い外傷は，軸椎の歯突起の骨折，外傷性頸椎すべり症（椎体の前方へのずれ），環椎骨折である．

患者の予後は，損傷された脊髄の高さによって大きく異なる（**p.42** 参照）．

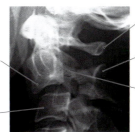

- 軸椎の椎体の前方へのずれ Anterior displacement of body of C2 vertebra
- 第3頸椎の椎体 Vertebral body, C3
- 環椎の棘突起 Spinous process of C1
- 軸椎の棘突起 Spinous process of axis (C2)
- 軸椎の骨折した椎弓 Fractured vertebral arch of C2

左のX線像は，シートベルトを着用しなかったために，ダッシュボードに打ち付けられた患者のものである．頸部の過伸展により，C2（軸椎）の椎弓が骨折し，さらにC2とC3をつなぐ靱帯が裂け，外傷性頸椎すべり症を発症している．このタイプの骨折はしばしば「ハングマン骨折」と呼ばれる．

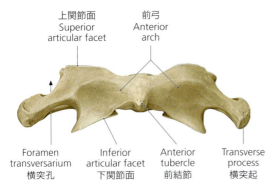

B 前方から見たところ．

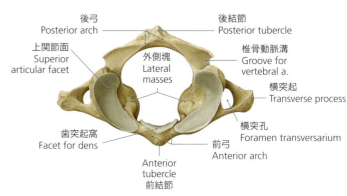

C 上方から見たところ．

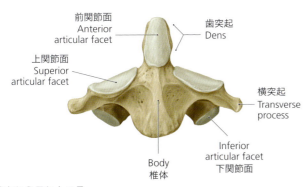

B 前方から見たところ．

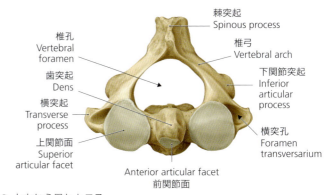

C 上方から見たところ．

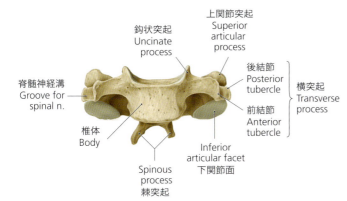

B 前方から見たところ．

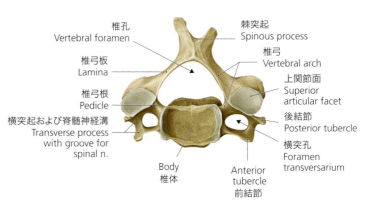

C 上方から見たところ．

胸椎と腰椎
Thoracic & Lumbar Vertebrae

図 2.10 胸部脊柱
左外側方から見たところ.

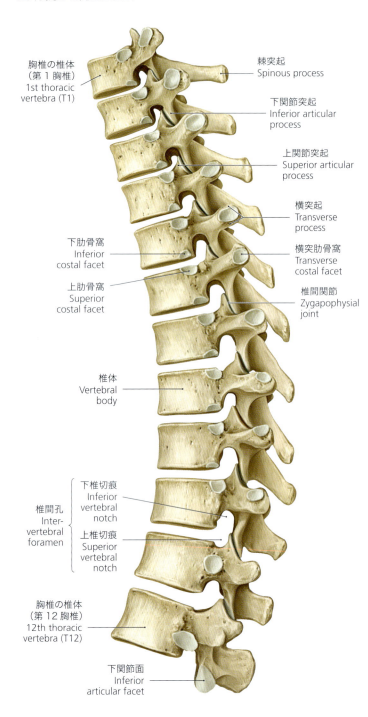

図 2.11 典型的な胸椎（第 6 胸椎，T6）

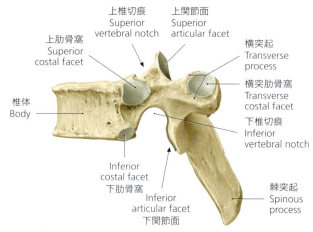

A 左外側方から見たところ.

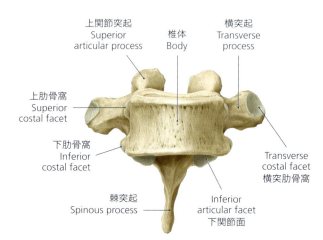

B 前方から見たところ.

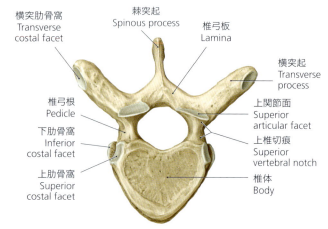

C 上方から見たところ.

図 2.12　腰部脊柱
左外側方から見たところ.

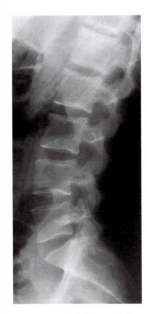

図 2.13　典型的な腰椎（第 4 腰椎，L4）

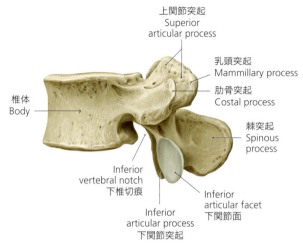

A　左外側方から見たところ.

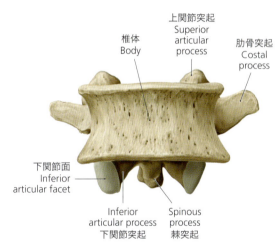

B　前方から見たところ.

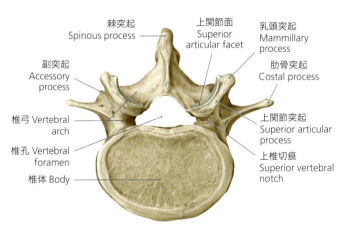

C　上方から見たところ.

臨床 BOX 2.4

骨粗鬆症

脊柱は骨格の退行性疾患（変形性関節症や骨粗鬆症）に最も侵されやすい部位である．骨粗鬆症では，骨成分の吸収（溶出）量が沈着量を上回るため，骨量が減少する．この疾患では，腰椎の圧迫骨折とそれにともなう背部痛が見られる場合がある．

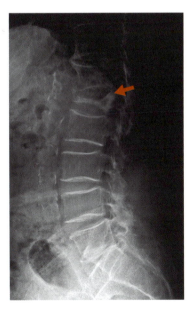

A　正常な腰部脊柱の X 線像．左側面像．（Moeller TB, Reif E. Pocket Atlas of Radiographic Anatomy, 3rd ed. New York, NY: Thieme; 2010. より）
B　骨粗鬆症患者の X 線像．椎体の骨密度が減少し，骨梁が疎になっている．第 1 腰椎には圧迫骨折が認められる（矢印）．（Jallo J, Vaccaro AR. Neurotrauma and Critical Care of the Spine, 1st ed. New York, NY: Thieme; 2009. より）

仙骨と尾骨
Sacrum & Coccyx

仙骨は生後に癒合した5つの仙椎からなる．仙骨底は第5腰椎と，仙骨尖は尾骨とそれぞれ連結する．尾骨は3-4個の痕跡的な椎骨（尾椎）が連なったものである．仙腸関節については**図19.1（p.230）**を参照．

図2.14 仙骨と尾骨

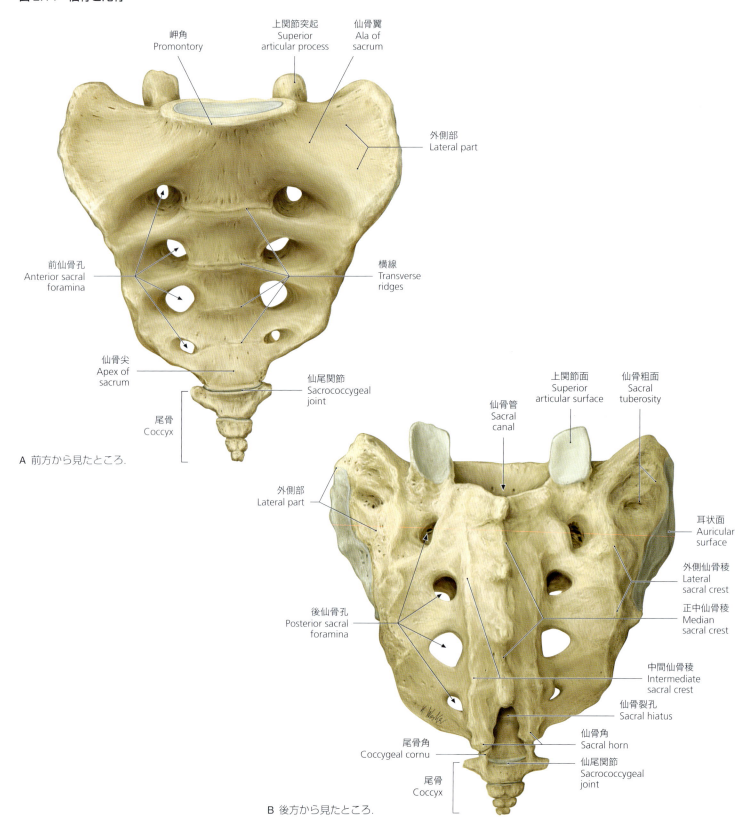

A 前方から見たところ．

B 後方から見たところ．

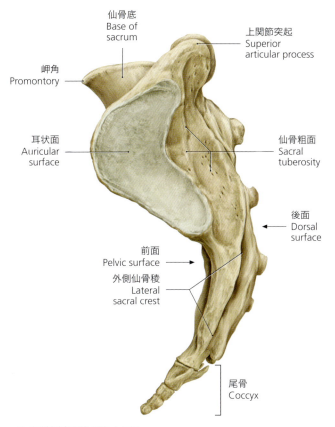

C 左外側方から見たところ．

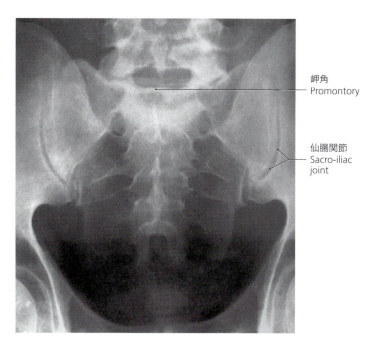

D 仙骨のX線前後像．（Moeller TB, Reif E. Pocket Atlas of Radiographic Anatomy, 3rd ed. New York, NY: Thieme; 2010. より）

図2.15 仙骨
上方から見たところ．

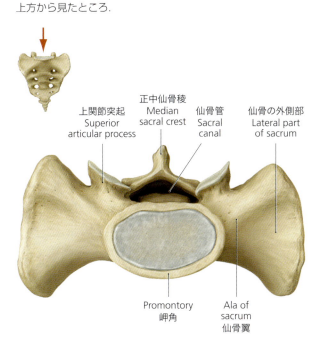

A 仙骨底．

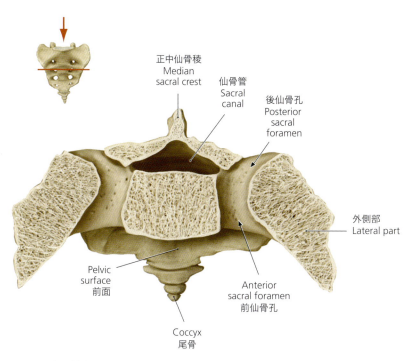

B 第2仙椎を通る横断面，前仙骨孔と後仙骨孔を示している．

椎間円板
Intervertebral Discs

図2.16　脊柱内での椎間円板の位置
第11-12胸椎の正中矢状断面（右半分）．左外側方から見たところ．椎間円板は椎体と椎体の間にできる空間を占めている（椎間関節については **p.16** 参照）．

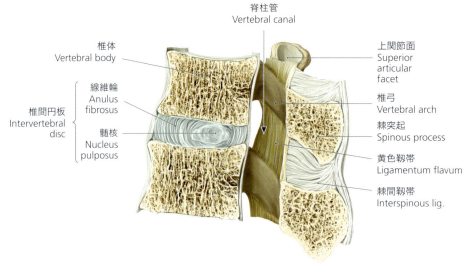

図2.17　椎間円板の構造
前上方から見たところ．椎間円板の前半分と硝子軟骨板の右前1/4が除去されている．椎間円板は外側にある線維輪と内側にあるゼラチン質の核（髄核）からなる．

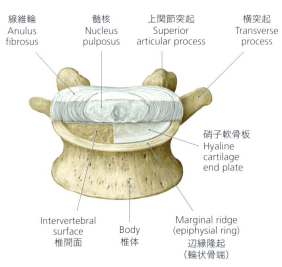

図2.18　椎間円板と椎孔の関係
第4腰椎，上方から見たところ．

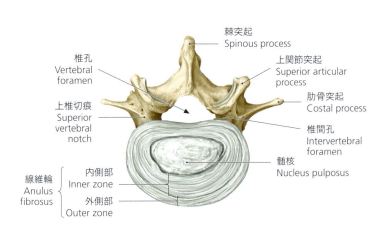

図2.19　線維輪の外層
第3-4腰椎とその間の椎間円板，前方から見たところ．

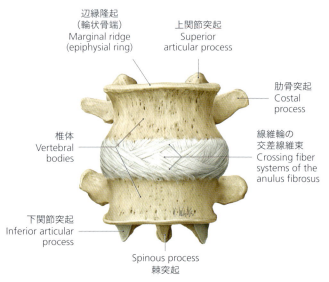

臨床 BOX 2.5

腰部脊柱の椎間板ヘルニア

加齢にともない，線維輪は外力に対する抵抗性が弱くなり，負荷がかかった状態では髄核が線維輪の脆弱な部分から突出することがある．さらに，もし線維輪が破断してしまった場合には，髄核が逸脱し椎間孔の内容物（神経根と血管，図の後外側への逸脱を参照）を圧迫することもある．このような患者はしばしば激しい背部痛に襲われる．痛みは圧迫された神経根に対応するデルマトーム（皮膚分節，p.42参照）でも感じられる．神経根の運動神経の部分が傷害された場合には，その神経が支配する筋の筋力低下や萎縮が見られる．特定の神経根が分布する筋やデルマトームを検査することは，ヘルニアの生じた高さを診断するうえで重要となる．例：第1仙骨神経は腓腹筋とヒラメ筋を支配しているので，この神経根が圧迫されると，爪先立ちや爪先歩きが困難になる（p.450参照）．

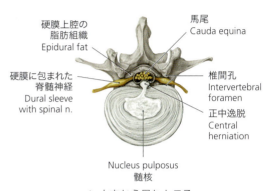

A 上方から見たところ．

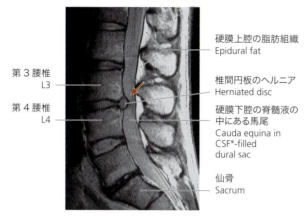

B MR像（正中矢状断T2強調像）．

後方ヘルニア（A, B） MR像において，椎間円板（L3とL4の間）が後方に向かって著しく突出しているのがわかる（経靱帯性のヘルニア）．硬膜嚢はヘルニアの部位で深く陥没している．*CSF (cerebrospinal fluid)，脳脊髄液．

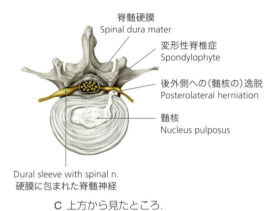

C 上方から見たところ．

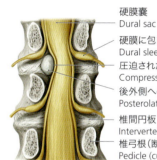

D 後方から見たところ．椎弓移動．

後外方ヘルニア（C, D） 逸脱した髄核が椎間孔に入り込み，神経根を圧迫する場合がある．もし，逸脱した髄核がより内側に位置する場合は，その高さの椎間孔から出る神経根は圧迫されず，下位の椎間孔から出る神経根が圧迫される．

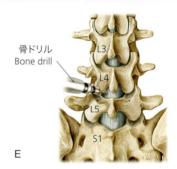

E

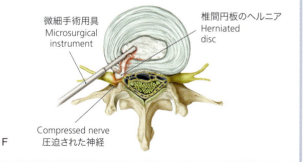

F

顕微鏡下椎間板切除術（E, F） 神経根を圧迫している逸脱した椎間円板（髄核）を取り除くために行われる．小さな切開口から脊柱起立筋を外側に反転させ，黄色靱帯を露出させる．さらに，黄色靱帯を取り除き，脊柱管内にある神経根を露出させる．椎間関節の一部を取り除き，患部へのアクセスを良くするとともに，神経根への圧を軽減させる場合もある．髄核の逸脱部のみを取り除き，残りの髄核は温存する．

脊柱の関節：概観
Joints of the Vertebral Column: Overview

表2.2 脊柱の関節

頭蓋と脊柱の連結		
①	環椎後頭関節	後頭骨-C1
②	環軸関節	C1-C2
椎体の関節		
③	鉤椎関節	C3-C7
④	椎体間関節	C2-S1
椎弓の関節		
⑤	椎間関節	C2-S1

図2.20 椎間関節
椎間関節の配列は脊柱の各部位で異なり，運動の大きさや方向を決めている．

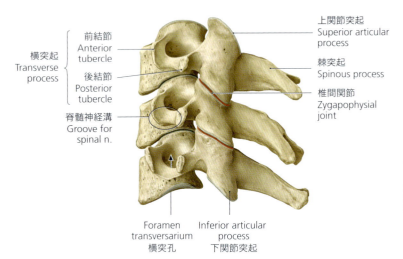

A 頸部脊柱，左外側方から見たところ．椎間関節の関節面は水平面より45°傾いた面にある．

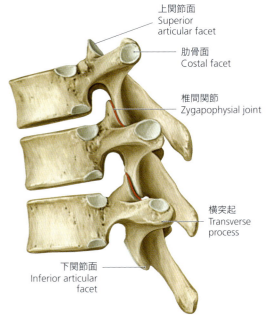

B 胸部脊柱，左外側方から見たところ．椎間関節の関節面は冠状面にある．

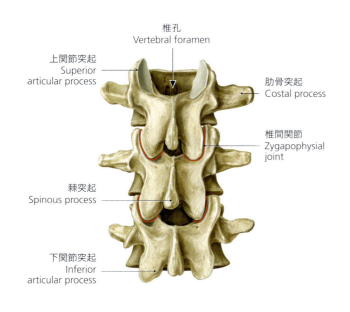

C 腰部脊柱，左外側方から見たところ．椎間関節の関節面は矢状面にある．

図 2.21　鈎椎関節

前方から見たところ．鈎椎関節は小児期に形成され，C3-C7 の鈎状突起とひとつ上位の椎体との間にできる．この関節は椎間円板（軟骨）の中に裂隙が生じて形成される．この裂隙が大きく広がると，椎間板ヘルニアに罹患する危険性が増す（**p.15** 参照）．

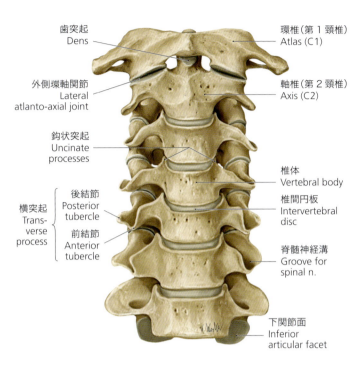

A　18 歳男性の頸部脊柱における鈎椎関節，前方から見たところ．

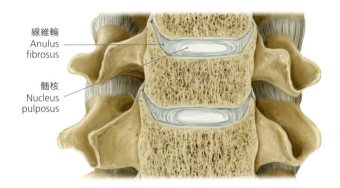

B　鈎椎関節（拡大図），冠状断面．前方から見たところ．

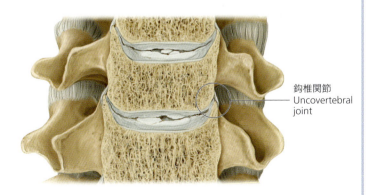

C　鈎椎関節，椎間円板内に形成された裂隙，冠状断面．前方から見たところ．

臨床 BOX 2.6

脊髄神経と椎骨動脈は鈎状突起に近接している

脊髄神経と椎骨動脈はそれぞれ椎間孔と横突孔を通る．鈎椎関節の変形性関節症によって骨棘（骨組織が外方へ増生したもの）が形成され，この骨棘が脊髄神経と椎骨動脈の両者を圧迫することがある．また，骨棘によって慢性的な頸部痛が生じる場合もある．

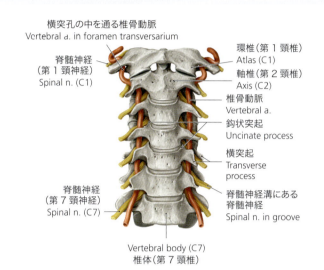

A　頸椎，前方から見たところ．

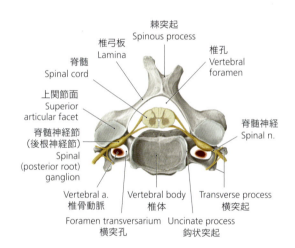

B　第 4 頸椎，上方から見たところ．

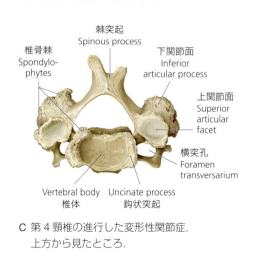

C　第 4 頸椎の進行した変形性関節症，上方から見たところ．

脊柱の関節：頭蓋との連結
Joints of the Vertebral Column: Craniovertebral Region

図 2.22　頭蓋と脊柱の連結

図 2.23　頭蓋と脊柱を連結する靱帯

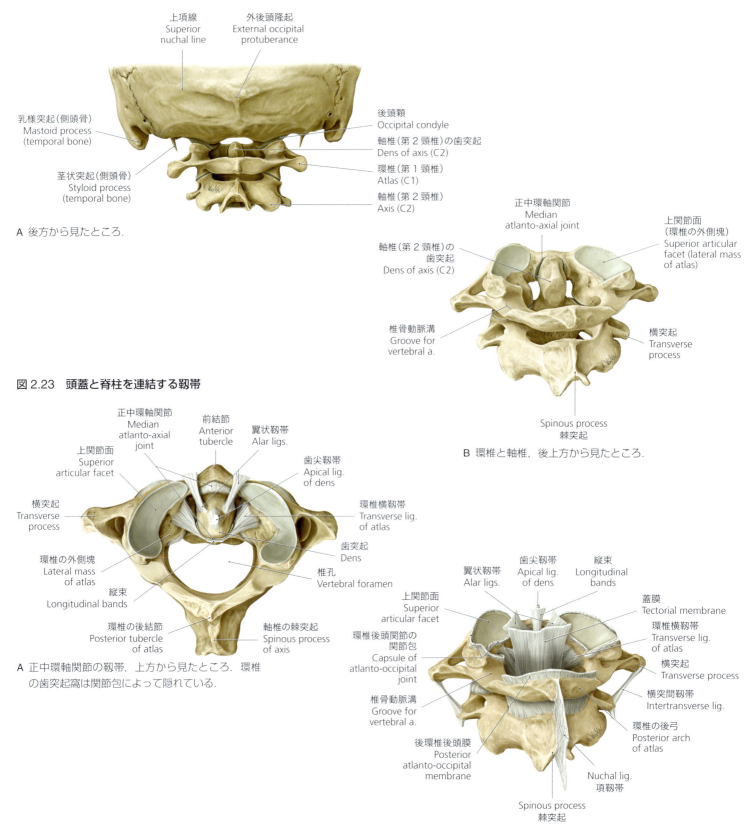

環椎後頭関節は，後頭骨にある突出した後頭顆と環椎(C1)にある窪んだ上関節面の間に形成される1対の関節である．環軸関節は環椎(C1)と軸椎(C2)の間に形成され，外側にある1対と正中にある1つの関節からなる．

図2.24 頭蓋と脊柱を連結する靱帯の剖出
後方から見たところ．

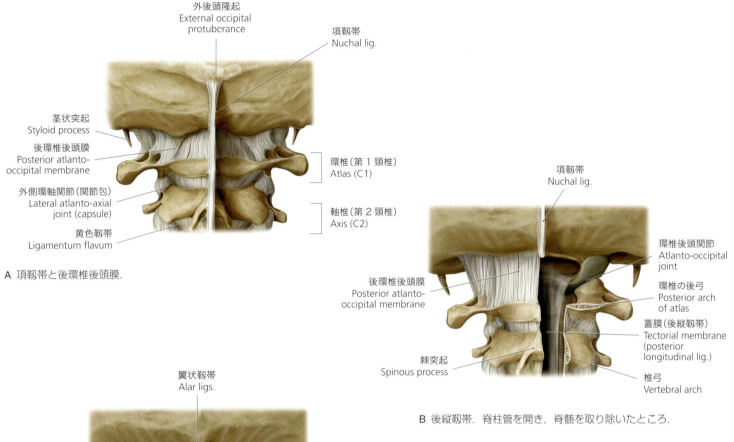

A 項靱帯と後環椎後頭膜．

B 後縦靱帯．脊柱管を開き，脊髄を取り除いたところ．

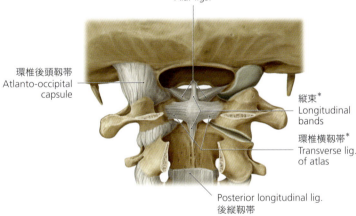

C 環椎十字靱帯(*)．後環椎後頭膜，椎弓，蓋膜を取り除いたところ．

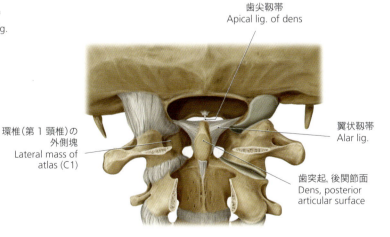

D 翼状靱帯と歯尖靱帯．環椎横靱帯を取り除いたところ．

脊柱の靱帯：概観，頸部脊柱
Vertebral Ligaments: Overview & Cervical Spine

脊柱の靱帯は椎骨を連結し，脊髄を大きな荷重やせん断ストレスから保護する．またこれらの靱帯によって脊柱の可動域は制限される．靱帯は椎体の靱帯と椎弓の靱帯に分けられる．

図2.25 脊柱の靱帯
左後上方から見たところ．

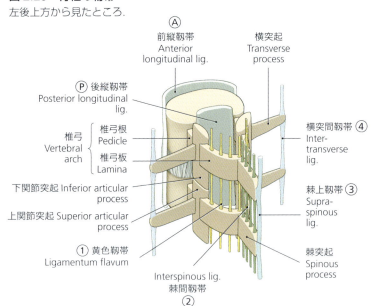

表2.3　脊柱の靱帯

靱帯	位置
椎体の靱帯	
Ⓐ 前縦靱帯	椎体の前面に沿っている
Ⓟ 後縦靱帯	椎体の後面に沿っている
椎弓の靱帯	
① 黄色靱帯	椎弓板の間
② 棘間靱帯	棘突起の間
③ 棘上靱帯	棘突起の後縁に沿っている
④ 横突間靱帯	横突起の間
項靱帯*	外後頭隆起とC7の棘突起の間

*棘上靱帯が後方（矢状方向）に広がったもの．

図2.26 前縦靱帯
前方から見たところ．頭蓋底を取り除いてある．

① 環椎後頭関節（外側環椎後頭靱帯）
② 外側環軸関節（関節包）

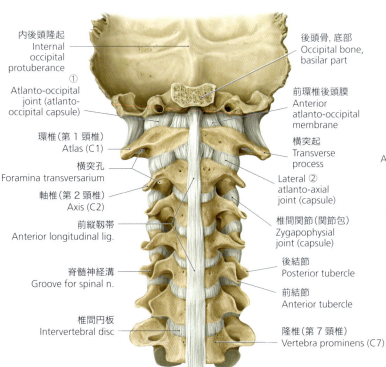

図2.27 後縦靱帯
後方から見たところ．脊柱管を開き，脊髄を取り除いてある．蓋膜は後縦靱帯が上方へ広がったものである．

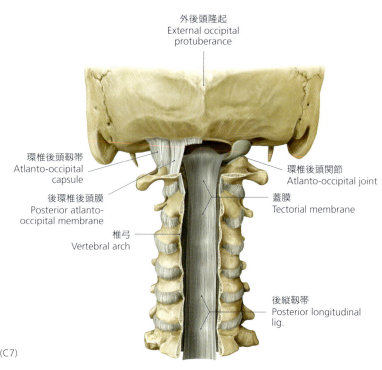

図 2.28 頸部脊柱の靱帯

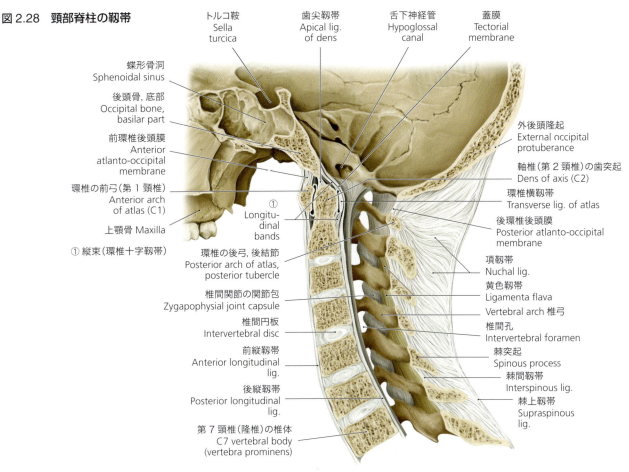

A 正中矢状断，左側方から見たところ．項靱帯は棘上靱帯が後方（矢状方向）に広がったもので，隆椎(C7)から後頭骨の外後頭隆起に至る．

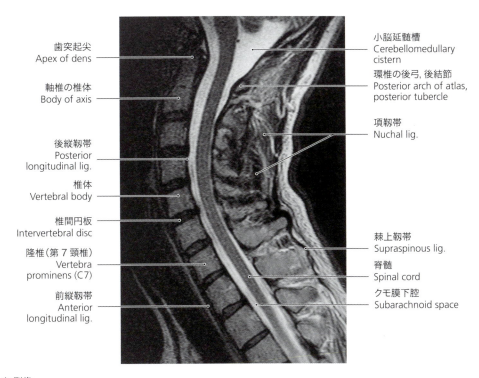

B MR像（正中矢状断 T2 強調像），左側像．

脊柱の靱帯：胸腰部脊柱
Vertebral Ligaments: Thoracolumbar Spine

図2.29 脊柱の靱帯：胸腰部の連結
T11-L3を左外側方から見たところ．T11-T12の左半分を取り除いてある．

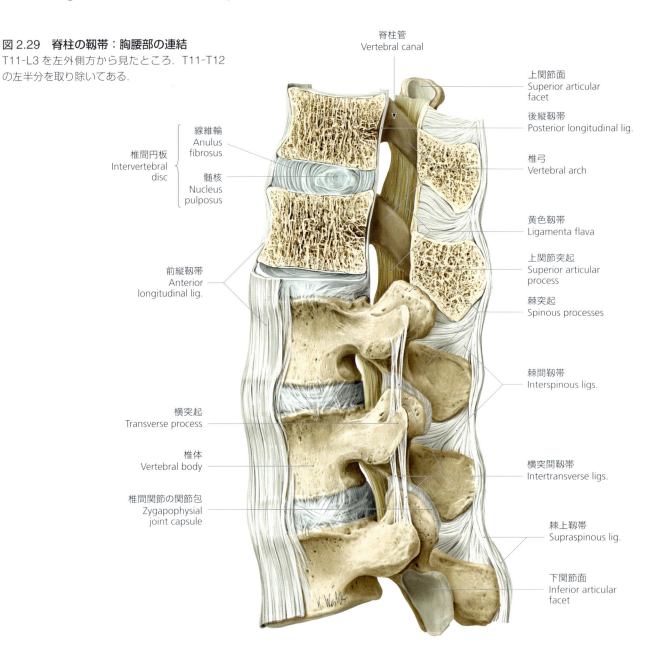

臨床 BOX 2.7

脊椎固定術
　この手術では，複数の椎骨を固定することで，単一の堅強な骨にする．脊椎の安定性を回復したり，痛みの原因となる動きを抑えたりする効果がある．固定は脊柱のどの部位でも行うことができる．

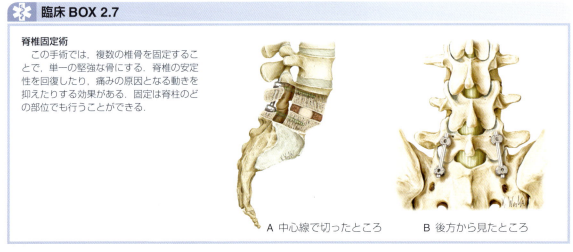

A 中心線で切ったところ　　B 後方から見たところ

図 2.30　前縦靭帯
L3-L5 を前方から見たところ．

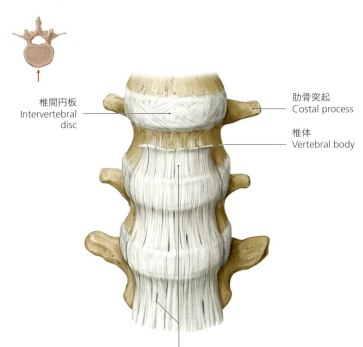

図 2.31　黄色靭帯と横突間靭帯
L2-L5 を前方から見たところ．L2-L4 の椎体を取り除き，脊柱管を開いてある．

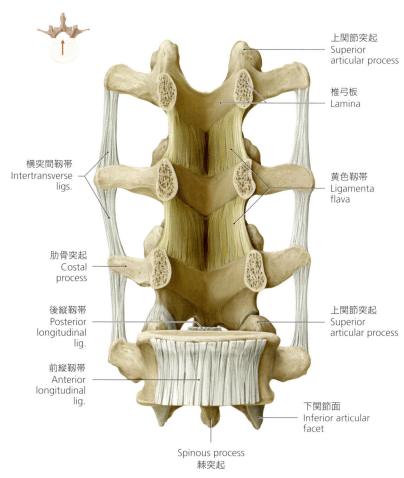

図 2.32　後縦靭帯
L2-L5 を後方から見たところ．L2-L4 の椎弓を椎弓根の部分で切り取り，脊柱管を開いてある．

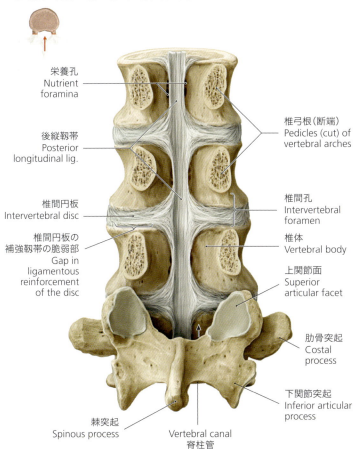

3 筋
背部の筋：概観
Muscles of the Back: Overview

背部の筋は2つのグループ（外来背筋と固有背筋）に区分され，両者は胸腰筋膜の浅葉によって分けられる．表層にある外来背筋は，上肢の筋が背部に入り込んだものと考えられている．外来背筋については，上肢の章（**pp.312-317**）で扱う．

図 3.1　表層にある外来背筋
後方から見たところ．右側では僧帽筋と広背筋が取り除かれ，胸腰筋膜が見えている．*Note*：胸腰筋膜の浅葉が広背筋の腱膜起始部によって補強されている．

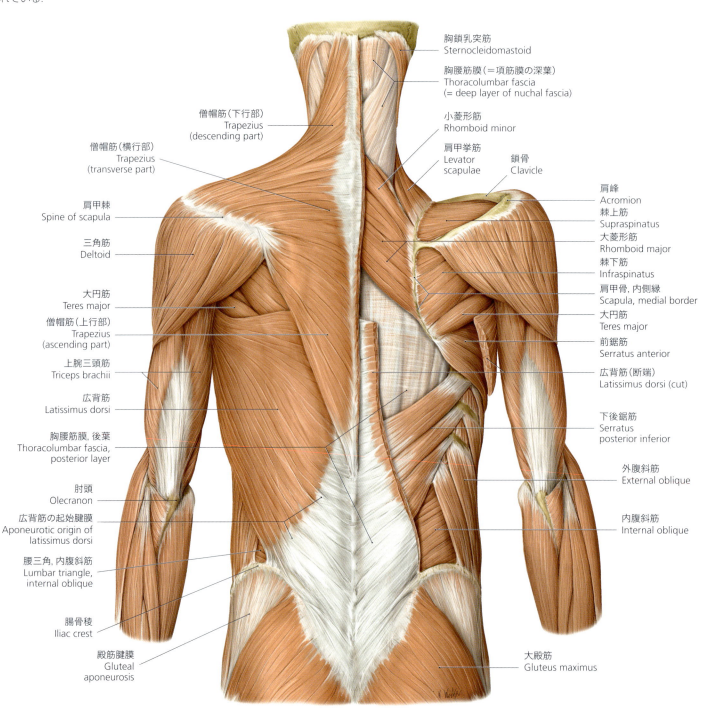

図 3.2 胸腰筋膜

横断面を上方から見たところ．固有背筋は骨と線維で形成された管の中に隔離されている．この管を作るのは，胸腰筋膜，椎弓，棘突起，横突起である．胸腰筋膜は後葉と中葉からなり，両者は固有背筋の外側縁で合わさっている．胸腰筋膜の後葉は，頸部において項筋膜の深葉に連なる．深葉はさらに頸筋膜の椎前葉に連なる．

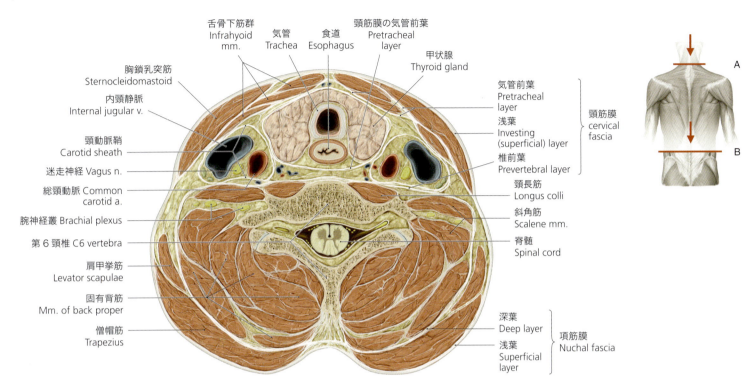

A C6の高さでの横断面，上方から見たところ．

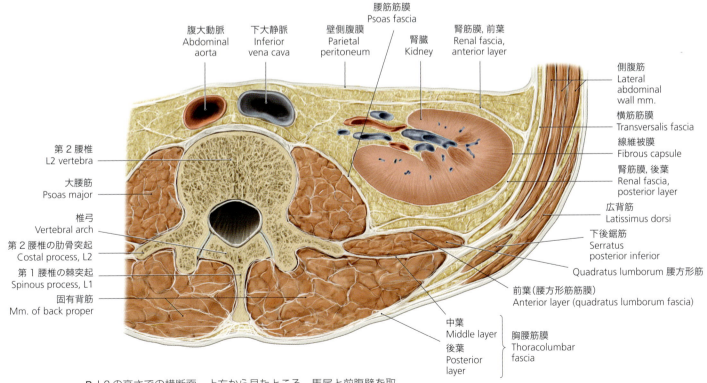

B L2の高さでの横断面，上方から見たところ．馬尾と前腹壁を取り除いてある．

頸部脊柱の固有筋
Intrinsic Muscles of the Cervical Spine

図 3.3　項部の筋
後方から見たところ．右側では僧帽筋，胸鎖乳突筋，板状筋，半棘筋が取り除かれ，後頭下筋群が見えている．

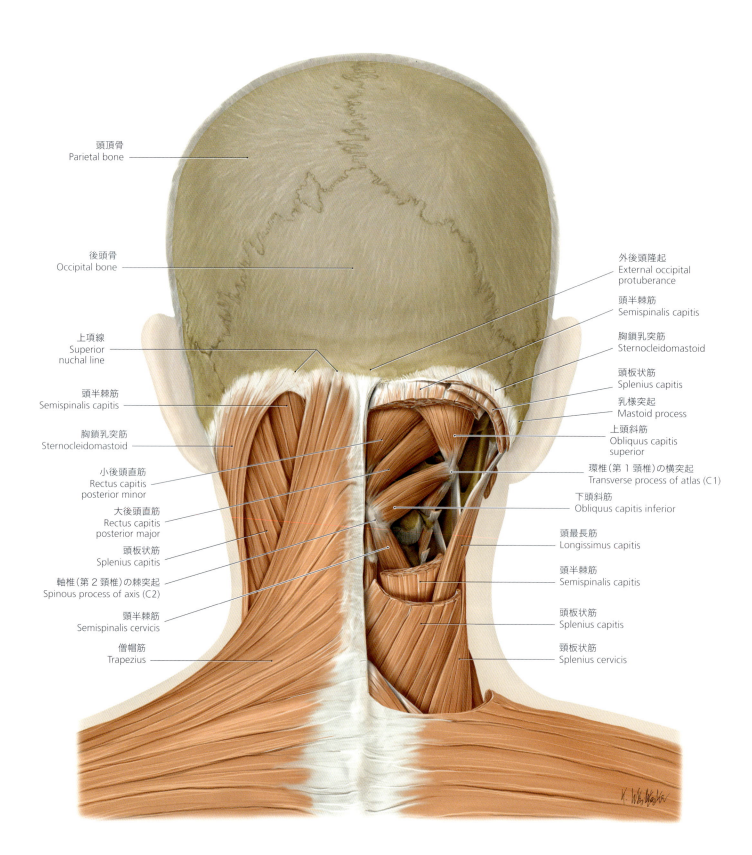

図 3.4 後頭下筋群（短い項の筋群）
後面．図 3.6 も参照．
3 種の後頭下筋（下頭斜筋，上頭斜筋，大後頭直筋）によって後頭下三角が形成される．

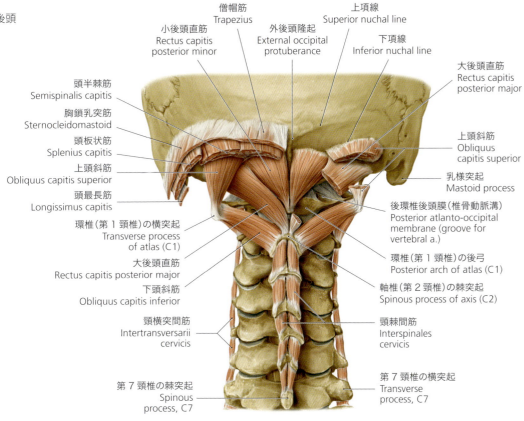

A 短い項筋の走行．

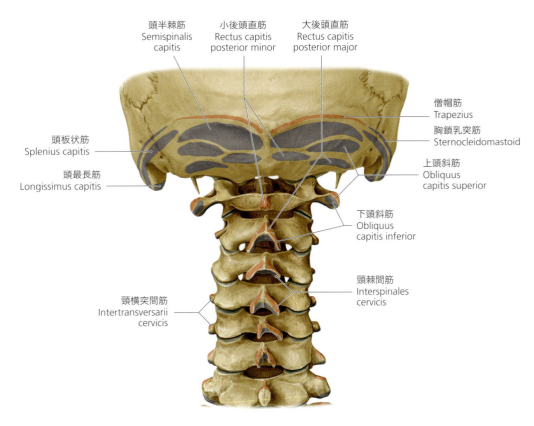

B 後頭下部の骨格．筋が起始する場所を赤色，停止する場所を青色で示してある．

固有背筋
Muscles of Back Proper

外来背筋（僧帽筋，広背筋，肩甲挙筋，菱形筋）は上肢の章（pp.312-313）で扱う．後鋸筋は外来背筋の中間部と考えられているが，ここでは固有背筋の浅部に含める．

図3.5　固有背筋
後方から見たところ．胸腰筋膜，固有背筋（浅部，中間部，深部）を順に剖出したところ．

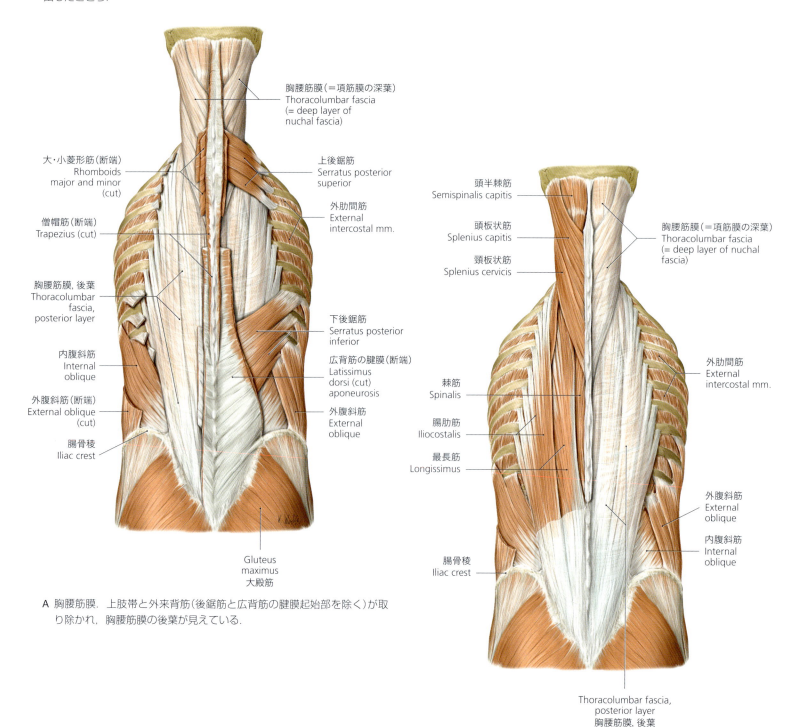

A　胸腰筋膜．上肢帯と外来背筋（後鋸筋と広背筋の腱膜起始部を除く）が取り除かれ，胸腰筋膜の後葉が見えている．

B　固有背筋の浅部と中間部．左側では胸腰筋膜が取り除かれ，脊柱起立筋と板状筋が見えている．

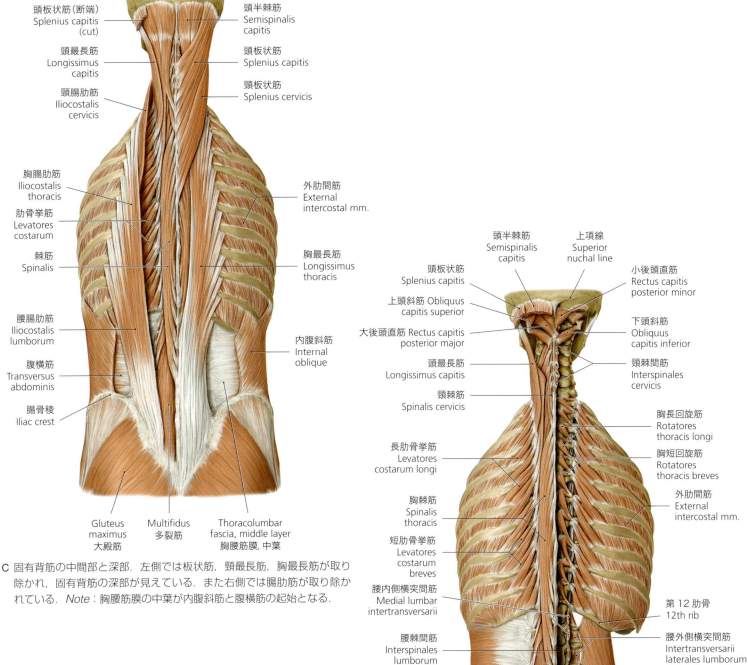

C 固有背筋の中間部と深部．左側では板状筋，頸最長筋，胸最長筋が取り除かれ，固有背筋の深部が見えている．また右側では腸肋筋が取り除かれている．Note：胸腰筋膜の中葉が内腹斜筋と腹横筋の起始となる．

D 固有背筋の深部．固有背筋の浅部と中間部が全て取り除かれている．また右側では，胸腰筋膜の中葉，棘筋，半棘筋，多裂筋が取り除かれ，回旋筋，横突間筋，腰方形筋が見えている．

個々の筋(1)
Muscle Facts (I)

図 3.6　短い項筋（後頭下筋群）

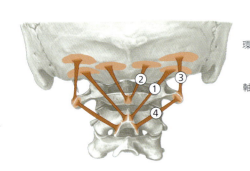

A 後方から見たところ．模式図．

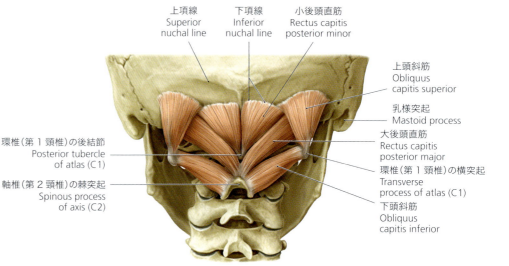

B 短い項筋，後方から見たところ．

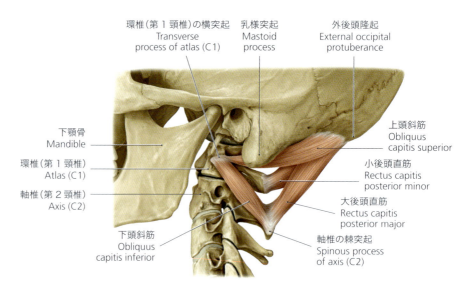

C 短い項筋，左側方から見たところ．

表3.1	短い項筋（後頭下筋群）				
筋		起始	停止	神経支配	作用
後頭直筋	① 大後頭直筋	C2（棘突起）	後頭骨（下項線の中央1/3）	C1の後枝（後頭下神経）	両側：頭を後屈させる，片側：頭を同側に回旋させる
	② 小後頭直筋	C1（後結節）	後頭骨（下項線の内側1/3）		
頭斜筋	③ 上頭斜筋	C1（横突起）	後頭骨（下項線の中央1/3，大後頭直筋の停止の上方）		両側：頭を後屈させる 片側：頭を同側に傾けるとともに反対側に回旋させる
	④ 下頭斜筋	C2（棘突起）	C1（横突起）		両側：頭を後屈させる，片側：頭を同側に回旋させる

図 3.7 椎前筋

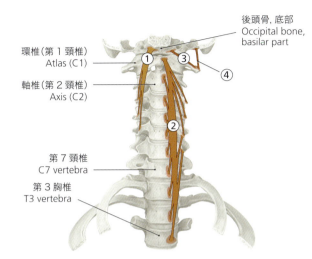

A 前方から見たところ．模式図．

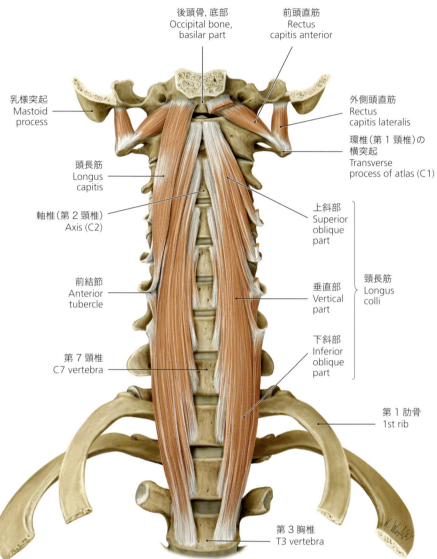

B 前方から見たところ．頸部内臓と左の頭長筋が取り除かれている．

表 3.2		椎前筋			
筋		起始	停止	神経支配	作用
① 頭長筋		C3-C6（横突起，前結節）	後頭骨（底部）	頸神経叢からの枝（C1-C3）	両側：頭を前屈させる 片側：頭を同側に傾け，やや回旋させる
② 頸長筋	垂直(内側)部	C5-T3（椎体の前面）	C2-C4（椎体の前面）	頸神経叢からの枝（C2-C6）	両側：頸部脊柱を前屈させる 片側：頸部脊柱を同側に側屈・回旋させる
	上斜部	C3-C5（横突起，前結節）	C1（横突起，前結節）		
	下斜部	T1-T3（椎体の前面）	C5-C6（横突起，前結節）		
③ 前頭直筋		C1（外側塊）	後頭骨（底部）	C1（前枝）	両側：環椎後頭関節で前屈させる 片側：環椎後頭関節で側屈させる
④ 外側頭直筋		C1（横突起）	後頭骨（底部，後頭顆よりも外側）		

個々の筋(2)
Muscle Facts (II)

固有背筋は3層(浅層, 中間層, 深層)に分けられ, それぞれ脊髄神経の後枝によって支配される. 後鋸筋は脊髄神経の前枝(肋間神経)によって支配され, 本来は外来背筋に分類される. しかし, 後鋸筋は固有背筋を解剖する際に現れるので, 本項に含めてある.

表3.3　固有背筋の浅層

筋		起始	停止	神経支配	作用
後鋸筋	① 上後鋸筋	項靱帯, C7-T3(棘突起)	第2-4肋骨(上縁)	第2-5肋間神経(前枝)	肋骨を引き上げる
	② 下後鋸筋	T11-L2(棘突起)	第8-12肋骨(肋骨角付近の下縁)	第9-12胸神経(前枝)	肋骨を引き下げる
板状筋	③ 頭板状筋	項靱帯, C7-T3 あるいは T4(棘突起)	上項線の外側1/3(後頭骨), 乳様突起(側頭骨)	第1-6頸神経(後枝の外側枝)	両側:頭と頸部脊柱を後屈させる 片側:頭を同側に側屈・回旋させる
	④ 頸板状筋	T3-T6 あるいは T7(棘突起)	C1-C3/4(横突起)		

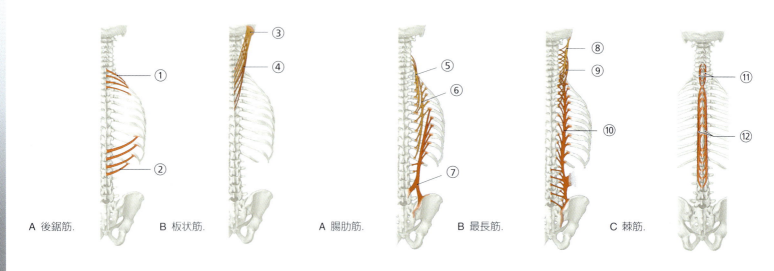

図3.8　固有背筋の浅層
右側, 後方から見たところ. 模式図.
A 後鋸筋.　B 板状筋.

図3.9　固有背筋の中間層
右側, 後方から見たところ. 模式図. これらの筋は総称して脊柱起立筋と呼ばれる.
A 腸肋筋.　B 最長筋.　C 棘筋.

表3.4　固有背筋の中間層(脊柱起立筋)

筋		起始	停止	神経支配	作用
腸肋筋	⑤ 頸腸肋筋	第3-7肋骨	C4-C6(横突起)	第8頸神経-第1腰神経(後枝の外側枝)	両側:脊柱を伸展させる 片側:脊柱を同側に側屈させる
	⑥ 胸腸肋筋	第3-12肋骨	第1-6肋骨		
	⑦ 腰腸肋筋	仙骨, 腸骨稜, 胸腰筋膜(浅葉)	第6-12肋骨, 胸腰筋膜(中葉), 上位腰椎(肋骨突起)		
最長筋	⑧ 頭最長筋	C4-C7(横突起), T1-T3(横突起)	側頭骨(乳様突起)	第1頸神経-第5腰神経(後枝の外側枝)	両側:頭部を後屈させる 片側:頭部を同側に側屈・回旋させる
	⑨ 頸最長筋	T1-T6(横突起)	C2-C5(横突起)		両側:脊柱を伸展させる 片側:脊柱を同側に側屈させる
	⑩ 胸最長筋	仙骨, 腸骨稜, 腰椎(棘突起), 下位胸椎(横突起)	第2-12肋骨, 腰椎(肋骨突起), 胸椎(横突起)		
棘筋	⑪ 頸棘筋	C5-T2(棘突起)	C2-C5(棘突起)	脊髄神経の後枝	両側:頸胸部の脊柱を伸展させる 片側:頸胸部の脊柱を同側に側屈させる
	⑫ 胸棘筋	T10-L3(棘突起の外側面)	T2-T8(棘突起の外側面)		

図 3.10　固有背筋の浅層と中間層
後方から見たところ.

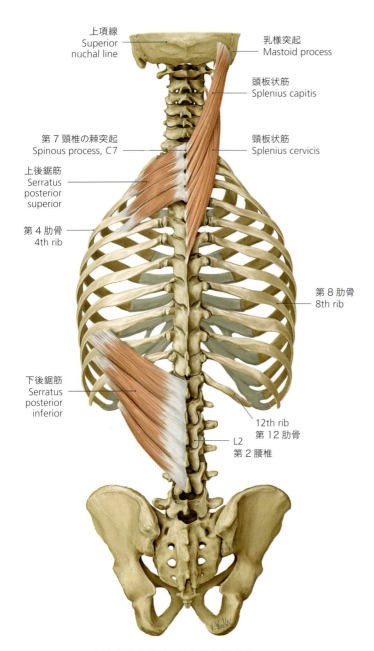

A　固有背筋の浅層：後鋸筋と板状筋.

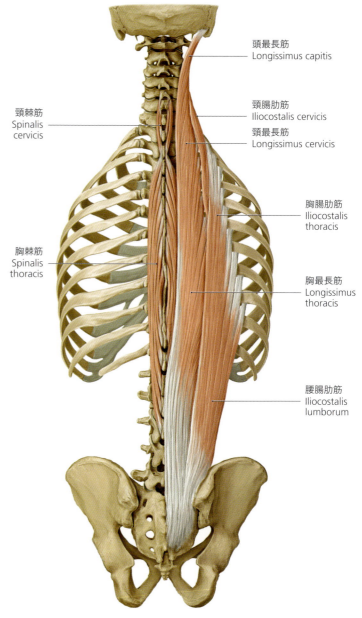

B　固有背筋の中間層（脊柱起立筋）：腸肋筋，最長筋，棘筋.

個々の筋（3）
Muscle Facts (III)

固有背筋の深層はさらに2つのグループ（横突棘筋と深分節筋）に分けられる．横突棘筋は椎骨の横突起と棘突起の間を走る．

表 3.5　横突棘筋

筋		起始	停止	神経支配	作用
回旋筋	① 短回旋筋	T1-T12（胸椎の横突起と1つ上位の胸椎の棘突起を結ぶ）		脊髄神経の後枝	両側：胸部の脊柱を伸展させる． 片側：胸部の脊柱を反対側に回旋させる
	② 長回旋筋	T1-T12（胸椎の横突起と2つ上位の胸椎の棘突起を結ぶ）			
③ 多裂筋		仙骨，腸骨，L1-L5（乳頭突起），T1-T4 と C4-C7（横突起，関節突起）	3-5つ上位の棘突起		両側：頸部の脊柱を伸展させる． 片側：脊柱を同側に側屈させ，反対側に回旋させる
半棘筋	④ 頭半棘筋	C4-T7（横突起，関節突起）	後頭骨（上項線と下項線の間）		両側：頸胸部の脊柱を伸展させる，また頭部を後屈させる（頭椎関節を安定化させる） 片側：頭部と頸胸部の脊柱を同側に側屈させ，反対側に回旋させる
	⑤ 頸半棘筋	T1-T6（横突起）	C2-C5（棘突起）		
	⑥ 胸半棘筋	T6-T12（横突起）	C6-T4（棘突起）		

図 3.11　横突棘筋
後方から見たところ．模式図．

図 3.12　深分節筋
後方から見たところ．模式図．

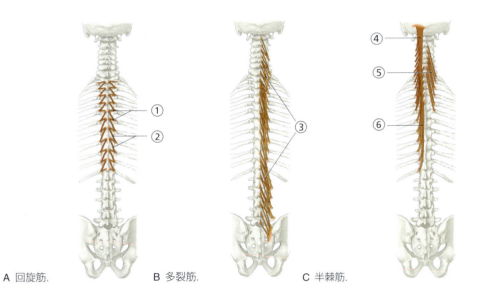
A 回旋筋．　　B 多裂筋．　　C 半棘筋．

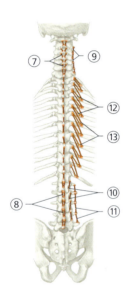

表 3.6　深分節筋

筋		起始	停止	神経支配	作用
棘間筋*	⑦ 頸棘間筋	C1-C7（隣接する頸椎の棘突起を結ぶ）		脊髄神経の後枝	頸部と腰部の脊柱を伸展させる
	⑧ 腰棘間筋	L1-L5（隣接する腰椎の棘突起を結ぶ）			
横突間筋*	頸前横突間筋	C2-C7（隣接する頸椎の前結節を結ぶ）		脊髄神経の前枝	両側：頸部と腰部の脊柱を伸展，安定化させる 片側：頸部と腰部の脊柱を同側に側屈させる
	⑨ 頸後横突間筋	C2-C7（隣接する頸椎の後結節を結ぶ）		脊髄神経の後枝	
	⑩ 腰内側横突間筋	L1-L5（隣接する腰椎の乳頭突起を結ぶ）		脊髄神経の後枝	
	⑪ 腰外側横突間筋	L1-L5（隣接する腰椎の肋骨突起を結ぶ）		脊髄神経の前枝	
肋骨挙筋	⑫ 短肋骨挙筋	C7-T11（横突起）	1つ下位の肋骨の肋骨角	脊髄神経の後枝	両側：胸部脊柱を伸展させる 片側：胸部脊柱を同側に側屈させ，反対側に回旋させる
	⑬ 長肋骨挙筋		2つ下位の肋骨の肋骨角		

*棘間筋と横突間筋の両者は脊柱の全体にわたって存在する．

図 3.13 固有背筋の深層
後方から見たところ．

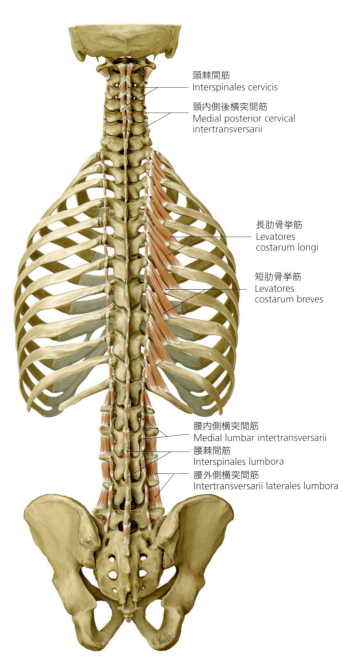

A 横突棘筋：回旋筋，多裂筋，半棘筋．

B 深分節筋：棘間筋，横突間筋，肋骨挙筋．

4 血管・神経
背部の動脈と静脈
Arteries & Veins of the Back

図 4.1 背部の動脈

背部の諸構造には肋間動脈の枝が分布する．この動脈は胸大動脈もしくは鎖骨下動脈から起始する．

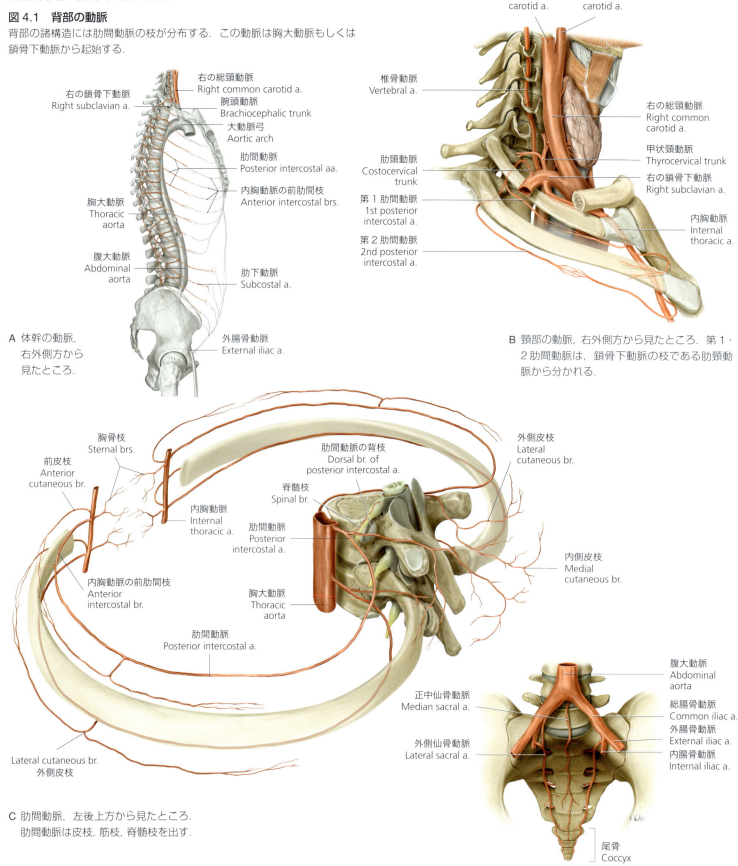

A 体幹の動脈，右外側方から見たところ．

B 頸部の動脈，右外側方から見たところ．第1・2肋間動脈は，鎖骨下動脈の枝である肋頸動脈から分かれる．

C 肋間動脈，左後上方から見たところ．肋間動脈は皮枝，筋枝，脊髄枝を出す．

D 仙骨の動脈，前方から見たところ．

図4.2 背部の静脈

背部の静脈は，上肋間静脈，半奇静脈，上行腰静脈などを介して，奇静脈へ連なる．脊柱内部の静脈血は椎骨静脈叢に流れ込む．この静脈叢は脊柱に沿って連なっている．

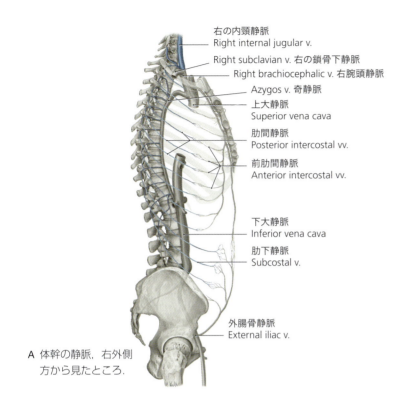

A 体幹の静脈，右外側方から見たところ．

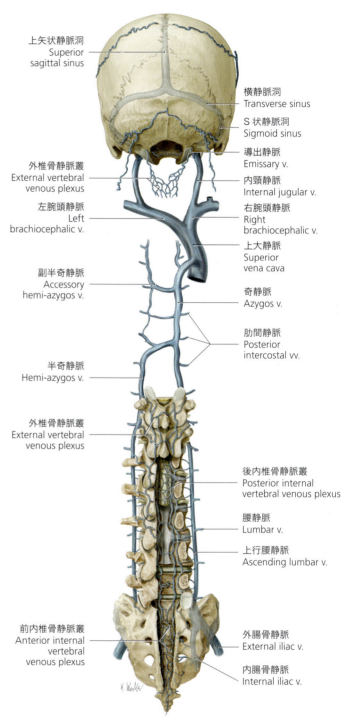

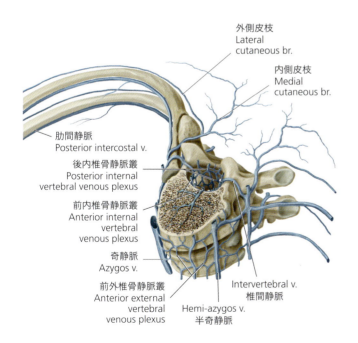

C 肋間静脈と椎骨静脈叢，左前上方から見たところ．肋間静脈は肋間動脈・神経と同じように走行する(pp.36, 38 参照)．
Note：前外椎骨静脈叢が奇静脈とつながっている．

B 椎骨静脈叢，後方から見たところ．腰椎と仙骨の後方部を取り除き，脊柱管を開いてある．外椎骨静脈叢は頭蓋の導出静脈を介してS状静脈洞とつながっている．外椎骨静脈叢は前部と後部に分けられ，脊柱外面に沿って連なっている．内椎骨静脈叢は脊柱管の内部に存在し，脊髄からの静脈血が流れ込む．内椎骨静脈叢も前部と後部に分けられる．

背部の神経
Nerves of the Back

背部の諸構造には脊髄神経の枝が分布する．脊髄神経の後枝は固有背筋を支配し，前枝は外来背筋を支配する．

図 4.3　背部の神経
脊柱，脊髄，周辺の筋の水平断面，上方から見たところ．

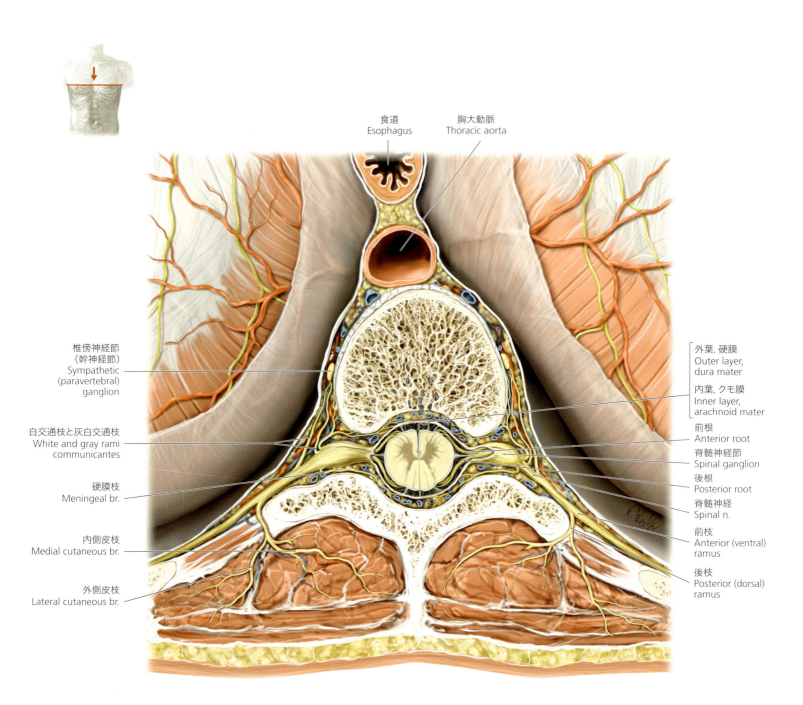

図 4.4 項部の神経
右側，後方から見たところ．

表 4.1	項部の神経	
枝		機能
後枝	後頭下神経 （第 1 頸神経）	大後頭直筋，小後頭直筋，上頭斜筋，下頭斜筋を支配する
	大後頭神経 （第 2 頸神経）	頭半棘筋の支配を助け，耳介裏の皮膚と冠状縫合までの頭皮に分布する
	第 3 後頭神経 （第 3 頸神経）	頭半棘筋と椎間関節（C2-C3 間）の支配を助け，上項線直下の狭い範囲の皮膚に分布する
前枝**	小後頭神経 （第 2 頸神経）	皮膚のみ．耳介までの頭皮の外側後部の領域と耳介内側面の上 1/3 に分布する
	大耳介神経 （第 2，3 頸神経）	皮膚のみ．耳下腺の表面の皮膚，耳介の大部分，耳介後方までの頸外側部に分布する

**第 1～3 頸神経の前枝は頸神経ワナを形成し，このワナから出る枝は舌骨下筋を支配する（p.524 参照）．

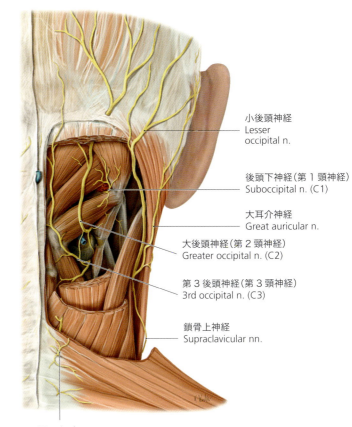

- 小後頭神経 Lesser occipital n.
- 後頭下神経（第 1 頸神経） Suboccipital n. (C1)
- 大耳介神経 Great auricular n.
- 大後頭神経（第 2 頸神経） Greater occipital n. (C2)
- 第 3 後頭神経（第 3 頸神経） 3rd occipital n. (C3)
- 鎖骨上神経 Supraclavicular nn.
- C5 spinal n., posterior ramus 第 5 頸神経, 後枝

図 4.5 背部皮膚の神経分布
個々の皮神経（A）や脊髄分節（B）の分布領域を色分けしてある．神経の損傷部位を診断する際に，皮膚感覚の消失した領域を特定することが有用な場合がある．

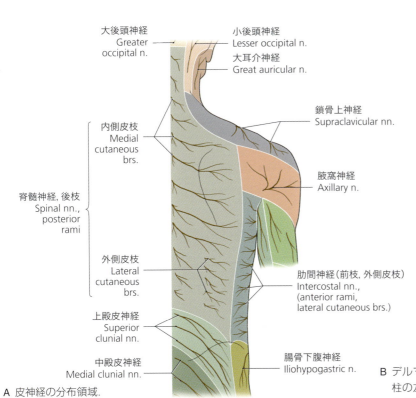

A 皮神経の分布領域．

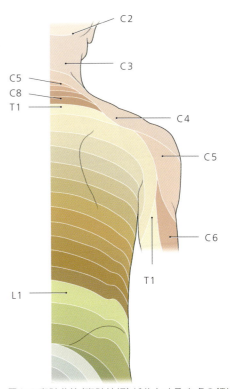

B デルマトーム．個々の脊髄分節（脊髄神経）が分布する皮膚の領域は，脊柱の左右に帯状に認められる．このような帯状の分布領域をデルマトームと呼ぶ．Note：C1 は純運動神経であり，したがって C1 のデルマトームは存在しない．

脊髄
Spinal Cord

頭蓋の硬膜（脳硬膜）は2層（骨膜層・髄膜層）からなる．骨膜層は大孔（大後頭孔）の位置で終わり，髄膜層だけが脊柱管の硬膜（脊髄硬膜）に移行する．椎骨の骨膜は脳硬膜の骨膜層に対応するが，脊髄硬膜と癒合しない．つまり，脳硬膜は頭蓋骨と密着するのに対し，脊髄硬膜は脊柱管の中で椎骨から分離して存在する．

図4.6　現位置における脊髄
後方から見たところ．脊柱管を開いたところ．

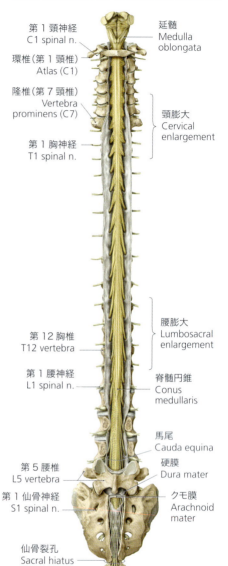

図4.7　脊髄とその髄膜
後面．一部で脊髄硬膜と脊髄クモ膜が取り除かれ，下層の髄膜を見せている．脊髄の構造についての詳細はpp.690-691を参照．

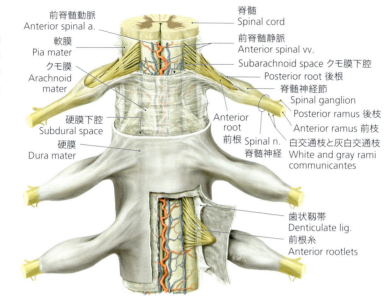

図4.8　現位置における脊髄：横断面
上方から見たところ．第4頸椎（C4）の高さにおける脊髄．

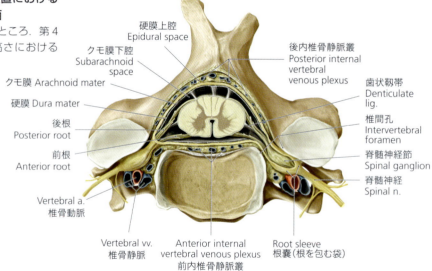

臨床BOX 4.1

二分脊椎
神経管の欠損により生じ，脊柱や脊髄が正常に形成されない．米国では，新生児1,500人に1人の割合で生じる．主なタイプに3種類がある．

- **脊髄髄膜瘤（A）**　複数の椎弓が発生しないことで起こり，髄膜と脊髄神経の両方が逸脱する．最も重篤なタイプで，新生児には生命を脅かす感染症や腸・膀胱の機能不全，下肢の完全麻痺が生じる．
- **髄膜瘤（B）**　単一もしくは複数の椎弓が発生しないことで起こり，逸脱は髄膜のみである．脊髄と脊髄神経は正常で大きな影響は受けない．
- **潜在性二分脊椎（C）**　脊柱の先天異常で最も多い．L5もしくはS1（あるいは両方）の椎弓板が発生しないことで起こる．この異常は体表からはわからず，椎骨の欠損も軽度であるため，大半の患者は自身の二分脊椎に気づいていない．通常，脊髄機能には異常はない．

図 4.9 脊柱管内にある馬尾
後方から見たところ．腰椎の椎弓と仙骨の後部が部分的に切り取ってある．

図 4.10 脊柱管内にある馬尾，水平断面
上方から見たところ．第 2 腰椎（L2）の高さでの馬尾．

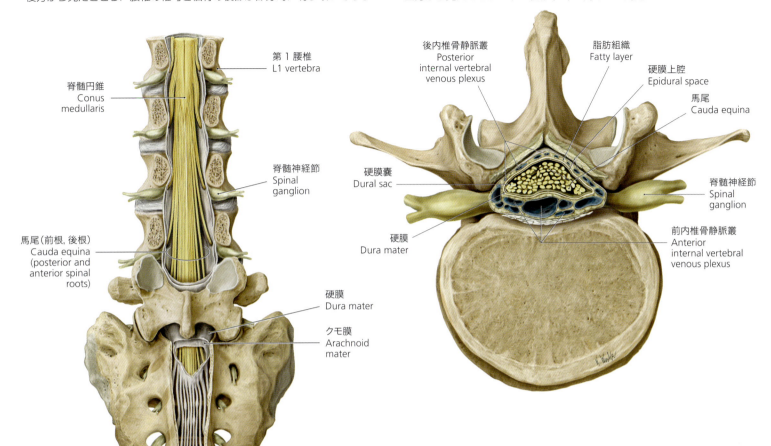

図 4.11 成人と新生児における脊髄円錐の位置
前方から見たところ．脊柱の成長は脊髄の成長が止まった後にも進行する．したがって，脊髄下端（脊髄円錐）の位置は，出生時では第 3 腰椎の高さであるが，成人では第 1 ないし第 2 腰椎となる．硬膜嚢は，成長過程を通じて，常に仙骨の上端に達している．

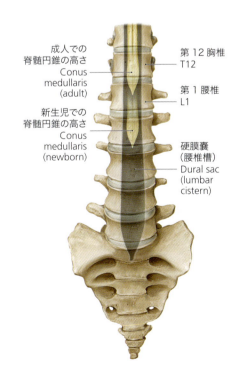

臨床 BOX 4.2

腰椎穿刺
穿刺針を腰椎の高さで硬膜嚢に刺入すると，針は神経根（馬尾）の間をすり抜けて通り，神経根や脊髄を損傷することはない．したがって，脳脊髄液を採取する場合には，第 3・4 腰椎間に穿刺針を刺入する(2)．このとき，患者には体を前屈させた体位を取らせ，腰椎の棘突起の間を開いておく．

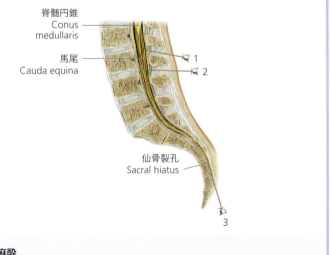

麻酔
腰椎麻酔は腰椎穿刺と同様の方法で行われる(2)．硬膜外麻酔は，カテーテルを硬膜上腔に留置し，硬膜嚢を貫通しない(1)．また，仙骨裂孔を通じて注射針を刺入して，硬膜外麻酔を行う場合もある(3)．

脊髄分節と脊髄神経
Spinal Cord Segments & Spinal Nerves

図4.12 脊髄分節と脊髄神経
脊髄は31節の脊髄分節からなり，個々の脊髄分節は頭部，体幹，四肢において決まった皮膚領域（デルマトーム）に帯状に分布する．1つの脊髄分節から前根糸（遠心性，運動性）と後根糸（求心性，感覚性）が複数本出る．前根糸と後根糸は，それぞれ集まって前根および後根となる．この2種類の根はいったん融合したのち，運動性と感覚性の成分が混合した脊髄神経となる．脊髄神経は椎間孔を通り，直ちに前枝と後枝に分岐する．

図4.13 脊髄分節，デルマトーム，脊髄損傷の影響
脊髄は主に4つの領域（頸髄，胸髄，腰髄，仙髄）からなり，個々の領域を色分けしてある（ピンク色，頸髄；茶色，胸髄；緑色，腰髄；青色，仙髄）．

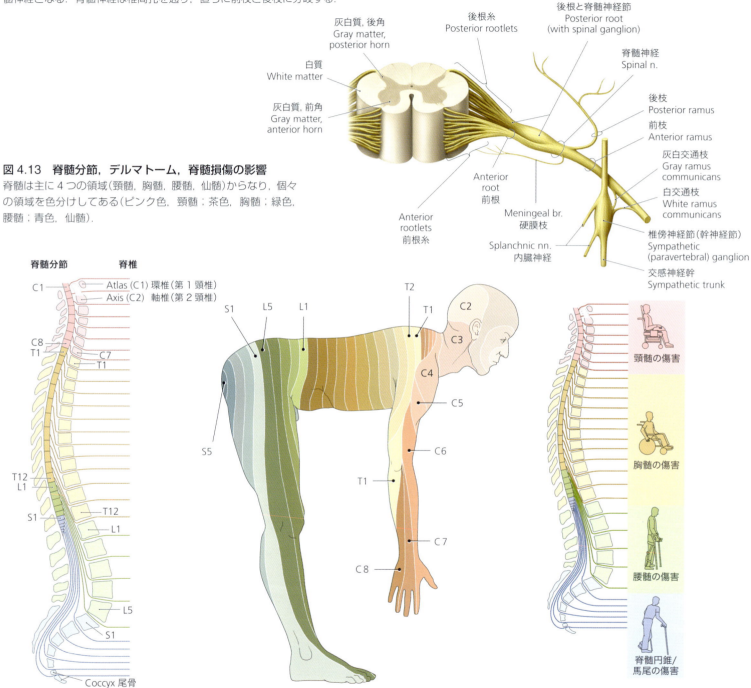

A 脊髄分節．胸髄，腰髄，仙髄では脊髄分節の数が，それぞれ胸椎，腰椎，仙椎の数と一致しており，個々の脊髄分節に由来する脊髄神経（胸神経，腰神経，仙骨神経）は番号の対応する椎骨の下方を通過する．頸髄では脊髄分節の数が8個であるのに対し，頸椎の数は7個であり，頸神経は番号の対応する頸椎の上方を通過する．ただし，第8頸神経は第7頸椎の下方を通過することになる．

B デルマトーム．個々の脊髄分節（脊髄神経）が分布する皮膚の領域は，脊柱の左右に帯状に広がっている．このような帯状の分布領域をデルマトームと呼ぶ．*Note*：C1は純運動神経であり，したがってC1のデルマトームは存在しない．

C 脊髄分節の損傷による影響．

図 4.14 脊髄神経の枝

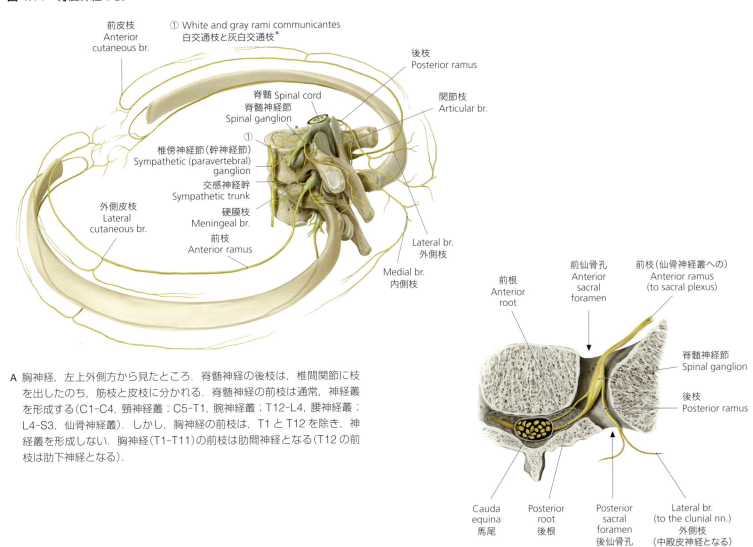

A 胸神経，左上外側方から見たところ．脊髄神経の後枝は，椎間関節に枝を出したのち，筋枝と皮枝に分かれる．脊髄神経の前枝は通常，神経叢を形成する（C1-C4，頸神経叢；C5-T1，腕神経叢；T12-L4，腰神経叢；L4-S3，仙骨神経叢）．しかし，胸神経の前枝は，T1 と T12 を除き，神経叢を形成しない．胸神経（T1-T11）の前枝は肋間神経となる（T12 の前枝は肋下神経となる）．

B 仙骨孔における仙骨神経の枝．左の仙骨孔を通る横断面，上方から見たところ．

表 4.2	脊髄神経の枝			
枝				分布
硬膜枝				脊髄硬膜，脊柱の靱帯
後枝	内側枝		関節枝	椎間関節
			筋枝	固有背筋
			皮枝	後頭部，後頸部，背部，殿部の皮膚
	外側枝		皮枝	
			筋枝	固有背筋
前枝			外側皮枝	胸郭側壁の皮膚
			前皮枝	胸郭前壁の皮膚
*白交通枝と灰白交通枝は交感神経幹と脊髄神経とを結び，それぞれ節前線維と節後線維を含む．				

脊髄の動脈と静脈
Arteries & Veins of the Spinal Cord

脊髄の動・静脈は，多数の水平系列とこれらを縦に連絡する垂直系列からなる．

図4.15 脊髄の動脈

不対の前脊髄動脈と1対の後脊髄動脈は通常，椎骨動脈から起始する．これらの3本の動脈は脊髄の表面を下りながら，脊髄に枝を出していく．前・後髄節動脈はこの3本の動脈に合流し，血流を補う．脊髄の高さによって，髄節動脈を出す動脈が異なっており，椎骨動脈，上行頸動脈，深頸動脈，肋間動脈，腰動脈，外側仙骨動脈から出る脊髄枝が脊柱管に入り，髄節動脈となる．

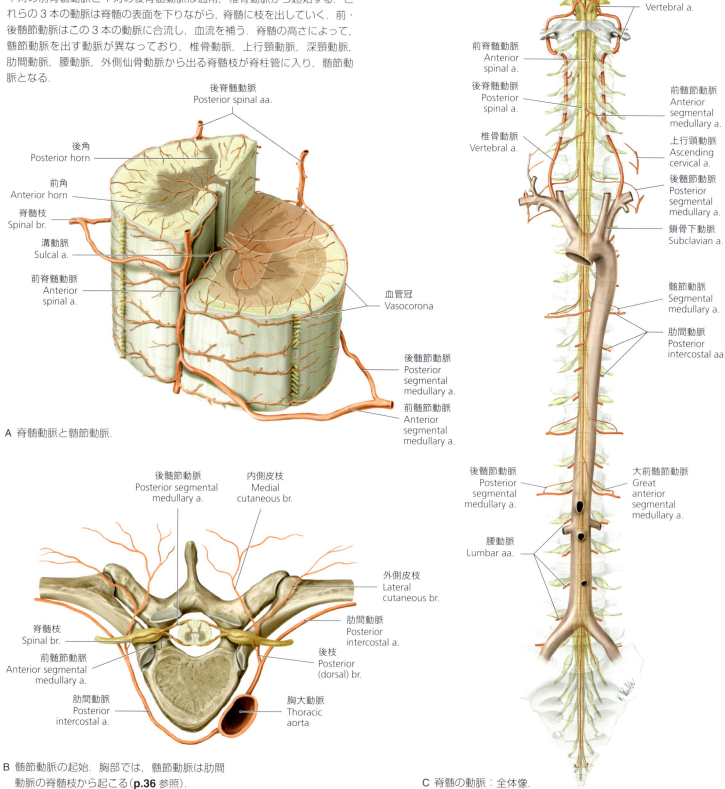

A 脊髄動脈と髄節動脈．

B 髄節動脈の起始．胸部では，髄節動脈は肋間動脈の脊髄枝から起こる(**p.36** 参照)．

C 脊髄の動脈：全体像．

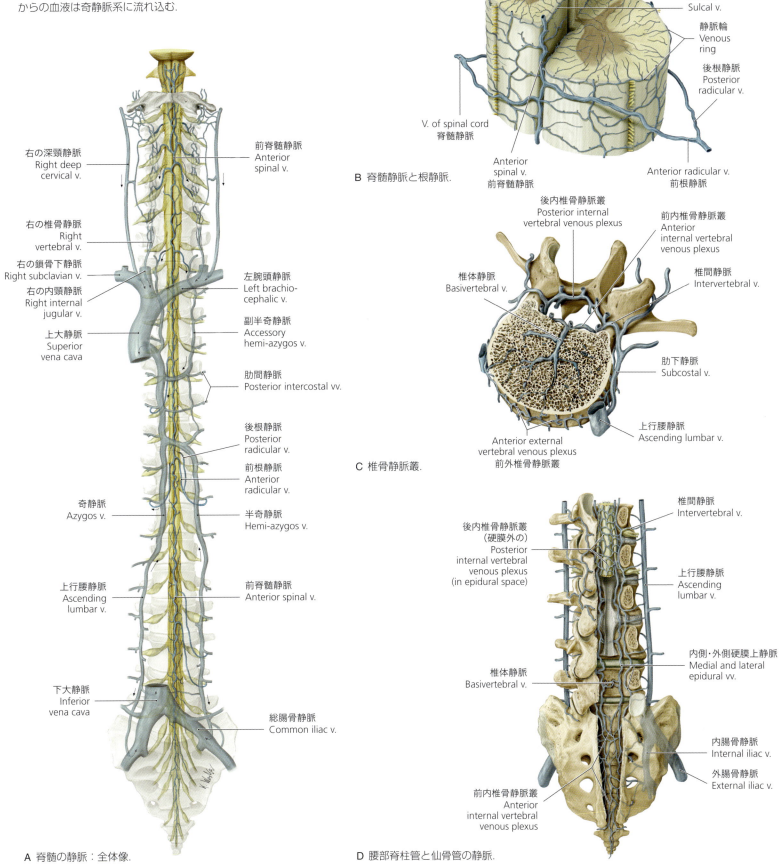

図 4.16 脊髄の静脈

脊髄からの静脈血は脊髄表面の静脈叢を介して，前・後脊髄静脈（各1本）に流れ込む．脊髄静脈と根静脈は，脊髄からの静脈血を内椎骨静脈叢へ導く．椎間静脈と椎体静脈は内・外椎骨静脈叢をつないでおり，これらの静脈叢からの血液は奇静脈系に流れ込む．

A 脊髄の静脈：全体像．

B 脊髄静脈と根静脈．

C 椎骨静脈叢．

D 腰部脊柱管と仙骨管の静脈．

背部の血管・神経（局所解剖）
Neurovascular Topography of the Back

図 4.17　項部の神経と動脈
後方から見たところ．僧帽筋，胸鎖乳突筋，頭板状筋，頭半棘筋を取り除き，後頭下領域が剖出されている．

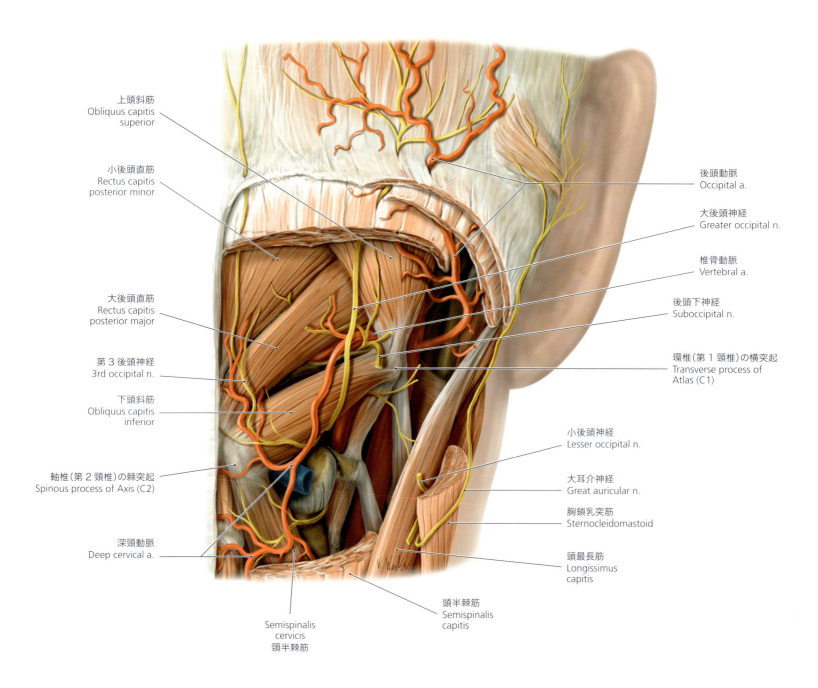

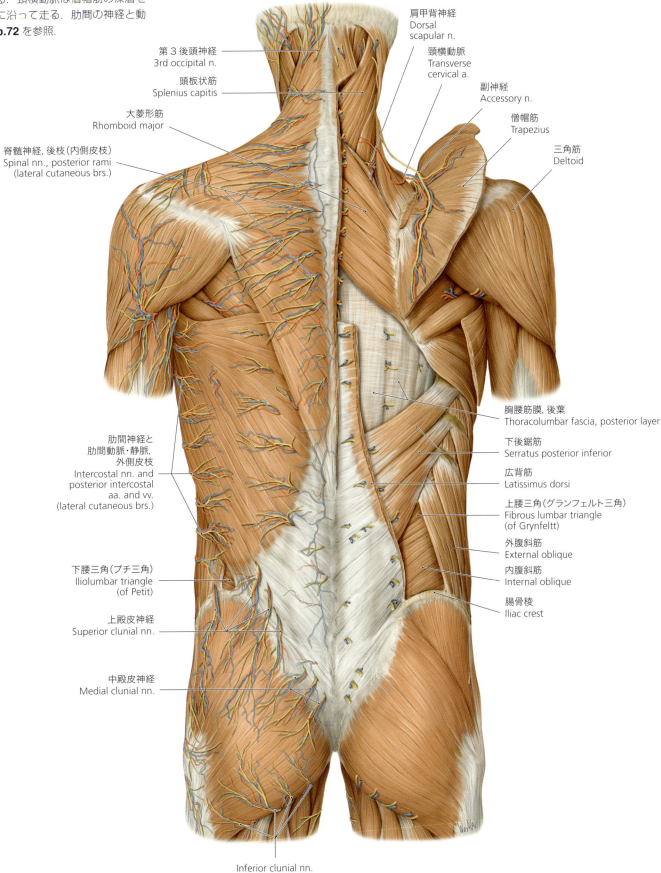

図 4.18 背部の神経と動静脈
後方から見たところ．筋の筋膜（胸腰筋膜の浅葉を除く）と右の広背筋が取り除かれ，右の僧帽筋が翻転されている．頸横動脈は僧帽筋の深層を肩甲骨の内側縁に沿って走る．肋間の神経と動静脈については **p.72** を参照．

5 断面解剖と画像解剖

背部の画像解剖(1)
Radiographic Anatomy of the Back (I)

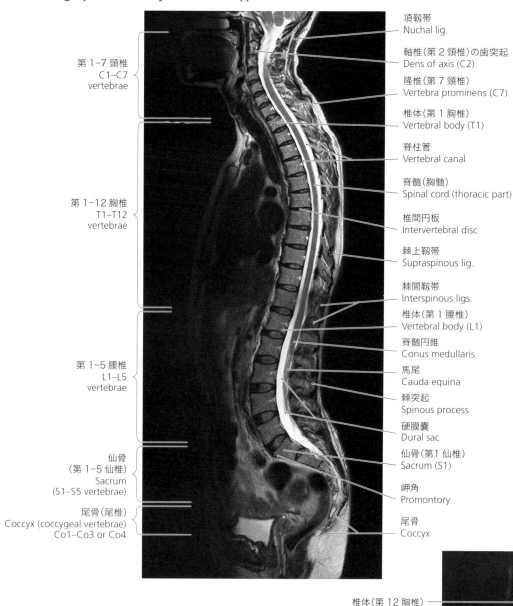

図5.1 脊柱のMR像
正中矢状断面.（Moeller TB, Reif E. Atlas of Sectional Anatomy: The Musculoskeletal System. New York, NY: Thieme; 2009. より）

図5.2 腰椎のMR像
傍矢状断面.（Moeller TB, Reif E. Atlas of Sectional Anatomy: The Musculoskeletal System. New York, NY: Thieme; 2009. より）

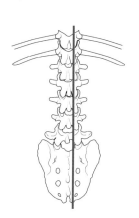

図 5.3　頸椎の単純 X 線像

斜位像．（Moeller TB, Reif E. Pocket Atlas of Radiographic Anatomy, 3rd ed. New York, NY: Thieme; 2010. より）

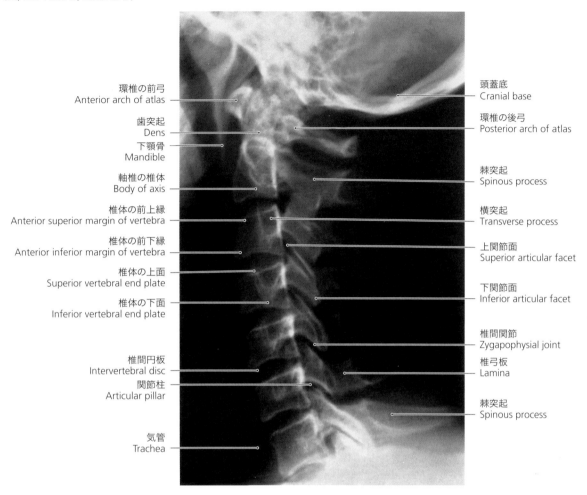

図 5.4　胸椎の単純 X 線像

前後像．下位胸椎．（Moeller TB, Reif E. Pocket Atlas of Radiographic Anatomy, 3rd ed. New York, NY: Thieme; 2010. より）

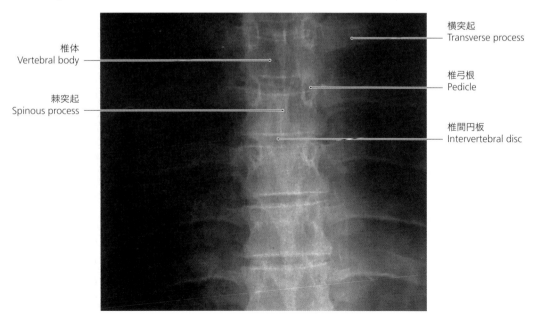

背部の画像解剖(2)
Radiographic Anatomy of the Back (II)

図 5.5 腰椎の単純 X 線像
側面像．(Moeller TB, Reif E. Pocket Atlas of Radiographic Anatomy, 3rd ed. New York, NY: Thieme; 2010. より)

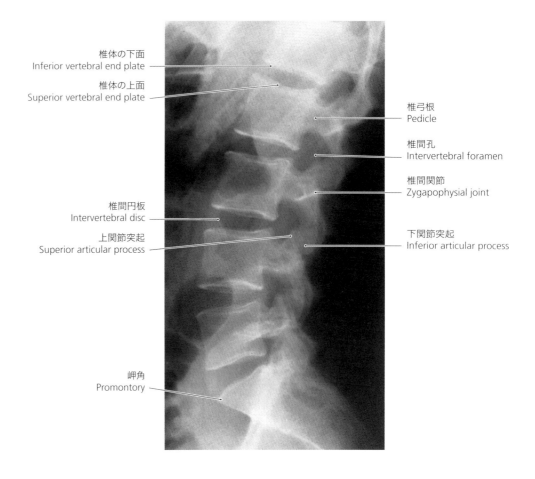

図 5.6 腰椎の単純 X 線像
斜像．(Moeller TB, Reif E. Pocket Atlas of Radiographic Anatomy, 3rd ed. New York, NY: Thieme; 2010. より)

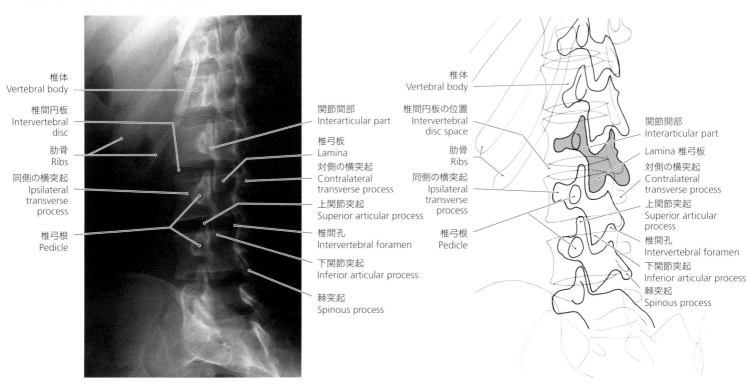

図 5.7 仙骨の MR 像（1）
斜断面．（Moeller TB, Reif E. Atlas of Sectional Anatomy: The Musculoskeletal System. New York, NY: Thieme; 2009. より）

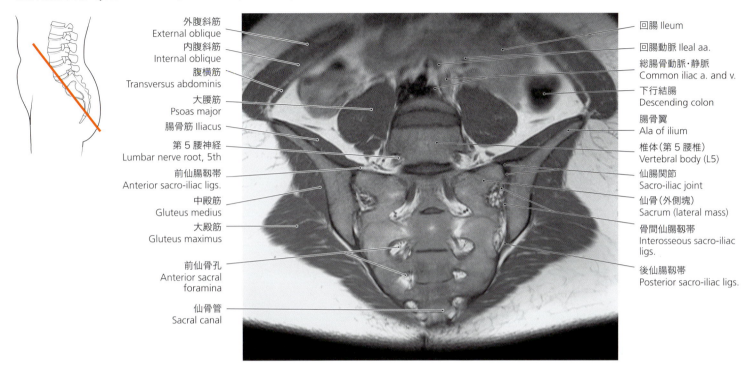

図 5.8 仙骨の MR 像（2）
斜断面．（Moeller TB, Reif E. Atlas of Sectional Anatomy: The Musculoskeletal System. New York, NY: Thieme; 2009. より）

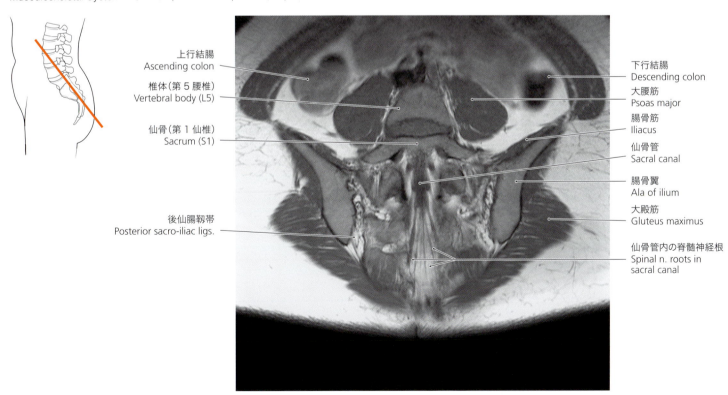

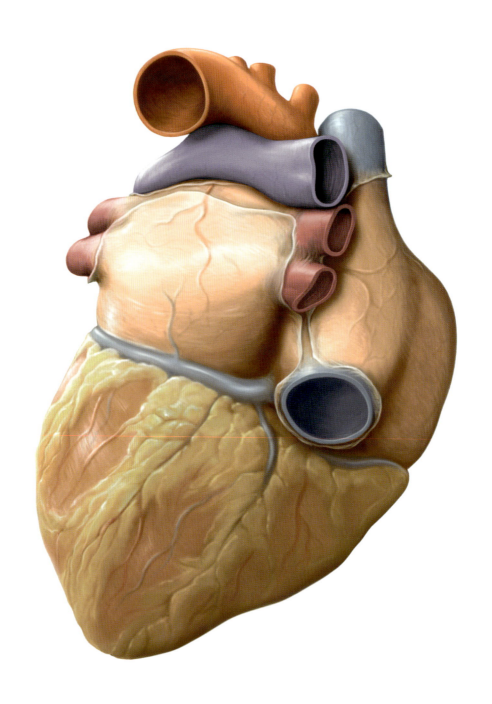

胸部
Thorax

6. 体表解剖
- 体表解剖 ………………………………………… 54

7. 胸壁
- 胸部の骨格 ……………………………………… 56
- 胸骨と肋骨 ……………………………………… 58
- 胸郭の関節 ……………………………………… 60
- 胸壁の筋 ………………………………………… 62
- 横隔膜 …………………………………………… 64
- 横隔膜の血管・神経 …………………………… 66
- 胸壁の動脈と静脈 ……………………………… 68
- 胸壁の神経 ……………………………………… 70
- 胸壁の血管・神経の位置 ……………………… 72
- 女性の乳房 ……………………………………… 74
- 女性乳房のリンパ管 …………………………… 76

8. 胸腔
- 胸腔の区分 ……………………………………… 78
- 胸腔の動脈 ……………………………………… 80
- 胸腔の静脈 ……………………………………… 82
- 胸腔のリンパ管 ………………………………… 84
- 胸腔の神経 ……………………………………… 86

9. 縦隔
- 縦隔：概観 ……………………………………… 88
- 縦隔の構造 ……………………………………… 90
- 心臓：機能と周辺構造との関係 ……………… 92
- 心膜 ……………………………………………… 94
- 心臓：表面と部屋 ……………………………… 96
- 心臓：弁 ………………………………………… 98
- 心臓の動脈と静脈 …………………………… 100
- 心臓の刺激伝導と神経支配 ………………… 102
- 出生前・後の循環 …………………………… 104
- 食道 …………………………………………… 106
- 食道の血管・神経 …………………………… 108
- 縦隔のリンパ管 ……………………………… 110

10. 胸膜腔
- 胸膜腔 ………………………………………… 112
- 胸膜：区分，陥凹，神経支配 ……………… 114
- 肺 ……………………………………………… 116
- 肺の気管支肺区域 …………………………… 118
- 気管と気管支樹 ……………………………… 120
- 呼吸機構 ……………………………………… 122
- 肺動脈と肺静脈 ……………………………… 124
- 気管気管支樹の血管・神経 ………………… 126
- 胸膜腔のリンパ管 …………………………… 128

11. 断面解剖と画像解剖
- 胸部の断面解剖 ……………………………… 130
- 胸部の画像解剖(1) …………………………… 132
- 胸部の画像解剖(2) …………………………… 134
- 胸部の画像解剖(3) …………………………… 136

6 体表解剖

体表解剖
Surface Anatomy

図 6.1　胸部の部位
上方から見たところ．

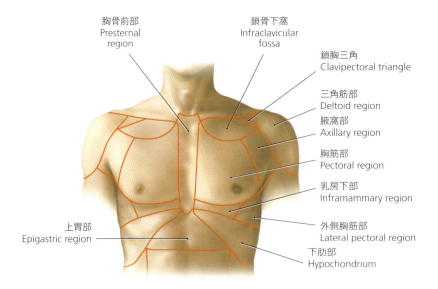

図 6.2　胸部の触知可能構造
前方から見たところ．

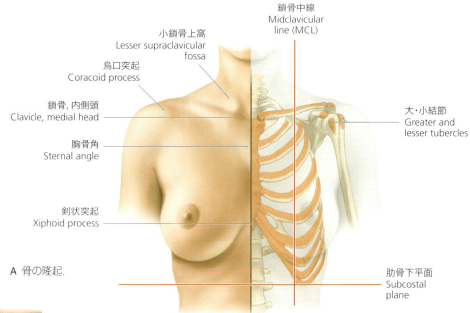

A　骨の隆起．

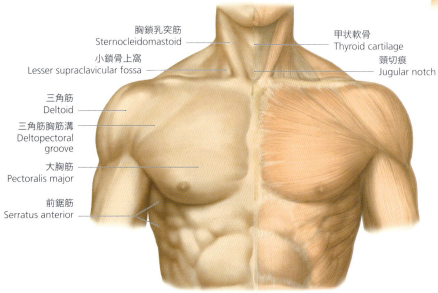

B　筋系．

図 6.3 胸部の縦の基準線

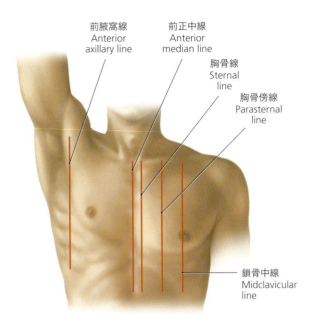

A 前方から見たところ.

B 右外側方から見たところ.

図 6.4 胸郭に投影した胸膜腔と肺

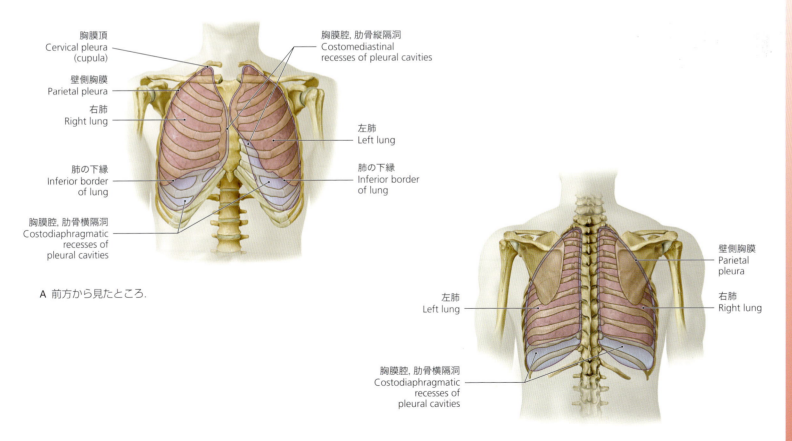

A 前方から見たところ.

B 後方から見たところ.

7 胸壁
胸部の骨格
Thoracic Skeleton

胸部の骨格は，12個の脊柱（p.10），12対の肋骨および肋軟骨，胸骨からなる．呼吸に関与するほかに，生命維持に必要な臓器を保護している．一般に，女性の胸郭は男性よりも狭く短い．

図7.1 胸部の骨格

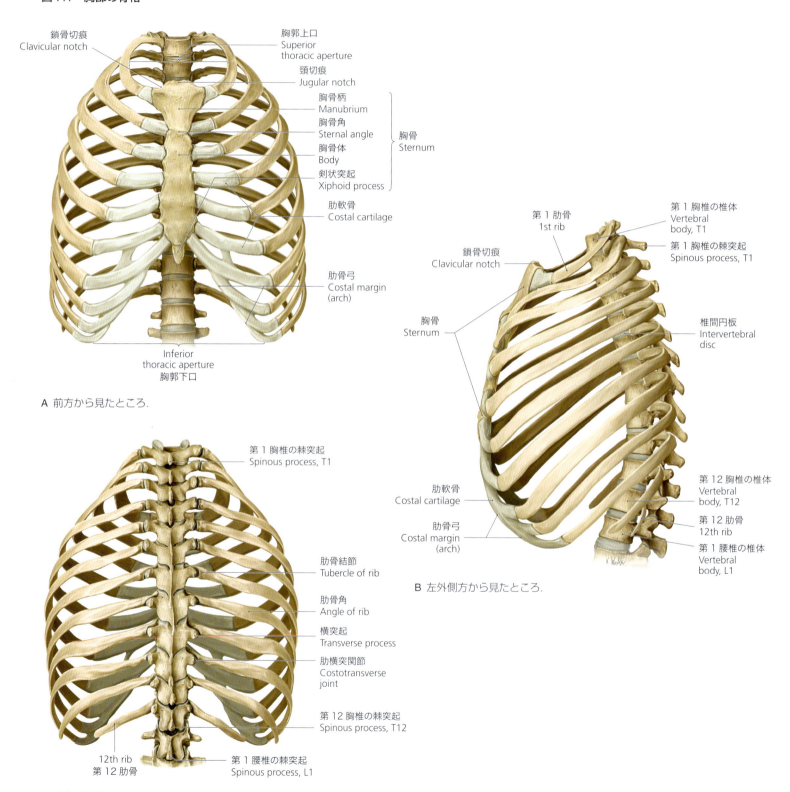

A 前方から見たところ．

B 左外側方から見たところ．

C 後方から見たところ．

図 7.2　胸部の構造
第6肋骨を上方から見たところ．

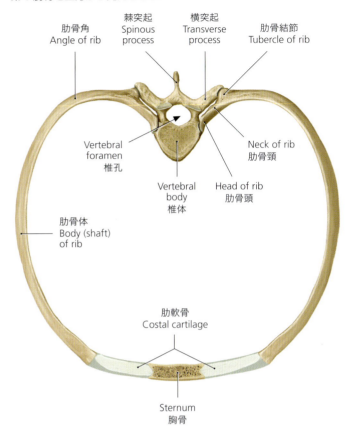

表 7.1　胸部の要素

椎骨		
肋骨	骨性部（肋硬骨）	肋骨頭
		肋骨頸
		肋骨結節
		肋骨体（肋骨角を含む）
	軟骨部（肋軟骨）	
胸骨（真肋の肋軟骨とのみ関節する．図 7.3 を参照）		

図 7.3　肋骨の分類
左外側方から見たところ．

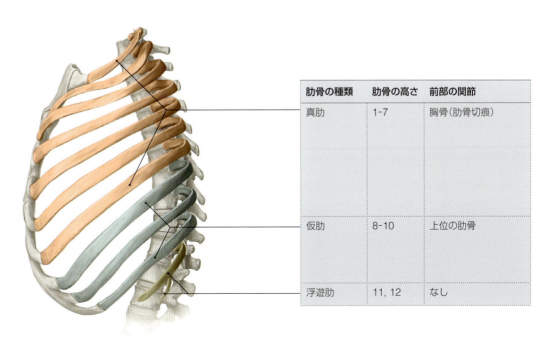

肋骨の種類	肋骨の高さ	前部の関節
真肋	1–7	胸骨（肋骨切痕）
仮肋	8–10	上位の肋骨
浮遊肋	11, 12	なし

胸骨と肋骨
Sternum & Ribs

図 7.4 胸骨
胸骨は剣状の骨で，胸骨柄，胸骨体，剣状突起からなる．胸骨体と胸骨柄との結合部（胸骨角）は盛り上がっているのが特徴で，第 2 肋骨の関節の目印となる．胸骨角（後方では T4/T5 の高さ）は内部構造の重要な指標である．

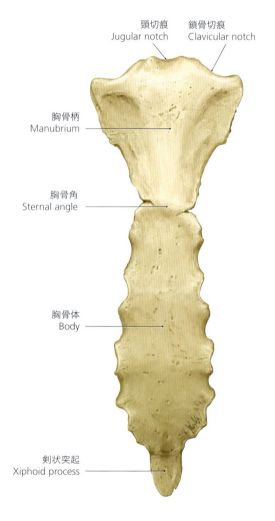

A 前方から見たところ．

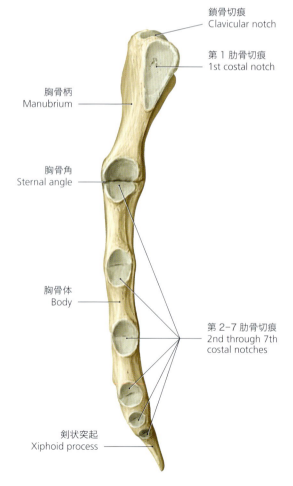

B 左外側方から見たところ．肋骨切痕は真肋の肋軟骨と関節をなす場所である（**図 7.3** 参照）．

図7.5 肋骨
右肋骨，上方から見たところ．肩との関節部については pp.298-299 参照．

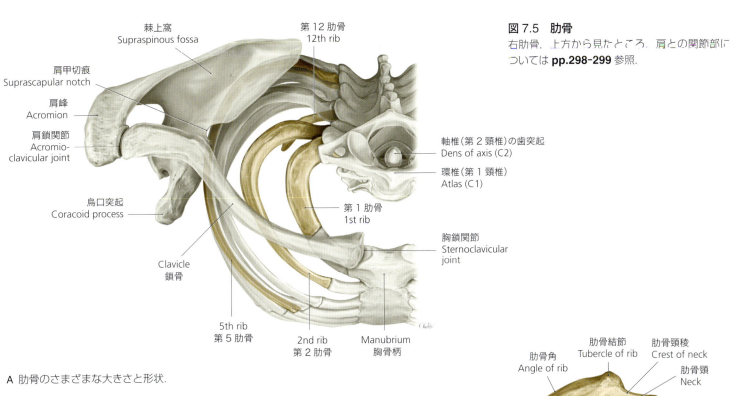

A 肋骨のさまざまな大きさと形状．

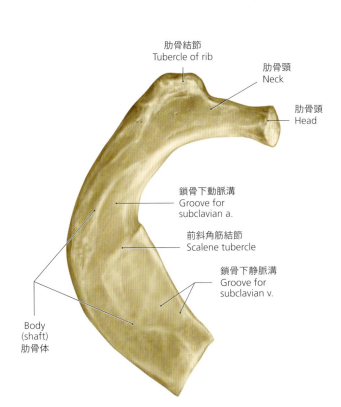

B 第1肋骨．多くの肋骨は下縁に肋骨溝を持つ（図7.24 参照）．肋骨溝は肋間動脈・静脈と肋間神経を保護する．

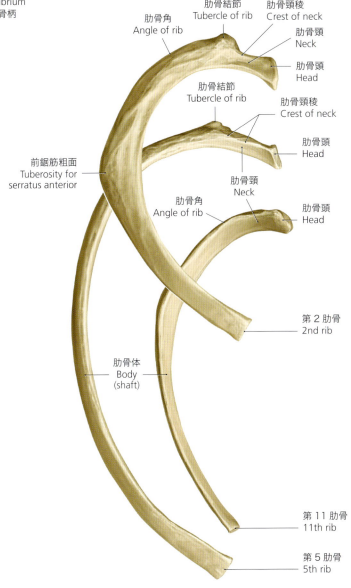

C 右肋骨，上方から見たところ．

胸郭の関節
Joints of the Thoracic Cage

横隔膜は安静時の呼吸の主要筋である（**p.64** 参照）．胸壁の筋肉（**p.62** 参照）は努力呼吸を助ける．

図 7.6　胸郭の運動

深吸息時(赤色)；深呼息時(青色)．深吸息時には胸郭の横径，前後径および胸骨下角が大きくなる．図の赤線(吸息時の径)は青線(呼息時の径)より長いことに注意．横隔膜の下降によってさらに胸腔容量が増加する．

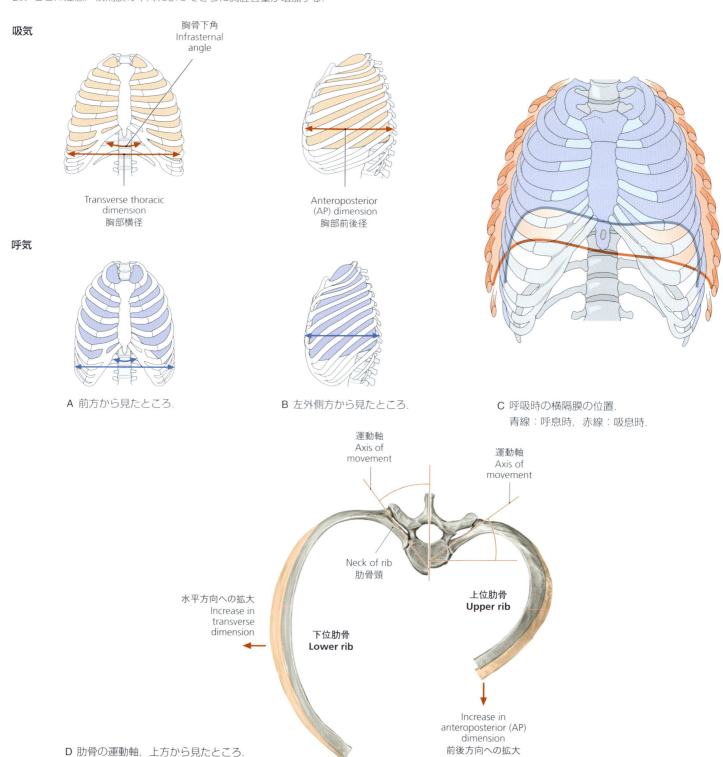

A　前方から見たところ．

B　左外側方から見たところ．

C　呼吸時の横隔膜の位置．
　　青線：呼息時，赤線：吸息時．

D　肋骨の運動軸，上方から見たところ．

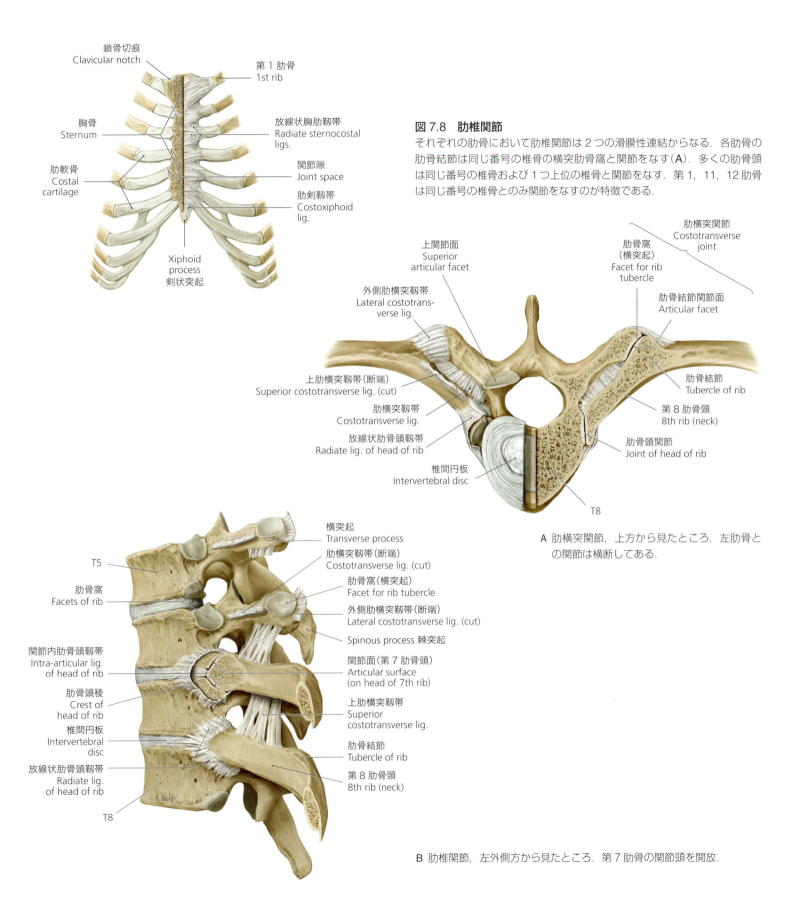

図 7.7 胸肋関節
前方から見たところ．右半の胸骨は前頭断されている．真の関節は第 2-5 肋骨にのみ見られ，第 1, 6, 7 肋骨は軟骨結合によって胸骨に付着する．

図 7.8 肋椎関節
それぞれの肋骨において肋椎関節は 2 つの滑膜性連結からなる．各肋骨の肋骨結節は同じ番号の椎骨の横突肋骨窩と関節をなす（A）．多くの肋骨頭は同じ番号の椎骨および 1 つ上位の椎骨と関節をなす．第 1, 11, 12 肋骨は同じ番号の椎骨とのみ関節をなすのが特徴である．

A 肋横突関節，上方から見たところ．左肋骨との関節は横断してある．

B 肋椎関節，左外側方から見たところ．第 7 肋骨の関節頭を開放．

胸壁の筋
Thoracic Wall Muscle Facts

胸壁の筋肉は胸式呼吸の主要筋であり，努力呼吸時には他の筋肉も働く．大胸筋と前鋸筋は肩とともに扱い（**pp.318-319** 参照），後鋸筋は背中とともに扱う（**p.32** 参照）．

図 7.9　胸壁の筋肉

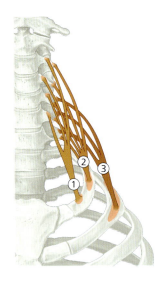

A 斜角筋，前方から見たところ．

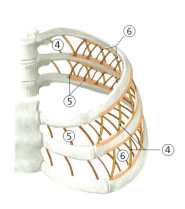

B 肋間筋，前方から見たところ．

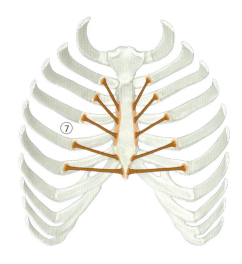

C 胸横筋，後方から見たところ．

表 7.2　胸壁の筋肉

筋		起始	停止	神経支配	作用
斜角筋	① 前斜角筋	第 3-6 頸椎の横突起の前結節	第 1 肋骨の前斜角筋結節	C4-C6 脊髄神経の前枝	・肋骨可動時は，上位の肋骨を挙上する（吸気時） ・肋骨の動きを固定すると，（片側の収縮は）同側に頸椎を屈曲し，（両側の収縮は）頸を屈曲する
	② 中斜角筋	第 1-2 頸椎の横突起 第 3-7 頸椎の横突起の後結節	第 1 肋骨の鎖骨下動脈溝の後ろ側	C3-C8 脊髄神経の前枝	
	③ 後斜角筋	第 5-7 頸椎の横突起の後結節	第 2 肋骨の外側面	C6-C8 脊髄神経の前枝	
肋間筋	④ 外肋間筋	肋骨の下縁から起こり，隣接する下位の肋骨の上縁に付着する（肋骨結節から骨軟骨性接合部まで斜め前下方に走行する）		肋間神経（T1-T11）	肋骨を挙上する（吸気時）．肋間隙を支持し，胸郭を安定する
	⑤ 内肋間筋 ⑥ 最内肋間筋	肋骨の上縁から起こり，隣接する上位の肋骨の下縁に付着する（肋骨角から胸骨まで斜め前上方に走行する）			肋骨を引き下げる（呼気時）．肋間隙を支持し，胸郭を安定する
肋下筋		下位肋骨の下縁から 2，3 個下の肋骨の内側面		近接する肋間神経	肋骨を引き下げる（呼気時）
⑦ 胸横筋		胸骨体と剣状突起（内側面）	第 2-6 肋骨（肋軟骨の内側面）	肋間神経（T2-T6）	弱く肋骨を引き下げる（呼気時）

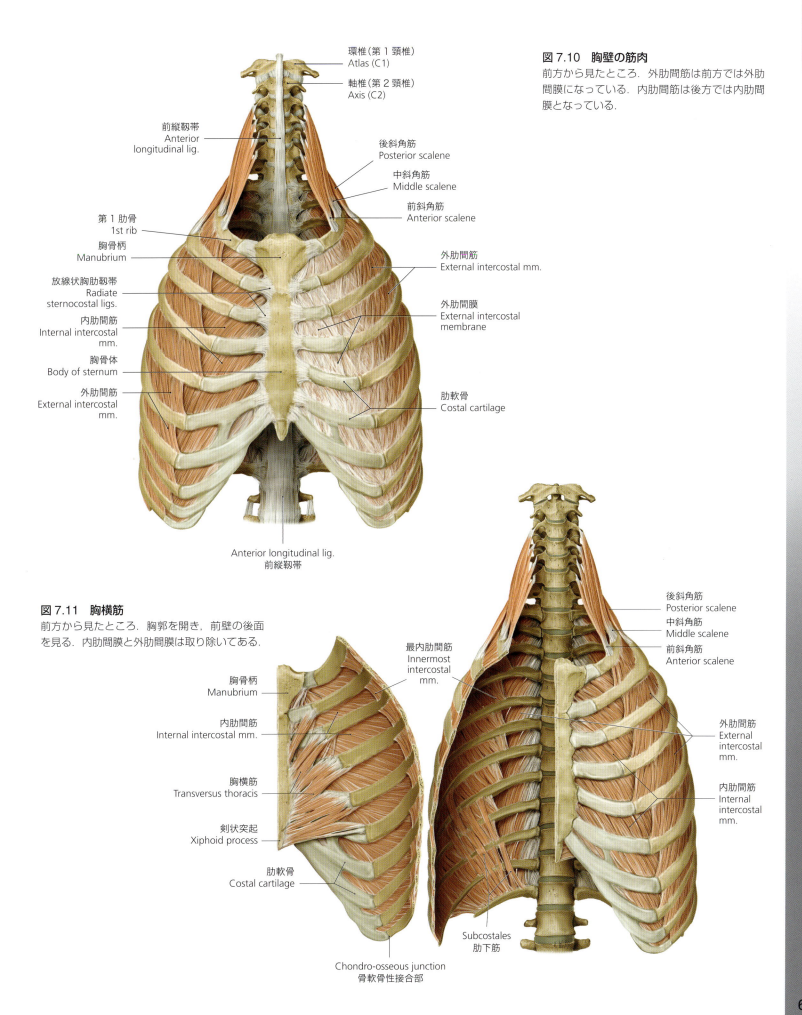

図 7.10 胸壁の筋肉
前方から見たところ．外肋間筋は前方では外肋間膜になっている．内肋間筋は後方では内肋間膜となっている．

図 7.11 胸横筋
前方から見たところ．胸郭を開き，前壁の後面を見る．内肋間膜と外肋間膜は取り除いてある．

横隔膜
Diaphragm

図7.12 横隔膜
胸部と腹部を隔てる横隔膜は非対称の2つの頂部と3つの開口部（大動脈，下大静脈，食道が通過．図7.13C参照）を持つ．

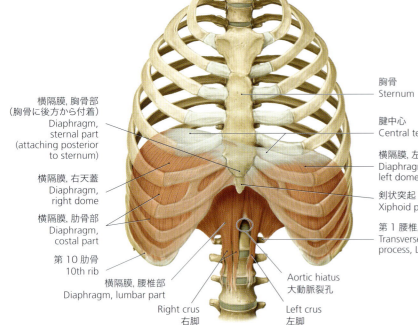

A 前方から見たところ．

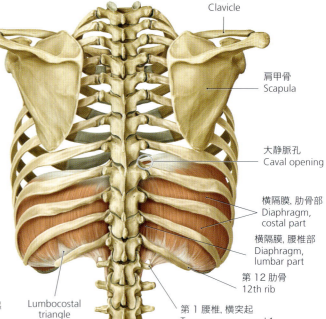

B 後方から見たところ．

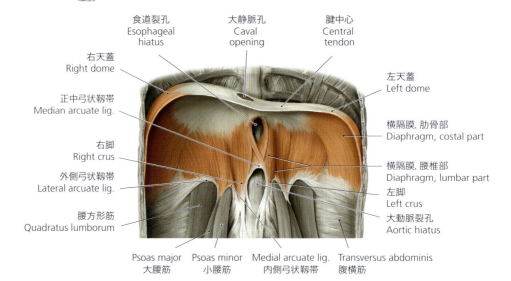

C 中間位の横隔膜の冠状断．

表7.3　横隔膜

筋		起始	停止	神経支配	作用
横隔膜	肋骨部	第7-12肋骨（肋骨弓の下縁の内面）	腱中心	頸神経叢の横隔神経（C3-C5）	呼吸（横隔膜・胸郭呼吸運動）の最も重要な筋である．また，腹腔内臓への加圧を助ける（腹圧負荷）
	腰椎部	内側部：第1-3腰椎体，椎間円板，（右脚・左脚として）前縦靱帯			
		外側部：内側・外側弓状靱帯			
	胸骨部	剣状突起の後面			

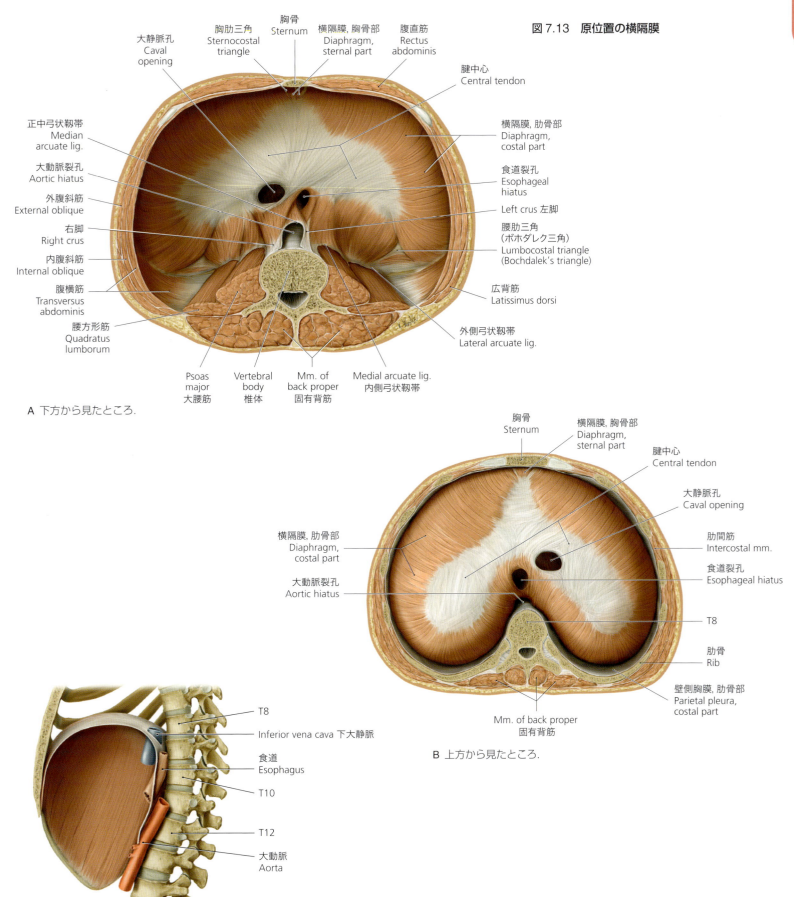

図 7.13 原位置の横隔膜

A 下方から見たところ.

B 上方から見たところ.

C 横隔膜の開口部, 左外側方から見たところ.

横隔膜の血管・神経
Neurovasculature of the Diaphragm

図 7.14 横隔膜の血管・神経
胸郭を開く．前方から見たところ．

図 7.15 横隔膜の神経支配
前方から見たところ．横隔神経は心膜横隔動・静脈とともに線維性心膜の外側面にある．
Note：横隔神経は心膜も支配する．

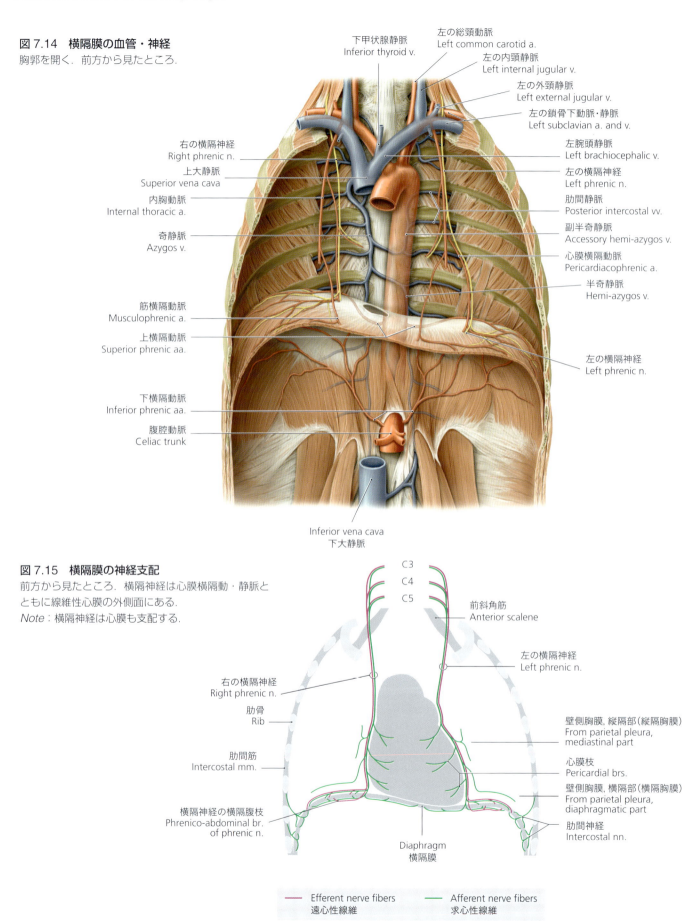

表 7.4 横隔膜の血管

動脈	起始	静脈	流域
下横隔動脈（主要な供給源）	腹大動脈，時には腹腔動脈から起始	下横隔静脈	下大静脈
上横隔動脈	胸大動脈	上横隔静脈	右側：奇静脈へ，左側：半奇静脈へ
心膜横隔動脈	内胸動脈	心横隔静脈	内胸静脈あるいは腕頭静脈
筋横隔動脈		筋横隔静脈	内胸静脈

図 7.16 横隔膜の動脈と神経

Note：横隔膜の周縁部は最下位の肋間神経から感覚支配を受ける．

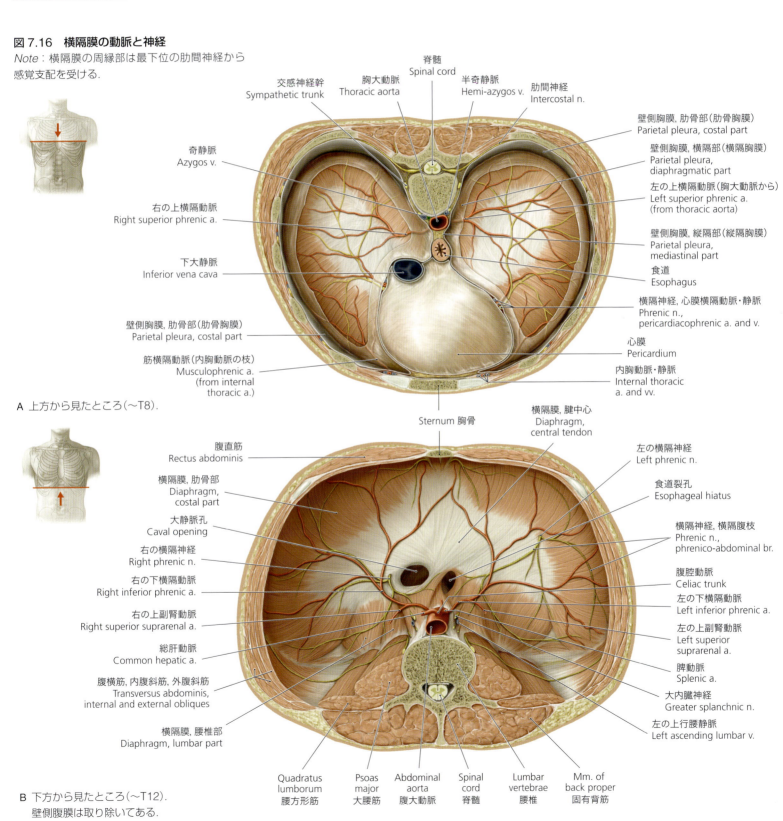

A 上方から見たところ（〜T8）．

B 下方から見たところ（〜T12）．壁側腹膜は取り除いてある．

胸壁の動脈と静脈
Arteries & Veins of the Thoracic Wall

肋間動脈は内胸動脈の前肋間枝と吻合し，胸壁の構造を栄養する．肋間動脈は胸大動脈から分岐するが，第1および第2肋間動脈は肋頸動脈の枝の最上肋間動脈から起こる．

図 7.17　胸壁の動脈
前方から見たところ．

表 7.5	胸壁の動脈
起始	枝
腋窩動脈	外側胸動脈
	胸肩峰動脈
鎖骨下動脈	第1-2肋間動脈〔図4.1 (p.36) 参照〕
	最上胸動脈
胸大動脈	肋間動脈（第3-12）
内胸動脈	前肋間枝
	筋横隔動脈
	上腹壁動脈

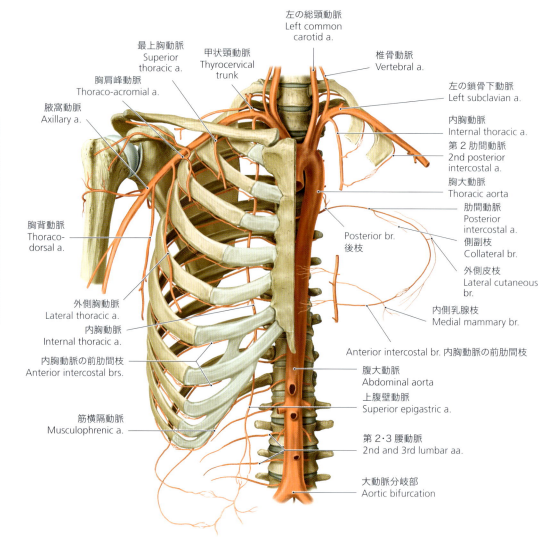

図 7.18　肋間動脈の枝
上方から見たところ．

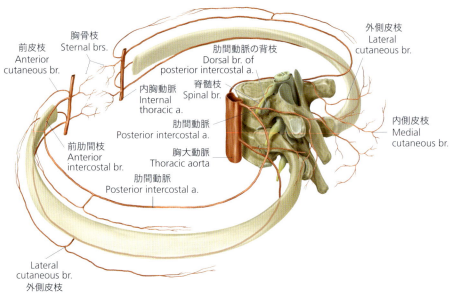

表 7.6	肋間動脈の枝		
動脈	枝		支配
肋間動脈	背枝	脊髄枝	脊髄
		外側皮枝	後胸壁
		内側皮枝	
	側副枝		外胸壁
内胸動脈の前肋間枝	外側皮枝*		前胸壁

*外側皮枝の外側乳腺枝は内胸動脈の内側乳腺枝とともに乳房を支配する．

肋間静脈は主に奇静脈系に連絡するが，内胸静脈にも注ぐ．血液は最終的には上大静脈を介して心臓に戻る．肋間静脈は肋間動脈と同様の位置に分布するが，脊柱の静脈は全長にわたって脊椎を横切る椎骨静脈叢を作る（**p.37** 参照）．

図 7.19　胸壁の静脈
前方から見たところ．

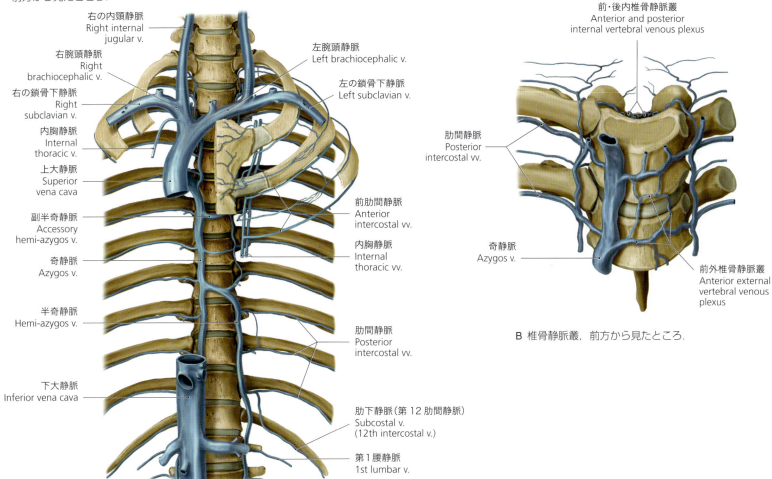

A 前方から見たところ．胸郭を開く．

B 椎骨静脈叢，前方から見たところ．

図 7.20　皮静脈
前方から見たところ．胸腹壁静脈は上大静脈・下大静脈閉塞時の潜在的な浅層の側副路である．

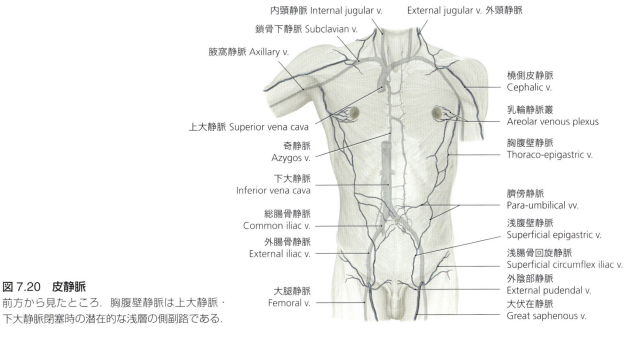

胸壁の神経
Nerves of the Thoracic Wall

図 7.21 肋間神経
前方から見たところ．第 1 肋骨が取り除かれ，第 1, 2 肋間神経が見えている．

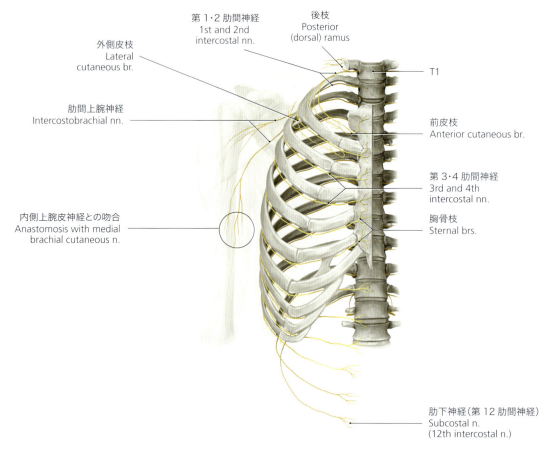

図 7.22 胸壁の皮神経

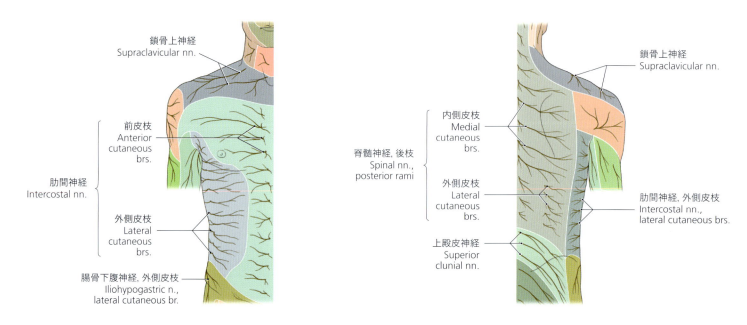

A 前方から見たところ． B 後方から見たところ．

図7.23 脊髄神経の枝

上方から見たところ．後根と前根が合流し，脊髄神経となる．後根は感覚線維，前根は運動線維からなる．脊髄神経とそこから分岐する枝は感覚線維と運動線維の両方を含む混合性神経である．脊髄神経は椎間孔から脊柱管の外に出る．その後枝は背部の皮膚と固有背筋を支配し，前枝は頸神経叢，腕神経叢，腰神経叢，仙骨神経叢と肋間神経をなす．さらに詳細については **p.40** 参照．

図7.24 肋間神経の経路

冠状断，前方から見たところ．

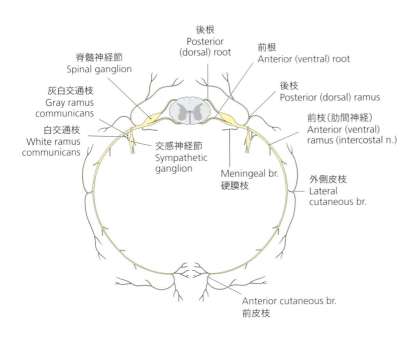

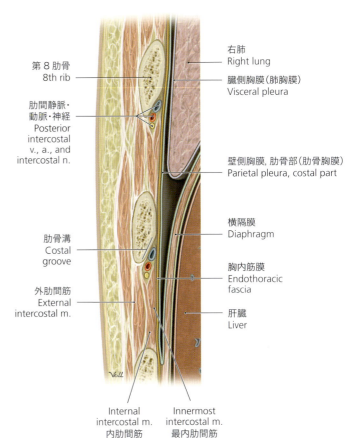

図7.25 胸壁のデルマトーム

Landmarks：第4胸神経は一般に乳頭を含み第6胸神経は剣状突起より上の皮膚を支配する．

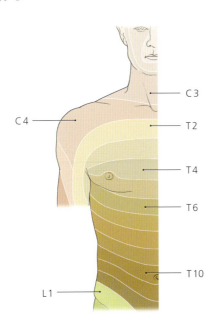

A 前方から見たところ．

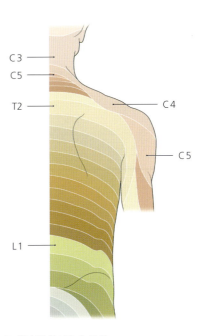

B 後方から見たところ．

胸壁の血管・神経の位置
Neurovascular Topography of the Thoracic Wall

図 7.26 前部の構造
前方から見たところ（背部の血管・神経については **4 章**参照）．

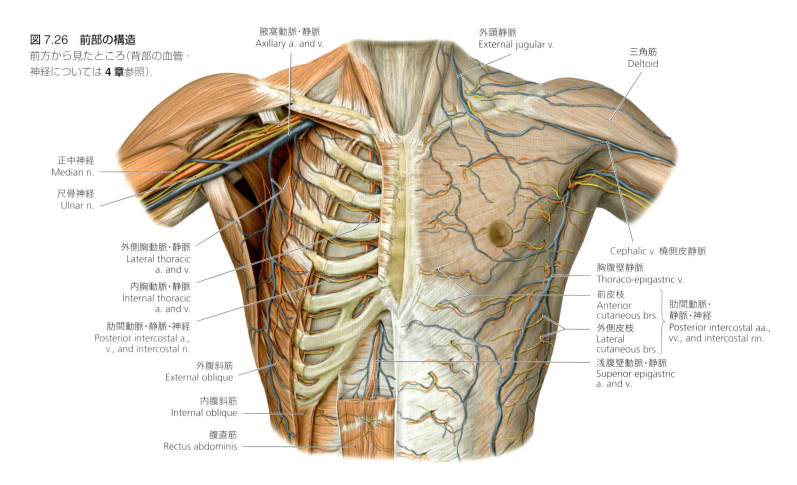

臨床 BOX 7.1

胸腔チューブの挿入

気管支癌に起因する胸水のような，胸膜腔に貯留する異常な滲出液には胸腔チューブが必要である．一般に，坐位で最も有効な穿刺部位は後腋窩線沿いの第7-8肋間とされている．チューブは肋骨上縁で挿入される．これは肋間動脈・静脈・神経を傷つけないためである．虚脱した肺についての詳細は p.123 の**臨床 BOX 10.4** 参照．

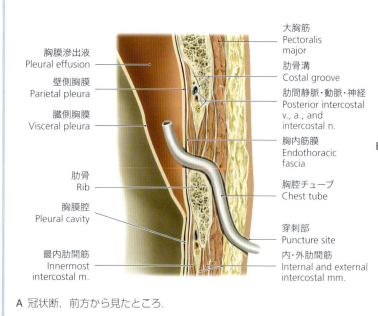

A 冠状断，前方から見たところ．

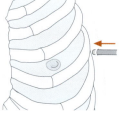

B 胸腔チューブは胸壁に垂直に挿入していく．

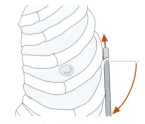

C 肋骨にあてた後，チューブの向きを変え，胸壁に平行に皮下のチューブを進めていく．

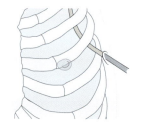

D 肋骨上縁でチューブは肋間筋を貫き，胸腔に進む．

図 7.27 断面における肋間の構造

横断面，前上方から見たところ．肋間溝内での血管・神経の位置関係は，上から静脈，動脈，神経の順である（**p.72** の「臨床 BOX」欄を参照）．

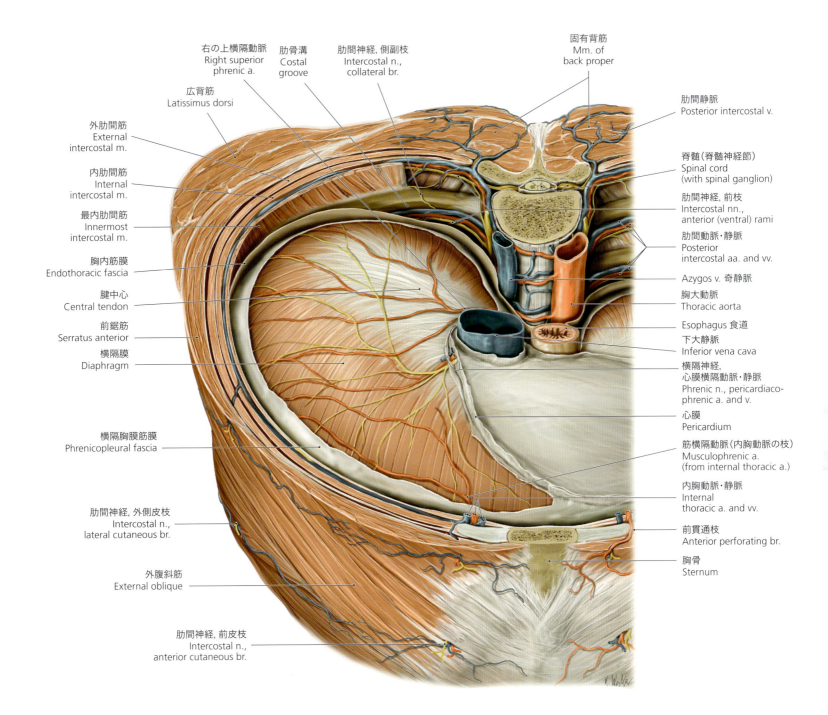

女性の乳房
Female Breast

女性の乳房は皮下組織層内の汗腺が変形したもので，腺組織，線維性の間質，脂肪からなる．乳房は第 2-6 肋骨に広がり，胸筋筋膜，腋窩筋膜，浅腹筋膜と結合組織によって緩く結合している．このほか乳房提靱帯によっても支えられる．乳房組織が腋窩まで伸び出した腋窩尾も多く見られる．

図 7.28 女性の乳房
右乳房，前方から見たところ．

図 7.29 乳腺堤
乳腺の痕跡は両性で乳腺堤を作る．通常は胸部の 1 対のみが残るが，時にはヒトでも副乳として残る．

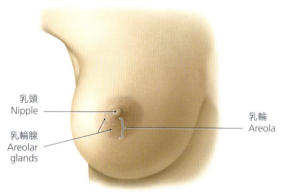

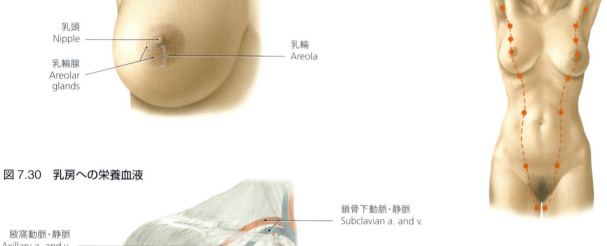

図 7.30 乳房への栄養血液

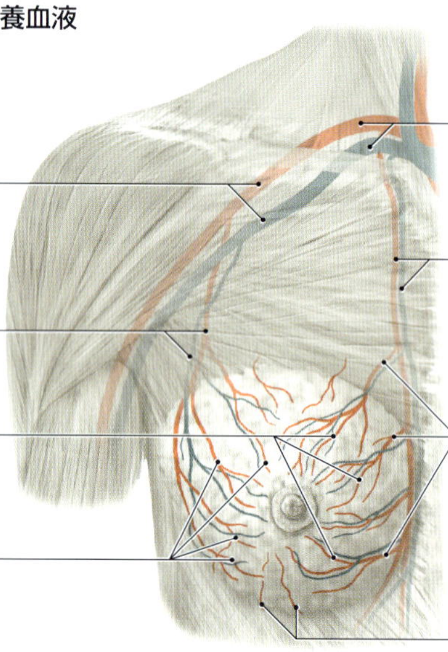

図 7.31 乳房の感覚神経支配

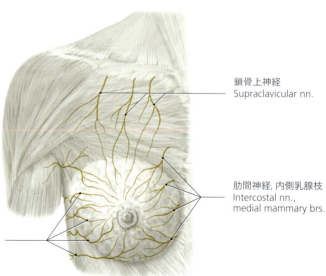

腺組織は 10-20 個の乳腺葉からなり，それぞれに乳管がある．乳管は色素沈着の強い乳輪の中心にある盛り上がった乳頭に開口する．乳管開口部周辺には乳管洞と呼ばれる拡張した領域がある．乳輪の高まりには乳輪腺の開口部（脂腺）がある．腺と乳管は血流の豊富な固い線維性組織で囲まれている．

図 7.32 乳房の構造

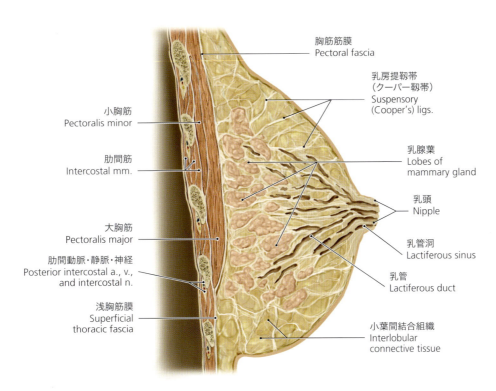

A 鎖骨中線での矢状断．

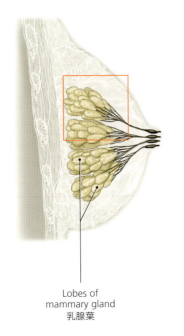

B 導管系と葉，矢状断．ここで示した非授乳乳腺では，小葉に未分化の腺房の束が含まれる．

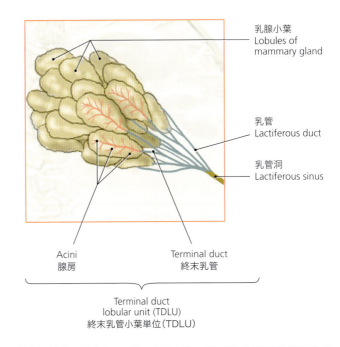

C 終末乳管小葉単位（TDLU）．小葉を作る腺房の束は終末乳管に注ぐ．これらの構造はまとめて TDLU として知られる．

女性乳房のリンパ管
Lymphatics of the Female Breast

乳房のリンパ管（ここでは示されていない）は浅・皮下・深の3リンパ管系に分けられる．これらは主に腋窩リンパ節に集まるが，小胸筋との関係で分類される（**表7.7**）．乳房の内側部は内胸動脈に沿って分布する胸骨傍リンパ節によって灌流される．

図7.33　腋窩リンパ節

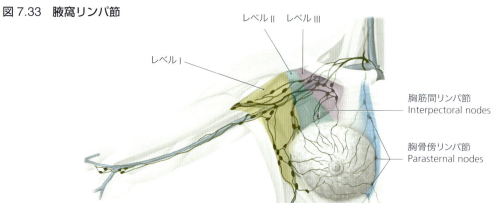

A　乳房のリンパ管．
　　レベルⅠ，Ⅱ，Ⅲの説明は**表7.7**を参照．

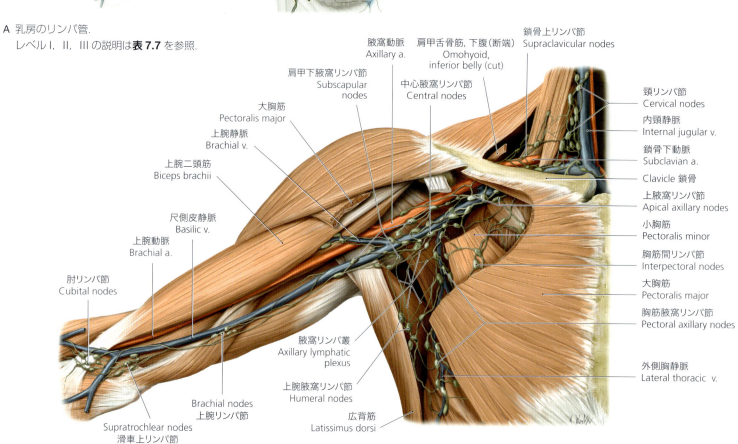

B　前方から見たところ．

表7.7	腋窩リンパ節のレベル		
レベル		位置	リンパ節
Ⅰ	下腋窩グループ	小胸筋の外側	胸筋腋窩リンパ節
			肩甲下腋窩リンパ節
			上腕腋窩リンパ節
Ⅱ	中腋窩グループ	小胸筋の後方	中心腋窩リンパ節
			胸筋間リンパ節
Ⅲ	上腋窩グループ	小胸筋の内側	上腋窩リンパ節

臨床 BOX 7.2

乳癌

小葉内結合組織の幹細胞は乳管の増殖と腺房の分化に必要な細胞の著しい増殖に働く．これが悪性乳癌の頻発部位である終末乳管小葉単位（TDLU）を構成する．

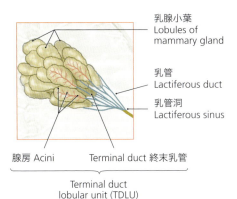

A 終末乳管小葉単位．

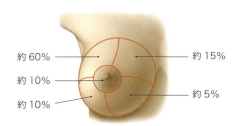

B 悪性腫瘍の部位別発生比率．

乳房腫瘍はリンパ管を通じて広がる．胸骨傍リンパ節を経て正中線を越えて反対側に広がることもあるが，深リンパ管系（レベルIII）が特に重要である．乳癌の生存率は腋窩リンパ節の各レベルに属するリンパ節への転移の広さに強く左右される．転移の波及度合いは放射標識コロイド（テクネチウム-99m 標識硫黄マイクロコロイド）によるシンチグラフィで測定される．腫瘍から最初にリンパを受け入れるセンチネル（前哨）リンパ節は放射標識によって初めて標識される．認識された後は，センチネル（前哨）リンパ節除去を行い，組織学的に癌組織の検査が行われる．この方法は腋窩リンパ節転移のレベルを98％の精度で予測する．

転移	5年生存率
レベル I	65％
レベル II	31％
レベル III	〜0％

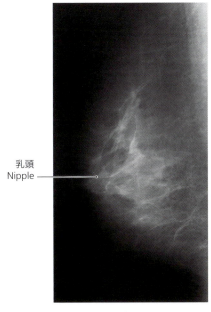

C 正常マンモグラフィ．

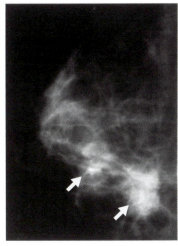 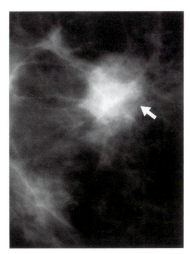

D 浸潤性乳管癌のマンモグラフィ（矢印の白い領域は通常見られない）．大きな病変が乳房組織の周辺構造を変化させている．

8 胸腔

胸腔の区分
Divisions of the Thoracic Cavity

胸腔は大きく縦隔（p.90）と2つの胸膜腔（p.112）の3つの領域に分けられる．

図 8.1 胸腔
冠状断，前方から見たところ．

表 8.1 胸腔の主要構造

縦隔	上縦隔		胸腺，大血管，気管，食道，胸管
	下縦隔	前縦隔	胸腺（特に小児において）
		中縦隔	心臓，心膜，大血管の根部
		後縦隔	胸大動脈，胸管，食道，奇静脈系
胸膜腔	右胸膜腔		右肺
	左胸膜腔		左肺

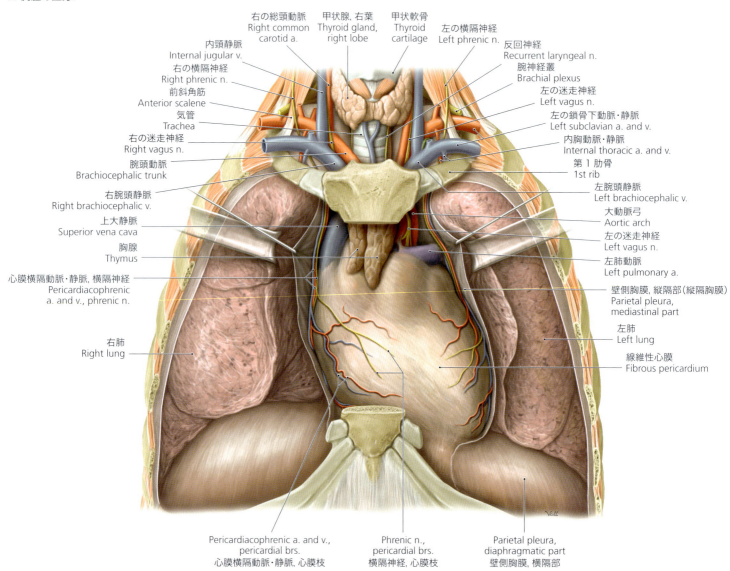

A 胸腔の区分．

B 胸腔を開く．胸壁と前縦隔の結合組織を取り除いている．

図 8.2 縦隔の区分

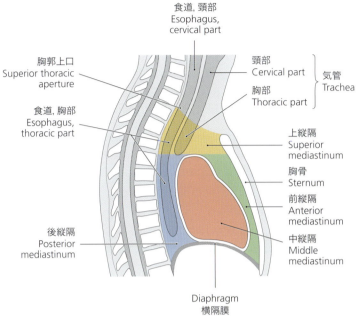

A 正中矢状断，外側方から見たところ．

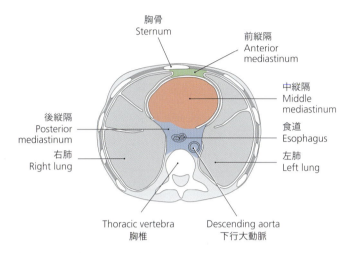

B 水平断，下方から見たところ．

図 8.3 胸部の水平断
胸部の CT，下方から見たところ．

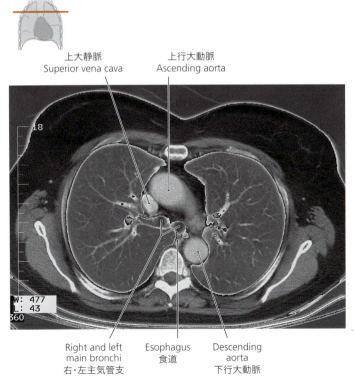

A 上縦隔．

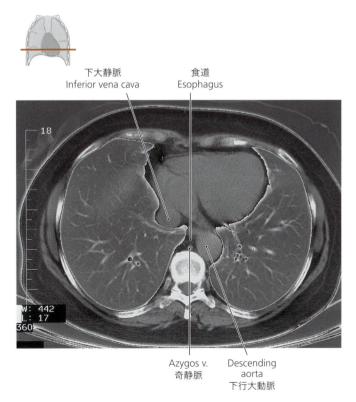

B 下縦隔．

胸腔の動脈
Arteries of the Thoracic Cavity

大動脈弓からは腕頭動脈，左の総頸動脈，左鎖骨下動脈の3つの大きな枝が分かれる．大動脈弓を経て大動脈は下行し，胸骨角の高さで胸大動脈となり，横隔膜の大動脈裂孔を通過後に腹大動脈となる．

図 8.4 胸大動脈

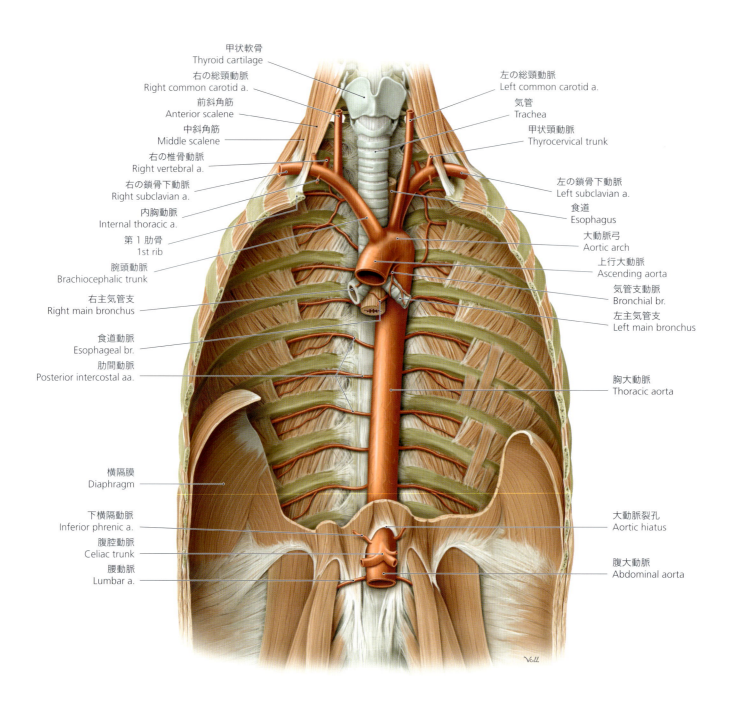

A 原位置の胸大動脈，前方から見たところ．心臓，肺，横隔膜の一部を切り取っている．

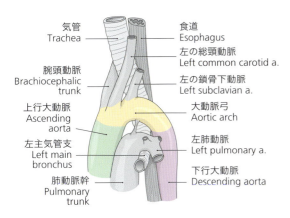

B 大動脈の部分，外側方から見たところ．
Note：大動脈弓の始まりと終わりは胸骨角（p.58 参照）の高さである．

表 8.2　胸大動脈の枝

胸部内臓は胸大動脈からの直接枝と鎖骨下動脈からの間接枝によって栄養される．

大動脈の区分	枝			支配域
上行大動脈	右・左冠状動脈			心臓 気管支，気管，食道
大動脈弓	腕頭動脈	右の鎖骨下動脈		左の鎖骨下動脈を参照
		右の総頸動脈		
	左の総頸動脈			頭部と頸部
	左の鎖骨下動脈	椎骨動脈		
		内胸動脈	前肋間枝	前胸壁
			胸腺枝	胸腺
			縦隔枝	後縦隔
			心膜横隔動脈	心膜，横隔膜
		甲状頸動脈	下甲状腺動脈	食道，気管，甲状腺
		肋頸動脈	最上肋間動脈	胸壁
下行大動脈	臓側枝			気管支，気管，食道
	壁側枝	肋間動脈		後胸壁
		左・右の上横隔動脈		横隔膜

臨床 BOX 8.1

大動脈解離

大動脈の内膜裂傷によって大動脈壁のレベルで血流が分離し，偽腔が作られ，潜在的に生死に関わる大動脈破裂につながる．症状としては呼吸困難と血流不足が見られ，突然激しい痛みを感じる．急性動脈解離は上行大動脈によく起こり，一般的に外科手術が必要である．これより遠位の動脈解離は，合併症（灌流を回復するためにステントの挿入を必要とするような臓器への血流障害など）がない場合には，保存的に治療される．冠状動脈起始部の動脈解離は心筋梗塞を招くことがある．

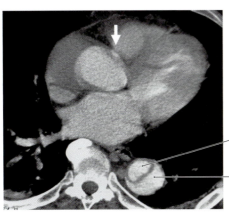

A 動脈解離．内膜の一部はまだ大動脈壁の結合組織と結合している（矢印）．

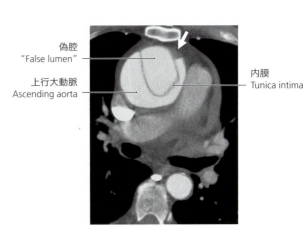

B 冠状動脈への血流は障害されていない（矢印）．

胸腔の静脈
Veins of the Thoracic Cavity

上大静脈は両腕頭静脈が第2-3胸椎間の高さで合流してでき，奇静脈系からの血流が流入する（下大静脈は胸部に枝を持たない）．

図8.5 上大静脈と奇静脈系

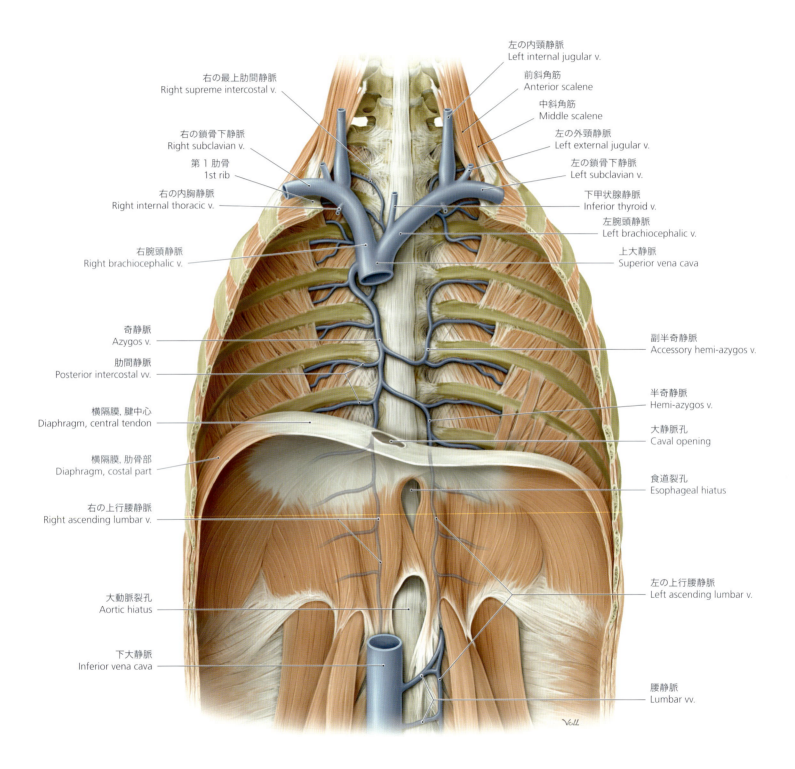

A 胸腔の静脈，前方から見たところ．胸郭を開く．

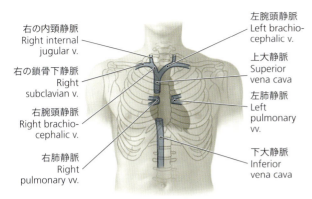

B 胸への大静脈の投影．前方から見たところ．

表 8.3	上大静脈の胸部支脈		
本幹	支脈		流域
左・右腕頭静脈	下甲状腺静脈		食道，気管，甲状腺
	左・右の内頸静脈		頭部，頸部，上腕
	左・右の外頸静脈		
	左・右の鎖骨下静脈		
	最上肋間静脈		
	心膜静脈		
	左の上肋間静脈		
奇静脈系 （左側：副半奇静脈， 右側：奇静脈）	臓側枝		気管，気管支，食道
	壁側枝	肋間静脈	内胸壁，横隔膜
		左・右の上横隔静脈	
		右の上肋間静脈	
内胸静脈	胸腺静脈		胸腺
	縦隔枝		後縦隔
	前肋間静脈		前胸壁
	心膜横隔静脈		心膜
	筋横隔静脈		横隔膜
Note：上縦隔の構造からの静脈は，気管静脈・食道静脈・縦隔静脈を経由して腕頭静脈に直接注ぐこともある．			

図 8.6 奇静脈系
前方から見たところ．

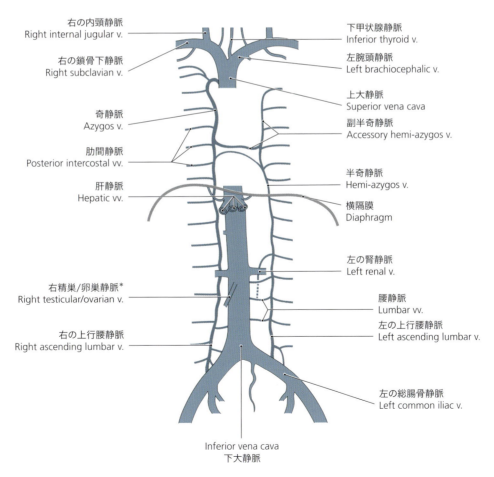

＊左精巣/卵巣静脈は左の腎静脈から起こる．

胸腔のリンパ管
Lymphatics of the Thoracic Cavity

人体の主要なリンパ管は胸管である．胸管は，腹部の第1腰椎の高さの乳ビ槽から始まり，左内頸静脈と鎖骨下静脈の合流部に注ぐ．右リンパ本幹は右内頸静脈と鎖骨下静脈の合流部に注ぐ．

図8.7 胸部のリンパ本幹
前方から見たところ．胸郭を開く．

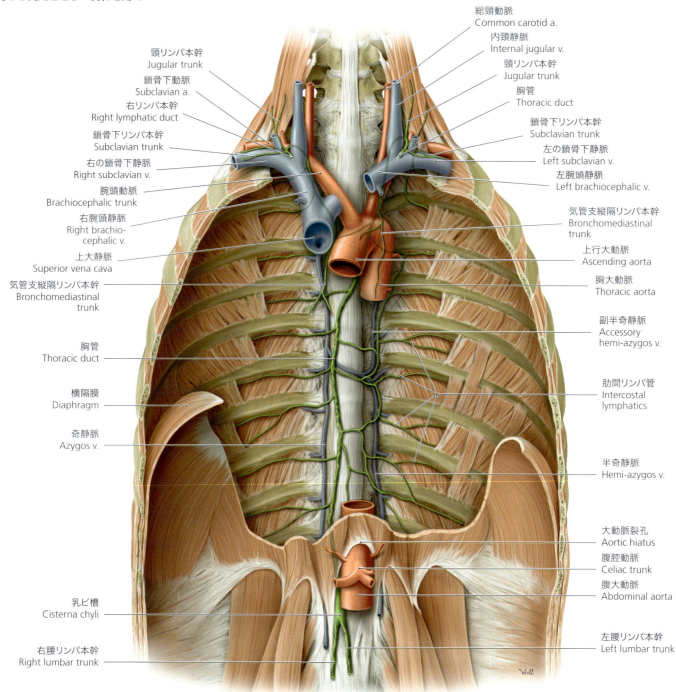

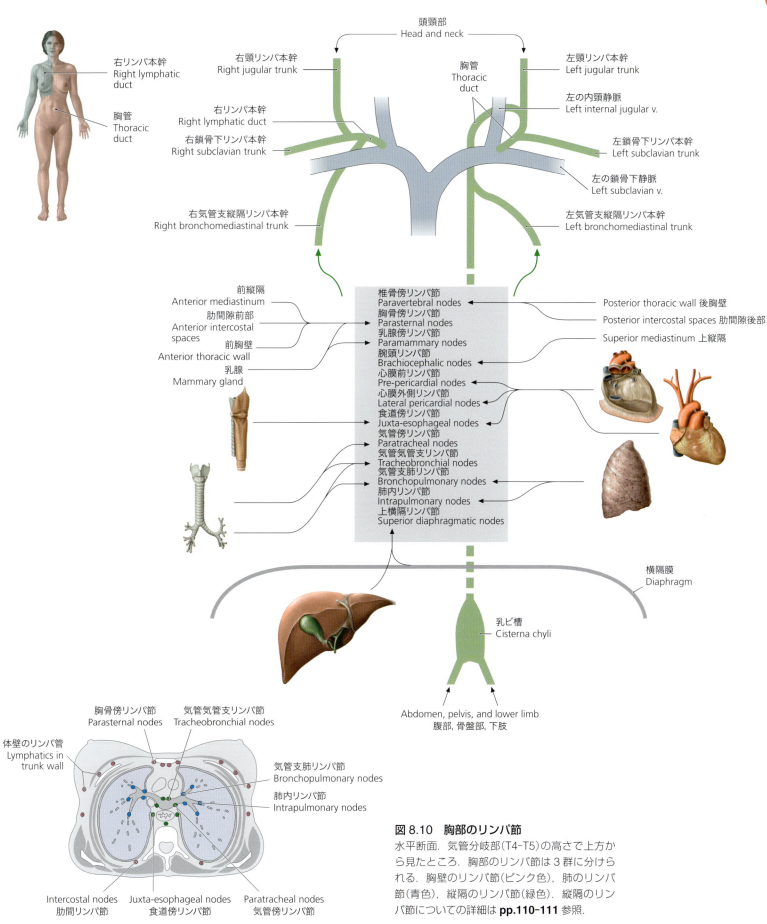

図 8.8 リンパ流路の 4 分法

図 8.9 胸部のリンパ管の経路

図 8.10 胸部のリンパ節
水平断面．気管分岐部（T4-T5）の高さで上方から見たところ．胸部のリンパ節は 3 群に分けられる．胸壁のリンパ節（ピンク色），肺のリンパ節（青色），縦隔のリンパ節（緑色）．縦隔のリンパ節についての詳細は pp.110-111 参照．

胸腔の神経
Nerves of the Thoracic Cavity

胸部の神経支配はほとんどが自律神経で，交感神経幹または副交感神経性の迷走神経に由来する．例外は，心膜と横隔膜を支配する横隔神経（**p.66**）と胸壁を支配する肋間神経（**p.70**）の2つである．

図 8.11　胸部にある神経
前方から見たところ．胸郭を開く．

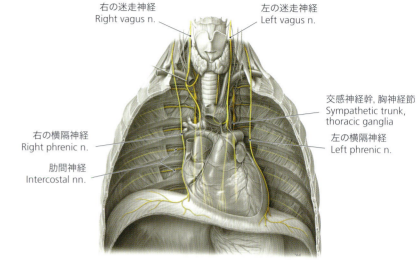

A　胸部の神経支配．

B　原位置の胸郭の神経．肺，心嚢，心臓，肋骨胸膜を取り除いてある．
Note：反回神経をやや前方に引き出して描いている．通常，反回神経は気管と食道の間の溝に入り込んでいるために，甲状腺の手術の際に傷つきやすい．

自律神経系は平滑筋，心筋，腺を支配する．自律神経系は交感神経系（赤色）と副交感神経系（青色）に分けられ，どちらも血流，分泌，内臓機能を調節する．

図8.12 胸部の交感神経系と副交感神経系

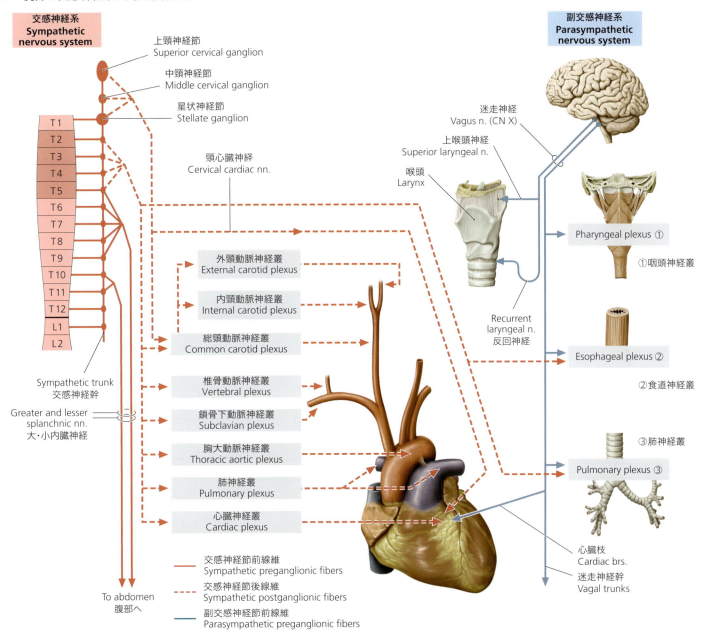

表8.4	末梢の交感神経系		
節前線維の起始*	神経節細胞	節後線維の経路	標的
脊髄	交感神経幹	肋間神経に伴行	胸壁の血管と腺
		胸郭内の動脈に伴行	標的器官
		大・小内臓神経に集まる	腹部

*節前線維の軸索は前根を経由して脊髄を離れ，交感神経節で節後線維とシナプスを作る．

表8.5	末梢の副交感神経系		
節前線維の起始	運動性節前線維の経路*		標的
脳幹	迷走神経（CN X）	心臓枝	心臓神経叢
		食道枝	食道神経叢
		気管枝	気管
		気管支枝	肺神経叢（気管支，肺の血管）

*副交感神経系の神経節細胞は支配器官内に散在していて顕微鏡レベルでしか確認できない．迷走神経は運動性の節前線維をこれらの標的まで運ぶ．CN，脳神経（cranial nerve）．

9 縦隔

縦隔：概観
Mediastinum: Overview

縦隔は左右の肺を包む胸膜の間にある空間であり，上部・下部の2つの領域に分けられる．下縦隔はさらに前縦隔，中縦隔，後縦隔に分けられる．

図9.1 縦隔の区分

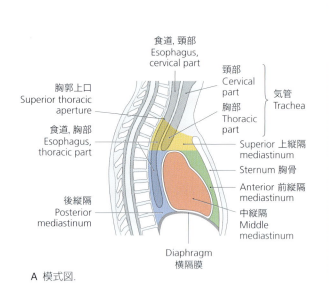

A 模式図．

表9.1 縦隔の構成要素

	上縦隔	下縦隔		
		●前縦隔	●中縦隔	●後縦隔
器官	・胸腺 ・気管 ・食道	・胸腺，下極（特に小児）	・心臓 ・心膜	・食道
動脈	・胸大動脈 ・腕頭動脈 ・左の総頸動脈 ・左の鎖骨下動脈	・小さい血管	・上行大動脈 ・肺動脈幹とその枝 ・心膜横隔動脈	・胸大動脈とその枝
静脈と リンパ管	・上大静脈 ・腕頭静脈 ・胸管と右リンパ本幹	・小さな血管， リンパ管， リンパ節	・上大静脈 ・奇静脈 ・肺静脈 ・心膜横隔静脈	・奇静脈 ・半奇静脈と 副半奇静脈 ・胸管
神経	・迷走神経 ・左の反回神経 ・心臓神経 ・横隔神経	・なし	・横隔神経	・迷走神経

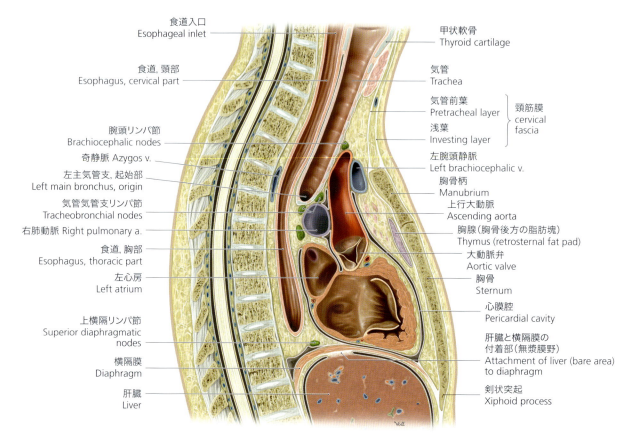

B 正中矢状断，右外側方から見たところ．

図9.2 縦隔の内容

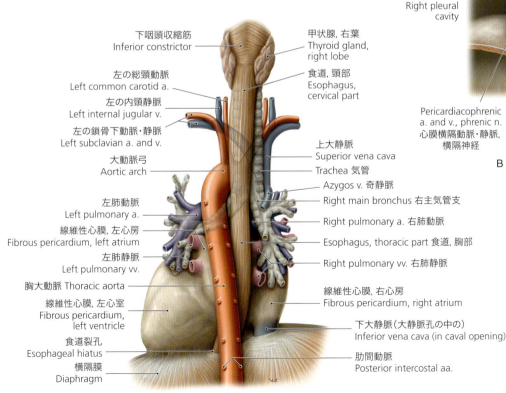

A 前面．胸腺は下縦隔の前縦隔まで伸び，幼児期を通じて成長しつづける．思春期には性ホルモンの循環量が多くなって退縮するために成人の胸腺は小さくなり，前縦隔にある脂肪と一体となって区別しにくくなる．

B 前方から見たところ．肺，心臓，心膜，胸膜を取り除いてある．

C 後方から見たところ．

縦隔の構造
Mediastinum: Structures

図 9.3 　縦隔

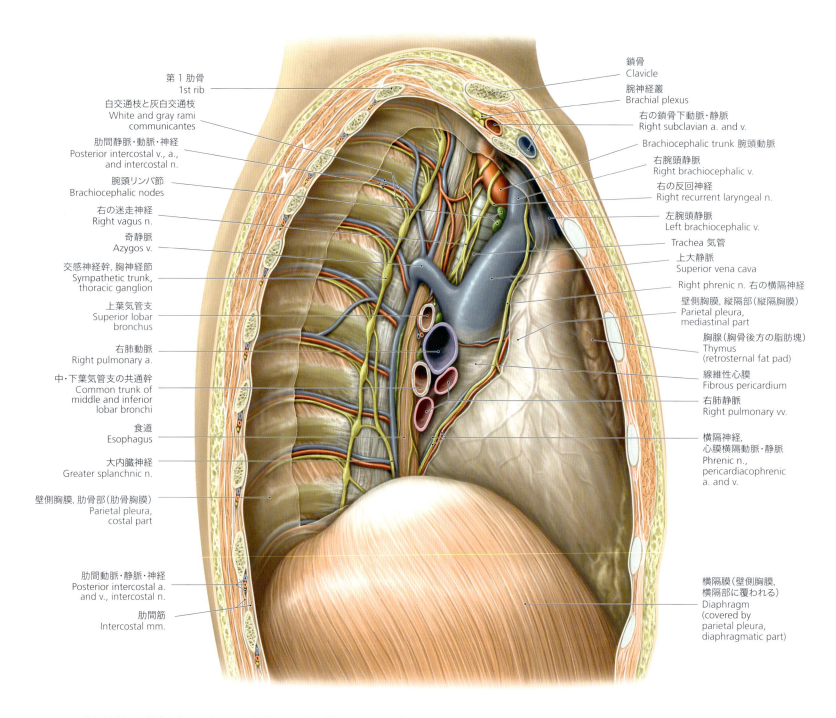

A 傍矢状断，右側方から見たところ．上縦隔と下縦隔（中縦隔と後縦隔）の間に多くの構造があることに注意．

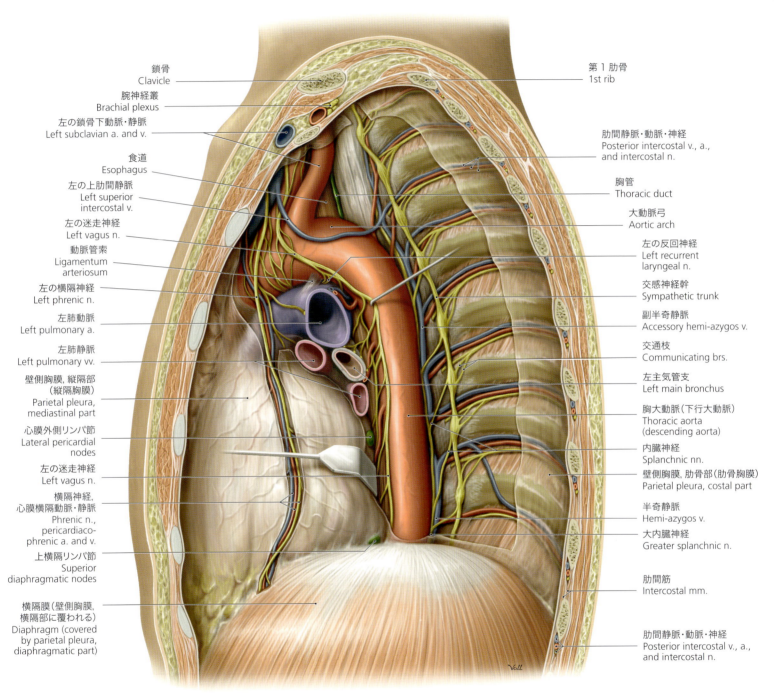

B 傍矢状断．左外側方から見たところ．左肺と壁側胸膜を取り除く．後縦隔の構造が見える．

心臓：機能と周辺構造との関係
Heart: Functions and Relations

心臓は血液のポンプとして，低酸素血を肺に，高酸素血を全身に送る．肺を含む左右の胸膜腔の間で胸骨後方の中縦隔に位置し，心膜腔内にある．

心臓を円錐形として見た場合に，その頂点は左胸膜腔の前方を指す．

図 9.4　循環
高酸素血は赤色，低酸素血は青色で示す．
出生前の循環については **p.104** 参照．

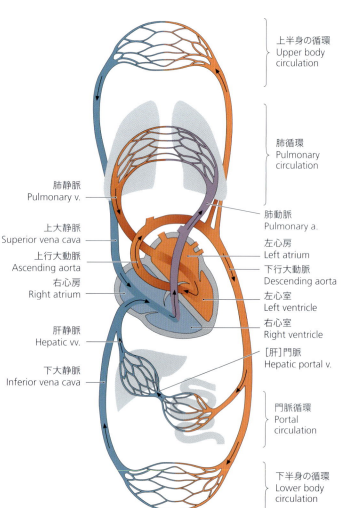

図 9.5　心臓の位置関係

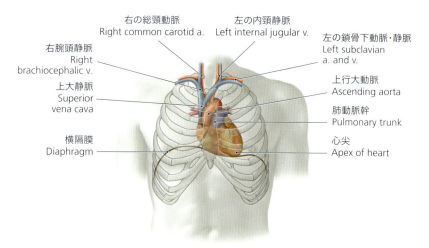

A　心臓と大血管の胸への投影，前方から見たところ．

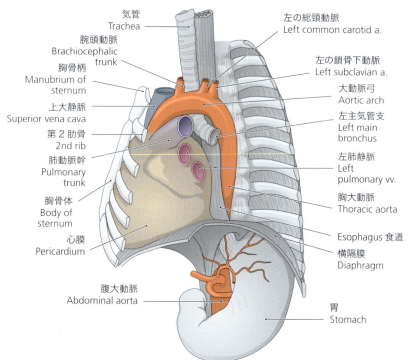

B　左外側方から見たところ．胸郭左側と左肺は取り除いてある．

図 9.6 原位置の心臓

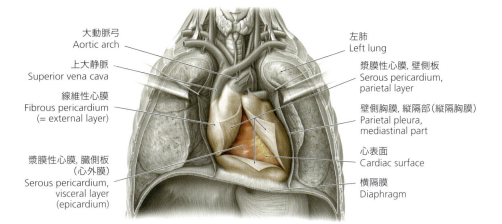

A 前方から見たところ．胸郭を開き，胸腺を取り除く．心膜前面を開いて翻転し，心臓を見せる．

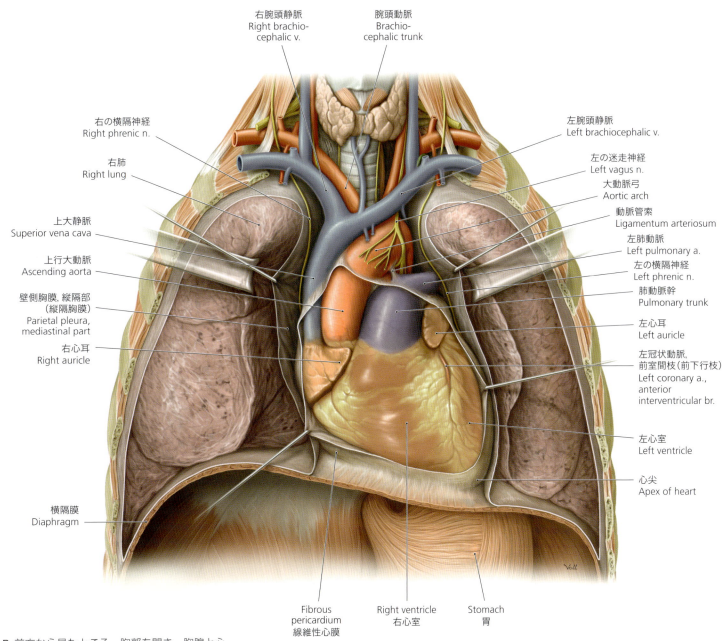

B 前方から見たところ．胸郭を開き，胸腺と心膜前面を取り除いて心臓を見せる．

心膜
Pericardium

図9.7 心膜腔後方
前方から見たところ．胸郭を開き，心膜前面を取り除き，心臓を軽く持ち上げ，心膜腔後方と心膜斜洞を示す．

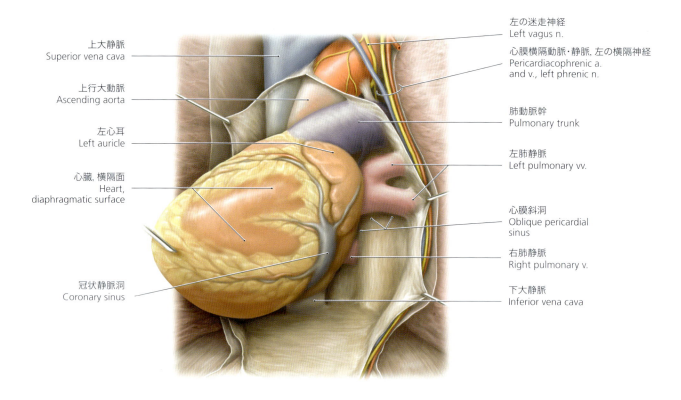

図9.8 心膜後面
前方から見たところ．胸郭を開き，心膜前面と心臓を取り除き，心膜腔後方と心膜斜洞を示す．矢印は心膜横洞を示す．心膜横洞は心臓大血管周囲の漿膜性心膜の折れ返りに挟まれた通路である．

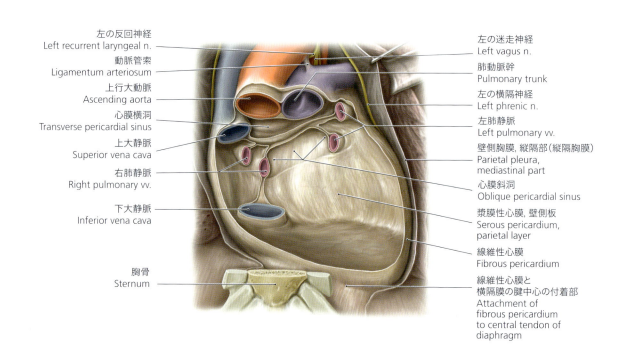

図 9.9 心臓の後方の構造との関係

前方から見たところ．胸郭を開き，心膜前面と心臓を取り除き，心膜後面を部分的に開いて心臓の後方にある構造を示す．食道は心臓の近傍にあり，左心房に対しては経食道超音波検査が行われる．

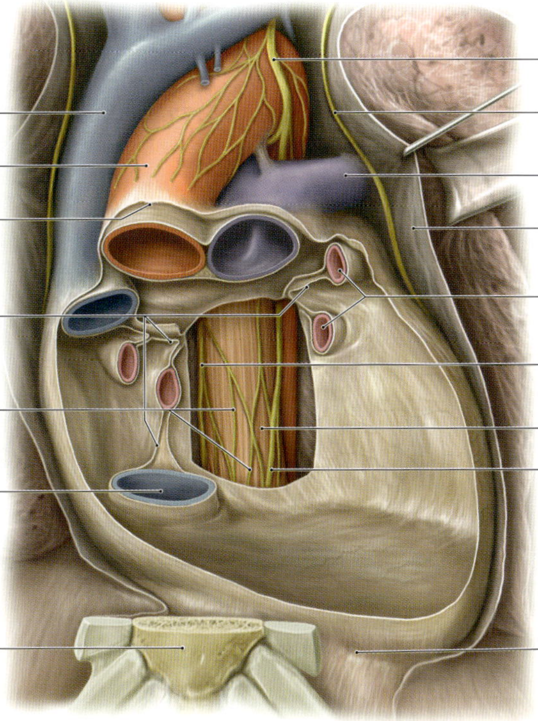

- 上大静脈 Superior vena cava
- 上行大動脈 Ascending aorta
- 動脈基部を囲む漿膜性心膜の切断縁 Cut edge of serous pericardium surrounding origin of a.
- 静脈基部を囲む漿膜性心膜の切断縁 Cut edge of serous pericardium surrounding termination of vv.
- 食道神経叢 Esophageal plexus
- 下大静脈 Inferior vena cava
- 胸骨 Sternum
- 左の迷走神経 Left vagus n.
- 左の横隔神経 Left phrenic n.
- 左肺動脈 Left pulmonary a.
- 壁側胸膜，縦隔部（縦隔胸膜） Parietal pleura, mediastinal part
- 左肺静脈 Left pulmonary vv.
- 後迷走神経幹 Posterior vagal trunk
- 食道 Esophagus
- 前迷走神経幹 Anterior vagal trunk
- 線維性心膜と横隔膜の腱中心の付着部 Attachment of fibrous pericardium to central tendon of diaphragm

図 9.10 心膜，心膜腔，心膜横洞

縦隔の正中矢状断．線維性心膜は横隔膜の腱中心に付着し，大血管の外膜と連続している．漿膜性心膜の壁側板は線維性心膜を裏打ちし，臓側板は心臓に付着する．心膜腔は漿膜性心膜の壁側板と臓側板の間の空間で，微量の漿液があり，拍動による摩擦を緩和する．漿膜性心膜の壁側板と臓側板は大血管に達したところで折れ返り，折れ返った部分同士が連続している．動脈の折れ返りと静脈の折れ返りの間の通路が心膜横洞である．

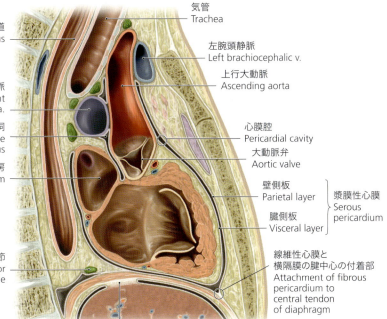

- 食道 Esophagus
- 右肺動脈 Right pulmonary a.
- 心膜横洞 Transverse pericardial sinus
- 左心房 Left atrium
- 上横隔リンパ節 Superior diaphragmatic node
- 気管 Trachea
- 左腕頭静脈 Left brachiocephalic v.
- 上行大動脈 Ascending aorta
- 心膜腔 Pericardial cavity
- 大動脈弁 Aortic valve
- 壁側板 Parietal layer ｝漿膜性心膜 Serous pericardium
- 臓側板 Visceral layer
- 線維性心膜と横隔膜の腱中心の付着部 Attachment of fibrous pericardium to central tendon of diaphragm
- Attachment of liver (bare area) to diaphragm 肝臓と横隔膜の付着部（無漿膜野）

臨床 BOX 9.1

心タンポナーデ

心嚢内の液体や血液が急速に増加することにより，心臓の十分な拡張が阻害されて心臓への血液還流量が減少し，心拍出量の減少が起こる．このような状態は心タンポナーデとして知られ，解除が行われなければ死に至る危険性がある．最初に心嚢内の液体・血液を早急に除去して心機能を回復させる必要があり，その後で液体・血液の増加原因の治療を行う．

心臓：表面と部屋
Heart: Surfaces & Chambers

漿膜性心膜臓側板が折れ返って漿膜性心膜壁側板になることに注意.

図 9.11 心臓の表面
心臓には3つの面がある. 前面（胸肋面）, 後面（底面）, 下面（横隔面）.

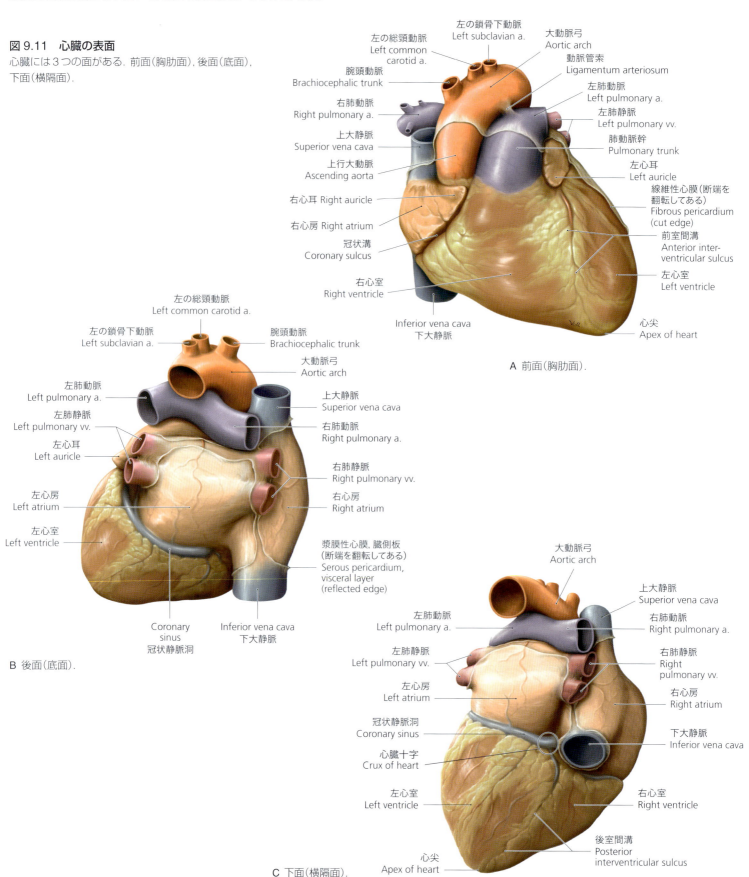

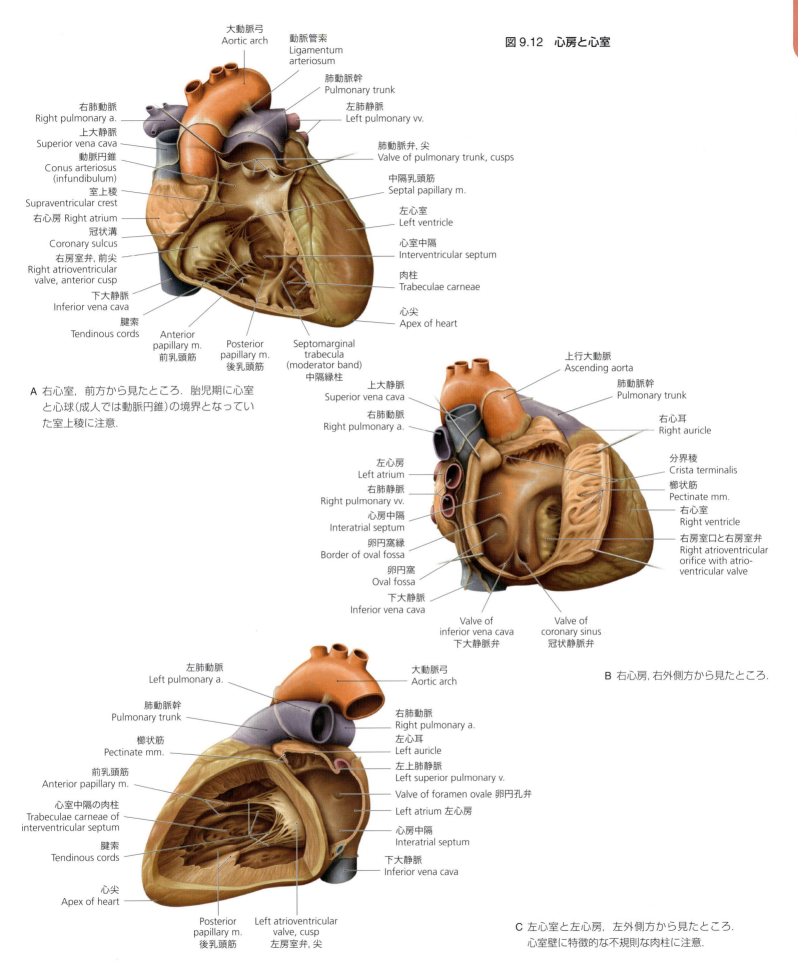

図 9.12 心房と心室

A 右心室，前方から見たところ．胎児期に心室と心球（成人では動脈円錐）の境界となっていた室上稜に注意．

B 右心房，右外側方から見たところ．

C 左心室と左心房，左外側方から見たところ．心室壁に特徴的な不規則な肉柱に注意．

心臓：弁
Heart: Valves

心臓弁は半月弁と房室弁の2つに分類される．2つの半月弁（大動脈弁と肺動脈弁）は心臓の2本の大血管基部にあり，心室から大動脈と肺動脈への血流を調節している．2つの房室弁（左房室弁と右房室弁）は心房と心室の境界にある．

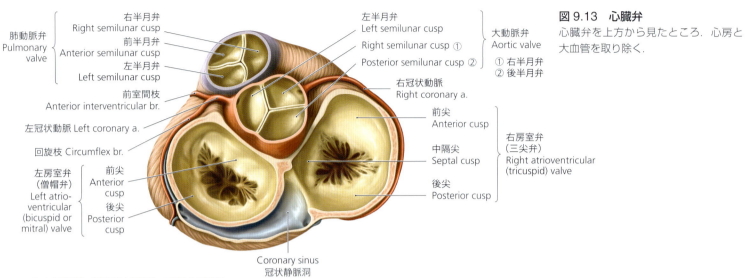

図9.13 心臓弁
心臓弁を上方から見たところ．心房と大血管を取り除く．

A 心室拡張期．動脈弁が閉鎖，房室弁が開放．

B 心室収縮期．房室弁が閉鎖，動脈弁が開放．

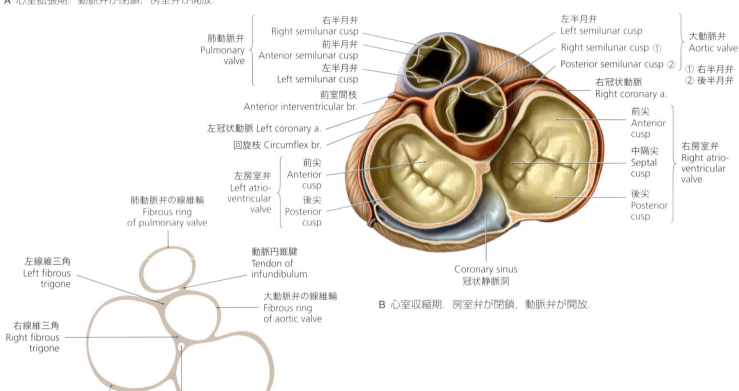

C 心臓の骨格．上方から見たところ．心臓の骨格は密な線維結合組織から作られる．線維輪と線維三角は心房と心室を隔てており，機械的に堅固にし，電気的絶縁体になり（刺激伝導系については **p.102** 参照），心筋と弁尖の付着部にもなっている．

表9.2 心臓弁の位置と聴診部位

弁	解剖学的投影位置	聴診部位
大動脈弁	第3肋骨の高さの胸骨左縁	右第2肋間胸骨近く
肺動脈弁	第3肋軟骨の高さの胸骨左縁	左第2肋間胸骨近く
左房室弁	左側第4・5肋軟骨間	鎖骨中線上の左第5肋間あるいは心尖部
右房室弁	第5肋軟骨の高さの胸骨	左第5肋間胸骨近く

図 9.14 動脈弁
弁を縦方向に切って開く.

図 9.15 房室弁
心収縮期を前方から見たところ.

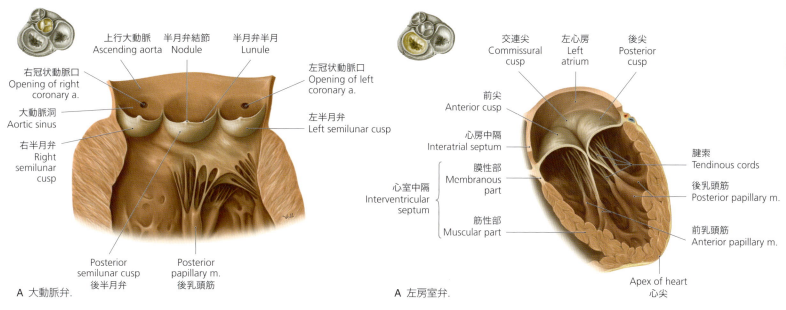

A 大動脈弁.

A 左房室弁.

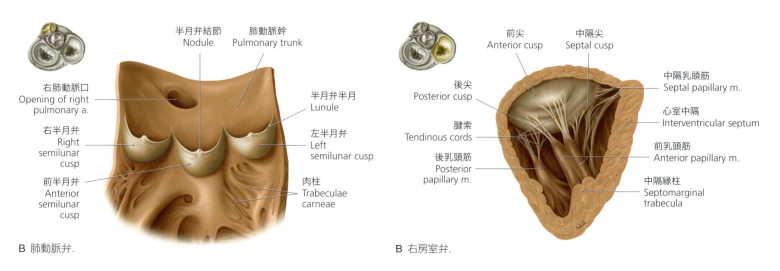

B 肺動脈弁.

B 右房室弁.

臨床 BOX 9.2

心臓弁の聴診

半月弁と房室弁の閉鎖で生じる心音は, 弁を通過する血流を介して伝導される. 心臓弁の疾患では弁を通過するときに乱流が起こり, 特定領域で聴診した際に雑音が生じる. そのため, この心音は血流の下流で聞こえる. その聴診部位を濃色の円で示す.

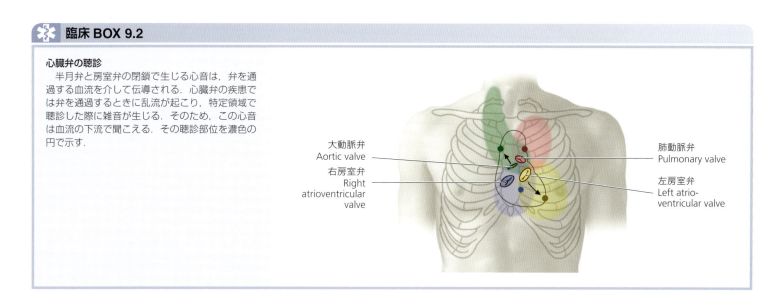

心臓の動脈と静脈
Arteries & Veins of the Heart

図 9.16 冠状動脈と心臓静脈

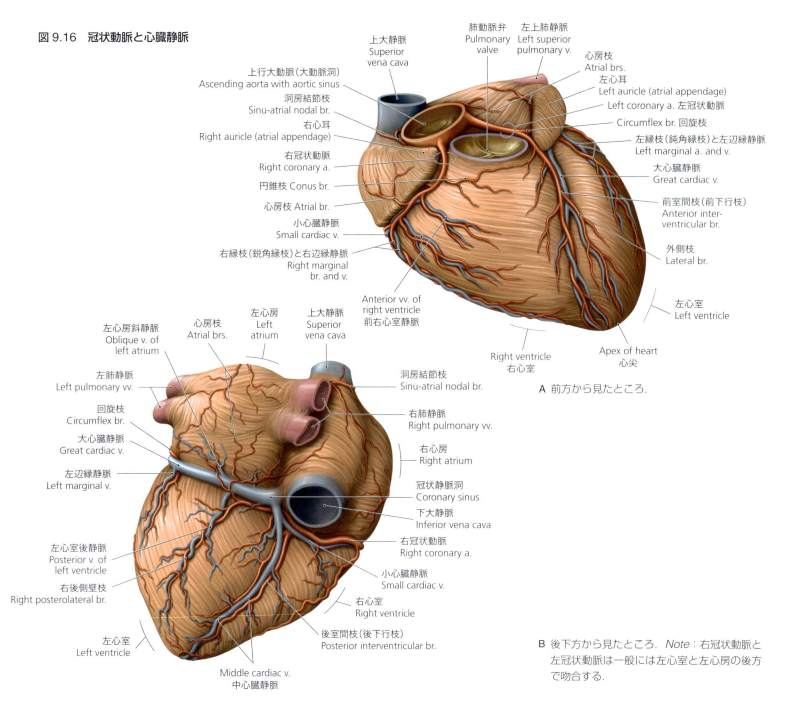

A 前方から見たところ．

B 後下方から見たところ．Note：右冠状動脈と左冠状動脈は一般には左心室と左心房の後方で吻合する．

表9.3	冠状動脈の枝
左冠状動脈	右冠状動脈
回旋枝 ・心房枝 ・左縁枝（鈍角縁枝） ・左心室後枝	洞房結節枝
	円錐枝
	心房枝
	右縁枝（鋭角縁枝）
前室間枝（前下行枝） ・円錐枝 ・外側枝 ・心室中隔枝	後室間枝（後下行枝） ・心室中隔枝
	房室結節枝
	右後側壁枝

表9.4	心臓静脈の分布	
静脈	枝	流入
前心臓静脈（図には示していない）		右心房
大心臓静脈	前室間静脈	
	左辺縁静脈	
	左心房斜静脈	
左心室後静脈		冠状静脈洞
中心臓静脈（後室間静脈）		
小心臓静脈	前右心室静脈	
	右辺縁静脈	

図 9.17 冠状動脈の分布

心臓を前方と後方から見たところ．心室の水平断の上面．断面図で示したのは，冠状動脈の「分布」で，左右の各冠状動脈によって血液が供給される心筋の領域を表す．前面図と後面図で示したのは，冠状動脈の「優位型」で，房室結節に血液を供給する動脈に基づいて分類される．右冠状動脈とその枝を緑色，左冠状動脈とその枝を赤色で示した．

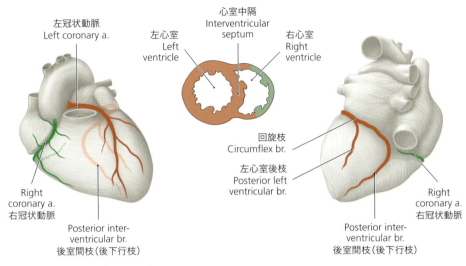

A 左冠状動脈優位型（15-17%）．

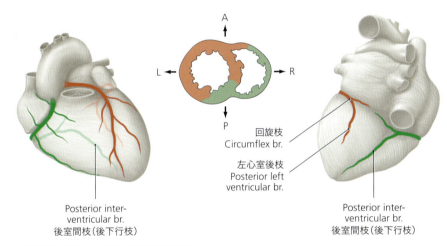

B 冠状動脈の最も一般的な型（67-70%）．

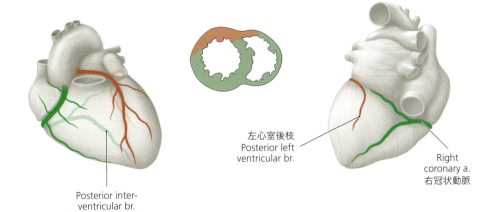

C 右冠状動脈優位型（約15%）．

臨床 BOX 9.3

冠血流の障害

　冠状動脈は吻合によって互いに連絡しているが，機能の面では終動脈である．血流不足の原因として最も多いのはアテローム性動脈硬化症であり，血管壁に斑点が沈着して血管腔が狭くなる．血管狭窄が亢進した場合には，冠血流が阻害され，胸痛（狭心症）が起こる．この胸痛はまずは労作時に起こるが，安静時にも続くようになり，典型的な部位（左腕内側，頭頸部の左側）に放散する．心筋梗塞は血流不足によって心筋細胞が壊死して起こる．梗塞の部位と広がりは障害された血管によって決まる（A～E参照．Heinecker より）．

A 心尖上部前壁梗塞．

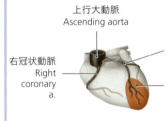

B 心尖前壁梗塞．

C 前外側壁梗塞．

D 後外側壁梗塞．

E 後壁梗塞．

心臓の刺激伝導と神経支配
Conduction & Innervation of the Heart

心筋の収縮は刺激伝導系によって調節される．特殊心筋細胞（プルキンエ線維）からなる刺激伝導系は心臓の興奮を発生させ伝導させる．刺激伝導系には心房に位置する2つの結節，すなわちペースメーカーと呼ばれる洞房結節（SA）と房室結節（AV）がある．

図 9.18　心臓刺激伝導系

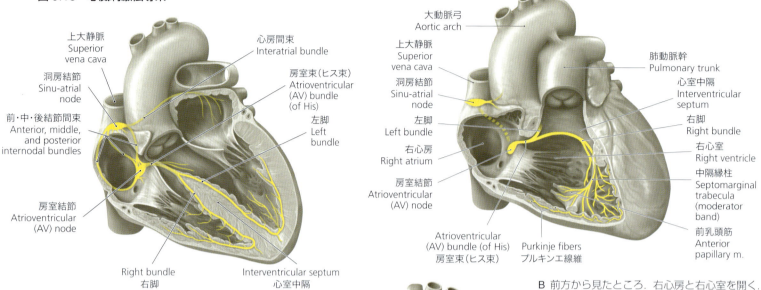

A 前方から見たところ．心房と心室の全てを開く．

B 前方から見たところ．右心房と右心室を開く．

C 左外側方から見たところ．左心房と左心室を開く．

臨床 BOX 9.4

心電図

心臓の刺激は心臓を巡り，電極で検知される．3極軸あるいはベクトル（アイントーフェンの四肢誘導）に沿って別々に心臓の電気活動を記録することで，心電図が作られる．心電図は心周期（心拍）を記録し，1つの周期は一連の波，分節，間隔からなる．その波形は心臓の刺激の電動が正常か異常（例えば心筋梗塞や心拡張）かを決定するのに役立つ．Note：3つの電極が必要とされるが，標準的な心電図検査ではそのほか少なくとも2つの電極が追加される（Goldberger, Wilson 誘導）

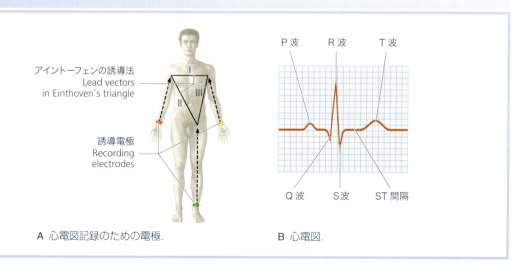

A 心電図記録のための電極．

B 心電図．

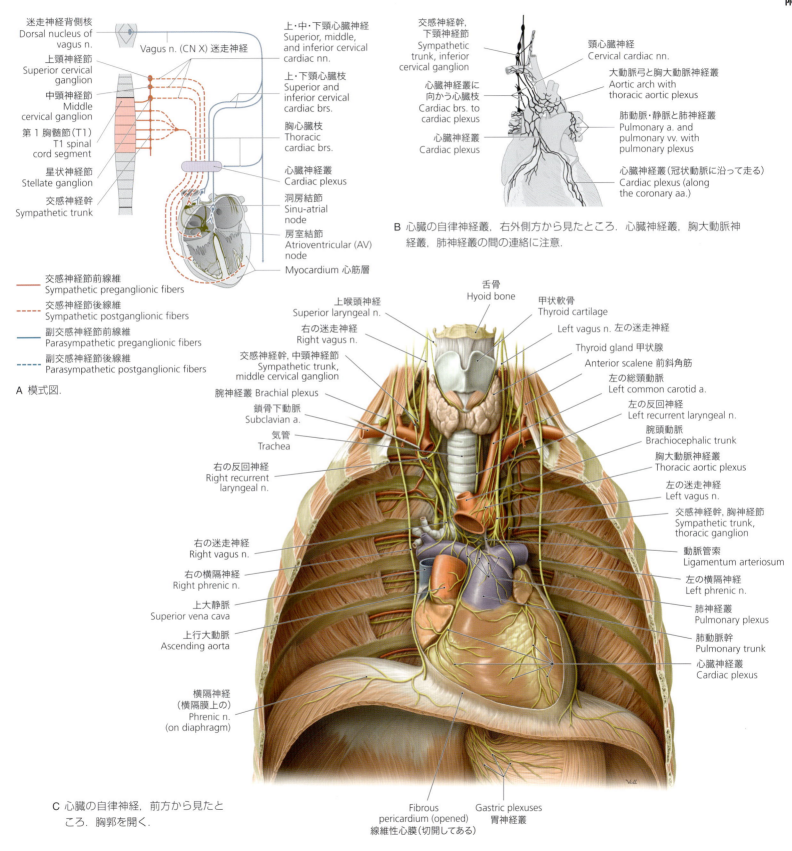

図 9.19 心臓の自律神経支配

出生前・後の循環
Pre- & Postnatal Circulation

図 9.20 出生前の循環
Fritsch and Kühnel による.

① 胎盤からの酸素と栄養に富んだ胎児血が臍静脈を通って胎児に運ばれる.
② この血液のほぼ半分は肝臓を迂回し（静脈管を通って），下大静脈に入る.残りは門脈に入り肝臓に栄養と酸素を与える.
③ 下大静脈から右心房に入った血液は（肺はまだ機能していないので）右心室を迂回して右-左シャントである卵円孔を通って左心房に入る.
④ 上大静脈から右心房に入った血液は右心室に入り，肺動脈幹に向かう.この血液のほとんどは右-左シャントである動脈管を通って大動脈に入る.
⑤ 大動脈の動脈血の一部は内腸骨動脈から起こる1対の臍動脈を通って胎盤に戻る.

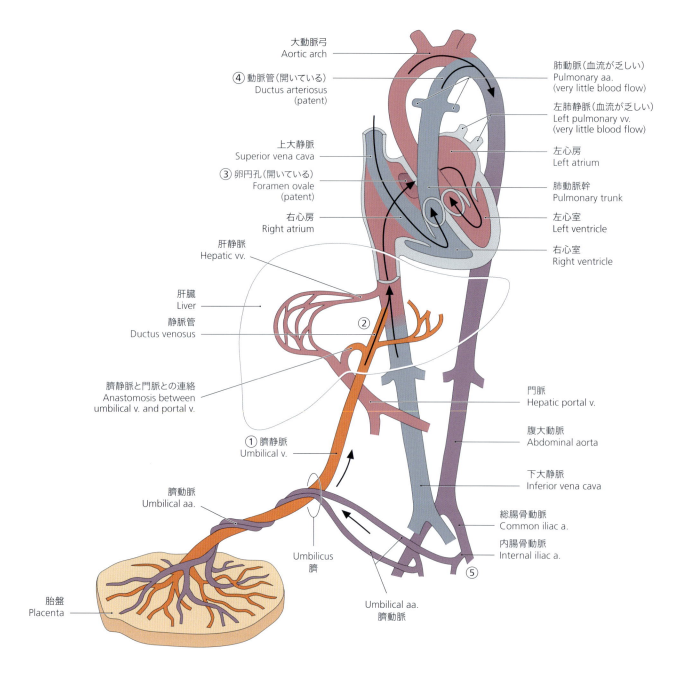

図 9.21 出生後の循環

Fritsch and Kühnel による.

① 出生時に肺呼吸が始まると，肺の血管抵抗が低下し，右心室から肺動脈幹を経て肺動脈に入る．
② 卵円孔と動脈管が閉ざされて，胎児の右-左シャントがなくなる．このときに心臓において肺循環と体循環が分離される．
③ 新生児が胎盤から離されると，臍静脈と静脈管と同様に臍動脈は（近位部をのぞいて）閉塞する．
④ 代謝を必要とする血液が肝臓を通過するようになる．

表 9.5　胎児の循環器系構造からの派生物

胎児の構造	成人の遺残物
動脈管	動脈管索
卵円孔	卵円窩
静脈管	静脈管索
臍静脈	肝円索
臍動脈	内側臍索

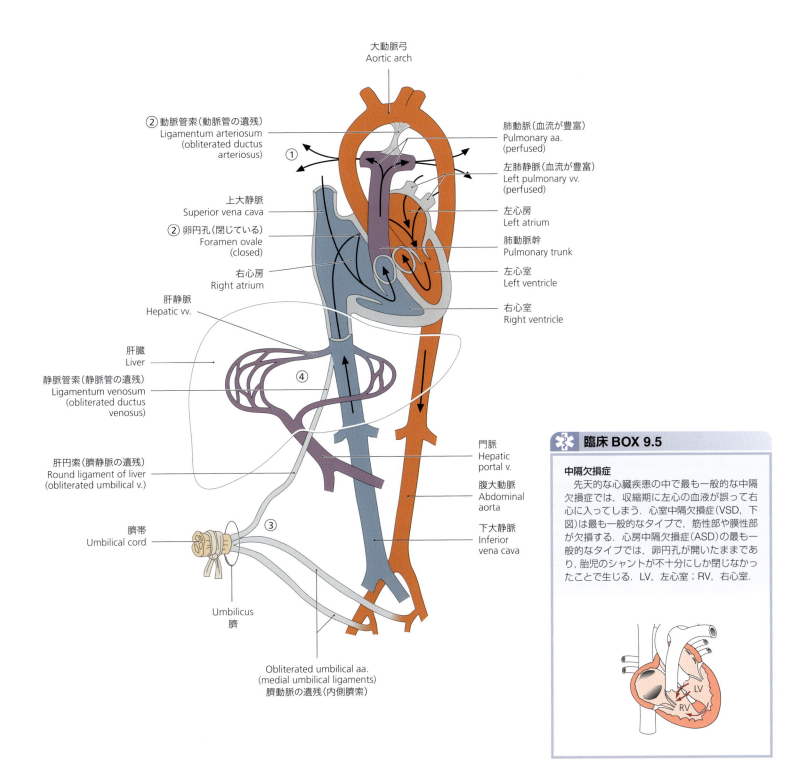

臨床 BOX 9.5

中隔欠損症

先天的な心臓疾患の中で最も一般的な中隔欠損症では，収縮期に左心の血液が誤って右心に入ってしまう．心室中隔欠損症（VSD，下図）は最も一般的なタイプで，筋性部や膜性部が欠損する．心房中隔欠損症（ASD）の最も一般的なタイプでは，卵円孔が開いたままであり，胎児のシャントが不十分にしか閉じなかったことで生じる．LV，左心室；RV，右心室．

食道
Esophagus

食道は頸部（第6頸椎-第1胸椎），胸部（第1胸椎-横隔膜食道裂孔），腹部（横隔膜-胃）の3つの部分に分けられる．食道は胸大動脈のやや右側を下行し，胸骨剣状突起の下で横隔膜をやや左側で貫通する．

図 9.22　食道：位置と狭窄部位

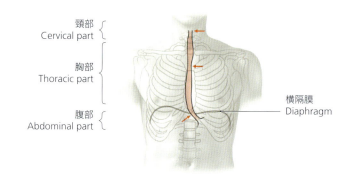

A　胸壁への食道の投影．食道の狭窄部位は矢印で示してある．

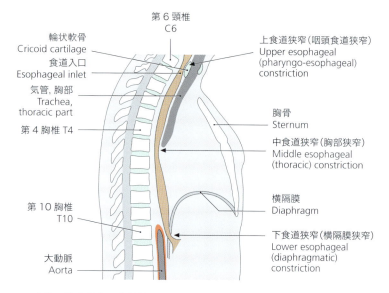

B　食道の狭窄部位．右外側方から見たところ．

図 9.23　原位置の食道
前方から見たところ．

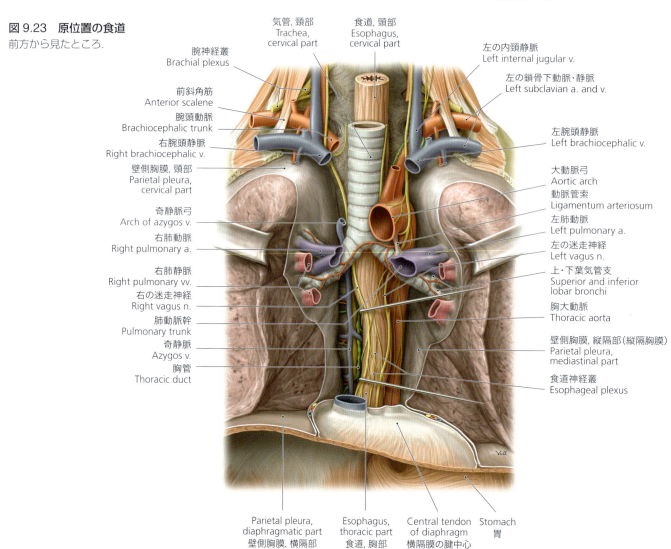

図 9.24 食道の構造

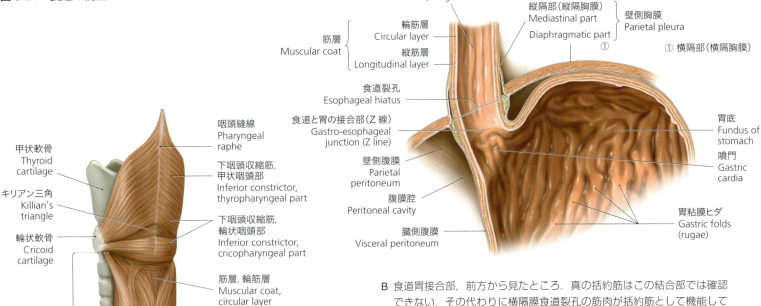

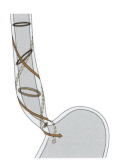

A 食道の壁，左後方から見たところ．咽頭(**p.650**)，気管(**p.120**)．

B 食道胃接合部，前方から見たところ．真の括約筋はこの結合部では確認できない．その代わりに横隔膜食道裂孔の筋肉が括約筋として機能しており，ジグザグ状であるのでＺ線と呼ばれることが多い．

C 食道の筋の機能的構造．

臨床 BOX 9.6

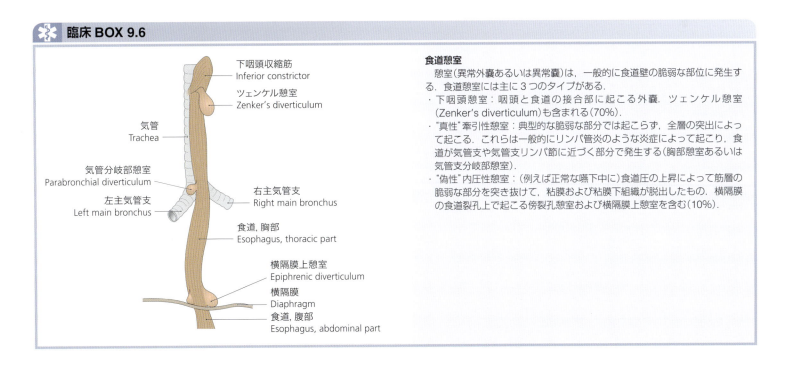

食道憩室

憩室(異常外嚢あるいは異常嚢)は，一般的に食道壁の脆弱な部位に発生する．食道憩室には主に3つのタイプがある．

- 下咽頭憩室：咽頭と食道の接合部に起こる外嚢．ツェンケル憩室(Zenker's diverticulum)も含まれる(70%)．
- "真性"牽引性憩室：典型的な脆弱な部分では起こらず，全層の突出によって起こる．これらは一般的にリンパ管炎のような炎症によって起こり，食道が気管支や気管支リンパ節に近づく部分で発生する(胸部憩室あるいは気管支分岐部憩室)．
- "偽性"内圧性憩室：(例えば正常な嚥下中に)食道圧の上昇によって筋層の脆弱な部分を突き抜けて，粘膜および粘膜下組織が脱出したもの．横隔膜の食道裂孔上で起こる傍裂孔憩室および横隔膜上憩室を含む(10%)．

食道の血管・神経
Neurovasculature of the Esophagus

交感神経支配：節前線維は第2-6胸髄節に由来する．節後線維は交感神経鎖から起こり，食道神経叢に入る．

副交感神経支配：節前線維は迷走神経背側核から起こり，迷走神経を経由してよく発達した食道神経叢を作る．Note：節後線維は食道壁にある．食道の頸部への線維は反回神経を経由する．

図9.25　食道の自律神経支配

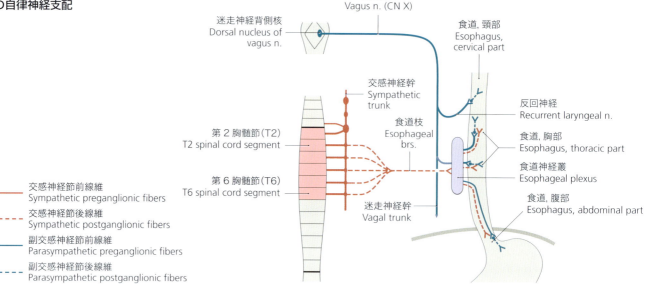

図9.26　食道神経叢

左・右の迷走神経は最初は食道の左側・右側を下行する．食道神経叢に枝を出し始めると左の迷走神経は前面，右の迷走神経は後面に移動する．迷走神経が腹部に入るときに，前・後迷走神経幹と名前を変える．

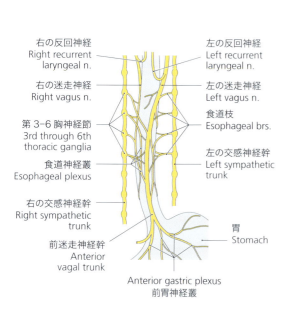

A 前方から見たところ．交感神経の節後線維が食道神経叢に入ることに注意．

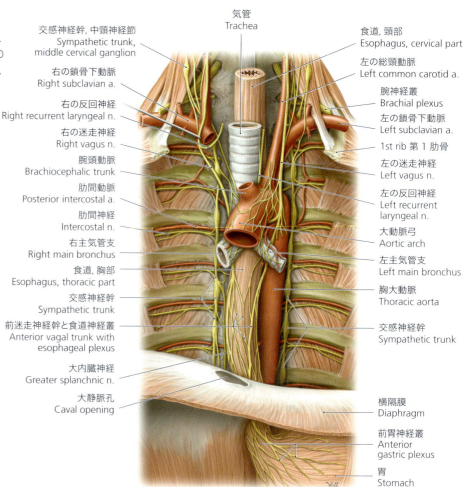

B 原位置の食道神経叢，前方から見たところ．

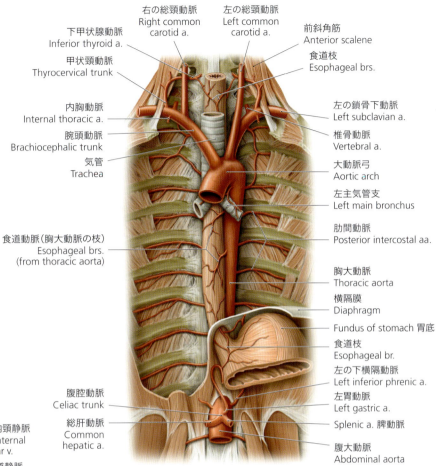

図 9.27 食道の動脈
前方から見たところ.

C 後方から見たところ.

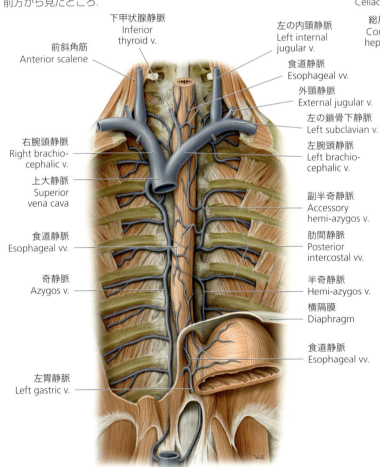

図 9.28 食道の静脈
前方から見たところ.

表 9.6	食道の血管	
区分	食道の動脈の起始	食道の静脈の分布
頸部	下甲状腺動脈	下甲状腺静脈
	稀に，総頸動脈あるいは甲状頸動脈からの直接の枝	左腕頭静脈
胸部	大動脈（4-5本の食道動脈）	左上部：副半奇静脈あるいは左腕頭静脈
		左下部：半奇静脈
		右部：奇静脈
腹部	左胃動脈	左胃静脈

9 縦隔

縦隔のリンパ管
Lymphatics of the Mediastinum

上横隔リンパ節は横隔膜，心膜，食道下部，肺，肝臓からリンパを集め，気管支縦隔リンパ本幹に注ぐ．腹部にある下横隔リンパ節は横隔膜，肺の下葉からのリンパを集め，腰リンパ本幹に注ぐ．

Note：心膜からのリンパもまた上方に向かって腕頭リンパ節に注ぐ．

図 9.29　縦隔と胸腔のリンパ節
左前方から見たところ．

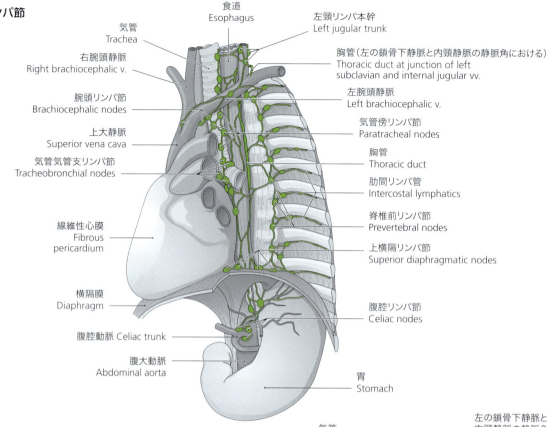

図 9.30　心臓のリンパ流路
心臓では特徴的な"交叉した"リンパ流路がある．左心房と左心室からのリンパは右静脈角に流れ，右心房と右心室からのリンパは左静脈角に流れる．

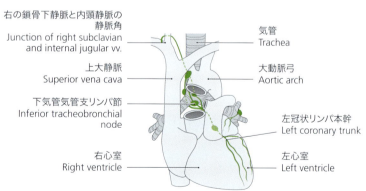

A 左心のリンパ流路，前方から見たところ．

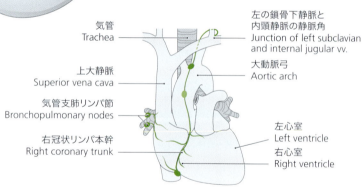

B 右心のリンパ流路，前方から見たところ．

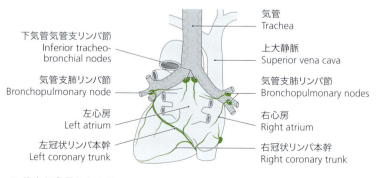

C 後方から見たところ．

食道傍リンパ節は食道からのリンパを運ぶ．食道の頸部では上方に向かい，主に深頸リンパ節に排導し，そして頸リンパ本幹へ流入する．食道の胸部では気管支縦隔リンパ節に排導し，2方向に分かれ，上半分は上方に向かい，下半分は上横隔リンパ本幹を経由して下方に向かう．気管支肺リンパ節と気管傍リンパ節は肺，気管支，気管からリンパを集め，気管支縦隔リンパ本幹に注ぐ（**p.128** 参照）．

図 9.31 縦隔のリンパ節

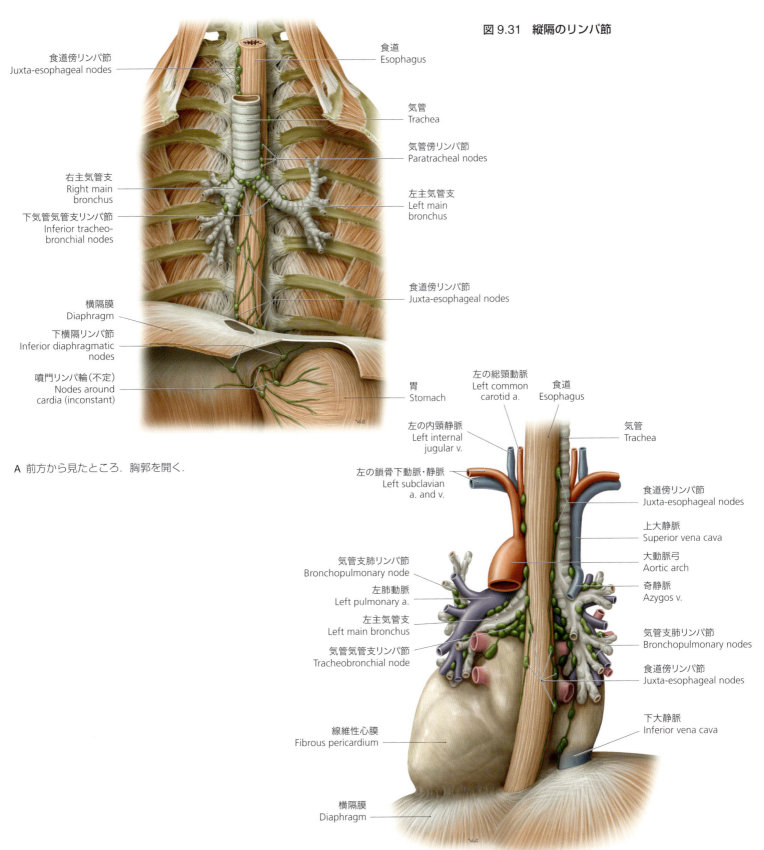

A 前方から見たところ．胸郭を開く．

B 縦隔のリンパ節，後方から見たところ．

10　胸膜腔

胸膜腔
Pleural Cavities

左右の胸膜腔には左右の肺が含まれる．両肺は縦隔によって互いに隔てられ，陰圧となっている（pp.122-123 の呼吸機構を参照）．前面では，縦隔内の心臓の位置が左に大きく張り出して左右非対称であり，胸膜腔は右に比べて左のほうがやや小さくなっている．したがって，心臓の高さでの壁側胸膜と肺の境界が左側にずれ，基準線と胸膜腔前縁との交点に見られる胸郭の目印が左右で異なる．

図 10.1　肺と胸膜腔の境界
上位の赤色の点は肺の下縁，下位の青色の点は胸膜腔の下縁．

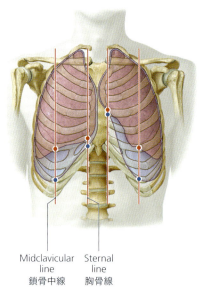

A　前方から見たところ．

B　後方から見たところ．

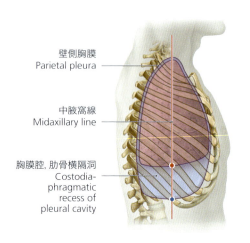

C　右外側方から見たところ．

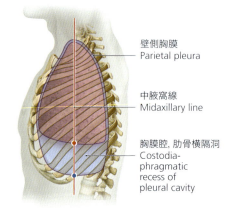

D　左外側方から見たところ．

表 10.1　胸膜腔境界部と基準点

基準線	右肺	右の壁側胸膜	左肺	左の壁側胸膜
胸骨線（STL）	第6肋骨	第7肋骨	第4肋骨	第4肋骨
鎖骨中線（MCL）	第6肋骨	第8肋軟骨	第6肋骨	第8肋骨
中腋窩線（MAL）	第8肋骨	第10肋骨	第8肋骨	第10肋骨
肩甲線（SL）	第10肋骨	第11肋骨	第10肋骨	第11肋骨
椎骨傍線（PV）	第10肋骨	第12胸椎	第10肋骨	第12胸椎

図 10.2 壁側胸膜
胸膜腔は2つの漿膜で囲まれる．臓側胸膜（肺胸膜）は肺を包み，壁側胸膜は胸腔の内面を覆う．
壁側胸膜の4つの部分である肋骨胸膜・横隔胸膜・縦隔胸膜・胸膜頂は連続している．

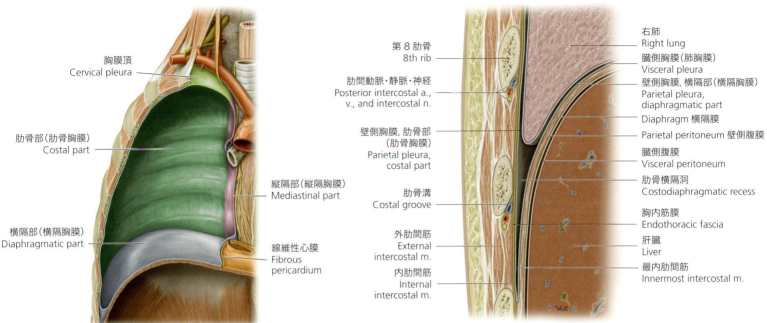

A 壁側胸膜の部分．右胸膜腔を開く．前方から見たところ．

B 肋骨横隔洞，冠状断，前方から見たところ．横隔胸膜の胸郭内面への折れ返り（肋骨胸膜に移行）が肋骨横隔洞を作る．

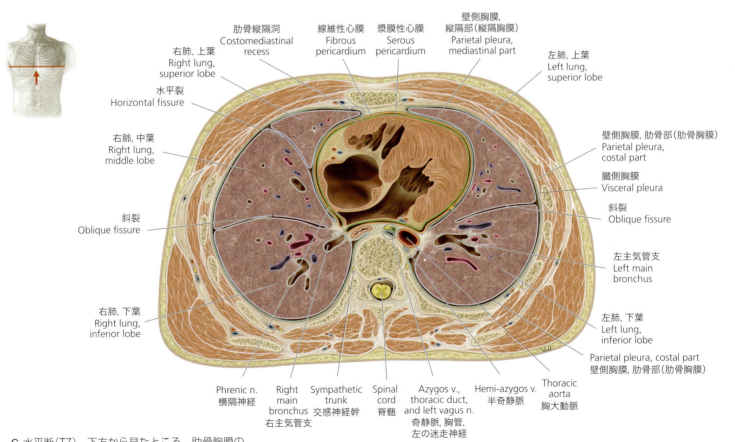

C 水平断(T7)，下方から見たところ．肋骨胸膜の心膜への折れ返りが肋骨縦隔洞を作る．

胸膜：区分，陥凹，神経支配
Pleura: Subdivisions, Recesses & Innervation

図 10.3　胸膜と区分
前胸壁と壁側胸膜の肋骨部を取り除き，原位置での肺を示す．

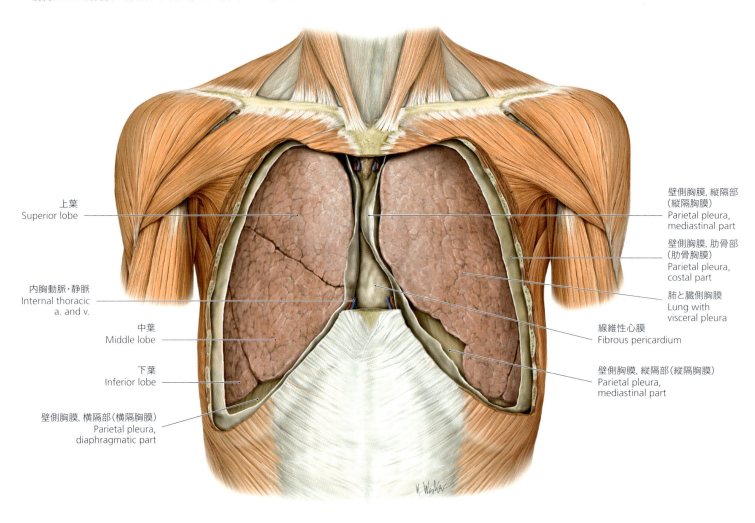

図 10.4　胸膜の神経支配
壁側胸膜の頸部，肋骨部，横隔部の辺縁は肋間神経に支配される．縦隔胸膜と横隔胸膜の中心部は横隔神経に支配される．肺を包む臓側胸膜は自律神経叢に支配される．

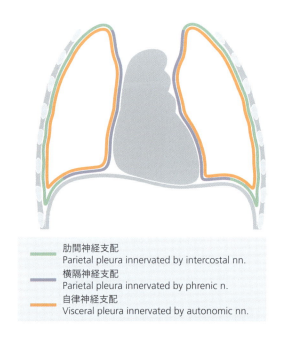

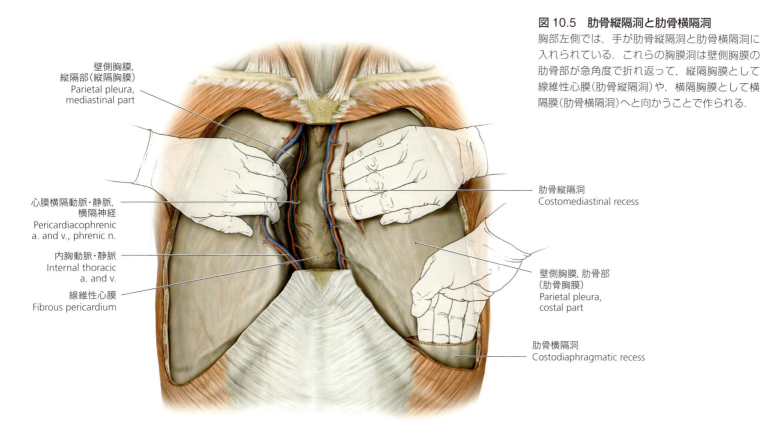

図 10.5 肋骨縦隔洞と肋骨横隔洞
胸部左側では，手が肋骨縦隔洞と肋骨横隔洞に入れられている．これらの胸膜洞は壁側胸膜の肋骨部が急角度で折れ返って，縦隔胸膜として線維性心膜(肋骨縦隔洞)や，横隔胸膜として横隔膜(肋骨横隔洞)へと向かうことで作られる．

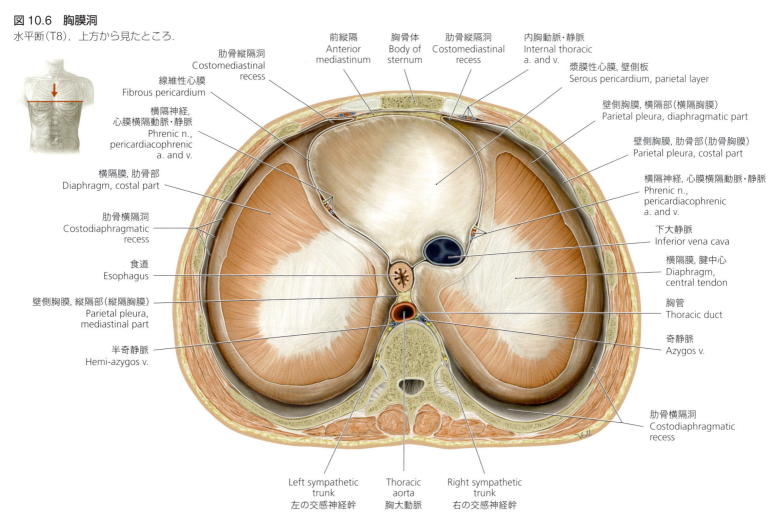

図 10.6 胸膜洞
水平断(T8)，上方から見たところ．

肺
Lungs

図10.7 原位置の肺
肺は胸膜腔全体を占めている．心臓の位置のずれのために左肺は右肺よりもわずかに小さいことに注意．

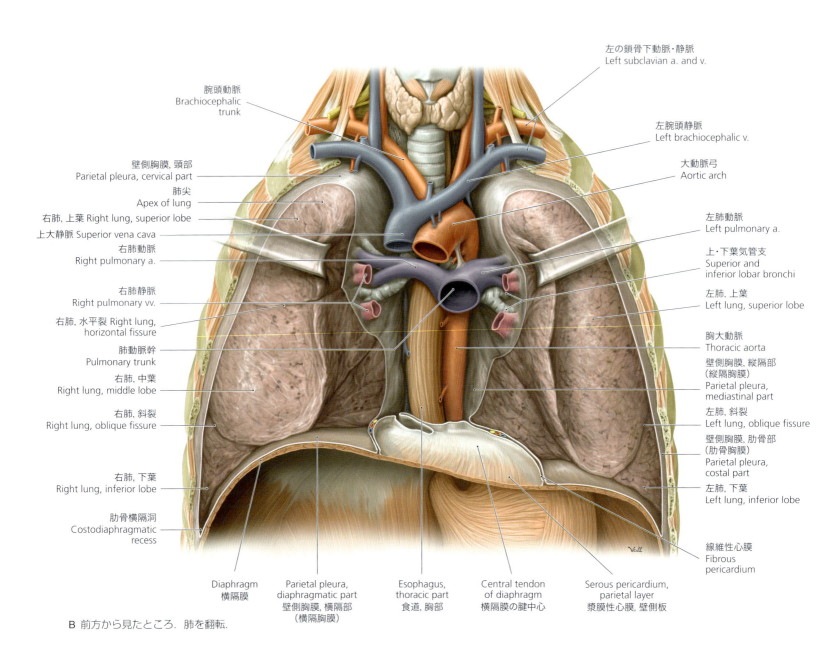

A 肺の位置関係．水平断，下方から見たところ．

B 前方から見たところ．肺を翻転．

図 10.8 肺の肉眼構造
右肺は斜裂と水平裂によって上葉，中葉，下葉の3葉に分けられる．左肺は斜裂によって上葉と下葉の2葉に分けられる．両肺の肺尖は頸の基部に入り込んでいる．肺門は気管支や血管・神経が肺に出入りする部位．

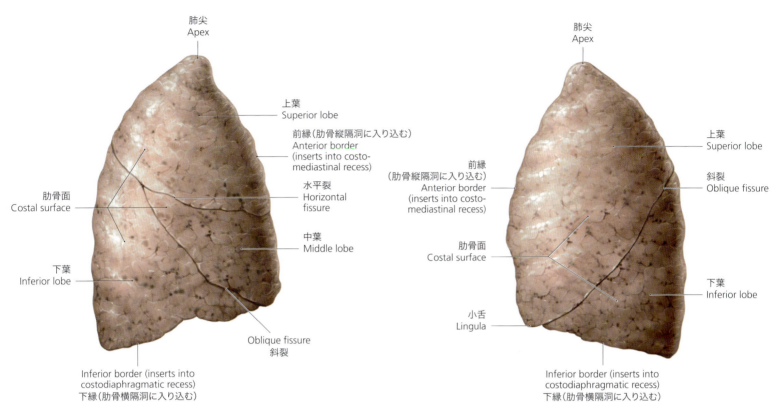

A 右肺，外側方から見たところ．

B 左肺，外側方から見たところ．

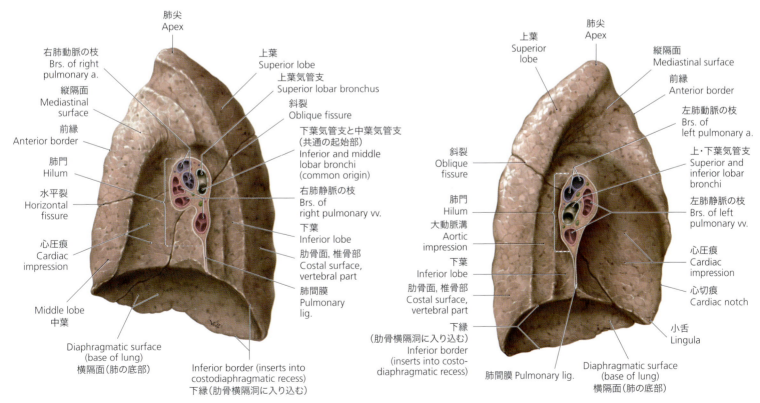

C 右肺，内側方から見たところ．

D 左肺，内側方から見たところ．

肺の気管支肺区域
Bronchopulmonary Segments of the Lungs

肺の各葉はさらに切除可能な最小単位である．気管支肺区域へと分けられ，それぞれに区域気管支が通る．*Note*：肺区域は肺表面では識別されず，その根本となる気管支によって識別される．

図 10.9 肺区域
前方から見たところ．気管と気管支樹の詳細については **pp.120-121** 参照．

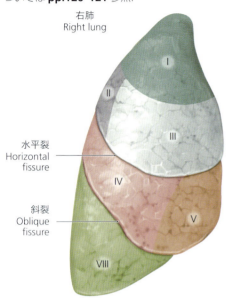
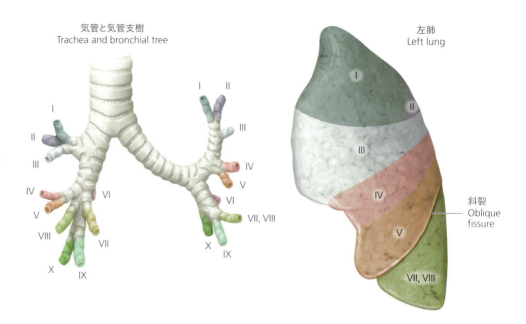

図 10.10 前後方向の気管支造影図
右肺を前方から見たところ．

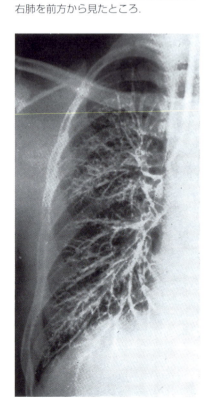

表 10.2	肺の区域構造		

各区域には同名の区域気管支が分布する（例：肺尖区には肺尖枝が分布）．気管と気管支樹の詳細については **pp.120-121** 参照．

右肺		左肺	
上葉			
I	肺尖区	肺尖後区	I
II	後上葉区		II
III	前上葉区		III
中葉		小舌	
IV	外側中葉区	上舌区	IV
V	内側中葉区	下舌区	V
下葉			
VI	上-下葉区		VI
VII	内側肺底区		VII
VIII	前肺底区		VIII
IX	外側肺底区		IX
X	後肺底区		X

図 10.11　右肺：気管支肺区域

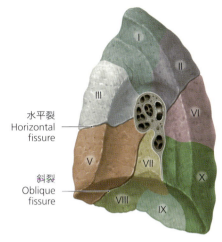
水平裂
Horizontal fissure
斜裂
Oblique fissure

A　内側方から見たところ．

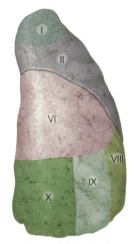

B　後方から見たところ．

C　外側方から見たところ．

図 10.12　左肺：気管支肺区域

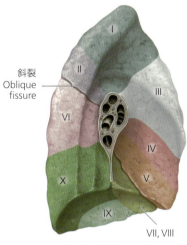
斜裂
Oblique fissure

A　内側方から見たところ．

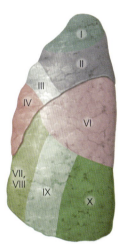

B　後方から見たところ．

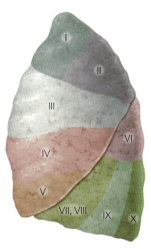

C　外側方から見たところ．

臨床 BOX 10.1

肺の部分切除

　肺癌，肺気腫，肺結核においては肺の障害部位を外科的に取り除く必要がある．
外科医が損傷した組織を切除する際には，葉・区域の解剖学的区分を利用する．

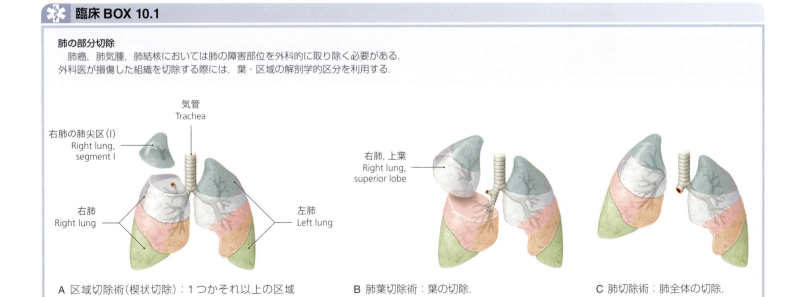

A　区域切除術（楔状切除）：1つかそれ以上の区域の切除．

B　肺葉切除術：葉の切除．

C　肺切除術：肺全体の切除．

気管と気管支樹
Trachea & Bronchial Tree

胸骨角（T4/T5）の高さ近辺で，最下にある気管軟骨は前後方向に伸び，気管竜骨となる．気管は気管竜骨で2分され，右主気管支と左主気管支となる．どちらの主気管支も対応する肺へ葉気管支を送る．

図 10.13　気管
甲状腺の構造については **p.530** 参照．

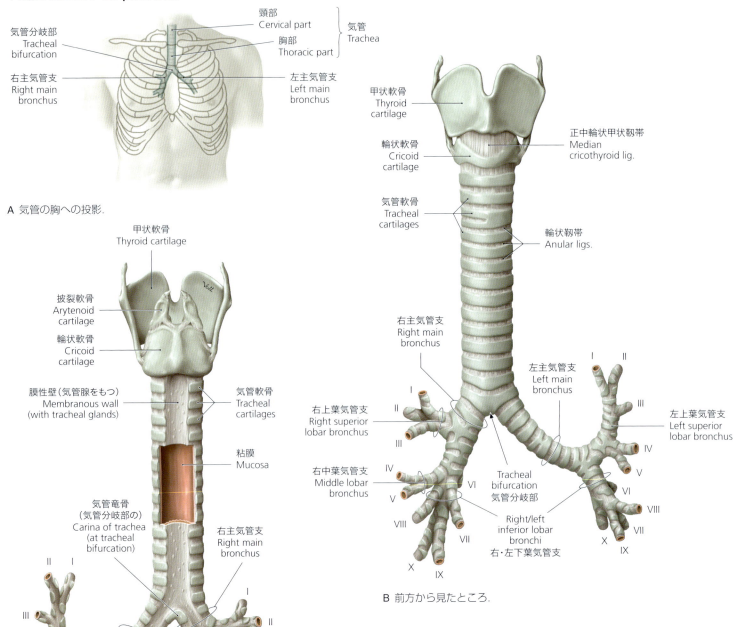

A　気管の胸への投影．

B　前方から見たところ．

C　後方から見たところ．後壁を開く．

臨床 BOX 10.2

異物吸引

幼児は潜在的に異物を吸引する危険性が高い．一般的に，異物は左より右主気管支に入りやすい．気管分岐部で左主気管支は心臓の上を水平に走るように急角度で曲がっているが，右主気管支は真っ直ぐで比較的垂直に近いからである．

気管支樹の導管部は気管分岐部から終末細気管支に及び，その間にある気管支の各分岐も含む．呼吸部は呼吸細気管支，肺胞管，肺胞嚢，肺胞を含む．

図 10.14　気管支樹

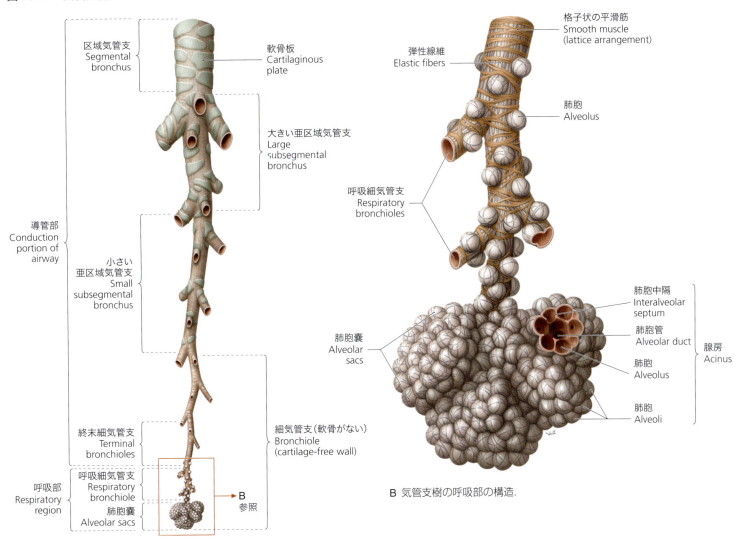

A　気管支樹の区分．

B　気管支樹の呼吸部の構造．

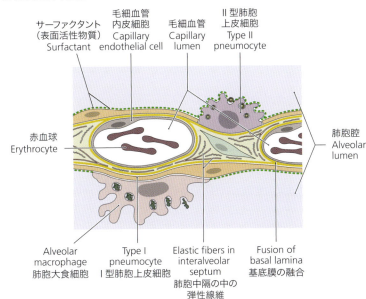

C　肺胞内面を覆う上皮．

臨床 BOX 10.3

呼吸不全
　気管支レベルでの呼吸不全の最も一般的な原因は喘息である．肺レベルでの呼吸不全は拡散距離の増大，低換気（肺気腫），液体浸潤（肺炎など）から起こる．

拡散距離
　ガス交換は肺胞で肺胞腔と血管腔の間で行われる（図 10.14C 参照）．毛細血管内皮細胞の基底膜はⅠ型肺胞上皮細胞の基底膜と融合することで，交換が行われる距離が 0.5 μm となっている．この拡散距離を増大させる疾患（浮腫液貯留あるいは炎症）では呼吸不全となる．

肺胞の状態
　慢性閉塞性肺疾患において起こる肺気腫のような疾患では，肺胞の破壊や損傷が起こる．これによってガス交換に必要な肺胞表面積が減少する．

サーファクタントの産生
　サーファクタントは肺胞の表面張力を減少させ，肺をふくらみやすくするリン脂質蛋白である．低出生体重児の未熟な肺は，しばしば十分なサーファクタントを産出できず，呼吸障害を起こす．サーファクタントは肺胞上皮細胞で産出され吸収される．Ⅰ型肺胞上皮細胞はサーファクタントを再吸収し，Ⅱ型肺胞上皮細胞はサーファクタントを産出し，分泌する．

呼吸機構
Respiratory Mechanics

呼吸の機構は，肺の拡張と収縮を伴う胸腔容積量のリズミカルな増減に基づく．吸息（赤色）：横隔膜の各部が収縮すると横隔膜が吸息位に下がり，胸膜腔容積が鉛直方向に増大する．胸郭の筋肉（外肋間筋と他に斜角筋，肋軟骨間の筋，後鋸筋）の収縮によって肋骨が持ち上げられ，胸膜腔容積が矢状方向と横方向に増大する（図10.16 A, B）．胸膜腔の表面張力によって臓側胸膜と壁側胸膜が密着し，胸郭容積の変化から肺の容量の変化が起こる．これは特に胸膜洞において明らかである．機能的残気量（吸息と呼息の間の休止時の位置）では，肺は胸膜洞の内腔に進入しない．胸膜腔が拡張して，胸膜腔内圧が陰圧になる．大気圧との差から空気の流入が起こる（吸息）．呼息（青色）：受動呼息時に，胸郭の筋肉が弛緩し，横隔膜が呼息位に戻る．肺の収縮は肺圧を高め，肺から空気を外に押し出す．強制呼息では，内肋間筋が（胸横筋膜と肋骨下粘膜とともに）受動的な弾性反動の場合よりも大きく素早く，能動的に胸郭を押し下げることができる．

図 10.15 呼吸による胸腔容積の変化
吸息時（赤色），呼息時（青色）．

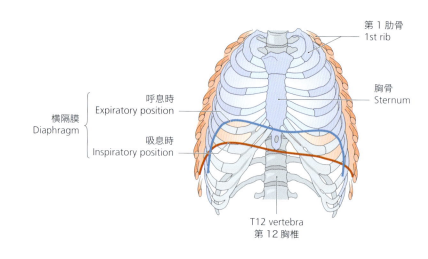

図 10.16 吸息：胸膜腔の拡張

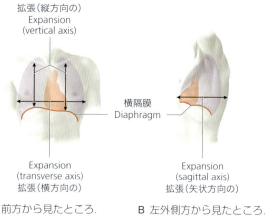

A 前方から見たところ．　B 左外側方から見たところ．　C 前外側方から見たところ．

図 10.17 呼息：胸膜腔の縮小

A 前方から見たところ．　B 左外側方から見たところ．　C 前外側方から見たところ．

図 10.18 呼吸による肺容積の変化

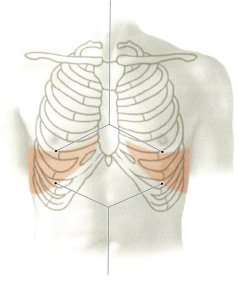

図 10.19 吸息：肺の拡張

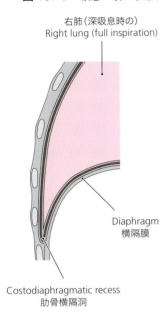

図 10.20 呼息：肺の縮小

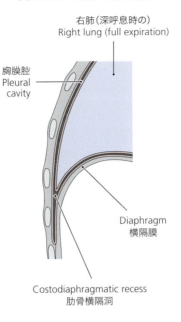

図 10.21 肺と気管支樹の運動

肺の大きさが胸膜腔と一緒に変化するのに応じて，気管支樹全体は肺の中を移動する．この構造的な動きは肺門から遠い気管支樹ほど顕著である．

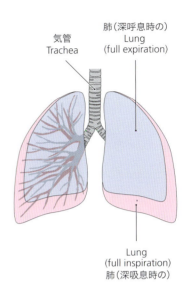

臨床 BOX 10.4

気胸

胸膜腔は通常は外界から閉ざされている．壁側胸膜，臓側胸膜，肺の損傷によって空気が胸膜腔に進入する（気胸）．肺は固有の弾性のために虚脱し，呼吸能が低下する．損傷を受けていない側の肺は正常な圧変化のもとで機能し続け，縦隔が吸息時に正常側に偏位し，呼息時に正中に戻る縦隔動揺が起こる．緊張性気胸（弁様気胸）は外傷によって剥離された組織が胸壁の内部から欠損部を覆うと起こる．この可動性の弁様の構造は空気を進入させるが，排出させないために，胸膜腔は圧が増加し続ける．縦隔は正常側に偏位し，大血管のねじれを起こし，静脈血の心臓への還流を阻害する．緊張性気胸は治療をしないと常に致死的となる．

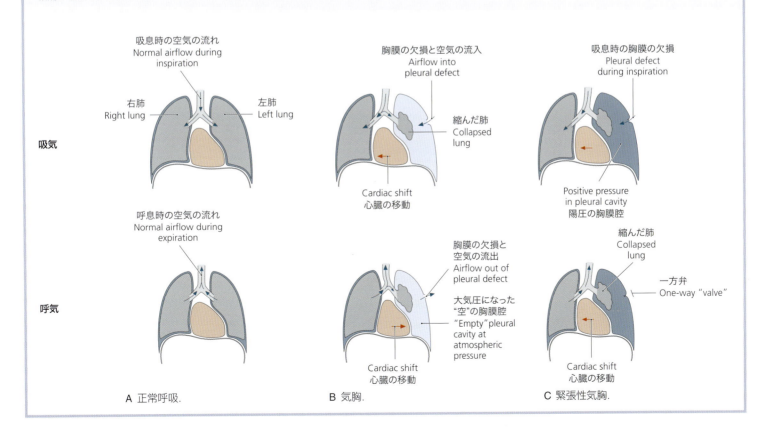

肺動脈と肺静脈
Pulmonary Arteries & Veins

肺動脈幹は右心室から起こり，両肺への左右の肺動脈に分かれる．肺静脈は左右それぞれ2本ずつ両側から左心房に注ぐ．肺動脈は気管支樹に沿い，追随して分岐していくが，肺静脈は肺小葉の辺縁部にあり，気管支樹に随伴しない．

図 10.22 肺動脈と肺静脈
前方から見たところ．

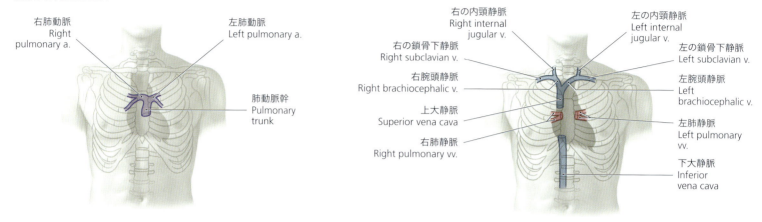

A 胸壁への肺動脈の投影．

B 胸壁への肺静脈の投影．

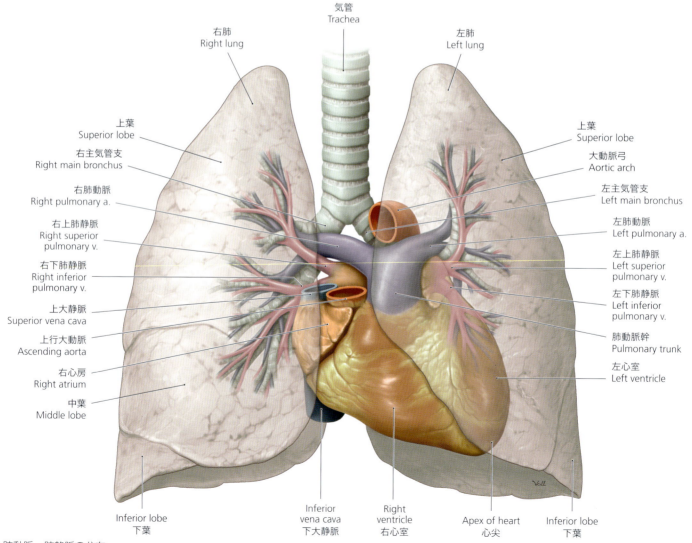

C 肺動脈，肺静脈の分布．

図 10.23 肺動脈

A 模式図.

図 10.24 肺静脈

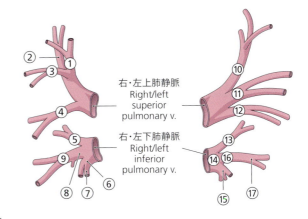

A 模式図.

表 10.3	肺動脈とその枝	
右肺動脈		左肺動脈
上葉動脈		
①	肺尖動脈	⑪
②	後上葉動脈	⑫
③	前上葉動脈	⑬
中葉動脈		
④	外側中葉動脈	肺舌動脈	⑭
⑤	内側中葉動脈		
下葉動脈		
⑥	上-下葉動脈	⑮
⑦	前肺底動脈	⑯
⑧	外側肺底動脈	⑰
⑨	後肺底動脈	⑱
⑩	内側肺底動脈	⑲

表 10.4	肺静脈とその枝	
右肺静脈		左肺静脈
上肺静脈		
①	肺尖静脈	肺尖後静脈	⑩
②	後上葉静脈		
③	前上葉静脈	前上葉静脈	⑪
④	中葉静脈	肺舌静脈	⑫
下肺静脈		
⑤	上-下葉静脈	⑬
⑥	総肺底静脈	⑭
⑦	下肺底静脈	⑮
⑧	上肺底静脈	⑯
⑨	前肺底静脈	⑰

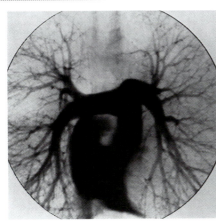

B 肺血管造影像．動脈造影，前面．(Moeller TB, Reif E. Pocket Atlas of Radiographic Anatomy, 3rd ed. New York, NY: Thieme; 2010. より)

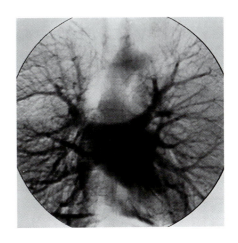

B 肺血管造影像．静脈造影，前面．(Moeller TB, Reif E. Pocket Atlas of Radiographic Anatomy, 3rd ed. New York, NY: Thieme; 2010. より)

臨床 BOX 10.5

肺塞栓

潜在的に生命を脅かすような肺塞栓は，血栓が静脈系を通って移動して肺を栄養する動脈に入ったときに起こる．呼吸困難と頻拍が症候として見られる．多くの肺塞栓は下肢と骨盤のよどんだ血液で生じる（静脈血栓塞栓症）．継続的な静止状態，異常な血液凝固，外傷が原因である．*Note*：血栓塞栓とは血栓が移動して血管を塞ぐこと．

気管気管支樹の血管・神経
Neurovasculature of the Tracheobronchial Tree

図 10.25　肺の血管系
肺の血管系は肺内部でのガス交換を行う．肺動脈（青色）は低酸素血を運び，気管支樹に伴行する．肺静脈とその枝（赤色）は高酸素血を運ぶ唯一の静脈で，小葉末梢の肺胞毛細血管から酸素を受け取る．

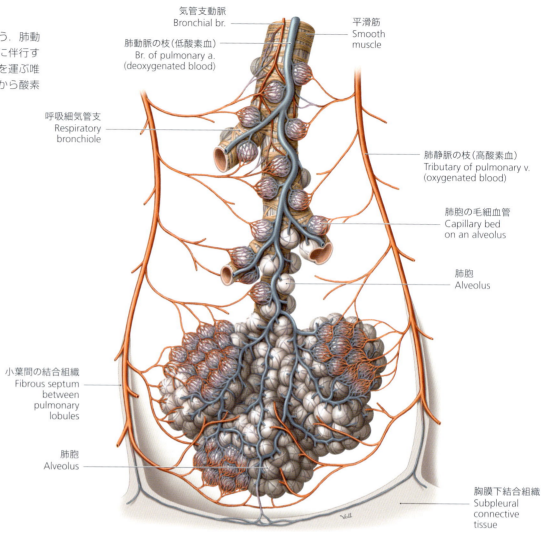

図 10.26　気管気管支樹の動脈
気管支樹は気道の外膜にある気管支動脈によって栄養される．一般的には 1-3 本の気管支動脈が大動脈から直接起こる．肋間動脈から起こることもある．

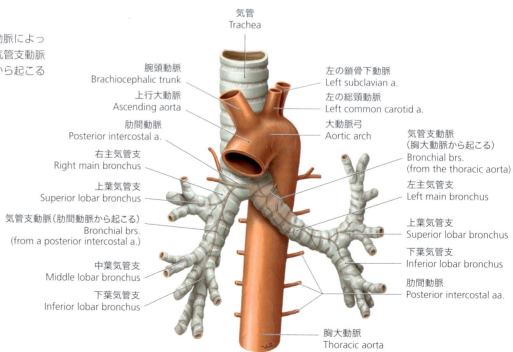

図 10.27 気管気管支樹の静脈

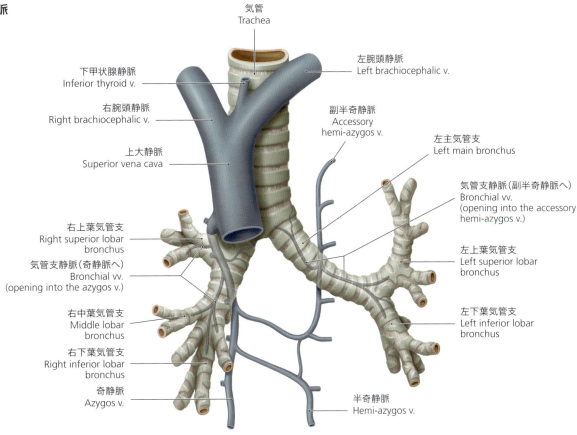

図 10.28 気管気管支樹の自律神経支配
交感神経支配（赤色），副交感神経支配（青色）．

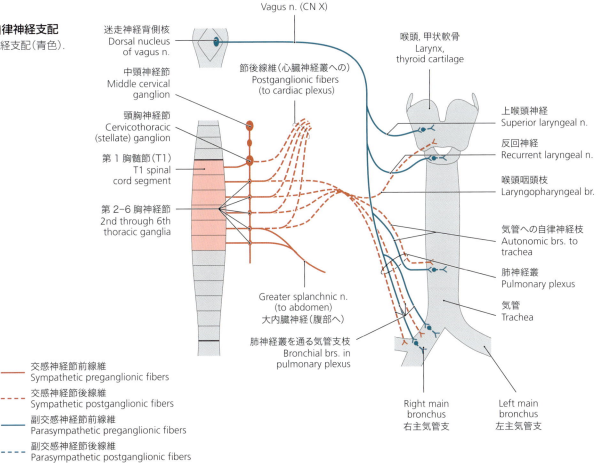

胸膜腔のリンパ管
Lymphatics of the Pleural Cavity

肺と気管支は2つのリンパ系によってリンパが集められる．気管支周囲リンパ管叢は気管支樹にしたがって，気管支と肺の大部分からリンパを集める．胸膜下リンパ管叢は肺の末梢域と臓側胸膜からリンパを集める．

図 10.29 胸膜腔のリンパ流路
水平断，下方から見たところ．

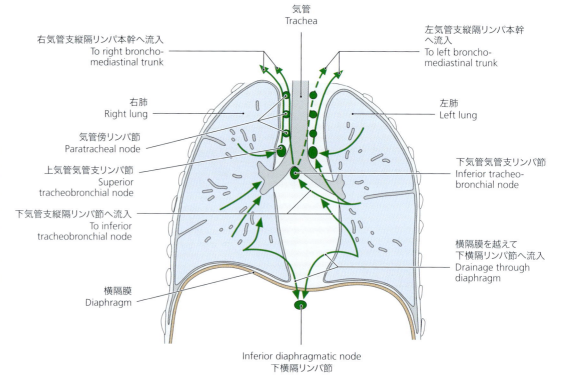

A 気管支周囲のリンパ管叢，冠状断，前方から見たところ．気管支樹周辺の肺内リンパ節は肺から気管支肺リンパ節にリンパを運ぶ．その後，下気管気管支リンパ節，上気管気管支リンパ節，気管傍リンパ節，気管支縦隔リンパ本幹，右リンパ本幹あるいは胸管へと順に運ばれる．Note：左肺下葉からのリンパのかなりの量は右上気管気管支リンパ節に流入する．

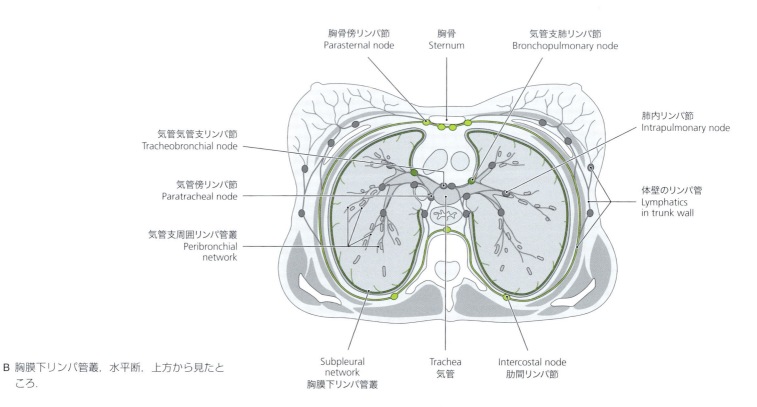

B 胸膜下リンパ管叢，水平断，上方から見たところ．

図 10.30 胸膜腔のリンパ節
肺のリンパ節，前方から見たところ．

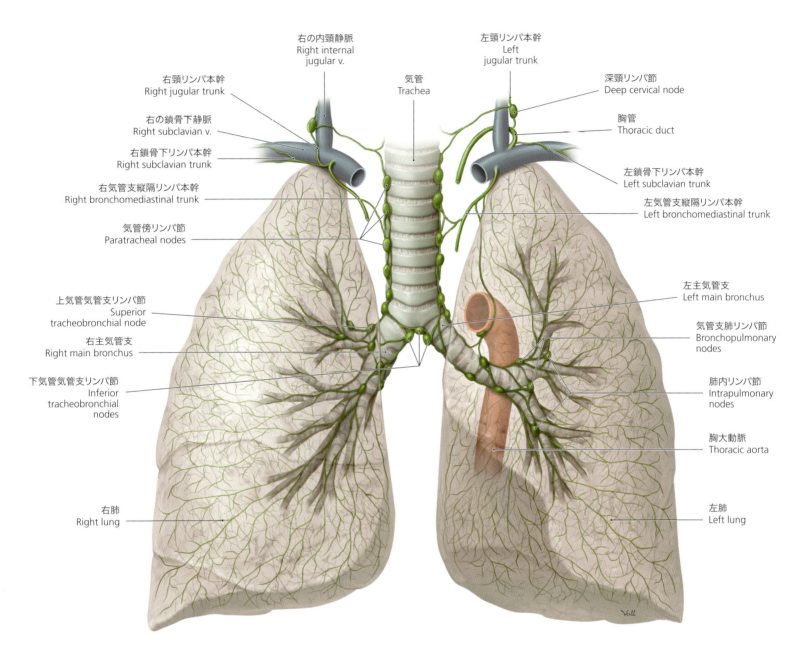

臨床 BOX 10.6

肺癌

　肺癌は全てのがんの約 20% を占め，主に喫煙によって引き起こされる．肺癌ははじめ気管支の粘膜に生じ，すぐに気管支肺リンパ節に転移する．その後，鎖骨上リンパ節などの他のリンパ節に転移する．血液を介して肺，脳，骨，副腎にも広がりうる．肺癌は近傍の組織に侵襲し，横隔神経を侵して片側横隔膜麻痺を起こしたり，反回神経を侵して声帯の麻痺による嗄声を引き起こしたりする．

11 断面解剖と画像解剖
胸部の断面解剖
Sectional Anatomy of the Thorax

図 11.1 胸郭上口における水平断
下方から見たところ．

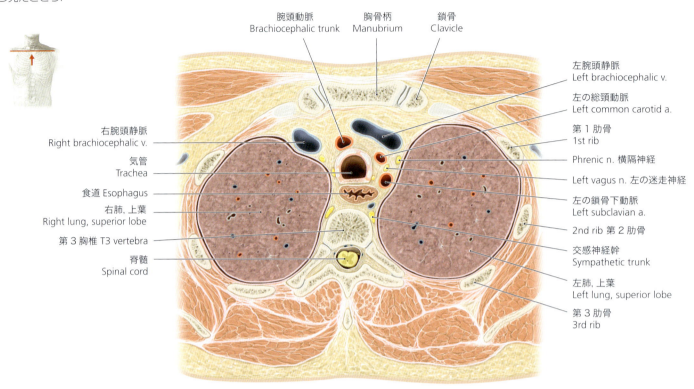

図 11.2 胸部中間部における水平断
下方から見たところ．

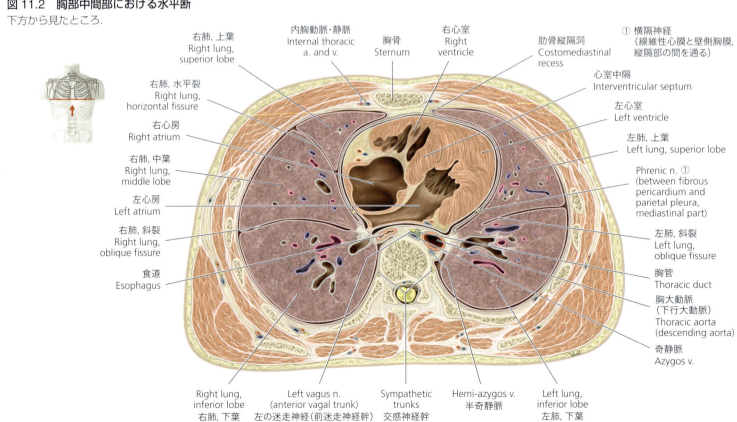

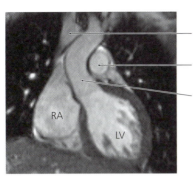

図 11.3　心臓の冠状断と MR 像
A 拡張期における左心室流出路．
B 対応する心臓の冠状断．前方から見たところ．

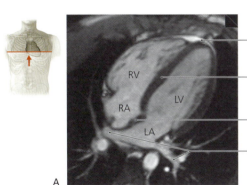

図 11.4　心臓の水平断と MR 像
A 拡張期における心臓両側の房室結合．
B 対応する心臓の水平断．下方から見たところ．

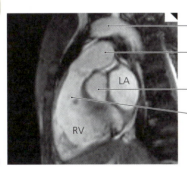

図 11.5　心臓の矢状断と MR 像
A 拡張期における右心室流出路．
B 対応する心臓の矢状断．左側から見たところ．

胸部の画像解剖（1）
Radiographic Anatomy of the Thorax (I)

図 11.6
(Lange S. Radiologische Diagnostik der Thoraxerkrankungen, 4th ed. Stuttgart: Thieme; 2010. より)

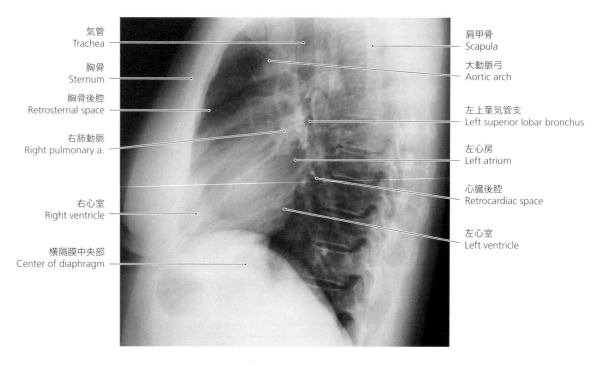

A 胸部 X 線前後像．前面

B 胸部 X 線左側面像．

図 11.7 左気管支造影像
前面.（Moeller TB, Reif E. Pocket Atlas of Radiographic Anatomy, 3rd ed. New York, NY: Thieme; 2010. より）

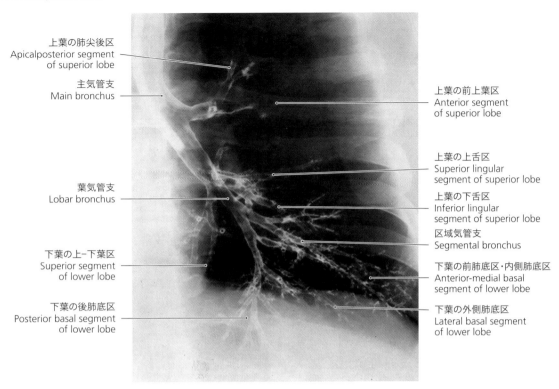

図 11.8 胸部の MR 像
冠状断像.（Moeller TB, Reif E. Pocket Atlas of Sectional Anatomy, Vol 2, 3rd ed. New York, NY: Thieme; 2007. より）

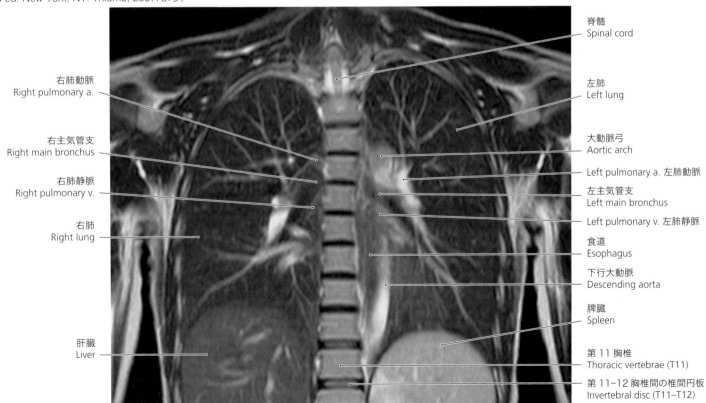

胸部の画像解剖(2)
Radiographic Anatomy of the Thorax (II)

図 11.9　右前斜位置での選択的左冠状動脈造影

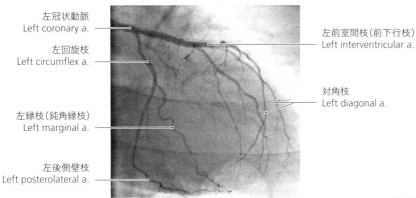

図 11.10　左前斜位での選択的右冠状動脈造影
（Thelen M. et al. Bildgebene Kardiodiagnostik. Stuttgart: Thieme; 2007. より）

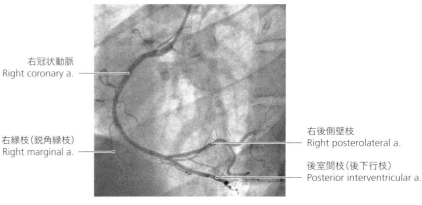

図 11.11　心臓の CT 画像
CT 血管造影像.（Moeller TB, Reif E. Pocket Atlas of Sectional Anatomy, Vol 2, 4th ed. New York, NY: Thieme; 2014. より）

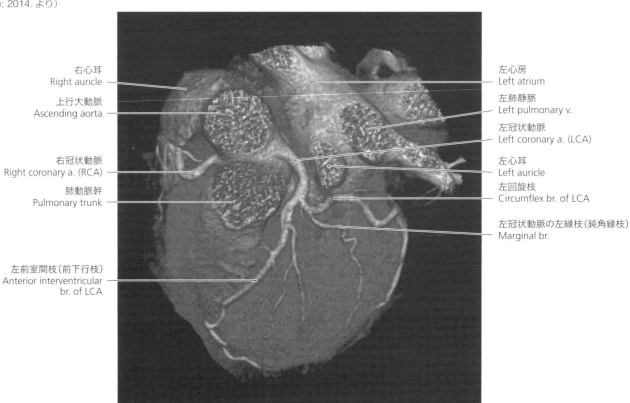

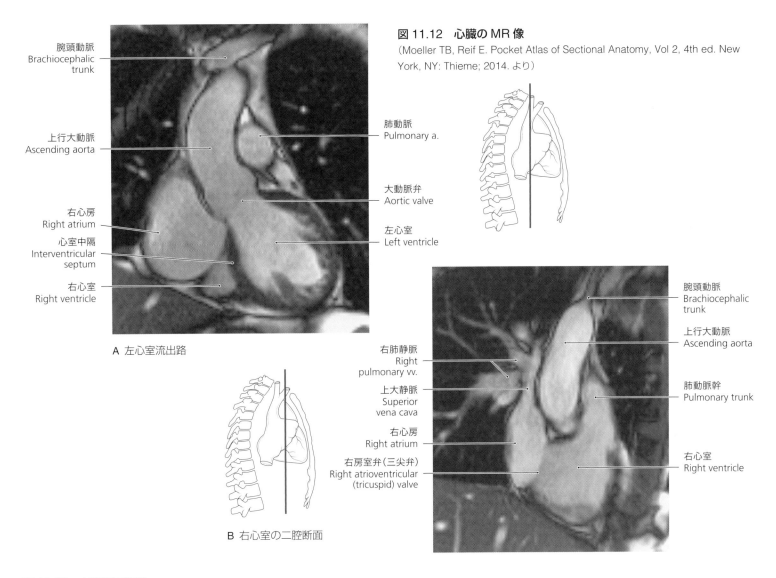

図 11.12　心臓の MR 像
（Moeller TB, Reif E. Pocket Atlas of Sectional Anatomy, Vol 2, 4th ed. New York, NY: Thieme; 2014. より）

A　左心室流出路

B　右心室の二腔断面

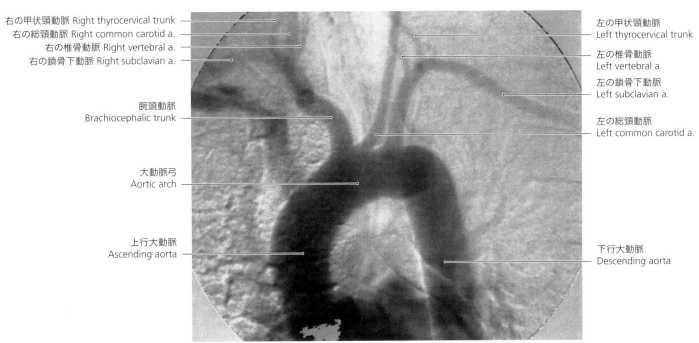

図 11.13　大動脈弓造影
左側.

胸部の画像解剖（3）
Radiographic Anatomy of the Thorax (III)

図 11.14 胸部の CT 像
(Moeller TB, Reif E. Pocket Atlas of Sectional Anatomy, Vol 2, 4th ed. New York, NY: Thieme; 2014. より)

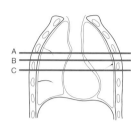
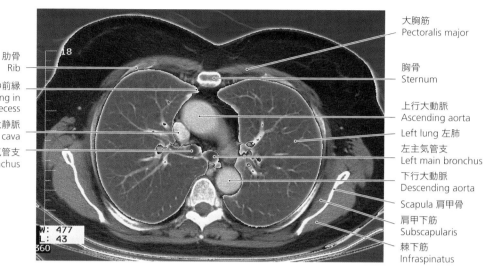
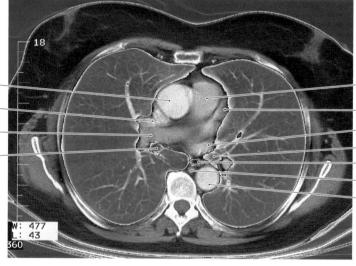
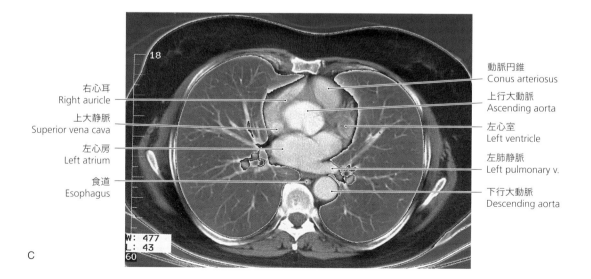

11 断面解剖と画像解剖

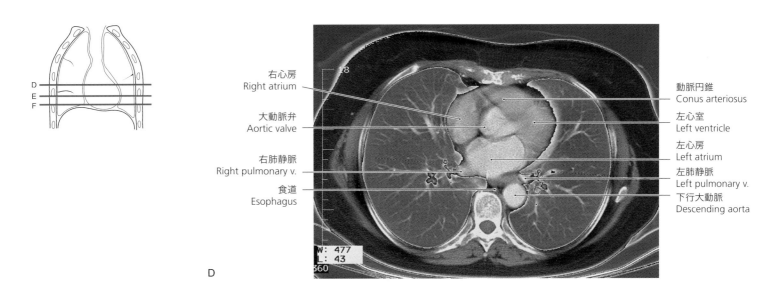

D

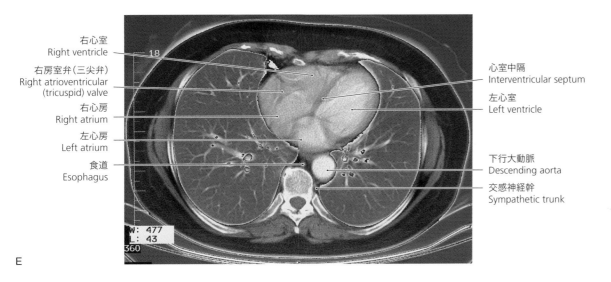

E

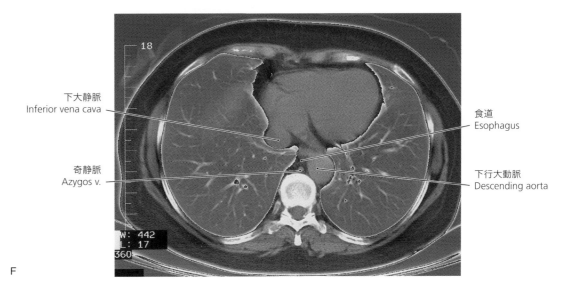

F

137

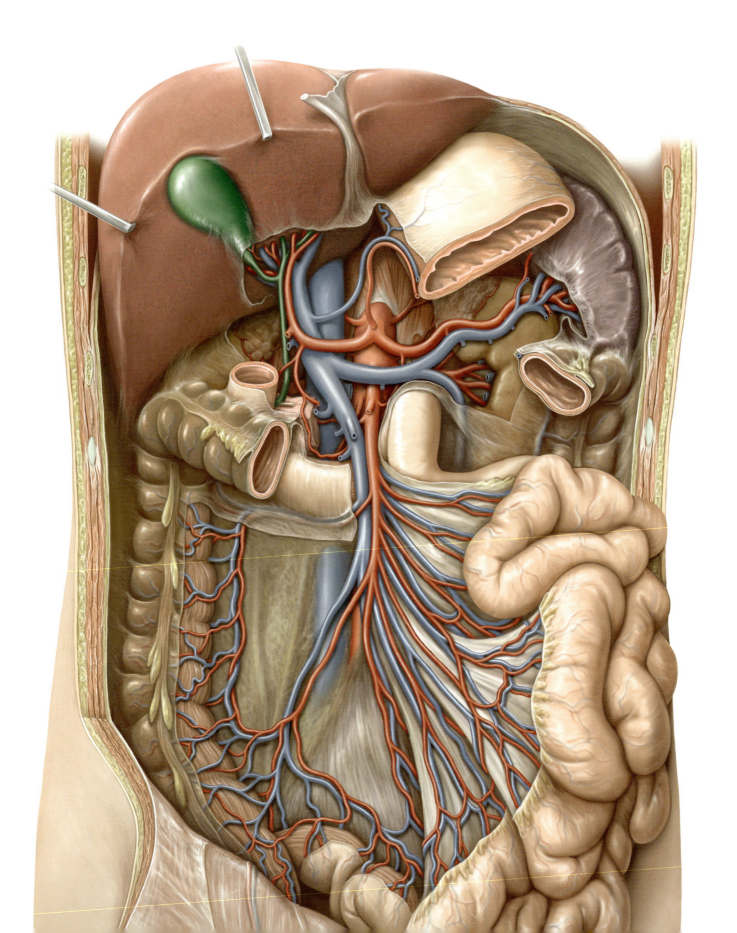

腹 部
Abdomen

12. 体表解剖
体表解剖 … 140

13. 腹壁
腹壁の骨構造 … 142
前腹壁・側腹壁の筋 … 144
腹直筋鞘と後腹壁 … 146
腹壁の筋 … 148
鼠径部と鼠径管 … 150
鼠径部と鼠径ヘルニア … 152
陰嚢と精索 … 154

14. 腹腔
腹腔・骨盤腔の区分 … 156
腹膜，腸間膜，網嚢 … 158
腸間膜と腹膜陥凹 … 160
小網と網嚢 … 162
腸間膜と後腹壁 … 164

15. 内臓
胃 … 166
十二指腸 … 168
空腸と回腸 … 170
盲腸，虫垂，結腸 … 172
肝臓：概観 … 174
肝臓：肝葉と肝区域 … 176
胆嚢と胆管 … 178
膵臓と脾臓 … 180
腎臓と副腎(1) … 182
腎臓と副腎(2) … 184

16. 血管・神経
腹壁と器官の動脈 … 186
腹大動脈と腎動脈 … 188
腹腔動脈 … 190
上腸間膜動脈と下腸間膜動脈 … 192
腹壁と器官の静脈 … 194
下大静脈と腎静脈 … 196
門脈 … 198
上腸間膜静脈と下腸間膜静脈 … 200
腹壁と腹部内臓のリンパ節 … 202
後腹壁のリンパ節 … 204
腹部上部のリンパ節 … 206
腹部下部のリンパ節 … 208
腹壁の神経 … 210
自律神経支配：概観 … 212
自律神経支配と関連痛 … 214
前腸と泌尿器の神経支配 … 216
腸の神経支配 … 218

17. 断面解剖と画像解剖
腹部の断面解剖 … 220
腹部の画像解剖(1) … 222
腹部の画像解剖(2) … 224

12 体表解剖

体表解剖
Surface Anatomy

図 12.1　腹部と骨盤部の触知可能構造
前方から見たところ．背部の構造は **pp.2-3** 参照.

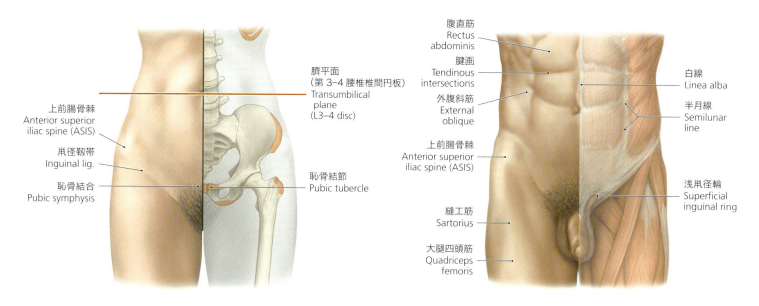

A 骨の隆起.

B 筋系.

図 12.2　腹腔の 4 分円と層
前方から見たところ．腹部と骨盤の内臓の位置は 4 分円と層から記述される．

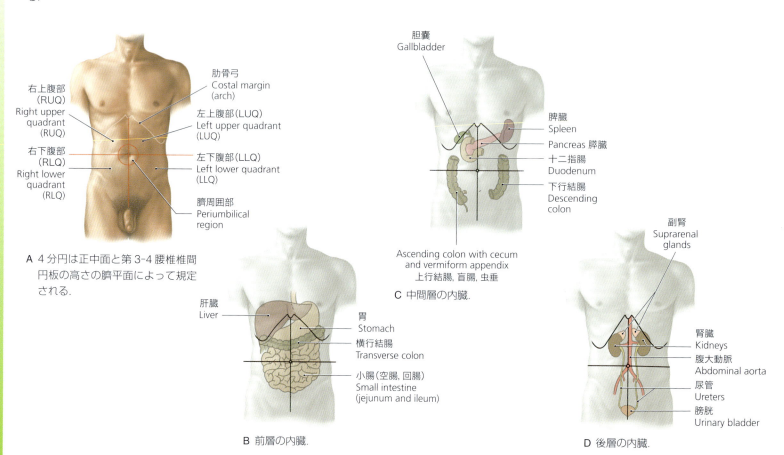

A 4 分円は正中面と第 3-4 腰椎椎間円板の高さの臍平面によって規定される.

B 前層の内臓.

C 中間層の内臓.

D 後層の内臓.

表 12.1	腹部の水平面
① 幽門平面	恥骨結合上縁と胸骨柄上縁の中間の平面
② 肋骨下平面	肋骨弓最下部（第10肋軟骨下縁）の平面
③ 稜上平面	腸骨稜最上部を通る平面
④ 結節間平面	腸骨結節（上前腸骨棘の後外側5cmのところの隆起）の高さの平面
⑤ 棘間平面	上前腸骨棘の高さの平面

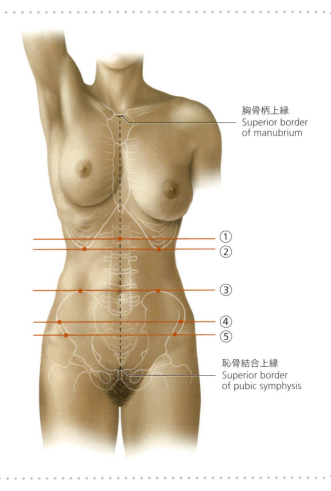

表 12.2	腹部の各部
① 上胃部	
② 臍部	
③ 恥骨部	
④ 左下肋骨部	
⑤ 左側腹部	
⑥ 左鼡径部	
⑦ 右下肋骨部	
⑧ 右側腹部	
⑨ 右鼡径部	

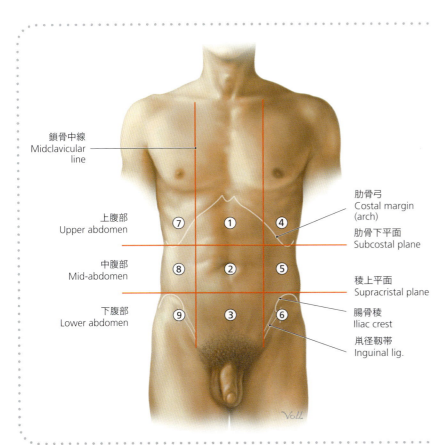

13 腹壁
腹壁の骨構造
Bony Framework for the Abdominal Wall

図 13.1　腹部の骨格
前方から見たところ．これらの骨格に前腹壁・側腹壁の筋と靱帯が付着し，腹部内臓を保護する骨性のカゴ構造を作る．

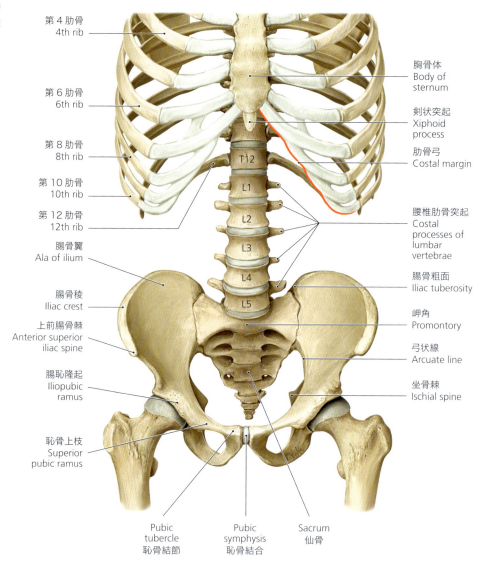

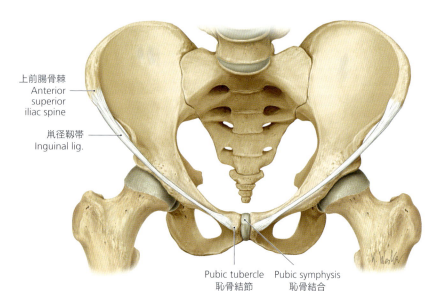

図 13.2　鼡径靱帯
男性骨盤．上前方から見たところ．
鼡径靱帯は触知可能な部位で腹壁と下腿の境を示す．鼡径靱帯は最も表層にある前腹壁の筋である．外腹斜筋の腱膜の下端部からなり，外側部で上前腸骨棘に，内側部で恥骨結節に付着する．鼡径靱帯は，鼡径管の底部であり（**表 13.2** 参照），鼡径靱帯後隙の天井部でもある（**図 34.31** 参照）ので臨床的に重要である．

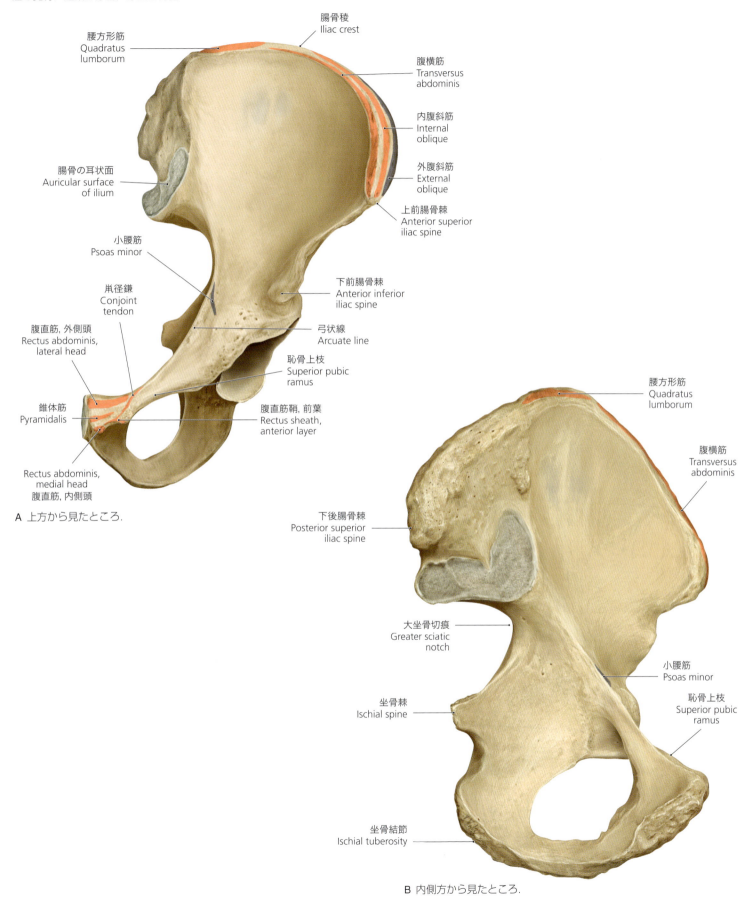

図 13.3 腹壁の筋の付着部
左の寛骨．起始は赤色，停止は青色．

A 上方から見たところ．

B 内側方から見たところ．

前腹壁・側腹壁の筋
Muscles of the Anterolateral Abdominal Wall

前腹壁・側腹壁の斜筋は外腹斜筋と内腹斜筋と腹横筋からなる．大腰筋が代表である腹壁後方の深腹筋（特に大腰筋）は，機能的には下肢帯の筋である（**p.148** 参照）．

図 13.4 腹壁の筋
右側，前方から見たところ．

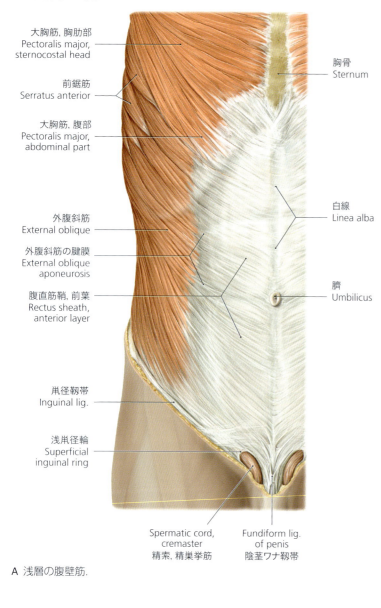

A 浅層の腹壁筋．

B 外腹斜筋，大胸筋，前鋸筋は取り除いてある．

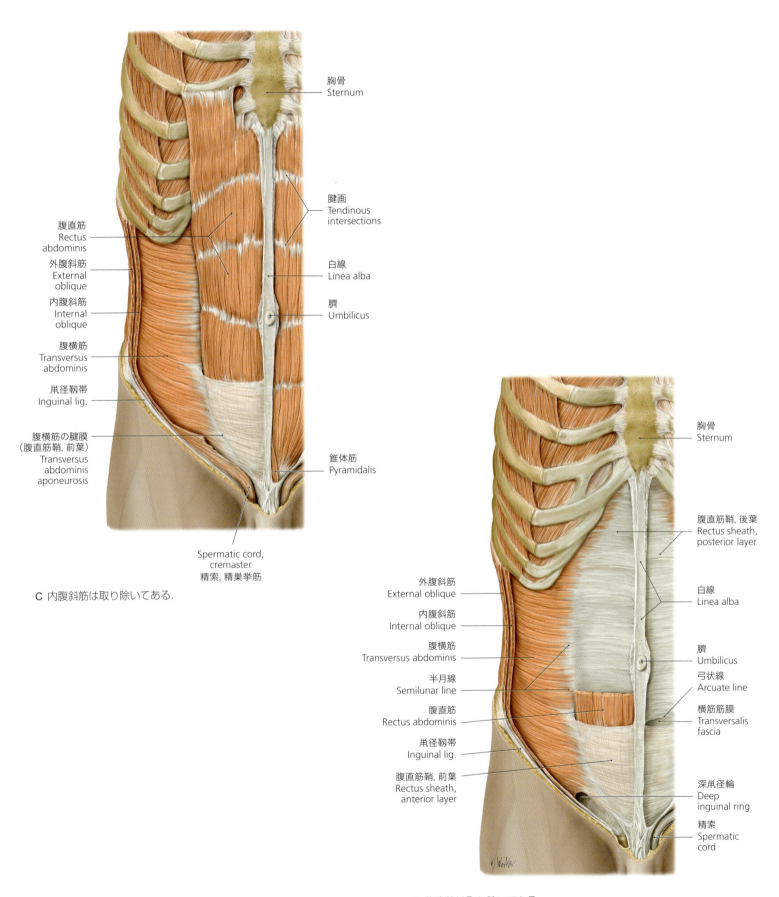

C 内腹斜筋は取り除いてある.

D 腹直筋は取り除いてある.

腹直筋鞘と後腹壁
Rectus Sheath & Posterior Abdominal Wall

図 13.5 腹直筋鞘
腹直筋鞘は，腹直筋と，正中線の両側にある錐体筋を包む．その前葉と後葉は，前外側の筋の腱膜からなる．これらの筋は前後に分かれて腹直筋の周りを包む．弓状線は後葉の下端を示し，ここから下で全ての腱膜は腹直筋の前を通る．

A 前腹壁を後方（内面）から見たところ．左側では腹直筋鞘を示すために，腹膜と横筋筋膜は，取り除かれている．

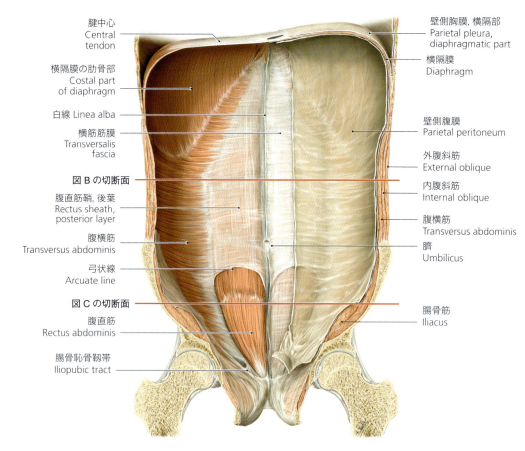

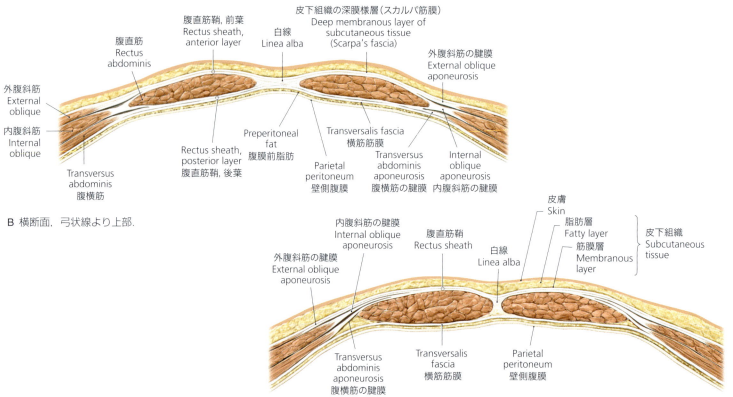

B 横断面，弓状線より上部．

C 横断面，弓状線より下部．

図 13.6 後腹壁の筋

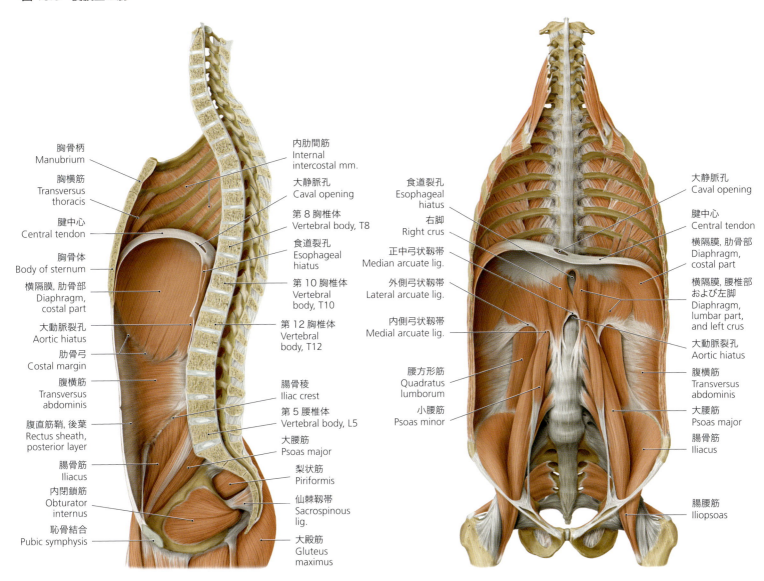

A 正中矢状断，横隔膜は中間位にある．

B 冠状断，横隔膜は中間位にある．

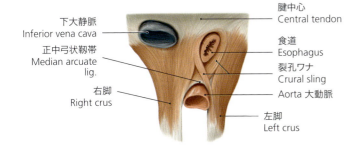

C 横隔膜の開口部と切断された血管．前方から見たところ．
大静脈孔は正中線の右側に位置し，食道裂孔と大動脈裂孔は左側に位置する．横隔膜の脚は下方に伸びており，通常右脚は第 3 腰椎，左脚は第 2 腰椎に達する．

臨床 BOX 13.1

横隔膜ヘルニア

横隔膜ヘルニアでは，横隔膜の先天的あるいは後天的な開口を通して，腹膜が胸部に陥入する．ヘルニア部位で圧倒的に多いのは食道裂孔であり，90% を占める．裂孔ヘルニアの 85% を占める滑脱ヘルニアは，食道の遠位部と胃の噴門部が食道裂孔を通って，上方の胸部へ滑り込んで起こる．

腹壁の筋
Abdominal Wall Muscle Facts

図 13.7 前筋
前方から見たところ．

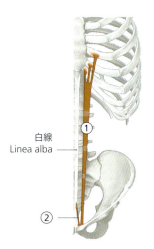

図 13.8 前外側筋
前方から見たところ．

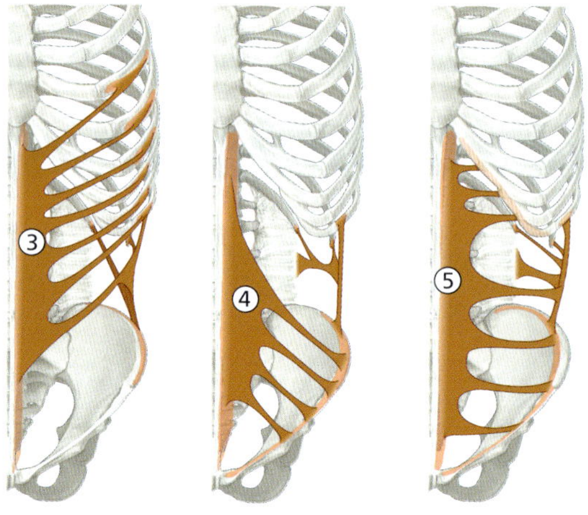

A 外腹斜筋． B 内腹斜筋． C 腹横筋．

図 13.9 後筋
前方から見たところ．大腰筋と腸骨筋は併せて腸腰筋として知られる．

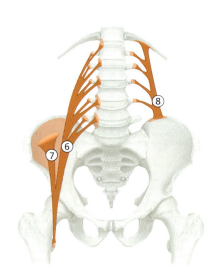

表 13.1 腹壁の筋

筋		起始	停止	神経支配	作用
前腹壁の筋					
① 腹直筋		外側頭：恥骨稜〜恥骨結節 内側頭：恥骨結合前面	第 5-7 肋軟骨，胸骨剣状突起	肋間神経(T5-T11) 肋下神経(T12)	体幹の屈曲，腹圧を高める，骨盤の固定
② 錐体筋		恥骨（腹直筋の前方）	白線（腹直筋鞘内を走る）	肋下神経(T12)	白線の緊張
前外側腹壁の筋					
③ 外腹斜筋		第 5-12 肋骨（外側面）	白線，恥骨結節，前腸骨稜	肋間神経(T7-T11) 肋下神経(T12)	片側：体幹を同側に曲げる，体幹を回旋させる（外腹斜筋は反対側に，内腹斜筋は同側に） 両側：体幹の屈曲，腹圧を高める，骨盤の固定
④ 内腹斜筋		胸腰筋膜（深層），腸骨稜（中間線），上前腸骨棘	第 10-12 肋骨（下縁），白線（前・後層）	肋間神経(T7-T11) 肋下神経(T12)，腸骨下腹神経，腸骨鼡径神経	
⑤ 腹横筋		第 7-12 肋軟骨（内側面），胸腰筋膜（深層），腸骨稜，上前腸骨棘（内唇），腸腰筋膜	白線，恥骨稜		片側：体幹を同側に曲げる 両側：腹圧を高める
後腹壁の筋					
小腰筋＊ （図 31.19 参照）		第 12 胸椎，第 1 腰椎，および椎間円板（外側面）	恥骨櫛，腸恥隆起，腸骨筋膜；下位の線維は鼡径靱帯に達する		体幹の若干の屈曲
⑥ 大腰筋	浅層	第 12 胸椎－第 4 腰椎椎体と椎間板（外側面）	大腿骨（小転子），腸腰筋として停止	第 1-2(3) 腰神経	股関節：屈曲と外転 腰椎（大腿骨を固定した場合）： 片側：収縮によって体幹を外側に曲げる 両側：収縮によって体幹を仰臥位から起こす
	深層	第 1-5 腰椎（肋骨突起）			
⑦ 腸骨筋		腸骨窩		大腿神経(L2-L4)	
⑧ 腰方形筋		腸骨稜と腸腰靱帯（図には示されない）	第 12 肋骨，第 1-4 腰椎（肋骨突起）	肋下神経(T12)，第 1-4 腰神経	片側：体幹を同側に曲げる 両側：いきみ，呼出，第 12 肋骨の固定

＊約 50％に小腰筋が存在する．横隔膜については **pp.64-65** 参照．

図 13.10 前腹壁，側腹壁，後腹壁の筋
前方から見たところ．

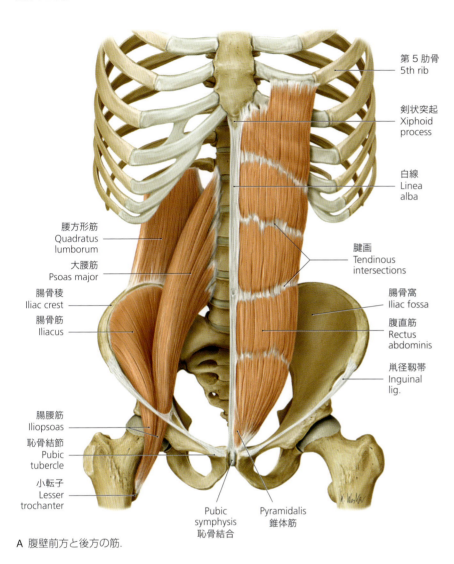

A 腹壁前方と後方の筋．

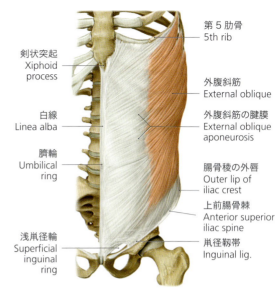

B 外腹斜筋．

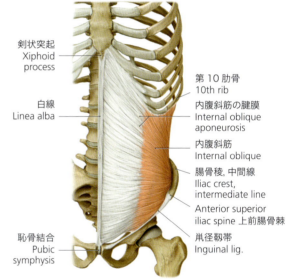

C 内腹斜筋．

図 13.11 機能単位としての前腹壁と側腹壁の筋

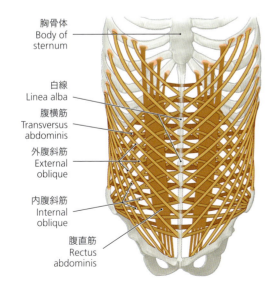

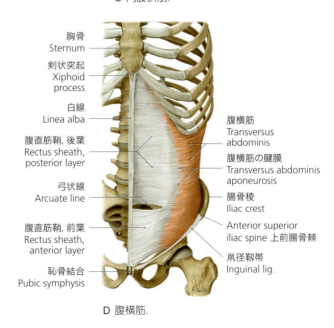

D 腹横筋．

鼡径部と鼡径管
Inguinal Region & Canal

鼡径部は前腹壁と大腿前部の接合部である．男性の鼡径管は腹腔へ構造（精索に含まれるものなど）が出入りするための重要な場所である．

図 13.12 鼡径部
右側，前方から見たところ．

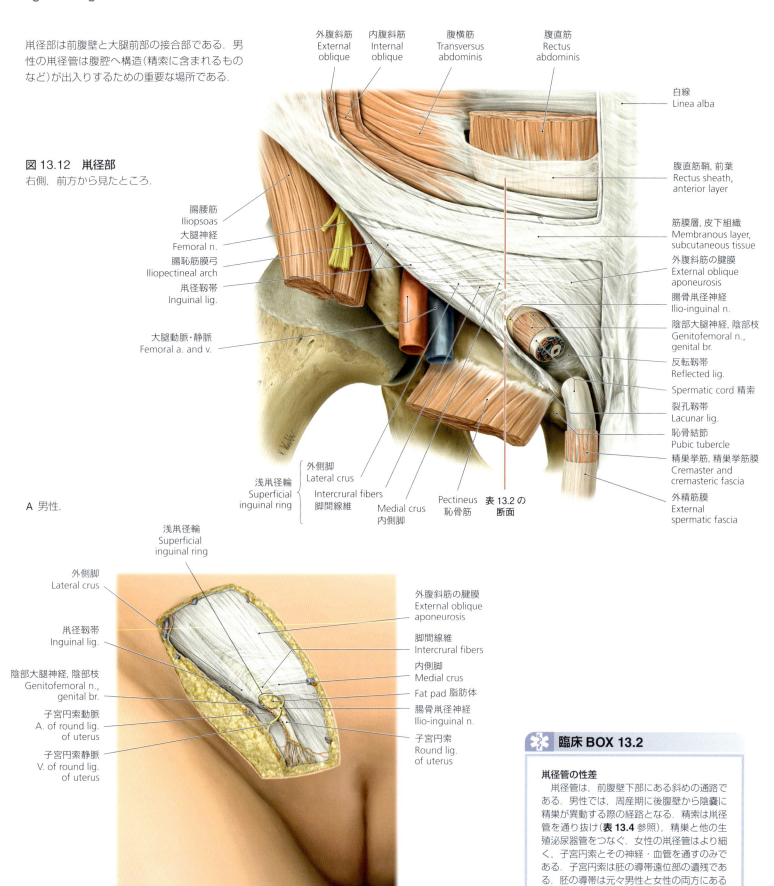

A 男性．

B 女性．

臨床 BOX 13.2

鼡径管の性差
鼡径管は，前腹壁下部にある斜めの通路である．男性では，周産期に後腹壁から陰嚢に精巣が異動する際の経路となる．精索は鼡径管を通り抜け（**表 13.4** 参照），精巣と他の生殖泌尿器管をつなぐ．女性の鼡径管はより細く，子宮円索とその神経・血管を通すのみである．子宮円索は胚の導帯遠位部の遺残である．胚の導帯は元々男性と女性の両方にある構造だが，男性では精巣下降に伴い退行する．

表 13.2　鼠径管の構造

構造			構成
壁	前壁	①	外腹斜筋の腱膜
	上壁	②	内腹斜筋
		③	腹横筋
	後壁	④	横筋筋膜
		⑤	壁側腹膜
	下壁	⑥	鼠径靱帯（外腹斜筋の腱膜下部と付近の大腿筋膜の線維が密に絡み合っている）
開口部	浅鼠径輪		外腹斜筋の腱膜に開口．内側脚と外側脚，脚間線維，反転靱帯に囲まれる
	深鼠径輪		外側臍ヒダ（下腹壁動静脈）の外側で横筋筋膜に開口．

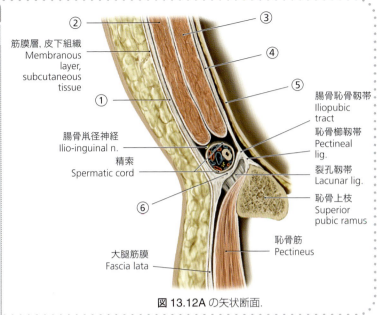

図 13.12A の矢状断面．

図 13.13　鼠径管の切開
右側，前方から見たところ．

A　表層．

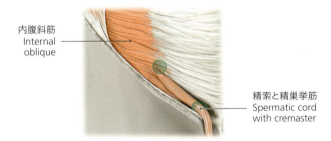

B　外腹斜筋の腱膜は取り除いてある．

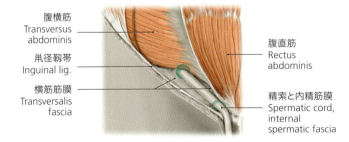

C　内腹斜筋は取り除いてある．

図 13.14　鼠径管の開口部
右側，前方から見たところ．

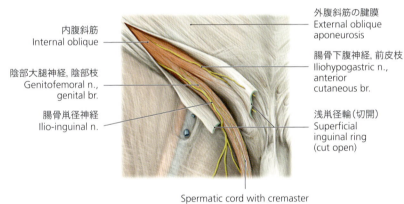

A　外腹斜筋の腱膜を切開．

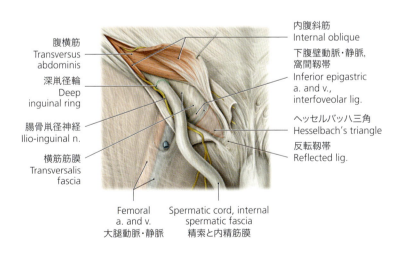

B　内腹斜筋と精巣挙筋を切開．

鼡径部と鼡径ヘルニア
Inguinal Region & Inguinal Hernias

図 13.15 前腹壁のヘルニア部位
冠状断，男性，後方（内面）から見たところ．

A 円で示した3つの窪みは前腹壁ヘルニアが生じやすい部位である．

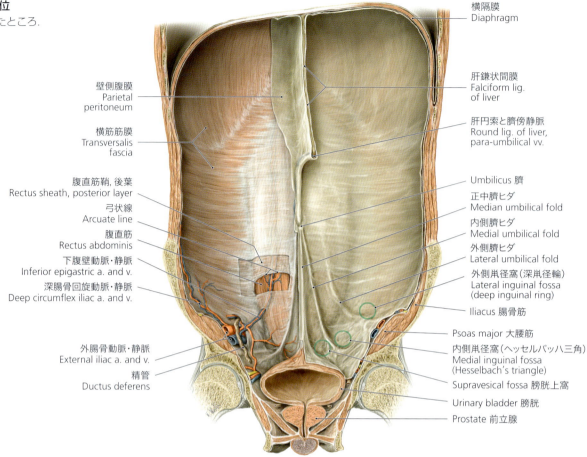

B 男性鼡径部のヘルニア内輪．図Aの詳細．ヘルニア門を示すために，腹膜と横筋筋膜は取り除いてある．膀胱上ヘルニア（緑色），間接ヘルニア（青緑色），直接ヘルニア（紫色）の内輪を色分けしてある（表13.3参照）．

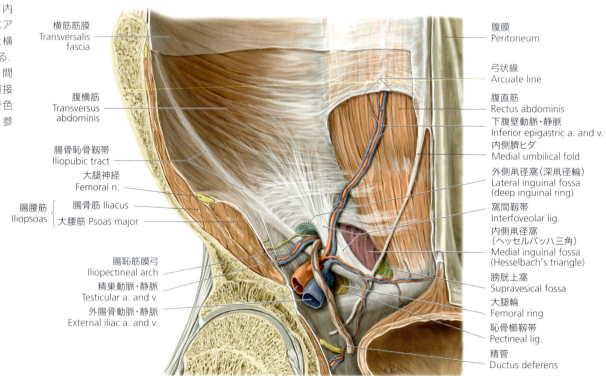

図 13.16　男性の鼠径管とその腹壁構造との関係の模式図
右側，前方から見たところ．

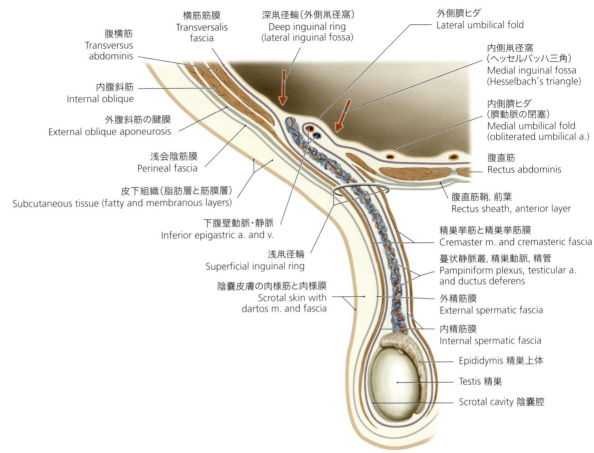

表 13.3	鼠径部のヘルニア	

大半の鼠径ヘルニアは男性で起こる．全て鼠径靱帯の上に位置するが，大きい場合は浅鼠径輪を通って外に飛び出る．生じた場所，ヘルニア嚢の構造は型によって異なる．女性でより多く見られる大腿ヘルニアは鼠径靱帯下の大腿輪で生じて，大腿の伏在裂孔から現れる．

ヘルニアの型	発生部位	ヘルニア嚢
間接鼠径ヘルニア（先天性あるいは後天性）	下腹壁動脈・静脈の外側にある，外側鼠径窩（深鼠径輪）	腹膜，横筋筋膜，精巣挙筋
直接鼠径ヘルニア（後天性）	下腹壁動脈・静脈の内側にある，内側鼠径窩（ヘッセルバッハ三角）	腹膜，横筋筋膜
大腿ヘルニア	鼠径靱帯より下の大腿輪	伏在裂孔の篩状筋膜

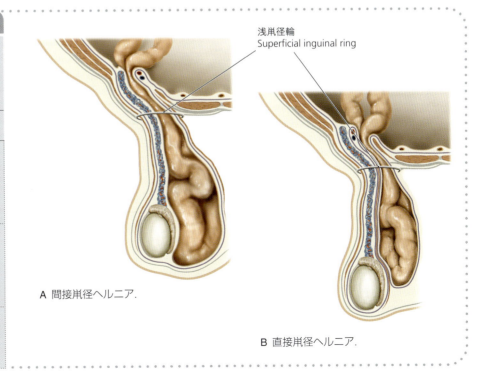

A 間接鼠径ヘルニア．

B 直接鼠径ヘルニア．

陰嚢と精索
Scrotum & Spermatic Cord

鼠径管と同様に，精索，陰嚢，精巣の被膜は前腹壁の筋層と筋膜層に連続している．

図 13.17　陰嚢と精索
前方から見たところ．

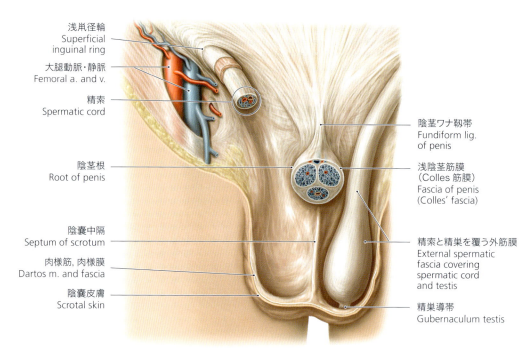

A 陰嚢の構造と内容．

B 精索の筋膜と筋層は，内容物を見せるため開かれている．

表 13.4	精索の内容
周辺層	内容
外精筋膜	① 腸骨鼡径神経
精巣挙筋	② 精巣挙筋動脈・静脈 ③ 陰部大腿神経，陰部枝
内精筋膜	④ 精管動脈・静脈 ⑤ 精管 ⑥ 精巣動脈 ⑦ 鞘状突起（閉塞） ⑧ 精巣動脈神経叢 ⑨ 蔓状静脈叢

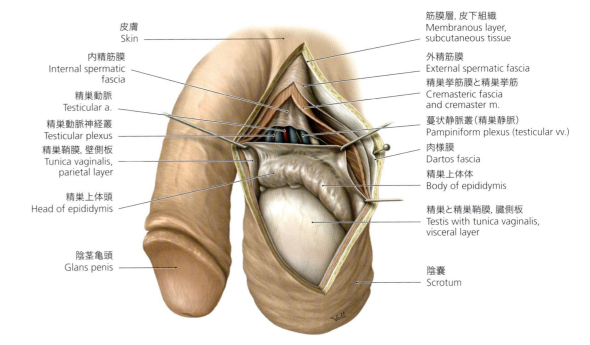

図 13.18　精巣と精巣上体
左外側方から見たところ．

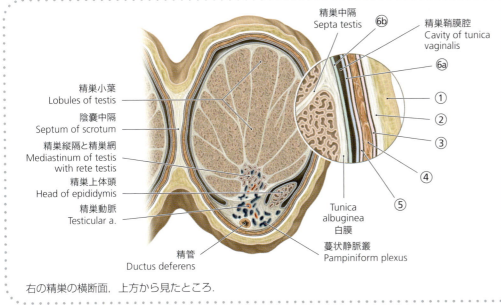

右の精巣の横断面，上方から見たところ．

表 13.5	精巣の被膜	
被膜		連続する体幹の層
①	陰嚢の皮膚	腹壁の皮膚
②	肉様筋，肉様膜	筋膜層，皮下組織
③	外精筋膜	外腹斜筋
④	精巣挙筋および その筋膜	内腹斜筋
⑤	内精筋膜	横筋筋膜
⑥a	精巣鞘膜壁側板	腹膜
⑥b	精巣鞘膜臓側板	

＊腹横筋は精索と精巣被膜には関与しない．

14 腹腔
腹腔・骨盤腔の区分
Divisions of the Abdominopelvic Cavity

図 14.1 腹部と骨盤部の器官
男性の腹骨盤腔の正中矢状断，左外側方から見たところ．

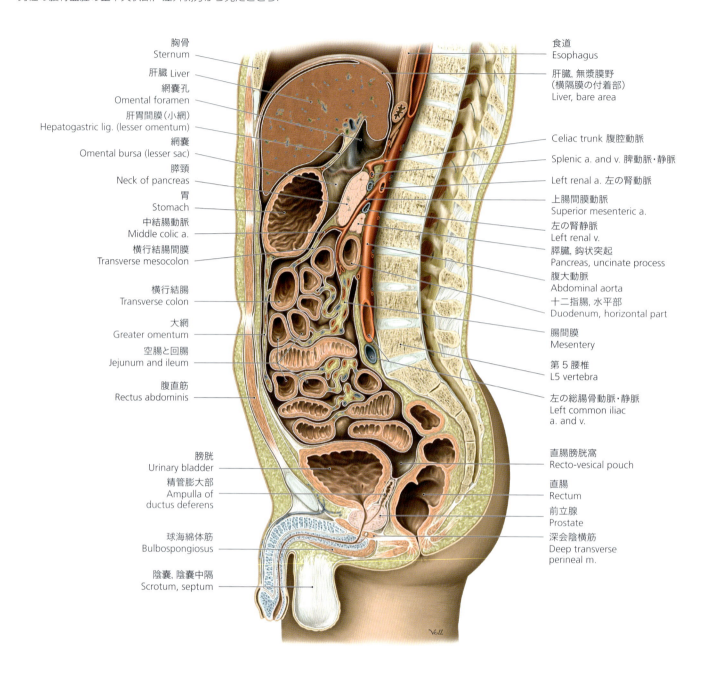

臨床 BOX 14.1

急性腹痛
　急性腹痛（急性腹症）は，重篤な場合には腹壁が極端に刺激に敏感になり（"防御"），腸が機能停止する．虫垂炎のような器官の炎症，胃潰瘍による胃穿孔（p.167 参照），結石や腫瘍などによる器官の閉塞などが原因に含まれる．女性では，婦人科疾患や異所性妊娠が重度の腹痛を引き起こすことがある．

図 14.2 骨盤腔と腹腔の境

各列の図は，左側から見た正中矢状断，第１腰椎での水平断と仙骨下部での水平断（ともに下から見たところ）をそれぞれ含む．

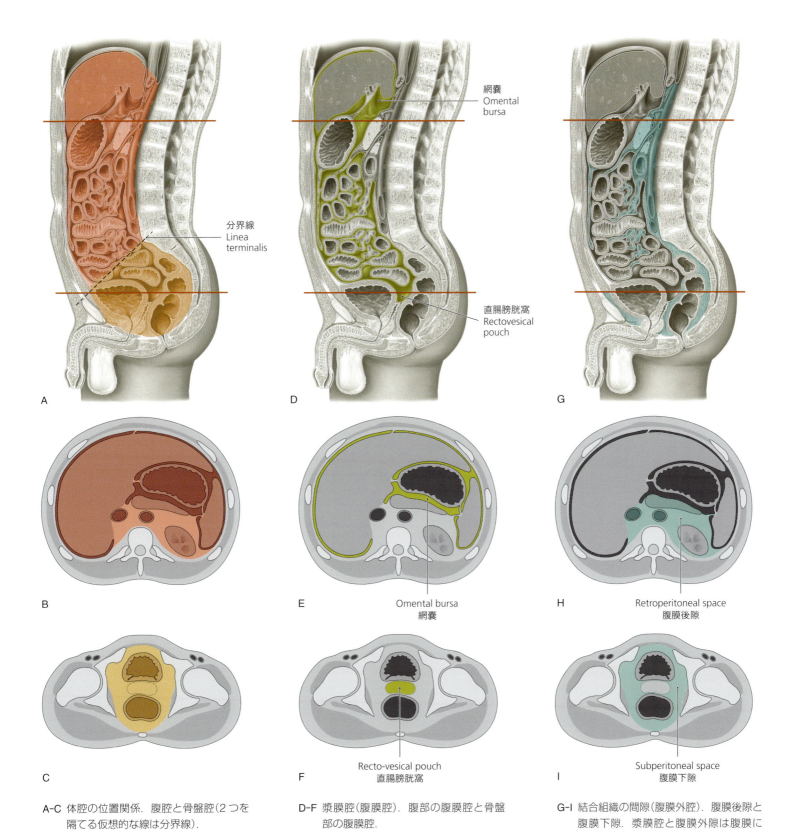

A-C 体腔の位置関係．腹腔と骨盤腔（2つを隔てる仮想的な線は分界線）．

D-F 漿膜腔（腹膜腔）．腹部の腹膜腔と骨盤部の腹膜腔．

G-I 結合組織の間隙（腹膜外腔）．腹膜後隙と腹膜下隙．漿膜腔と腹膜外隙は腹膜によって隔てられる．

腹膜，腸間膜，網嚢
Peritoneum, Mesenteries & Omenta

腹骨盤腔内の器官は周囲の腹膜（腹腔を覆う漿膜）と腸間膜（腹壁と器官をつなげる2層の腹膜）によって分類される（**表 14.1** 参照）．

図 14.3 腹膜腔

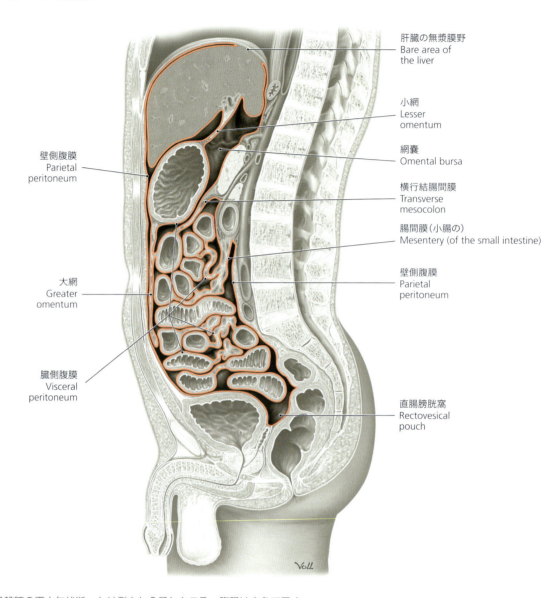

A 男性の腹骨盤腔の正中矢状断，左外側方から見たところ．腹膜は赤色で示す．

臨床 BOX 14.2

腹膜炎と腹水

手術後，あるいは炎症が起こった器官（十二指腸，胆嚢，虫垂）が破裂によって腹膜で細菌感染が起こると，腹膜の炎症（腹膜炎）が生じる．重度の腹痛，圧痛，嘔気，発熱を伴い，腹膜全体に波及すると致命的になりうる．しばしば腹水を生じる．これは腹膜の液体が過度に蓄積される病態で，毛細管の液体喪失を生じる濃度勾配の変化が原因である．腹水は肝癌の転移や門脈圧亢進症など他の病態を伴うことがある．これらの場合，腹膜には数Lもの腹水が溜まることがある．この液体は，穿刺によって吸引することができる．針は，膀胱や下腹壁動脈・静脈を避けて注意深く腹壁に刺入する．

図 14.4　腹膜内器官と腹膜外器官（一次性腹膜後器官と二次性腹膜後器官）の腹膜との関係を示した模式図

水平断．上から見たところ（**表 14.2** 参照）．

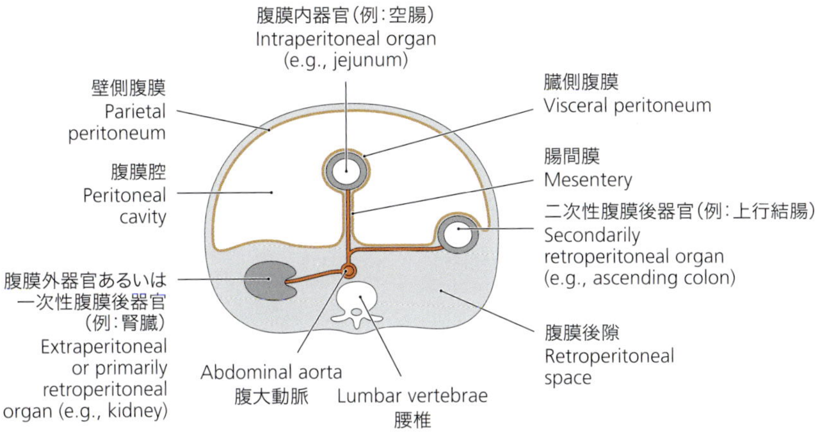

図 14.5　腹膜内器官と腸間膜

矢印は腸間膜内の血管の位置を表す．

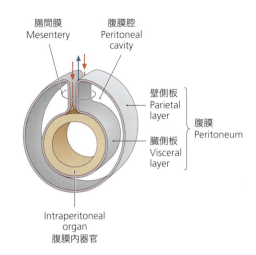

図 14.6　大網と小網の構造と網嚢との関係

矢状断．左外側方から見たところ．

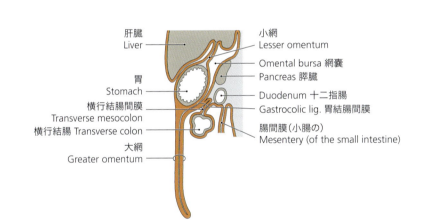

表 14.1	腸間膜と網嚢
腸間膜	腸間膜（小腸の） 横行結腸間膜 S 状結腸間膜 虫垂間膜
網嚢	小網 大網
器官を体壁あるいは他の器官につなげる腹膜が折れ返ることにより，過度な動きを防ぎながら，消化管の正常な運動が可能になる．腸間膜は腹膜が二重になったもので，腹膜内器官を後腹壁に連結し，神経や血管を通す．網嚢も腹膜が二重になったもので，胃や十二指腸を他の器官や後腹壁に連結する．	

表 14.2	腹膜との関係によって分類された腹骨盤腔の器官		
位置	器官		
腹膜内器官：腸間膜を持ち，完全に腹膜に覆われる．			
腹腔	・胃 ・小腸（空腸，回腸，十二指腸上部の一部） ・脾臓 ・肝臓	・胆嚢 ・盲腸と虫垂（個体差があるが一部は腹膜後域に存在する） ・大腸（横行結腸とS状結腸）	
骨盤腔	・子宮（子宮底と子宮体）	・卵巣	・卵管
腹膜外器官：腸間膜をまったく持たないか，発生過程で失っている．			
腹膜後器官	一次性	・腎臓と尿管	・副腎	・子宮頸
	二次性	・十二指腸（下行部，水平部，上行部） ・膵臓	・上行結腸，下行結腸，盲腸 ・直腸の上部 2／3	
腹膜下器官		・膀胱 ・精嚢 ・直腸の下部 1/3	・尿管遠位部 ・子宮頸	・前立腺 ・腟

腸間膜と腹膜陥凹
Mesenteries & Peritoneal Recesses

腹膜腔は大嚢と網嚢(小嚢)に分けられる．大網は大弯から垂れ下がり，横行結腸の前面を覆っているエプロン状の腹膜のヒダである．横行結腸と十二指腸下行部および膵臓との付着部が腹腔を上結腸区画(肝臓，胆嚢，胃)と下結腸区画(腸)に分ける．

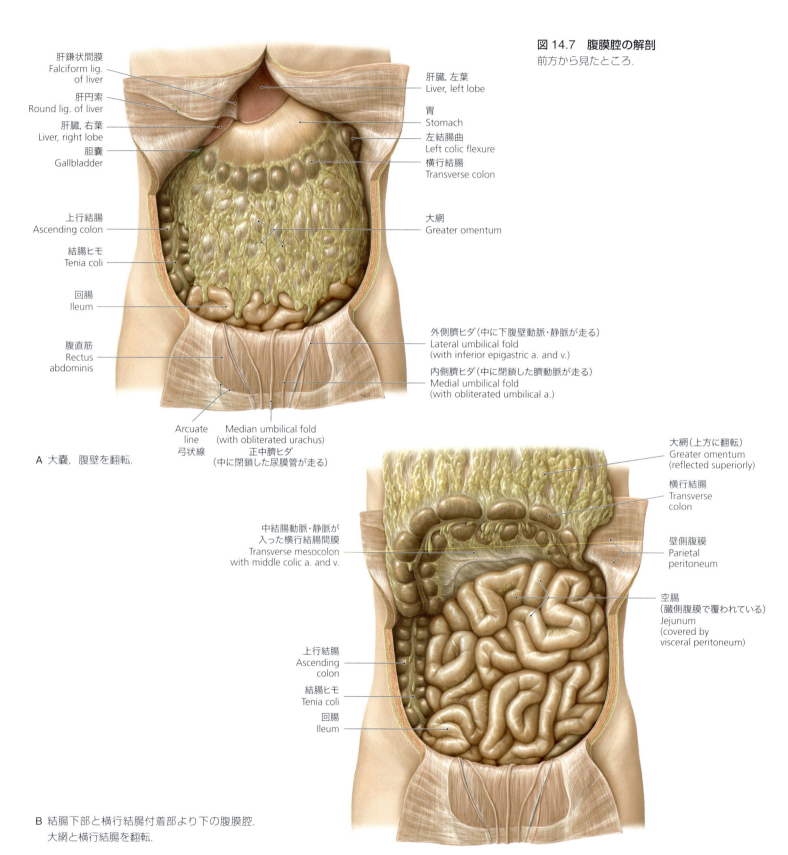

図 14.7　腹膜腔の解剖
前方から見たところ．

A　大嚢，腹壁を翻転．

B　結腸下部と横行結腸付着部より下の腹膜腔．
　　大網と横行結腸を翻転．

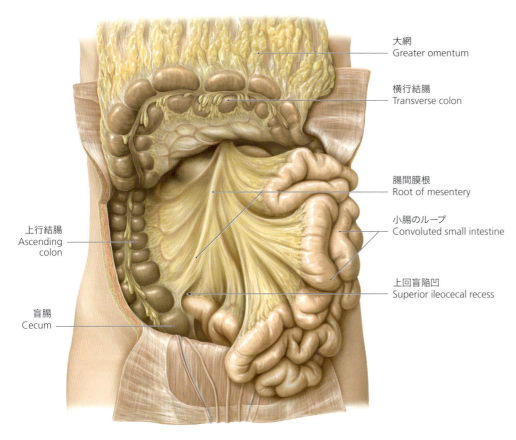

C 腸間膜(小腸の),大網,横行結腸,小腸を翻転.

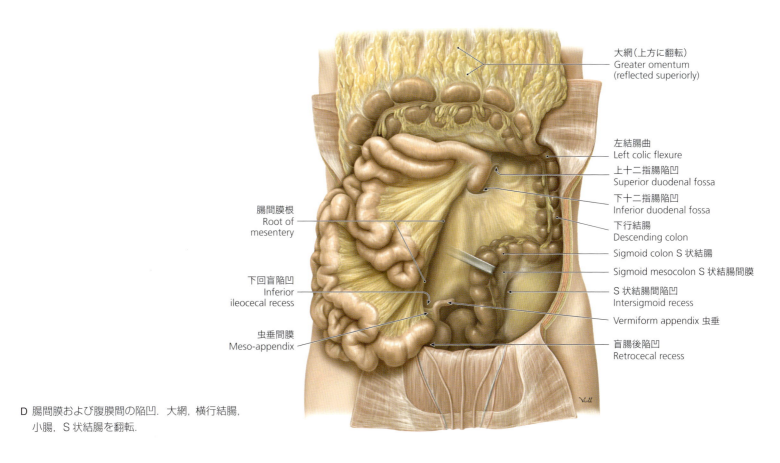

D 腸間膜および腹膜間の陥凹.大網,横行結腸,小腸,S状結腸を翻転.

小網と網嚢
Lesser Omentum & Omental Bursa

網嚢は腹膜腔の一部で胃と小網（胃の小弯と十二指腸近位部を肝臓に連結する二重層の腹膜構造）の後ろにある．網嚢は，小網の自由端の後部に位置する，網嚢孔を通して大嚢と通じる．

図 14.8　小網
肝臓を上方に引き，前方から見たところ．矢印は網嚢孔を指す．これは，小網の後方にある網嚢への開口部．

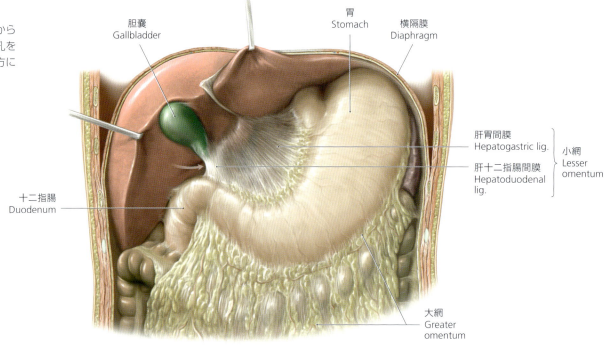

図 14.9　原位置の網嚢
前方から見たところ．胃結腸間膜を切開し，肝臓を引っ張り，胃を翻転する．

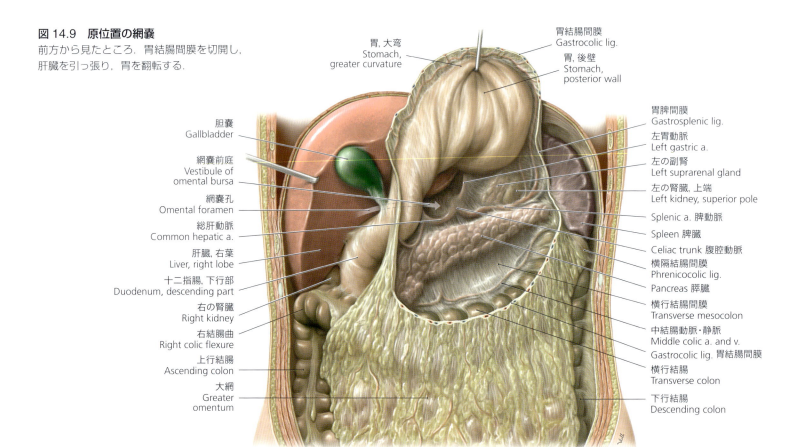

図 14.10　網嚢の位置
水平断，下方から見たところ．

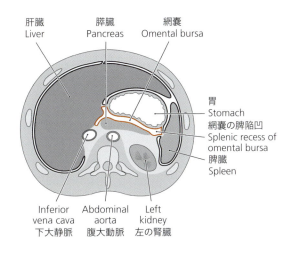

図 14.11　網嚢(小嚢)の境界と壁
前方から見たところ．

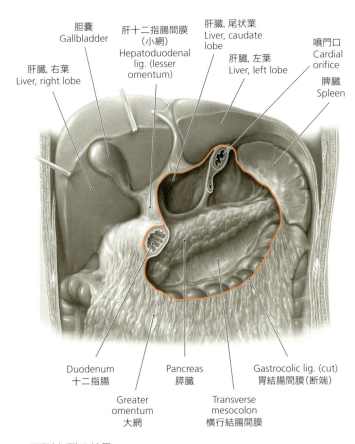

A　網嚢(小嚢)の境界．

B　網嚢(小嚢)の後壁．

表 14.3	網嚢の境界	
方向	境界	凹部
前方	小網，胃結腸間膜	—
下方	横行結腸間膜	下陥凹
上方	肝臓(尾状葉を含む)	上陥凹
後方	膵臓，大動脈(腹大動脈)，腹腔動脈，脾動脈・静脈，胃脾ヒダ，左の副腎，左の腎臓の上端	—
右方	肝臓，十二指腸球部	—
左方	脾臓，胃脾間膜	脾陥凹

表 14.4	網嚢孔の境界
大嚢と網嚢(小嚢)は網嚢孔によって連絡する(図14.9の矢印参照)．	
方向	境界
前方	門脈・固有肝動脈・胆管を含む肝十二指腸間膜
下方	十二指腸上部
後方	下大静脈，横隔膜右脚
上方	肝臓の尾状葉

腸間膜と後腹壁
Mesenteries & Posterior Abdominal Wall

図 14.12　腸間膜に付着する腹膜腔の臓器
前方から見たところ．胃，空腸，回腸，横行結腸，S 状結腸を取り除く．肝臓を翻転．

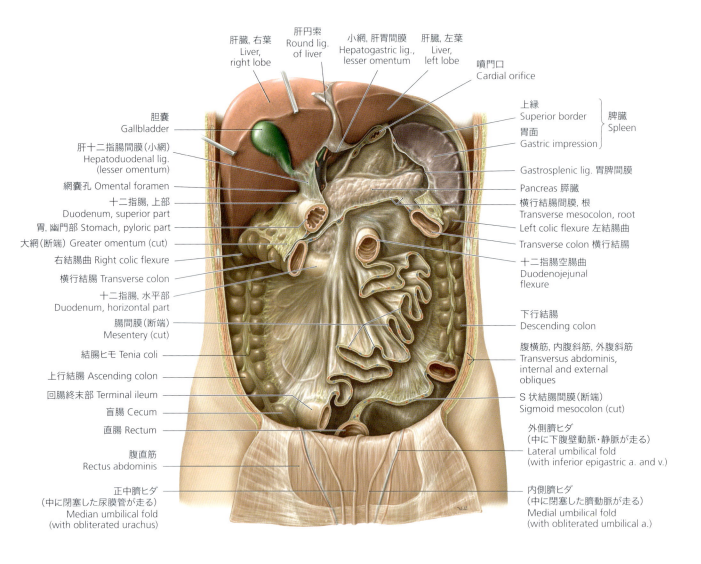

図 14.13　腹壁からの間膜起始部の位置

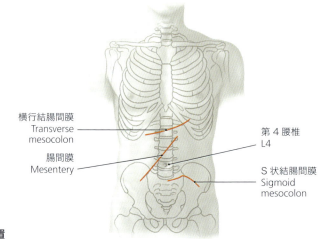

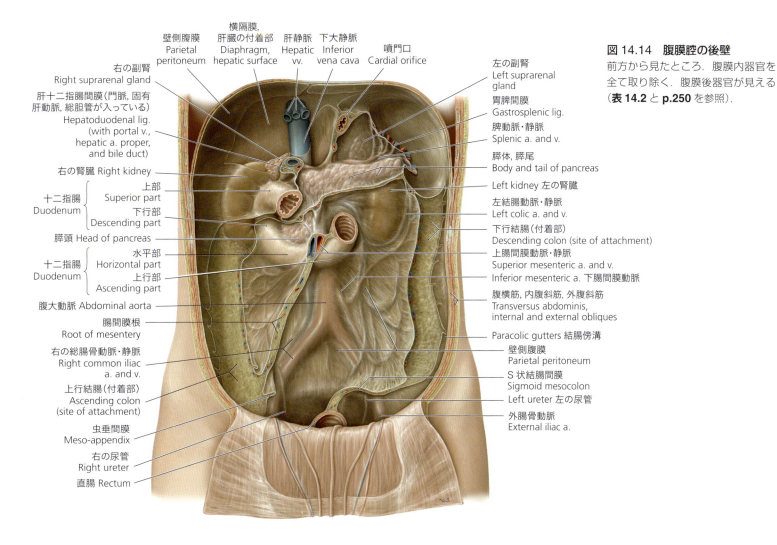

図 14.14 腹膜腔の後壁
前方から見たところ．腹膜内器官を全て取り除く．腹膜後器官が見える（表14.2とp.250を参照）．

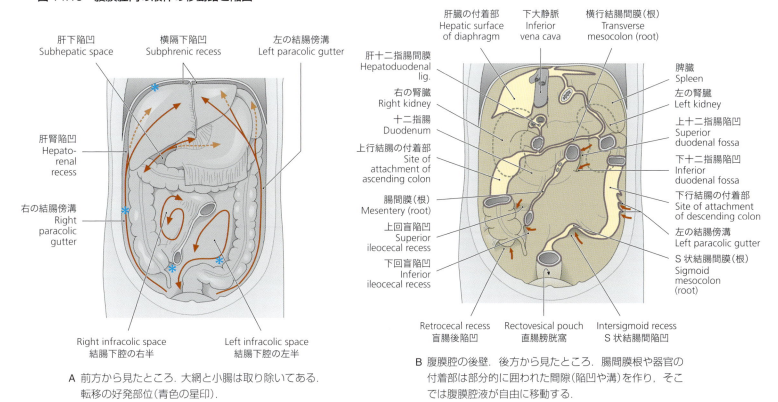

図 14.15 腹膜腔内の液体の移動路と陥凹

A 前方から見たところ．大網と小腸は取り除いてある．転移の好発部位（青色の星印）．

B 腹膜腔の後壁．後方から見たところ．腸間膜根や器官の付着部は部分的に囲われた間隙（陥凹や溝）を作り，そこでは腹膜腔液が自由に移動する．

15 内臓

胃
Stomach

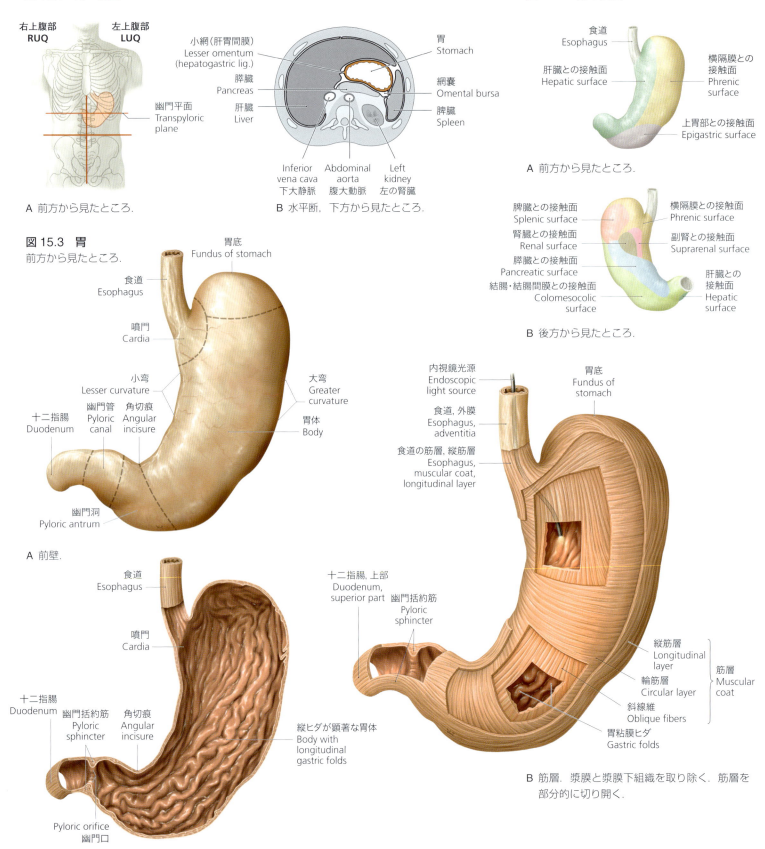

胃は主に左上腹部にある．胃は腹膜内器官で，その間膜は小網と大網である．

図 15.4 原位置の胃
開腹した上腹部を前方から見たところ．
矢印は網嚢孔を示す．

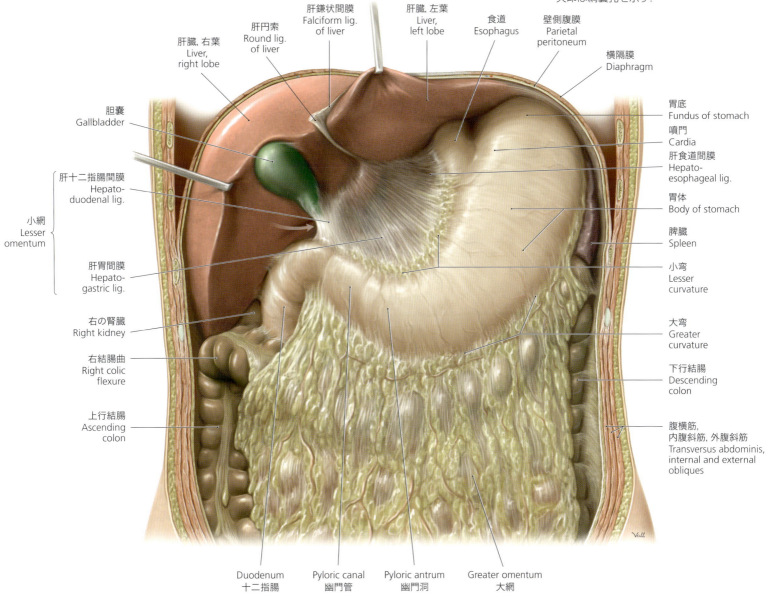

臨床 BOX 15.1

胃炎と胃潰瘍

胃のよく知られた疾患である胃炎と胃潰瘍は胃酸酸性過多と関連付けられるが，アルコールやアスピリンなどの薬物，細菌のヘリコバクター・ピロリが原因となる．食欲減退，胃痛，黒色便や吐瀉物中の暗褐色の物質などが症状として現れる．胃炎は胃壁の内側面に限られるが，胃潰瘍は胃壁に及ぶ．Cの胃潰瘍ではフィブリンで覆われ，ヘマチンの斑点が見られる．

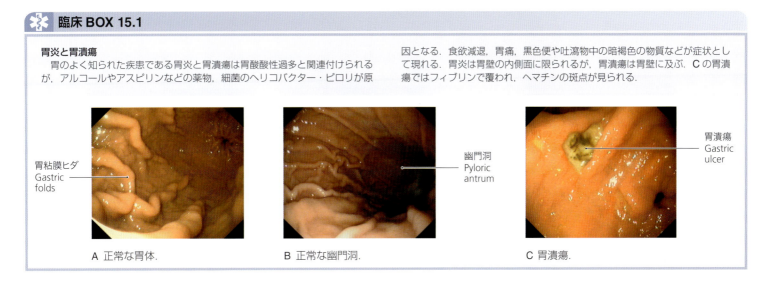

A 正常な胃体． B 正常な幽門洞． C 胃潰瘍．

十二指腸
Duodenum

小腸は十二指腸，空腸，回腸からなる．十二指腸は主として腹膜後器官で，上部，下行部，水平部，上行部の4部に分けられる．

図 15.5　十二指腸：位置
前方から見たところ．

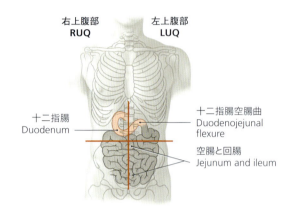

図 15.6　十二指腸の部分
前方から見たところ．

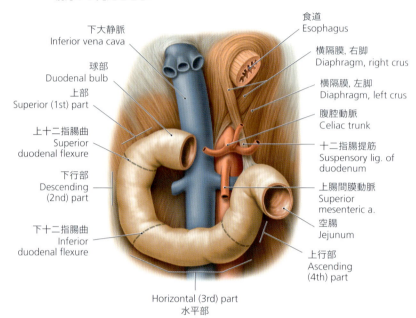

図 15.7　十二指腸
前方から見たところ．前壁を開く．

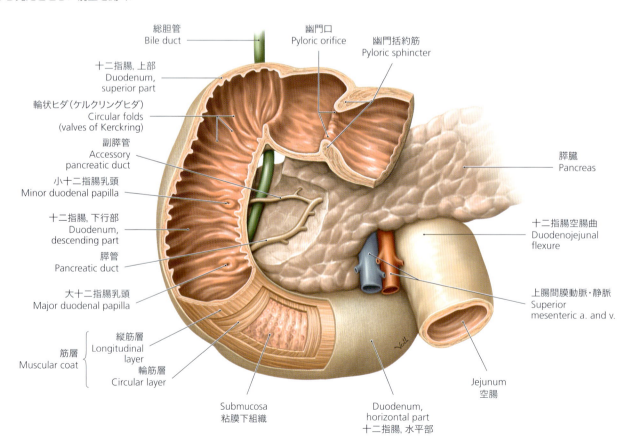

図 15.8　原位置の十二指腸
前方から見たところ．胃，肝臓，小腸，横行結腸の大部分を取り除く．
腹膜後部の脂肪と結合組織も取り除く．

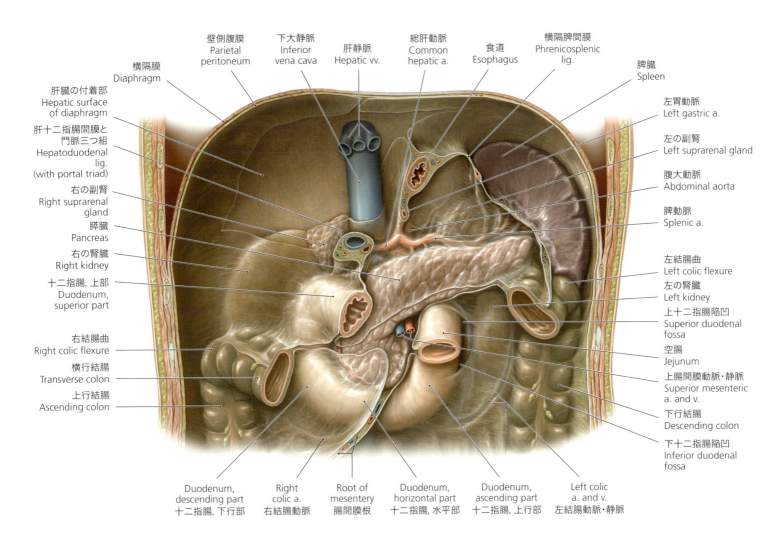

臨床 BOX 15.2

乳頭領域の内視鏡像

十二指腸には総胆管と膵管（図15.27を参照）の2つの重要な導管が下行部に開口している．この管は十二指腸乳頭に内視鏡で色素を注入する内視鏡的逆行性胆道膵管造影（ERCP）によってX線撮影で確かめられる．十二指腸憩室は一般には無害であるが，この撮影を難しくする．

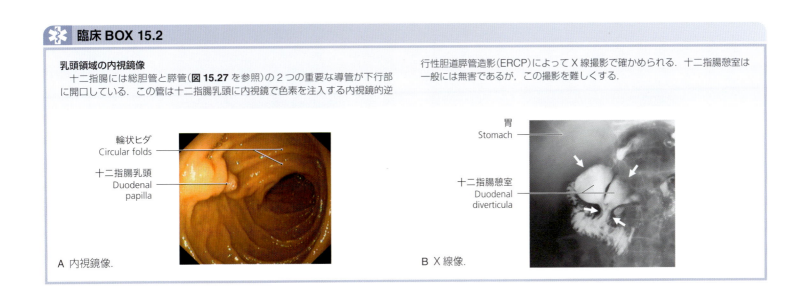

A　内視鏡像．
B　X線像．

空腸と回腸
Jejunum & Ileum

図 15.9　空腸と回腸：位置
前方から見たところ．空腸と回腸は腹膜内にあり，腸間膜で包まれる．

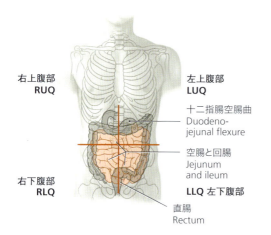

図 15.10　小腸壁の粘膜構造
縦切開した小腸の肉眼像．

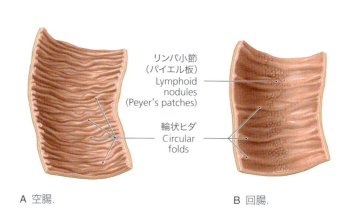

A　空腸．　　B　回腸．

図 15.11　原位置の空腸と回腸
前方から見たところ．横行結腸を翻転．

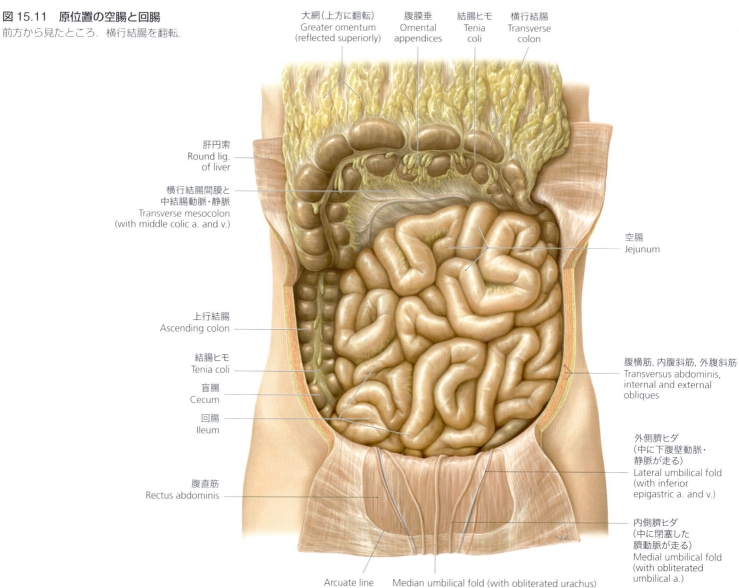

臨床 BOX 15.3

クローン病

消化管の慢性炎症であるクローン病は結腸末端でよく見られる（約30％）．一般的に若者に起こり，腹痛，吐気，体温上昇，下痢が見られる．初期症状は虫垂炎と混同しやすい．クローン病の慢性炎症の合併症によってしばしば瘻孔が形成される（この例では腸管の2か所に異常な通路が形成されている）(B)．

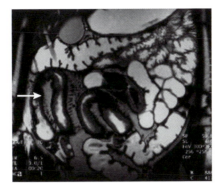

A MR像．結腸末端の壁が肥厚している（矢印）．

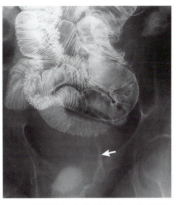

B 二重造影によるX線像．矢印は回腸-直腸間の瘻孔．

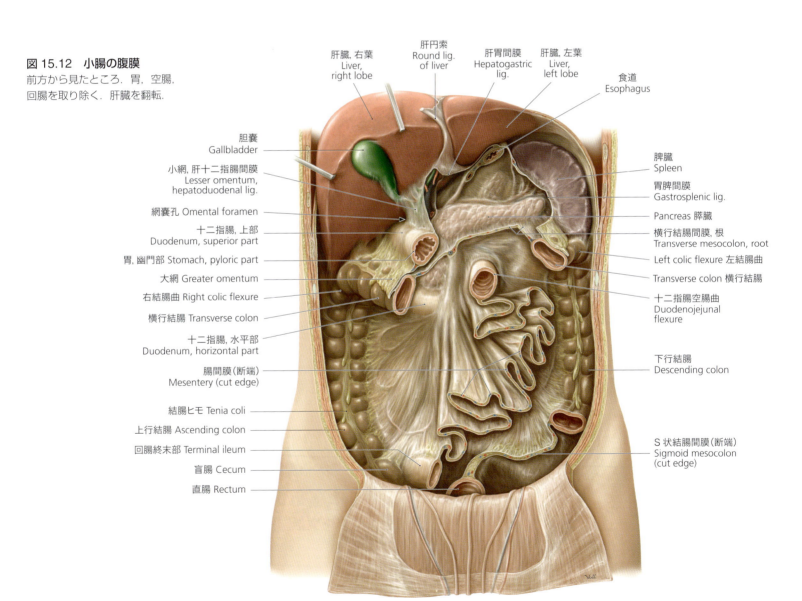

図 15.12 小腸の腹膜
前方から見たところ．胃，空腸，回腸を取り除く．肝臓を翻転．

盲腸, 虫垂, 結腸
Cecum, Appendix & Colon

上行結腸と下行結腸は通常は二次性腹膜後器官であるが，短い間膜によって後腹壁と固定されることもある．

Note：左結腸曲は臨床では脾弯曲(splenic flexure)，右結腸曲は肝弯曲(hepatic flexure)とも呼ばれている．

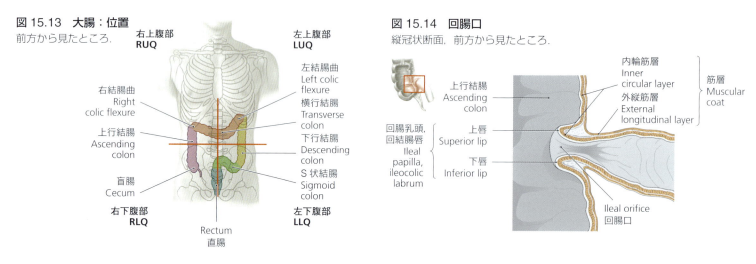

図 15.13　大腸：位置　前方から見たところ．

図 15.14　回腸口　縦冠状断面，前方から見たところ．

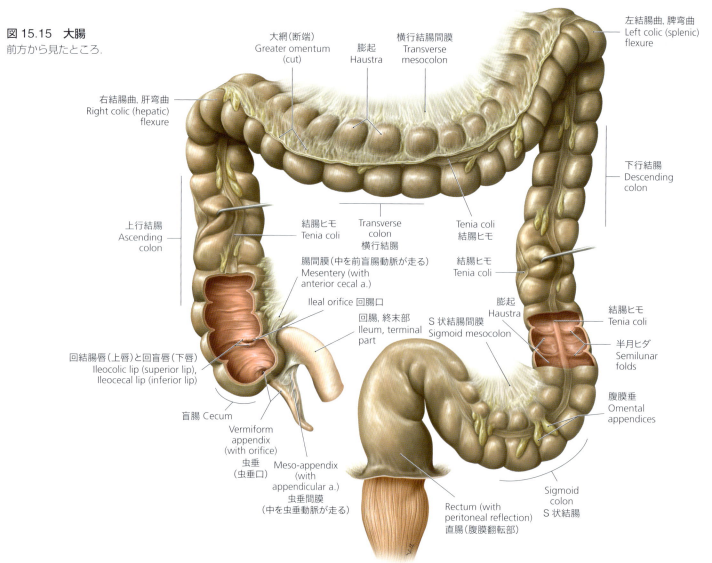

図 15.15　大腸　前方から見たところ．

図 15.16　原位置の大腸
前方から見たところ．横行結腸と大網を翻転．
腹膜内の小腸を取り除く．

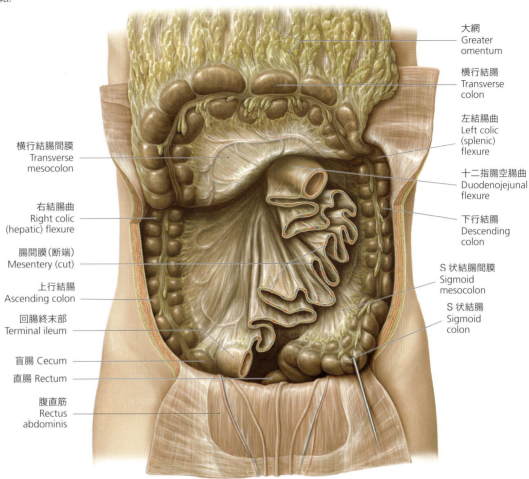

大網 Greater omentum
横行結腸 Transverse colon
左結腸曲 Left colic (splenic) flexure
十二指腸空腸曲 Duodenojejunal flexure
下行結腸 Descending colon
S状結腸間膜 Sigmoid mesocolon
S状結腸 Sigmoid colon
横行結腸間膜 Transverse mesocolon
右結腸曲 Right colic (hepatic) flexure
腸間膜（断端） Mesentery (cut)
上行結腸 Ascending colon
回腸終末部 Terminal ileum
盲腸 Cecum
直腸 Rectum
腹直筋 Rectus abdominis

臨床 BOX 15.4

大腸炎

潰瘍性大腸炎は，多くは直腸以下の大腸に起こる慢性の炎症である．典型的症候には下痢（しばしば血便），腹痛，体重減少，他臓器の炎症が含まれる．患者は結腸直腸癌の危険性も高い．

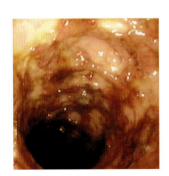

A 結腸鏡で見た潰瘍性大腸炎．

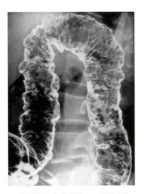

B 初期の大腸炎．二重造影．
　前方から見たところ．

臨床 BOX 15.5

大腸癌

結腸と直腸の悪性腫瘍は最頻発の固形腫瘍の1つである．90%以上が50歳以上の人に起こる．初期の腫瘍は無症候性であるが，後に食欲喪失，腸運動の変化，体重減少が見られる．便中の血液は特に重要な症候で，徹底的な検査が必要である．結腸鏡を含む他の全ての検査が陰性でない限り，便中の血液を痔で説明することはできない．

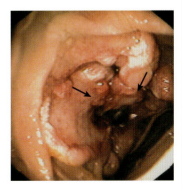

結腸鏡で見た大腸癌．腫瘍が結腸管腔を部分的に塞いでいる（黒矢印）．

肝臓：概観
Liver: Overview

図 15.17　肝臓：位置

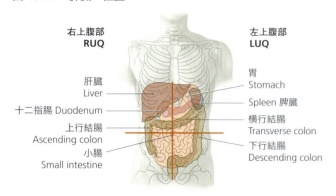

A　前方から見たところ．

B　後方から見たところ．

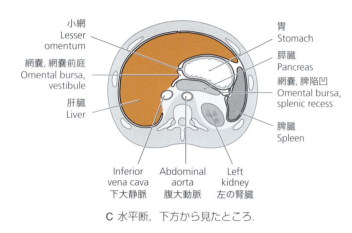

C　水平断，下方から見たところ．

図 15.18　肝臓：臓器と接触する領域
臓側面（下面），下後方から見たところ．

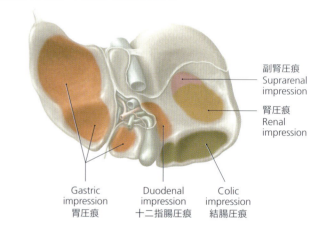

図 15.19　原位置の肝臓

前方から見たところ．肝臓を翻転．胃，空腸，回腸は取り除いてある．肝臓の無漿膜野以外の部分では腹膜内にあり（図 15.21 参照），その間膜には肝鎌状間膜，冠状間膜，三角間膜が含まれる（図 15.22 参照）．

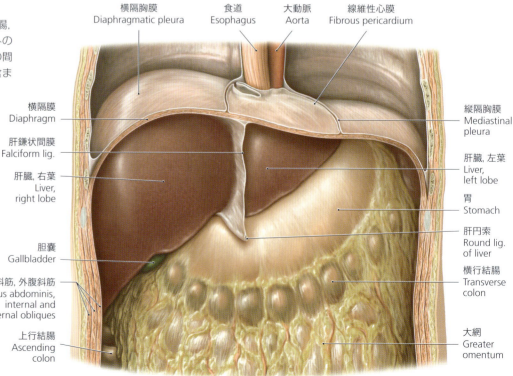

図 15.20　原位置の肝臓：下面
肝臓の下面に接する胆囊を見やすくするために肝臓を翻転.

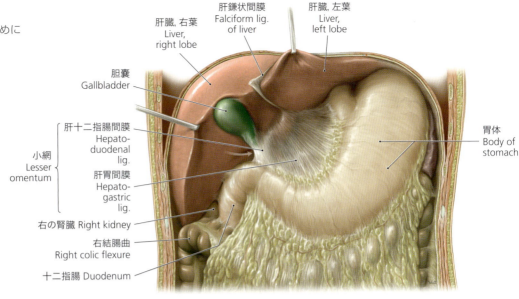

図 15.21　肝臓の横隔膜への付着

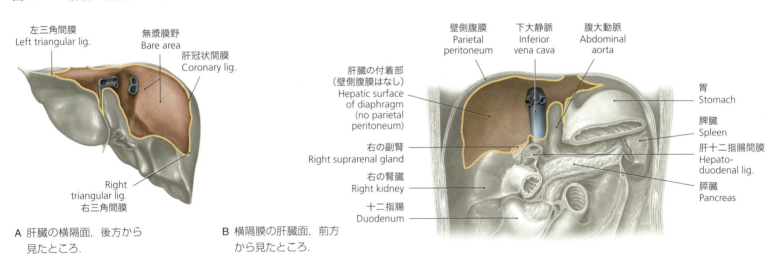

A 肝臓の横隔面，後方から見たところ.

B 横隔膜の肝臓面，前方から見たところ.

臨床 BOX 15.6

肝硬変

肝硬変は肝臓実質の不可逆な線維症につながる病態である．アルコール乱用が主原因（70％の症例）で次がB型肝炎である．側副血管の発生を伴う門脈圧亢進は，一般に起こりやすく約30％の症例で見られる．

進行した肝硬変に伴う変化．3つのシーケンスは全て肝臓における複数の再生性結節を示しており，結節によって表面の凹凸が生じている．尾状葉（B，矢印）のみ変化をあまり受けておらず，比較的正常なシグナルを示している．

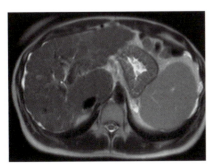

A T2W シーケンス．(Krombach GA, Mahnken AH. Body Imaging: Thorax and Abdomen. New York, NY: Thieme; 2018. より)

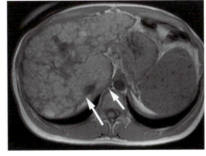

B T1W シーケンス．(Krombach GA, Mahnken AH. Body Imaging: Thorax and Abdomen. New York, NY: Thieme; 2018. より)

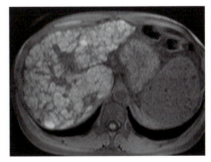

C 脂肪抑制 T1W シーケンス．(Krombach GA, Mahnken AH. Body Imaging: Thorax and Abdomen. New York, NY: Thieme; 2018. より)

肝臓：肝葉と肝区域
Liver: Lobes & Segments

図 15.22　肝臓の表面
肝臓は間膜によって右葉，左葉，尾状葉，方形葉の4葉に区分される．肝鎌状間膜は前腹壁から折れ返った2層の壁側腹膜であり，肝臓に達して臓側腹膜として肝臓表面を覆う．肝鎌状間膜は解剖学的に肝臓を右葉と左葉に区分する．肝円索は肝鎌状間膜の自由縁に位置する痕跡化した臍静脈であり，かつては臍から肝臓に達していた．

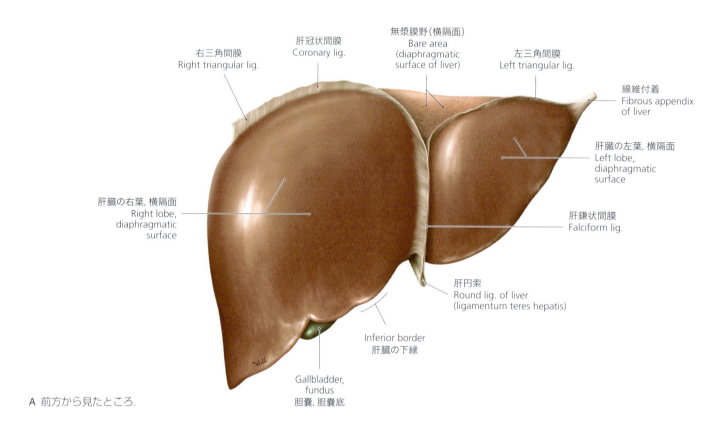

A　前方から見たところ．

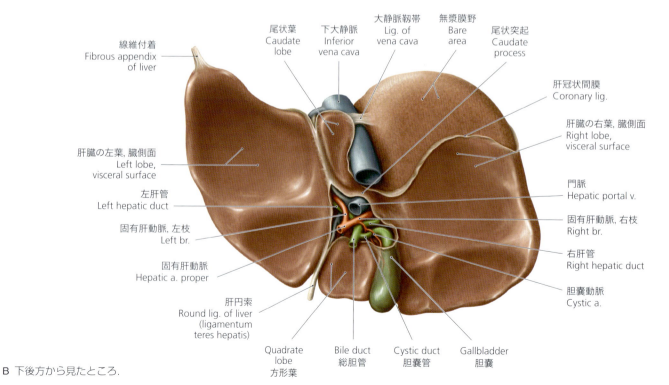

B　下後方から見たところ．

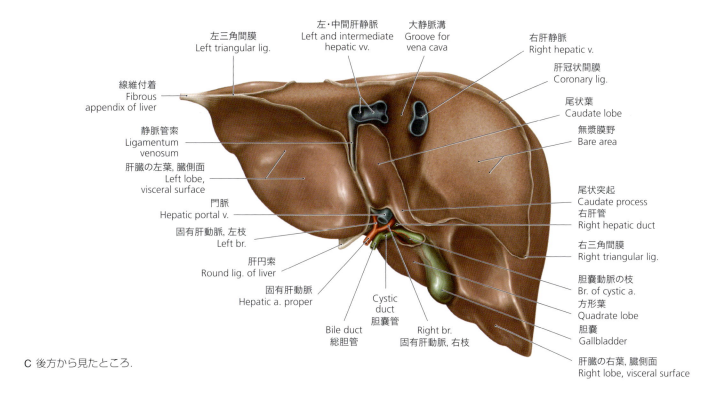

C 後方から見たところ.

図 15.23 肝区域

肝臓は機能的に区分され，さらに 8 つの区域へと分けられる（**表 15.1** 参照）．各区域には門脈三つ組（固有肝動脈，門脈，総胆管）からの三つ組の枝が分布する．

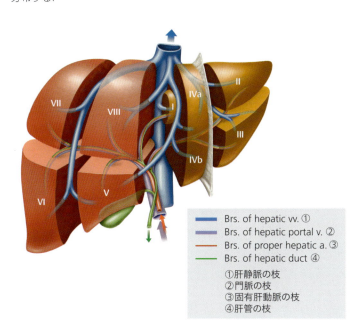

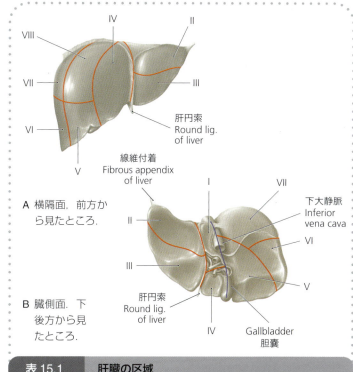

A 横隔面，前方から見たところ．

B 臓側面．下後方から見たところ．

表 15.1	肝臓の区域		
部位	区分	区域	
左肝部		I	尾状葉
	左外側区	II	左外側後区域
		III	左外側前区域
	左内側区	IV	左内側区域
右肝部	右内側区	V	右内側前区域
		VIII	右内側後区域
	右外側区	VI	右外側前区域
		VII	右外側後区域

胆嚢と胆管
Gallbladder & Bile Ducts

図 15.24 胆嚢：位置

図 15.25 肝内胆管：位置
肝臓表面への投影，前方から見たところ．

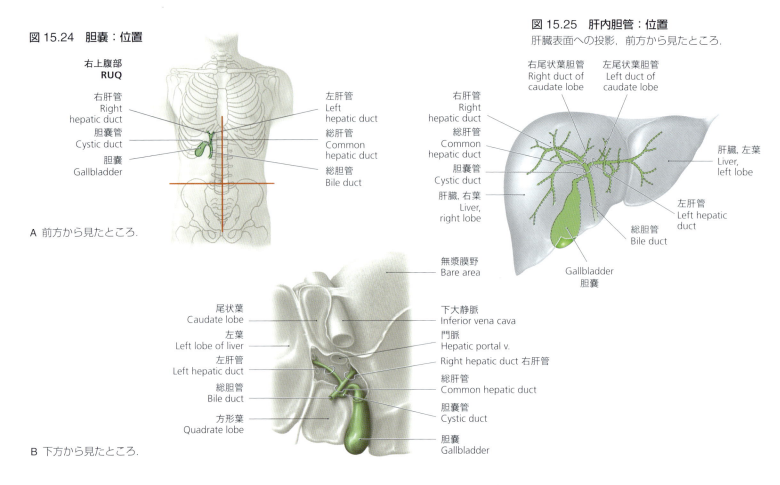

A 前方から見たところ．

B 下方から見たところ．

図 15.26 胆管括約筋系

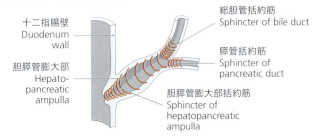

A 膵管と総胆管の括約筋．

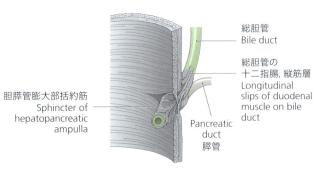

B 十二指腸の括約筋系．

図 15.27 肝外胆管
前方から見たところ．胆嚢と十二指腸を開く．

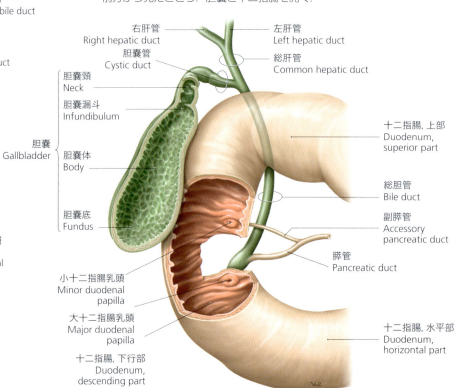

図 15.28 原位置の胆路

前方から見たところ．胃，小腸，横行結腸，肝臓の大部分は取り除いてある．胆嚢は腹膜内器官であり，肝臓に接していない部分は臓側腹膜で覆われている．

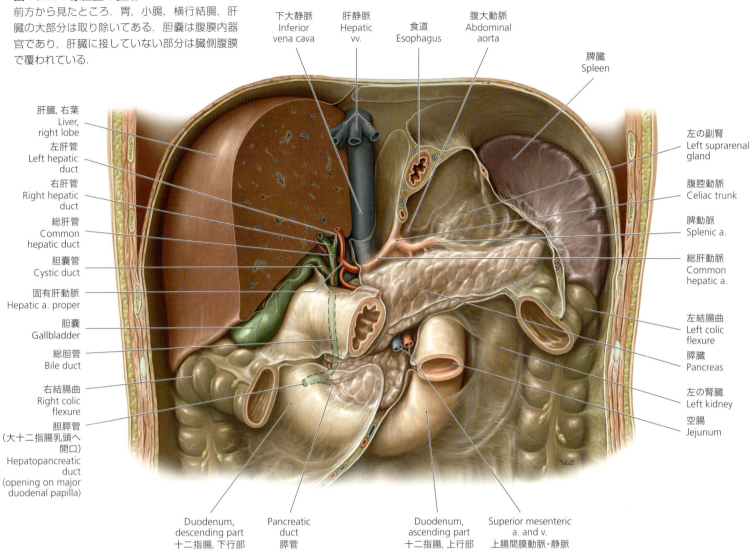

図 15.29 MRI 胆管膵管画像

（Moeller TB, Reif E. Pocket Atlas of Sectional Anatomy, Vol 2, 3rd ed. New York, NY: Thieme; 2007. より）

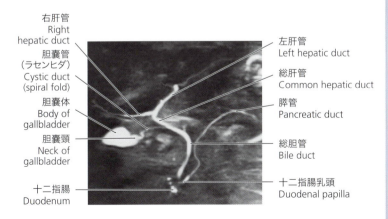

臨床 BOX 15.7

胆道閉鎖

胆汁が胆嚢で貯蔵・濃縮される間に，コレステロールなどの物質は結晶化して胆石となる．胆石が胆管に移動すると激しい痛み（疝痛）を起こす．胆石は乳頭領域で膵管の閉塞を起こすことがあり，激しい痛みと命を脅かす膵炎を発症させることがある．

超音波で見られた2つの胆石．黒の矢印は胆石の背側の無エコー域．

膵臓と脾臓
Pancreas & Spleen

図 15.30　膵臓と脾臓：位置

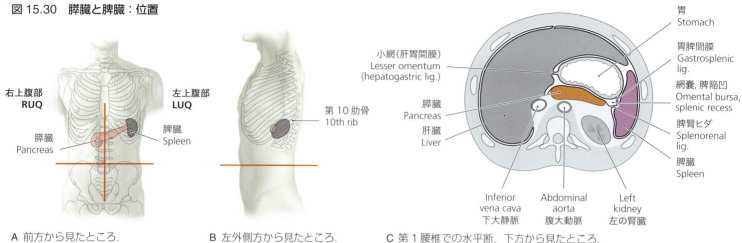

A 前方から見たところ．
B 左外側方から見たところ．
C 第1腰椎での水平断，下方から見たところ．

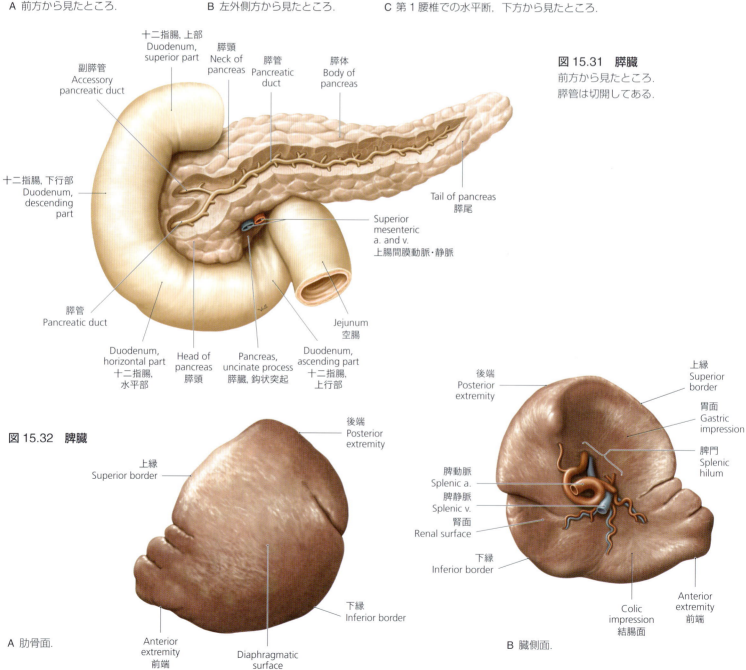

図 15.31　膵臓
前方から見たところ．
膵管は切開してある．

図 15.32　脾臓

A 肋骨面．
B 臓側面．

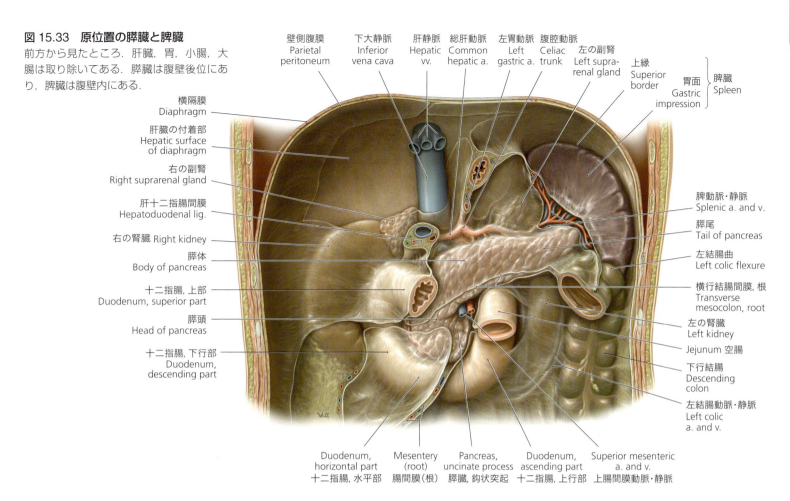

図 15.33 原位置の膵臓と脾臓
前方から見たところ．肝臓，胃，小腸，大腸は取り除いてある．膵臓は腹壁後位にあり，脾臓は腹壁内にある．

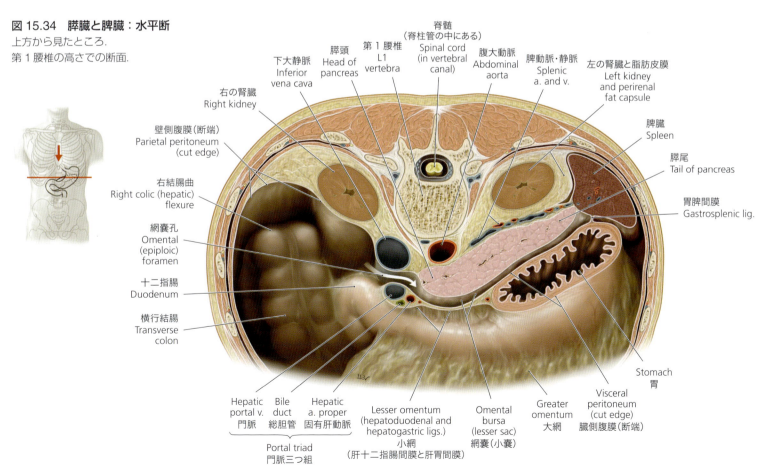

図 15.34 膵臓と脾臓：水平断
上方から見たところ．
第 1 腰椎の高さでの断面．

腎臓と副腎 (1)
Kidneys & Suprarenal Glands (I)

図 15.35 腎臓と副腎：位置

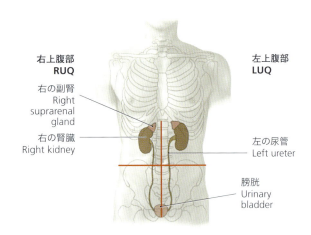

A 前方から見たところ．

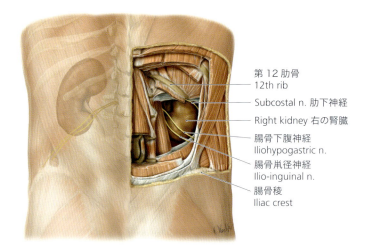

B 後方から見たところ．右側の体壁を開く．

図 15.36 腎臓：臓器と接触する領域
前方から見たところ．

図 15.37 腎床での右腎

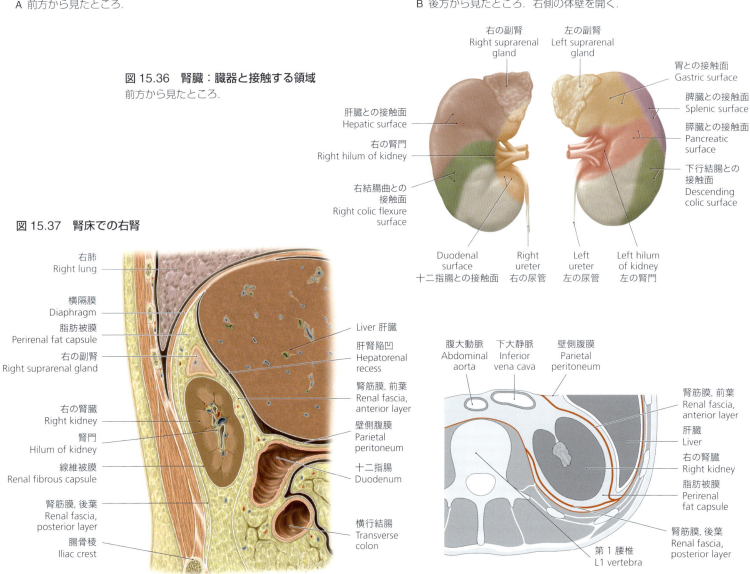

A 右の腎床での矢状断．右方から見たところ．

B ほぼ第 1/2 腰椎の高さでの水平断．上方から見たところ．

図 15.38 腹膜後域における腎臓と副腎

前方から見たところ．腎臓と副腎は腹膜後器官である．

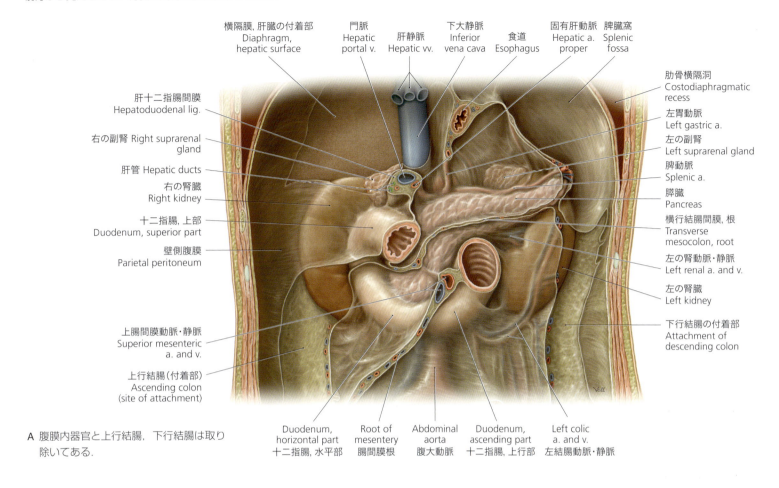

A 腹膜内器官と上行結腸，下行結腸は取り除いてある．

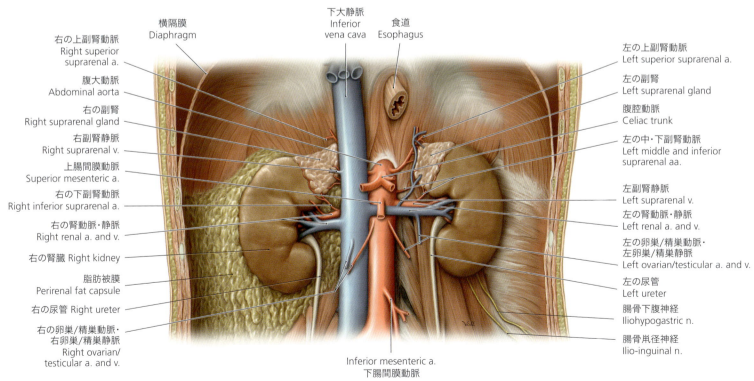

B 腹膜，脾臓，胃腸管と左側の脂肪被膜は取り除いてある．食道を引き出す．

腎臓と副腎(2)
Kidneys & Suprarenal Glands (II)

図 15.39　腎臓：構造
右腎と副腎.

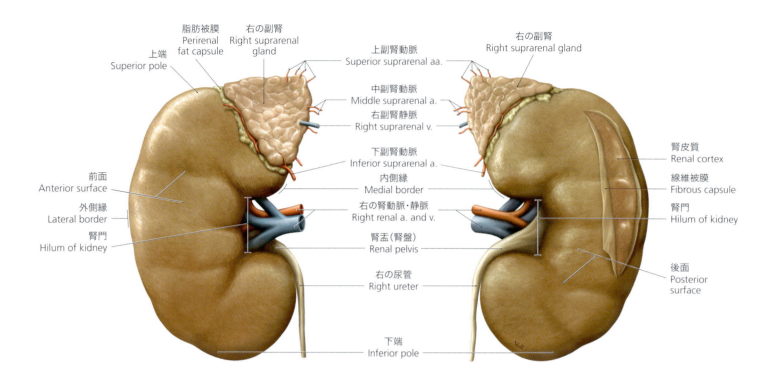

A 前方から見たところ.

B 後方から見たところ.

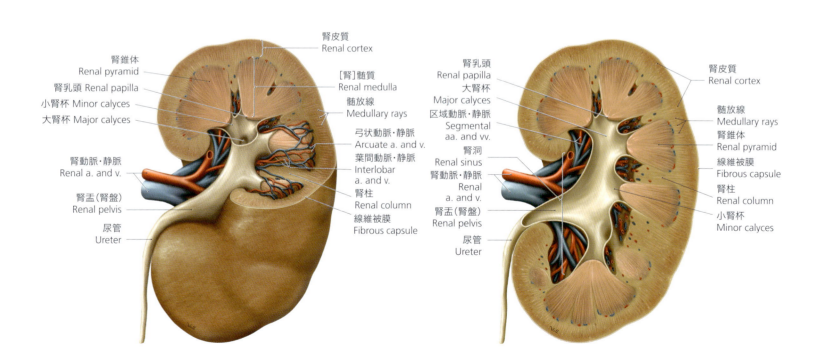

C 後方から見たところ. 上半分の一部は部分的に取り除いてある.

D 後方から見たところ. 中央矢状断.

図 15.40 右腎と副腎
前方から見たところ．腎臓周囲の脂肪被膜は取り除いてある．下大静脈を左側に引く．

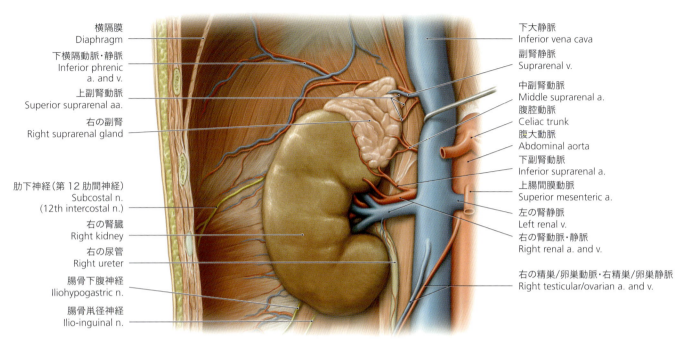

図 15.41 左腎と副腎
前方から見たところ．腎臓周囲の脂肪被膜は取り除いてある．膵臓を下に引く．

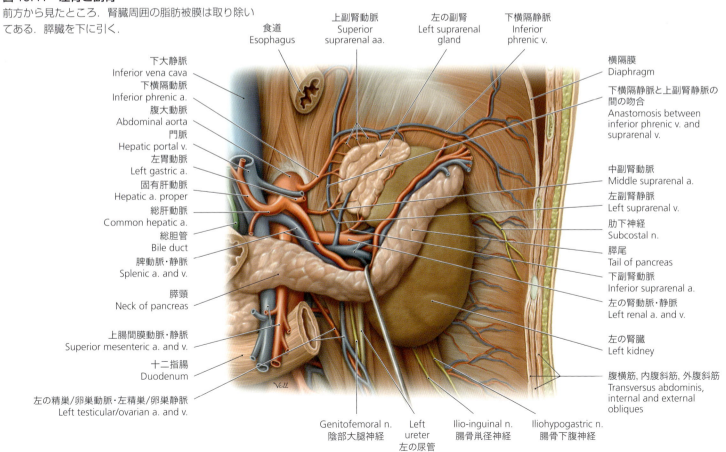

16 血管・神経
腹壁と器官の動脈
Arteries of the Abdominal Wall & Organs

図 16.1 腹壁の動脈
胸大動脈と腹大動脈の枝に加えて，鎖骨下動脈・外腸骨動脈・大腿動脈の枝も腹壁に分布する．これらの血管の間にはいくつもの吻合が形成可能となっており，腹大動脈をバイパスする経路となりうる．

図 16.2 腹大動脈とその主枝
前方から見たところ．腹大動脈は第12胸椎から第4腰椎の分岐部まで延びる．腹大動脈から，腎臓，副腎，生殖腺，消化器官，体壁への壁側枝が出る．

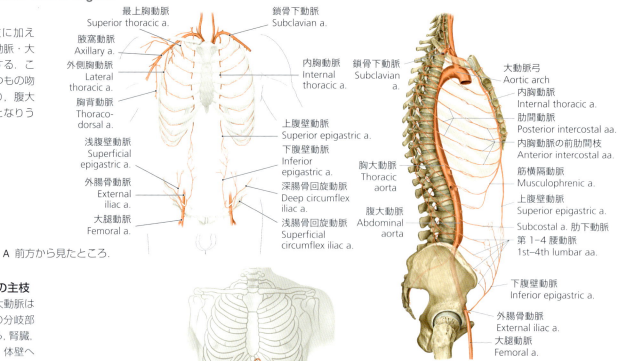

A 前方から見たところ．

B 側方から見たところ．

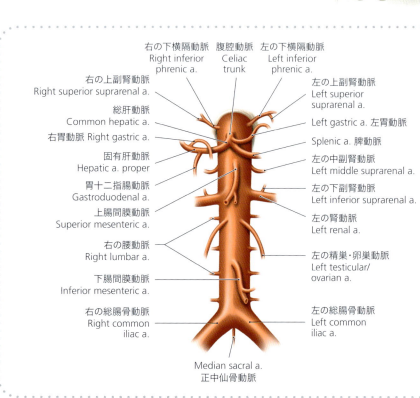

表 16.1 腹大動脈の枝
腹大動脈は3つの不対の大きな動脈（太字），不対の正中仙骨動脈，6つの有対の動脈を出す．

大動脈からの枝	枝		
左の下横隔動脈，右の下横隔動脈	上副腎動脈		
腹腔動脈	左胃動脈		
	脾動脈		
	総肝動脈	固有肝動脈	
		右胃動脈	
		胃十二指腸動脈	
	左の中副腎動脈		
上腸間膜動脈			
左の腎動脈	下副腎動脈		
右の腰動脈			
左の精巣・卵巣動脈			
下腸間膜動脈			
左の総腸骨動脈，右の総腸骨動脈	外腸骨動脈		
	内腸骨動脈		
正中仙骨動脈			

図 16.3 腹腔動脈

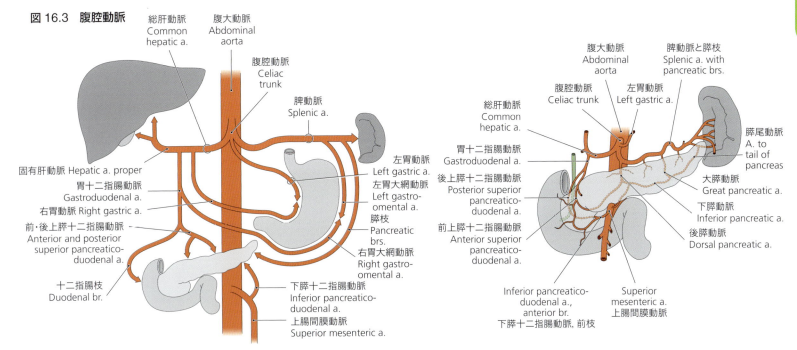

A 腹腔動脈の分布域．

B 膵臓の動脈．

図 16.4 上腸間膜動脈

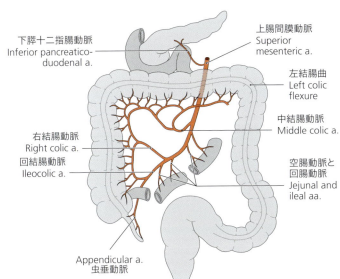

図 16.6 腹部の動脈間吻合

腹部の主要な動脈間吻合は3つある．これらの吻合により，腹部の重複した領域に動脈が分布し，十分な血液量が供給される．

(1) 腹腔動脈と上腸間膜動脈の間．上・下膵十二指腸動脈を介して．
(2) 上腸間膜動脈と下腸間膜動脈の間．中結腸動脈と左結腸動脈を介して．
(3) 下腸間膜動脈と内腸骨動脈の間．上直腸動脈と中・下直腸動脈を介して．

図 16.5 下腸間膜動脈

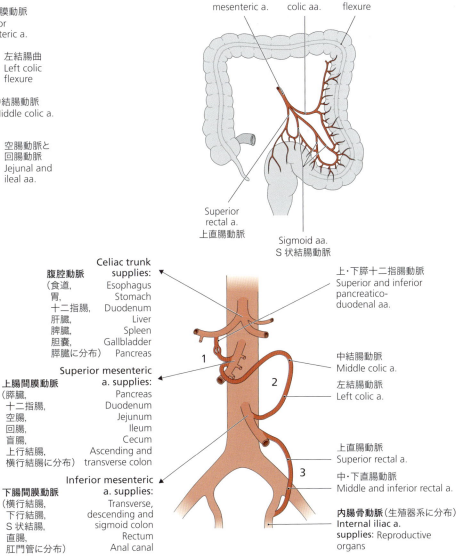

腹大動脈と腎動脈
Abdominal Aorta & Renal Arteries

図 16.7 腹大動脈
女性の大動脈，前方から見たところ．左の腎臓と副腎以外の内臓は取り除いてある．腹大動脈は胸大動脈（p.80 参照）の遠位方向への延長である．腹大動脈は第 12 胸椎の高さで腹部に入り，第 4 腰椎の高さで 2 分岐して総腸骨動脈となる．

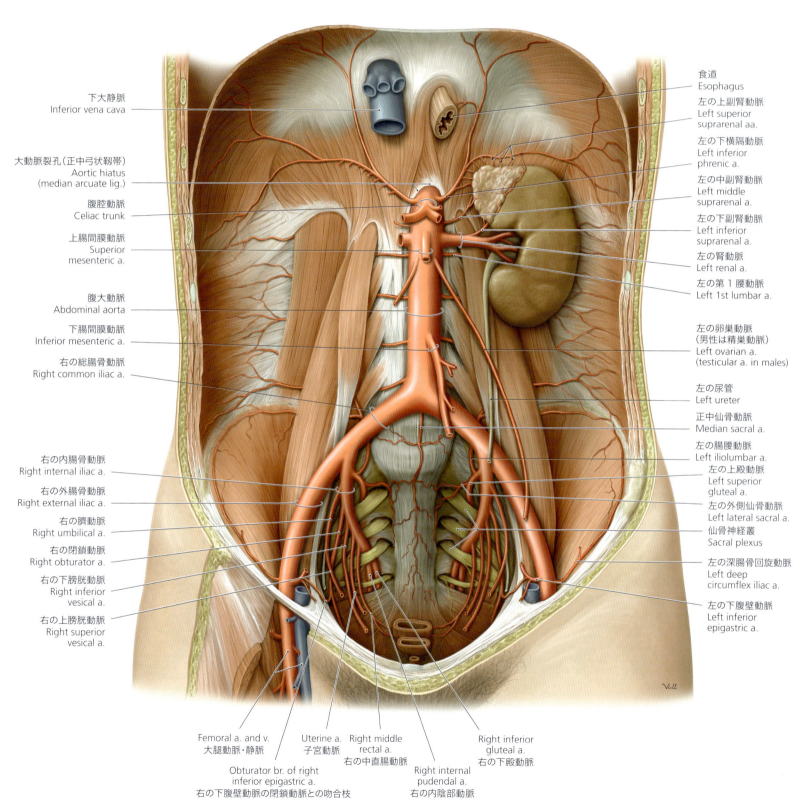

図 16.8 腎動脈

左の腎臓，前方から見たところ．腎動脈はほぼ第 1/2 腰椎の高さから起こる．各腎動脈は前枝と後枝に分かれる．前枝はさらに 4 つの区動脈（丸で囲まれている）に分かれる．

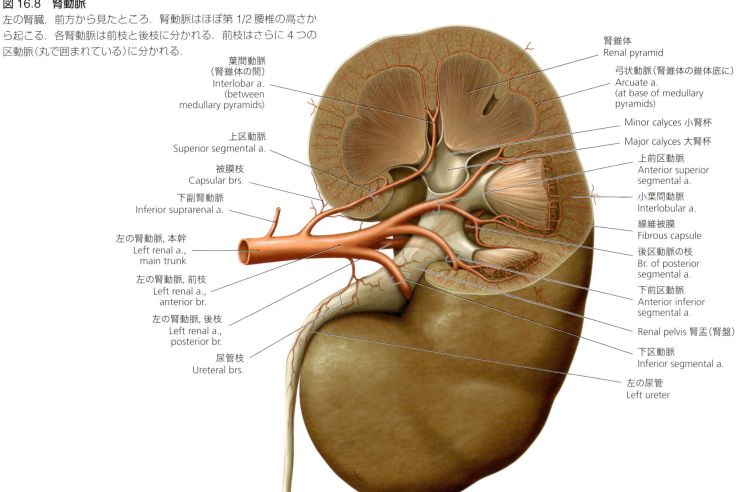

臨床 BOX 16.1

腎動脈の変異

右腎を前方から見たところ．腎臓が元々の骨盤の位置から腰部に移動する際に，新しい腎動脈が形成され，古いものは退行する．一般的に退行しないものが見られ，その結果，複数の動脈が 1 つ，あるいは双方の腎臓に見られる．

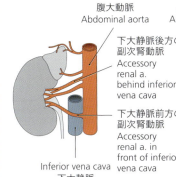

A 副次腎動脈は大動脈から腎門に入る．
Note：副次動脈の 1 つは下大静脈の前方を通っている．

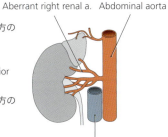

B 異所性の腎動脈は腎門から腎臓に入らない．

臨床 BOX 16.2

腎性高血圧

腎臓は血圧を感知して制御する重要な器官である．腎動脈の狭窄によって腎臓の血流量が減少すると，アンギオテンシノゲンを開裂させてアンギオテンシン I を遊離させるレニン分泌が促進される．さらに開裂すると，血管収縮を促進して血圧を高めるアンギオテンシン II が生じる．腎性高血圧は高血圧の診断において除外されるか，確定される必要がある．

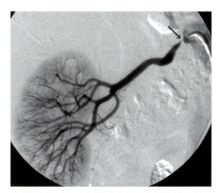

動脈造影によって可視化された右腎動脈の狭窄（矢印）．

腹腔動脈
Celiac Trunk

図 16.9 腹腔動脈：胃，肝臓，胆嚢
前方から見たところ．小網は開いてある．大網は切開してある．腹腔動脈は第 12 胸椎の高さで腹大動脈から起こる．腹腔動脈は，前腸（消化管の近位部），脾臓に血液を供給する．前腸は，食道（遠位部 1.25cm），胃，十二指腸（近位半），肝臓，胆嚢，膵臓（上部）からなる．

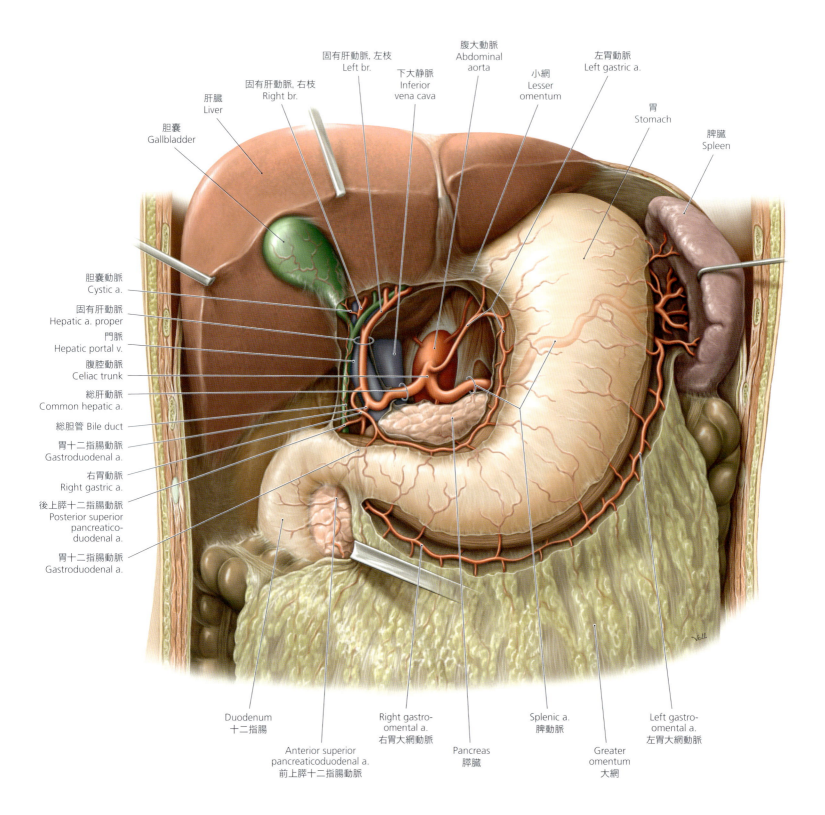

図 16.10 腹腔動脈：膵臓，十二指腸，脾臓
前方から見たところ．胃体と小網は取り除いてある．

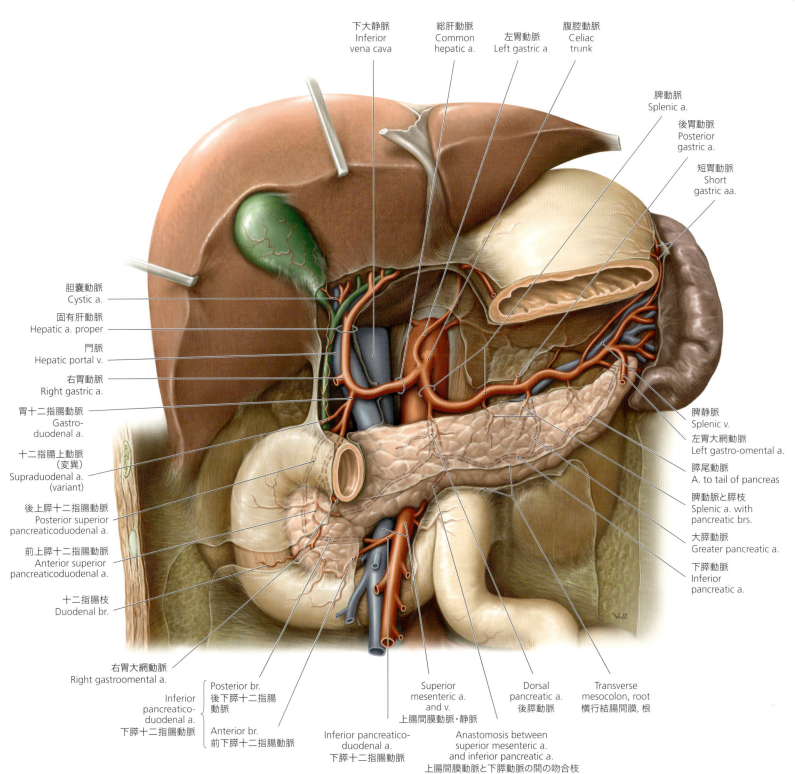

上腸間膜動脈と下腸間膜動脈
Superior & Inferior Mesenteric Arteries

図 16.11　**上腸間膜動脈**
前方から見たところ．胃と十二指腸と腹膜の一部は取り除いてある．肝臓と胆嚢を翻転．Note：中結腸動脈は切ってある（図 16.12 参照）．上腸間膜動脈は第 1 腰椎とは反対側で大動脈から生じる．この動脈は中腸の構造を栄養する．中腸は十二指腸（遠位半），空腸・回腸，盲腸と虫垂，上行結腸，右結腸曲，横行結腸の近位 2/3 からなる．

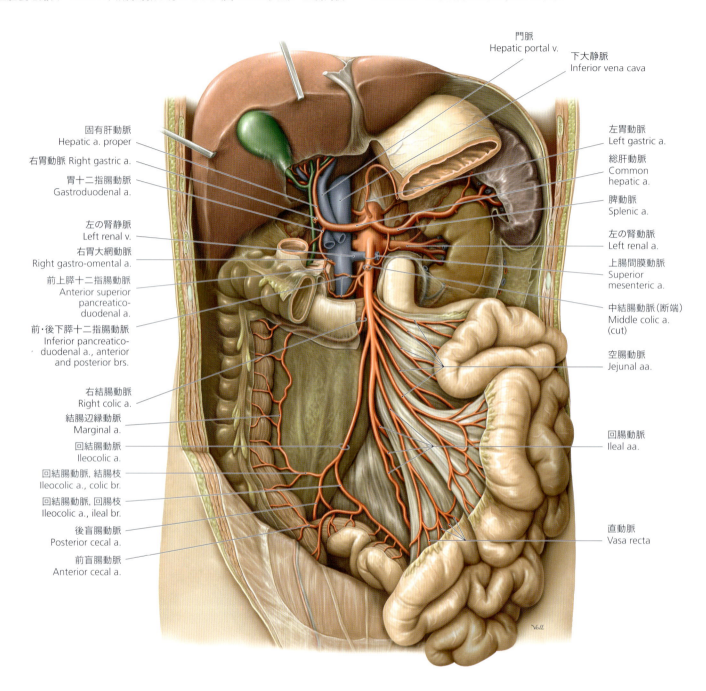

臨床 BOX 16.3

腸間膜虚血

小腸への血流の減少（虚血）は，血栓や塞栓（急性）によって，あるいは重篤なアテローム性動脈硬化（慢性）の結果として起こる．上腸間膜動脈（SMA）の閉塞によって生じうる．急性発症では，塞栓は SMA を起始部で閉塞させるか，あるいは，塞栓が十分小さければ，より遠くまで運ばれて末梢の枝で閉塞させる．急性虚血は小腸の患部を壊死させる．慢性の虚血は血管の閉塞が徐々に進行するためそこまでの脅威ではないが，患部に血液を供給する側副血管の形成が起こる．小腸の血管の間には豊富な吻合があるので，慢性的な血管性虚血は稀である．3 つの主要な血管（腹腔動脈，上腸間膜動脈，下腸間膜動脈）のうちの 2 つが閉塞すると症状が出る．

図 16.12 下腸間膜動脈

前方から見たところ．空腸と回腸は取り除いてある．横行結腸を翻転してある．下腸間膜動脈は第3腰椎とは反対側で大動脈から生じる．後腸の器官に血液を供給する．後腸は，横行結腸（遠位1/3），左結腸曲，下行結腸，S状結腸，直腸，肛門管（上部）からなる．

ラベル（左側）：
- 横行結腸 Transverse colon
- 中結腸動脈 Middle colic a.
- 右結腸動脈 Right colic a.
- 下大静脈 Inferior vena cava
- 上行結腸 Ascending colon
- 結腸辺縁動脈 Marginal a.
- 右の総腸骨動脈 Right common iliac a.
- 回結腸動脈（断端） Ileocolic a. (cut)
- 回結腸動脈, 結腸枝 Ileocolic a., colic br.
- 回結腸動脈, 回腸枝 Ileocolic a., ileal br.
- 後盲腸動脈 Posterior cecal a.
- 前盲腸動脈 Anterior cecal a.

ラベル（右側）：
- 大網 Greater omentum
- 結腸辺縁動脈 Marginal a.
- 左結腸曲 Left colic (splenic) flexure
- 上腸間膜動脈（断端） Superior mesenteric a. (cut)
- Duodenum 十二指腸
- Abdominal aorta 腹大動脈
- 下行結腸 Descending colon
- 下腸間膜動脈 Inferior mesenteric a.
- 左結腸動脈 Left colic a.
- 大動脈分岐部 Aortic bifurcation
- S状結腸動脈 Sigmoid aa.
- 上直腸動脈 Superior rectal a.
- S状結腸 Sigmoid colon

臨床 BOX 16.4

大腸の動脈間の吻合

上腸間膜動脈と下腸間膜動脈の枝の間にある吻合によって，どちらか一方の動脈で血流が異常に低下しても埋め合わせることができる．破格はあるが，これらの吻合のうち2つが特に重要である．

リオラン吻合：それぞれ上腸間膜動脈と下腸間膜動脈の起始部付近から派生する，中結腸動脈と左結腸動脈の連絡．

結腸辺縁動脈（ドラモンド吻合）：腸管に近い腸間膜の辺縁に沿って走る，全ての結腸動脈の間の連絡．

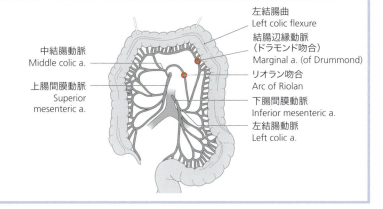

腹壁と器官の静脈
Veins of the Abdominal Wall & Organs

図 16.13 腹壁の静脈
腹壁は動脈を伴う静脈が分布し，大静脈と奇静脈系に流入する．また大きな胸腹壁静脈が大腿静脈と腋窩静脈を連絡する．

A 前方から見たところ．

図 16.14 下大静脈
前方から見たところ．下大静脈は第5腰椎の高さで，左右の総腸骨静脈が合流して生じる．脊柱の右側を上行し，第8胸椎の高さで横隔膜の大静脈孔を通り，胸部の右心室に至る．

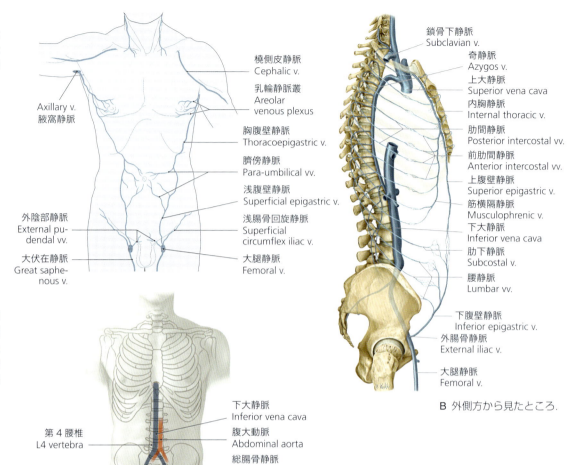

B 外側方から見たところ．

表 16.2		下大静脈の支脈
①R	①L	下横隔静脈（有対）
	②	肝静脈（3本）
③R	③L	副腎静脈（右副腎静脈は直接下大静脈に注ぐ）
④R	④L	腎静脈（有対）
⑤R	⑤L	精巣/卵巣静脈（右精巣/卵巣静脈は直接下大静脈に注ぐ）
⑥R	⑥L	上行腰静脈（有対．直接下大静脈に注がない）
⑦R	⑦L	腰静脈
⑧R	⑧L	総腸骨静脈（有対）
	⑨	正中仙骨静脈

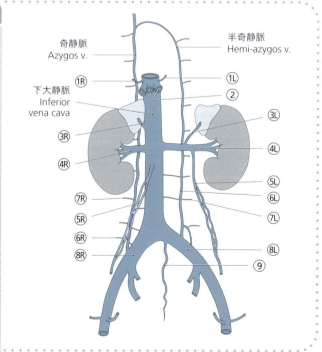

図 16.15　門脈
門脈（**p.198** 参照）には腹腔動脈，上腸間膜動脈，下腸間膜動脈が分布する腹部と骨盤部の器官からの静脈血が注ぐ．

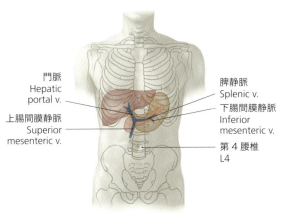

A　位置．前方から見たところ．

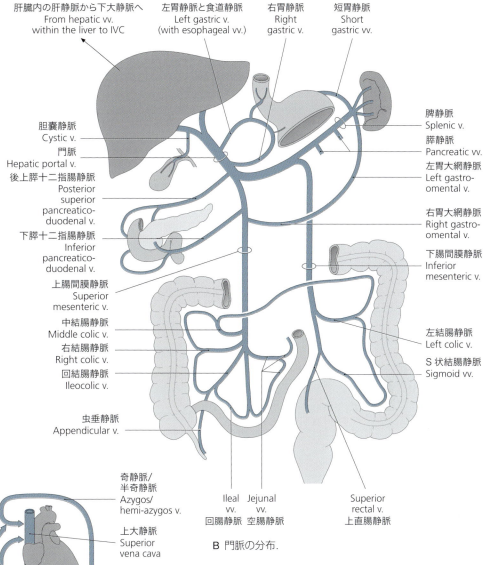

B　門脈の分布．

臨床 BOX 16.5

癌転移

上直腸静脈が分布する部位の腫瘍は門脈系を介して肝臓毛細血管床に広がる（肝臓転移）．中・下直腸静脈が分布する部位の腫瘍は下大静脈と右心を介して肺の毛細血管床に転移する（肺転移）．

C　門脈系と体循環系との側副路．門脈系が閉塞したときは，門脈は血液を肝臓から離れるように方向転換させ，門脈に流入してくる静脈に戻すことができ，それによって栄養に富む血液は肝臓を通らずに大静脈から心臓へと運ばれる．①食道静脈，②臍傍静脈，③結腸静脈，④中・下直腸静脈へ赤色の矢印の方向に逆流する．

下大静脈と腎静脈
Inferior Vena Cava & Renal Veins

図 16.16　下大静脈

女性腹部，前方から見たところ．左の腎臓と副腎以外の全臓器は取り除いてある．下大静脈は，起始部の第5腰椎から，横隔膜の大静脈孔の第8胸椎まで，椎体の右側を走行する．大動脈の枝と異なり，臓側，壁側からの大静脈への流入は非対称である（副腎，生殖腺，奇静脈への流入に注意）．下大静脈は，腰静脈を通して奇静脈系と連絡し，門脈を通して門脈系の血液も受け取る．

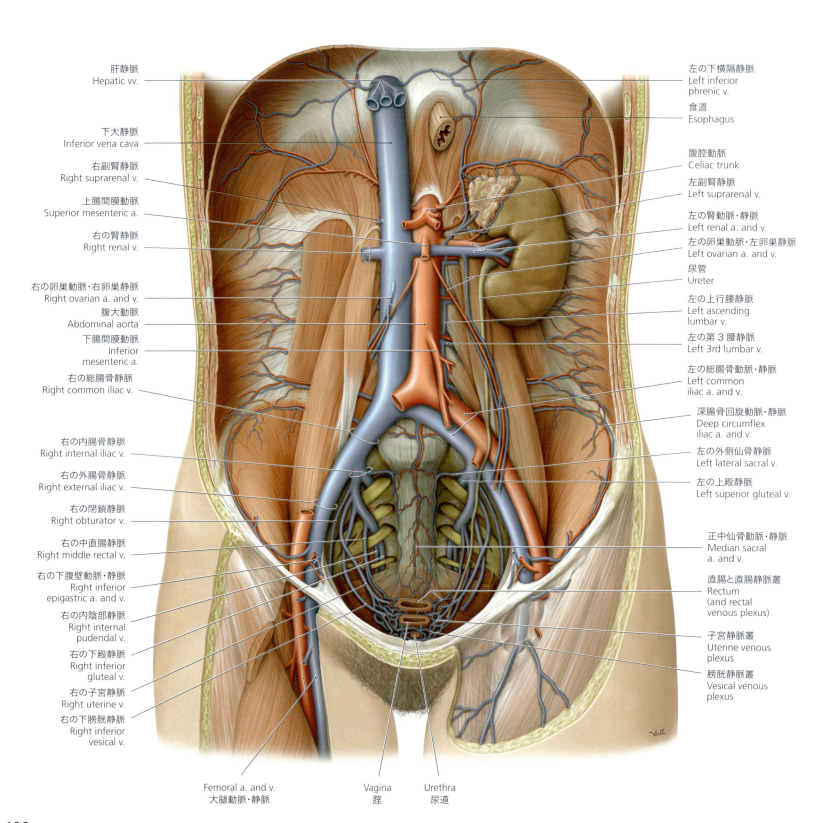

図 16.17 腎静脈
前方から見たところ．腎動脈については p.189 参照．腎臓と副腎以外の全臓器は取り除いてある．

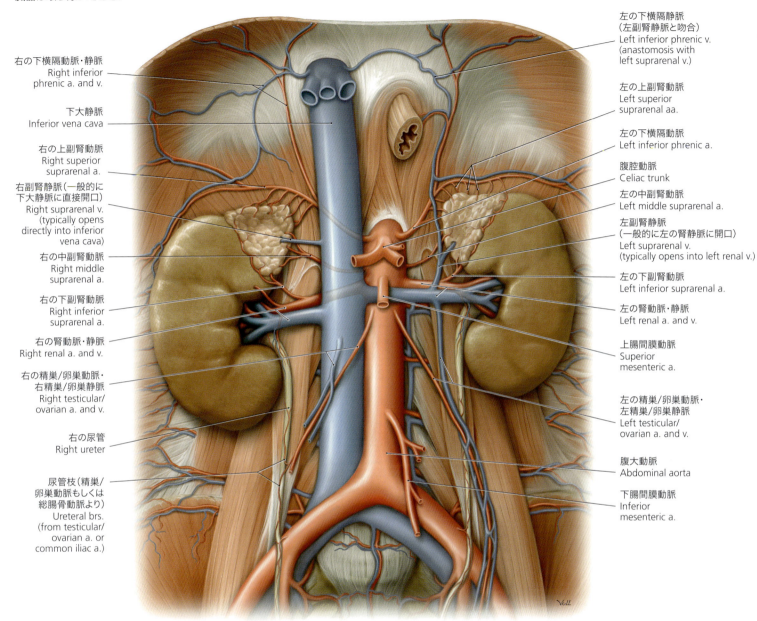

臨床 BOX 16.6

左の腎静脈の枝
右側では，副腎静脈，精巣/卵巣静脈は直接下大静脈に流れるが，左側の対応する血管は左の腎静脈に流れる（これは発生の初期に左右両側に大静脈がある頃の遺残である）．このような非対称な静脈のパターンは，左側でより一般的に見られる．精索内の静脈での静脈瘤性拡張（精索静脈瘤）の原因と考えられている．

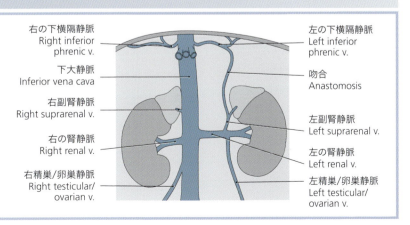

門脈
Hepatic Portal Vein

図 16.18 門脈：胃と十二指腸
前方から見たところ．肝臓，小網，腹膜は取り除いてある．大網は切り開いてある．門脈は典型例では膵頸後方で上腸間静脈と脾静脈が合流して作られる．

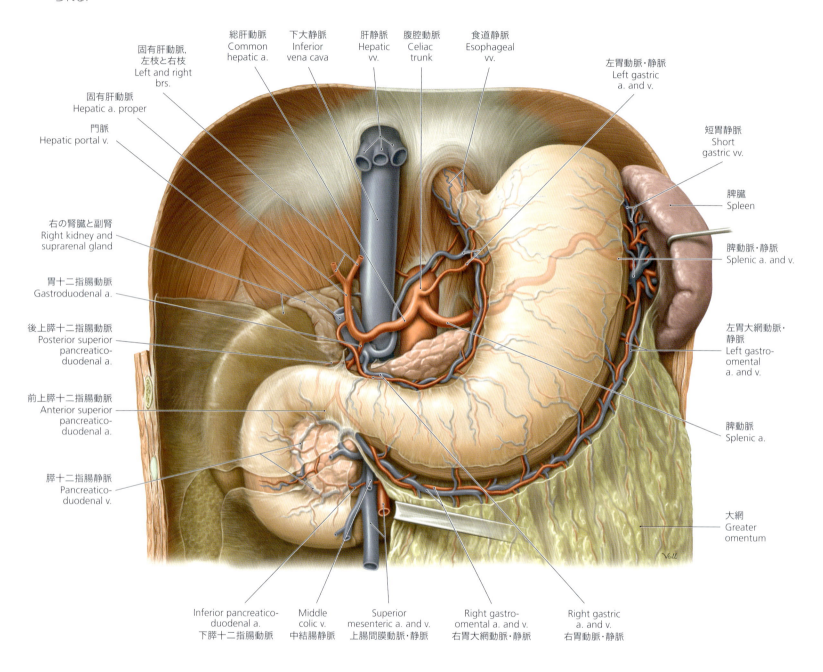

図 16.19 門脈：膵臓と脾臓
前方から見たところ．肝臓，胃，膵臓，腹膜は一部取り除いてある．

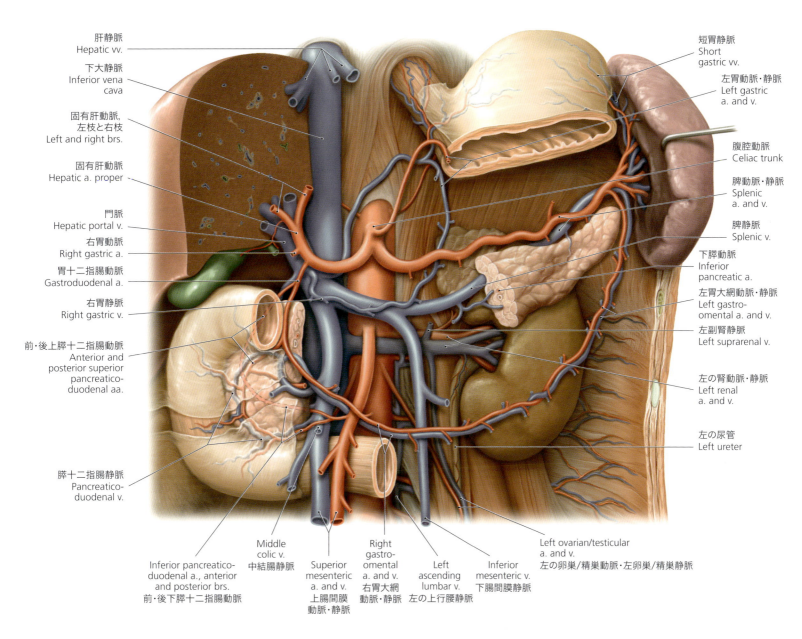

臨床 BOX 16.7

食道静脈瘤
上部の食道静脈は奇静脈系に流入し，下部の食道静脈は左胃静脈を通して門脈系に流入する．この門脈大静脈吻合の結果，門脈圧亢進症の患者では，食道壁に静脈瘤（拡張，矢印）ができることがある．重篤な急性出血がこの病状に伴う最大のリスクである．

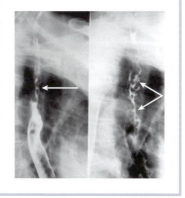

上腸間膜静脈と下腸間膜静脈
Superior & Inferior Mesenteric Veins

図 16.20　上腸間膜静脈
前方から見たところ．胃，十二指腸，腹膜は一部取り除いてある．膵臓，大網，横行結腸は全て取り除いてある．肝臓と胆嚢を翻転．小腸は引き出されている．上腸間膜静脈は小腸，盲腸，虫垂，上行結腸，横行結腸の2/3からの血液を集めている．通常は上腸間膜動脈の右側にあり，脾静脈と合流し，門脈を作る．

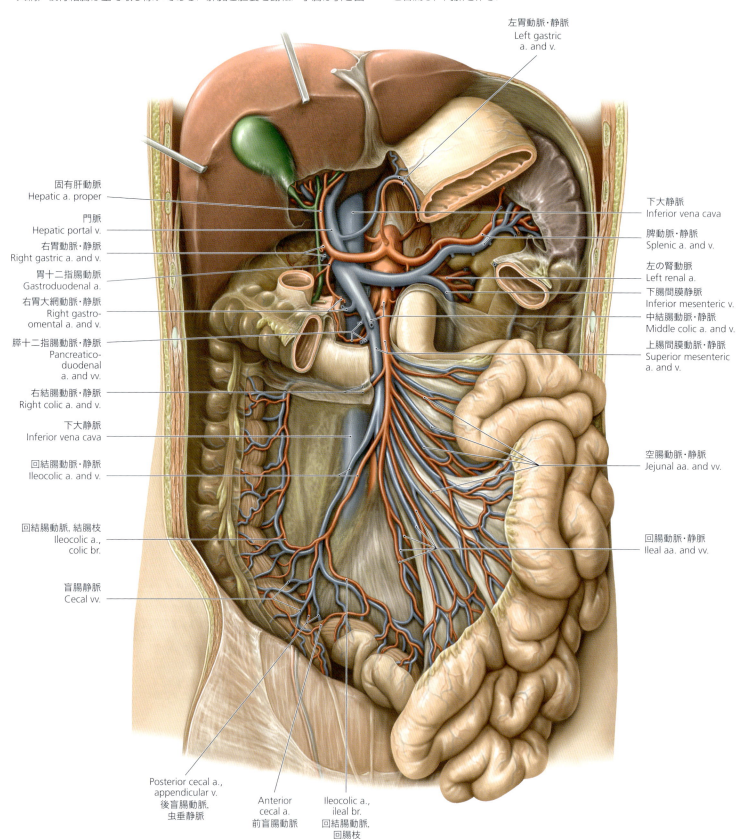

図 16.21 下腸間膜静脈

前方から見たところ．胃，十二指腸，腹膜は一部取り除いてある．膵臓，大網，横行結腸，小腸は全て取り除いてある．肝臓と胆嚢を翻転．下腸間膜静脈に流入する範囲は，上腸間膜静脈と比べて狭い．横行結腸の遠位部，下行結腸，S状結腸，上部直腸から血液が流入する．動脈と離れて腹膜後隙を上行し，胃や膵臓の後方にある脾静脈に合流するのが一般的である．上行結腸と下行結腸は，腹膜後隙の腰静脈に流れることがあり，これは下大静脈に流入し，門脈-大静脈側副路をなす．

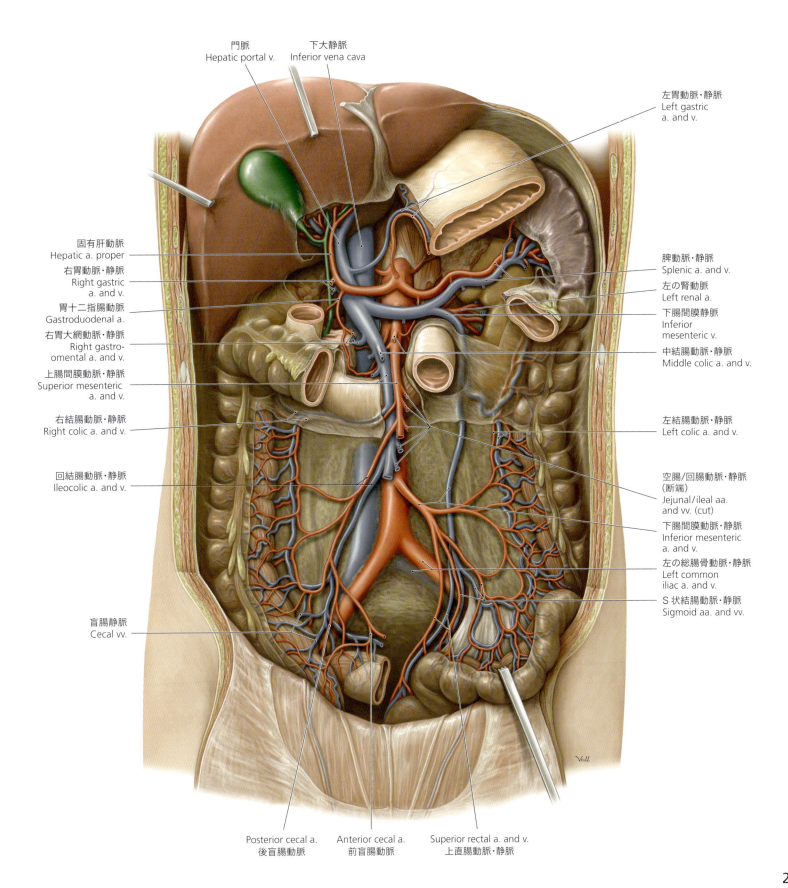

腹壁と腹部内臓のリンパ節
Lymphatics of the Abdominal Wall & Organs

図 16.22　体幹前壁のリンパ流路

体幹壁の皮膚からのリンパは，主に腋窩リンパ節と浅鼠径リンパ節に集められる（矢印はリンパの流れる方向を示す）．臍と肋骨弓の間の曲線は，2つのリンパ流路の「分水嶺」とされる．右上半身（緑色）のリンパは右リンパ本幹に流れる．残りの右下半身と左半身（青色）のリンパは胸管に流れる．

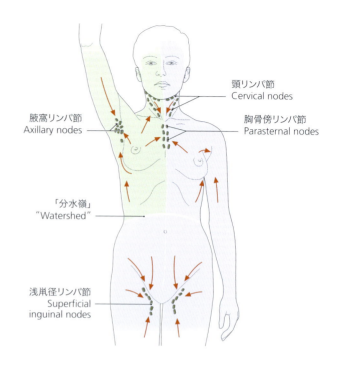

図 16.23　内臓のリンパ流路

図中の番号については**表 16.3**を参照．腹部，骨盤部，下肢からリンパは最終的には腰リンパ節（臨床では大動脈リンパ節と呼ばれる）を通過する．腰リンパ節は右外側大動脈（大静脈）リンパ節，左外側大動脈リンパ節，大動脈前リンパ節，大動脈後リンパ節からなる．外側大動脈リンパ節と大動脈後リンパ節からのリンパ管は腰リンパ本幹，大動脈前リンパ節からのリンパ管は腸リンパ本幹となる．腰リンパ本幹と腸リンパ本幹は乳ビ槽に至る．

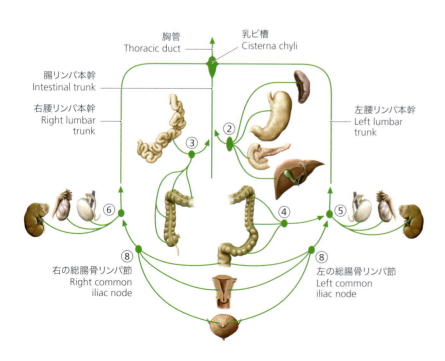

表 16.3	腹部のリンパ節	
① 下横隔リンパ節		
腰リンパ節	大動脈前リンパ節	② 腹腔リンパ節
		③ 上腸間膜リンパ節
		④ 下腸間膜リンパ節
	⑤ 左の外側大動脈リンパ節	
	⑥ 右の外側大動脈（大静脈）リンパ節	
	⑦ 大動脈後リンパ節	
⑧ 総腸骨リンパ節		

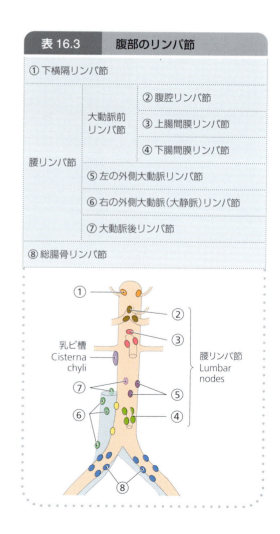

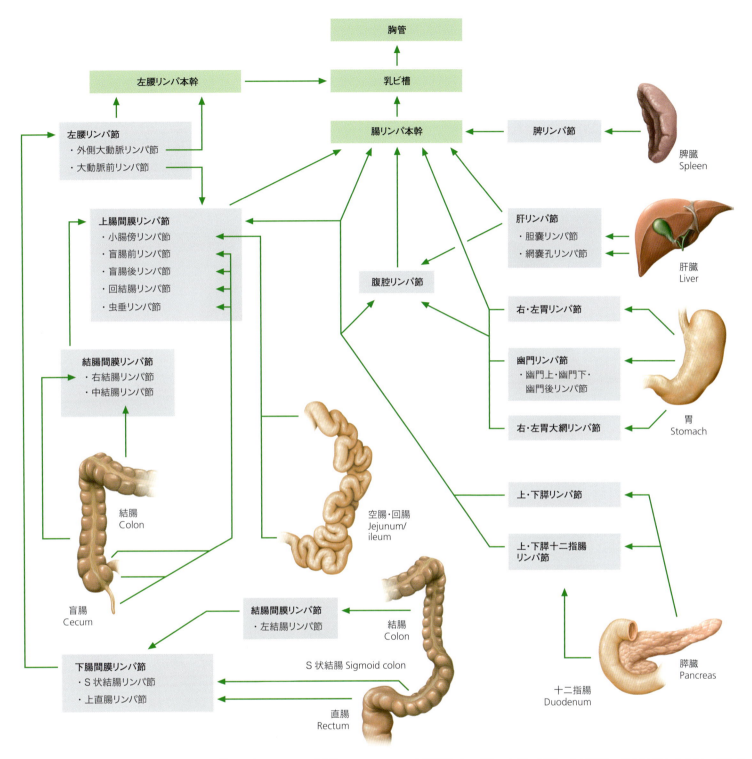

図16.24　消化管と膵臓のリンパを排導する主要なリンパ流路

脾臓と消化管の大半のリンパは，領域リンパ節から直接に，もしくは介在する合流リンパ節を通って，腸リンパ本幹に排導する．下行結腸，S状結腸，直腸上部は例外で，左腰リンパ本幹によって排導される．3つの大きな合流リンパ節がある．

・腹腔リンパ節：胃，十二指腸，膵臓，脾臓，肝臓からのリンパを集める．その位置ゆえに解剖においても，上腹部器官の近傍にある領域リンパ節と区別がつかない．

・上腸間膜リンパ節：空腸，回腸，上行結腸，横行結腸からのリンパを集める．

・下腸間膜リンパ節：下行結腸，S状結腸，直腸からのリンパを集める．

これらの合流リンパ節は，基本的には腸リンパ本幹を通って乳ビ槽に排導する．左腰リンパ節を経由する補助的な流路も存在する．骨盤からのリンパも下腸間膜リンパ節と外側大動脈リンパ節に流入する．骨盤からの全リンパ流路については**pp.276-277**で述べる．

後腹壁のリンパ節
Lymph Nodes of the Posterior Abdominal Wall

腹部と骨盤部のリンパ節は壁側と臓側に分類される．壁側リンパ節の大部分は後腹壁に位置する．

図 16.25 腹部と骨盤部の壁側リンパ節
前方から見たところ．血管以外の内臓は全て取り除いてある．

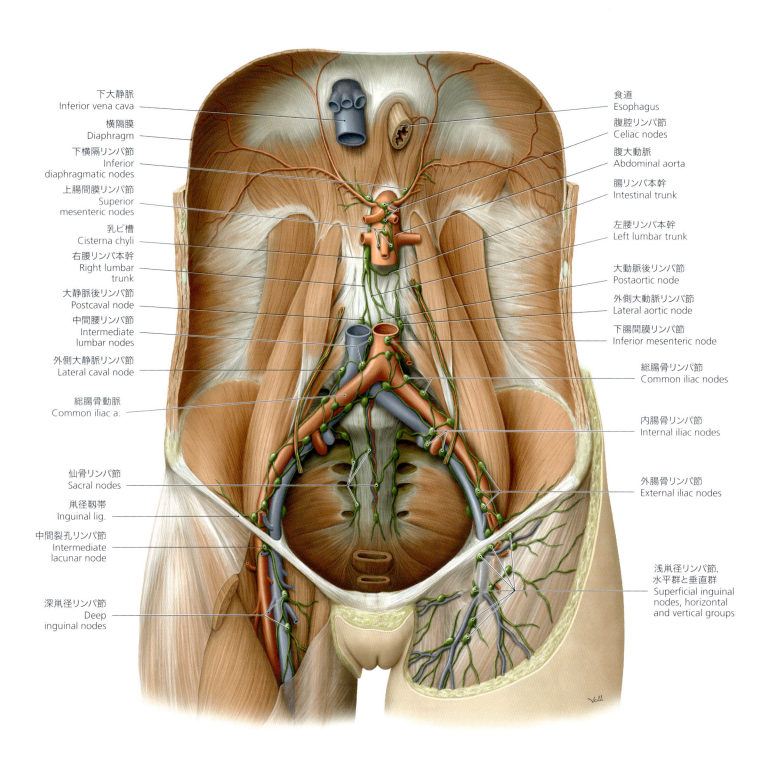

図 16.26 腎臓，尿管，副腎のリンパ節
前方から見たところ．

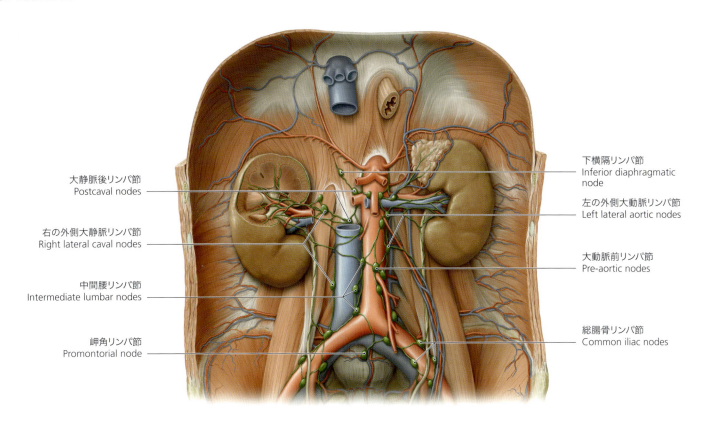

図 16.27 腎臓と生殖腺（骨盤内臓）のリンパ流路

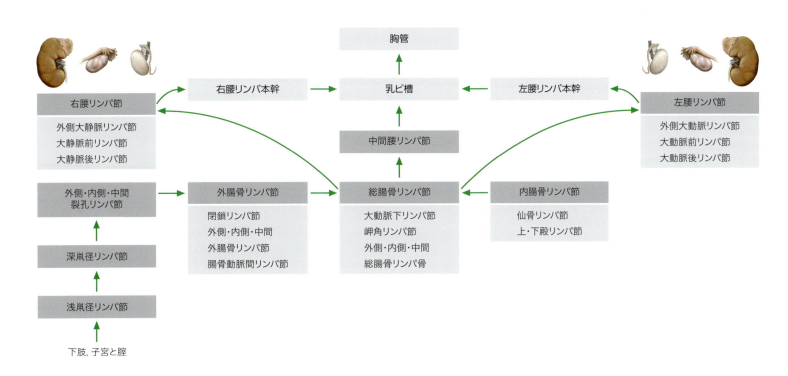

腹部上部のリンパ節
Lymph Nodes of the Supracolic Organs

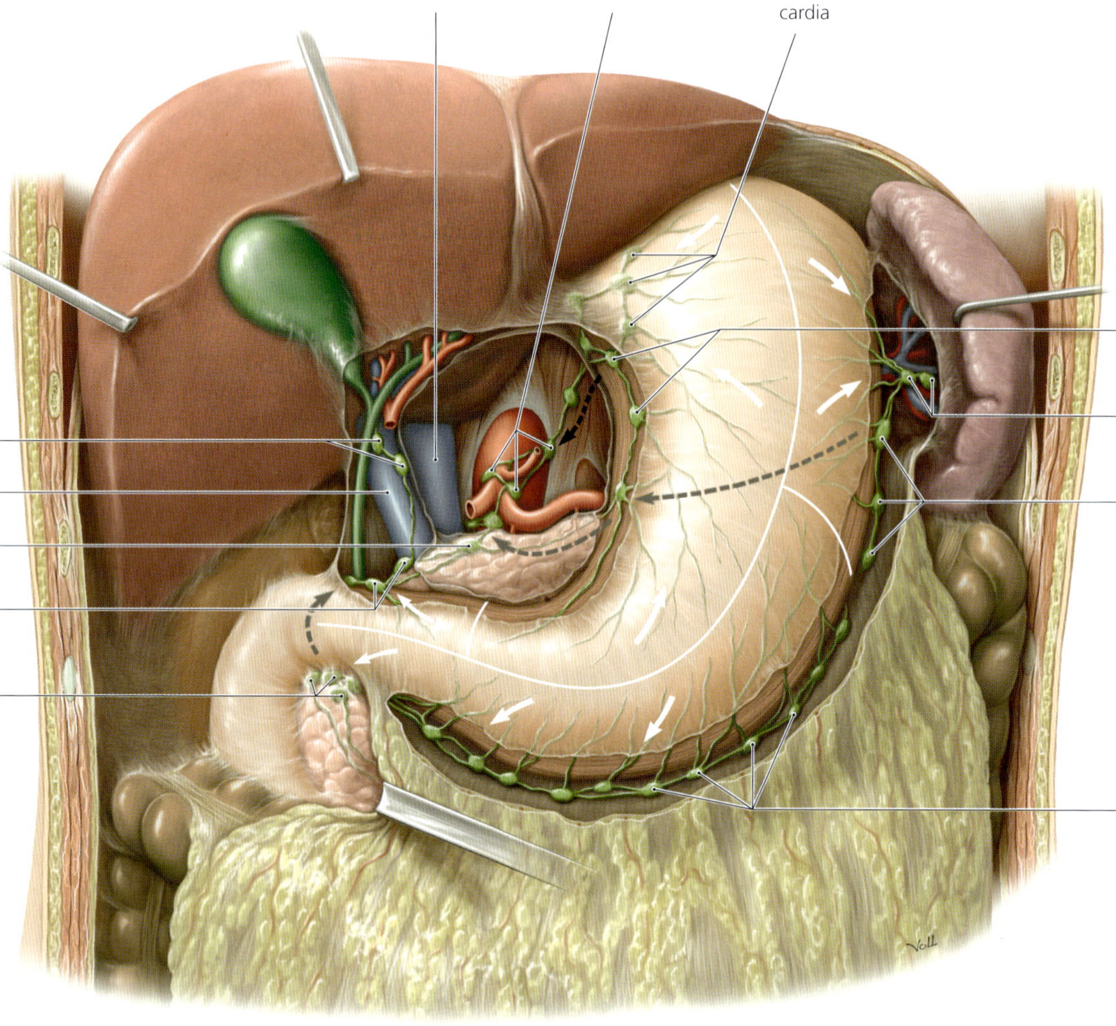

図 16.28　胃と肝臓のリンパ節

前方から見たところ．小網は取り除いてある．大網は切り開いてある．矢印はリンパ流路の方向を示す．

主なラベル：
- 下大静脈 Inferior vena cava
- 腹腔リンパ節 Celiac nodes
- 噴門リンパ輪 Nodes around cardia
- 左胃リンパ節 Left gastric nodes
- 脾リンパ節 Splenic nodes
- 左胃大網リンパ節 Left gastro-omental nodes
- 肝リンパ節 Hepatic nodes
- 門脈 Hepatic portal v.
- 膵リンパ節 Pancreatic node
- 幽門上リンパ節 Suprapyloric nodes
- 幽門下リンパ節 Subpyloric nodes
- 右胃大網リンパ節 Right gastro-omental nodes

図 16.29　肝臓と胆路のリンパ流路

前方から見たところ．主要なリンパ産生器官である肝臓の領域では，以下の排導路が重要である．

- 肝臓と肝内胆管：大半のリンパは下方に向かい，肝リンパ節を通って腹腔リンパ節へ，さらに腸リンパ本幹，乳ビ槽に流れるが，腹腔リンパ節を経ない直接の流路もある．少量のリンパは上方に向かい，下横隔リンパ節を通って腰リンパ本幹へ排導される．横隔膜を通って上横隔リンパ節へ，次いで気管支縦隔リンパ本幹への排導も行われる．
- 胆嚢：胆嚢からのリンパは最初は胆嚢リンパ節へ排導され，その後は上述の経路に従う．
- 総胆管：幽門リンパ節（幽門上リンパ節，幽門下リンパ節，幽門後リンパ節）と網嚢孔リンパ節を通って腹腔リンパ節に排導され，腸リンパ本幹に至る．

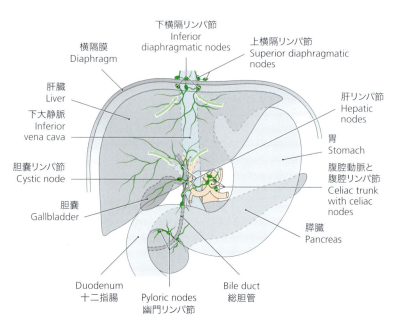

主なラベル：
- 下横隔リンパ節 Inferior diaphragmatic nodes
- 上横隔リンパ節 Superior diaphragmatic nodes
- 横隔膜 Diaphragm
- 肝リンパ節 Hepatic nodes
- 肝臓 Liver
- 胃 Stomach
- 下大静脈 Inferior vena cava
- 胆嚢リンパ節 Cystic node
- 腹腔動脈と腹腔リンパ節 Celiac trunk with celiac nodes
- 胆嚢 Gallbladder
- 膵臓 Pancreas
- Duodenum 十二指腸
- Pyloric nodes 幽門リンパ節
- Bile duct 総胆管

図 16.30 脾臓，膵臓，十二指腸のリンパ節
前方から見たところ．胃と結腸は取り除いてある．

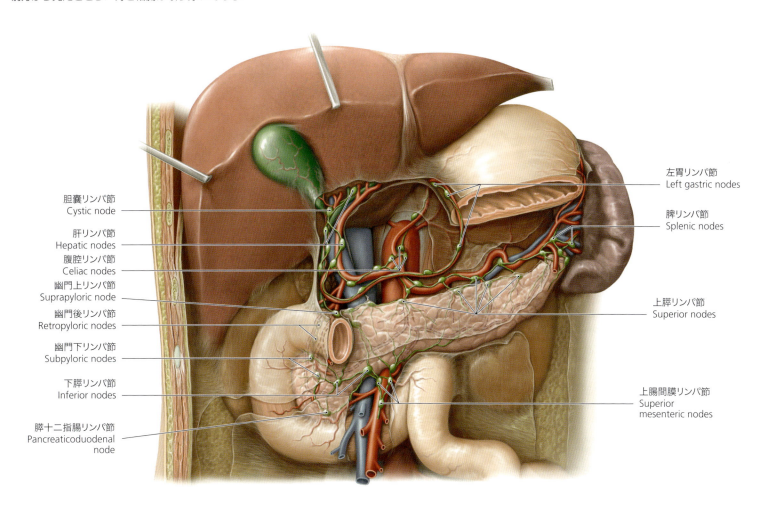

図 16.31 胃，肝臓，脾臓，膵臓，十二指腸のリンパ流路

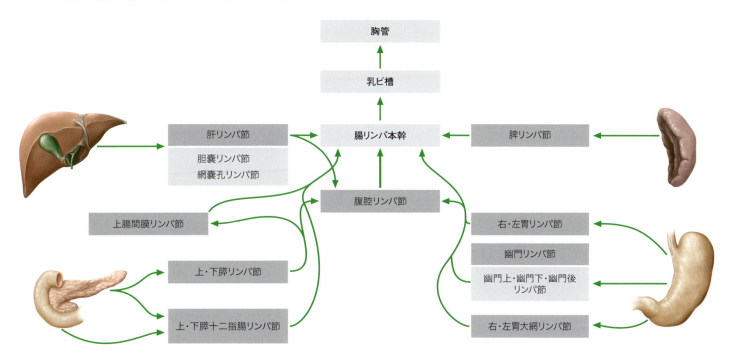

腹部下部のリンパ節
Lymph Nodes of the Infracolic Organs

図 16.32 空腸と回腸のリンパ節
前方から見たところ．胃，肝臓，膵臓，結腸は取り除いてある．

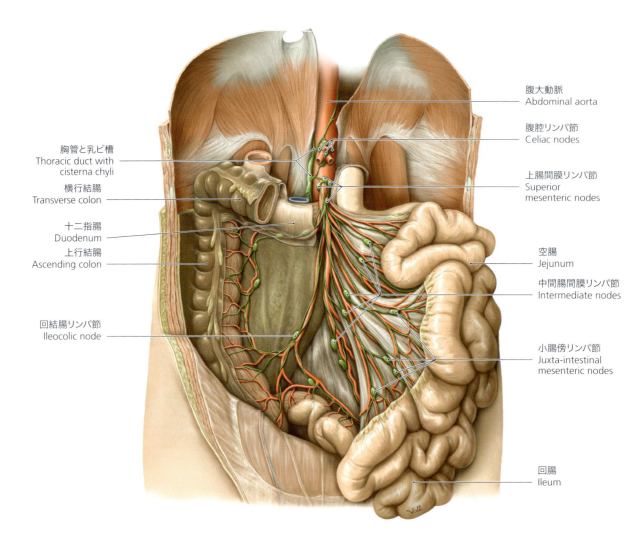

図 16.33 腸のリンパ流路

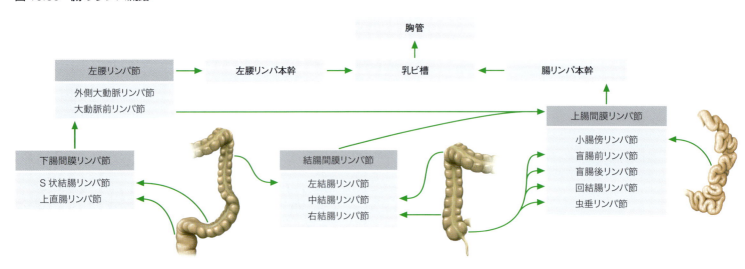

図 16.34　大腸のリンパ節
前方から見たところ．横行結腸と大網は翻転．

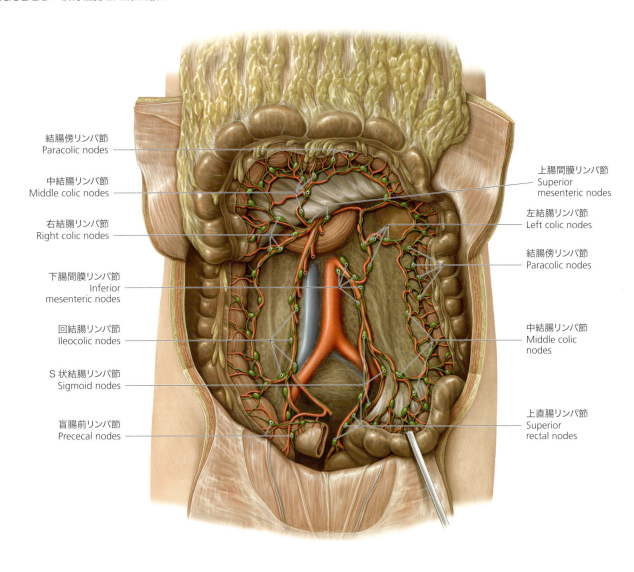

臨床 BOX 16.8

大腸のリンパ流路
大腸の局所的リンパ経路は，臨床的に重要である．

- **上行結腸，盲腸，横行結腸**：リンパはまず右結腸リンパ節・中結腸リンパ節に排導され，次に上腸間膜リンパ節に，最終的には腸リンパ本幹に至る．
- **下行結腸**：リンパはまず領域リンパ節である左結腸リンパ節に排導され，次に下腸間膜リンパ節に至り，左腰リンパ節を経由して，左腰リンパ本幹に排導される．
- **S状結腸**：リンパはまずS状結腸リンパ節に排導され，その後は下行結腸と同じ経路をたどる．
- **上部直腸**：リンパはまず上直腸リンパ節に排導され，その後はS状結腸と同じ経路をたどる．

このように，リンパ行性転移する悪性腫瘍は，腸リンパ本幹，胸管に達し，最終的に血流に入る前に，いくつかのリンパ節群（腫瘍を切除する際には，これらを全て取り除かなければならない）を経由しなければならない．リンパ行性転移はこのように長い経路をたどるので，治療の見込みが上がる．

腹壁の神経
Nerves of the Abdominal Wall

図 16.35　腹部と骨盤部の体性神経
前方から見たところ．腹壁は体性神経に支配される．それには下位の肋間神経と腰神経叢の枝も含まれる．

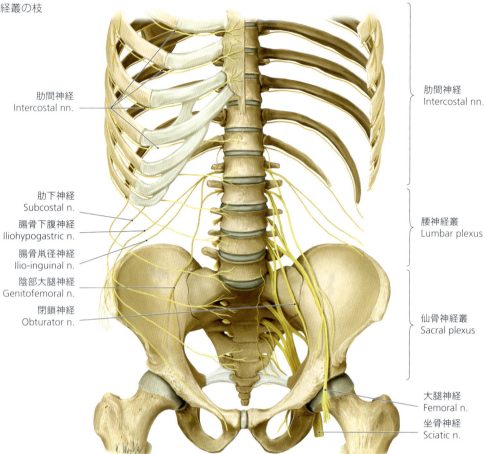

図 16.36　体幹前壁の皮神経支配
前方から見たところ．

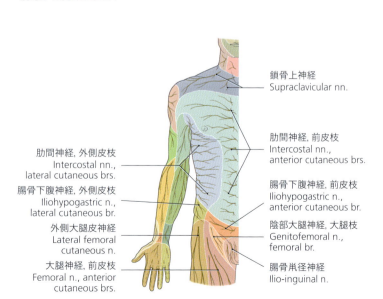

図 16.37　体幹前壁のデルマトーム
前方から見たところ．

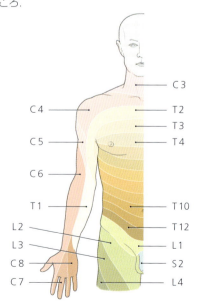

図 16.38 腰神経叢の神経
前方から見たところ.

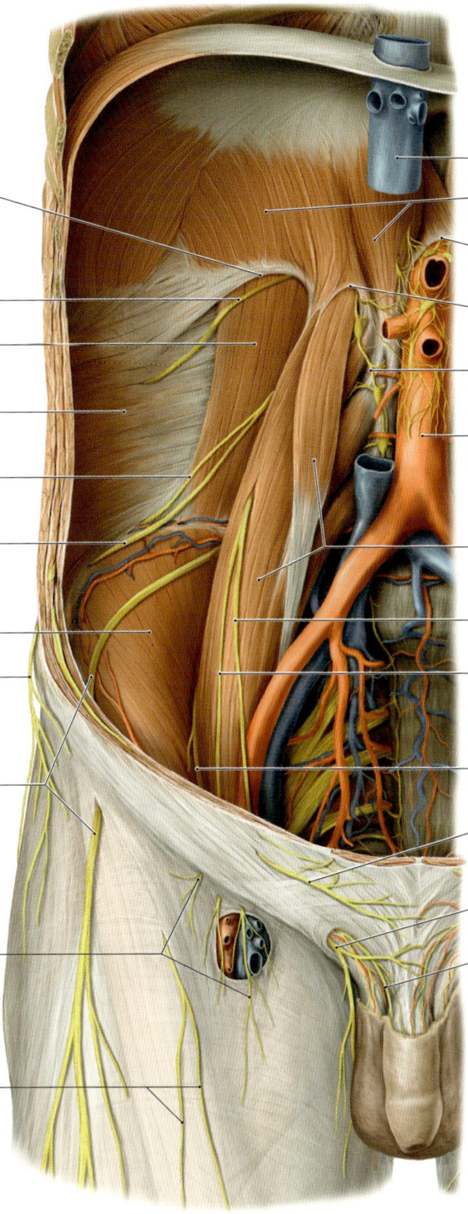

A 原位置の腰神経叢. 血管以外の臓器は全て取り除いてある.

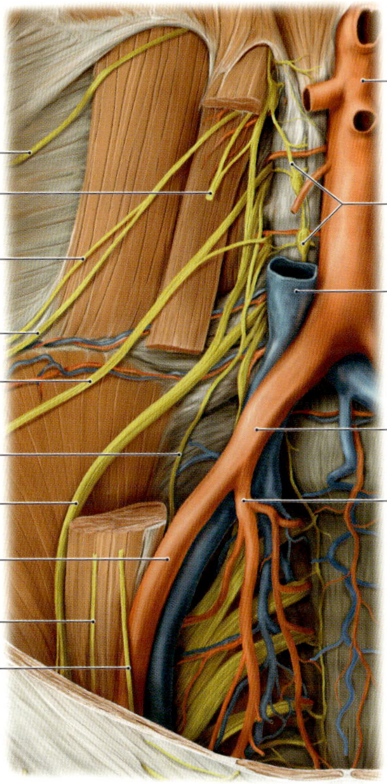

B 腰神経叢. 大腰筋と小腰筋の浅層を取り除く.

16 血管・神経

211

自律神経支配：概観
Autonomic Innervation: Overview

図 16.39　腹部と骨盤部の交感神経系と副交感神経系

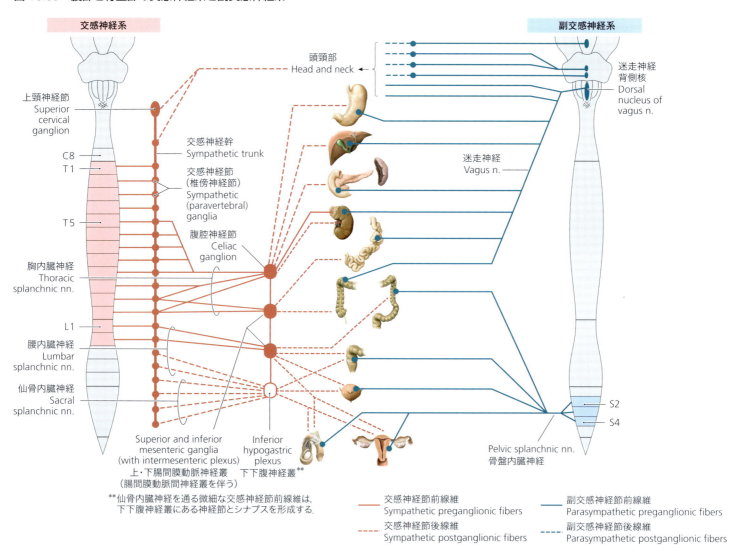

表 16.4	腹部と骨盤の自律神経節の作用			
器官（器官系）			交感神経の作用	副交感神経の作用
消化管		外縦筋・内輪筋	↓運動性	↑運動性
		括約筋	収縮	弛緩
		腺	↓分泌	↑分泌
脾臓の被膜			収縮	
肝臓			↑グリコーゲン分解・糖新生	作用なし
膵臓		内分泌部	↓インスリンの分泌	
		外分泌部	↓膵液の分泌	↑膵液の分泌
膀胱		排尿筋	弛緩	収縮
		機能的膀胱括約筋	収縮	弛緩
精嚢と精管			収縮（射精）	作用なし
子宮			収縮もしくは弛緩（ホルモンの状態に依存）	
動脈			血管収縮	陰茎動脈と陰核動脈の血管拡張（勃起）
副腎（髄質）			アドレナリン放出	作用なし
尿路		腎臓	血管収縮（↓尿生成）	血管拡張

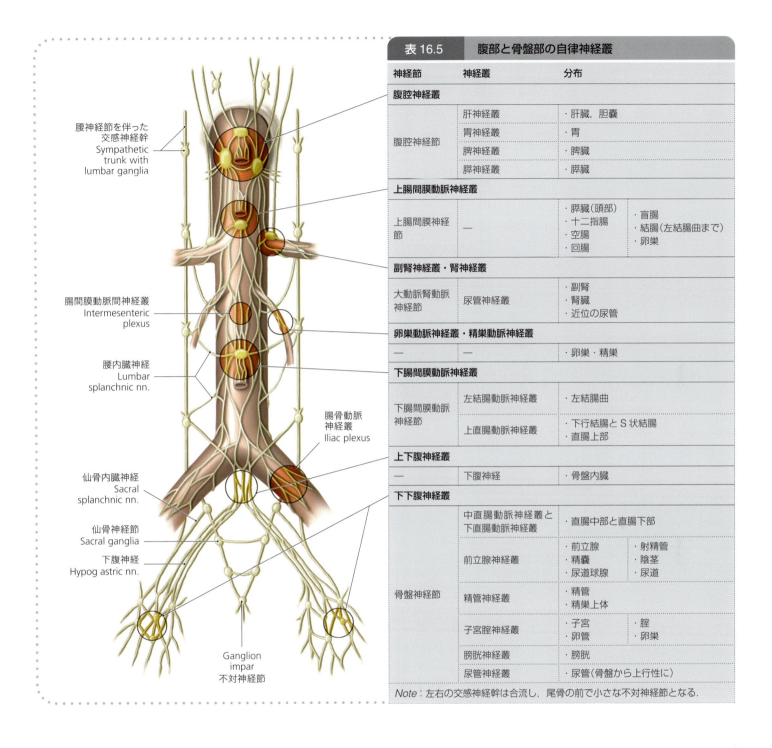

表 16.5	腹部と骨盤部の自律神経叢	
神経節	神経叢	分布
腹腔神経叢		
腹腔神経節	肝神経叢	・肝臓，胆嚢
	胃神経叢	・胃
	脾神経叢	・脾臓
	膵神経叢	・膵臓
上腸間膜動脈神経叢		
上腸間膜神経節	—	・膵臓（頭部）　・盲腸 ・十二指腸　・結腸（左結腸曲まで） ・空腸　・卵巣 ・回腸
副腎神経叢・腎神経叢		
大動脈腎動脈神経節	尿管神経叢	・副腎 ・腎臓 ・近位の尿管
卵巣動脈神経叢・精巣動脈神経叢		
—	—	・卵巣・精巣
下腸間膜動脈神経叢		
下腸間膜動脈神経節	左結腸動脈神経叢	・左結腸曲
	上直腸動脈神経叢	・下行結腸とS状結腸 ・直腸上部
上下腹神経叢		
—	下腹神経	・骨盤内臓
下下腹神経叢		
骨盤神経節	中直腸動脈神経叢と下直腸動脈神経叢	・直腸中部と直腸下部
	前立腺神経叢	・前立腺　・射精管 ・精嚢　・陰茎 ・尿道球腺　・尿道
	精管神経叢	・精管 ・精巣上体
	子宮腟神経叢	・子宮　・腟 ・卵管　・卵巣
	膀胱神経叢	・膀胱
	尿管神経叢	・尿管（骨盤から上行性に）

Note：左右の交感神経幹は合流し，尾骨の前で小さな不対神経節となる．

自律神経支配と関連痛
Autonomic Innervation & Referred Pain

内臓からくる痛み（臓性痛）とデルマトームからくる痛み（体性痛）は，脊髄の後角にある同じ神経細胞に終わる．これらの臓性求心性線維と体性求心性線維が同じ場所に集められるために，痛みの発生源とその知覚の関係に混乱が生じる．この現象は関連痛と呼ばれる．特定の内臓からの痛みのインパルスは，常に，限局した同じ皮膚領域に投影される．そのため，痛みが投影される皮膚領域は，どの器官に痛みがあるかについての重要な情報を提供する．

図16.40　肝臓，胆嚢，胃の自律神経支配

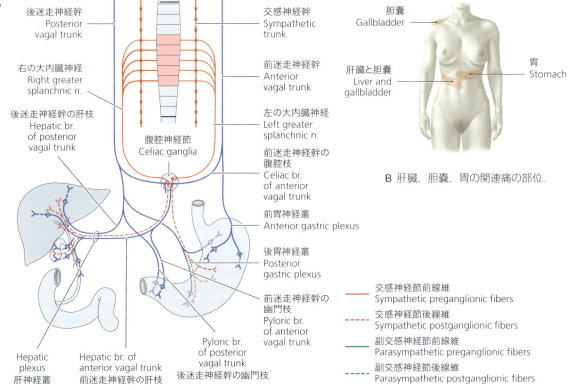

A　肝臓，胆嚢，胃に分布する腹腔神経叢の模式図．

B　肝臓，胆嚢，胃の関連痛の部位．

図16.41　膵臓，十二指腸，脾臓の自律神経支配

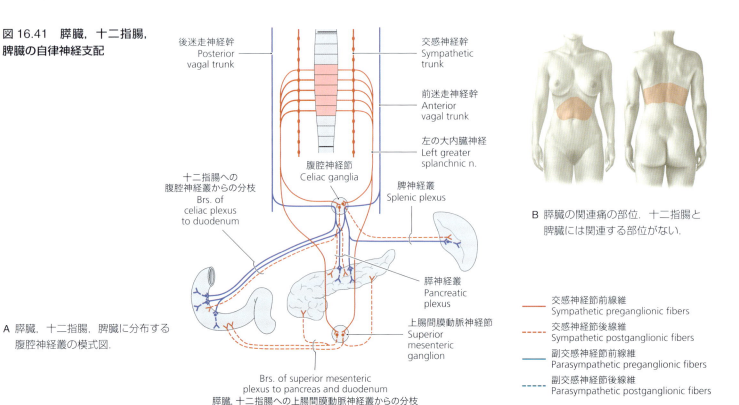

A　膵臓，十二指腸，脾臓に分布する腹腔神経叢の模式図．

B　膵臓の関連痛の部位．十二指腸と脾臓には関連する部位がない．

図 16.42　中腸と後腸の自律神経支配

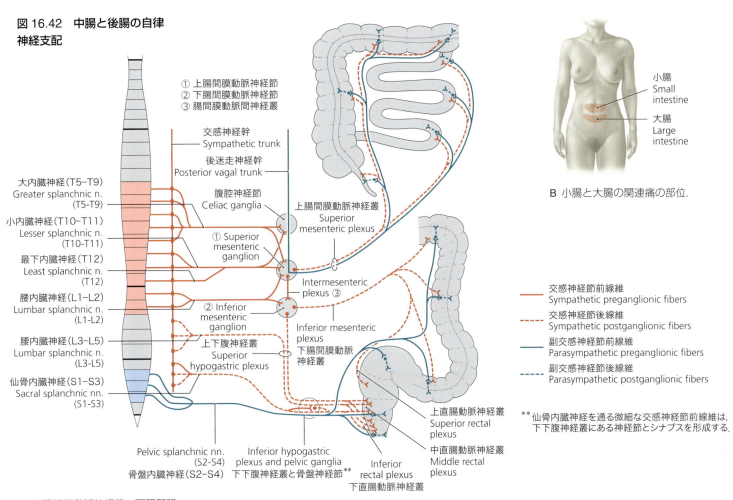

A　上腸間膜動脈神経叢，下腸間膜動脈神経叢，下下腹神経叢の分布の模式図．

B　小腸と大腸の関連痛の部位．

** 仙骨内臓神経を通る微細な交感神経節前線維は，下下腹神経叢にある神経節とシナプスを形成する．

図 16.43　腎臓と上部尿管の自律神経支配

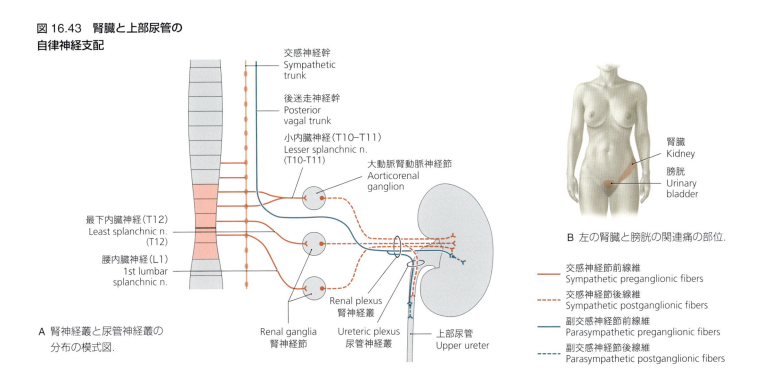

A　腎神経叢と尿管神経叢の分布の模式図．

B　左の腎臓と膀胱の関連痛の部位．

前腸と泌尿器の神経支配
Innervation of the Foregut & Urinary Organs

図 16.44　前腸と脾臓の神経支配
前方から見たところ．小網，上行結腸，横行結腸の一部は取り除いてある．網囊は開いてある．前迷走神経幹と後迷走神経幹は腹腔枝，肝枝，幽門枝，胃神経叢を出す．模式図は **p.214** 参照．

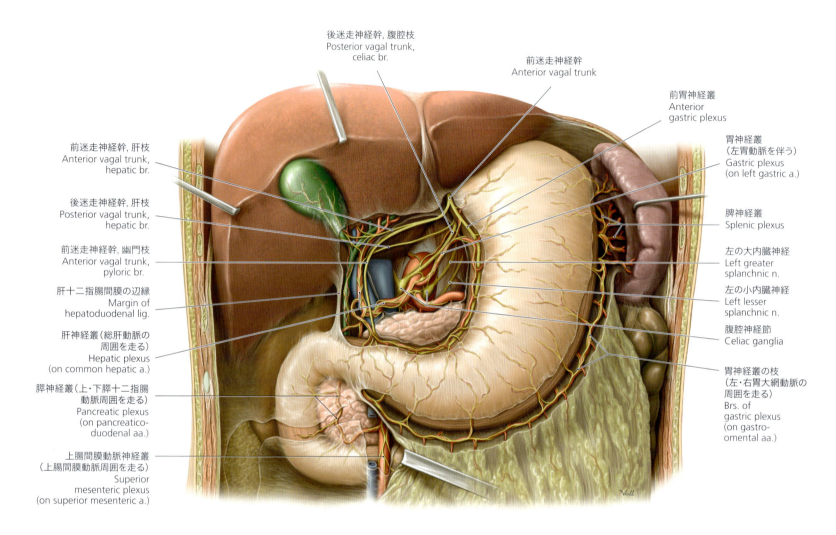

臨床 BOX 16.9

腸管神経叢の構成

腸管神経叢は自律神経系の一部で，消化管の全ての器官で特別な役割を果たしている．消化管壁内（壁内神経系）に局在し，交感神経系，副交感神経系，両方の影響を受ける．腸管神経叢の先天的欠損は，消化管通過の重大な障害につながる（例：ヒルシュスプルング病）．腸管神経叢は消化管全体で基本的に同じ構成だが，下部直腸壁には神経節細胞のない部分がある．腸管神経叢は3つの下部組織に分けられる．
- 粘膜下神経叢（マイスナー神経叢）
- 筋層間神経叢（アウエルバッハ神経叢）
- 漿膜下神経叢

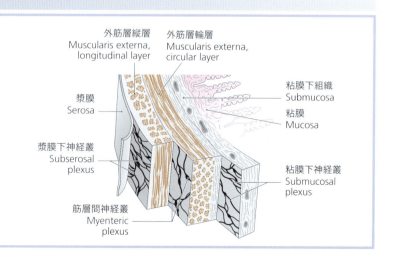

図 16.45　泌尿器の神経支配
男性腹部と骨盤部を前方から見たところ．腹膜と胃の大半，腎臓と副腎と膀胱以外の全ての内臓は取り除いてある．模式図は p.215，282 参照．

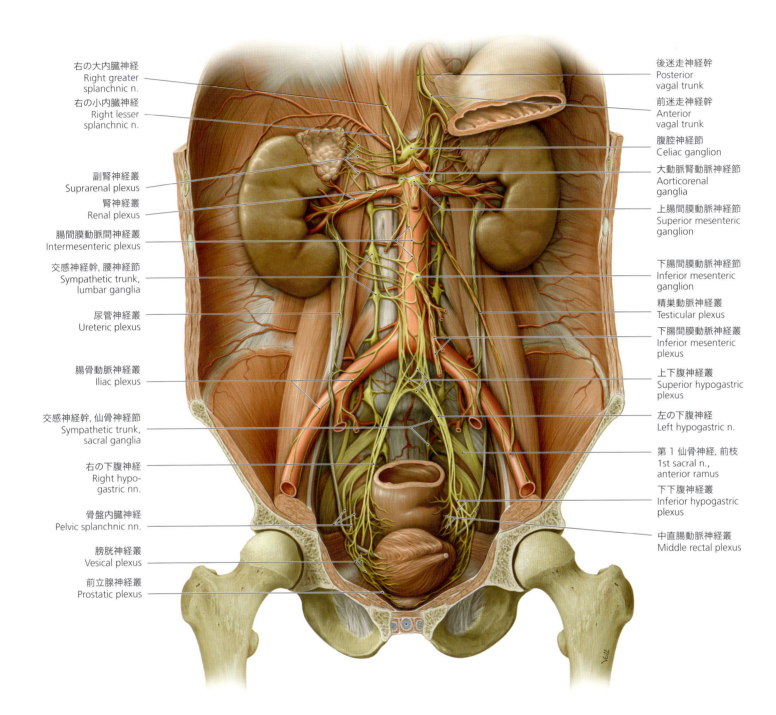

腸の神経支配
Innervation of the Intestines

図 16.46 小腸の神経支配
前方から見たところ．胃，膵臓，横行結腸の遠位部は一部取り除いてある．
模式図は **p.215** 参照．

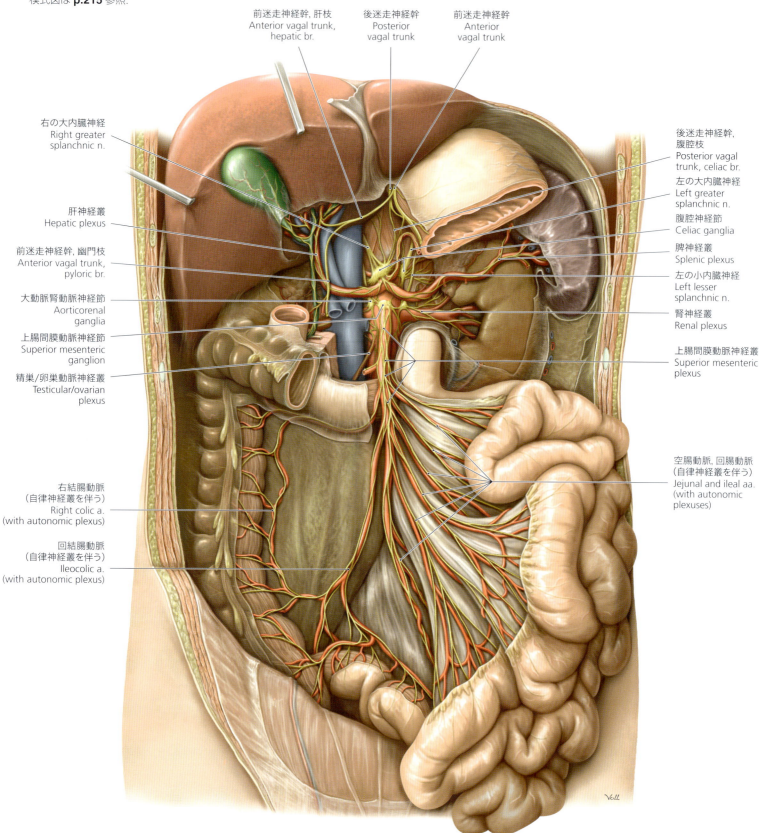

図 16.47 大腸の神経支配

前方から見たところ．空腸と回腸は取り除いてある．横行結腸を上に，S状結腸を下に翻転．模式図は p.215 参照．

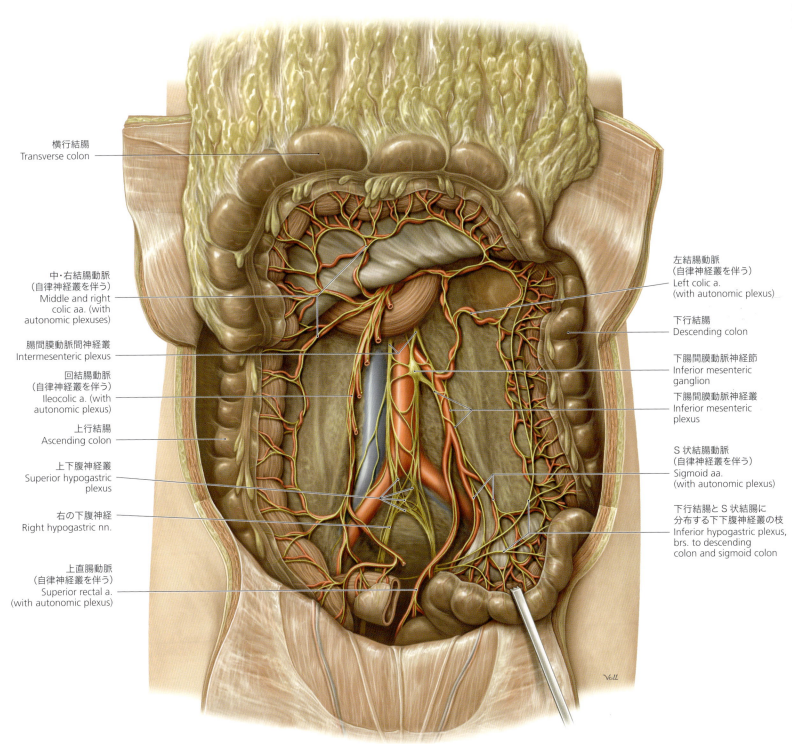

17 断面解剖と画像解剖
腹部の断面解剖
Sectional Anatomy of the Abdomen

図 17.1 腹部の水平断面
下方から見たところ．

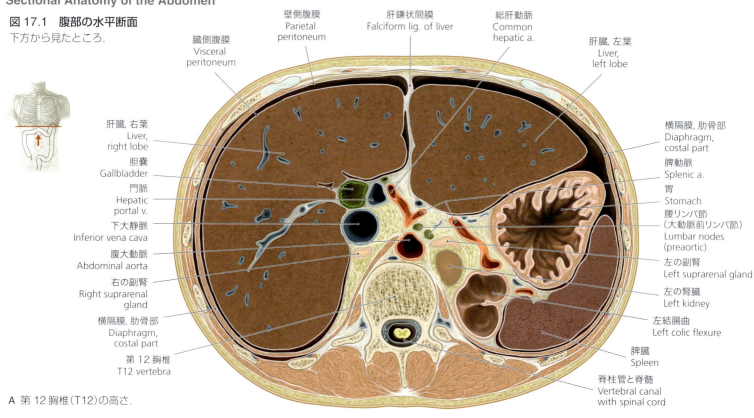

A 第 12 胸椎（T12）の高さ．

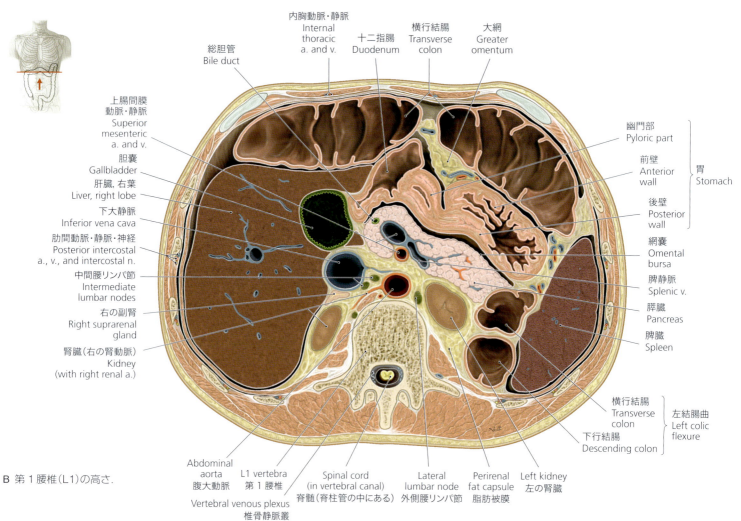

B 第 1 腰椎（L1）の高さ．

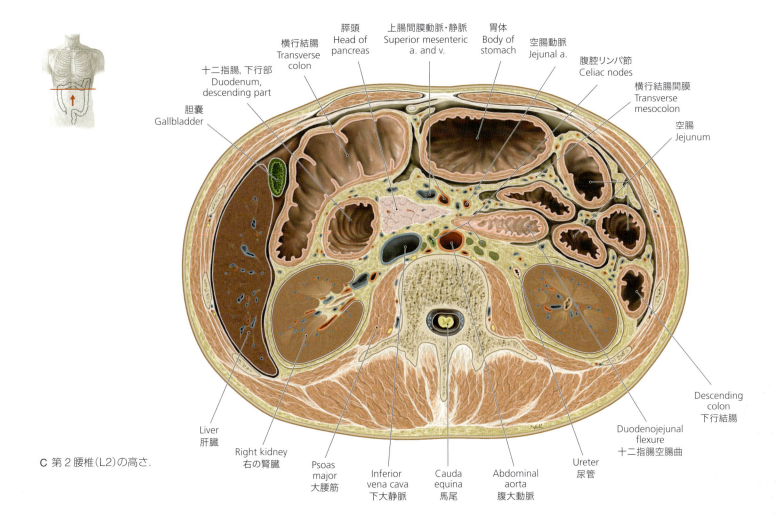

C 第2腰椎（L2）の高さ．

腹部の画像解剖（1）
Radiographic Anatomy of the Abdomen (I)

図 17.2　腹部の CT 像，水平断
（Moeller TB, Reif E. Pocket Atlas of Sectional Anatomy, Vol 2, 4th ed. New York, NY: Thieme; 2014. より）

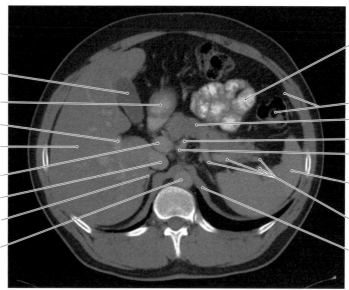

A　第 12 胸椎の高さの水平断．

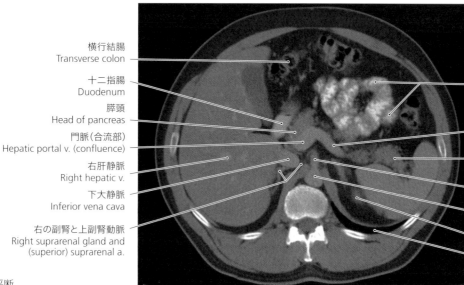

B　第 1 腰椎の高さの水平断．

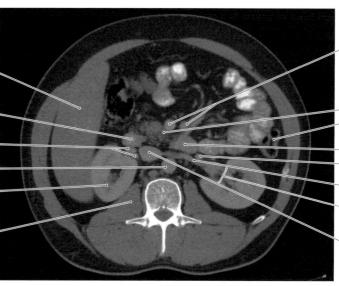

C　第 2 腰椎の高さの水平断．

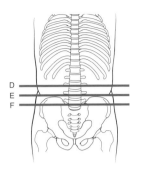

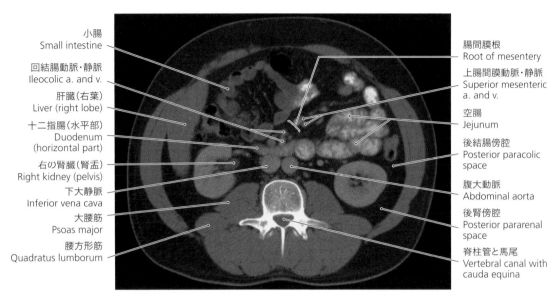

D 第3腰椎の高さの水平断.

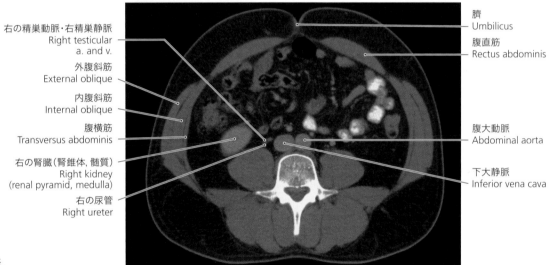

E 第4腰椎の高さの水平断.

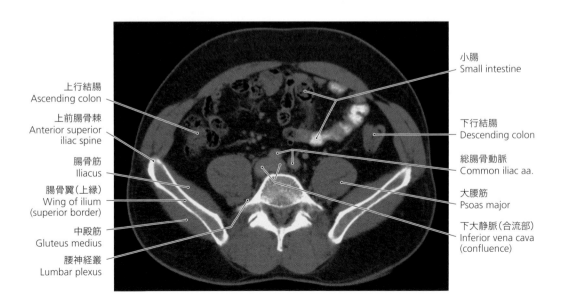

F 第5腰椎の高さの水平断.

腹部の画像解剖(2)
Radiographic Anatomy of the Abdomen (II)

図 17.3　腹部の CT 像，大動脈を通る矢状断
(Moeller TB, Reif E. Pocket Atlas of Sectional Anatomy, Vol 2, 4th ed. New York, NY: Thieme; 2014. より)

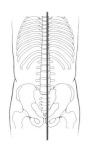

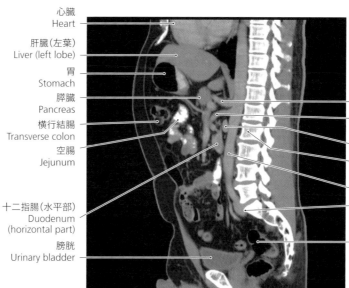

心臓　Heart
肝臓(左葉)　Liver (left lobe)
胃　Stomach
膵臓　Pancreas
横行結腸　Transverse colon
空腸　Jejunum
十二指腸(水平部)　Duodenum (horizontal part)
膀胱　Urinary bladder
腹腔動脈　Celiac trunk
上腸間膜動脈　Superior mesenteric a.
Right renal v. 右の腎静脈
第2腰椎の椎体　Lumbar vertebral body (L2)
Abdominal aorta 腹大動脈
岬角　Promontory of sacrum
直腸　Rectum

図 17.4　腹部の CT 像，肝臓を通る冠状断
(Moeller TB, Reif E. Pocket Atlas of Sectional Anatomy, Vol 2, 4th ed. New York, NY: Thieme; 2014. より)

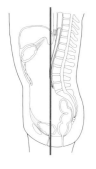

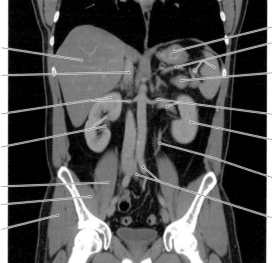

肝臓(右葉)　Liver (right lobe)
下大静脈　Inferior vena cava
右の腎臓(上端)と右の腎動脈　Right kidney, superior pole, and right renal a.
腎盂(腎盤)　Renal pelvis
大腰筋・小腰筋　Psoas major, psoas minor
腸骨筋　Iliacus
中殿筋　Gluteus medius
胃底　Fundus of stomach
脾臓と脾動脈・静脈　Spleen with splenic a. and v.
膵尾　Tail of pancreas
左の腎動脈・静脈　Left renal a. and v.
左の腎臓(腎皮質)　Left kidney (renal cortex)
下腸間膜静脈　Inferior mesenteric v.
左の総腸骨動脈・静脈　Common iliac a. and v. (left)

図 17.5　経静脈性腎盂造影像
前方から見たところ．

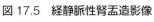

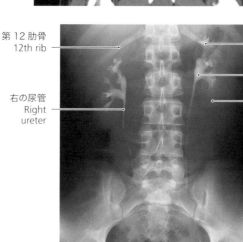

第12肋骨　12th rib
右の尿管　Right ureter
大腎杯　Major calyces
腎盂(腎盤)　Renal pelvis
左の腎臓の下端　Inferior pole of left kidney
遠位の尿管　Distal ureter
膀胱　Urinary bladder

図 17.6 二重造影 X 線像
前方から見たところ．

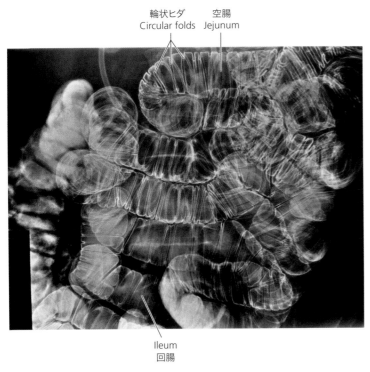

A 小腸．（Universitätsmedizin Mainz, Klinik und Poliklinik für Diagnostische und Interventionelle Radiologie. より）

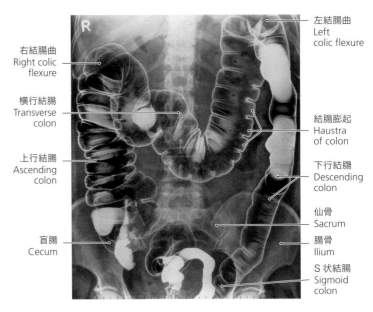

B 大腸．（Klinik für Diagnostische Radiologie, Universitätsklinikum Schleswig Holstein, Campus Kiel: Prof. Dr. Med. S. Müller-Huelsbeck. より）

図 17.7 腸の MRI 像
冠状断．従来の X 線造影は，消化器疾患の診断において，CT や MRI による断層像とほぼ置き換わった．（Krombach GA, Mahnken AH. Body Imaging: Thorax and Abdomen. New York, NY: Thieme; 2018. より）

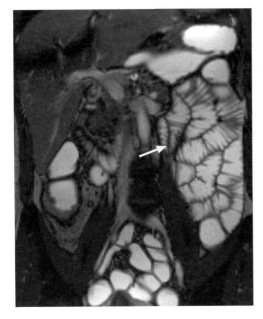

A 空腸（矢印）．

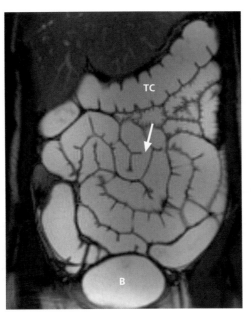

B 回腸（矢印），横行結腸（TC），膀胱（B）．

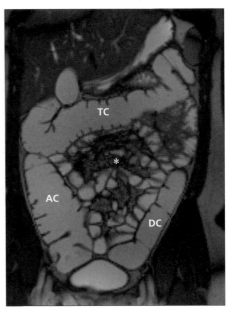

C 上行結腸（AC），下行結腸（DC），横行結腸（TC）．
＊小腸と腸間膜構造．

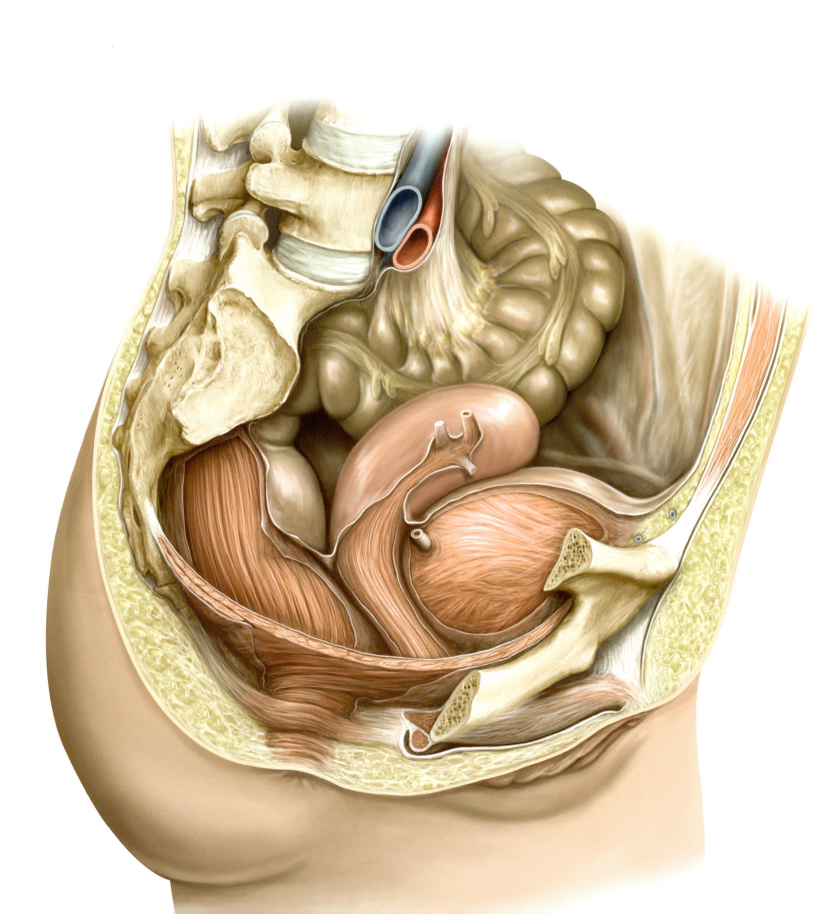

骨盤と会陰
Pelvis and Perineum

18. 体表解剖
体表解剖 ······ 228

19. 骨格，靱帯，筋
下肢帯 ······ 230
女性骨盤と男性骨盤 ······ 232
女性骨盤と男性骨盤の計測 ······ 234
骨盤の靱帯 ······ 236
骨盤底と会陰部の筋 ······ 238
骨盤底と会陰部の筋の詳細 ······ 240

20. 骨盤腔
骨盤の内容 ······ 242
腹膜の位置関係 ······ 244
骨盤と会陰 ······ 246

21. 内臓
直腸と肛門管 ······ 248
尿管 ······ 250
膀胱と尿道 ······ 252
生殖器の概観 ······ 254
子宮と卵巣 ······ 256
骨盤深部の靱帯と筋膜 ······ 258
腟 ······ 260
女性の外生殖器 ······ 262
陰茎，精巣，精巣上体 ······ 264
男性の付属生殖腺 ······ 266

22. 血管・神経
骨盤器官と骨盤壁への血管供給の概観 ······ 268
男性骨盤の動脈と静脈 ······ 270
女性骨盤の動脈と静脈 ······ 272
直腸と外生殖器の動脈と静脈 ······ 274
骨盤部のリンパ流路 ······ 276
生殖器のリンパ節 ······ 278
生殖器の自律神経支配 ······ 280
泌尿器と直腸の自律神経支配 ······ 282
男性と女性の会陰の血管・神経 ······ 284

23. 断面解剖と画像解剖
骨盤と会陰の断面解剖 ······ 286
女性骨盤の画像解剖 ······ 288
男性骨盤の画像解剖 ······ 290

18 体表解剖

体表解剖
Surface Anatomy

図 18.1　骨盤部の触知可能構造
前方から見たところ．男女で共通の構造．背部の構造は **pp.2-3** 参照．

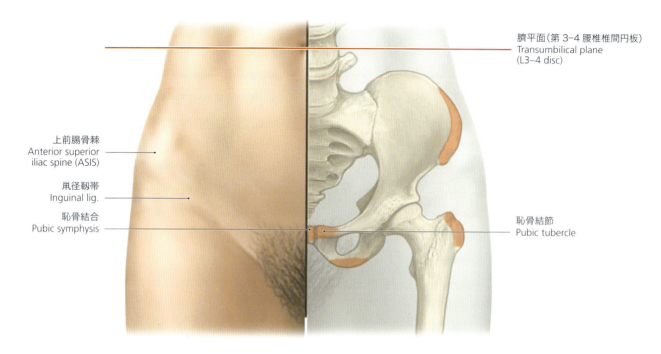

A　骨の隆起，女性骨盤．

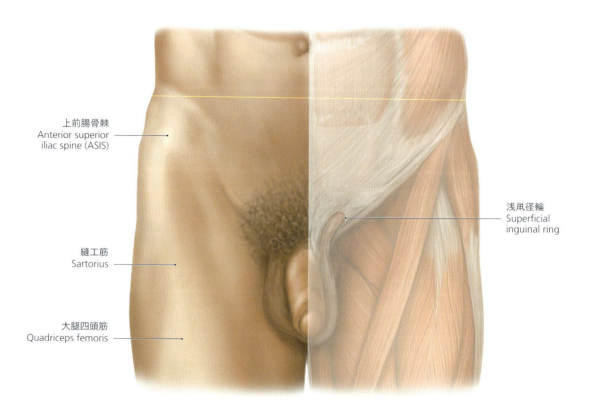

B　筋系，男性骨盤．

会陰は大腿と殿部の間にある体幹の最も下位の領域で，前後は恥骨から尾骨まで，上方は下骨盤隔膜筋膜に及び，肛門三角と尿生殖三角の全構造が含まれる（図18.2A）．会陰の左右の境界は，恥骨結合，坐骨恥骨枝，坐骨結節，仙結節靱帯，尾骨である．

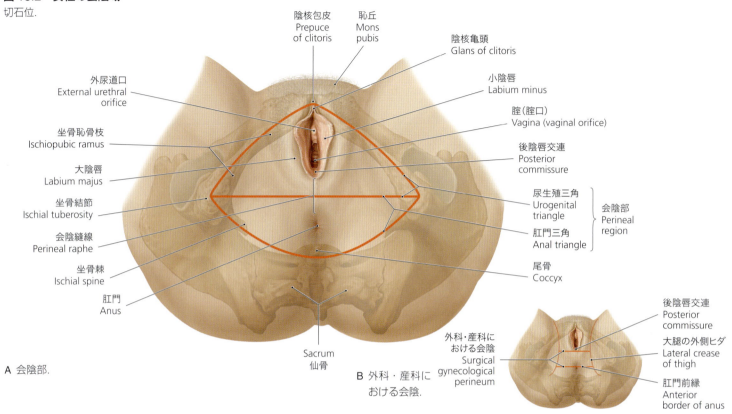

図18.2　女性の会陰域
切石位．
A　会陰部．
B　外科・産科における会陰．

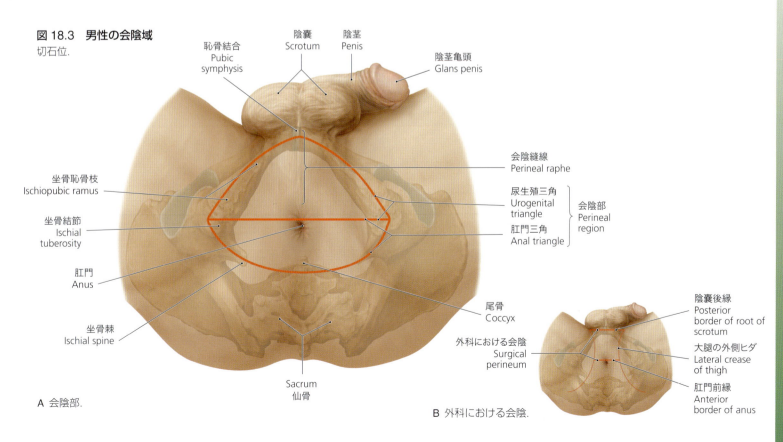

図18.3　男性の会陰域
切石位．
A　会陰部．
B　外科における会陰．

19 骨格，靱帯，筋

下肢帯
Pelvic Girdle

骨盤は腹部の下方の領域で，下肢帯に囲まれている．下肢帯は左右の寛骨と仙骨からなり，脊柱と大腿骨をつなげる．左右の寛骨は軟骨性の恥骨結合で結合し，また仙腸関節によって仙骨と結合し，骨盤輪（図 19.1 の橙色の部分）を作る．下肢帯の安定性は，日常の歩行において体幹の圧負荷を下肢に伝えるために不可欠である．

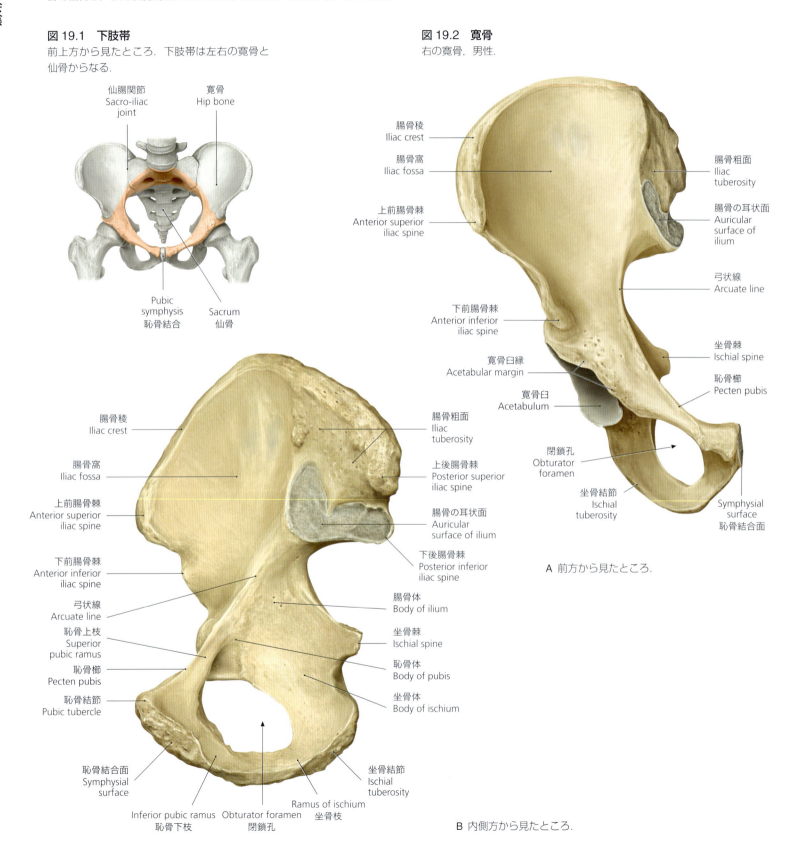

図 19.1 下肢帯
前上方から見たところ．下肢帯は左右の寛骨と仙骨からなる．

図 19.2 寛骨
右の寛骨，男性．

A 前方から見たところ．

B 内側方から見たところ．

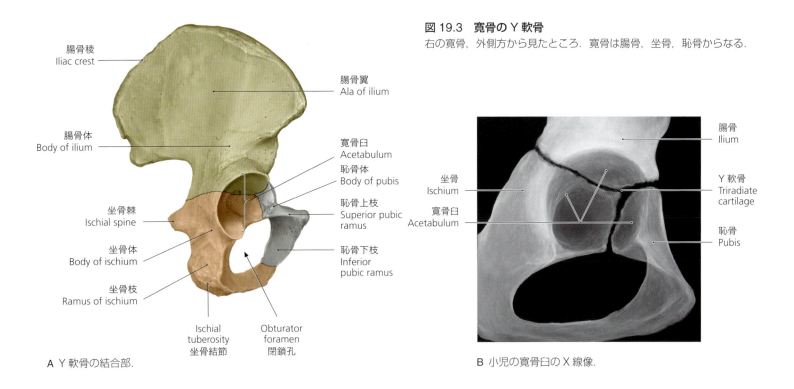

図 19.3 寛骨の Y 軟骨
右の寛骨，外側方から見たところ．寛骨は腸骨，坐骨，恥骨からなる．

A Y 軟骨の結合部．

B 小児の寛骨臼の X 線像．

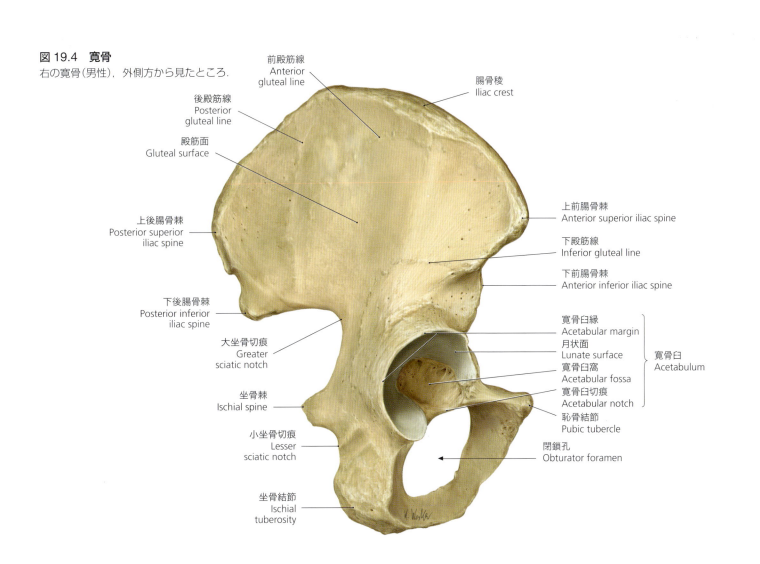

図 19.4 寛骨
右の寛骨（男性），外側方から見たところ．

女性骨盤と男性骨盤
Female & Male Pelvis

図 19.5 女性骨盤

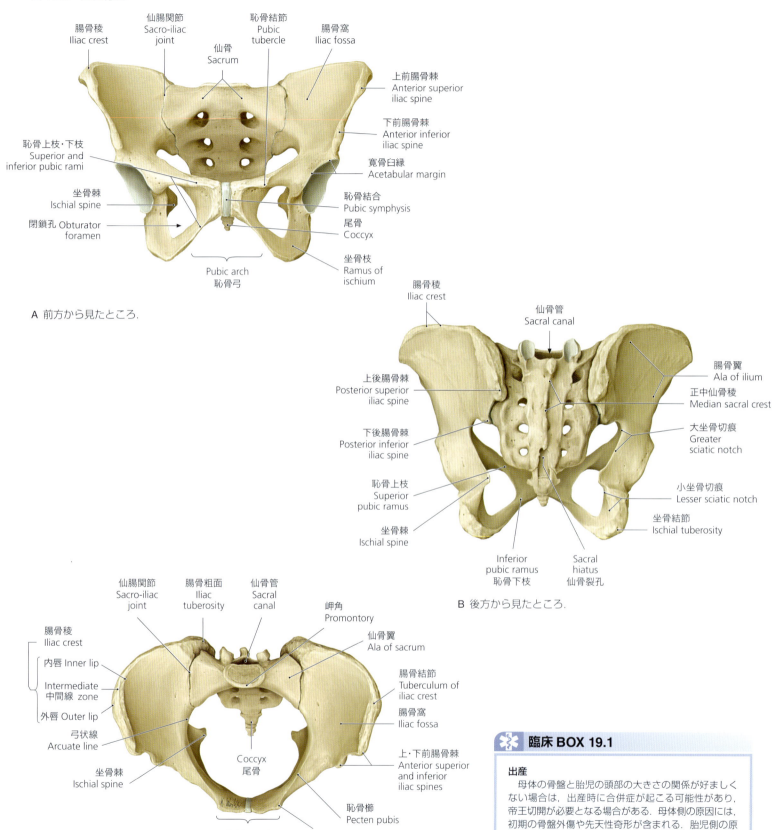

A 前方から見たところ.

B 後方から見たところ.

C 上方から見たところ.

臨床 BOX 19.1

出産
　母体の骨盤と胎児の頭部の大きさの関係が好ましくない場合は，出産時に合併症が起こる可能性があり，帝王切開が必要となる場合がある．母体側の原因には，初期の骨盤外傷や先天性奇形が含まれる．胎児側の原因には脳脊髄液の循環障害による脳の膨張と頭蓋の拡大を起こす水頭症が含まれる．

図 19.6　男性骨盤

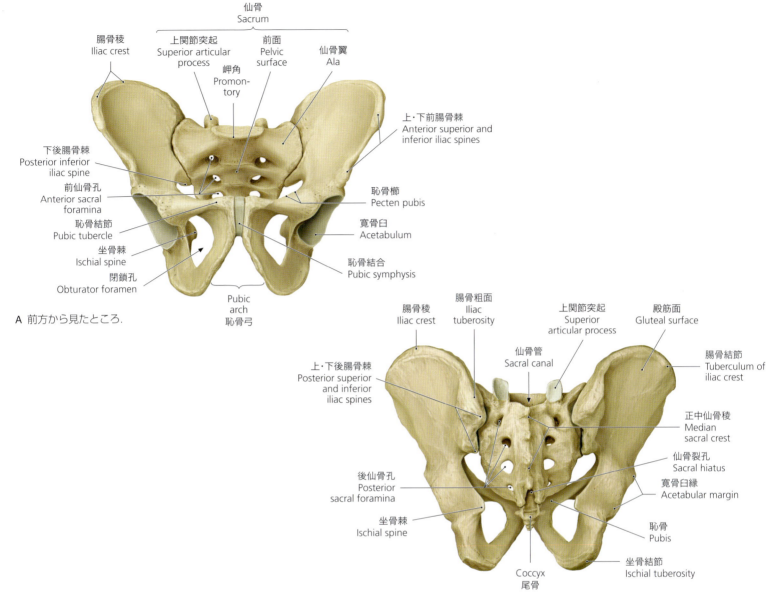

A　前方から見たところ.

B　後方から見たところ.

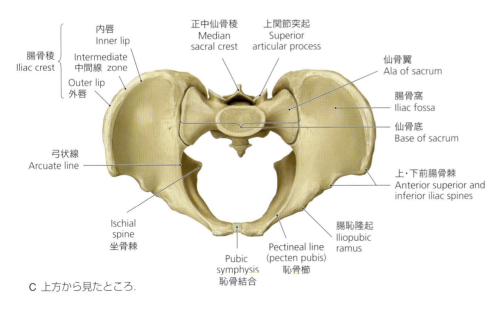

C　上方から見たところ.

女性骨盤と男性骨盤の計測
Female & Male Pelvic Measurements

骨盤上口は腹腔と骨盤腔の境界である．骨盤上口は，その縁をなす岬角・弓状線・恥骨櫛・恥骨結合上縁からなる骨盤輪を通る平面上にある．骨盤上口と骨盤輪は同義語として使われる場合もある．骨盤下口は，恥骨弓・坐骨結節・仙結節靱帯・尾骨先端を通る平面上にある．

表 19.1　骨盤の性差

構造	女性	男性
大骨盤	幅広く浅い	狭く深い
骨盤上口	横長楕円形	ハート型
骨盤下口	広く円い	狭く細長い
坐骨結節	外向き	内向き
骨盤腔	広く浅い	狭く深い
仙骨	短く，幅広く，平ら	長く，狭く，弯曲
恥骨下角	90-100°	70°

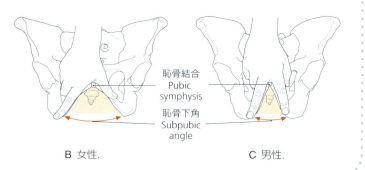

A　男性と女性の骨盤．

B　女性．

C　男性．

図 19.7　小骨盤と大骨盤
骨盤は腹部の下方の領域で，下肢帯に囲まれている．大骨盤は腹腔の直下で左右の腸骨翼の間の部分で，骨盤上口よりも上にある．小骨盤は骨盤上口と骨盤下口の間で骨壁に囲まれた部分である．小骨盤の下縁の境界は骨盤隔膜であり，骨盤底とも呼ばれる．

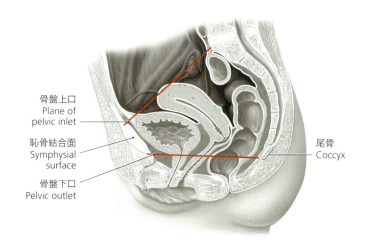

A　女性，正中矢状断．左方から見たところ．

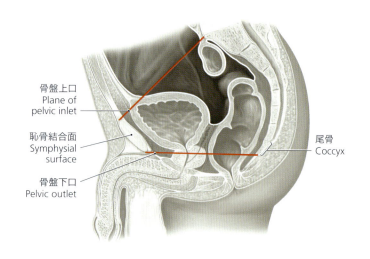

B　男性，正中矢状断．左方から見たところ．

図 19.8　女性産道の最小径

岬角と恥骨結合上縁最後部の間の距離である産科的真結合線は，産道の前後径のうちの最短径である．産科的真結合線は内臓のために測定が難しいので，岬角と恥骨結合下縁の間の対角結合線の値から算出する．分界線は骨盤上口の境界の一部である．

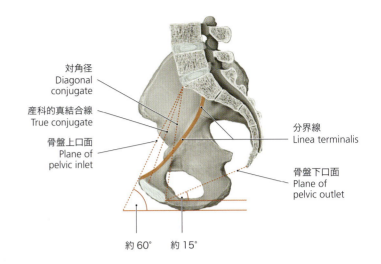

図 19.9　骨盤上口と骨盤下口

図で示された計測は男女に共通である．女性の骨盤上口の横径と斜径は，産道の径の計測のために産科学において重要である．坐骨棘間径は骨盤下口の径では最も小さい．

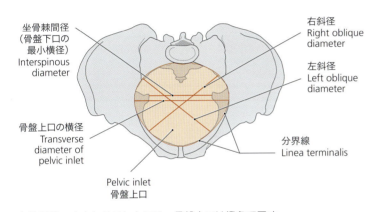

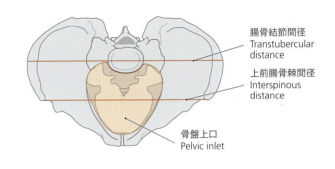

A　女性骨盤，上方から見たところ．骨盤上口は橙色で示す．

B　男性骨盤，上方から見たところ．骨盤上口は橙色で示す．

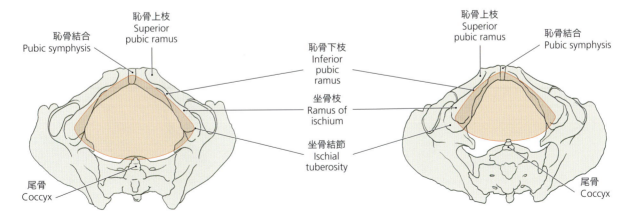

C　女性骨盤，下方から見たところ．骨盤下口は橙色で示す．

D　男性骨盤，下方から見たところ．骨盤下口は橙色で示す．

骨盤の靱帯
Pelvic Ligaments

図 19.10 骨盤の靱帯
男性骨盤.

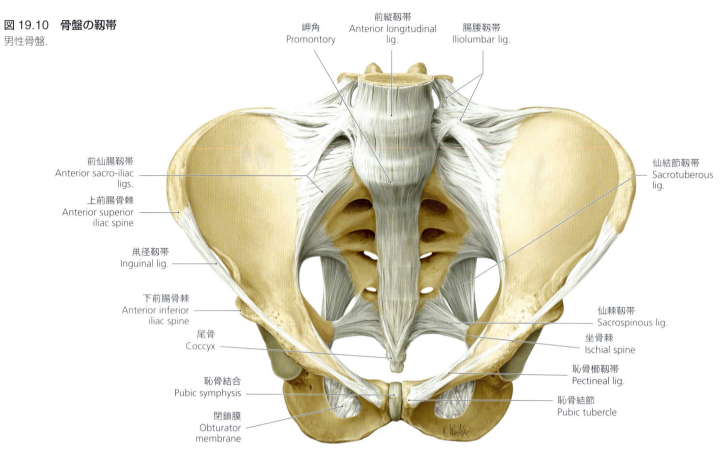

A 前上方から見たところ.

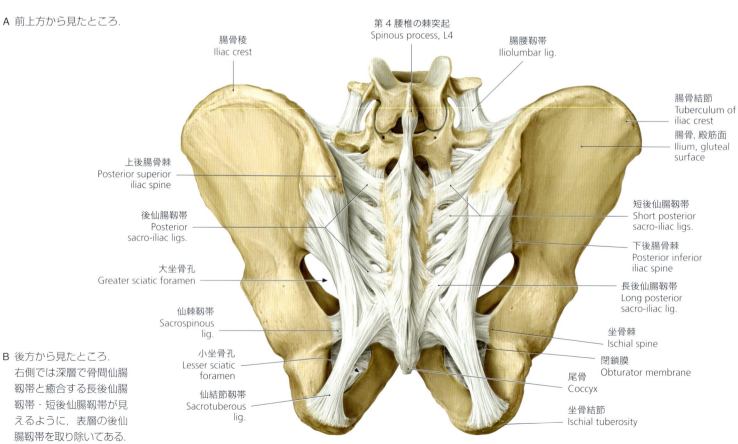

B 後方から見たところ.
右側では深層で骨間仙腸靱帯と癒合する長後仙腸靱帯・短後仙腸靱帯が見えるように、表層の後仙腸靱帯を取り除いてある.

図 19.11 仙腸関節の靱帯
男性骨盤，正中矢状断．

図 19.12 寛骨の骨盤靱帯付着部位
左寛骨，内側方から見たところ．靱帯付着部を緑色で示す．

19 骨格、靱帯、筋

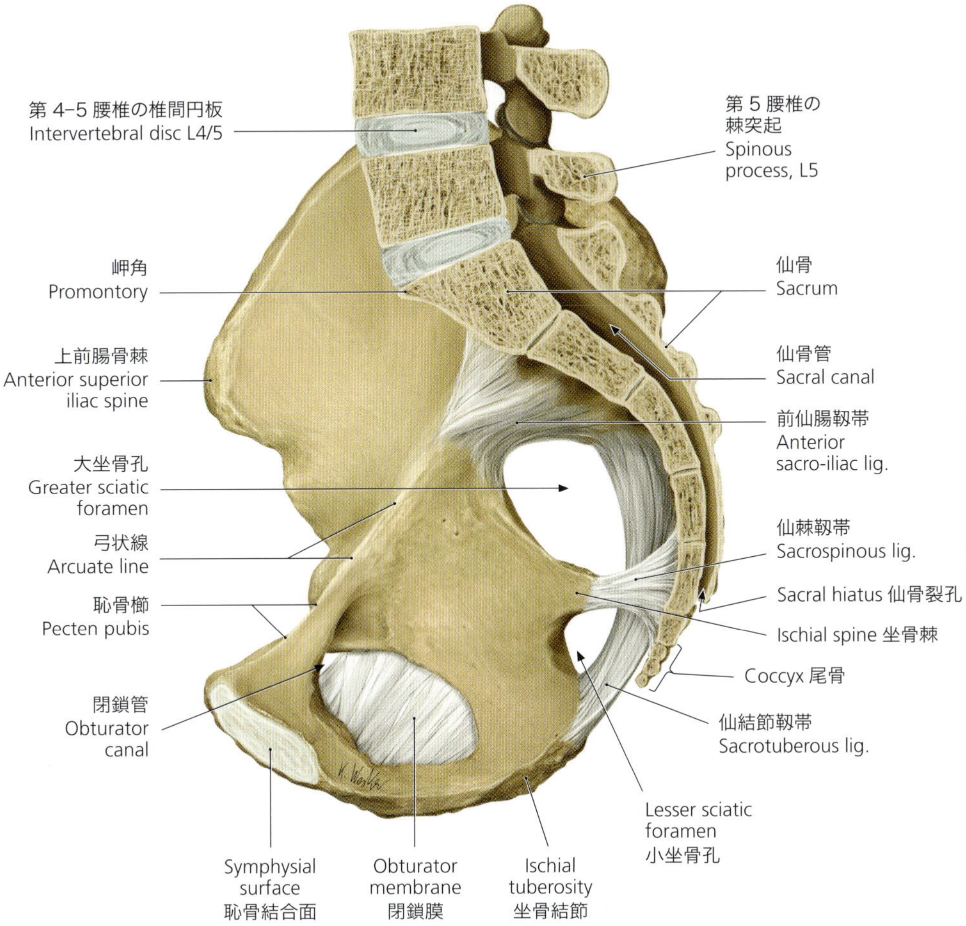

- 第 4-5 腰椎の椎間円板 Intervertebral disc L4/5
- 第 5 腰椎の棘突起 Spinous process, L5
- 岬角 Promontory
- 上前腸骨棘 Anterior superior iliac spine
- 大坐骨孔 Greater sciatic foramen
- 弓状線 Arcuate line
- 恥骨櫛 Pecten pubis
- 閉鎖管 Obturator canal
- 仙骨 Sacrum
- 仙骨管 Sacral canal
- 前仙腸靱帯 Anterior sacro-iliac lig.
- 仙棘靱帯 Sacrospinous lig.
- Sacral hiatus 仙骨裂孔
- Ischial spine 坐骨棘
- Coccyx 尾骨
- 仙結節靱帯 Sacrotuberous lig.
- Lesser sciatic foramen 小坐骨孔
- Symphysial surface 恥骨結合面
- Obturator membrane 閉鎖膜
- Ischial tuberosity 坐骨結節

- 骨間仙腸靱帯 Interosseous sacro-iliac lig.
- 仙棘靱帯 Sacrospinous lig.
- 仙結節靱帯 Sacrotuberous lig.
- Pubic symphysis 恥骨結合

A 骨盤の右半分，内側方から見たところ．

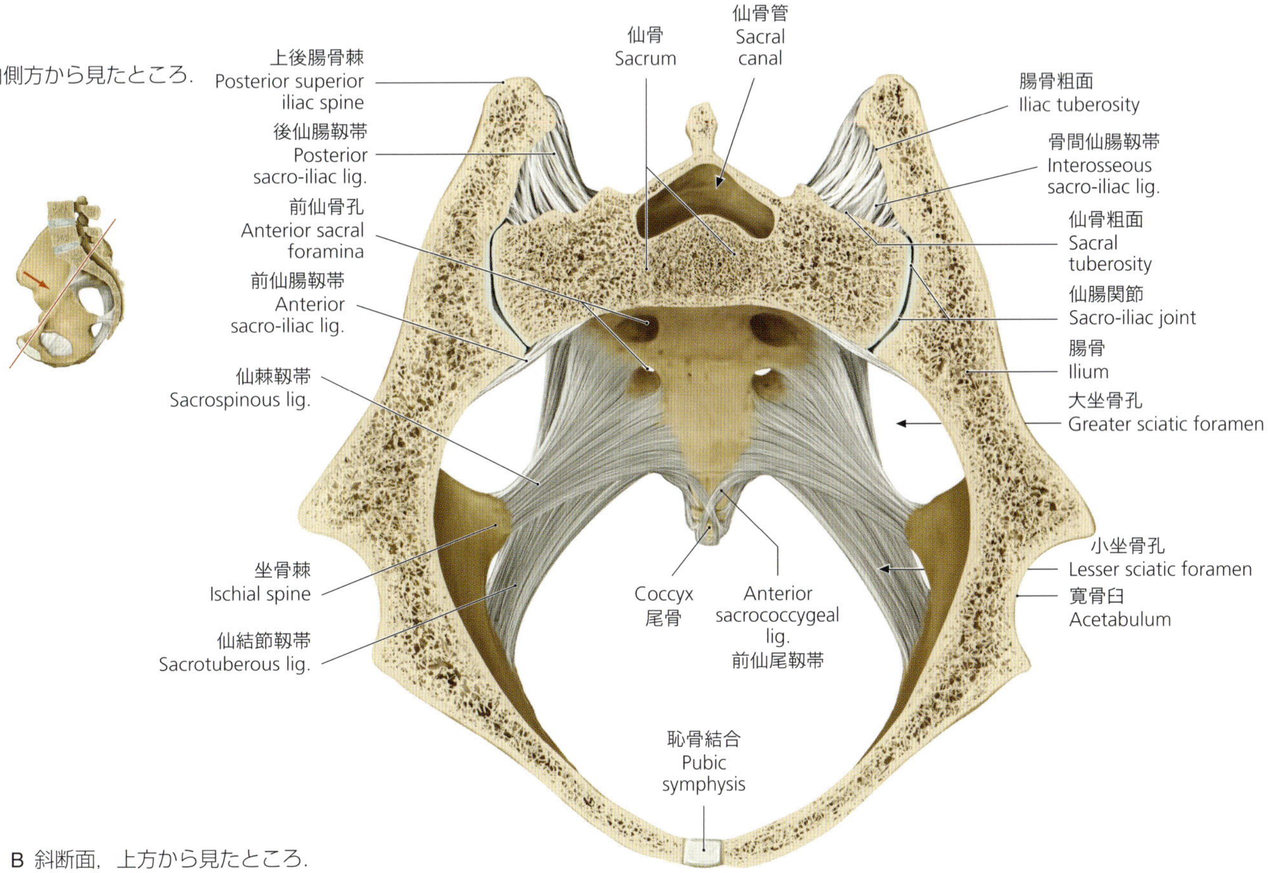

- 上後腸骨棘 Posterior superior iliac spine
- 後仙腸靱帯 Posterior sacro-iliac lig.
- 前仙骨孔 Anterior sacral foramina
- 前仙腸靱帯 Anterior sacro-iliac lig.
- 仙棘靱帯 Sacrospinous lig.
- 坐骨棘 Ischial spine
- 仙結節靱帯 Sacrotuberous lig.
- 仙骨 Sacrum
- 仙骨管 Sacral canal
- 尾骨 Coccyx
- Anterior sacrococcygeal lig. 前仙尾靱帯
- 恥骨結合 Pubic symphysis
- 腸骨粗面 Iliac tuberosity
- 骨間仙腸靱帯 Interosseous sacro-iliac lig.
- 仙骨粗面 Sacral tuberosity
- 仙腸関節 Sacro-iliac joint
- 腸骨 Ilium
- 大坐骨孔 Greater sciatic foramen
- 小坐骨孔 Lesser sciatic foramen
- 寛骨臼 Acetabulum

B 斜断面，上方から見たところ．

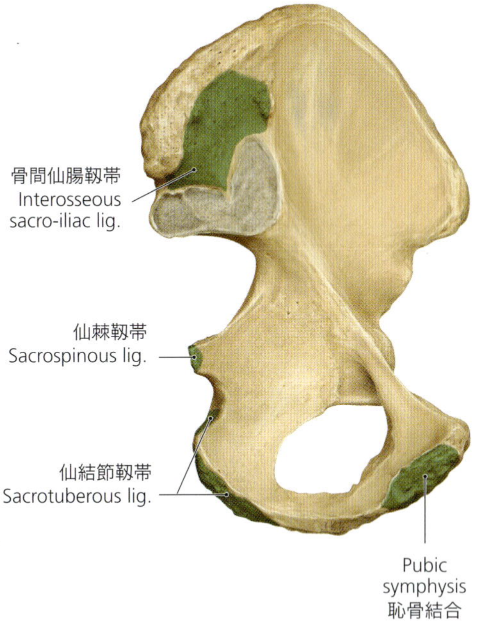

骨盤底と会陰部の筋
Muscles of the Pelvic Floor & Perineum

図 19.13 骨盤底の筋

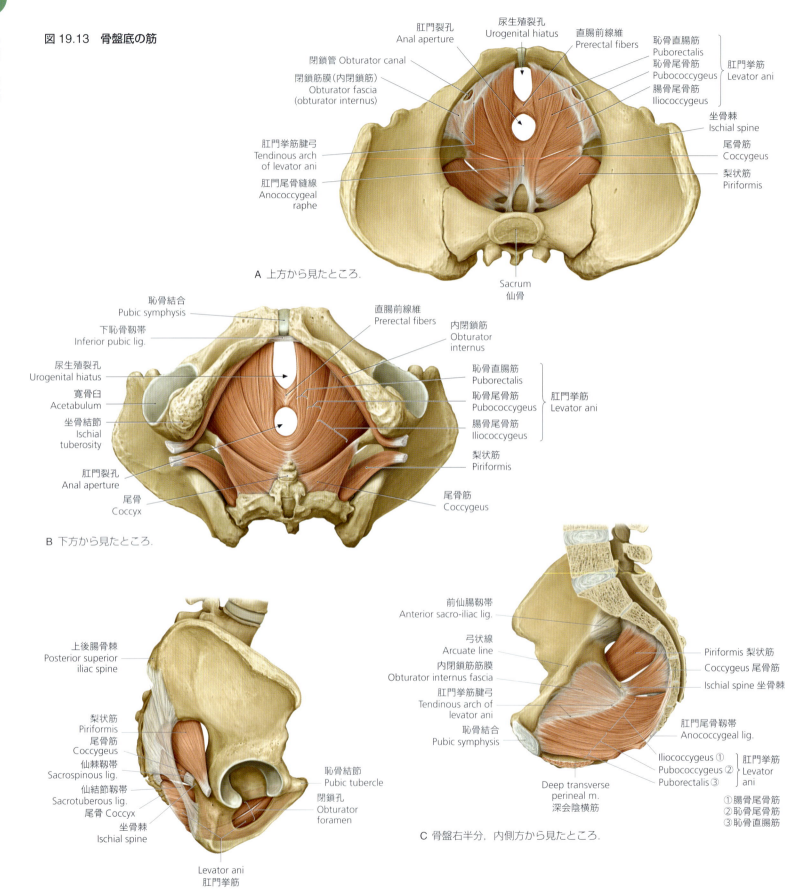

図 19.14 **骨盤底と会陰の筋膜の原位置**
切石位．左側の骨盤隔膜浅会陰筋膜(コリース筋膜)，
下骨盤隔膜筋膜，閉鎖筋膜は取り除いてある．
Note：緑色の矢印は坐骨肛門窩の前方の陥凹を示す．

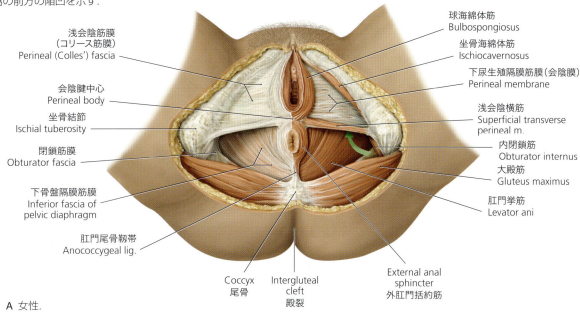

A 女性．

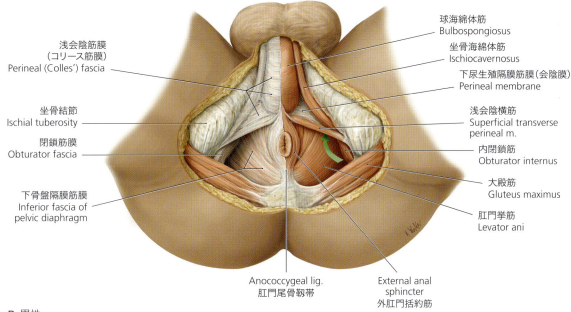

B 男性．

図 19.15 **性別による肛門挙筋の構造の違い**
後面．女性では肛門挙筋の筋性部の間に結合組織性の間隙があることに注意．

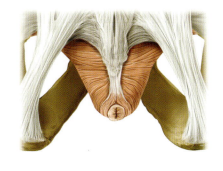

A 男性．

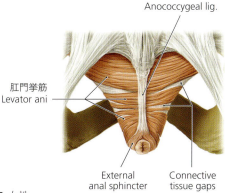

B 女性．

骨盤底と会陰部の筋の詳細
Pelvic Floor & Perineal Muscle Facts

図 19.16　骨盤底の筋
上方から見たところ.

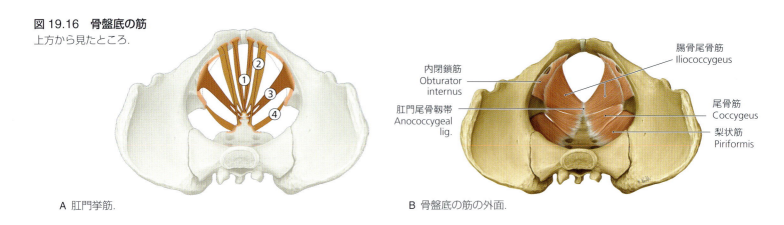

A　肛門挙筋.

B　骨盤底の筋の外面.

表 19.2　骨盤底の筋

筋		起始	停止	神経支配	作用
骨盤隔膜の筋					
肛門挙筋	① 恥骨直腸筋	恥骨結合の両側の恥骨上枝	肛門尾骨靱帯	仙骨神経叢の枝(S4), 下直腸神経	骨盤隔膜：骨盤内臓の支持
	② 恥骨尾骨筋	恥骨（恥骨直腸筋の起始の外側）	肛門尾骨靱帯, 尾骨		
	③ 腸骨尾骨筋	肛門挙筋の内閉鎖筋筋膜の腱様弓			
④ 尾骨筋		尾骨と仙骨（第5仙椎）の外側面	坐骨棘	仙骨神経叢(S4-5)の枝	骨盤内臓の支持, 尾骨の屈曲
骨盤壁の筋（壁側筋）					
*梨状筋		仙骨の骨盤面	大腿骨の大転子の先端	仙骨神経叢(S1-2)の枝	股関節：外旋, 安定, 屈曲した股関節の外転
*内閉鎖筋		閉鎖膜と閉鎖孔の外周の内側面	大腿骨の大転子の内側面	仙骨神経叢(L5-S1)の枝	股関節：外旋, 屈曲した股関節の外転

*梨状筋と内閉鎖筋は殿部の筋と見なされる(p.426 参照).
女性・男性の外生殖器は pp.262〜265 で示される.

図 19.17　会陰の筋
下方から見たところ.

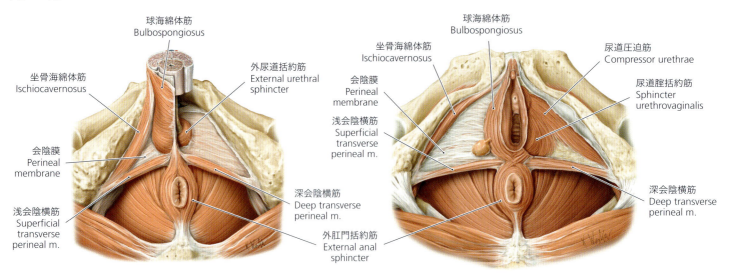

A　浅・深層の会陰の筋, 男性.

B　浅・深層の会陰の筋, 女性.

表 19.3	会陰骨盤底と会陰部の筋				
筋	起始	停止	神経支配	作用	
① 坐骨海綿体筋	坐骨枝	陰核脚または陰茎脚	陰部神経(S2-S4)	陰核海綿体あるいは陰茎海綿体に血液を押し込めて勃起を持続	
② 球海綿体筋	会陰腱中心から前方へ，女性では陰核に，男性では陰茎縫線に至る．			女性：大前庭腺を収縮 男性：勃起の補助	
③ 浅会陰横筋	坐骨枝	会陰腱中心		会陰腱中心の正中線上への固定，骨盤内臓の支持，会陰部の筋を通過する内臓の管の支持	
④ 深会陰横筋*	恥骨下枝，坐骨枝	会陰腱中心，外肛門括約筋			
⑤ 外尿道括約筋	尿道を取り囲む（深会陰横筋からの分束），男性では膀胱頸を前方へ上行する．女性では，いくつかの筋束が**尿道腟括約筋**として腟を取り囲む．その他の筋束は外側に伸びて，**尿道圧迫筋**となる（図 21.9 と 21.11 参照）			尿道を閉める	
⑥ 外肛門括約筋	肛門を取り囲む（会陰体より肛門尾骨靱帯まで後方に走る）			肛門を閉める	

*一般的には，この筋は女性では発達が弱く，平滑筋組織になっている．発達した場合は骨盤内臓の動的支持．

図 19.18 男性会陰の筋

図 19.19 女性会陰の筋

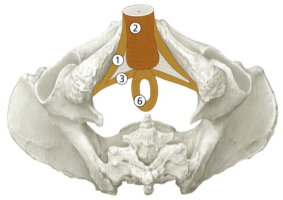

A 浅会陰隙の筋，男性．

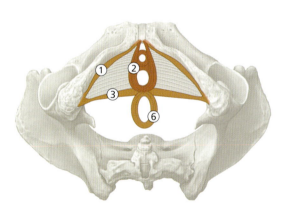

A 浅会陰隙の筋，女性．

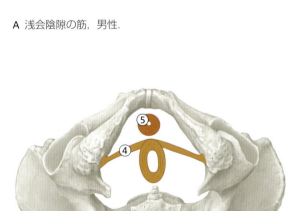

B 深会陰隙の筋，男性．

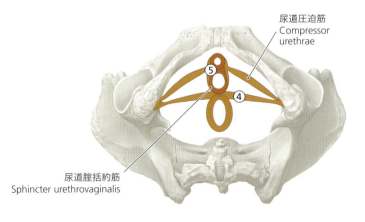

尿道圧迫筋
Compressor urethrae

尿道腟括約筋
Sphincter urethrovaginalis

B 深会陰隙の筋，女性．

20 骨盤腔
骨盤の内容
Contents of the Pelvis

図 20.1 男性骨盤
傍矢状断，右外側方から見たところ．

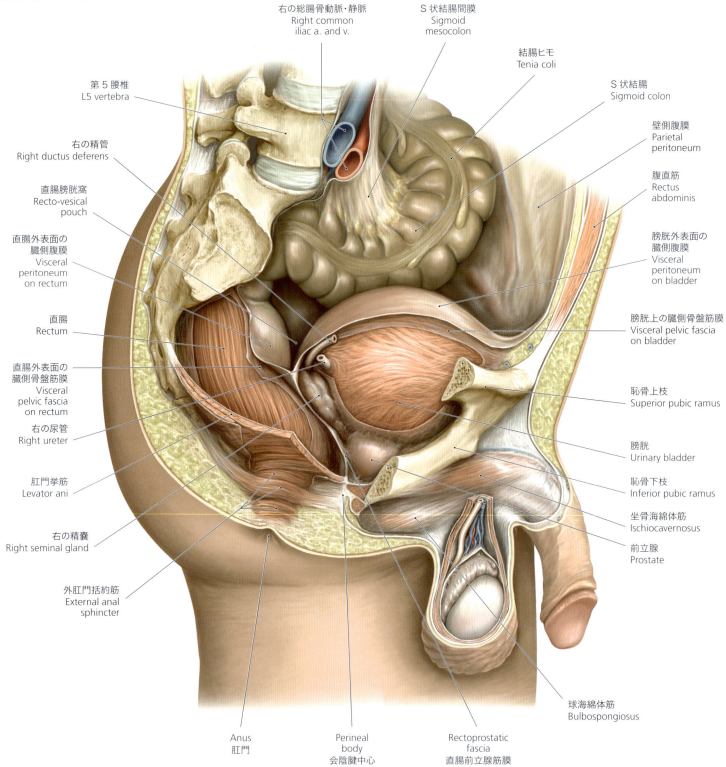

図 20.2 女性骨盤

傍矢状断，右外側方から見たところ．

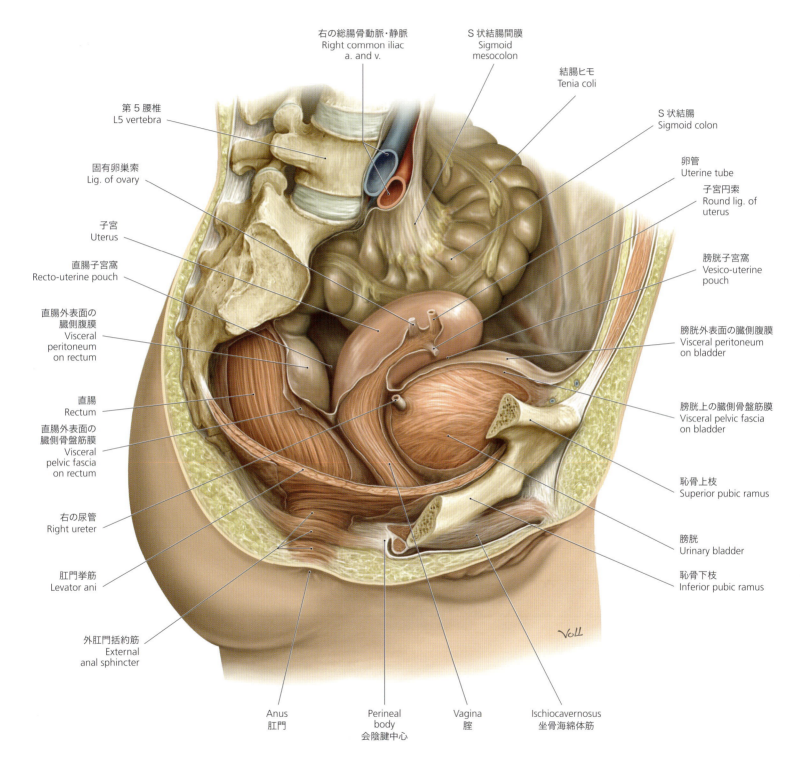

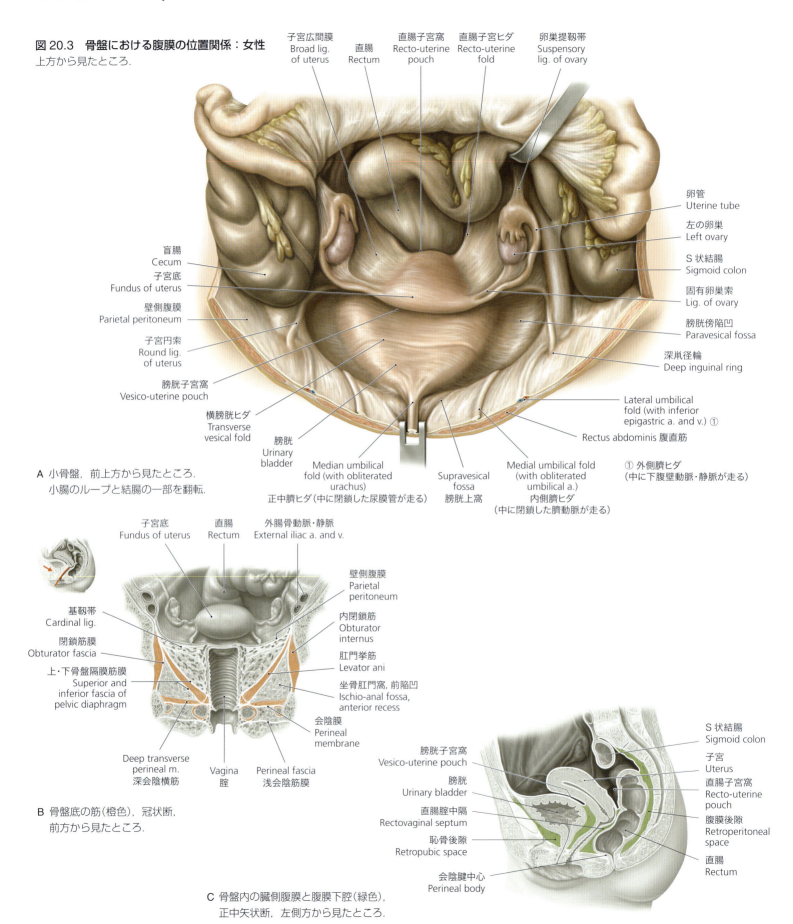

図 20.4 骨盤における腹膜の位置関係：男性
上方から見たところ.

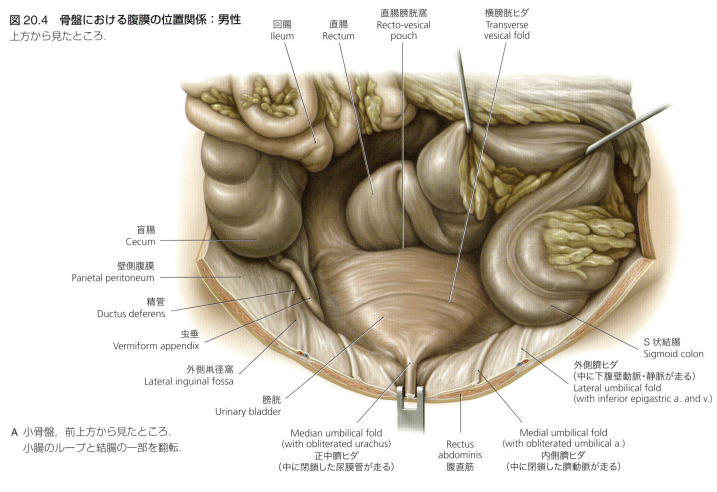

A 小骨盤，前上方から見たところ.
小腸のループと結腸の一部を翻転.

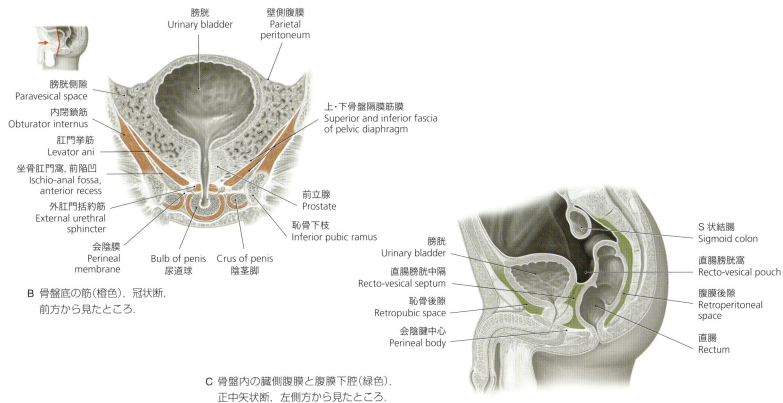

B 骨盤底の筋（橙色），冠状断，
前方から見たところ.

C 骨盤内の臓側腹膜と腹膜下腔（緑色），
正中矢状断，左側方から見たところ.

骨盤と会陰
Pelvis & Perineum

骨盤は腹部の下方の領域で，下肢帯に囲まれている．大骨盤は腹腔の直下で左右の腸骨翼の間の部分で，骨盤上口よりも上にある．小骨盤は骨盤上口と骨盤下口の間であり，下縁の境界は骨盤下口の境界から吊り下げられている筋性の骨盤隔膜（肛門挙筋と尾骨筋）である．会陰は大腿と殿部の間にある体幹の最も下位の領域で，前後は恥骨から尾骨まで，上方は下骨盤隔膜筋膜に及ぶ．浅会陰隙は皮下組織の筋膜層（浅会陰筋膜，コリース筋膜）と下尿生殖隔膜の間にある．深会陰隙は下尿生殖隔膜筋膜と下骨盤隔膜筋膜の間である．

表20.1　骨盤と会陰の区分

骨盤の高さは骨の確認点（腸骨翼と骨盤上口・骨盤輪）によって決定される．会陰の各構造は骨盤隔膜と2層の筋膜によって小骨盤と隔てられている．

腸骨稜		
骨盤	大骨盤	・回腸（coils）
		・盲腸と虫垂
		・S状結腸
		・総腸骨動脈・静脈と外腸骨動脈・静脈
		・腰神経叢とその枝
	骨盤上口	
	小骨盤	・尿管遠位部
		・膀胱
		・直腸
		女性：腟，子宮，卵管，卵巣
		男性：精管，精嚢，前立腺
		・内腸骨動脈・静脈とその枝
		・仙骨神経叢
		・下下腹神経叢
骨盤隔膜（肛門挙筋と尾骨筋）		
会陰	深会陰隙	・尿道括約筋と深会陰横筋
		・尿道隔膜部
		・腟
		・直腸
		・尿道球腺
		・坐骨直腸窩
		・内陰部動脈・静脈，陰部神経とその枝
	会陰膜	
	浅会陰隙	・坐骨海綿体筋，球海綿体筋，浅会陰横筋
		・尿道陰茎部
		・陰核と陰茎
		・内陰部動脈・静脈，陰部神経とその枝
	浅会陰筋膜（コリース筋膜）	
	皮下会陰隙	・脂肪
皮膚		

図20.5　骨盤と尿生殖三角

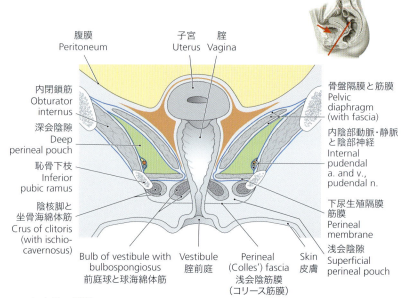

A　女性，斜断．

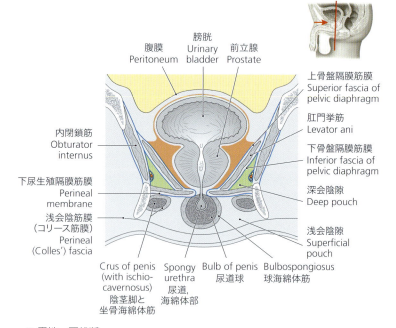

B　男性，冠状断．

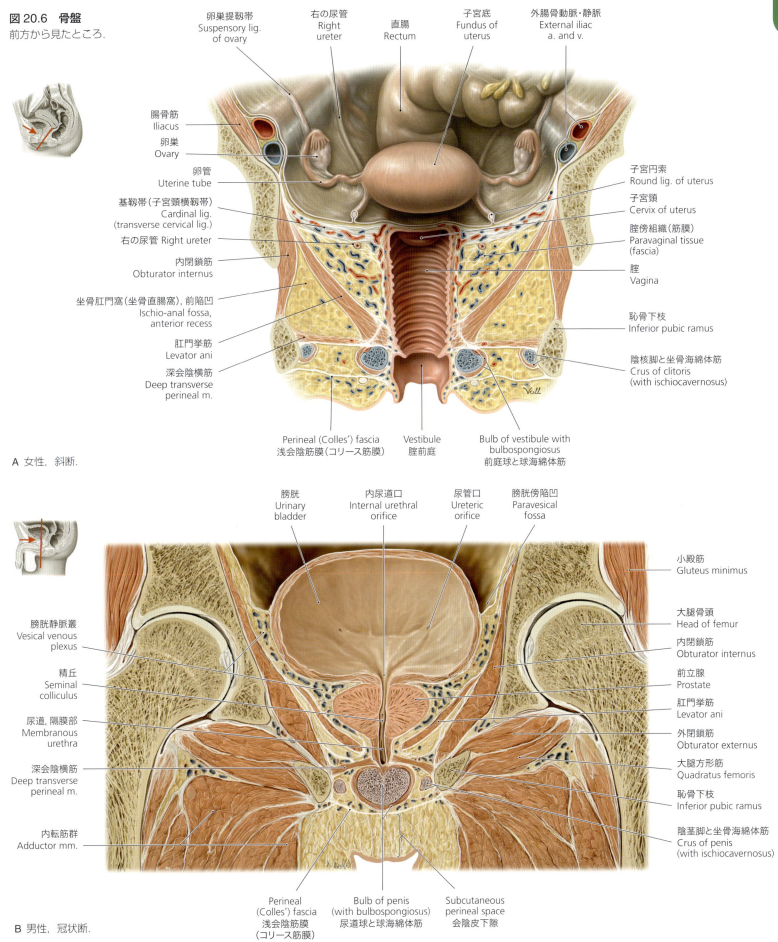

図 20.6 骨盤
前方から見たところ.

A 女性, 斜断.

B 男性, 冠状断.

21 内臓
直腸と肛門管
Rectum & Anal Canal

図21.1 直腸：位置

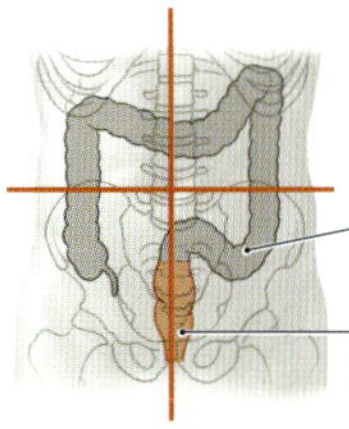

A 前方から見たところ．

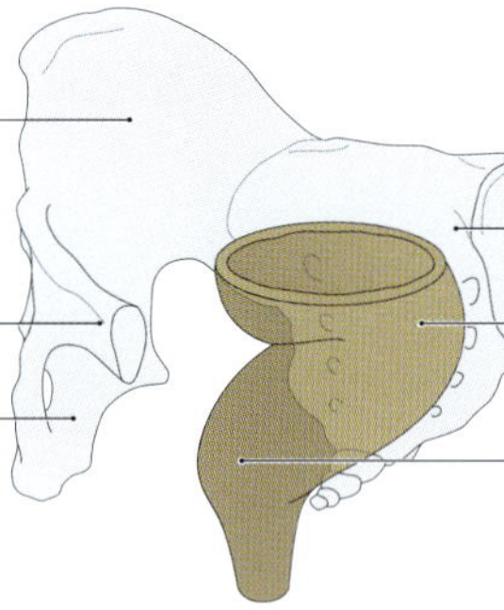

B 左前外側方から見たところ．

図21.2 直腸の閉鎖
左外側方から見たところ．恥骨直腸筋は肛門直腸移行部を曲げる筋肉の吊り糸として働き，排便抑制を維持する．

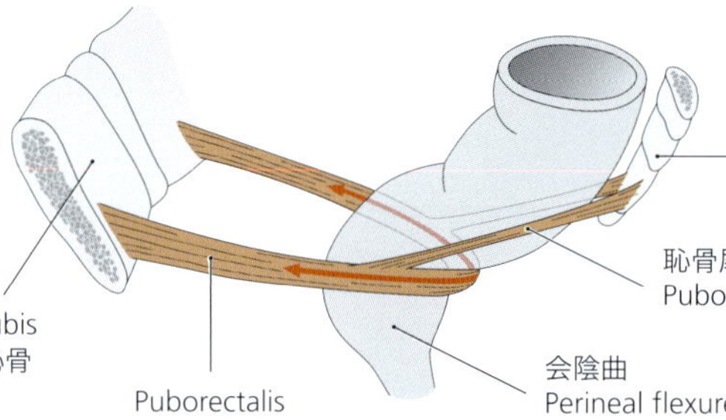

図21.3 原位置の直腸
冠状断，女性骨盤を前方から見たところ．直腸の上1/3は前面と外側面が臓側腹膜で覆われる．中1/3は前面だけ臓側腹膜で覆われ，下1/3は壁側腹膜の下に位置する．

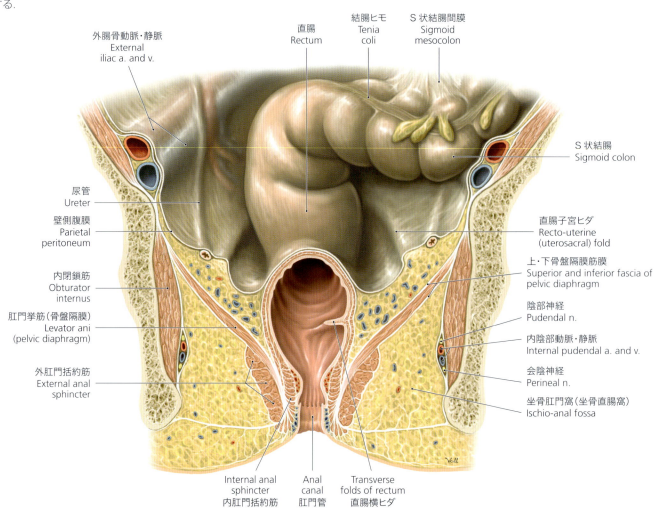

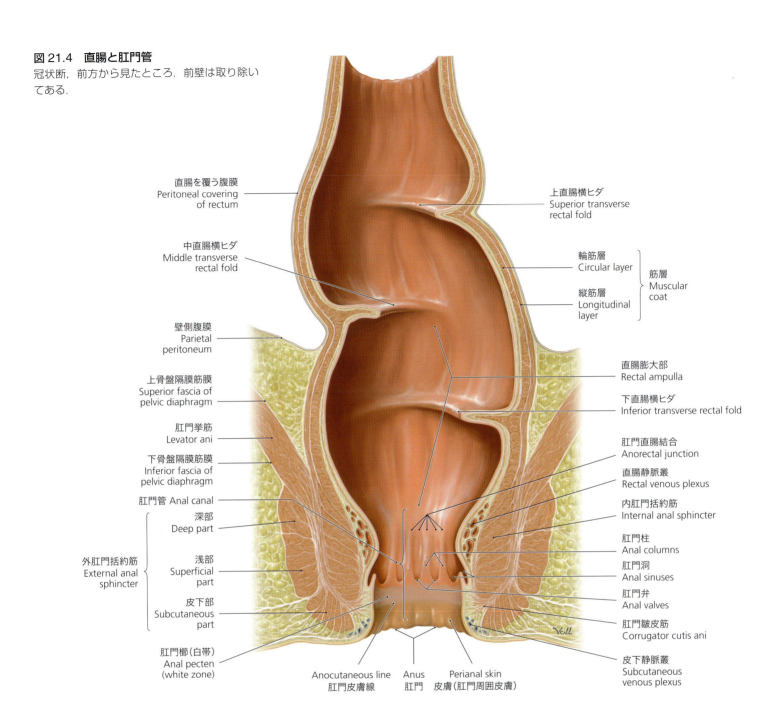

図 21.4 直腸と肛門管
冠状断，前方から見たところ．前壁は取り除いてある．

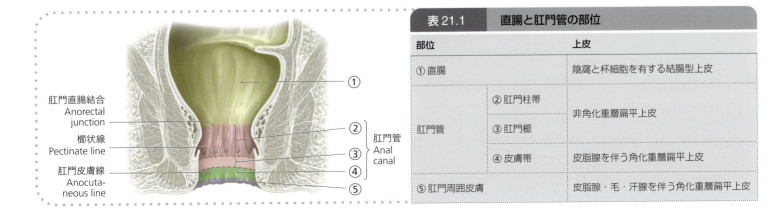

表 21.1	直腸と肛門管の部位	
部位		上皮
① 直腸		陰窩と杯細胞を有する結腸型上皮
肛門管	② 肛門柱帯	非角化重層扁平上皮
	③ 肛門櫛	
	④ 皮膚帯	皮脂腺を伴う角化重層扁平上皮
⑤ 肛門周囲皮膚		皮脂腺・毛・汗腺を伴う角化重層扁平上皮

尿管
Ureters

図 21.5　原位置の尿管
男性の腹部，前方から見たところ．泌尿器官以外の臓器と直腸断端は取り除いてある．尿管は腹膜後器官である．尿管は，外腸骨動脈と内腸骨動脈との分岐部で総腸骨動脈と交叉した後，骨盤に入る．

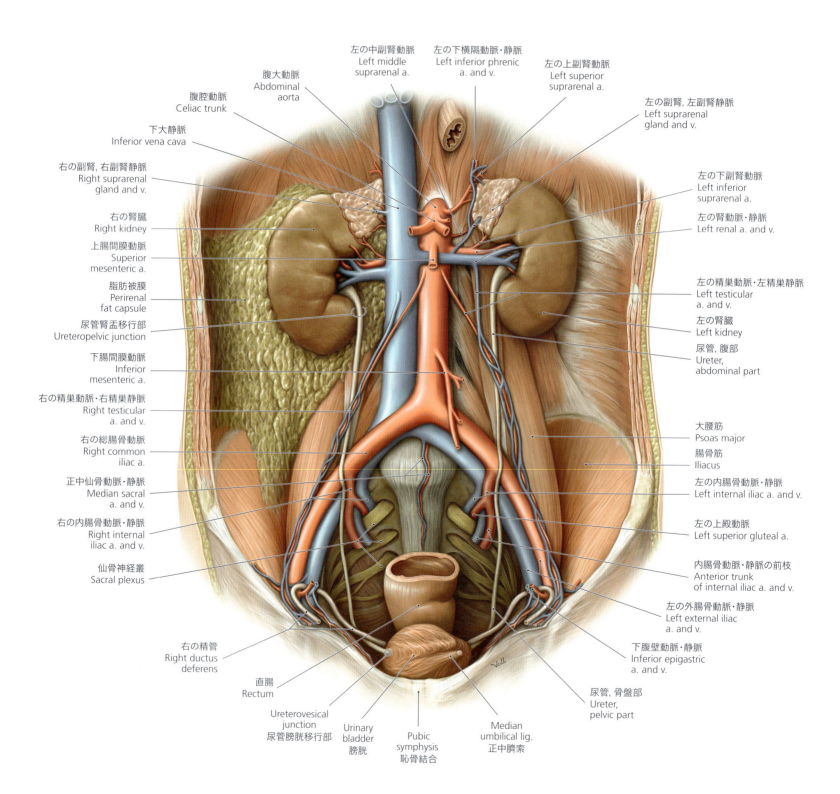

図 21.6　男性骨盤内の尿管
上方から見たところ．腹膜は取り除いてある．

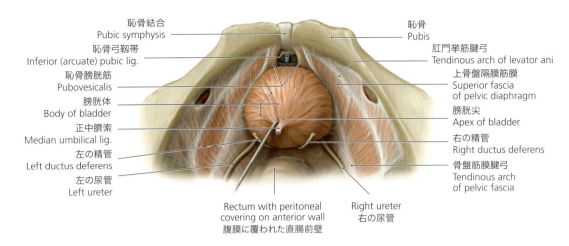

図 21.7　女性骨盤内の尿管
上方から見たところ．尿管の骨盤部は子宮頸の約2cm外側で子宮動脈の下を通る．

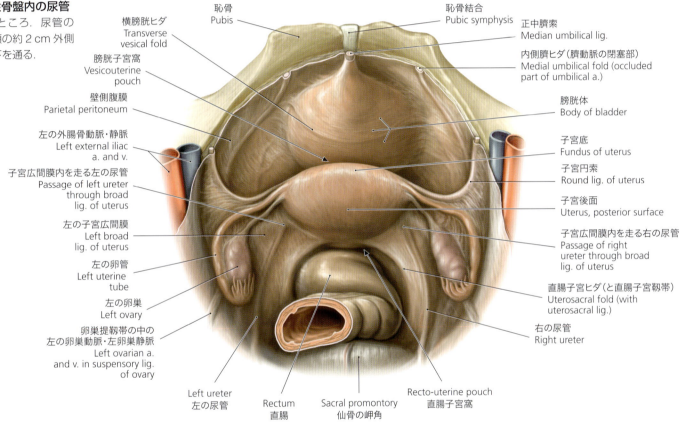

臨床 BOX 21.1

尿管の解剖学的狭窄部

通常3つの解剖学的狭窄があり，そこでは腎盂からの痛みを起こす腎結石が引っかかりやすい．

- 腎盂からの尿管起始部での狭窄（尿管腎盂移行部）
- 外腸骨動脈や総腸骨静脈を尿管が乗り越える箇所
- 尿管の膀胱壁の貫通部（尿管膀胱移行部）

時々，精巣/卵巣動静脈が尿管の前を通るところを，4番目の狭窄部とする場合もある．

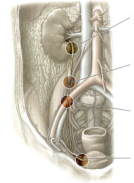

第一の狭窄部：腎下極を超えるところでの尿管の狭窄（腹部）

精巣/卵巣動静脈が尿管前部を通るところで狭窄が起こりうる

第二の狭窄部：尿管が外腸骨動静脈を乗り越える（骨盤部）

第三の狭窄部：尿管が膀胱壁を横切る（壁内部）

膀胱と尿道
Urinary Bladder & Urethra

図 21.8 女性の膀胱と尿道

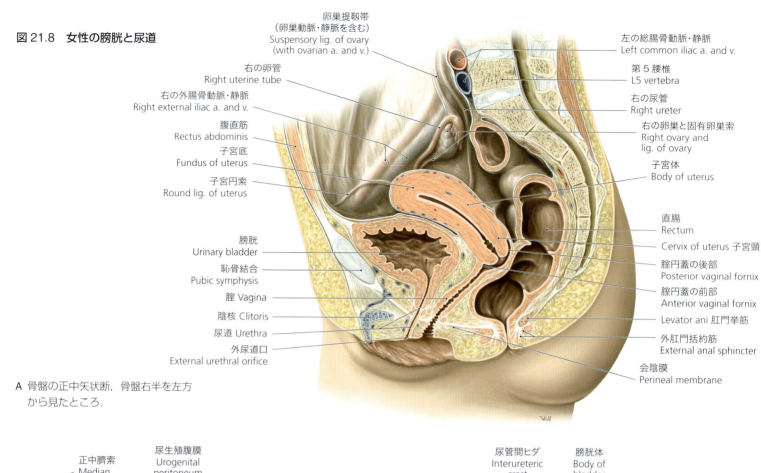

A 骨盤の正中矢状断，骨盤右半を左方から見たところ．

図 21.9 女性の尿道括約筋機構
前外側方から見たところ．

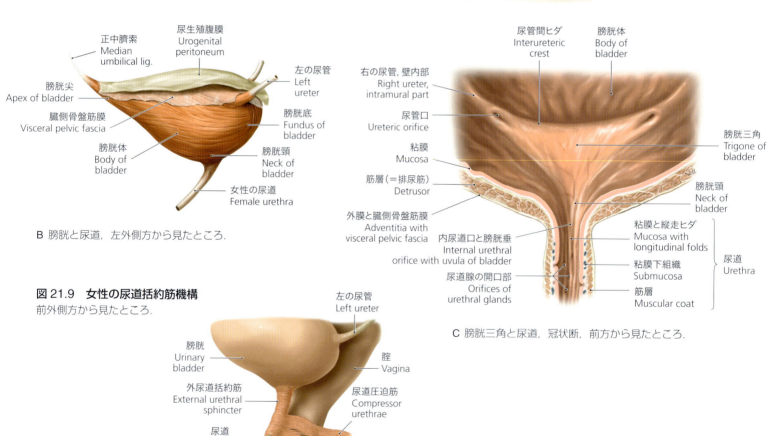

B 膀胱と尿道，左外側方から見たところ．

C 膀胱三角と尿道，冠状断，前方から見たところ．

図 21.10　男性の膀胱と尿道

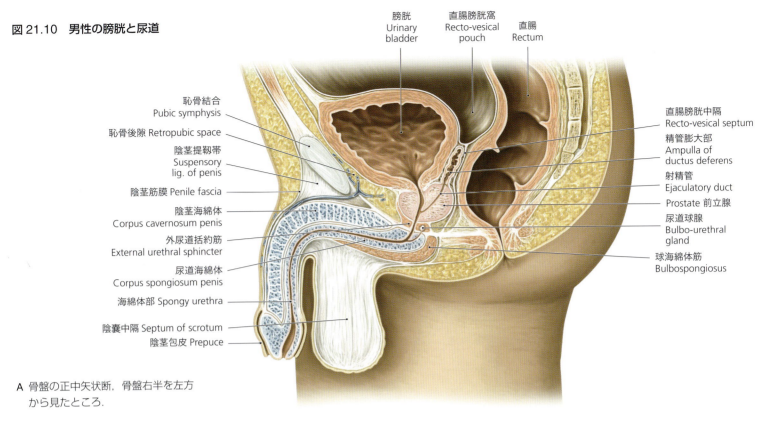

A　骨盤の正中矢状断，骨盤右半を左方から見たところ．

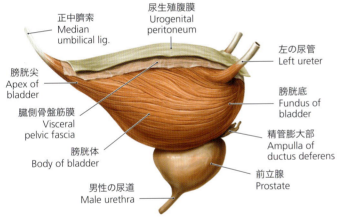

B　膀胱，尿道，前立腺，左外側方から見たところ．

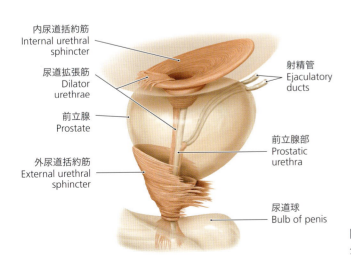

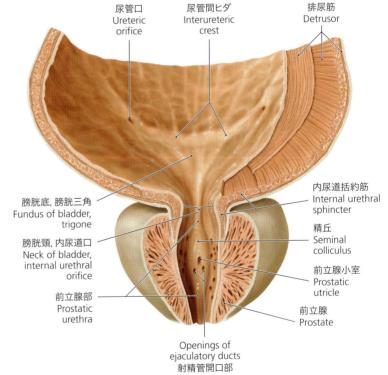

C　膀胱三角，尿道，前立腺の冠状断，前方から見たところ．

図 21.11　男性の尿道括約筋機構
外側方から見たところ．

生殖器の概観
Overview of the Genital Organs

生殖器は，局所解剖学的には内生殖器と外生殖器に分類される．
また，機能によっても分類される（表21.2，21.3）．

表21.2　女性生殖器

	器官		機能
内生殖器	卵巣		生殖細胞とホルモンの産生
	卵管		受精の場，接合子の運搬
	子宮		胎児の発育と分娩の器官
	腟（上部）		交接と分娩の器官
外生殖器	外陰部	腟（前庭）	
		大・小陰唇	副交接器
		陰核	
		大・小前庭腺	粘液性分泌物の産生
		恥丘	恥骨の保護

図21.12　女性生殖器

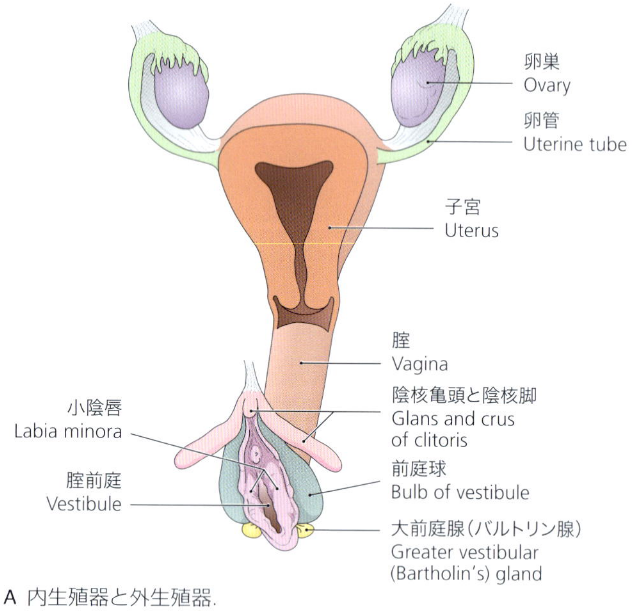

A　内生殖器と外生殖器．

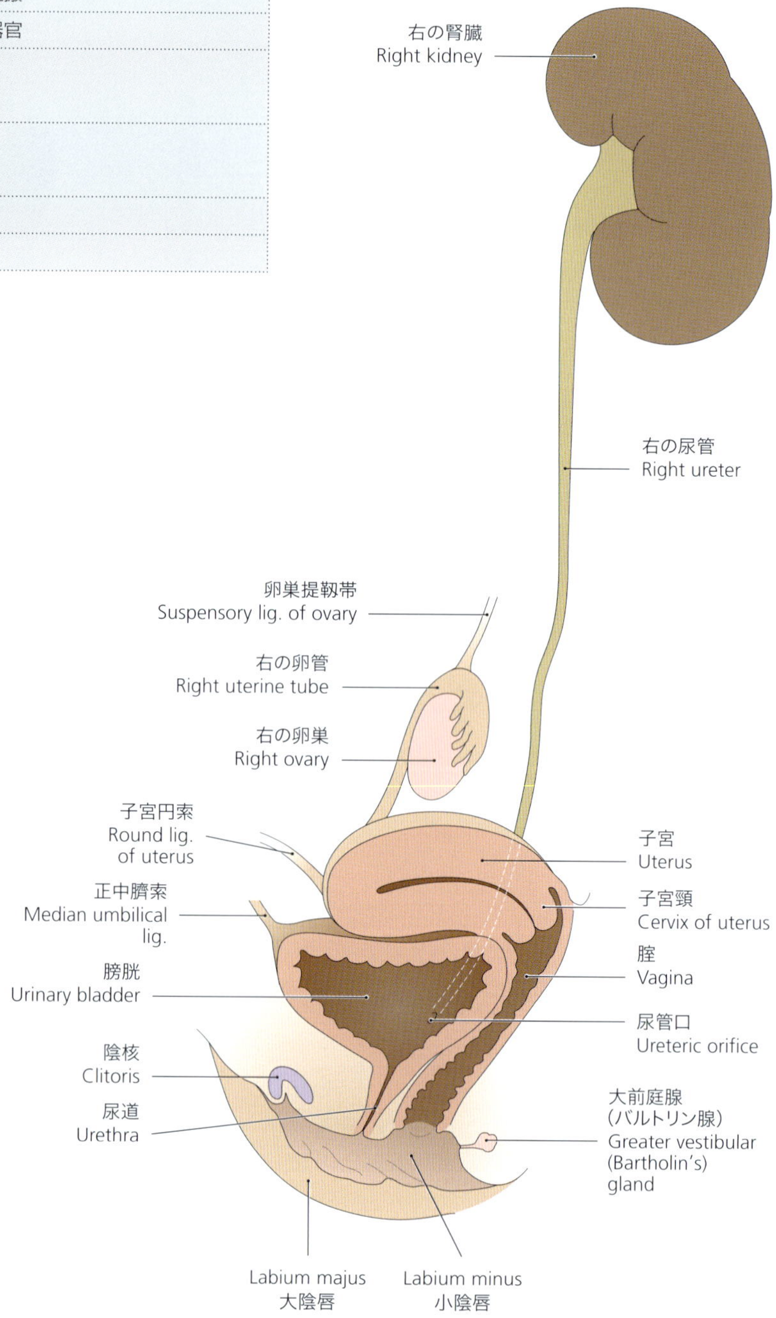

B　尿生殖器系．Note：女性の尿路と生殖路は機能的に分かれているが，位置は密接している．

表21.3　男性生殖器

	器官		機能
内生殖器	精巣		生殖細胞とホルモンの産生
	精巣上体		精子の貯蔵
	精管		精子の運搬器官
	付属生殖腺	前立腺	分泌液（精液）の産生
		精嚢	
		尿道球腺	
外生殖器	陰茎		交接器官，排尿器官
	尿道		尿と精液の導管
	陰嚢		精巣の保護
	精巣被膜		

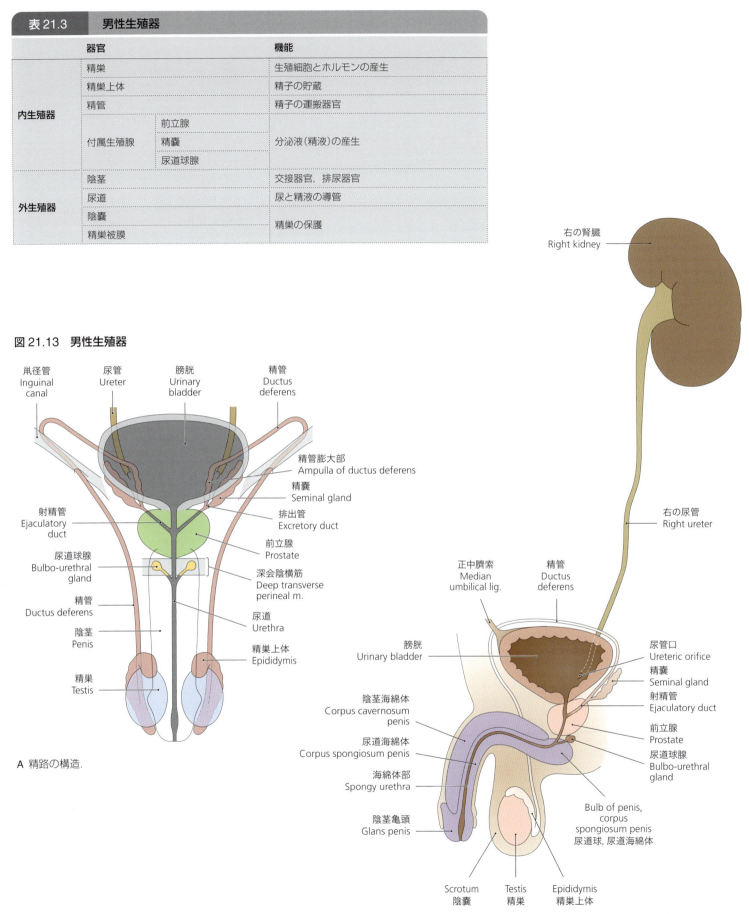

図21.13　男性生殖器

A　精路の構造．

B　尿生殖器系．*Note*：男性の尿道は尿路と生殖路の共通の通路となっている．

子宮と卵巣
Uterus & Ovaries

図21.14 子宮広間膜
子宮広間膜領域，矢状断．子宮広間膜は腸間膜と同様に2層の腹膜からなり，卵管間膜・卵巣間膜・子宮間膜を合わせたものである．

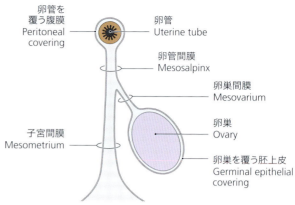

図21.15 卵巣
右の卵巣，後方から見たところ．

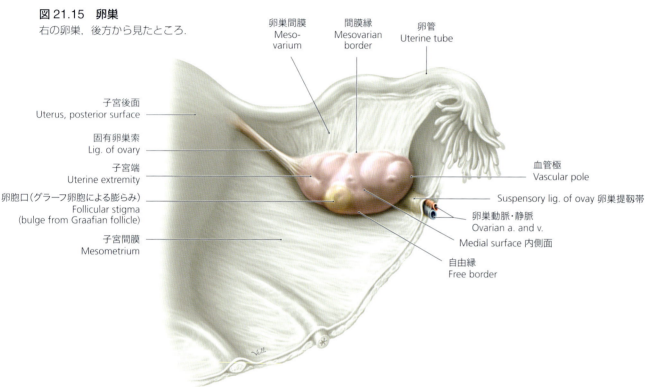

図21.16 子宮の正常な弯曲と位置
正中矢状断．左外側方から見たところ．子宮の位置は ① 屈曲と ② 傾きで記述される．
① 屈曲：子宮体と子宮峡部の間の角度；正常であれば前屈．
② 傾き：子宮頸管と腟の間の角度；正常であれば前傾．

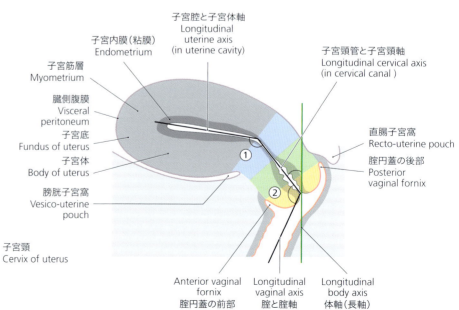

図 21.17 子宮と卵管

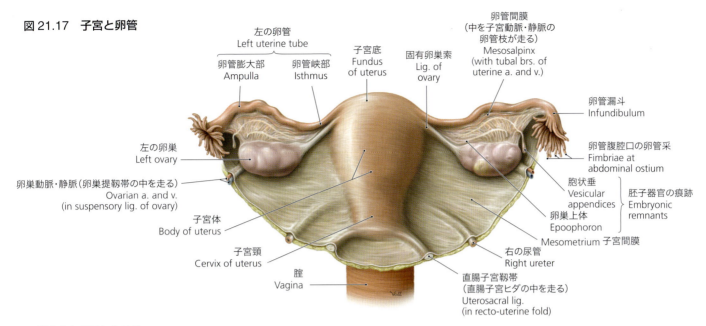

A 後上方から見たところ．

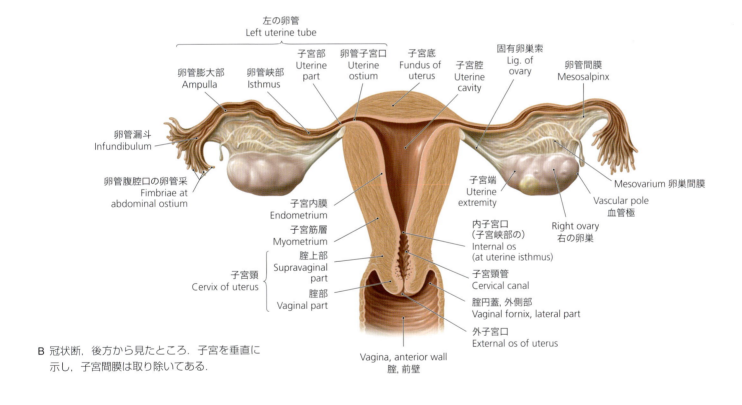

B 冠状断，後方から見たところ．子宮を垂直に示し，子宮間膜は取り除いてある．

臨床 BOX 21.2

異所性妊娠

通常，卵子は卵管膨大部で受精後に子宮腔の壁に着床するが，他の場所（卵管や場合によっては腹膜腔）に着床することもある．最も一般的な異所性妊娠である卵管妊娠では卵管壁が破裂し，腹膜腔内に出血することで生命の危機に陥る可能性がある．卵管妊娠の多くは炎症の後に卵管粘膜に癒着が生じることにより起こる．

骨盤深部の靱帯と筋膜
Ligaments & Fascia of the Deep Pelvis

図21.18　女性骨盤の靱帯
上方から見たところ．腹膜，血管，神経，膀胱上部を取り除き，靱帯のみを示す．骨盤深部の靱帯は骨盤腔内で子宮を支持し，子宮脱を防いで子宮が腟へ下垂しないようにしている．

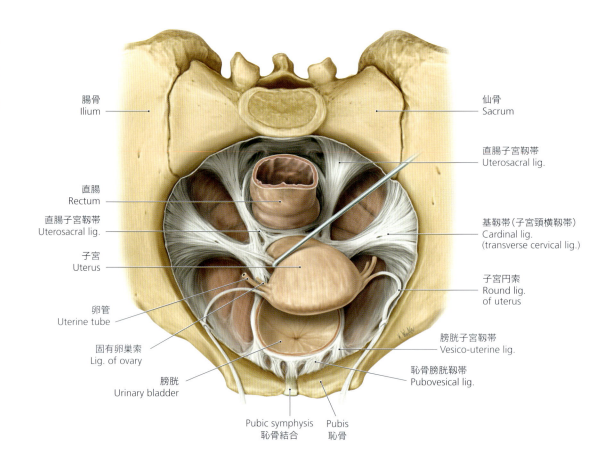

図21.19　女性の骨盤深部の靱帯
上方から見たところ．腹膜，血管，神経，子宮，膀胱を取り除いている．直腸子宮靱帯と傍腟結合組織は，骨盤内の子宮頸と腟を支持して，位置を保つのに役立っている．

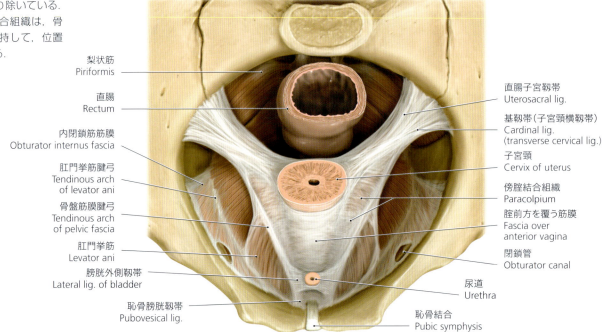

骨盤の筋膜は骨盤内臓の支持にとって重要である．骨盤内臓の臓側の筋膜と筋性の壁を覆う壁側の筋膜との移行部となっている骨盤底の両側では，骨盤筋膜腱弓と呼ばれる肥厚部が形成される．女性では臓側の筋膜と腱弓の間を埋める腟傍結合組織が腟を支持している．恥骨膀胱靱帯（男性では恥骨前立腺靱帯）は腱弓の延長で，膀胱と前立腺を支持する．骨盤内筋膜は，骨盤内臓と靱帯（基靱帯，膀胱外側靱帯，外側直腸靱帯，図 21.20 参照）の隙間を埋める脂肪に富む疎性結合組織であり，骨盤内の尿管と脈管の通路となっている．

図 21.20　女性骨盤の筋膜と靱帯

子宮頸の高さの横断面，上方から見たところ．

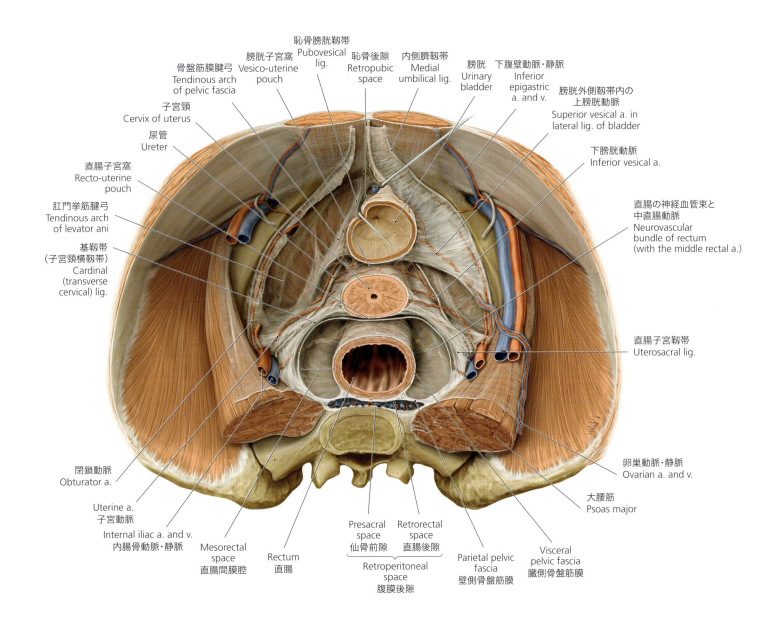

腟
Vagina

図 21.21 腟の位置
正中矢状断，左外側方から見たところ．

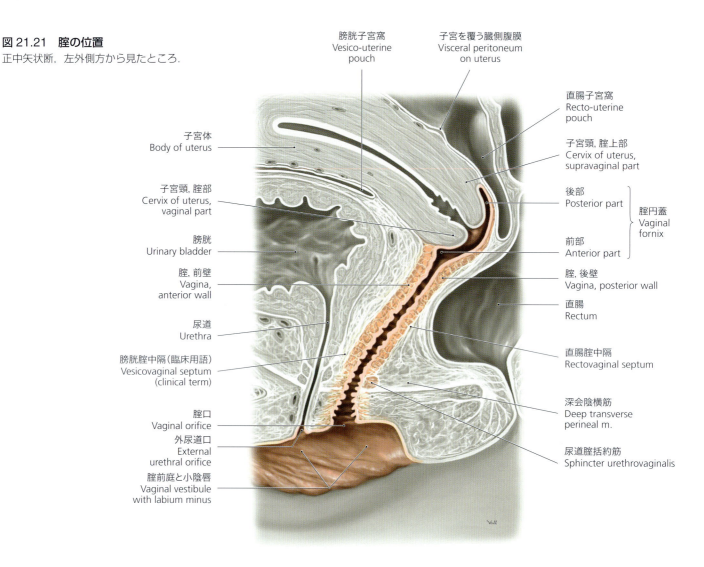

図 21.22 腟と腹膜・骨盤器官との関係
正中矢状断，左外側方から見たところ．腟はほぼ完全に腹膜下腔に位置する．直腸子宮窩の腹膜液や膿瘍からの膿をドレナージする，ダグラス窩穿刺は，腟円蓋後部を通じて行われる．

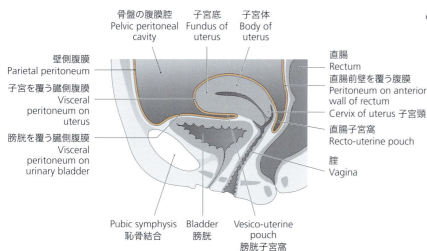

図 21.23 腟の構造
後方に向かっての冠状断，後方から見たところ．

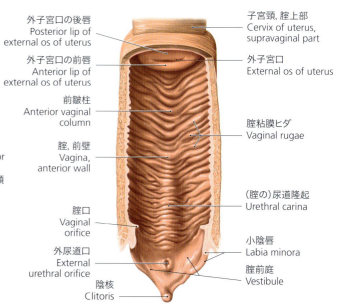

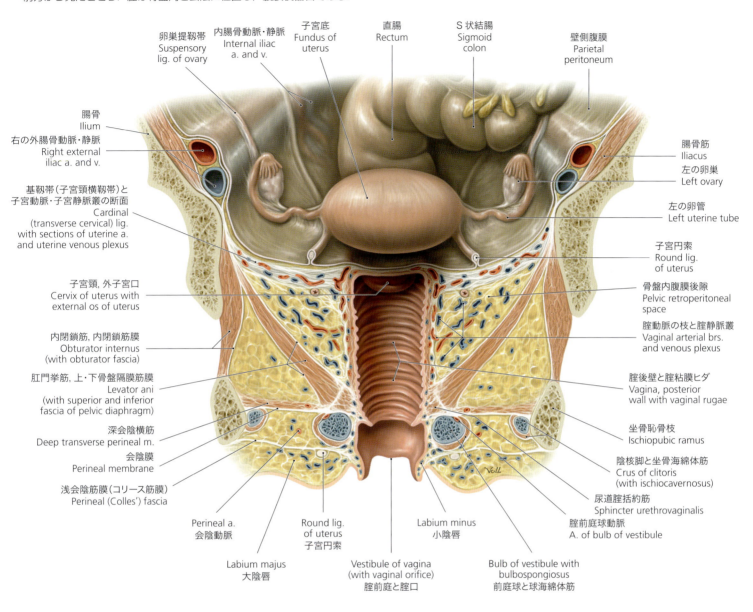

図 21.24 女性生殖器：冠状断
前方から見たところ．腟は骨盤内と会陰に位置し，腹膜後器官である．

図 21.25 会陰における腟の位置
下方から見たところ．

女性の外生殖器
Female External Genitalia

図 21.26 女性の外生殖器
切石位．小陰唇を開く．

図 21.27 腟前庭と前庭腺
切石位．小陰唇を開く．

図 21.28 女性会陰の勃起組織

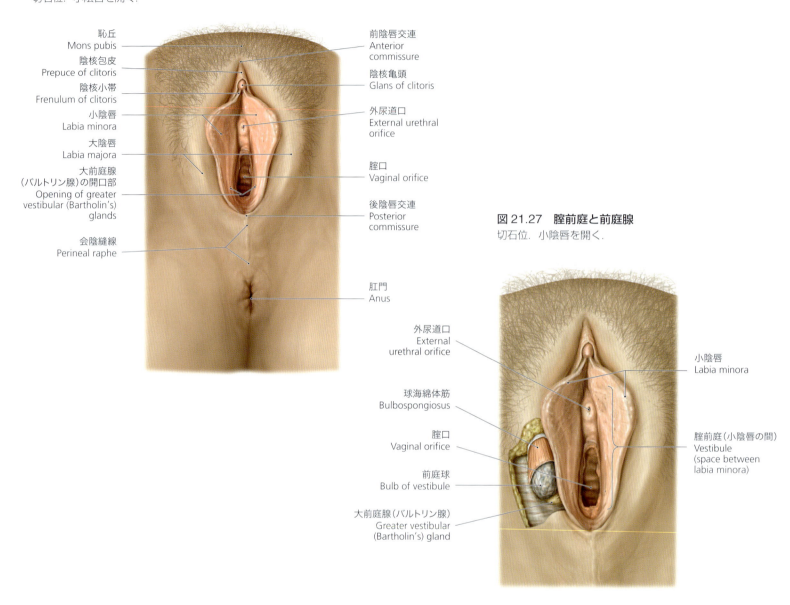

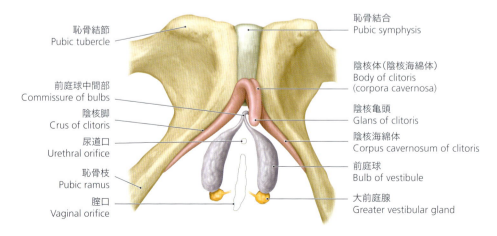

図 21.29　女性の勃起組織と勃起協力筋
切石位．大陰唇，小陰唇は取り除いてある．左側では坐骨海綿体筋と球海綿体筋を取り除いてある．

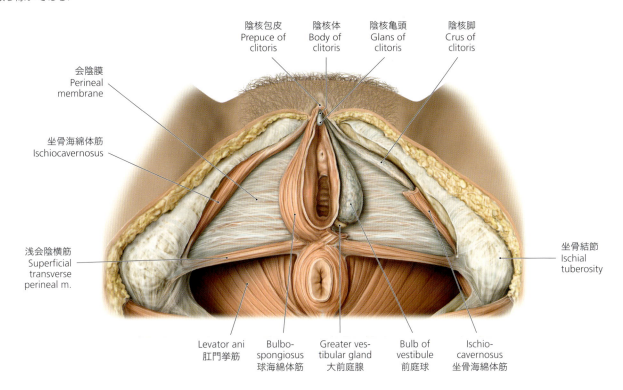

臨床 BOX 21.3

会陰切開術

会陰切開術は分娩の娩出期に産道を拡大する産科的手技である．この手技は一般には娩出期の低酸素症を防ぎ娩出を早めるために用いられる．その他，会陰の皮膚が白色になった（血流の低下を表す）場合，会陰裂傷の危険が切迫しており，会陰切開術がしばしば行われる．側切開が切開の幅を最も広くとれるが，回復は難しくなる．

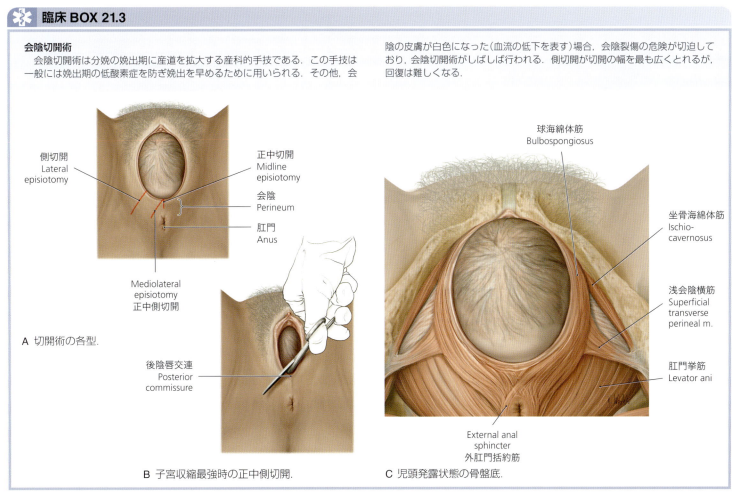

A 切開術の各型．　　B 子宮収縮最強時の正中側切開．　　C 児頭発露状態の骨盤底．

陰茎，精巣，精巣上体
Penis, Testis & Epididymis

図 21.30　陰茎

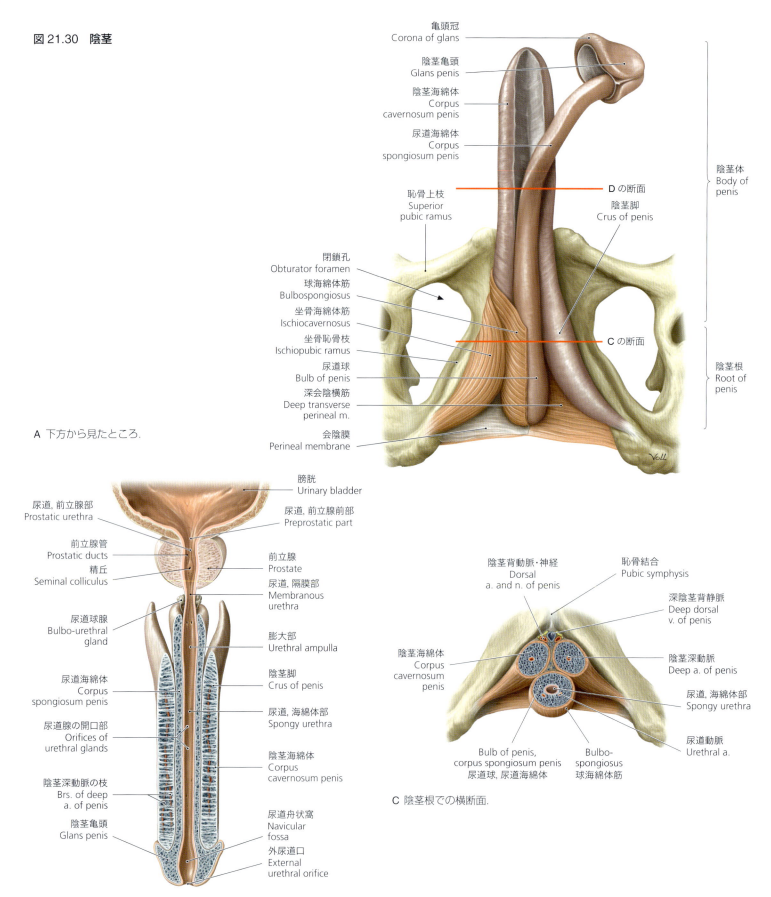

A 下方から見たところ.

B 縦断面.

C 陰茎根での横断面.

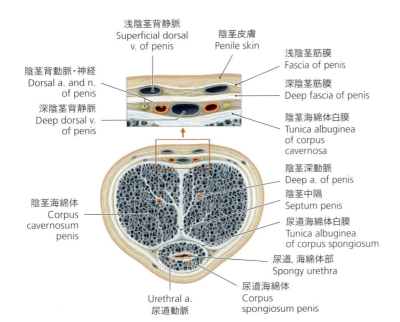

D 陰茎体での横断面.

図 21.31 精巣と精巣上体
左外側方から見たところ.

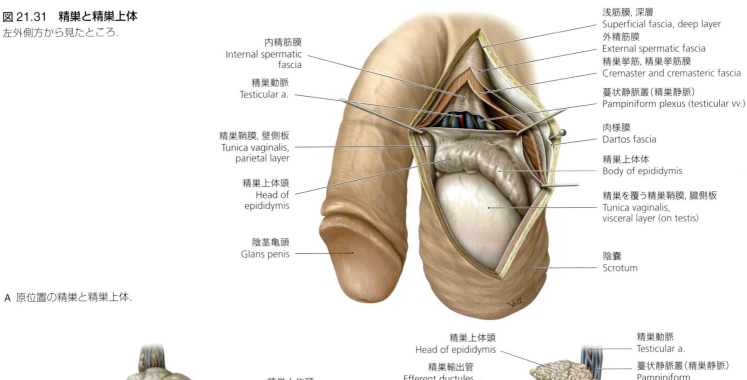

A 原位置の精巣と精巣上体.

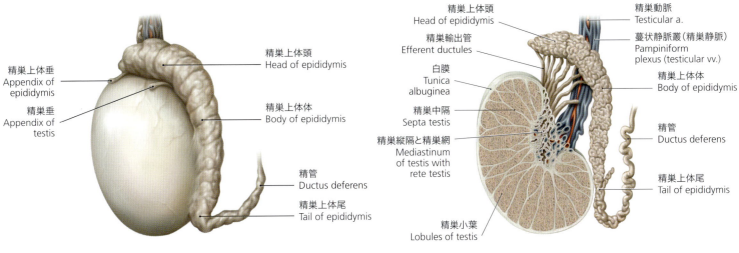

B 精巣と精巣上体の表面.

C 精巣と精巣上体の矢状断.

男性の付属生殖腺
Male Accessory Sex Glands

付属生殖腺は精嚢，前立腺，尿道球腺からなり，精漿を分泌し，精子に栄養を与えるとともに男性尿道内と腟内の酸性度を中和する．

図 21.32 付属生殖腺
後方から見たところ．精嚢の排出管と精管は合流して射精管を作る．

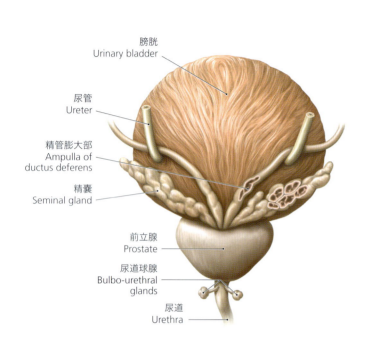

図 21.33 前立腺の解剖学的区分

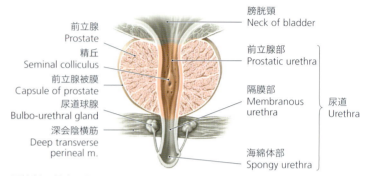

A 冠状断，前方から見たところ．

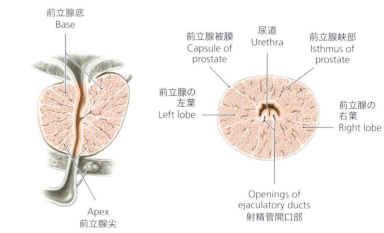

B 矢状断，左外側方から見たところ．　　C 水平断，上方から見たところ．

図 21.34 前立腺の臨床的区分

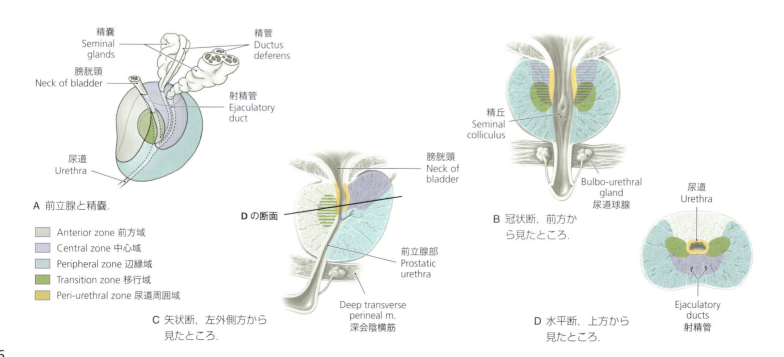

図 21.35 原位置の前立腺
男性骨盤の矢状断．左外側方から見たところ．

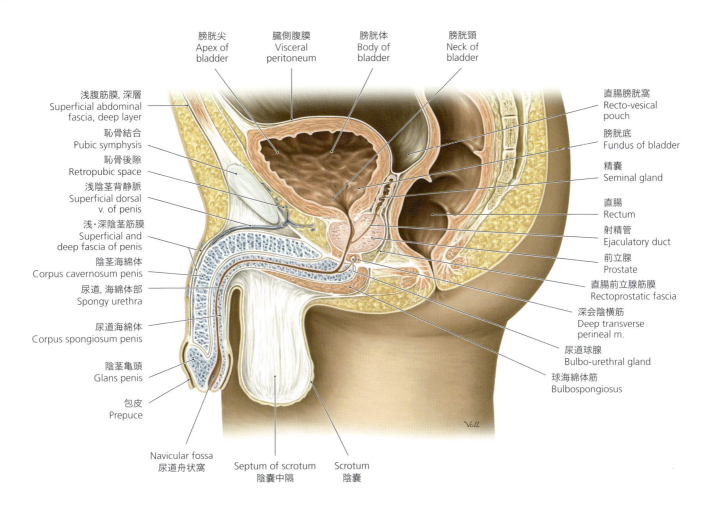

臨床 BOX 21.4

前立腺癌と前立腺肥大

前立腺癌は，高齢の男性において最もよくみられる悪性腫瘍の1つで，前立腺の辺縁領域の被膜下に増殖する．良性の前立腺肥大が中心領域で生じるのとは対照的に，前立腺癌は早期では尿路を閉塞しない．辺縁領域にある腫瘍は直腸内診では直腸の前壁を通して硬い塊として触知される．前立腺疾患，特に前立腺癌では前立腺特異抗原 prostate-specific antigen (PSA) と呼ばれる蛋白質の量が増加する．この蛋白質は簡単な血液検査で測定できる．

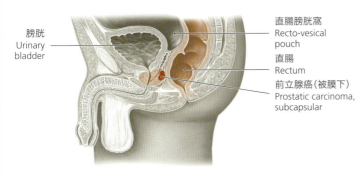

A 前立腺癌の頻発部位．

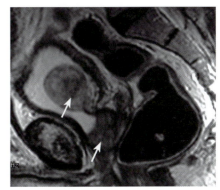

B 膀胱浸潤を伴う前立腺癌（矢印）．

22 血管・神経
骨盤器官と骨盤壁への血管供給の概観
Overview of the Blood Supply to Pelvic Organs & Wall

図 22.1　右の内腸骨動脈の枝
男性骨盤の側壁．左外側方から見たところ．内腸骨動脈は総腸骨動脈から分岐する．前動脈幹は骨盤内臓への臓側枝と骨盤壁への壁側枝を伸ばし，後動脈幹は壁側枝のみを伸ばす．子宮と腟への枝は，男性の血管との主要な違いである．

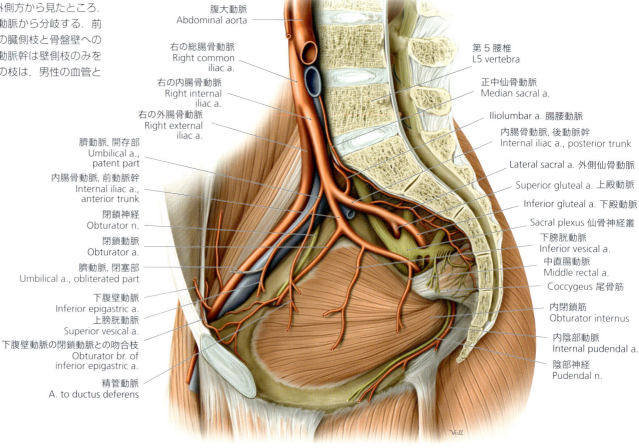

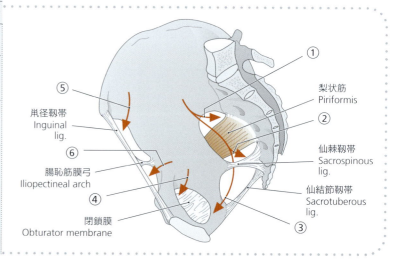

表 22.1　骨盤の神経・脈管路

骨盤壁には6つの主要な神経・脈管路があり，そのうちの4つ（*）は内腸骨動脈の枝が通る．

通路	通過する血管・神経
後方 ① 大坐骨孔（梨状筋上孔）*	上殿動脈，上殿静脈，上殿神経
② 大坐骨孔（梨状筋下孔）*	下殿動脈，下殿静脈，下殿神経，坐骨神経，内陰部動脈，内陰部静脈，陰部神経，後大腿皮神経
骨盤底 ③ 陰部神経管を通っての小坐骨孔*	内陰部動脈，内陰部静脈，陰部神経
外側 ④ 閉鎖管*	閉鎖動脈，閉鎖静脈，閉鎖神経
前方 ⑤ 血管裂孔（鼡径靱帯の後方，腸恥筋膜弓の内側）	大腿神経，外側大腿皮神経
⑥ 筋裂孔（鼡径靱帯の後方，腸恥筋膜弓の外側）	大腿動脈，大腿静脈，リンパ管（大腿動脈は外腸骨動脈の枝），陰部大腿神経の大腿枝

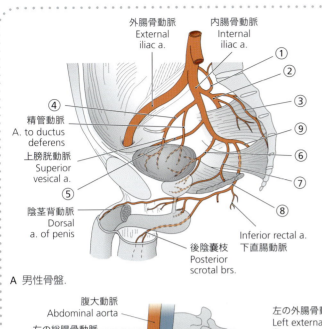

A 男性骨盤.

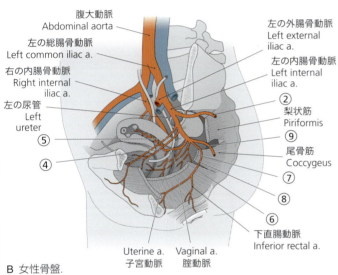

B 女性骨盤.

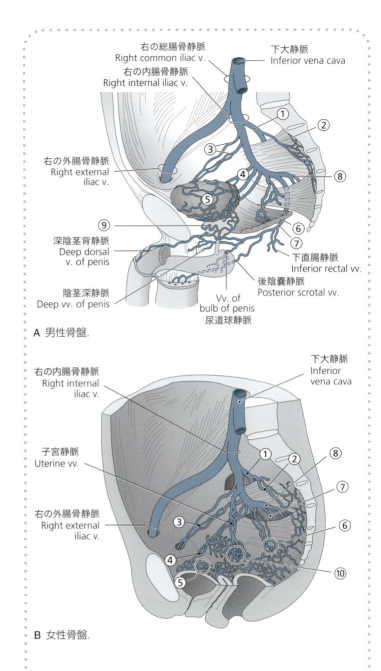

A 男性骨盤.

B 女性骨盤.

表 22.2	内腸骨動脈の枝	
内腸骨動脈は5本の骨盤への壁側枝と4本の骨盤内臓への内臓枝を出す*．壁側枝は赤字で示す．		
枝		
①	腸腰動脈	
②	上殿動脈	
③	外側仙骨動脈	
④	臍動脈	精管動脈
		上膀胱動脈
⑤	閉鎖動脈	
⑥	下膀胱動脈	
⑦	中直腸動脈	
⑧	内陰部動脈	下直腸動脈
		陰茎背動脈
		後陰嚢枝
⑨	下殿動脈	
*女性骨盤では内腸骨動脈の前動脈幹から子宮動脈と腟動脈が直接起こる．		

表 22.3	骨盤の静脈分布
支脈	
①	上殿静脈
②	外側仙骨静脈
③	閉鎖静脈
④	膀胱静脈
⑤	膀胱静脈叢
⑥	中直腸静脈（直腸静脈叢）（上直腸静脈は図には示されていない）
⑦	内陰部静脈
⑧	下殿静脈
⑨	前立腺静脈叢
⑩	子宮静脈叢と腟静脈叢
男性骨盤には前立腺静脈叢と陰茎と陰嚢に分布する静脈がある．	

男性骨盤の動脈と静脈
Arteries & Veins of the Male Pelvis

図 22.2　男性骨盤の血管
骨盤の右半，左外側方から見たところ．

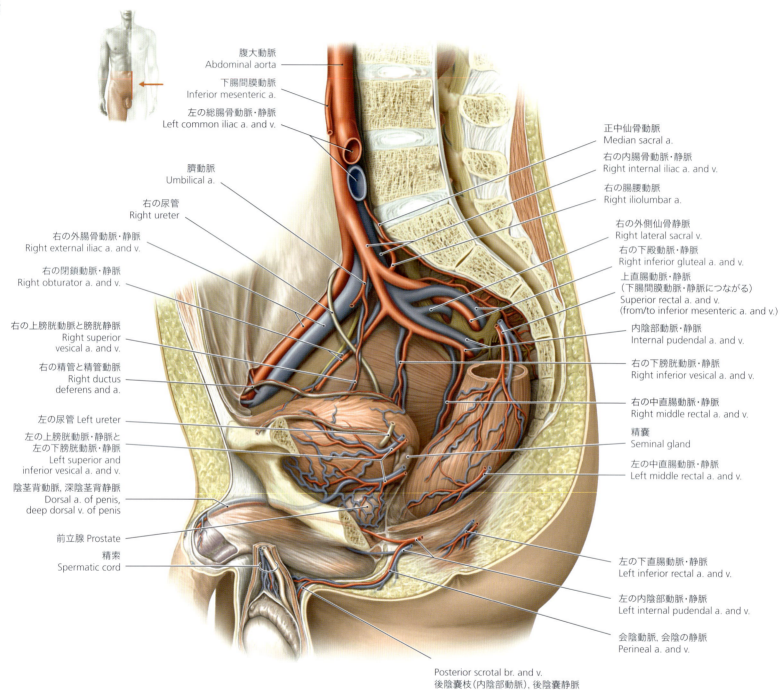

図 22.3 男性生殖器の血管
鼠径管と精索の被膜は開いてある.

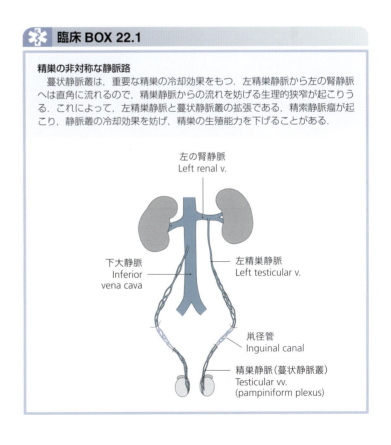

図 22.4 精巣の血管
左外側方から見たところ.

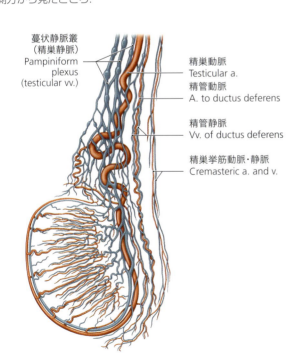

臨床 BOX 22.1

精巣の非対称な静脈路

蔓状静脈叢は，重要な精巣の冷却効果をもつ．左精巣静脈から左の腎静脈へは直角に流れるので，精巣静脈からの流れを妨げる生理的狭窄が起こりうる．これによって，左精巣静脈と蔓状静脈叢の拡張である，精索静脈瘤が起こり，静脈叢の冷却効果を妨げ，精巣の生殖能力を下げることがある．

女性骨盤の動脈と静脈
Arteries & Veins of the Female Pelvis

図22.5 女性骨盤の血管
骨盤の右半，左外側方から見たところ．

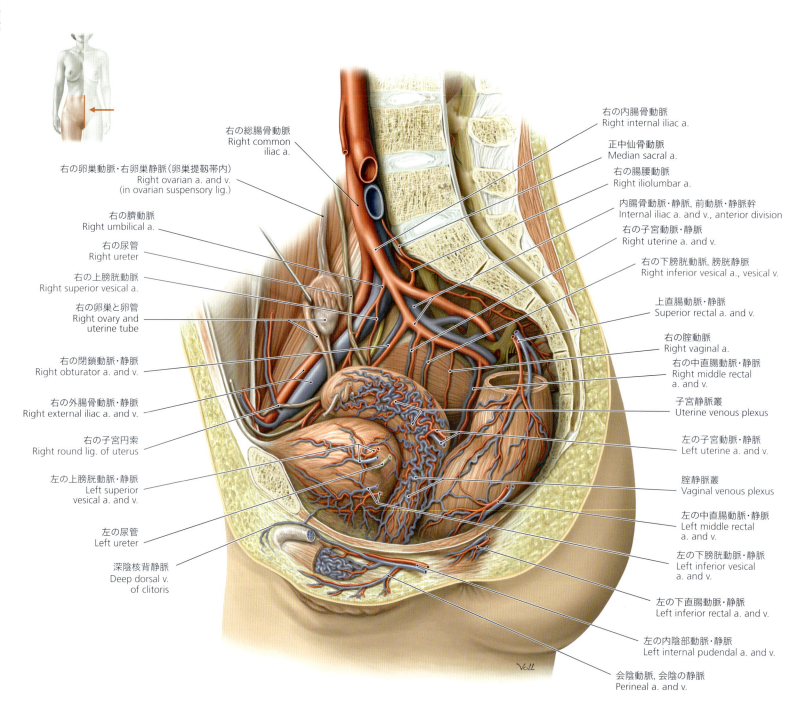

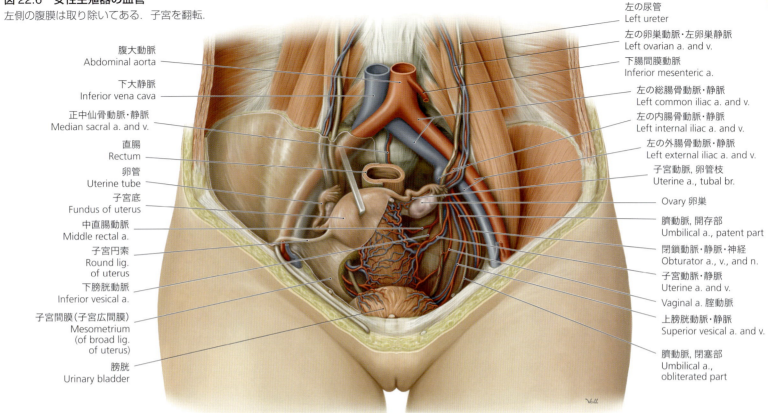

図 22.6 女性生殖器の血管
左側の腹膜は取り除いてある．子宮を翻転．

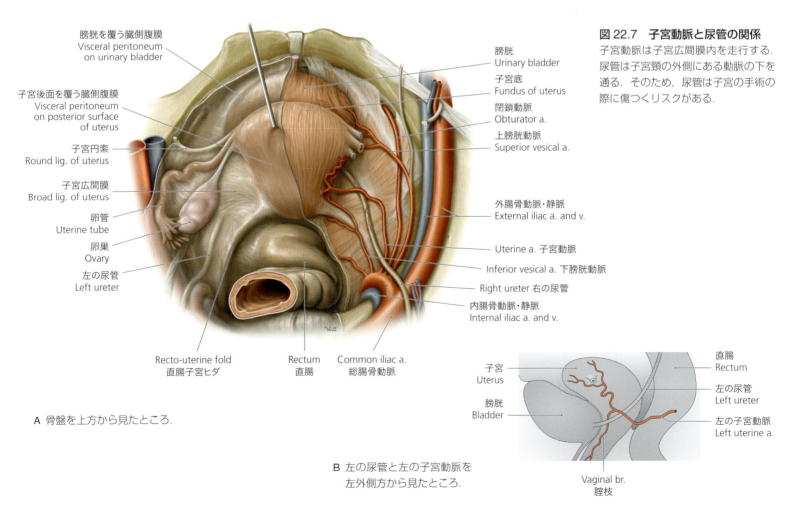

A 骨盤を上方から見たところ．

B 左の尿管と左の子宮動脈を左外側方から見たところ．

図 22.7 子宮動脈と尿管の関係
子宮動脈は子宮広間膜内を走行する．尿管は子宮頸の外側にある動脈の下を通る．そのため，尿管は子宮の手術の際に傷つくリスクがある．

直腸と外生殖器の動脈と静脈
Arteries & Veins of the Rectum & External Genitalia

図 22.8 直腸の血管

後方から見たところ．主に直腸に分布するのは上直腸動脈である．中直腸動脈は上直腸動脈と下直腸動脈との間の吻合路となっている．同様に，中直腸静脈は上直腸静脈と下直腸静脈との間で重要な門脈体循環側副路となっている．

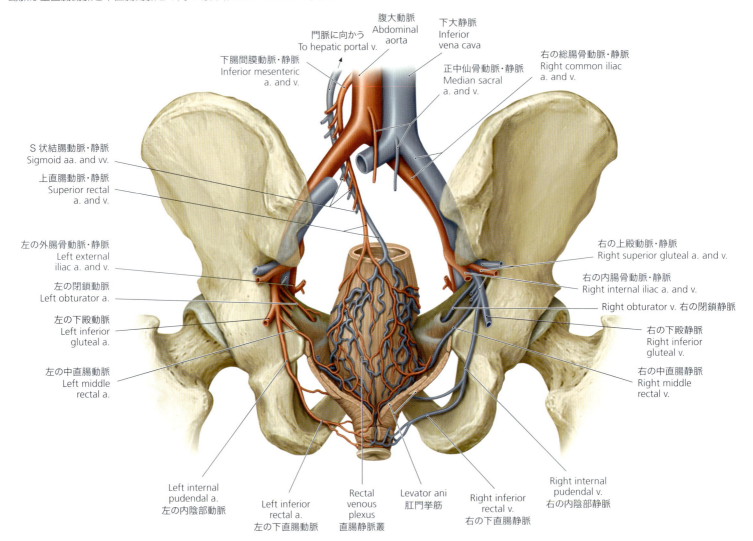

図 22.9 痔静脈叢

肛門管の縦断面．一部を切り取って痔静脈叢を見せている．痔静脈叢は，上直腸動脈の枝が分布し，常に膨らんだ海綿体で，肛門管の環状のクッションとなる．血液が充満すると，このクッションは，効果的な排便抑制機構として働き，液体と気体を漏らさない．括約筋の持続的な収縮が静脈への流れを阻害するが，排便時に括約筋が弛緩すると，血液は動静脈吻合を通って下腸間膜静脈，中直腸静脈，下直腸静脈に流れるようになる．

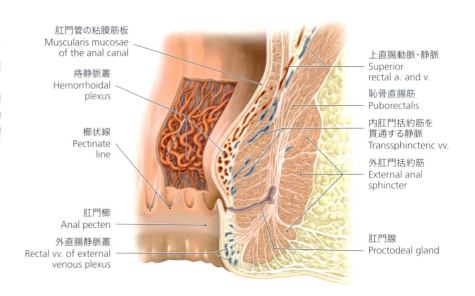

図 22.10 陰茎と陰嚢の血管・神経

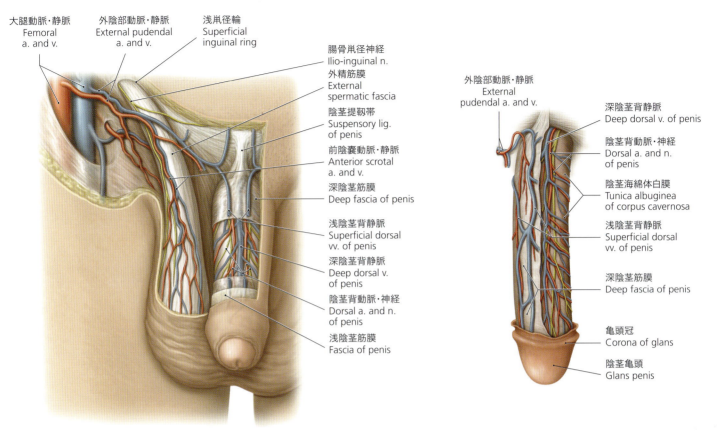

A 前方から見たところ．皮膚と筋膜の一部は取り除いてある．

B 陰茎背側の血管．
左側では深陰茎筋膜を取り除いてある．

図 22.11 女性外生殖器の血管
下方から見たところ．

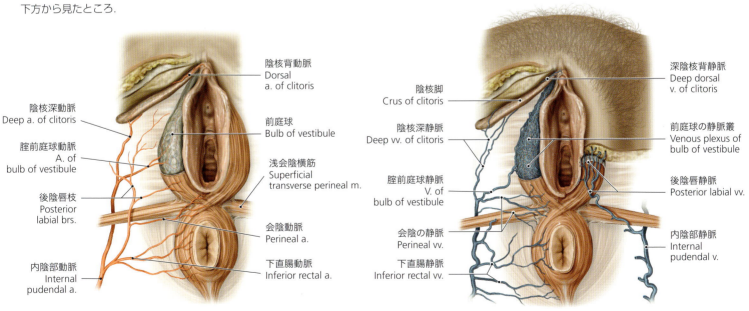

A 動脈分布．

B 静脈分布．

骨盤部のリンパ流路
Lymphatics of the Pelvis

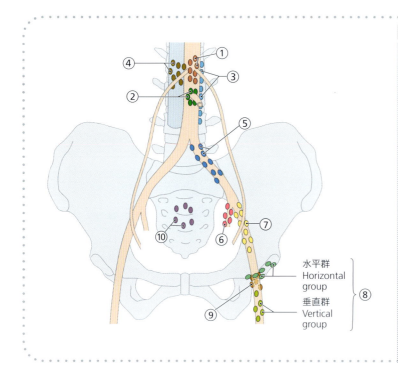

表 22.4　骨盤のリンパ節

骨盤部のリンパ節は，主要な血管に沿って，および仙骨の前方に分布する．骨盤内臓からのリンパは，大動脈前リンパ節あるいは外側大動脈リンパ節に排導される前に，いくつかのリンパ節（鼡径リンパ節，内腸骨リンパ節，外腸骨リンパ節，仙骨リンパ節，総腸骨リンパ節）の1つあるいは複数に流れ込む．会陰からのリンパはまず，浅鼡径リンパ節あるいは深鼡径リンパ節に流れ，その後外腸骨リンパ節に排導される．精巣と卵巣からは直接外側大動脈リンパ節に排導されることに注意．

大動脈前リンパ節	① 上腸間膜リンパ節
	② 下腸間膜リンパ節
③ 左の外側大動脈リンパ節	
④ 右の外側大動脈（大静脈）リンパ節	
⑤ 総腸骨リンパ節	
⑥ 内腸骨リンパ節	
⑦ 外腸骨リンパ節	
⑧ 浅鼡径リンパ節	水平群
	垂直群
⑨ 深鼡径リンパ節	
⑩ 仙骨リンパ節	

図 22.12　直腸のリンパ流路
前方から見たところ．直腸の3つの領域からのリンパは，異なるリンパ節群に排導される．上部は下腸間膜リンパ節に，中部と下部の肛門柱領域は内腸骨リンパ節に，下部の皮膚領域は浅鼡径リンパ節に排導される．

図 22.13　膀胱と尿道のリンパ流路
前方から見たところ．膀胱のリンパは部位によって，内腸骨リンパ節および外腸骨リンパ節，あるいは直接，総腸骨リンパ節に排導される．陰茎は尿道と同様に，浅鼡径リンパ節と深鼡径リンパ節に排導される．

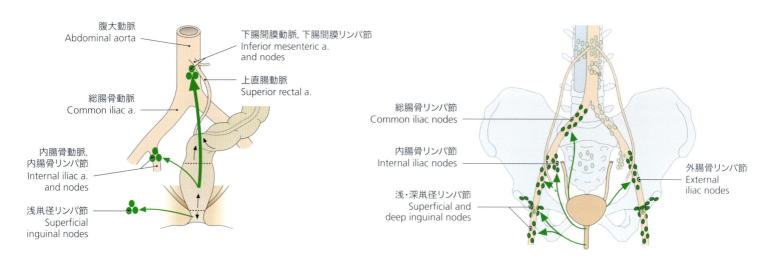

図 22.14　男性生殖器のリンパ流路

男性骨盤，前方から見たところ．男性の生殖器からのリンパは，いくつかの経路を経由して腰リンパ節に排導される．

精巣と精巣上体：精巣動静脈に沿った直接の経路を通り左腰リンパ節・右腰リンパ節に至る．精巣上体からのリンパはまず内腸骨リンパ節に流れることもある．

精管と精嚢：外腸骨リンパ節（主）と，内腸骨リンパ節に至る．
前立腺：外腸骨リンパ節，内腸骨リンパ節，仙骨リンパ節など複数の経路を経る．
陰嚢と精巣を覆う膜：浅鼠径リンパ節に至る．

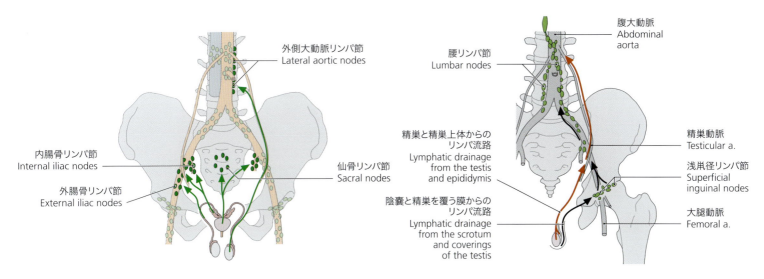

A　前立腺，精巣上体，精管，精巣のリンパ流路．

B　精巣と陰嚢のリンパ流路．

図 22.15　女性生殖器のリンパ流路

女性骨盤，前方から見たところ．女性の生殖器からのリンパは，いくつかの経路を経由して腰リンパ節に排導される．

卵巣，子宮底，卵管の遠位部：卵巣動静脈に沿った直接の経路を通り左腰リンパ節・右腰リンパ節に至る．

子宮底，子宮体，卵管の近位部：内腸骨リンパ節，外腸骨リンパ節，仙骨リンパ節に至る．
子宮頸，腟の上部と中部：深鼠径リンパ節に至る．
外生殖器（陰核前部を除く）：浅鼠径リンパ節に至る．
陰核体と陰核亀頭：深鼠径リンパ節と内腸骨リンパ節に至る．

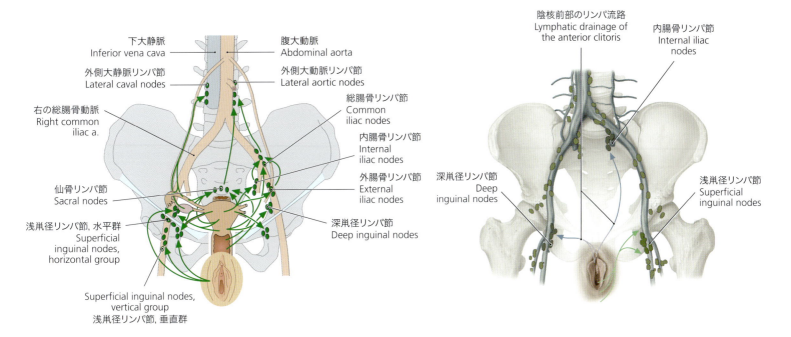

A　卵巣，子宮，卵管，腟，陰唇のリンパ流路．

B　陰核のリンパ流路．

生殖器のリンパ節
Lymph Nodes of the Genitalia

図 22.16　男性生殖器のリンパ節
前方から見たところ．直腸断端を除く消化管と腹膜は取り除いてある．

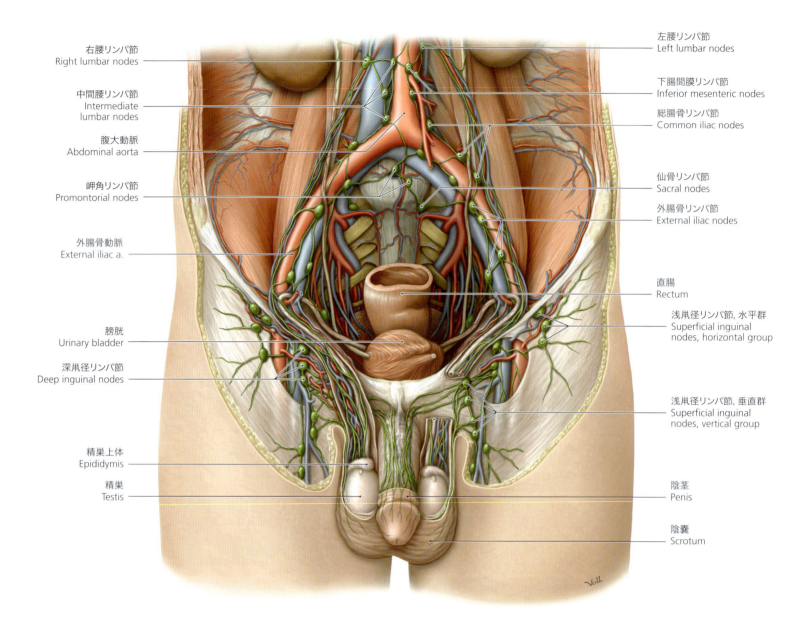

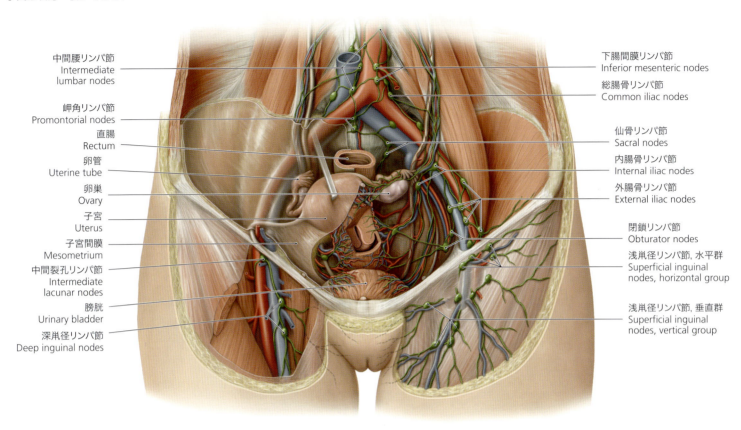

図 22.17　女性生殖器のリンパ節
前方から見たところ．直腸断端を除く消化管と腹膜は取り除いてある．
子宮は右方へ引いてある．

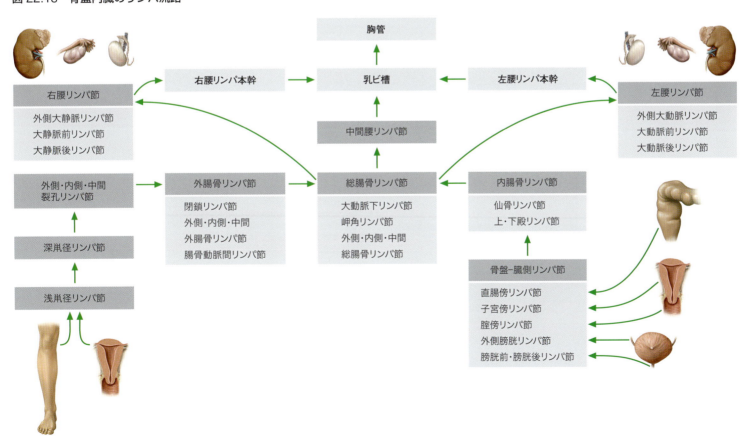

図 22.18　骨盤内臓のリンパ流路

生殖器の自律神経支配
Autonomic Innervation of the Genital Organs

図 22.19　男性骨盤の神経支配

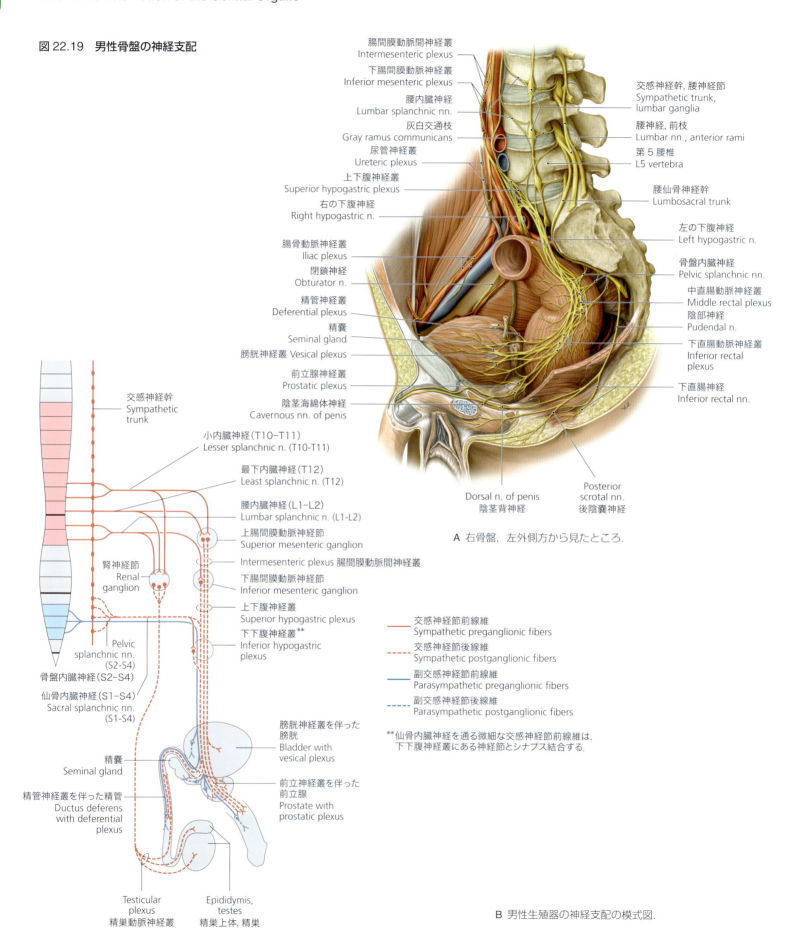

A　右骨盤，左外側方から見たところ．

B　男性生殖器の神経支配の模式図．

**仙骨内臓神経を通る微細な交感神経節前線維は，下下腹神経叢にある神経節とシナプス結合する．

図 22.20 女性骨盤の神経支配

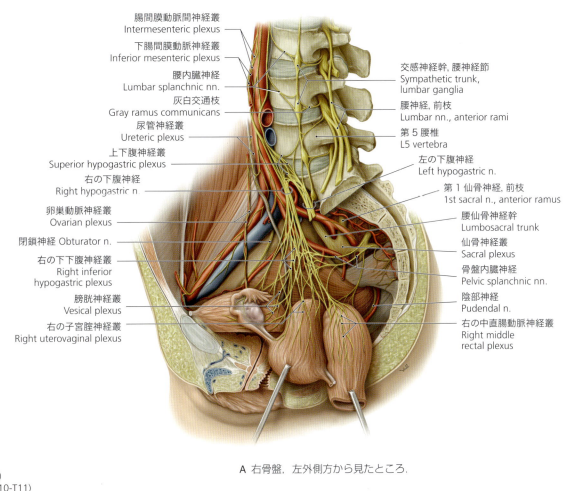

A 右骨盤，左外側方から見たところ．

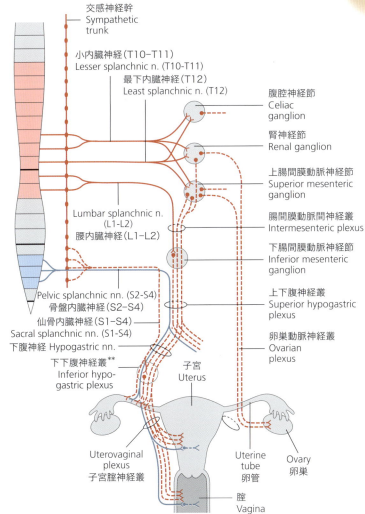

B 女性生殖器の神経支配の模式図．

**仙骨内臓神経を通る微細な交感神経節前線維は，下下腹神経叢にある神経節とシナプス結合する．

泌尿器と直腸の自律神経支配
Autonomic Innervation of the Urinary Organs & Rectum

図 22.21　泌尿器の神経支配
腎と上部尿管の神経支配は，**pp.215** と **217** を参照．

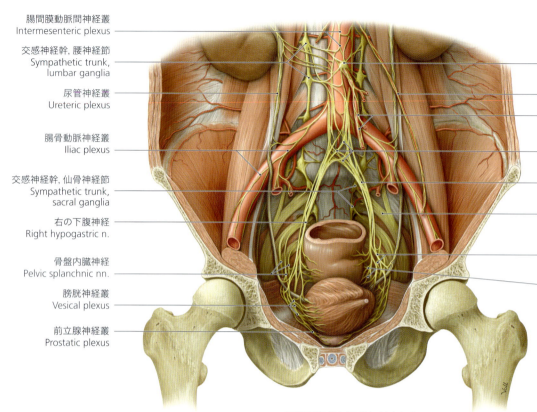

A　男性下腹部と骨盤を前方から見たところ．

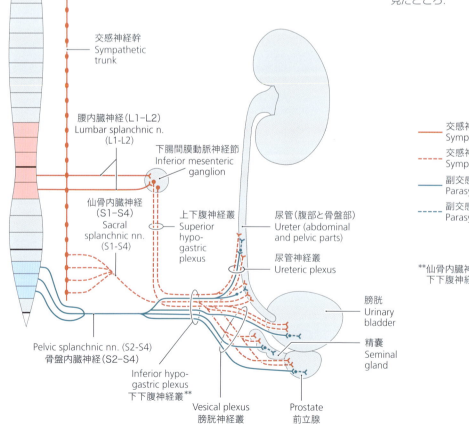

**仙骨内臓神経を通る微細な交感神経節前線維は，下下腹神経叢にある神経節とシナプス結合する．

B　膀胱と尿管の模式図．

図 22.22 肛門括約筋機構の神経支配

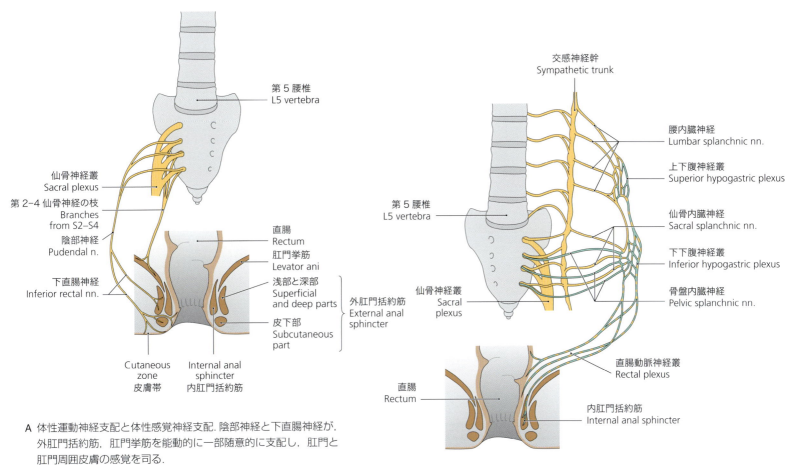

A 体性運動神経支配と体性感覚神経支配．陰部神経と下直腸神経が，外肛門括約筋，肛門挙筋を能動的に一部随意的に支配し，肛門と肛門周囲皮膚の感覚を司る．

B 臓性運動神経支配と臓性感覚神経支配．骨盤内臓神経(S2-4)は，内肛門括約筋の肛門管の閉鎖の維持にかかわる．またこの神経は直腸壁の感覚も司り，特に排便欲求を引き起こす，直腸膨大部の伸展受容器に分布している．

> ### 臨床 BOX 22.2
>
> **排便の機構（Wedel より）**
> 　排便と排便抑制はどちらも中枢神経系によって制御され，大脳皮質，腹部・骨盤部の筋肉，肛門周囲皮膚などの幅広い構造がかかわる．
> **直腸膨大部の充満と直腸膨大部壁内の伸展受容器の刺激**
> 　便柱が膨大部に押し出されてくると，機械的受容器が膨張を検出し，その情報を感覚皮質に伝達することで，便意が知覚される．
> **直腸肛門抑制反射と随意神経に支配されている括約筋の弛緩**
> 　膨大部が充満すると，直腸内圧が上昇し，内肛門括約筋が弛緩する．その後，恥骨直腸筋と外肛門括約筋の随意的な弛緩が続く．それによって直腸肛門角が拡大し，肛門管が開く．
>
> **便柱の排出**
> 　直腸からの排出は，直腸内圧の非随意的増加と，同時に起こる腹壁・骨盤底・横隔膜の随意筋の収縮による腹圧の上昇による．便柱の排出に伴い，直腸静脈叢の血管性クッションが押し出される．
> **排便の完了**
> 　括約筋機構によって便柱が通過した後，便柱は，非常に敏感な肛門管上皮に接触する．ここで，便の量，硬さ，位置が知覚される．それによって，排便完了の随意的な過程が開始され，括約筋機構の収縮，直腸静脈叢の充満が起こる．

男性と女性の会陰の血管・神経
Neurovasculature of the Male & Female Perineum

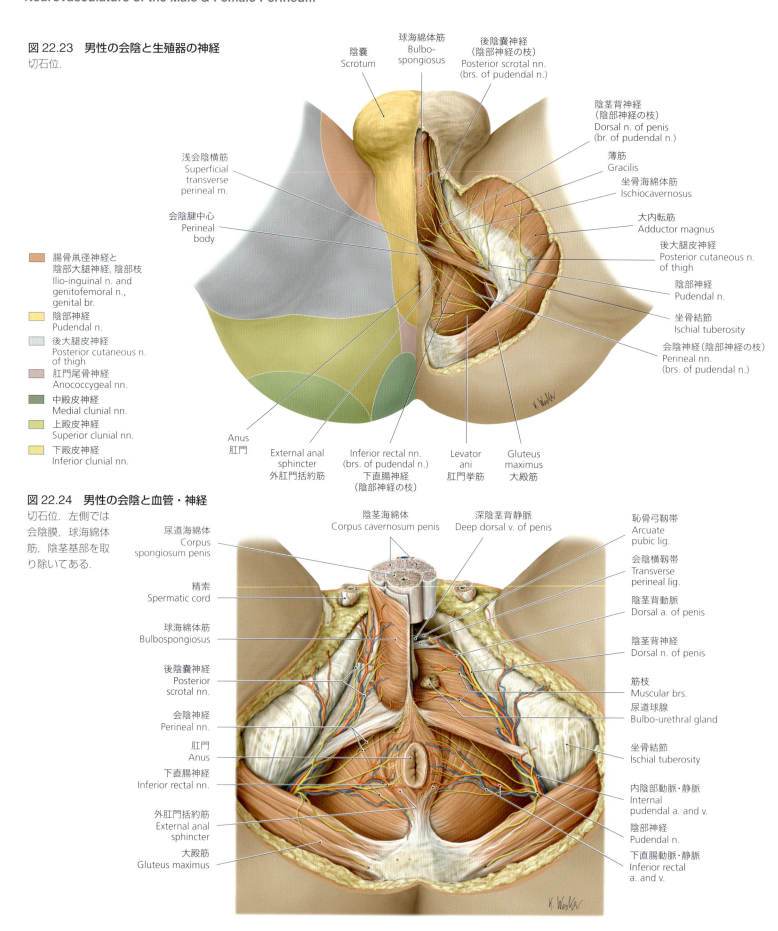

図 22.23　男性の会陰と生殖器の神経
切石位.

図 22.24　男性の会陰と血管・神経
切石位. 左側では会陰膜, 球海綿体筋, 陰茎基部を取り除いてある.

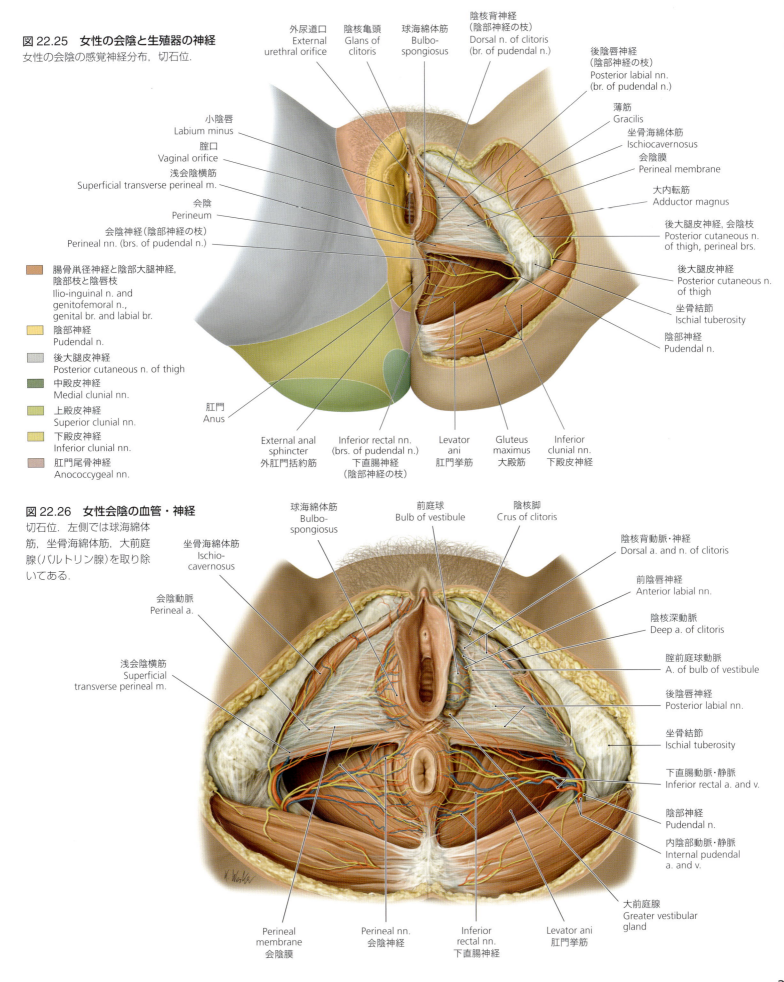

図 22.25 女性の会陰と生殖器の神経
女性の会陰の感覚神経分布，切石位．

図 22.26 女性会陰の血管・神経
切石位．左側では球海綿体筋，坐骨海綿体筋，大前庭腺（バルトリン腺）を取り除いてある．

23 断面解剖と画像解剖
骨盤と会陰の断面解剖
Sectional Anatomy of the Pelvis & Perineum

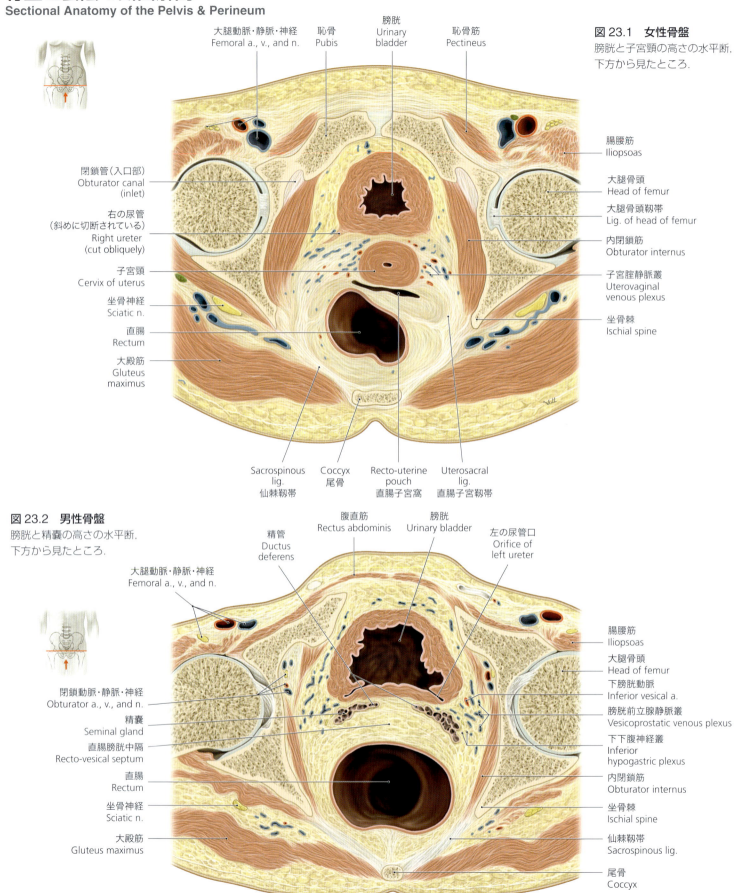

図 23.1 女性骨盤
膀胱と子宮頸の高さの水平断，下方から見たところ．

図 23.2 男性骨盤
膀胱と精嚢の高さの水平断，下方から見たところ．

図 23.3 男性骨盤

前立腺，肛門管の高さでの断面，下方から見たところ．

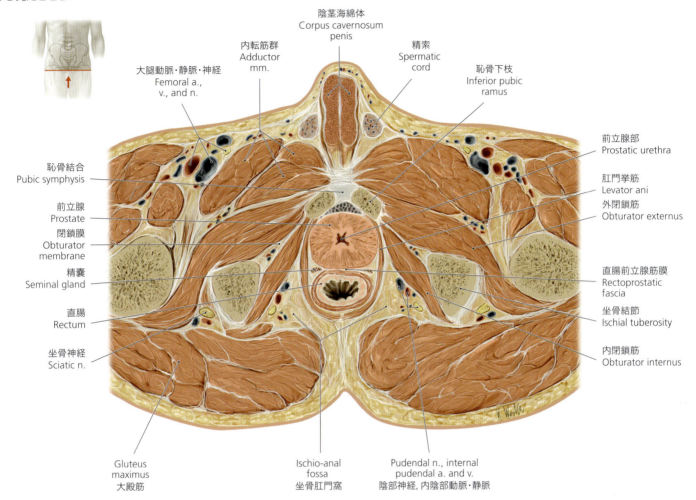

287

女性骨盤の画像解剖
Radiographic Anatomy of the Female Pelvis

図 23.4 女性骨盤の MR 像
水平断，下方から見たところ．

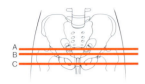

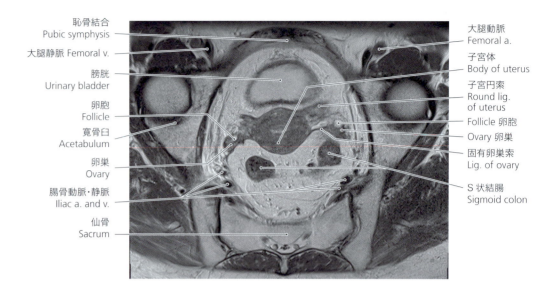

A 子宮体を通る断面．（Krombach GA, Mahnken AH. Body Imaging: Thorax and Abdomen. New York, NY: Thieme; 2018. より）

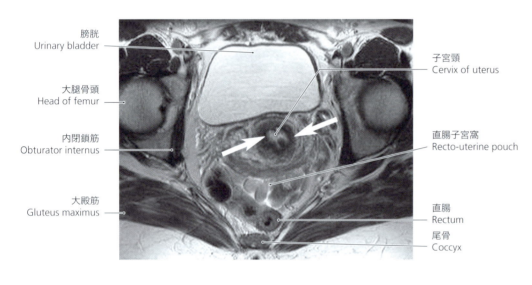

B 子宮頸管を通る断面．この画像は信号強度の低い子宮頸部間質（矢印）とそれを囲む信号強度の高く狭い子宮頸管を示す．（Hamm B. et al. MRT von Abdomen und Becken, 2nd ed. Stuttgart: Thieme; 2006. より）

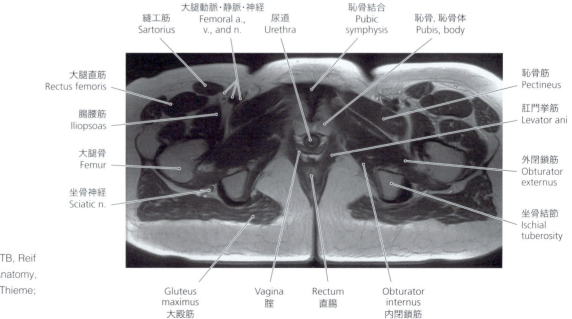

C 腟下部を通る断面．（Moeller TB, Reif E. Pocket Atlas of Sectional Anatomy, Vol 2, 4th ed. New York, NY: Thieme; 2014. より）

図 23.5 女性骨盤の MR 像

矢状断，左外側方から見たところ．

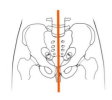

A ほぼ空の膀胱と子宮の位置．この画像では子宮は月経周期前半（増殖期）にあり，子宮内膜層が薄く，子宮筋層の信号強度は比較的低い．（Hamm B. et al. MRT von Abdomen und Becken, 2nd ed. Stuttgart: Thieme; 2006. より）

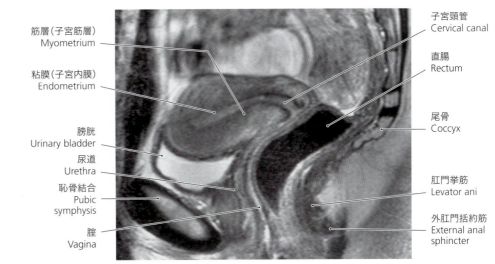

- 筋層（子宮筋層）Myometrium
- 粘膜（子宮内膜）Endometrium
- 膀胱 Urinary bladder
- 尿道 Urethra
- 恥骨結合 Pubic symphysis
- 腟 Vagina
- 子宮頸管 Cervical canal
- 直腸 Rectum
- 尾骨 Coccyx
- 肛門挙筋 Levator ani
- 外肛門括約筋 External anal sphincter

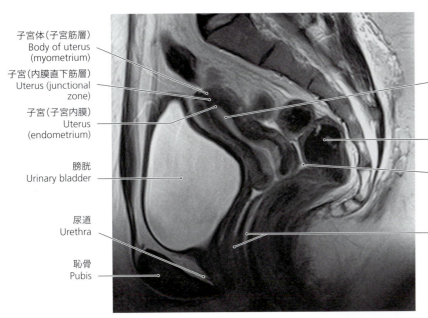

- 子宮体（子宮筋層）Body of uterus (myometrium)
- 子宮（内膜直下筋層）Uterus (junctional zone)
- 子宮（子宮内膜）Uterus (endometrium)
- 膀胱 Urinary bladder
- 尿道 Urethra
- 恥骨 Pubis
- 子宮腔 Uterine cavity
- 直腸 Rectum
- 直腸子宮窩（ダグラス窩）Recto-uterine pouch (of Douglas)
- 腟（壁）Vagina (wall)

B 充満した膀胱と子宮の位置．（Moeller TB, Reif E. Pocket Atlas of Sectional Anatomy, Vol 2, 4th ed. New York, NY: Thieme; 2014. より）

図 23.6 女性骨盤の MR 像

冠状断，前方から見たところ．（Moeller TB, Reif E. Pocket Atlas of Sectional Anatomy, Vol 2, 4th ed. New York, NY: Thieme; 2014. より）

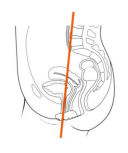

- 大腰筋 Psoas major
- 第 4 腰椎 L4 vertebra
- 腸骨稜 Iliac crest
- S 状結腸 Sigmoid colon
- 子宮 Uterus
- 大腿骨頭 Head of femur
- 肛門挙筋 Levator ani
- 腸骨筋 Iliacus
- 内腸骨動脈・静脈 Internal iliac a. and v.
- 中殿筋 Gluteus medius
- 膀胱 Urinary bladder
- 内閉鎖筋 Obturator internus
- 坐骨，坐骨枝 Ischium, ramus
- 小陰唇 Labium minus

男性骨盤の画像解剖
Radiographic Anatomy of the Male Pelvis

図 23.7 男性骨盤の MR 像
矢状断，左外側方から見たところ．（Hamm B. et al. MRT von Abdomen und Becken, 2nd ed. Stuttgart: Thieme; 2006. より）

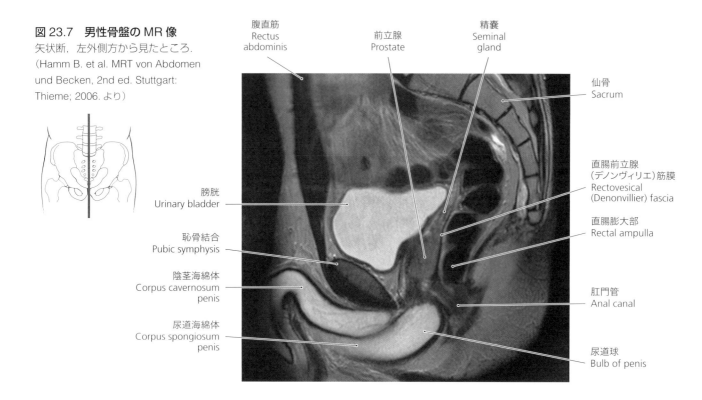

図 23.8 精巣の MR 像

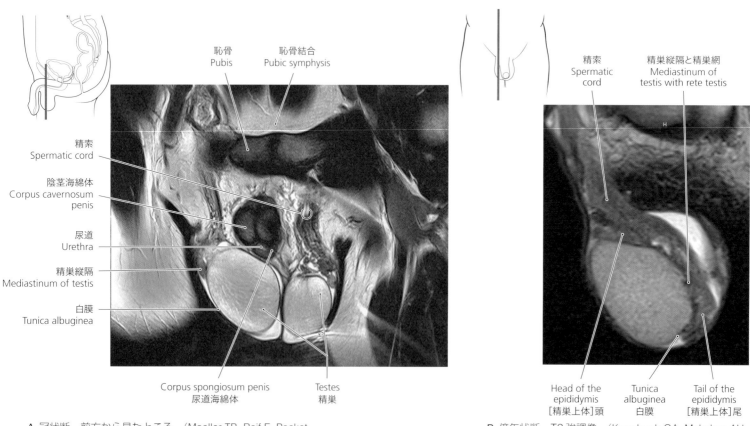

A 冠状断，前方から見たところ．（Moeller TB, Reif E. Pocket Atlas of Sectional Anatomy, Vol 2, 4th ed. New York, NY: Thieme; 2014. より）

B 傍矢状断，T2 強調像．（Krombach GA, Mahnken AH. Body Imaging: Thorax and Abdomen. New York, NY: Thieme; 2018. より）

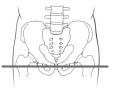

図 23.9　前立腺の MR 像
（Krombach GA, Mahnken AH. Body Imaging: Thorax and Abdomen. New York, NY: Thieme; 2018. より）

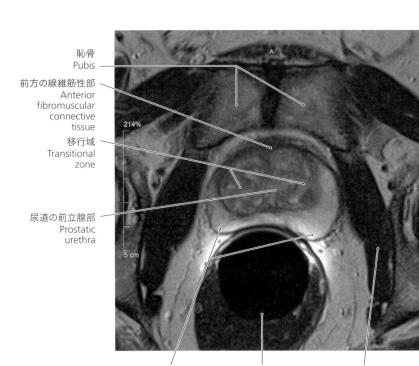

A　水平断，T2 強調像．

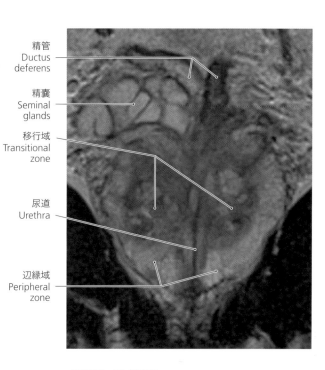

B　冠状断，T2 強調像．

図 23.10　男性骨盤の MR 像
冠状断．（Moeller TB, Reif E. Pocket Atlas of Sectional Anatomy, Vol 2, 4th ed. New York, NY: Thieme; 2014. より）

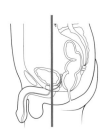

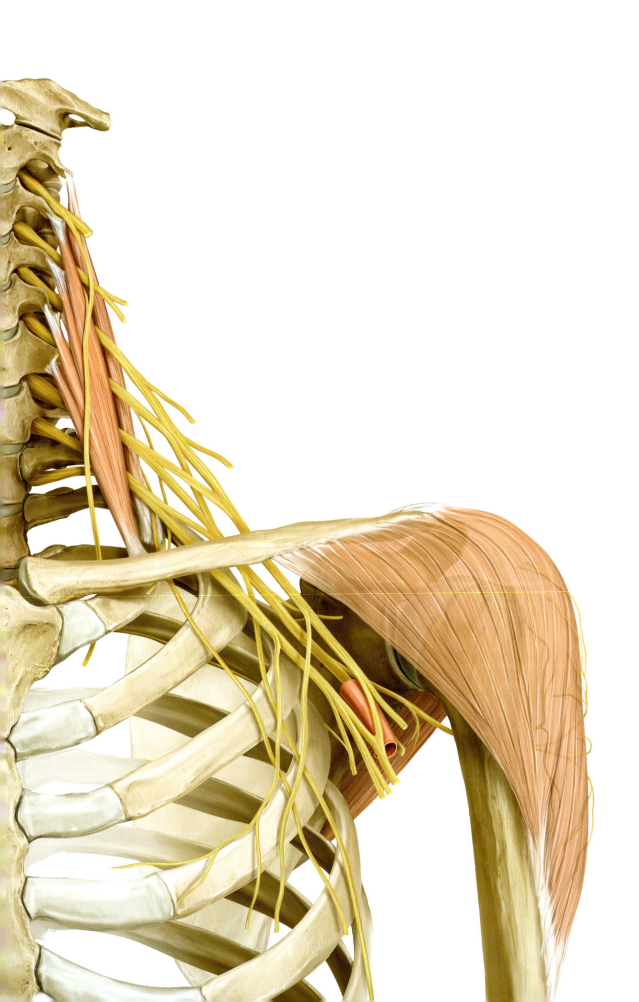

上 肢
Upper Limb

24. 体表解剖
体表解剖 294

25. 肩と上腕
上肢の骨 296
鎖骨と肩甲骨 298
上腕骨 300
肩の関節 302
肩の関節：肩関節（肩甲上腕関節） 304
肩峰下腔と肩峰下包 306
肩と上腕の前面にある筋(1) 308
肩と上腕の前面にある筋(2) 310
肩と上腕の後面にある筋(1) 312
肩と上腕の後面にある筋(2) 314
個々の筋(1) 316
個々の筋(2) 318
個々の筋(3) 320
個々の筋(4) 322

26. 肘と前腕
橈骨と尺骨 324
肘関節 326
肘関節の靱帯 328
橈尺関節 330
前腕の筋：前面 332
前腕の筋：後面 334
個々の筋(1) 336
個々の筋(2) 338
個々の筋(3) 340

27. 手首と手
手首と手の骨 342
手根骨 344
手首と手の関節 346
手の靱帯 348
手首の靱帯とコンパートメント 350
指の靱帯 352
手の筋：浅層と中間層 354
手の筋：中間層と深層 356
手背 358
個々の筋(1) 360
個々の筋(2) 362

28. 血管・神経
上肢の動脈 364
上肢の静脈とリンパ管 366
上肢の神経：腕神経叢とその枝 368
腕神経叢の鎖骨上部からの枝，後神経束 370
後神経束：橈骨神経と腋窩神経 372
内側・外側神経束 374
正中神経，尺骨神経 376
上肢の皮静脈，皮神経 378
肩の後面と腕 380
肩の前面 382
腋窩 384
上腕前部と肘の局所解剖 386
前腕前部・後部 388
手根 390
手掌 392
手背 394

29. 断面解剖と画像解剖
上肢の断面解剖 396
上肢の画像解剖(1) 398
上肢の画像解剖(2) 400
上肢の画像解剖(3) 402
上肢の画像解剖(4) 404

24 体表解剖

体表解剖
Surface Anatomy

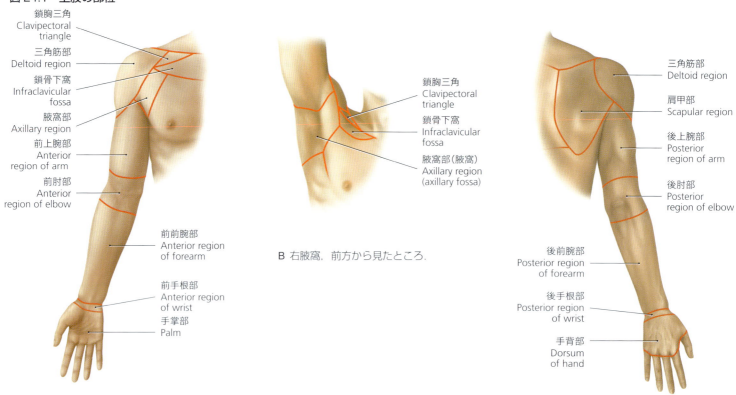

図 24.1 上肢の部位

A 右上肢, 前方から見たところ.
B 右腋窩, 前方から見たところ.
C 右上肢, 後方から見たところ.

図 24.2 体表から触知できる上肢の筋

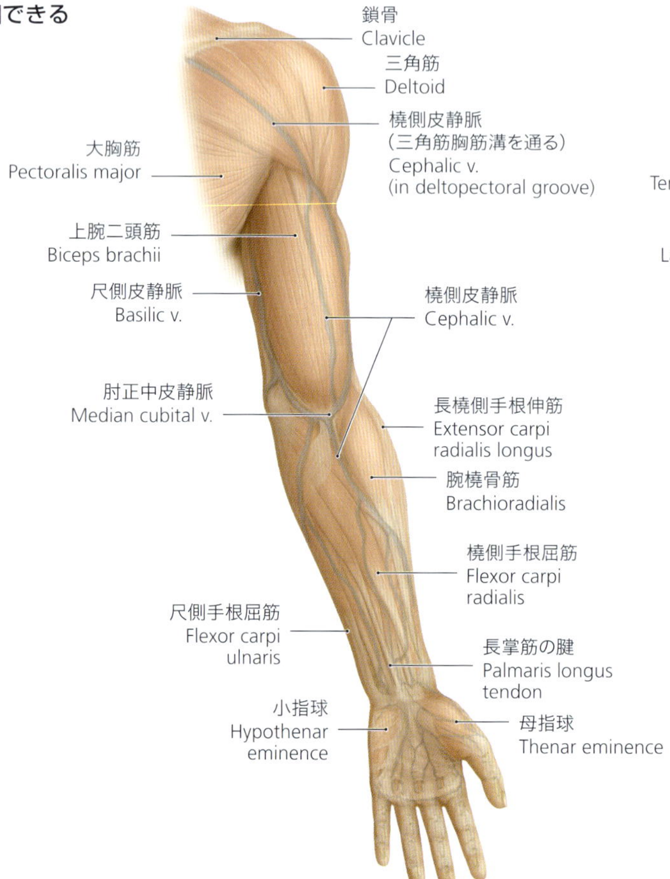

A 左上肢, 前方から見たところ.
B 右上肢, 後方から見たところ.

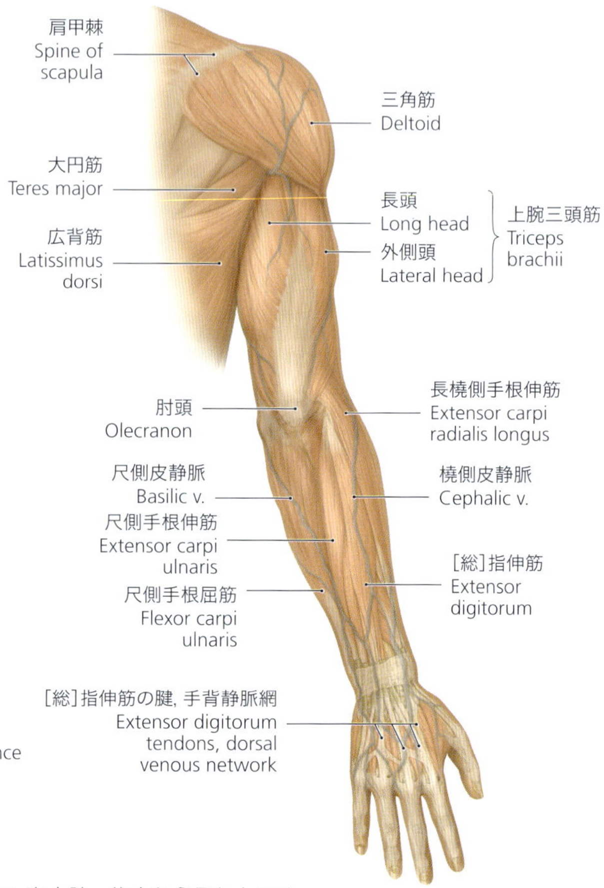

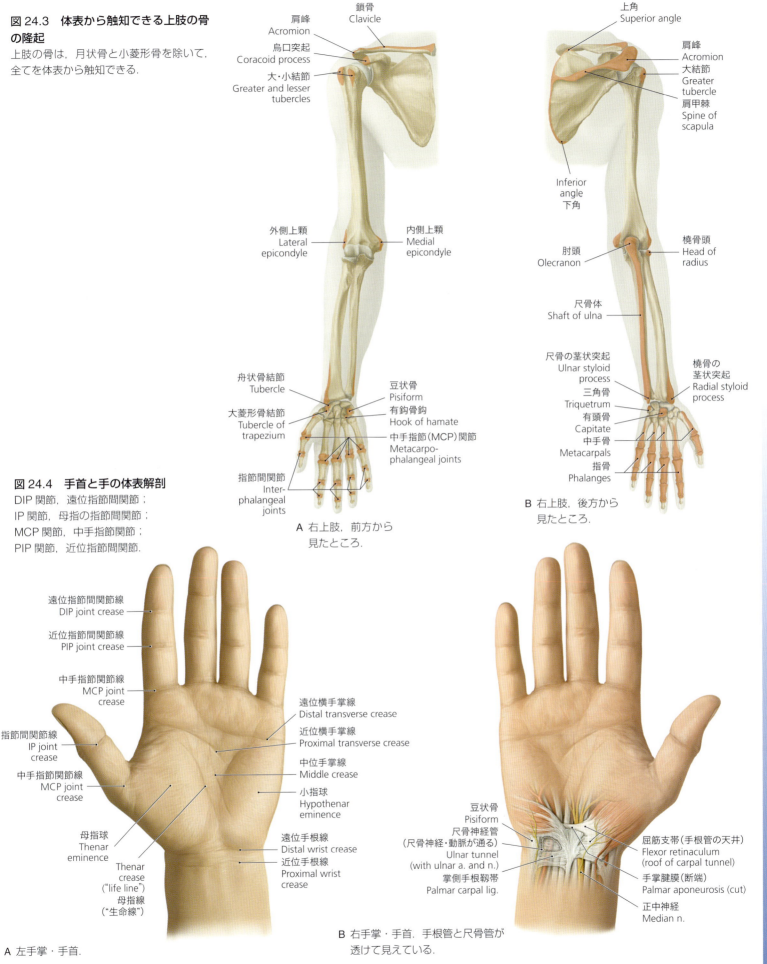

図 24.3 体表から触知できる上肢の骨の隆起
上肢の骨は，月状骨と小菱形骨を除いて，全てを体表から触知できる．

図 24.4 手首と手の体表解剖
DIP 関節，遠位指節間関節；
IP 関節，母指の指節間関節；
MCP 関節，中手指節関節；
PIP 関節，近位指節間関節．

A 左手掌・手首．

B 右手掌・手首．手根管と尺骨管が透けて見えている．

A 右上肢，前方から見たところ．

B 右上肢，後方から見たところ．

25 肩と上腕
上肢の骨
Bones of the Upper Limb

図 25.1 上肢の骨格
右上肢．上肢は上肢帯と自由上肢からなり，自由上肢はさらに上腕，前腕，手に区分される．上肢帯（鎖骨と肩甲骨）は自由上肢を胸鎖関節によって胸郭に連結している．

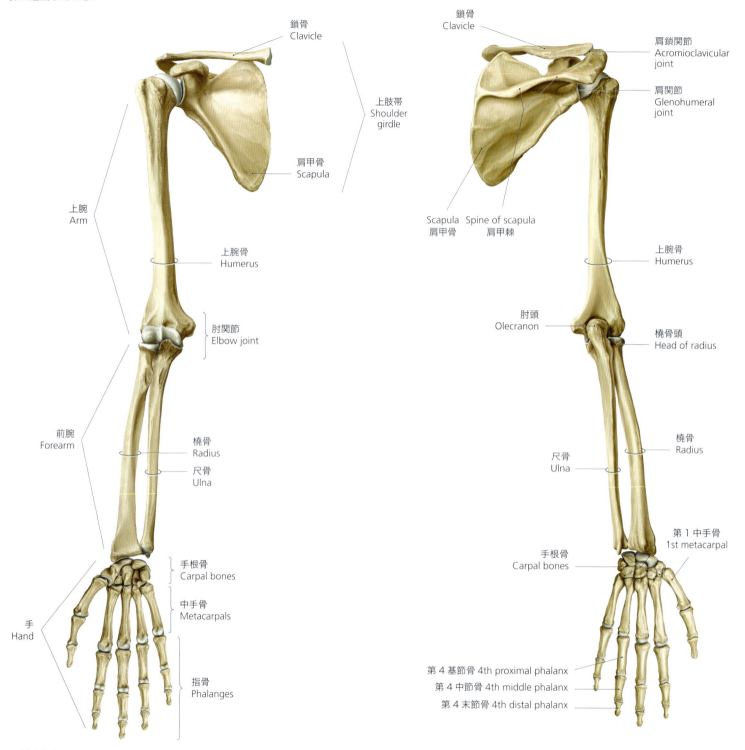

A 前方から見たところ．

B 後方から見たところ．

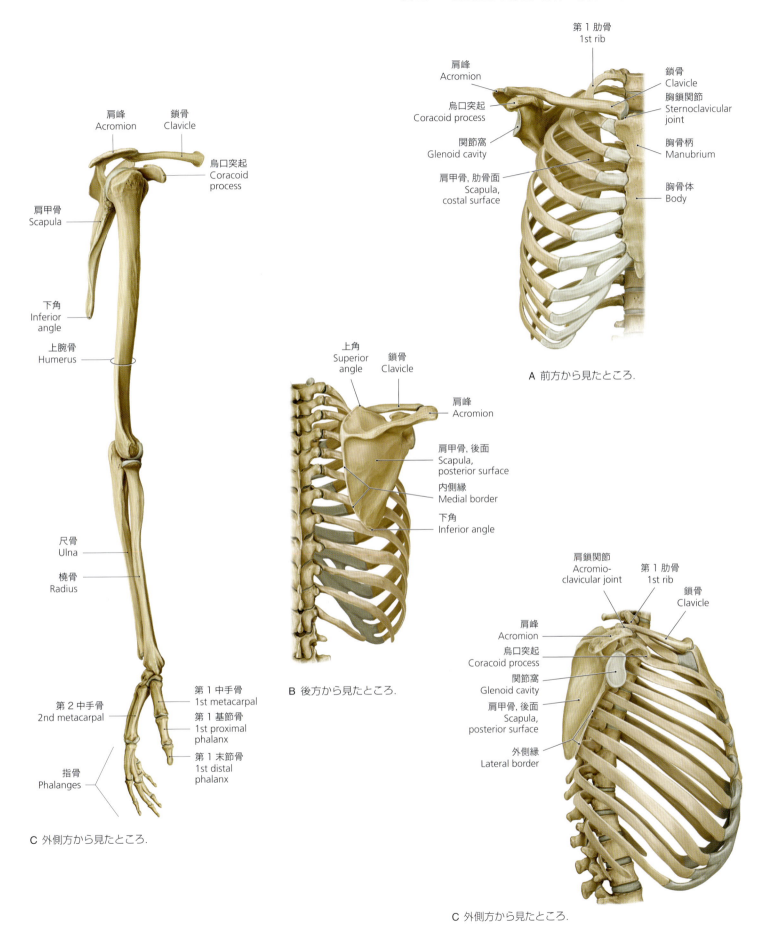

図 25.2 右上肢帯の骨格，体幹の骨格との関係

鎖骨と肩甲骨
Clavicle & Scapula

上肢帯（鎖骨と肩甲骨）は自由上肢を胸郭に連結する．下肢帯（1対の寛骨）は中軸骨格と一体化しているのに対し（**p.230** 参照），上肢帯は可動性が極めて大きい．

図 25.3 　原位置の上肢帯
右肩，上方から見たところ．

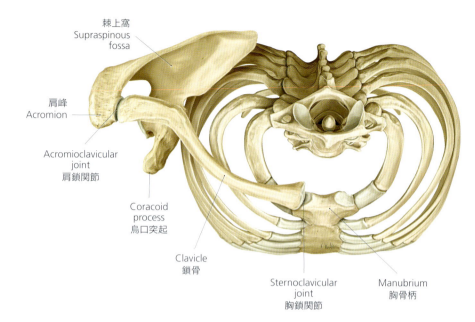

図 25.4 　鎖骨
右鎖骨．鎖骨はS字型の骨で，皮下にその全長を見ることができる（全長は12-15 cm）．鎖骨の内側端（胸骨端）は胸骨との間に胸鎖関節を形成する．外側端（肩峰端）は肩甲骨との間に肩鎖関節を形成する（**図 25.3** 参照）．

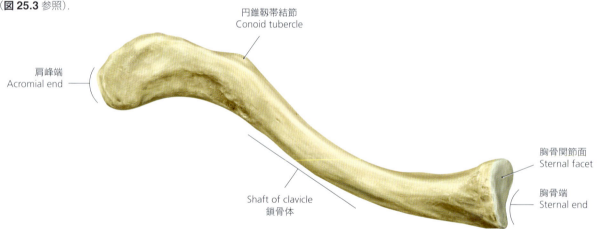

A 上方から見たところ．

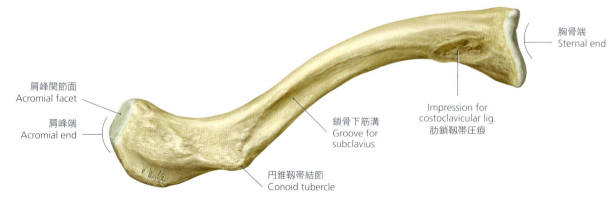

B 下方から見たところ．

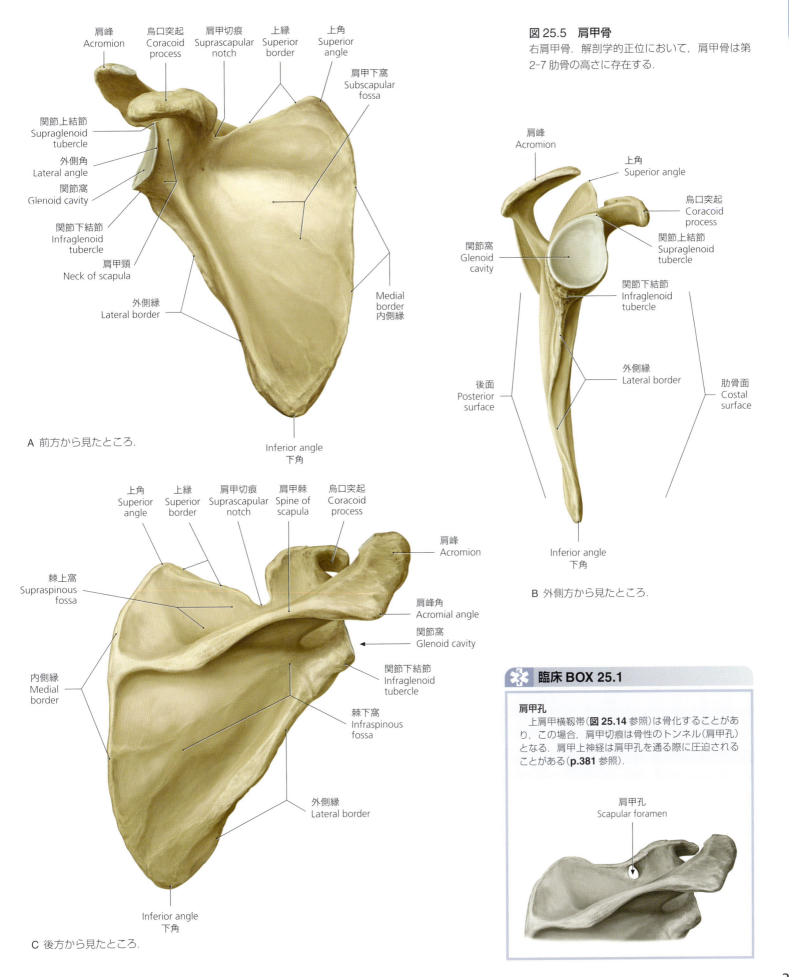

図 25.5 肩甲骨
右肩甲骨．解剖学的正位において，肩甲骨は第2-7肋骨の高さに存在する．

臨床 BOX 25.1

肩甲孔
上肩甲横靱帯（図 25.14 参照）は骨化することがあり，この場合，肩甲切痕は骨性のトンネル（肩甲孔）となる．肩甲上神経は肩甲孔を通る際に圧迫されることがある（p.381 参照）．

上腕骨
Humerus

図 25.6 上腕骨

右上腕骨．上腕骨頭は肩甲骨との間に肩関節(肩甲上腕関節)を形成する(p.302 参照)．上腕骨小頭および上腕骨滑車は，橈骨および尺骨との間にそれぞれ関節を形成する(p.326 参照)．

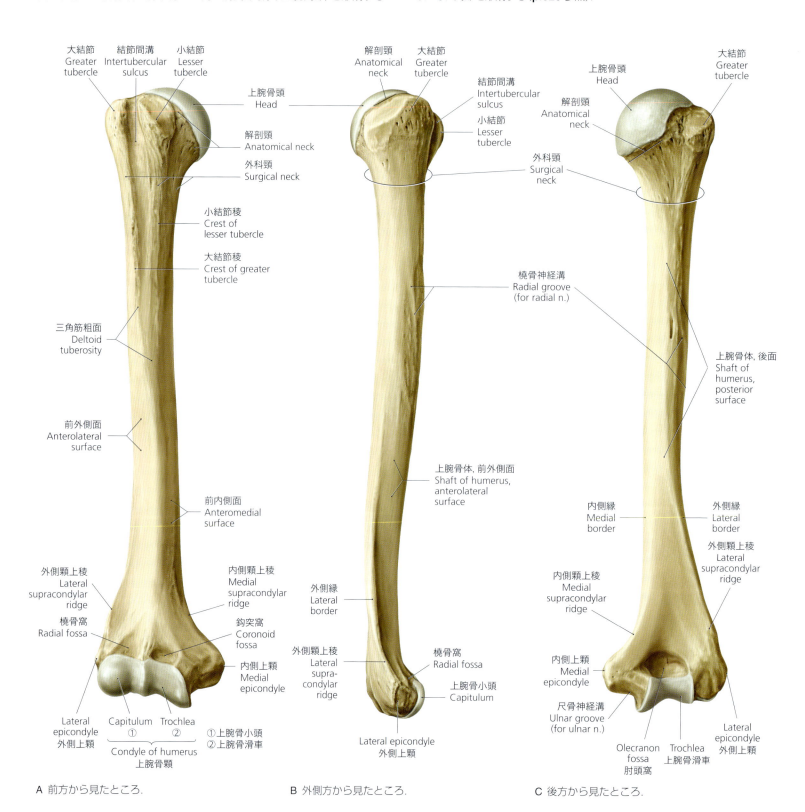

A 前方から見たところ． B 外側方から見たところ． C 後方から見たところ．

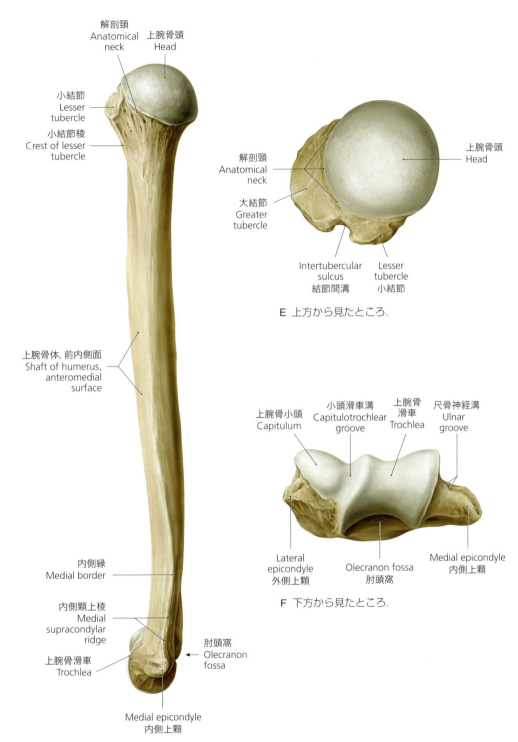

D 内側方から見たところ．
E 上方から見たところ．
F 下方から見たところ．

臨床 BOX 25.2

上腕骨骨折
前面．上腕骨近位端の骨折はよく見られる骨折の1つである．ほとんどが高齢者で起こり，転倒した際に伸ばした腕で体を支えたり，肩から転倒した場合に生じる．3つの主要なタイプに分類される．

A 関節外骨折．

B 関節内骨折．

C 粉砕骨折．

関節外骨折と関節内骨折は，上腕骨頭に分布する動脈（前・後上腕回旋動脈の枝）の損傷をしばしば合併する．この動脈が損傷された場合，外傷後の無血管性骨壊死を生じる危険がある．
外科頸の骨折は腋窩神経を損傷することがあり，上腕骨体と遠位端の骨折は，しばしば橈骨神経の損傷を伴う．

肩の関節
Joints of the Shoulder

図 25.7　肩の関節：概観
右肩，前方から見たところ．

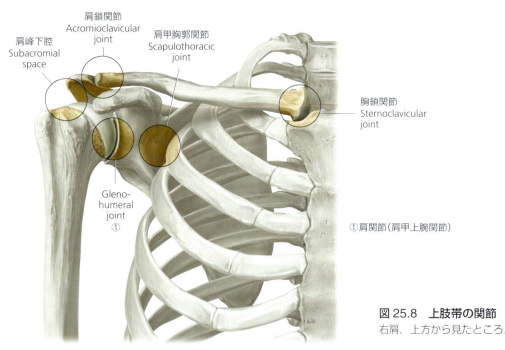

①肩関節（肩甲上腕関節）

図 25.8　上肢帯の関節
右肩，上方から見たところ．

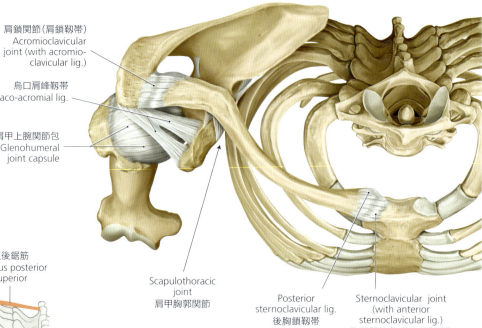

図 25.9　肩甲胸郭関節
右肩，上方から見たところ．上肢帯の全ての運動時において，肩甲骨は前鋸筋と肩甲下筋の間にある疎性結合組織の表面を滑る．この面がいわゆる肩甲胸郭関節である．

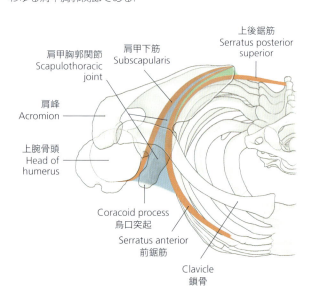

図 25.10　胸鎖関節
前方から見たところ．胸骨の左半部は冠状方向に切断されている．線維軟骨からなる関節円板は，鎖骨と胸骨柄の2つの鞍状の関節面の間にできる表面の不整合を解消する．

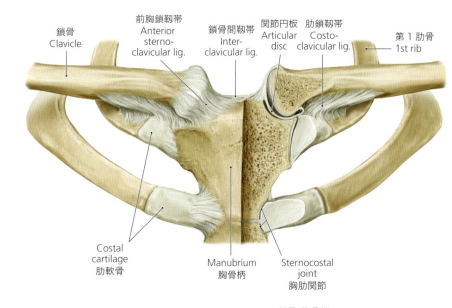

図 25.11　肩鎖関節
前方から見たところ．肩鎖関節は平面関節の一種である．関節面が平坦であり，なおかつ強力な靱帯によって固定されている．したがって，肩鎖関節の可動性は大きく制限される．

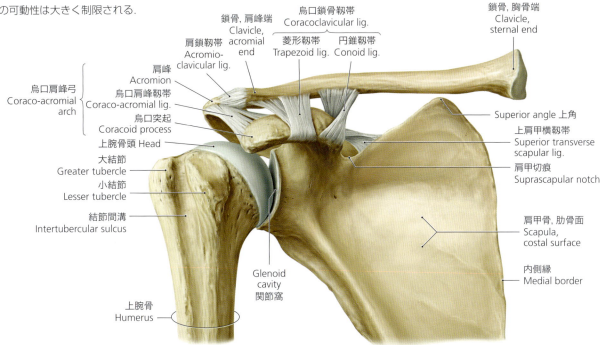

臨床 BOX 25.3

肩鎖関節の外傷
　転倒した際に伸ばした腕で体を支えたり，肩から転倒した場合に，肩鎖関節脱臼（肩鎖関節解離とも呼ばれる）と烏口鎖骨靱帯の損傷を生じることがある．

A　肩鎖靱帯の過伸展．　　　　B　肩鎖靱帯の断裂．　　　　C　肩鎖関節の完全脱臼．肩鎖靱帯と烏口鎖骨靱帯の断裂に注目．

肩の関節：肩関節（肩甲上腕関節）
Joints of the Shoulder: Glenohumeral Joint

図 25.12　肩関節（肩甲上腕関節）：骨
右肩．

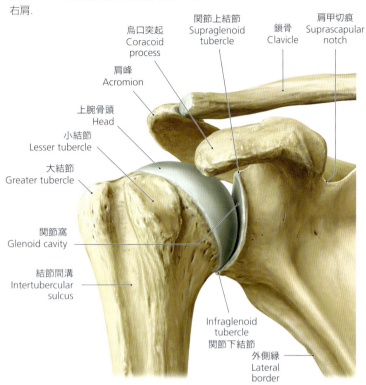

A 前方から見たところ．

B 後方から見たところ．

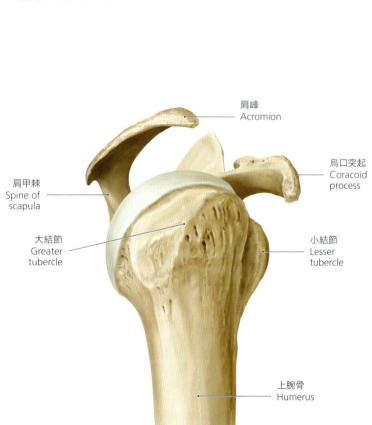

C 側方から見たところ．

図 25.13　肩関節の関節腔
前方から見たところ．

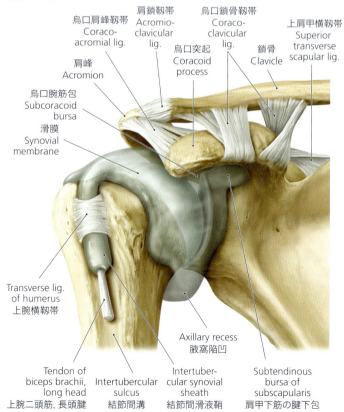

図 25.14 肩関節（肩甲上腕関節）：関節包と靱帯
右肩．

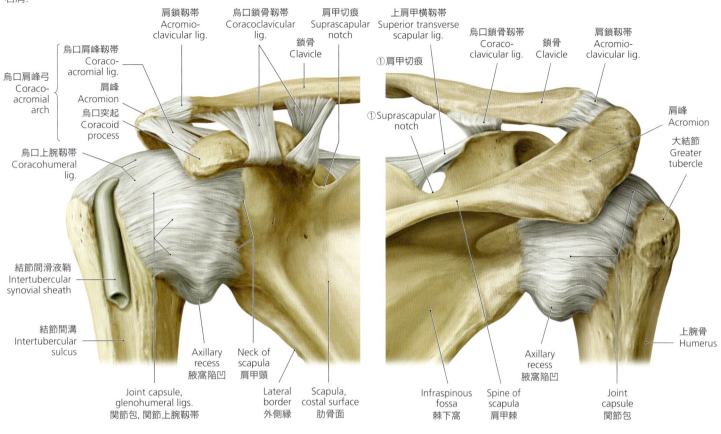

A 前方から見たところ．

B 後方から見たところ．

図 25.15 肩関節包を補強する靱帯
肩関節包を補強する靱帯を示す模式図．上腕骨頭を切り取り，靱帯の全体が見えるようにしてある．右肩．

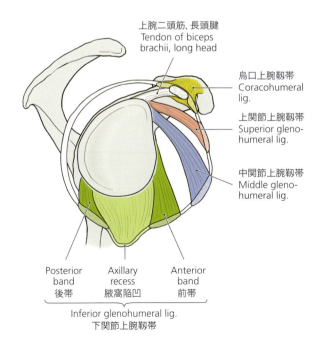

A 外側面．

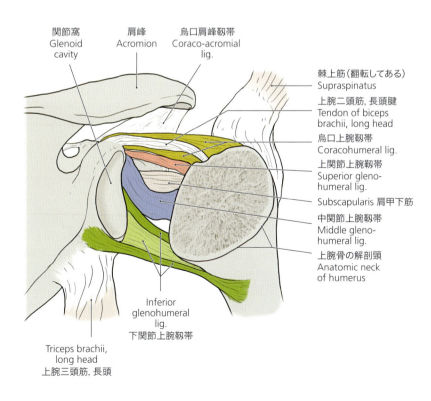

B 後面．

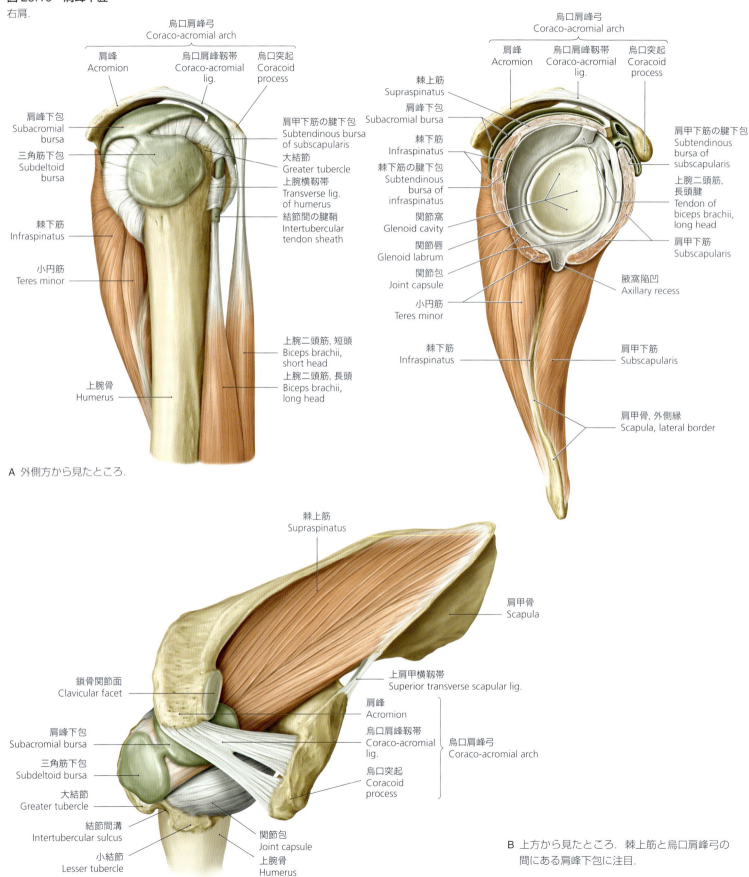

図 25.18 肩峰下包と三角筋下包
右肩，前方から見たところ．

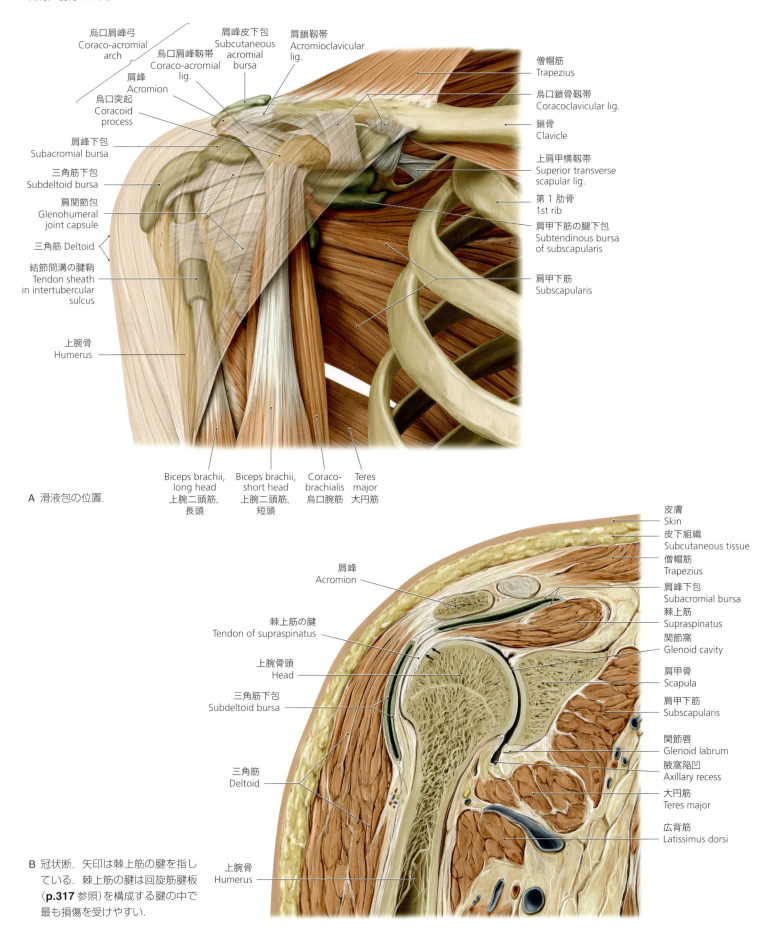

A 滑液包の位置．

B 冠状断．矢印は棘上筋の腱を指している．棘上筋の腱は回旋筋腱板（p.317 参照）を構成する腱の中で最も損傷を受けやすい．

肩と上腕の前面にある筋 (1)
Anterior Muscles of the Shoulder & Arm (I)

図 25.19　肩と上腕の前面にある筋
右半身．前方から見たところ．筋が起始する場所を赤色で，停止する場所を青色で示してある．

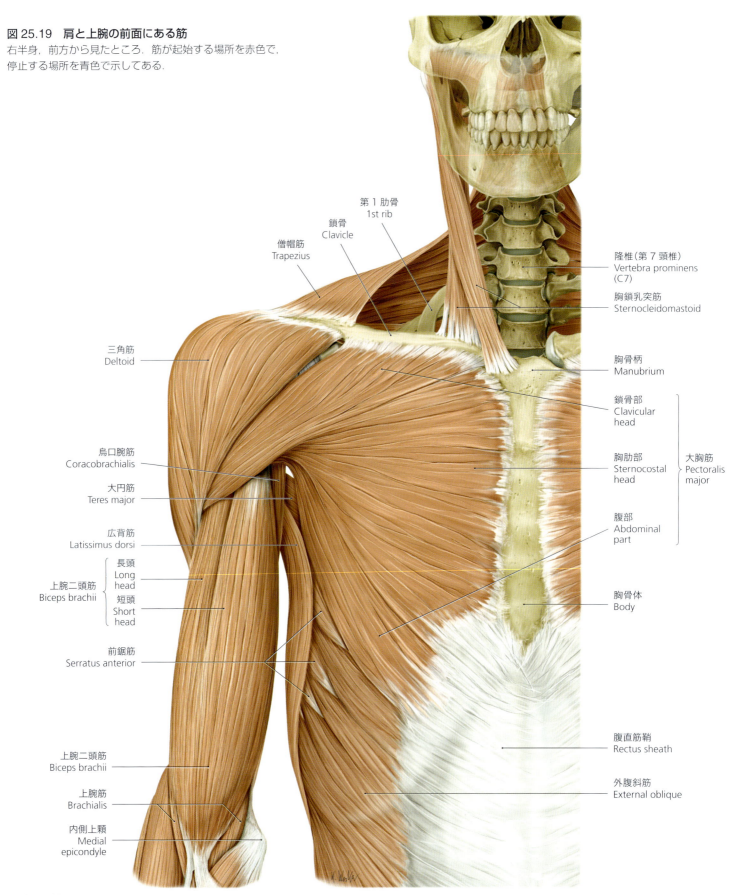

A　表層の筋．

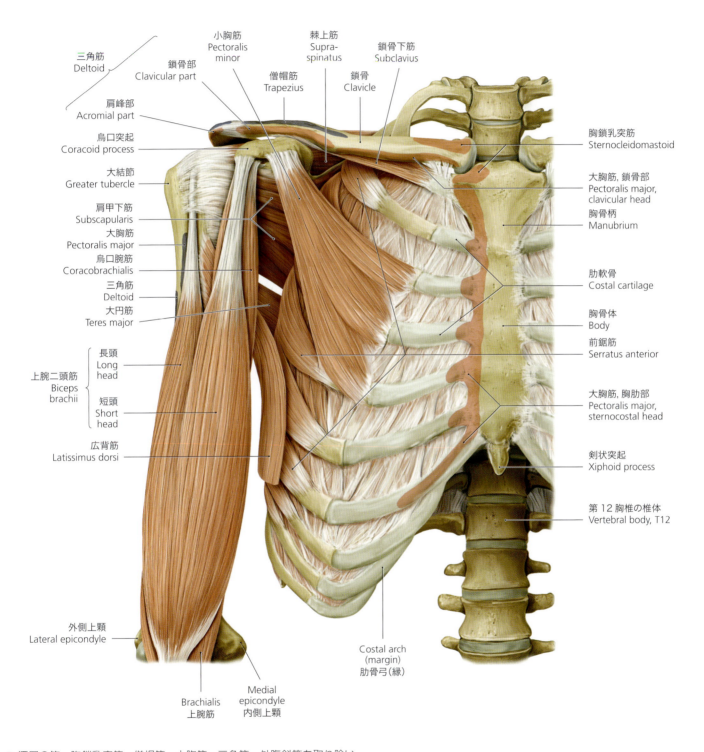

B 深層の筋．胸鎖乳突筋，僧帽筋，大胸筋，三角筋，外腹斜筋を取り除いてある．

肩と上腕の前面にある筋 (2)
Anterior Muscles of the Shoulder & Arm (II)

図 25.20　肩と上腕の筋の前方からの剖出
右上肢，前方から見たところ．筋が起始する場所を赤色で，停止する場所を青色で示してある．

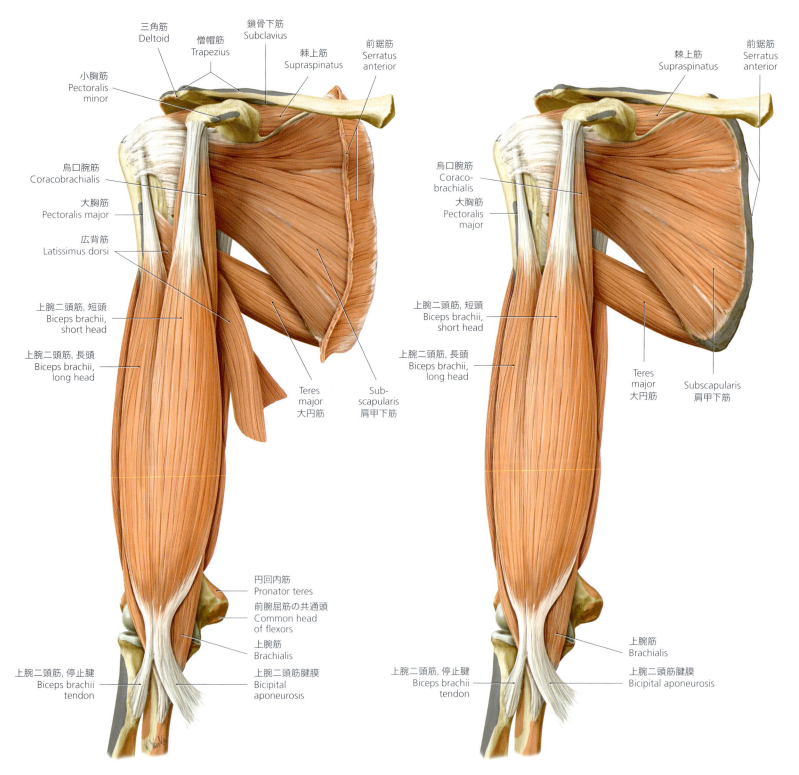

A　胸郭の骨格を取り除いてある．また，広背筋と前鋸筋を部分的に取り除いてある．

B　広背筋と前鋸筋を全て取り除いたところ．

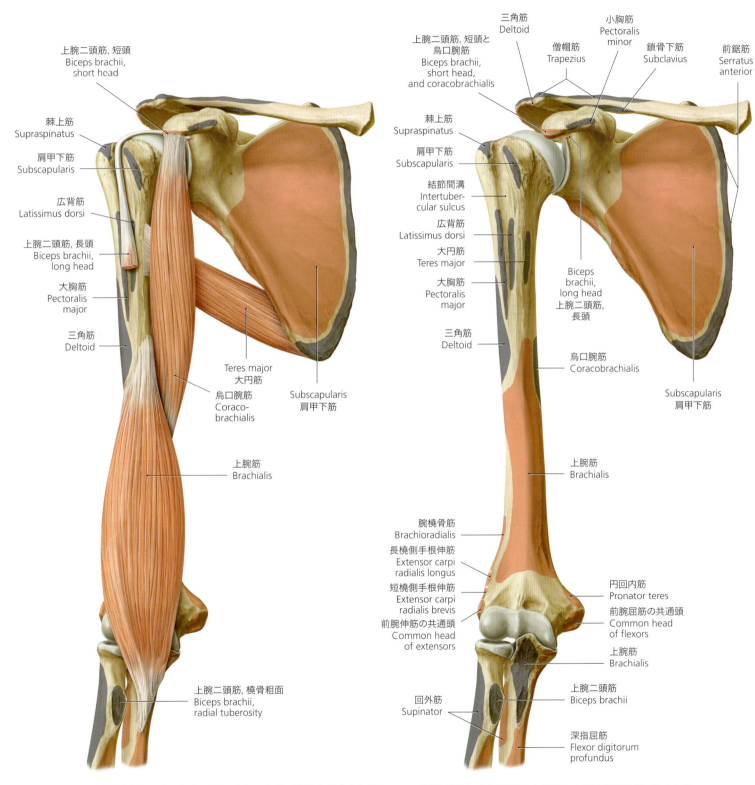

C 肩甲下筋と棘上筋を取り除いたところ．また，上腕二頭筋を部分的に取り除いてある．

D 上腕二頭筋，烏口腕筋，上腕筋，大円筋を取り除いたところ．

肩と上腕の後面にある筋（1）
Posterior Muscles of the Shoulder & Arm (I)

図 25.21　肩と上腕の後面にある筋
右側，後方から見たところ．

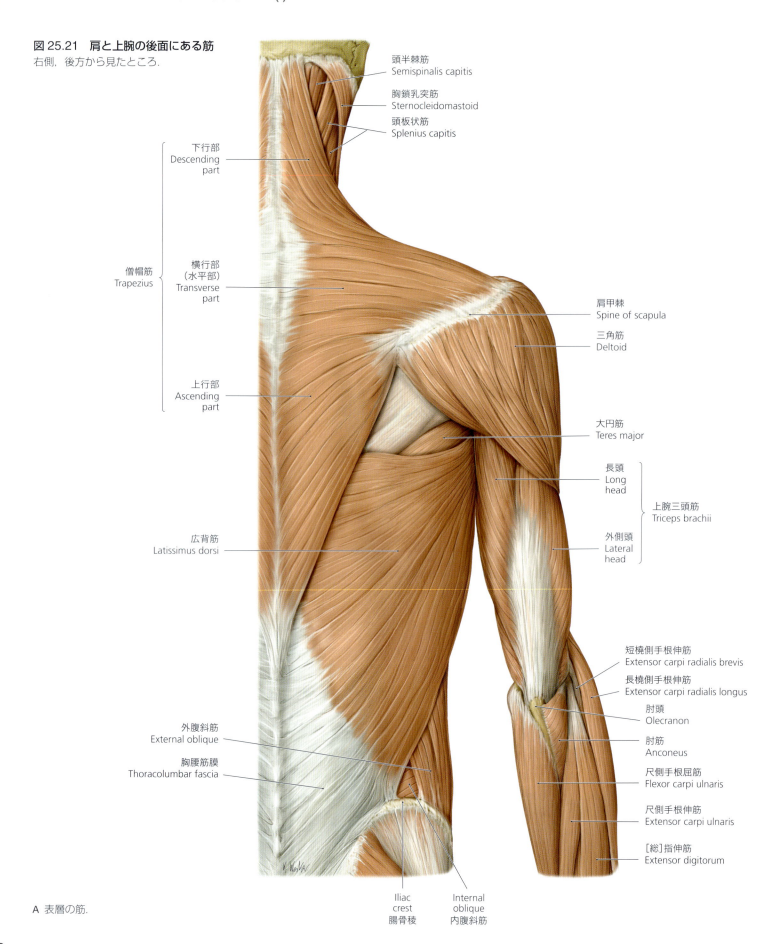

A　表層の筋．

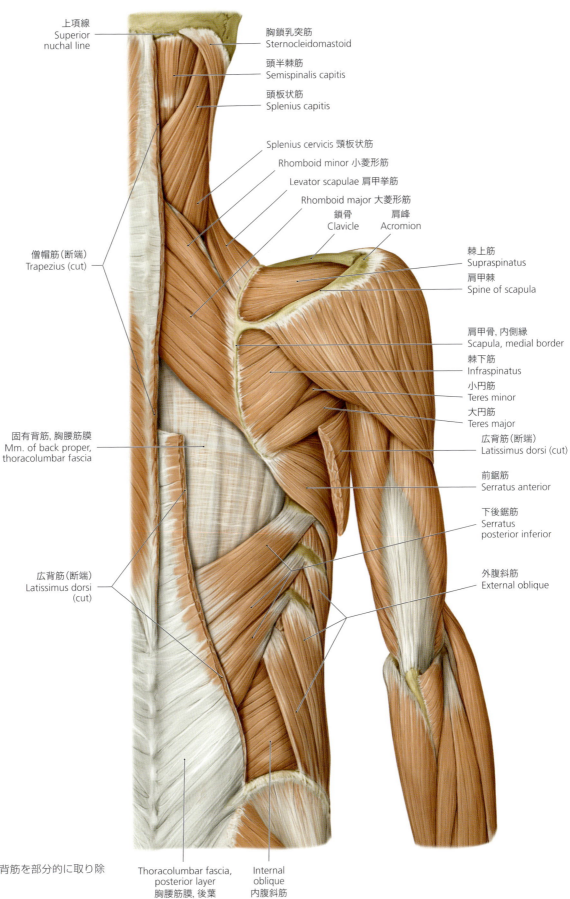

B 深層の筋. 僧帽筋と広背筋を部分的に取り除いてある.

肩と上腕の後面にある筋(2)
Posterior Muscles of the Shoulder & Arm (II)

図 25.22　肩と上腕の筋の後方からの剖出
右上肢，後方から見たところ．筋が起始する場所を赤色で，停止する場所を青色で示してある．

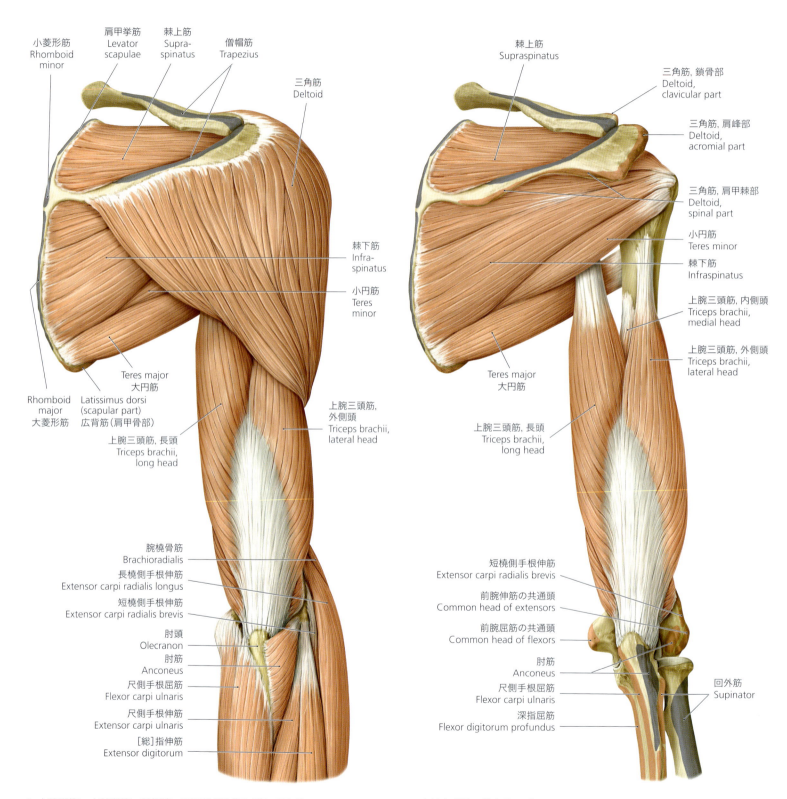

A　大菱形筋，小菱形筋，前鋸筋，肩甲挙筋を取り除いてある．

B　三角筋と前腕の筋を取り除いたところ．

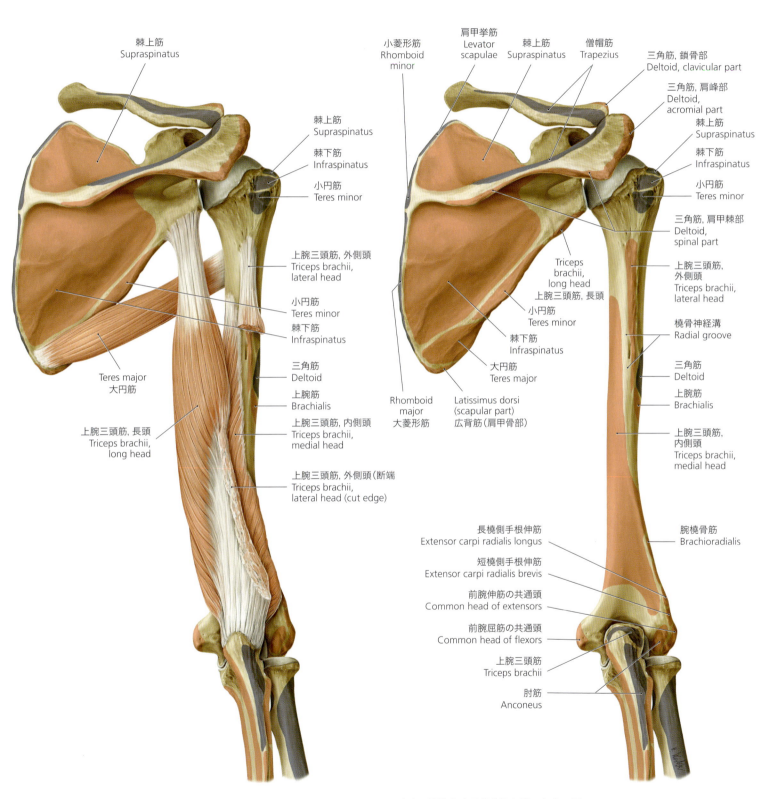

C 棘上筋，棘下筋，小円筋を取り除いたところ．また，上腕三頭筋も部分的に取り除いてある．

D 上腕三頭筋と大円筋を取り除いたところ．

個々の筋(1)
Muscle Facts (I)

三角筋の3つの部分の作用は，筋と上腕骨の位置関係，あるいは筋と運動軸との関係によって決まる．三角筋（鎖骨部と肩甲棘部）は60°以下の外転位では内転筋として，60°以上の外転位では外転筋として作用する．つまりこれらの部位は拮抗的にも，協調的にも作用することができる．

図 25.23 三角筋
右肩．

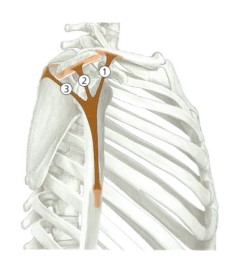

A 三角筋の各部，右外側方から見たところ．模式図．

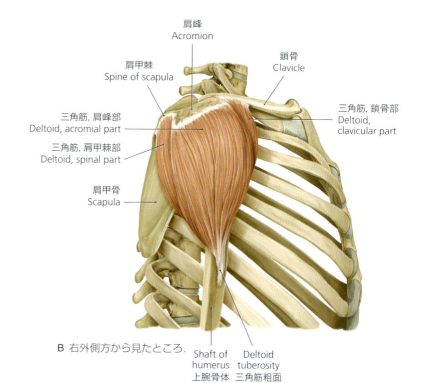

B 右外側方から見たところ．

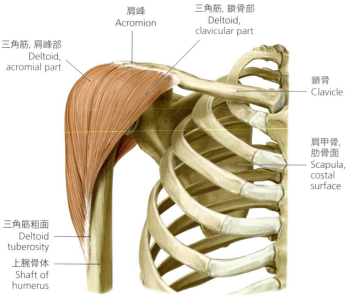

C 前方から見たところ．

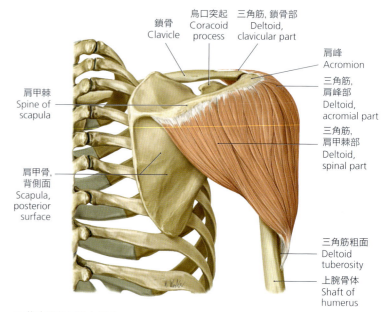

D 後方から見たところ．

表 25.1　三角筋の各部

筋		起始	停止	神経支配	作用*
三角筋	① 鎖骨部（前部）	鎖骨の外側1/3	上腕骨（三角筋粗面）	腋窩神経（C5，C6）	上腕の前方挙上，内旋，内転
	② 肩峰部（外側部）	肩峰			上腕の外転
	③ 肩甲棘部（後部）	肩甲棘			上腕の後方挙上，外旋，内転

*60-90°の外転位では，鎖骨部と肩甲棘部は肩峰部の外転作用を補助する．

図 25.24 回旋筋腱板

右肩．回旋筋腱板は4つの筋（棘上筋，棘下筋，小円筋，肩甲下筋）によって形成される．

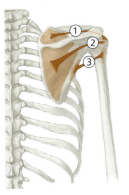

A 後方から見たところ．模式図．

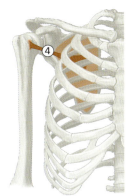

B 前方から見たところ．模式図．

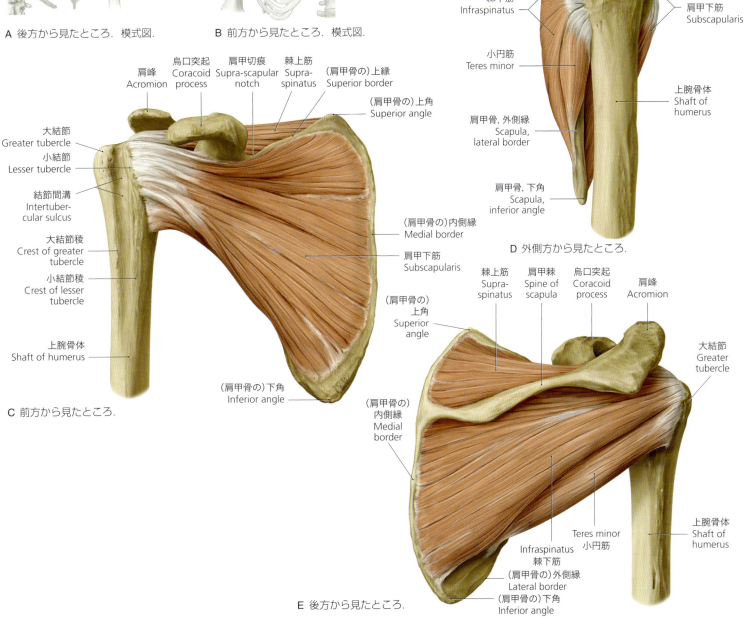

C 前方から見たところ．

D 外側方から見たところ．

E 後方から見たところ．

表 25.2　回旋筋腱板を構成する筋

筋	起始		停止		神経支配	作用
① 棘上筋	肩甲骨	棘上窩	上腕骨	大結節	肩甲上神経（C4-C6）	上腕の外転
② 棘下筋		棘下窩				上腕の外旋
③ 小円筋		外側縁			腋窩神経（C5, C6）	上腕の外旋，弱い内転作用もある
④ 肩甲下筋		肩甲下窩		小結節	肩甲下神経（C5, C6）	上腕の内旋

個々の筋(2)
Muscle Facts (II)

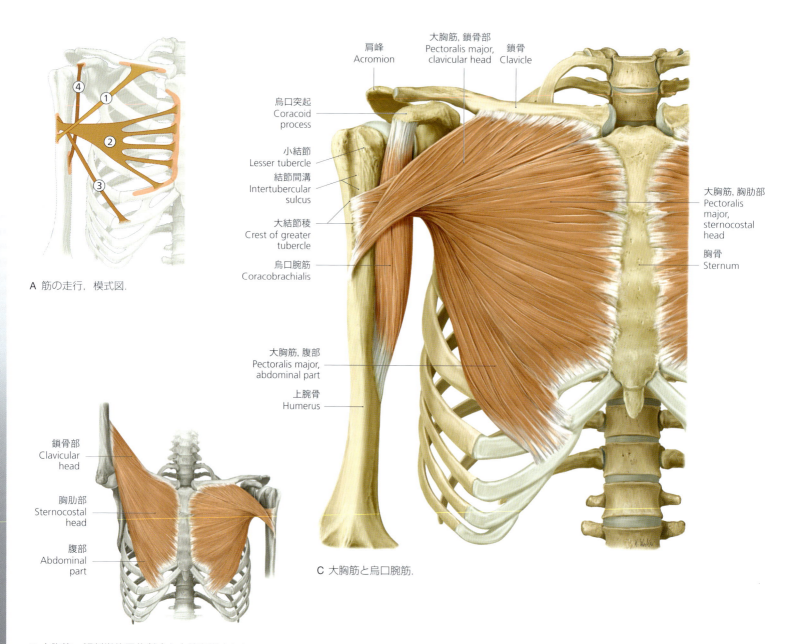

図 25.25　大胸筋と烏口腕筋
前方から見たところ.

A　筋の走行，模式図.

B　大胸筋，解剖学的正位(左)と上肢を挙上した場合(右).

C　大胸筋と烏口腕筋.

表 25.3　大胸筋と烏口腕筋

筋		起始	停止	神経支配	作用
大胸筋	① 鎖骨部	鎖骨(内側半分)	上腕骨(大結節稜)	内側・外側胸筋神経(C5-T1)	筋全体：上腕の内転・内旋 鎖骨部と胸肋部：上腕の前方挙上，肩が固定されている場合には呼吸(吸息)を補助する
	② 胸肋部	胸骨と第1-6肋軟骨			
	③ 腹部	腹直筋鞘(前葉)			
④ 烏口腕筋		肩甲骨(烏口突起)	上腕骨(小結節稜の下方に続く線)	筋皮神経(C5-C7)	上腕の前方挙上，内転，内旋

図 25.26 鎖骨下筋と小胸筋
右側，前方から見たところ．

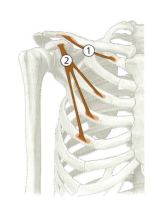

A 筋の走行，模式図．

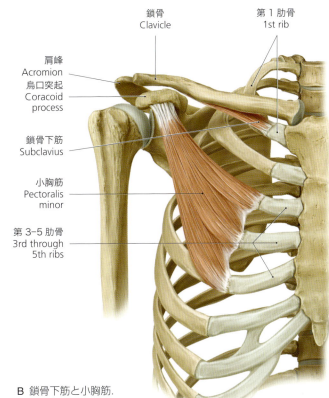

B 鎖骨下筋と小胸筋．

図 25.27 前鋸筋
右側，外側方から見たところ．

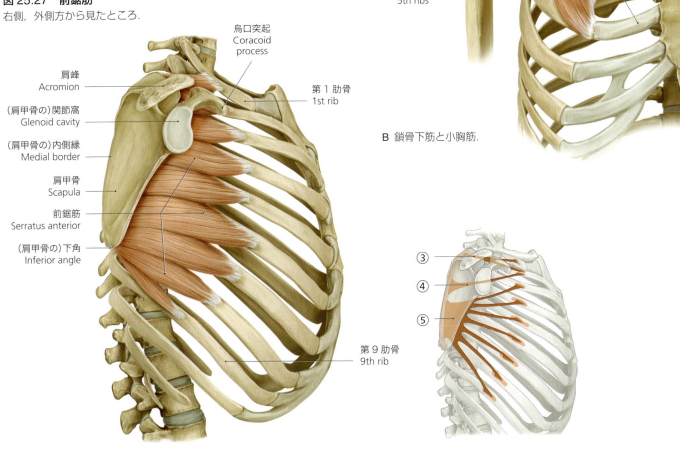

A 前鋸筋．

B 前鋸筋の走行，模式図．

表 25.4	鎖骨下筋，小胸筋，前鋸筋				
筋		起始	停止	神経支配	作用
① 鎖骨下筋		第1肋骨	鎖骨（下面）	鎖骨下筋神経（C5, C6）	胸鎖関節において鎖骨を安定に保つ
② 小胸筋		第3-5肋骨	烏口突起	内側胸筋神経（C8, T1） 外側胸筋神経（C5-C7）	肩甲骨を引き下げ，下角を後内側に引く 関節窩を下方に回す，吸息の補助
前鋸筋	③ 上部	第1-9肋骨	肩甲骨（上角の肋骨面と背側面）	長胸神経（C5-C7）	上部：挙上した上腕を下げる
	④ 中間部		肩甲骨（内側縁の肋骨面）		筋全体：肩甲骨を前外側に引く，肩が固定されている場合には肋骨を挙上する（吸息の補助）
	⑤ 下部		肩甲骨（内側縁の肋骨面と，下角の肋骨面と背側面）		下部：肩甲骨の下角を前外側に引く（上腕の90°以上の挙上を可能にする）

個々の筋 (3)
Muscle Facts (III)

図 25.28 僧帽筋
後方から見たところ.

A 僧帽筋.

図 25.29 肩甲挙筋, 大菱形筋, 小菱形筋
右側, 後方から見たところ.

A 筋の走行, 模式図.

B 肩甲挙筋, 大菱形筋, 小菱形筋.

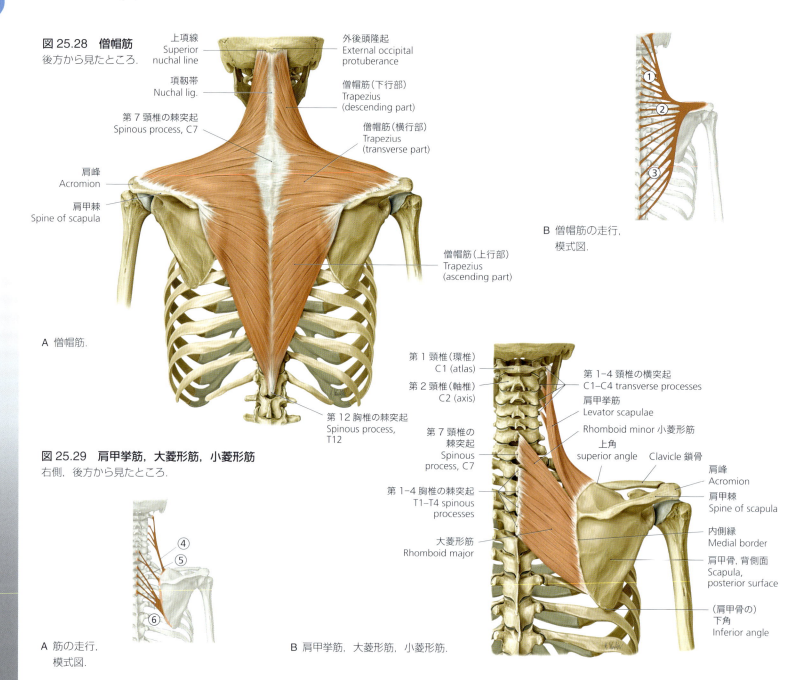

B 僧帽筋の走行, 模式図.

表 25.5	僧帽筋, 肩甲挙筋, 大菱形筋, 小菱形筋				
筋		起始	停止	神経支配	作用
僧帽筋	① 下行部	後頭骨：C1-C7 の棘突起	鎖骨(外側 1/3)	神経(CN XI), 頸神経叢(C3-C4)	肩甲骨を上内側に引き, 関節窩を上方に回す 頭を同側に傾け, 対側に回旋する
	② 横行部(水平部)	T1-T4 の高さの腱膜	肩峰		肩甲骨を内側に引く
	③ 上行部	T5-T12 の棘突起	肩甲棘		肩甲骨を下内側に引く
④ 肩甲挙筋		C1-C4 の横突起	肩甲骨(上角)	肩甲背神経と頸神経(C3-C4)	肩甲骨を上内側に引き, 下角を内側に動かす
⑤ 小菱形筋		C6, C7 の棘突起	肩甲骨の内側縁 (肩甲棘より上の部分)	肩甲背神経 (C4-C5)	肩甲骨を安定させる, 肩甲骨を上内側に引く
⑥ 大菱形筋		T1-T4 の棘突起	肩甲骨の内側縁 (肩甲棘より下の部分)		
CN, 脳神経.					

図 25.30　広背筋と大円筋
後方から見たところ．

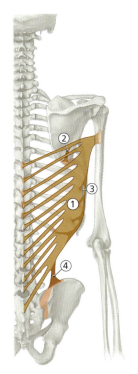

A 広背筋の走行，模式図．

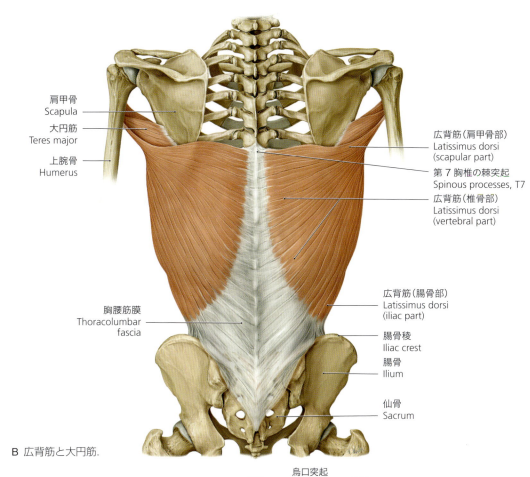

B 広背筋と大円筋．

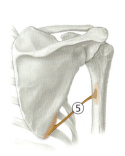

C 大円筋の走行，模式図．

D 広背筋の停止は結節間溝の底であり，大円筋の停止は上腕骨の小結節稜である．

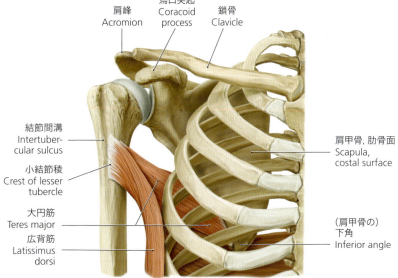

表 25.6	広背筋と大円筋				
筋		起始	停止	神経支配	作用
広背筋	① 椎骨部	T7-T12 の棘突起，胸腰筋膜	結節間溝の底	胸背神経（C6-C8）	上腕の内旋，内転，後方挙上，呼息の補助（咳嗽筋）
	② 肩甲骨部	肩甲骨（下角）			
	③ 肋骨部	第 9-12 肋骨			
	④ 腸骨部	腸骨稜（後 1/3）			
⑤ 大円筋		肩甲骨（下角）	小結節稜	下位の肩甲下神経（C5，C6）	上腕の内旋，内転，後方挙上

個々の筋(4)
Muscle Facts (IV)

上腕の前面と後面の筋は，肘関節に対する作用に基づき，それぞれ屈筋および伸筋と総称される．烏口腕筋は局所解剖学的には上腕前方の筋であるが，機能的には肩の筋に含まれる（**p.318** 参照）．

図 25.31　上腕二頭筋と上腕筋
右上腕，前方から見たところ．

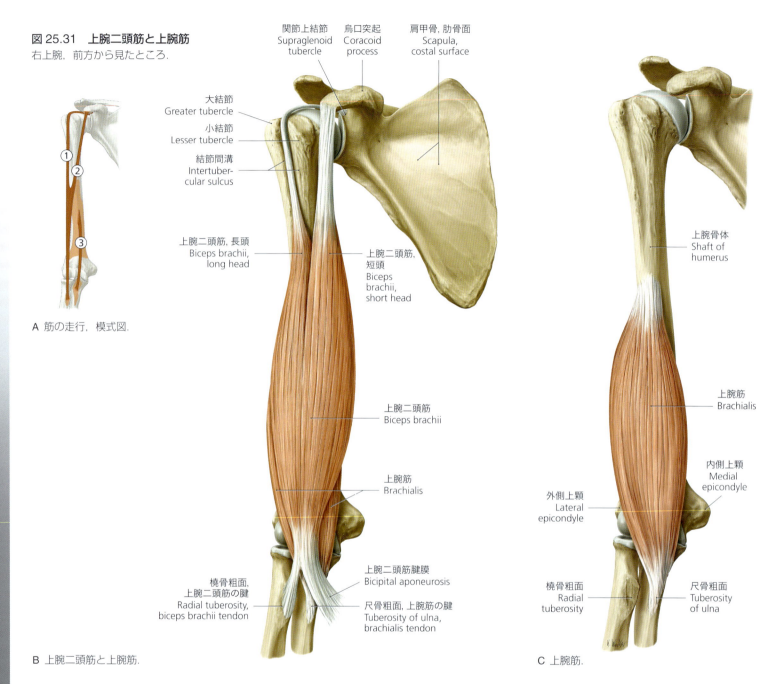

A 筋の走行，模式図．

B 上腕二頭筋と上腕筋．

C 上腕筋．

表 25.7　上腕前面の筋：上腕二頭筋と上腕筋

筋		起始	停止	神経支配	作用
上腕二頭筋	①長頭	肩甲骨の関節上結節	橈骨粗面，上腕二頭筋腱膜	筋皮神経（C5-C6）	肘関節：屈曲と回外* 肩関節：上腕の前方挙上，三角筋が収縮している際に上腕骨頭を安定に保つ，上腕骨の外転と内旋
	②短頭	肩甲骨の烏口突起			
③上腕筋		上腕骨（肋骨面の遠位半分）	尺骨粗面	筋皮神経（C5-C6），橈骨神経（C7，一部の筋束のみ）	肘関節の屈曲

*肘が屈曲している場合，上腕二頭筋は強力な回外筋として働く．というのも，屈曲時には，てこの役割をする上腕二頭筋の腱が回内/回外軸に対してほとんど垂直だからである．

図 25.32 　上腕三頭筋と肘筋
右上腕，後方から見たところ．

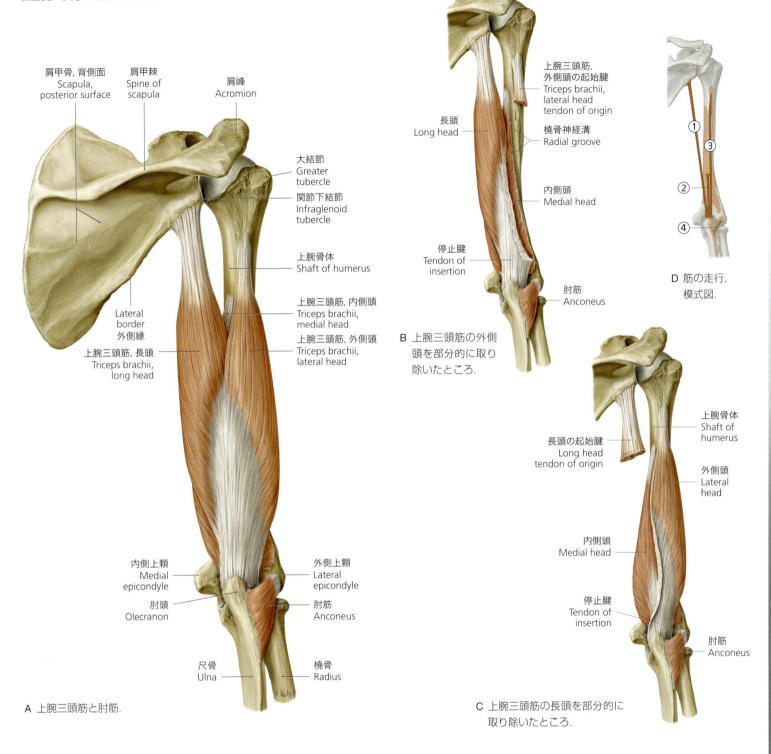

A 上腕三頭筋と肘筋．

B 上腕三頭筋の外側頭を部分的に取り除いたところ．

C 上腕三頭筋の長頭を部分的に取り除いたところ．

D 筋の走行，模式図．

表 25.8		上腕後方の筋：上腕三頭筋と肘筋			
筋		起始	停止	神経支配	作用
上腕三頭筋	① 長頭	肩甲骨（関節下結節）	尺骨の肘頭	橈骨神経（C6-C8)	肘関節：伸展 肩関節（長頭の作用）：上腕の後方挙上と内転
	② 内側頭	上腕骨の後面（橈骨神経溝の下位），内側筋間中隔			
	③ 外側頭	上腕骨の後面（橈骨神経溝の近位），外側筋間中隔			
④ 肘筋		上腕骨の外側上顆（肘関節包の後部から起始することもある）	尺骨の肘頭（橈側面）		肘関節の伸展と安定化

26 肘と前腕
橈骨と尺骨
Radius & Ulna

図 26.1　橈骨と尺骨
右前腕.

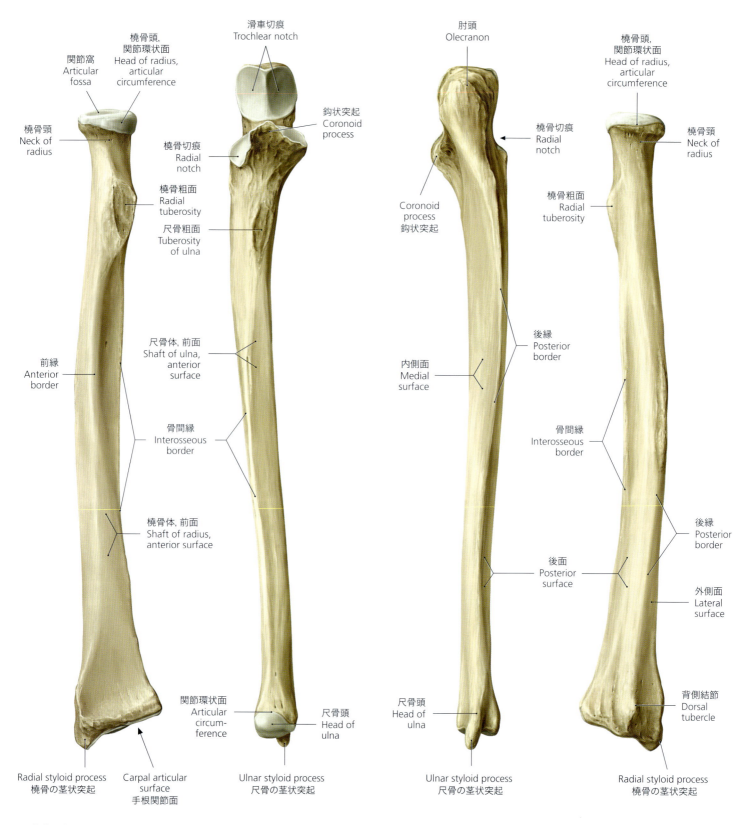

A　前方から見たところ.

B　後方から見たところ.

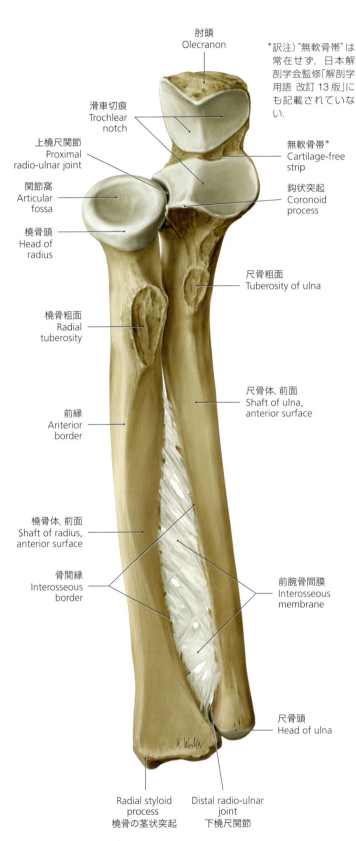

C 前上方から見たところ.

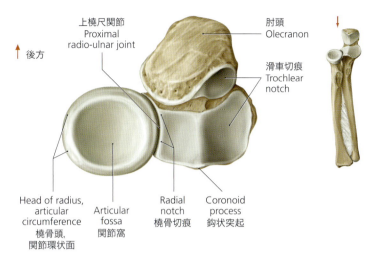

D 上方から見たところ.

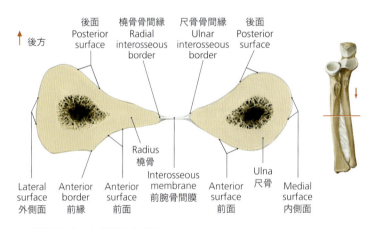

E 横断面，上方から見たところ.

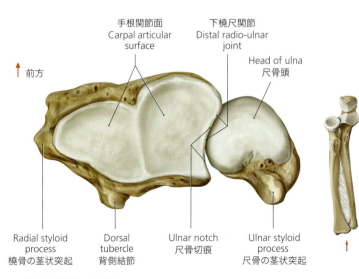

F 下方から見たところ.

肘関節
Elbow Joint

図 26.2　肘関節
右上肢．肘関節は上腕骨，尺骨，橈骨のそれぞれの間にできる3つの関節（腕尺関節，腕橈関節，上橈尺関節）からなる．

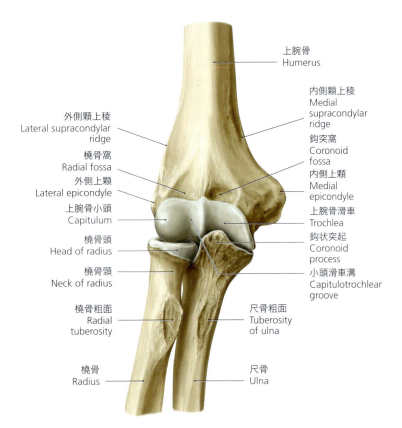

A　前方から見たところ．

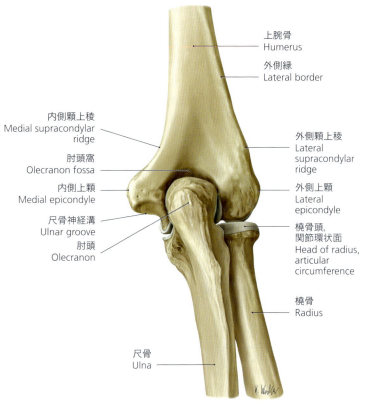

B　後方から見たところ．

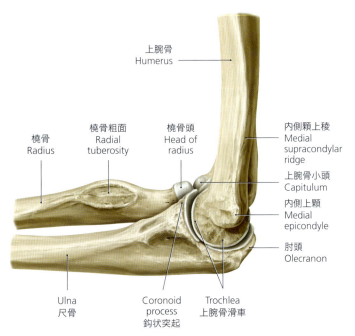

C　内側方から見たところ．

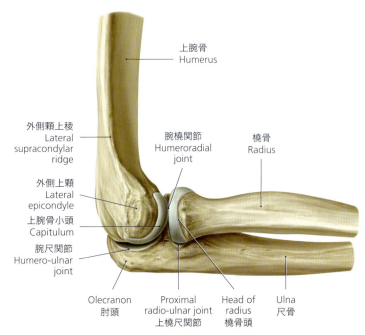

D　外側方から見たところ．

図 26.3 右の肘関節の骨・軟組織

① 長橈側手根伸筋
② 腕橈関節（上腕骨小頭と橈骨頭の関節窩）
③ 腕尺関節（上腕骨滑車と尺骨滑車切痕）
④ 上橈尺関節（橈骨の関節環状面と尺骨の橈骨切痕）

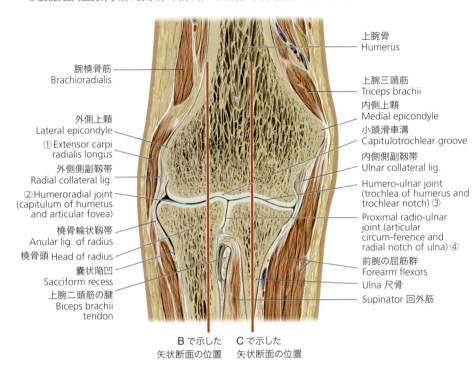

A 冠状断面，前面（BとCに矢状断面を示す）．

臨床 BOX 26.1

肘外傷の評価

正常な肘関節を見ると，関節包の線維被膜と滑膜の間に脂肪塊が存在する．前面にある脂肪塊は矢状断のMR像で簡単に見ることができるが，後面にある脂肪塊はしばしば骨の窪み（肘頭窩）の中に隠れている（図26.3，29.11）．関節腔に滲出液がたまると，液が前方の脂肪塊を圧迫し，脂肪塊の下縁が上方に凹んで見える．圧迫された脂肪塊は形が船の帆に似るので，画像上のこのような徴候を帆徴候（sail sign）と呼ぶ．また，肘における隆起部の配列をみることは，骨折や脱臼を診断するうえで参考となる．

A 伸展した肘を後方から見たところ．内側上顆，肘頭，外側上顆が一直線上に並ぶ．

B 屈曲した肘を内側方から見たところ．内側（もしくは外側）上顆と肘頭が一直線上に並ぶ．

C 屈曲した肘を後方から見たところ．内側上顆，外側上顆，肘頭の先端が二等辺三角形を形成する．骨折や脱臼によってこの三角形は変形する．

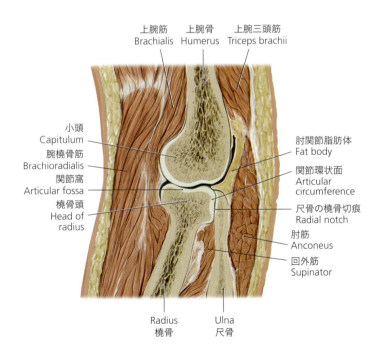

B 腕橈関節と上橈尺関節を通る矢状断面，内側面．

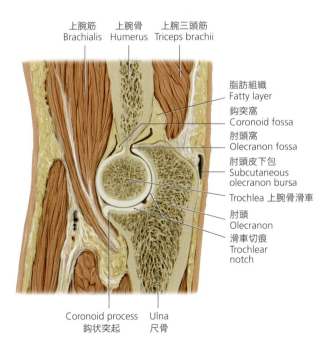

C 腕尺関節を通る矢状断面，内側方から見たところ．

肘関節の靱帯
Ligaments of the Elbow Joint

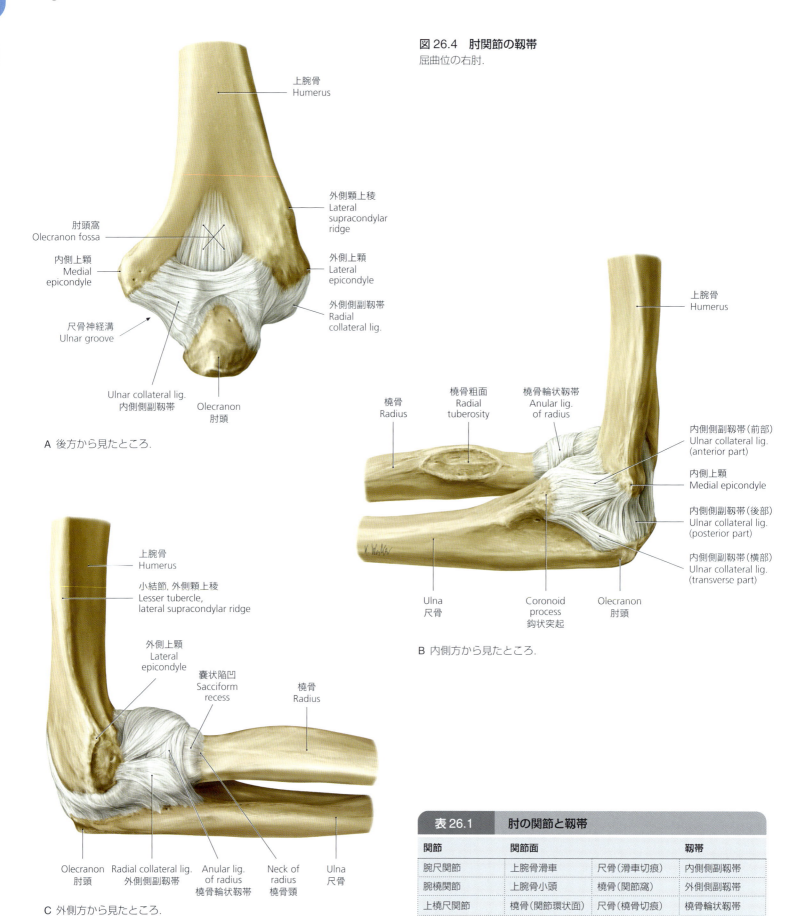

図 26.4 肘関節の靱帯
屈曲位の右肘.

関節	関節面		靱帯
腕尺関節	上腕骨滑車	尺骨（滑車切痕）	内側側副靱帯
腕橈関節	上腕骨小頭	橈骨（関節窩）	外側側副靱帯
上橈尺関節	橈骨（関節環状面）	尺骨（橈骨切痕）	橈骨輪状靱帯

表 26.1 肘の関節と靱帯

図 26.5　肘の関節包
伸展位の右肘，前方から見たところ．

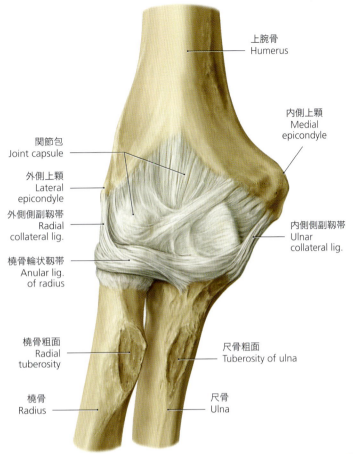

A　関節包．

臨床 BOX 26.2

肘内障（橈骨頭の亜脱臼）

小児にしばしば見られる有痛性の肘外傷であり，上肢を回内位の状態で急に引き上げられた際に，橈骨頭がこれを取り巻く橈骨輪状靱帯の下方に亜脱臼した状態．小児では橈骨頭が未成熟なため亜脱臼を起こしやすい．橈骨頭が橈骨輪状靱帯から引き抜かれる際に，この靱帯が橈骨頭と上腕骨小頭の間に挟み込まれる場合がある．橈骨頭を正常な位置に戻すには，前腕を屈曲位で回外させる．

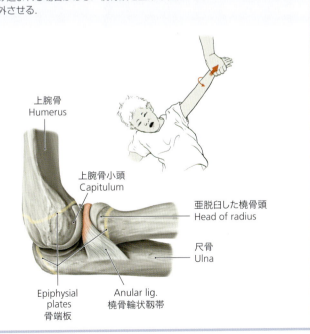

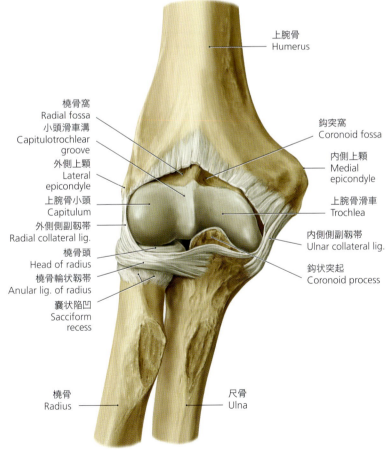

B　関節包を開いたところ．

橈尺関節
Radio-ulnar Joints

上・下橈尺関節は共同して働き，前腕の回内・回外運動を可能にする．この2つの関節は，骨間膜によって，機能的に連結されている．回内・回外軸は斜めに走っており，上腕骨小頭の中心から，橈骨頭の関節面の中心を通り，尺骨の茎状突起に達する．

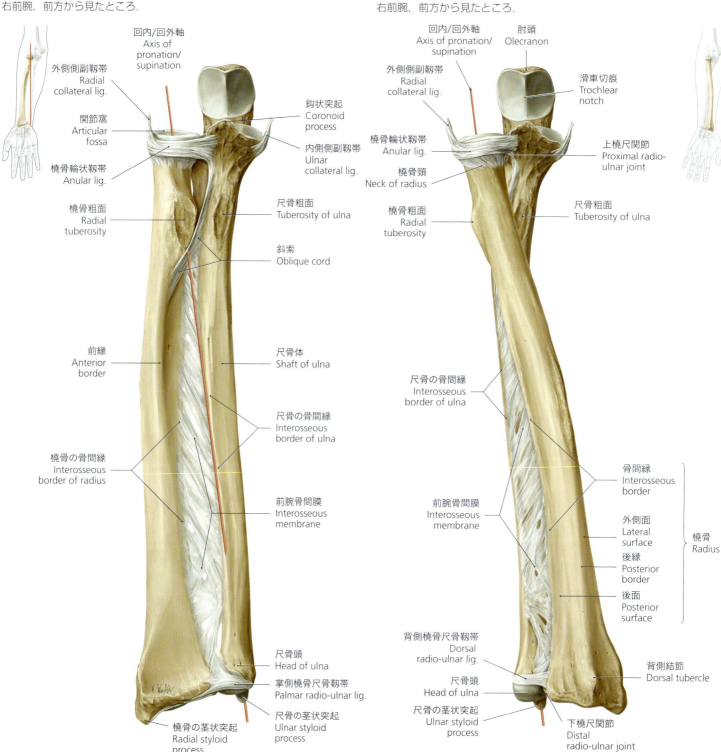

図 26.6　回外位
右前腕，前方から見たところ．

図 26.7　回内位
右前腕，前方から見たところ．

図 26.8 上橈尺関節
右肘，上方から見たところ．

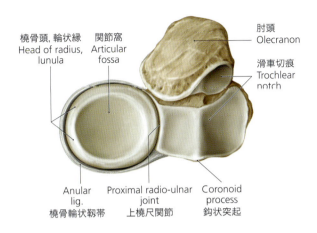

A 橈骨と尺骨の上端にある関節面．

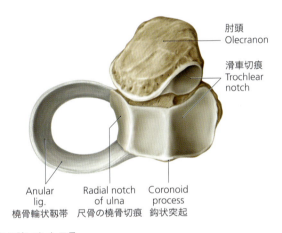

B 橈骨を取り除いたところ．

図 26.9 下橈尺関節での回旋
右肘，橈骨と尺骨の下端にある関節面．背側・掌側橈骨尺骨靱帯は下橈尺関節を安定させる．

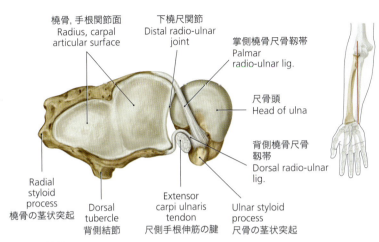

A 回外位．

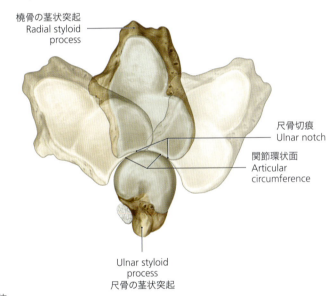

B 中間位．

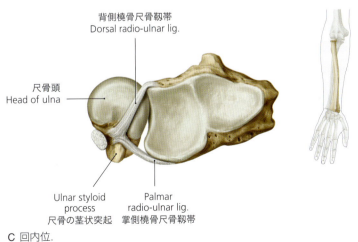

C 回内位．

臨床 BOX 26.3

橈骨骨折
腕を伸ばしたままで，手のひらをついて転倒すると，しばしば橈骨遠位部が骨折する．コレス(Colles)骨折では，遠位の骨片は手背側へ傾く．

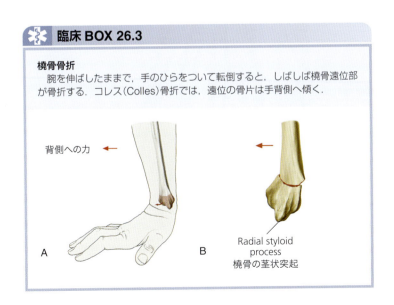

前腕の筋：前面
Muscles of the Forearm: Anterior Compartment

図 26.10　前腕前面の筋の前方からの剖出
右前腕，前方から見たところ．筋の起始を赤色，停止を青色で示してある．

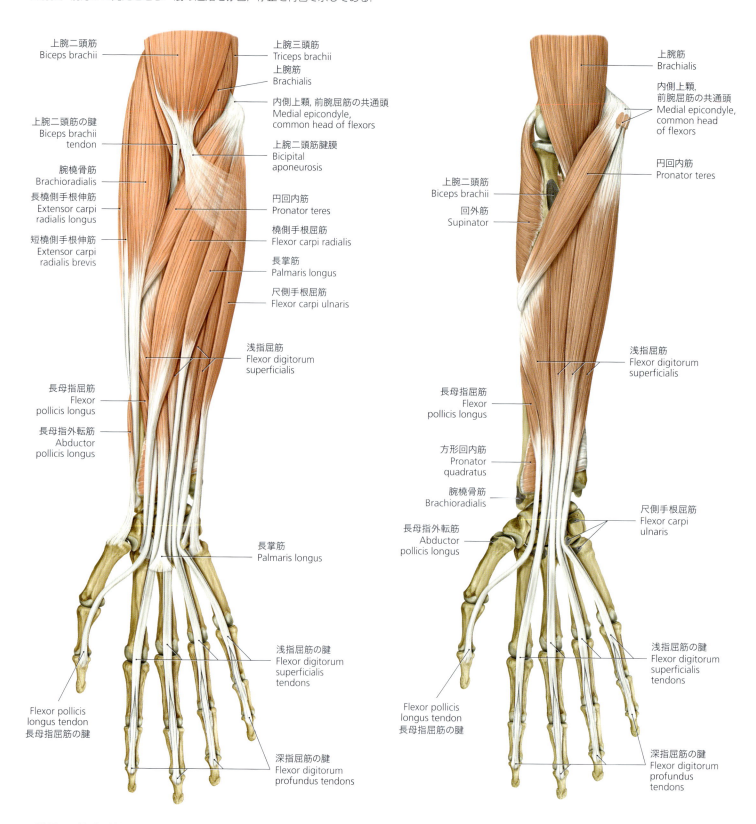

A　浅層の屈筋群と橈側筋群．

B　橈側筋群（腕橈骨筋，長・短橈側手根伸筋），橈側手根屈筋，尺側手根屈筋，長母指外転筋，長掌筋，上腕二頭筋を取り除いたところ．

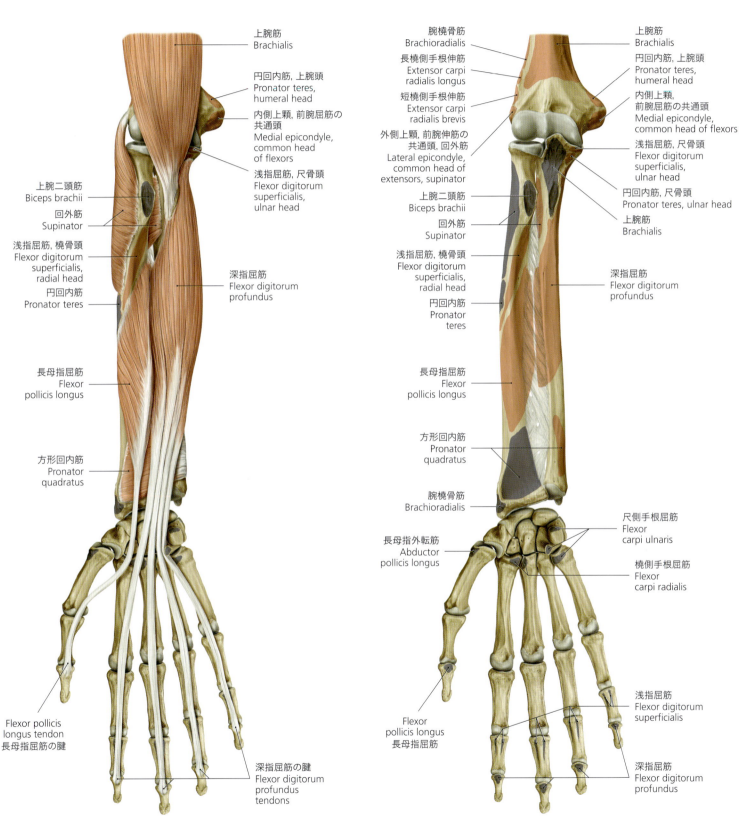

C 円回内筋と浅指屈筋を取り除いたところ．

D 上腕筋，回外筋，方形回内筋，深層の屈筋群を取り除いたところ．

前腕の筋：後面
Muscles of the Forearm: Posterior Compartment

図26.11 前腕後面の筋の後方からの剖出
右前腕，後方から見たところ．筋の起始を赤色，停止を青色で示してある．

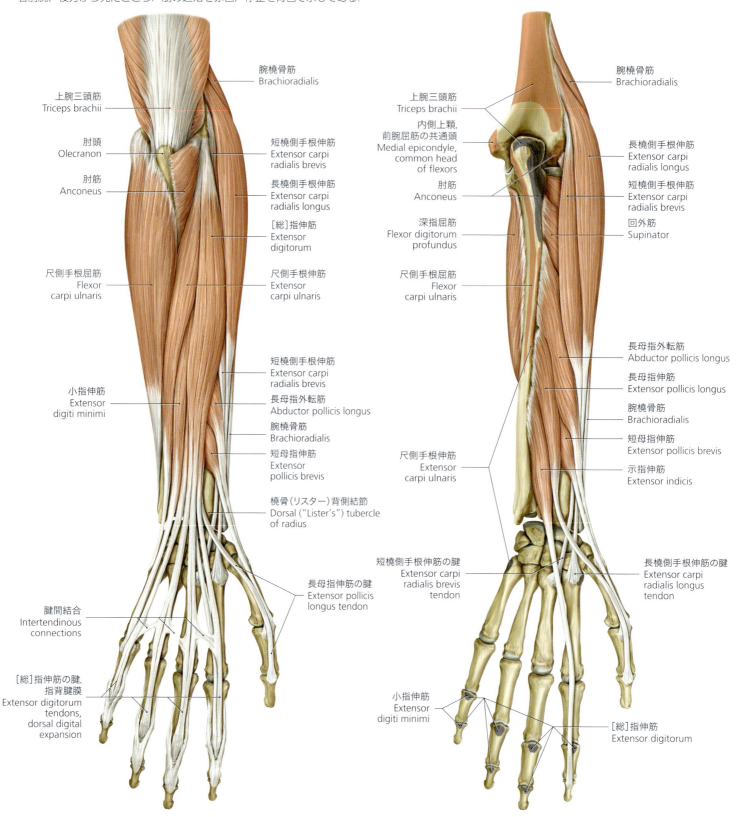

A 浅層の伸筋群と橈側筋群．

B 上腕三頭筋，肘筋，尺側手根伸筋，尺側手根屈筋，[総]指伸筋を取り除いたところ．

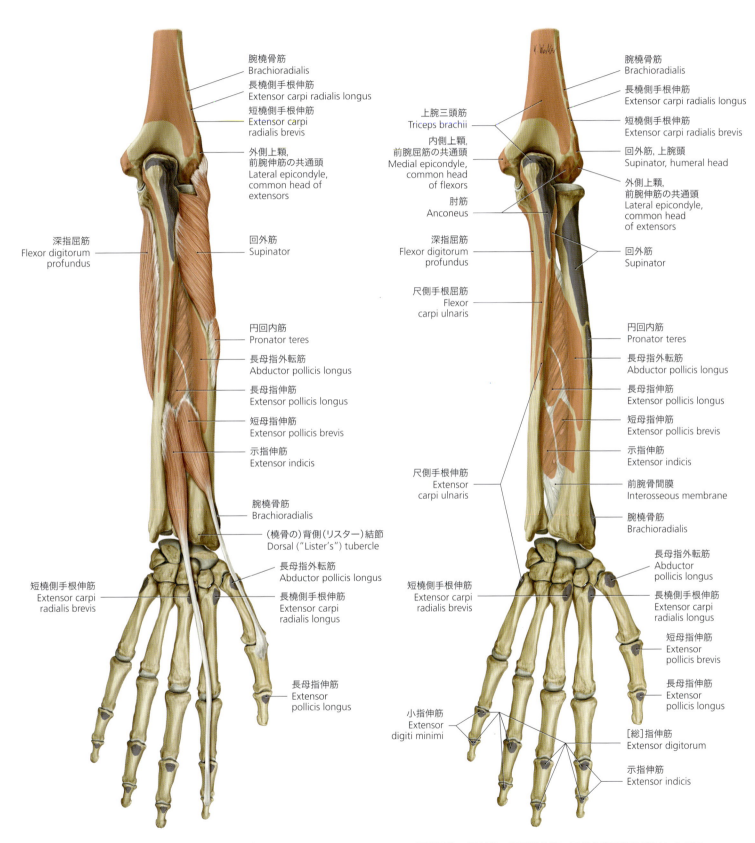

C 長母指外転筋，長母指伸筋，橈側筋群を取り除いたところ．

D 深指屈筋，回外筋，短母指伸筋，示指伸筋を取り除いたところ．

個々の筋（1）
Muscle Facts（I）

図 26.12　前腕前面の筋
右前腕，前方から見たところ．

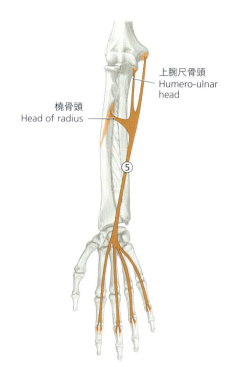
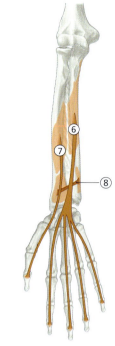

A 浅層．　　B 中間層．　　C 深層．

表 26.2	前腕前面の筋				
筋	起始	停止		神経支配	作用
浅層筋群					
①円回内筋	上腕頭：上腕骨の内側上顆 尺骨頭：尺骨の鈎状突起	橈骨の外側面（回外筋の停止部よりも遠位）		正中神経（C6, C7）	肘：弱い屈曲作用 前腕：回内
②橈側手根屈筋	上腕骨の内側上顆	第2中手骨底（変異：第3中手骨底）		正中神経（C6, C7）	手首：屈曲・外転（橈側偏位）
③長掌筋		手掌腱膜		正中神経（C7, C8）	肘：弱い屈曲作用 手首：屈曲・手掌腱膜を緊張させる
④尺側手根屈筋	上腕頭：上腕骨の内側上顆 尺骨頭：尺骨の肘頭	豆状骨，有鈎骨鈎，第5中手骨底		尺骨神経（C7-T1）	手首：屈曲・内転（尺側偏位）
中間層筋群					
⑤浅指屈筋	上腕尺骨頭：上腕骨の内側上顆 　　　　　　尺骨の鈎状突起 橈骨頭：橈骨前縁の上半部	第2-5指の中節骨（両縁）		正中神経（C8, T1）	肘：弱い屈曲作用 手首：屈曲 第2-5指のMCP関節・PIP関節：屈曲
深層筋群					
⑥深指屈筋	尺骨前面（近位2/3）と骨間膜	第2-5指の末節骨（掌側面）		正中神経（C8, T1, 第2, 3指への筋束）， 尺骨神経（C8, T1, 第4, 5指への筋束）	手首：屈曲 第2-5指のMCP関節・PIP関節・DIP関節：屈曲
⑦長母指屈筋	橈骨前面（中央1/3）と骨間膜	母指の末節骨（掌側面）		正中神経（C8, T1）	手首：屈曲・外転（橈側偏位） 母指の手根中手関節・MCP関節・IP関節：屈曲
⑧方形回内筋	尺骨前面（遠位1/4）	橈骨前面（遠位1/4）			前腕：回内，下橈尺関節の安定化

DIP関節，遠位指節間関節；IP関節，指節間関節；MCP関節，中手指節関節；PIP関節，近位指節間関節．

図 26.13 前腕前面の筋
右前腕，前方から見たところ．

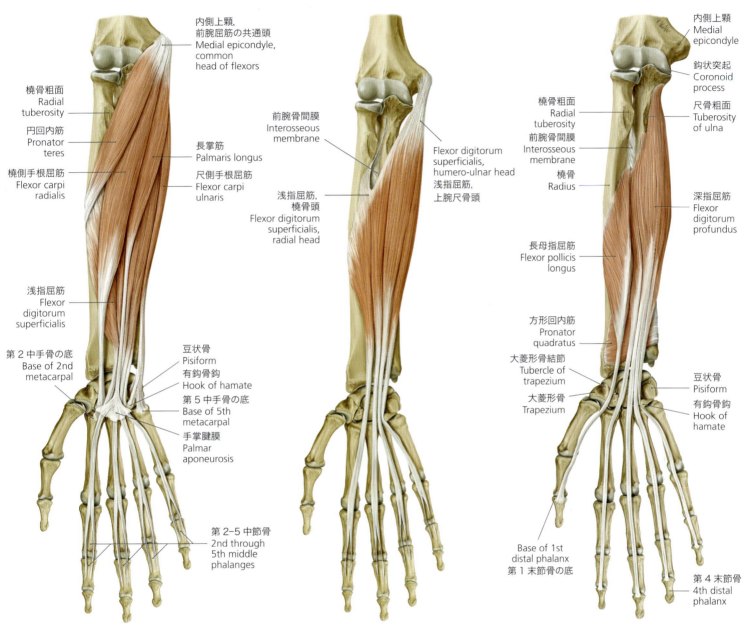

A 浅層筋群．　　B 中間層筋群．　　C 深層筋群．

個々の筋（2）
Muscle Facts（II）

図26.14 前腕後面の筋（橈側筋群）
右前腕，後方から見たところ．模式図．

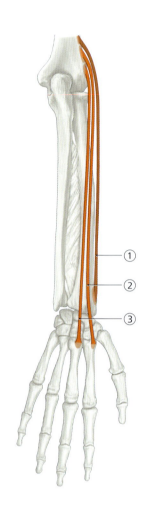

臨床BOX 26.4

外側上顆炎

　テニス肘とも呼ばれ，炎症は外側上顆から起始する前腕の伸筋群やその腱にも生じる．短橈側手根伸筋の腱は，外側上顆炎において，炎症が最も生じやすい腱である．この筋は肘の伸展時に手首を安定に保つ働きがあり，過剰使用により外側上顆に付着している腱に顕微鏡レベルの微細な断裂が生じる．断裂は炎症を引き起こし，炎症は腱に沿って外側上顆の骨膜に波及し，外側上顆炎を生じるという証拠がいくつか報告されている．

　外側上顆炎（テニス肘）は運動選手だけに生じるわけではなく，むしろ少ないくらいである．塗装工，配管工，大工といった前腕の筋を繰り返し酷使する人々はこの疾患に特に罹患しやすい．また，自動車工，料理人，精肉業者においても高頻度で見られることが報告されている．外側上顆炎によく見られる症状や徴候は，外側上顆の圧痛，握力の低下，手首を抵抗に抗して伸展させた際の疼痛である．前腕の運動を継続する限り，これらの症状は増悪する．

表26.3　前腕後面の筋（橈側筋群）

筋	起始	停止	神経支配	作用
①腕橈骨筋	上腕骨遠位部（前外側面），外側筋間中隔	橈骨の茎状突起	橈骨神経（C5，C6）	肘：屈曲 前腕：半回内
②長橈側手根伸筋	上腕骨の外側上顆稜，外側筋間中隔	第2中手骨底	橈骨神経（C6，C7）	肘：弱い屈曲作用 手首：伸展・外転（橈側偏位）
③短橈側手根伸筋	上腕骨の外側上顆	第3中手骨底	橈骨神経（C7，C8）	

図 26.15 前腕後面の筋（橈側筋群）
右前腕.

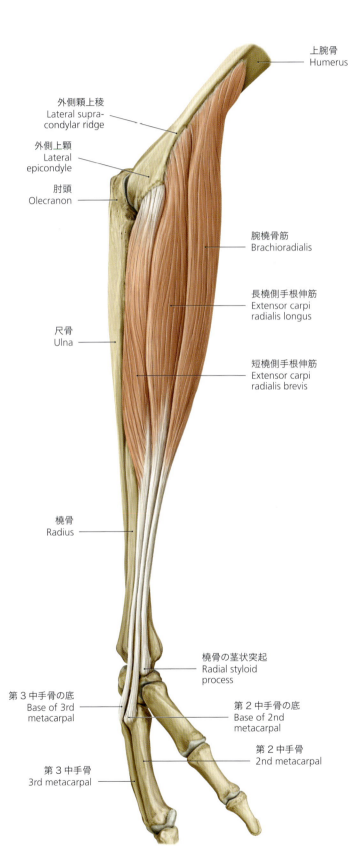

A 外側（橈）方から見たところ.

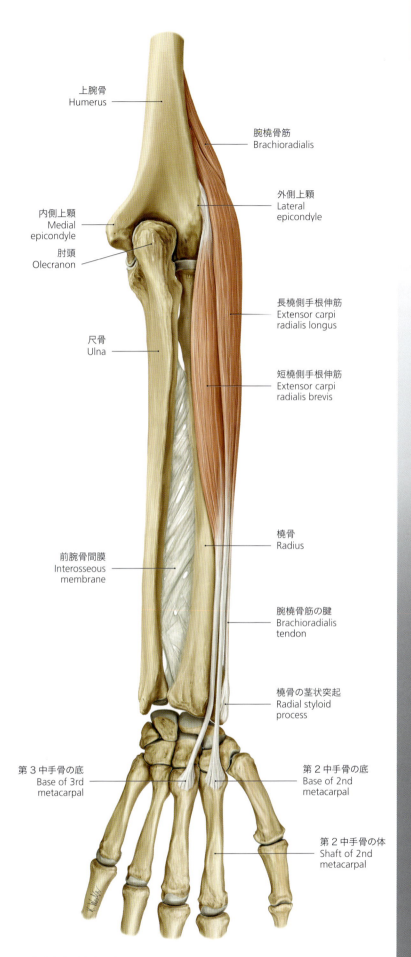

B 後方から見たところ.

個々の筋(3)
Muscle Facts(III)

図 26.16 前腕後面の筋
右前腕，後方から見たところ．

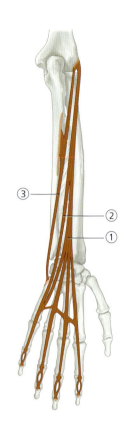
A 浅層筋群．

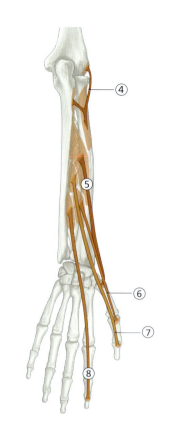
B 深層筋群．

表 26.4　前腕後面の筋

筋	起始	停止	神経支配	作用
浅層筋群				
①［総］指伸筋	共通頭：上腕骨の外側上顆	第 2-5 指の指背腱膜	橈骨神経(C7, C8)	手首：伸展 第 2-5 指の MCP 関節・PIP 関節・DIP 関節：伸展・外転
②小指伸筋	共通頭：上腕骨の外側上顆	第 5 指の指背腱膜	橈骨神経(C7, C8)	手首：伸展・外転(橈側偏位) 第 5 指の MCP 関節・PIP 関節・DIP 関節：伸展・外転
③尺側手根伸筋	共通頭：上腕骨の外側上顆，尺骨頭：尺骨の後面	第 5 中手骨底		手首：伸展・内転(尺側偏位)
深層筋群				
④回外筋	肘頭，外側上顆，外側側副靱帯，橈骨輪状靱帯	橈骨(橈骨粗面と円回内筋停止部の間)	橈骨神経(C6, C7)	前腕：回外
⑤長母指外転筋	橈骨と尺骨の後面，骨間膜	第 1 中手骨底	橈骨神経(C7, C8)	手首：外転(橈側偏位) 母指の手根中手関節：外転
⑥短母指伸筋	橈骨の後面，骨間膜	母指の基節骨底	橈骨神経(C7, C8)	手首：外転(橈側偏位) 母指の手根中手関節・MCP 関節：伸展
⑦長母指伸筋	尺骨の後面，骨間膜	母指の末節骨底	橈骨神経(C7, C8)	手首：伸展・外転(橈側偏位) 母指の手根中手関節：外転 母指の MCP 関節・IP 関節：伸展
⑧示指伸筋	尺骨の後面，骨間膜	示指の指背腱膜	橈骨神経(C7, C8)	手首：伸展 示指の MCP 関節・PIP 関節・DIP 関節：伸展

DIP 関節，遠位指節間関節；IP 関節，指節間関節；MCP 関節，中手指節関節；PIP 関節，近位指節間関節．

図 26.17　前腕後面の筋（浅層筋群，深層筋群）
右前腕，後方から見たところ．

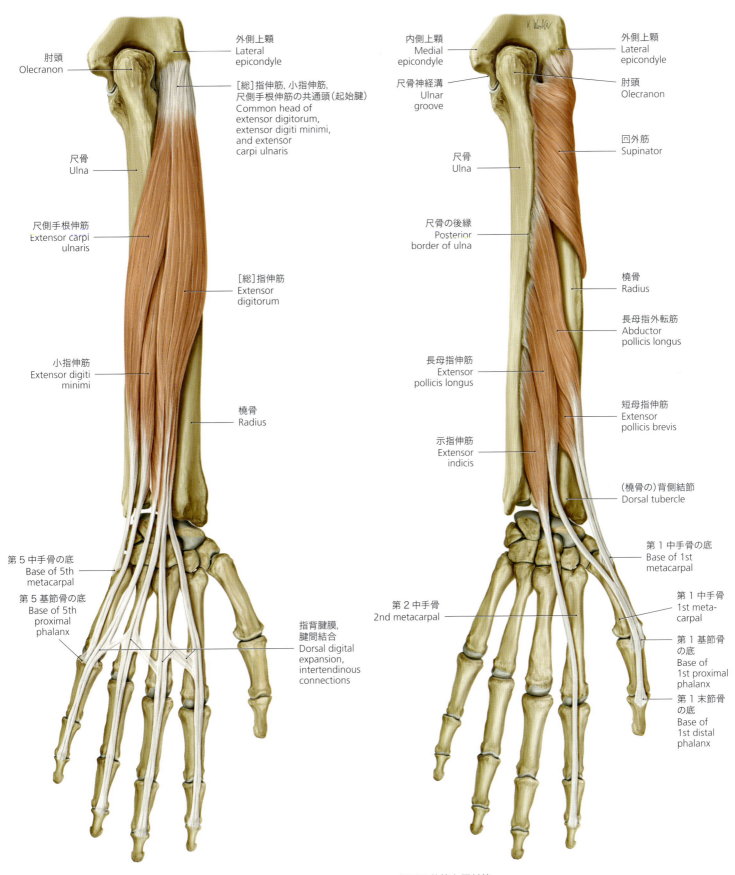

A　浅層の伸筋．

B　深層の伸筋と回外筋．

27 手首と手
手首と手の骨
Bones of the Wrist & Hand

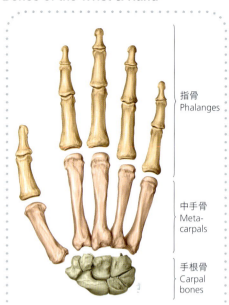

表 27.1	手首と手の骨	
指骨	第 1-5 基節骨	
	第 2-5 中節骨*	
	第 1-5 末節骨	
中手骨	第 1-5 中手骨	
手根骨	大菱形骨	舟状骨
	小菱形骨	月状骨
	有頭骨	三角骨
	有鉤骨	豆状骨

*1つの手にある中節骨は4個である（母指には基節骨と末節骨しかない）.

図 27.1　背側面（後方から見たところ）
右手.

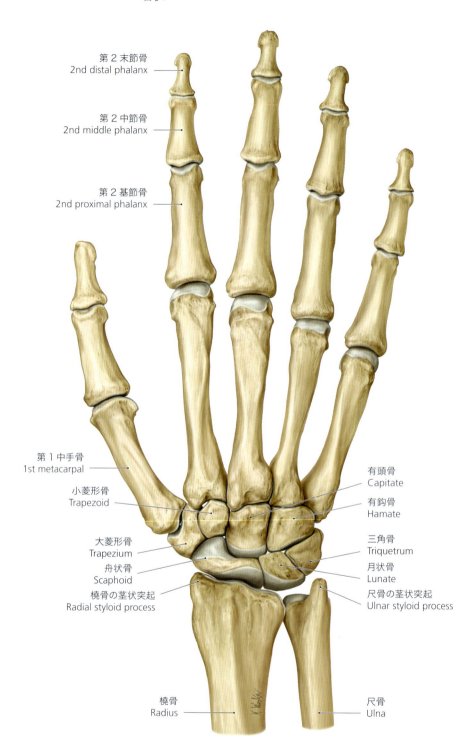

図 27.2 掌側面（前方から見たところ）
右手.

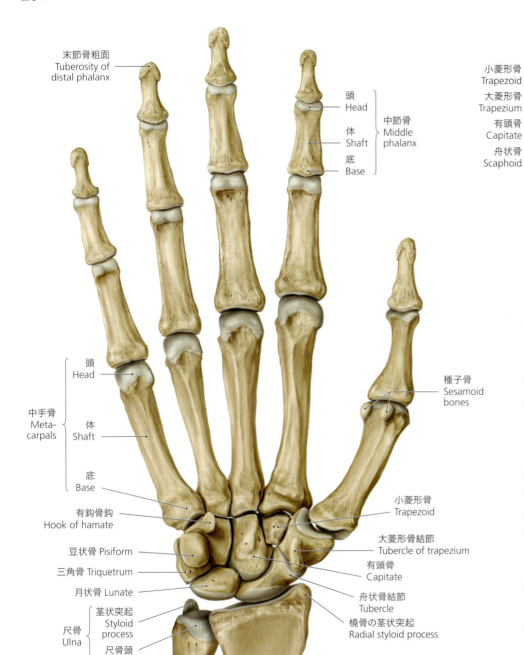

図 27.3 手首のX線像
左手首の前後像.

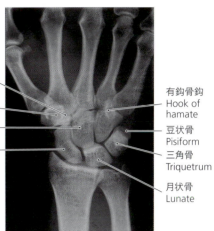

臨床 BOX 27.1

舟状骨骨折

舟状骨骨折は最もよく見られる手根骨の骨折であり，通常は近位端と遠位端の間にあるくびれた部位で起こる（A，右手の舟状骨，赤線．B，矢印）．舟状骨には通常は遠位端から動脈が入る．このため，くびれた部分で骨折が起こると（Bの矢印），近位端の血流が減少し，しばしば骨の癒合が妨げられたり，近位端が無血管性壊死に陥る．

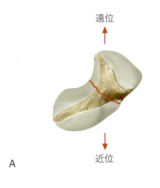

A

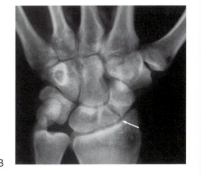

B

手根骨
Carpal Bones

図27.4 右手首の手根骨

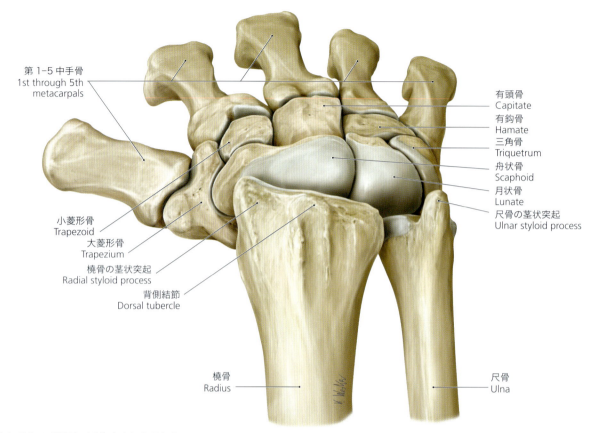

A 屈曲位にある右手首の手根骨. 近位方向から見たところ.

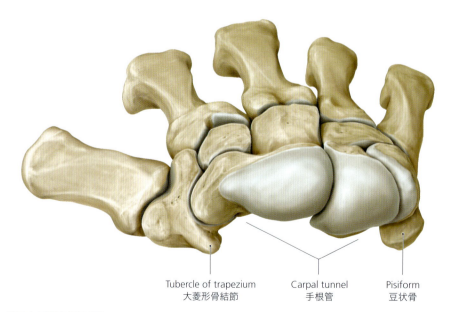

B 右手首の手根骨. 橈骨と尺骨を取り外し, 近位方向から見たところ.

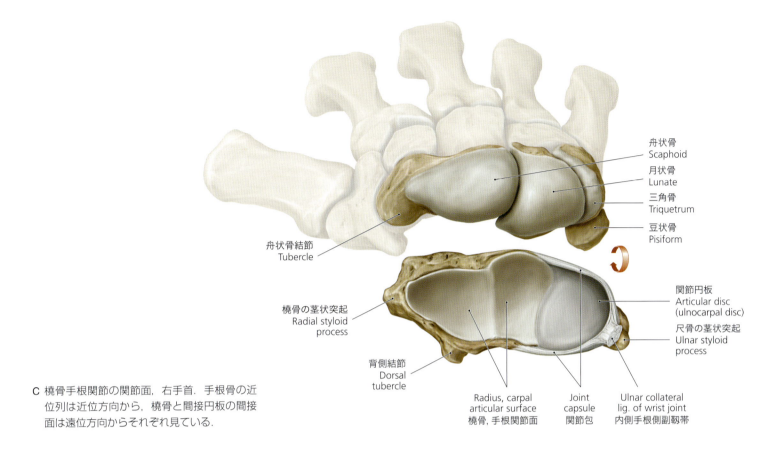

C 橈骨手根関節の関節面，右手首．手根骨の近位列は近位方向から，橈骨と間接円板の間接面は遠位方向からそれぞれ見ている．

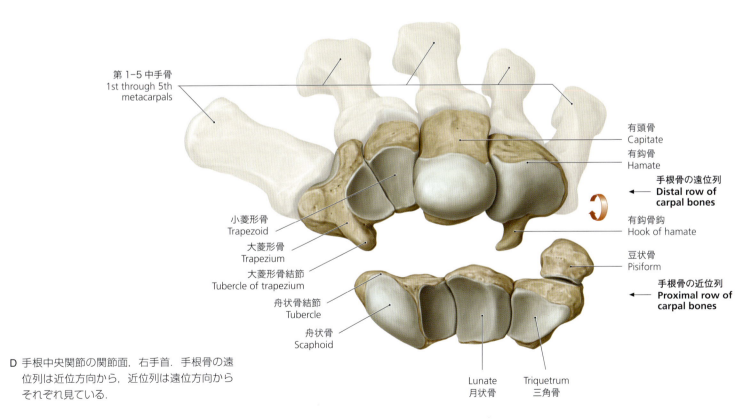

D 手根中央関節の関節面，右手首．手根骨の遠位列は近位方向から，近位列は遠位方向からそれぞれ見ている．

手首と手の関節
Joints of the Wrist & Hand

図27.5 手首と手の関節

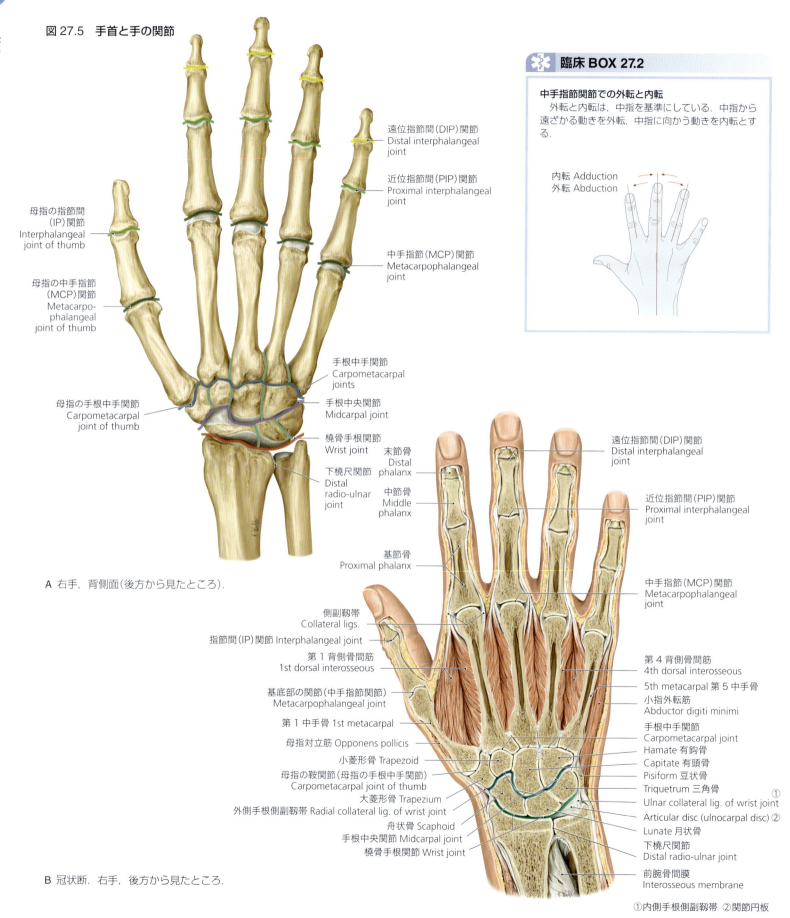

A 右手，背側面（後方から見たところ）．

B 冠状断．右手，後方から見たところ．

①内側手根側副靱帯　②関節円板

図 27.6 母指の手根中手関節

右手,橈側面.母指の手根中手関節が外してあり,大菱形骨の関節面がみえている.この関節における動きの主軸(2本)が示してある:外転/内転軸(**a**),屈曲/伸展軸(**b**).

図 27.7 母指の手根中手関節の運動

右手,掌側面.

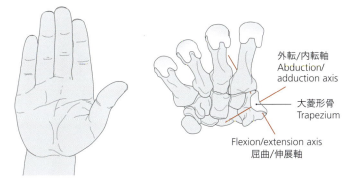

A 中立位.　　B 母指の手根中手関節の運動軸.

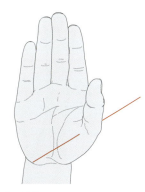 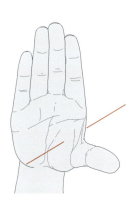

C 内転.　　D 外転.

 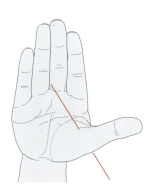

E 屈曲.　　F 伸展.

G 対立.

手の靱帯
Ligaments of the Hand

図 27.8 手の靱帯
右手.

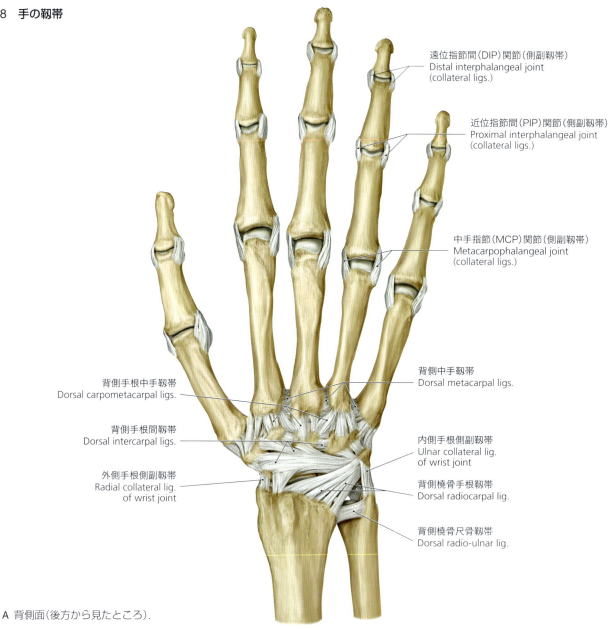

- 遠位指節間(DIP)関節(側副靱帯) Distal interphalangeal joint (collateral ligs.)
- 近位指節間(PIP)関節(側副靱帯) Proximal interphalangeal joint (collateral ligs.)
- 中手指節(MCP)関節(側副靱帯) Metacarpophalangeal joint (collateral ligs.)
- 背側手根中手靱帯 Dorsal carpometacarpal ligs.
- 背側中手靱帯 Dorsal metacarpal ligs.
- 背側手根間靱帯 Dorsal intercarpal ligs.
- 内側手根側副靱帯 Ulnar collateral lig. of wrist joint
- 外側手根側副靱帯 Radial collateral lig. of wrist joint
- 背側橈骨手根靱帯 Dorsal radiocarpal lig.
- 背側橈骨尺骨靱帯 Dorsal radio-ulnar lig.

A 背側面(後方から見たところ).

臨床 BOX 27.3

橈骨手根関節と手根中央関節での動き

掌屈と背屈は，月状骨(橈骨手根関節)と有頭骨(手根中央関節)を通る横軸の周りで起こる(A)．橈屈と尺屈は，有頭骨を通る掌背軸の周りで起こる(B)．

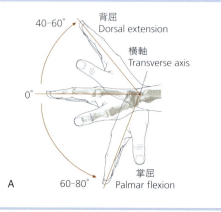

A 40-60° 背屈 Dorsal extension / 横軸 Transverse axis / 0° / 60-80° 掌屈 Palmar flexion

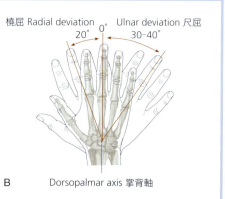

B 橈屈 Radial deviation 20° 0° 30-40° Ulnar deviation 尺屈 / Dorsopalmar axis 掌背軸

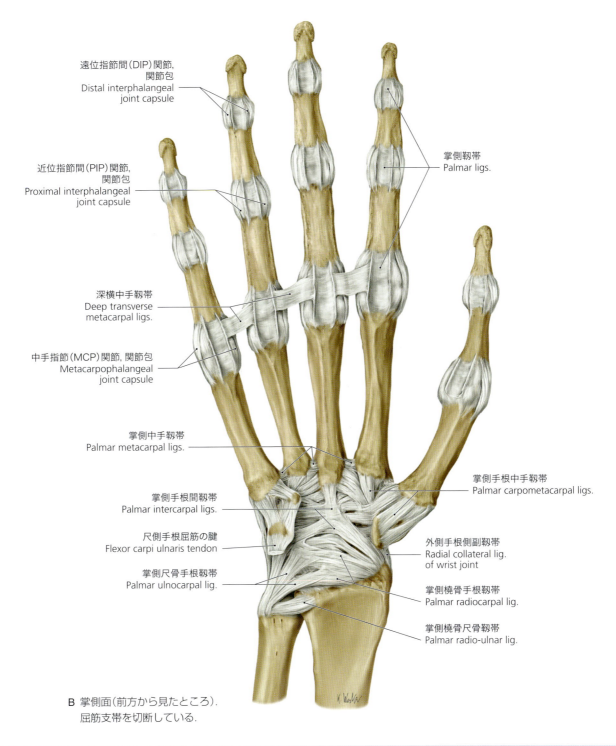

B 掌側面(前方から見たところ). 屈筋支帯を切断している.

臨床 BOX 27.4

手の機能的肢位

手の解剖学的肢位とは，全ての指は伸展して手掌は平たく伸び，前腕は回外し手掌が前方を向いた状態であり，通常の安静時の肢位とは異なる．安静時には，前腕は回内位と回外位の中間位(手掌が体幹を向いた状態)にあり，手首はやや伸展し，示指から小指はやや屈曲してアーケードを形成し，親指は中間位にある．手術後に手をギプスや副木で固定する場合には，指を屈曲位，手首を伸展位で固定する．これは靱帯の短縮を防ぎ，固定を解除した後でも手が安静時の正常な肢位を取れるようにするためである．

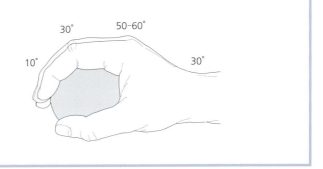

手首の靱帯とコンパートメント
Ligaments and Compartments of the Wrist

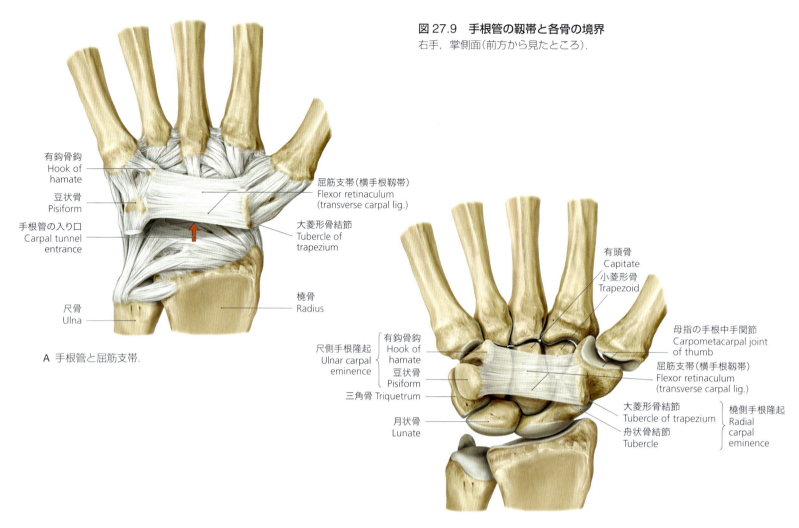

図 27.9　手根管の靱帯と各骨の境界
右手，掌側面（前方から見たところ）．

A　手根管と屈筋支帯．

B　手根管を形成する各骨の境界．

図 27.10　手根管
右手首，横断面．手根管と尺骨神経管については p.391 参照．

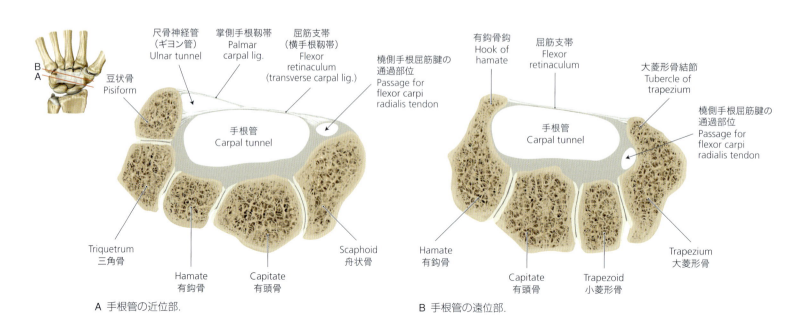

A　手根管の近位部．

B　手根管の遠位部．

図 27.11 尺骨手根領域

右手．尺骨手根領域（三角線維軟骨複合体）は，遠位の尺骨，下橈尺関節，近位の手根列を結ぶ靱帯・円板からなる．

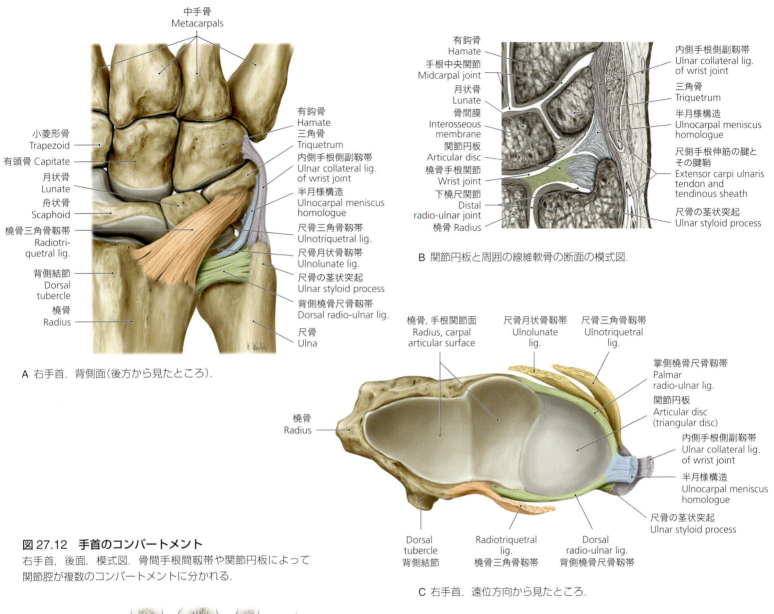

図 27.12 手首のコンパートメント

右手首，後面，模式図．骨間手根間靱帯や関節円板によって関節腔が複数のコンパートメントに分かれる．

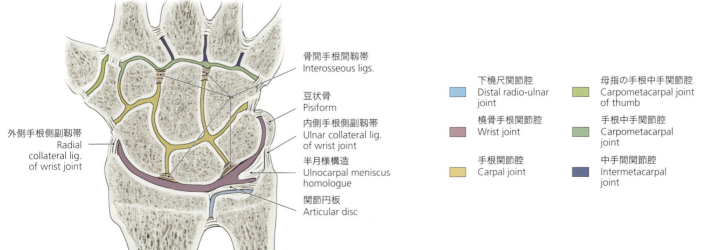

指の靭帯
Ligaments of the Fingers

図 27.13 指の関節包，靭帯，腱鞘：外側面
右中指，外側方から見たところ．腱鞘の外層をなす線維鞘は，一部が肥厚して輪状部と十字部を形成する．この2種類の肥厚部は腱鞘を指骨の掌側面につなぎとめ，指の屈曲時に腱鞘が掌側に偏位するのを防ぐ．

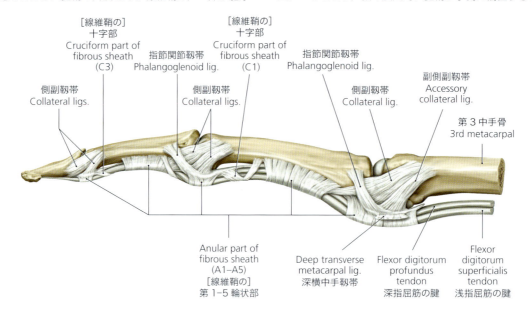

図 27.14 指の屈曲・伸展時の靭帯：外側面

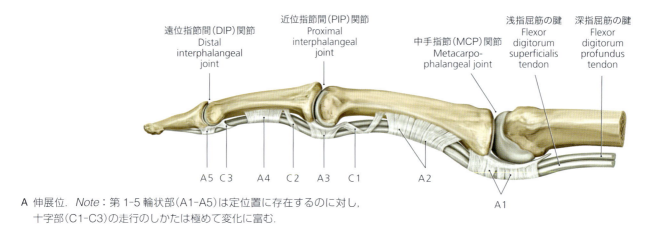

A 伸展位．Note：第1-5輪状部(A1-A5)は定位置に存在するのに対し，十字部(C1-C3)の走行のしかたは極めて変化に富む．

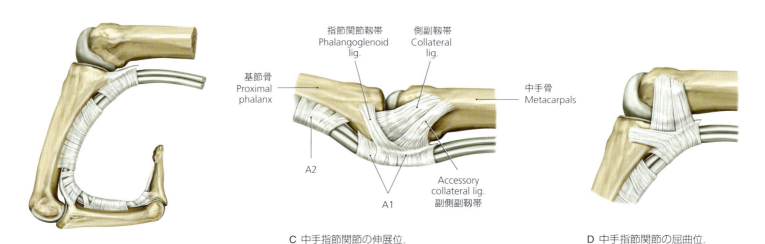

B 屈曲位．

C 中手指節関節の伸展位．
Note：側副靭帯が緩んでいる．

D 中手指節関節の屈曲位．
Note：側副靭帯が緊張している．

図 27.15　指の靱帯：掌側面（前方から見たところ）
右中指．

図 27.16　第 3 中手骨：横断面
近位方向から見たところ．

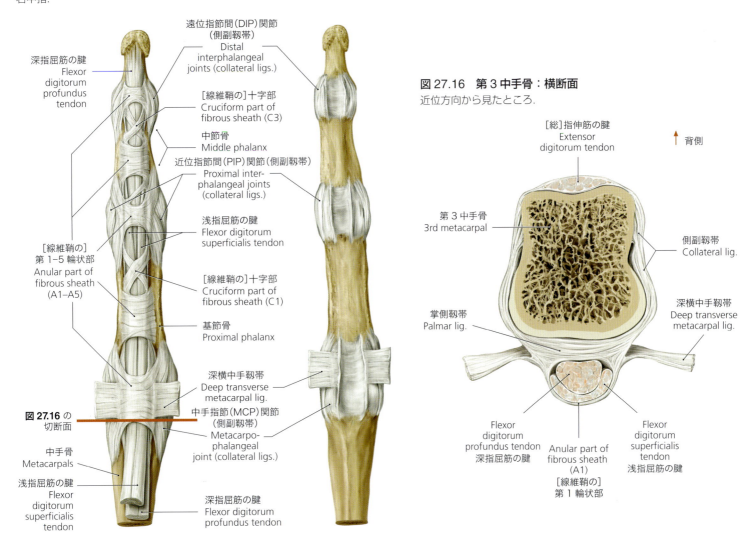

A　浅層の靱帯．

B　深層の靱帯，腱鞘と腱を取り除いたところ．

図 27.17　指先：縦断面
指の関節では，近位側の関節面が掌側に広がっている．線維軟骨の板からなる掌側靱帯（掌側板）は関節面の広がった部分と接しており，腱鞘の床となる．

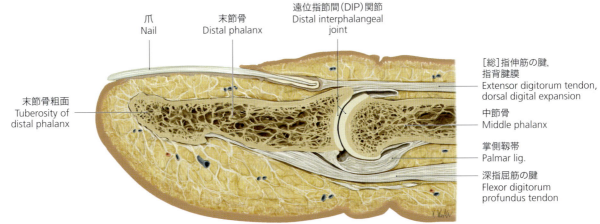

手の筋：浅層と中間層
Muscles of the Hand: Superficial & Middle Layers

図 27.18　手内筋：表層と中間層
右手，掌側面．

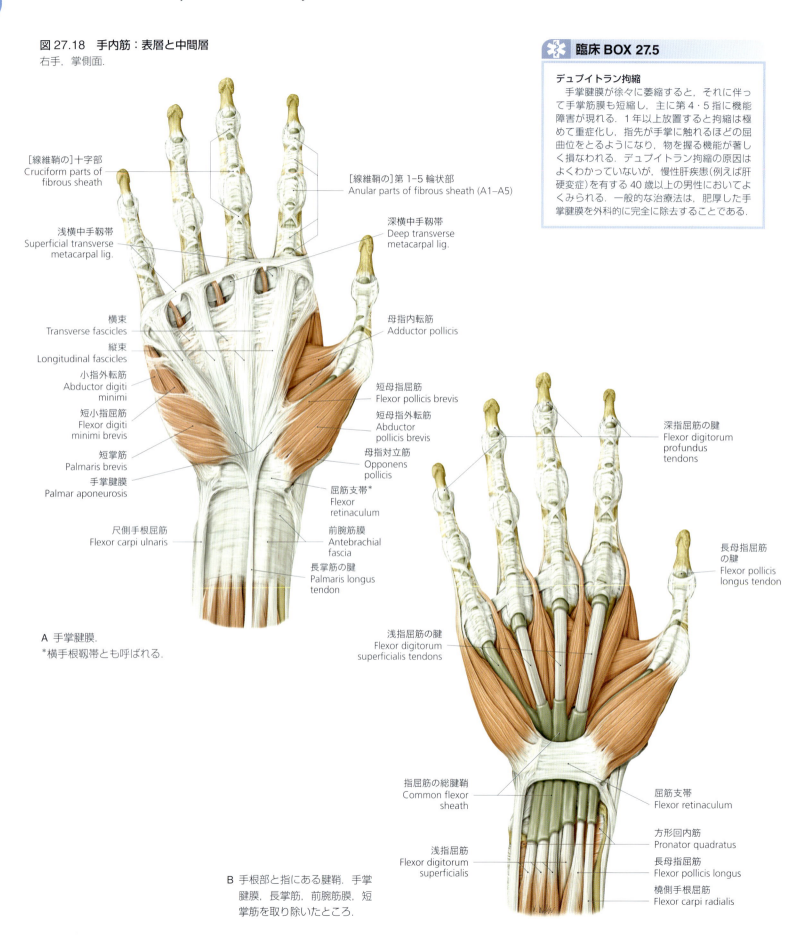

A　手掌腱膜．
*横手根靱帯とも呼ばれる．

B　手根部と指にある腱鞘．手掌腱膜，長掌筋，前腕筋膜，短掌筋を取り除いたところ．

臨床 BOX 27.5

デュプイトラン拘縮

手掌腱膜が徐々に萎縮すると，それに伴って手掌筋膜も短縮し，主に第4・5指に機能障害が現れる．1年以上放置すると拘縮は極めて重症化し，指先が手掌に触れるほどの屈曲位をとるようになり，物を握る機能が著しく損なわれる．デュプイトラン拘縮の原因はよくわかっていないが，慢性肝疾患（例えば肝硬変症）を有する40歳以上の男性においてよくみられる．一般的な治療法は，肥厚した手掌腱膜を外科的に完全に除去することである．

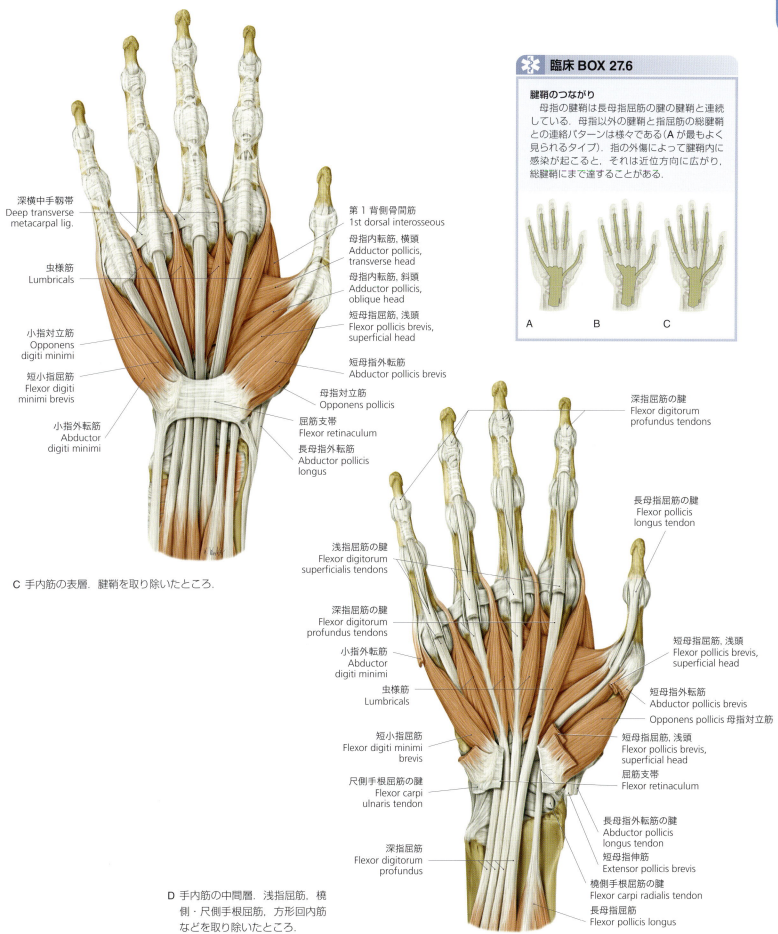

C 手内筋の表層．腱鞘を取り除いたところ．

D 手内筋の中間層．浅指屈筋，橈側・尺側手根屈筋，方形回内筋などを取り除いたところ．

臨床 BOX 27.6

腱鞘のつながり

母指の腱鞘は長母指屈筋の腱の腱鞘と連続している．母指以外の腱鞘と指屈筋の総腱鞘との連絡パターンは様々である（A が最もよく見られるタイプ）．指の外傷によって腱鞘内に感染が起こると，それは近位方向に広がり，総腱鞘にまで達することがある．

手の筋：中間層と深層
Muscles of the Hand: Middle & Deep Layers

図 27.19 手内筋：中間層と深層
右手，掌側面．

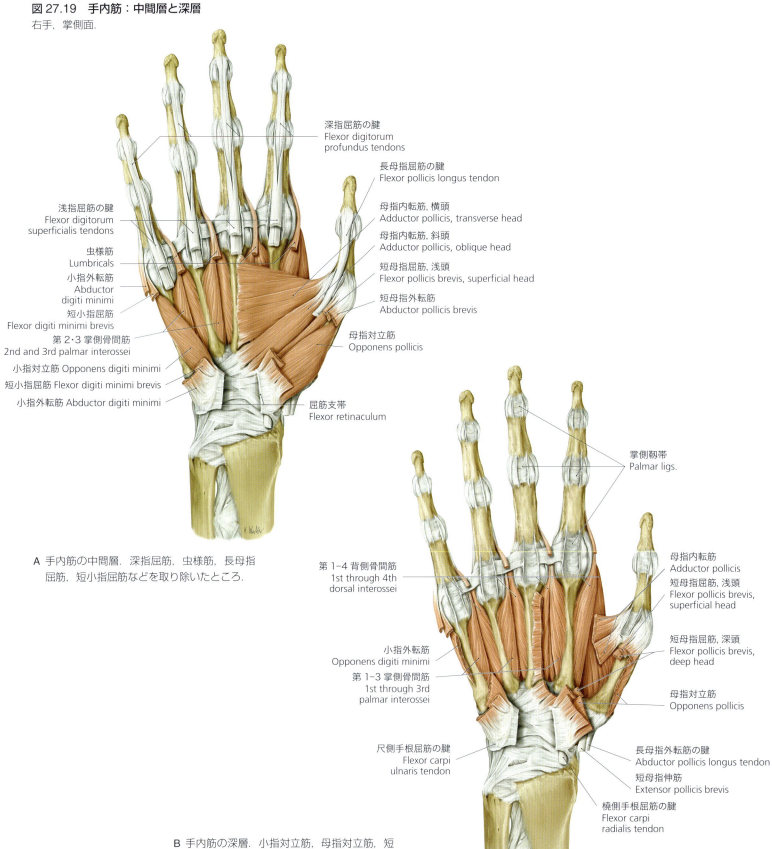

A 手内筋の中間層．深指屈筋，虫様筋，長母指屈筋，短小指屈筋などを取り除いたところ．

B 手内筋の深層．小指対立筋，母指対立筋，短母指屈筋，母指外転筋（横頭と斜頭）を取り除いたところ．

図 27.20 手内筋の起始と停止
右手．筋の起始を赤色，停止を青色で示す．

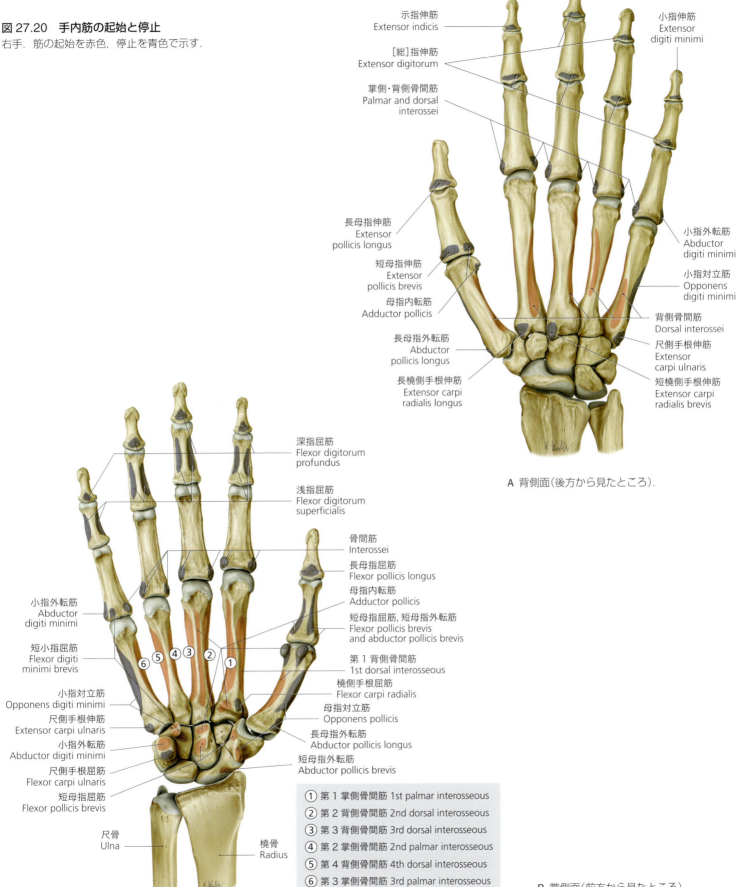

A 背側面（後方から見たところ）．

① 第1掌側骨間筋 1st palmar interosseous
② 第2背側骨間筋 2nd dorsal interosseous
③ 第3背側骨間筋 3rd dorsal interosseous
④ 第2掌側骨間筋 2nd palmar interosseous
⑤ 第4背側骨間筋 4th dorsal interosseous
⑥ 第3掌側骨間筋 3rd palmar interosseous

B 掌側面（前方から見たところ）．

手背
Dorsum of the Hand

図 27.21 伸筋支帯と背側手根腱鞘

図 27.22 手背の筋と腱
右手．背側面
（後方から見たところ）．

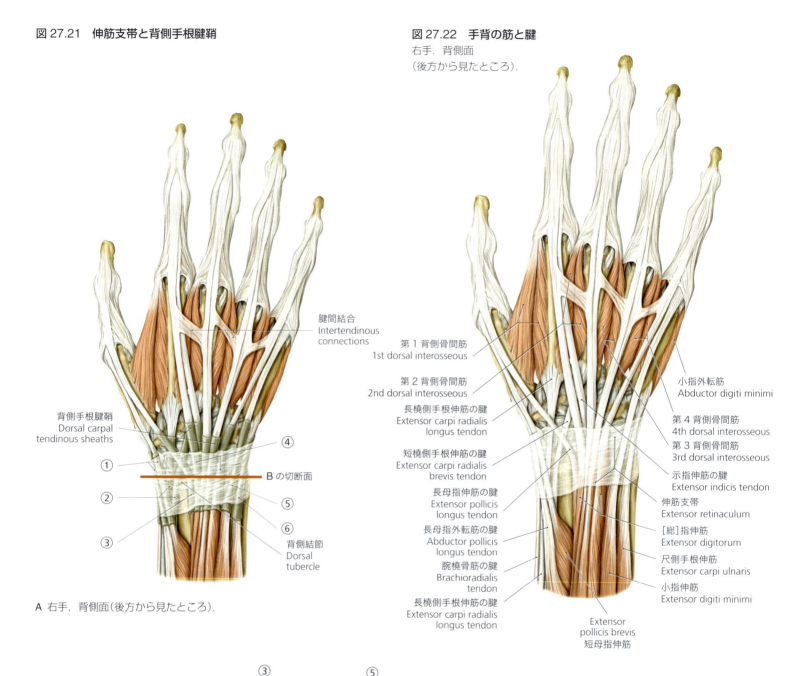

腱間結合
Intertendinous connections

第1背側骨間筋
1st dorsal interosseous

第2背側骨間筋
2nd dorsal interosseous

長橈側手根伸筋の腱
Extensor carpi radialis longus tendon

短橈側手根伸筋の腱
Extensor carpi radialis brevis tendon

長母指伸筋の腱
Extensor pollicis longus tendon

長母指外転筋の腱
Abductor pollicis longus tendon

腕橈骨筋の腱
Brachioradialis tendon

長橈側手根伸筋の腱
Extensor carpi radialis longus tendon

小指外転筋
Abductor digiti minimi

第4背側骨間筋
4th dorsal interosseous

第3背側骨間筋
3rd dorsal interosseous

示指伸筋の腱
Extensor indicis tendon

伸筋支帯
Extensor retinaculum

[総]指伸筋
Extensor digitorum

尺側手根伸筋
Extensor carpi ulnaris

小指伸筋
Extensor digiti minimi

Extensor pollicis brevis
短母指伸筋

背側手根腱鞘
Dorsal carpal tendinous sheaths

背側結節
Dorsal tubercle

B の切断面

A 右手，背側面（後方から見たところ）．

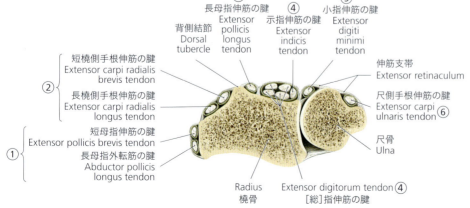

B 背側腱区画．A で示した位置の横断面を近位方向から見たところ．

表27.2	伸筋腱の通路となる背側腱区画
① 第1腱区画	長母指外転筋
	短母指伸筋
② 第2腱区画	長橈側手根伸筋
	短橈側手根伸筋
③ 第3腱区画	長母指伸筋
④ 第4腱区画	[総]指伸筋
	示指伸筋
⑤ 第5腱区画	小指伸筋
⑥ 第6腱区画	尺側手根伸筋

図 27.23 指背腱膜
右中指．指に停止する長い伸筋や手内筋は，指背腱膜によって，指にある3つの関節全てに作用することができる．

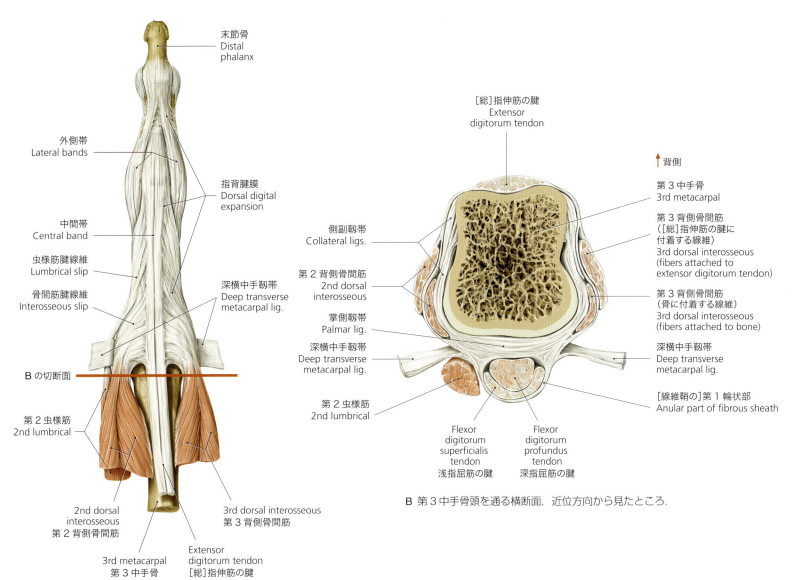

A 背側面．

B 第3中手骨頭を通る横断面，近位方向から見たところ．

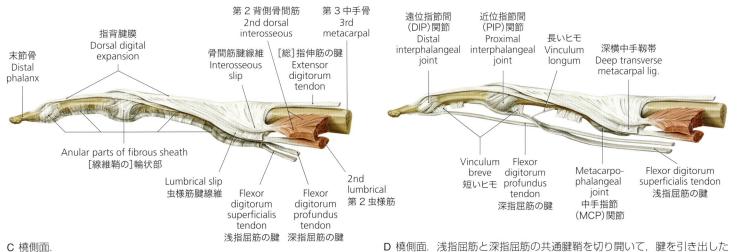

C 橈側面．

D 橈側面．浅指屈筋と深指屈筋の共通腱鞘を切り開いて，腱を引き出したところ．

個々の筋（1）
Muscle Facts（I）

手内筋は3つのグループ〔母指球筋，小指球筋，中手筋（p.362参照）〕に分けられる．母指球筋は母指の運動にとって重要であり，同様に小指球筋は小指の運動に関与する．

表27.3　母指球筋

筋	起始	停止	神経支配		作用
①母指内転筋	横頭：第3中手骨（掌側面）	尺側の種子骨を介して	尺骨神経	C8, T1	母指のCMC関節：内転，母指のMCP関節：屈曲
	斜頭：有頭骨，第2・3中手骨底				
②短母指外転筋	舟状骨，大菱形骨，屈筋支帯	母指の基節骨底	正中神経		母指のCMC関節：外転
③短母指屈筋	浅頭：屈筋支帯	橈側の種子骨を介して	浅頭：正中神経		母指のCMC関節：屈曲
	深頭：有頭骨，大菱形骨		深頭：尺骨神経		
④母指対立筋	大菱形骨	第1中手骨（橈側縁）	正中神経		母指のCMC関節：対立

CMC関節，手根中手関節；MCP関節，中手指節関節．

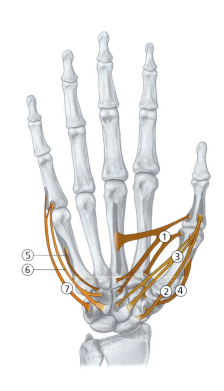

図27.24　母指球筋と小指球筋
右手，掌側面（前方から見たところ）．模式図．

表27.4　小指球筋

筋	起始	停止	神経支配	作用
⑤小指対立筋	有鈎骨鈎，屈筋支帯	第5中手骨（尺側縁）	尺骨神経（C8, T1）	小指のMCP関節：対立
⑥短小指屈筋		第5基節骨底		小指のMCP関節：屈曲
⑦小指外転筋	豆状骨	第5基節骨底（尺側），小指の指背腱膜		小指のMCP関節：屈曲・外転，小指のPIP関節・DIP関節：伸展
短掌筋	手掌腱膜（尺側縁）	小指球の皮膚		手掌腱膜を緊張させる（保護的機能）

DIP関節，遠位指節間関節；MCP関節，中手指節関節；PIP関節，近位指節間関節．

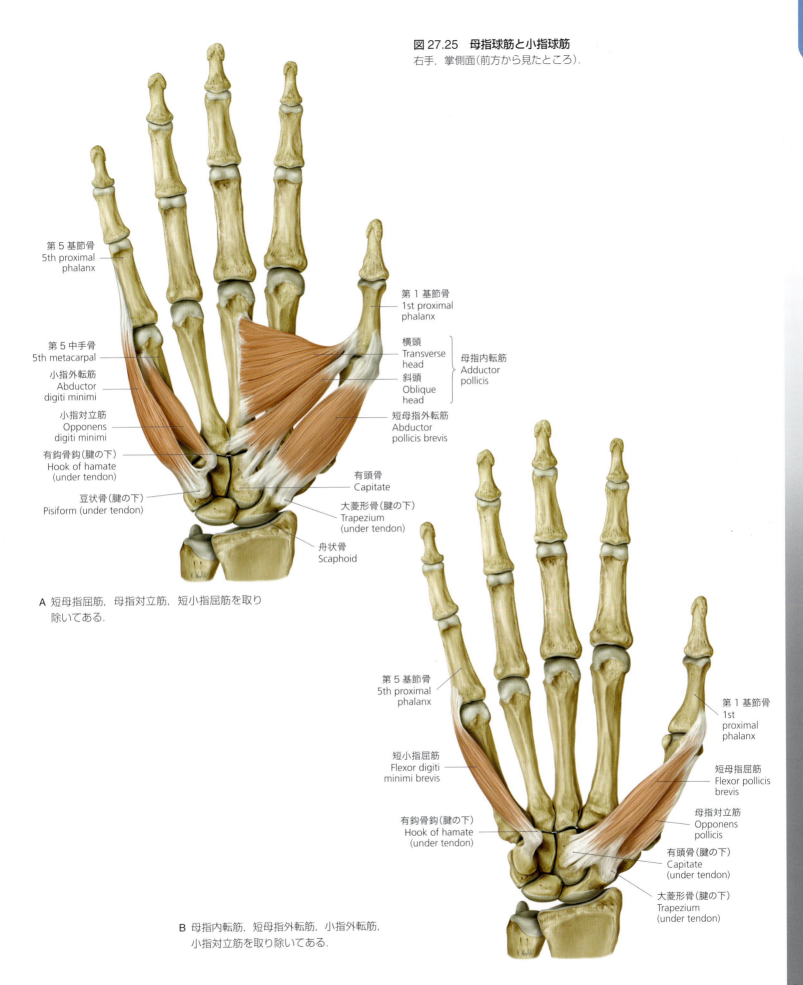

図 27.25　母指球筋と小指球筋
右手，掌側面（前方から見たところ）．

A　短母指屈筋，母指対立筋，短小指屈筋を取り除いてある．

B　母指内転筋，短母指外転筋，小指外転筋，小指対立筋を取り除いてある．

個々の筋(2)
Muscle Facts(II)

中手筋は虫様筋と骨間筋からなる．これらの筋は(第5指に作用する小指球とともに)指の運動に重要な役割を果たす．

図 27.26　中手筋
右手，掌側面．模式図．

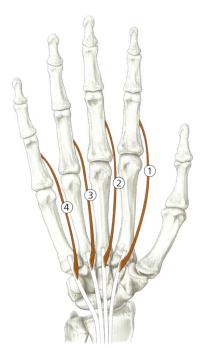

A 虫様筋

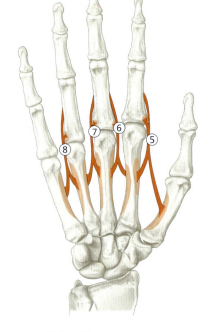

B 背側骨間筋

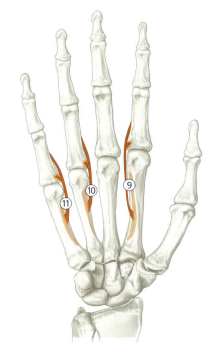

C 掌側骨間筋

表 27.5　中手筋

筋群	筋	起始	停止	神経支配	作用
虫様筋	①第1虫様筋	深指屈筋腱(橈側縁)	第2指の指背腱膜	正中神経 (C8, T1)	第2-5指： ・MCP関節の屈曲 ・PIP・DIP関節の伸展
	②第2虫様筋		第3指の指背腱膜		
	③第3虫様筋	深指屈筋腱(隣接する2腱の橈側縁と尺側縁から起始する．2頭)	第4指の指背腱膜		
	④第4虫様筋		第5指の指背腱膜		
背側骨間筋	⑤第1背側骨間筋	第1・2中手骨(相対する面，2頭)	第2指の指背腱膜と基節骨底(橈側)	尺骨神経 (C8, T1)	第2-4指： ・MCP関節の屈曲 ・PIP・DIP関節の伸展，第3指を中心とした外転
	⑥第2背側骨間筋	第2・3中手骨(相対する面，2頭)	第3指の指背腱膜と基節骨底(橈側)		
	⑦第3背側骨間筋	第3・4中手骨(相対する面，2頭)	第3指の指背腱膜と基節骨底(尺側)		
	⑧第4背側骨間筋	第4・5中手骨(相対する面，2頭)	第4指の指背腱膜と基節骨底(尺側)		
掌側骨間筋	⑨第1掌側骨間筋	第2中手骨(尺側面)	第2指の指背腱膜と基節骨底		第2, 4, 5指： ・MCP関節の屈曲， ・PIP・DIP関節の伸展，第3指を中心とした内転
	⑩第2掌側骨間筋	第4中手骨(橈側面)	第4指の指背腱膜と基節骨底		
	⑪第3掌側骨間筋	第5中手骨(橈側面)	第5指の指背腱膜と基節骨底		

PIP・DIP関節，近・遠位指節間関節；MCP関節，中手指節関節．

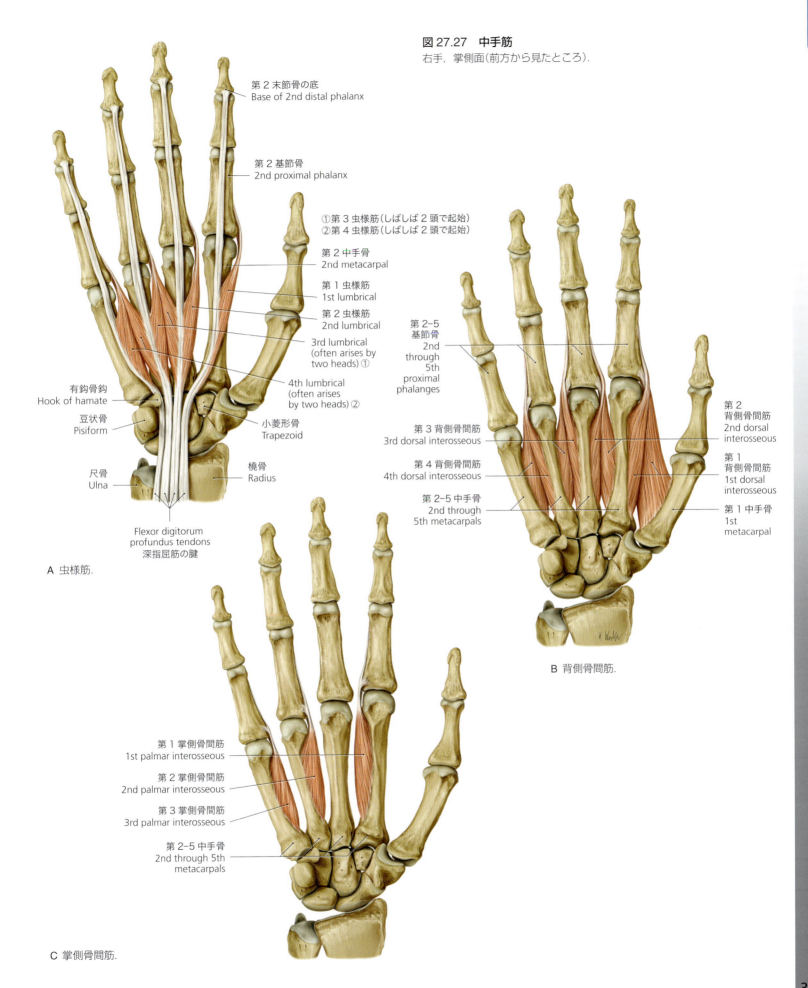

図 27.27 中手筋
右手,掌側面(前方から見たところ).

A 虫様筋.

B 背側骨間筋.

C 掌側骨間筋.

28 血管・神経
上肢の動脈
Arteries of the Upper Limb

図 28.1 上肢の動脈
右上肢，前方から見たところ．

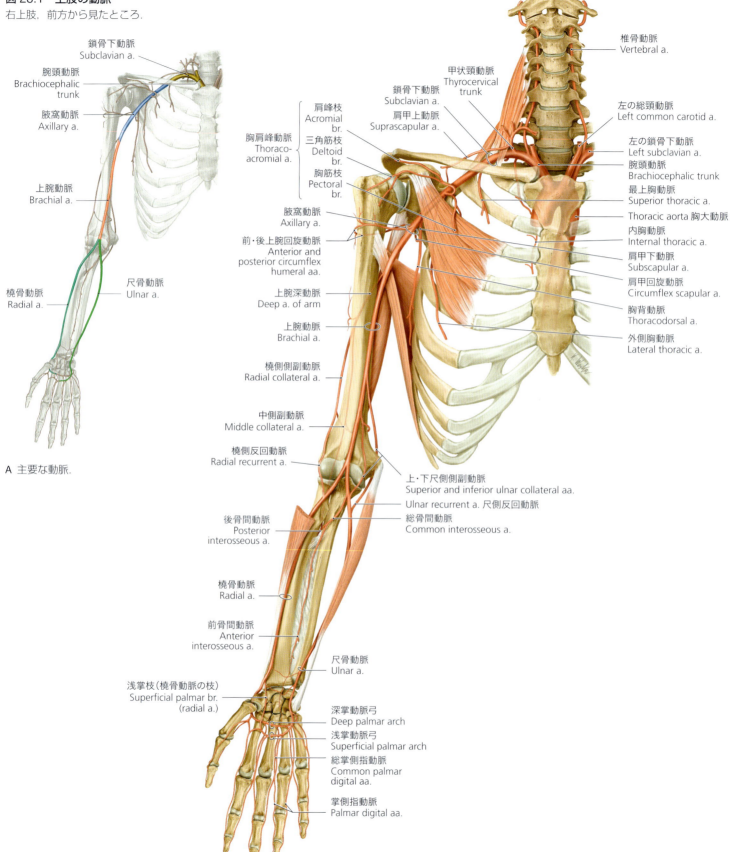

A 主要な動脈．

B 動脈の走行．

図 28.2　鎖骨下動脈の枝
右側，前方から見たところ．

図 28.3　肩甲アーケード
右側，後方から見たところ．

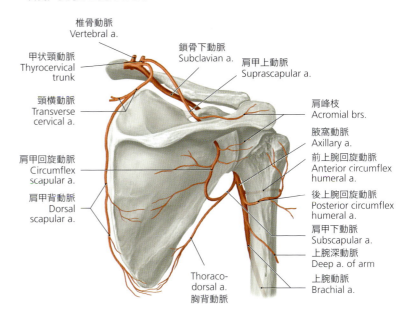

図 28.4　前腕と手の動脈
右上肢．尺骨動脈と橈骨動脈は浅掌動脈弓，深掌動脈弓，貫通枝，背側手根動脈網によって交通している．

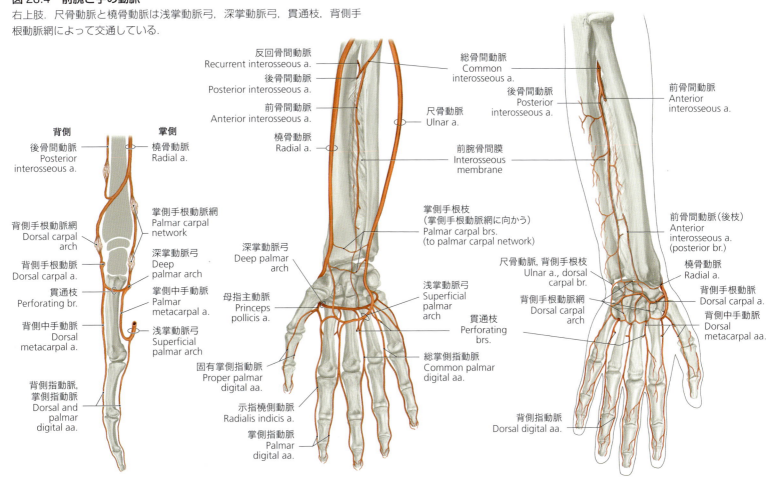

A 中指を外側方から見たところ．　　B 掌側面（前方から見たところ）．　　C 背側面（後方から見たところ）．

上肢の静脈とリンパ管
Veins & Lymphatics of the Upper Limb

図 28.5 上肢の静脈
右上肢，前方から見たところ．

図 28.6 手背の静脈
右手，背側面（後方から見たところ）．

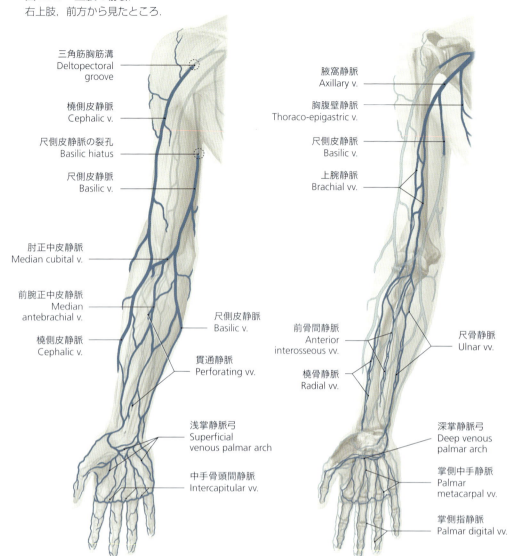
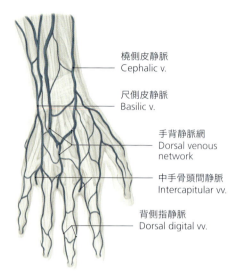

A 表層の静脈．
B 深部の静脈．

臨床 BOX 28.1

静脈穿刺
肘窩の皮静脈は採血の場所としてよく選ばれる．静脈穿刺の前処置として，上腕に駆血帯を巻く．駆血帯は動脈血の流れは妨げないが，静脈血の戻りを滞らせる．結果として静脈は膨らみ，より見えやすく，より触知しやすくなる．

図 28.7 肘窩の静脈
右上肢，前方から見たところ．肘窩の皮静脈は，その走行が極めて変化に富む．

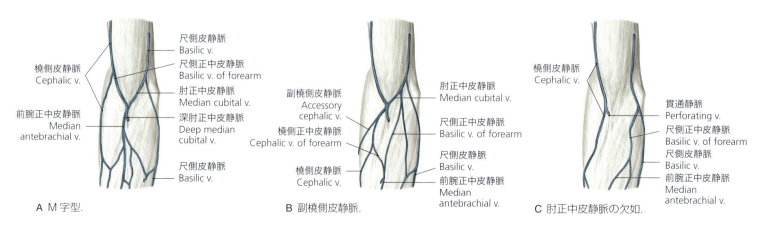

A M字型．
B 副橈側皮静脈．
C 肘正中皮静脈の欠如．

上肢と乳房からのリンパは腋窩リンパ節に流れ込む．上肢の浅リンパ管は皮下組織の中に存在するが，深リンパ管は動脈や深部の静脈とともに走る．この2つのリンパ管の間には多くの交通枝が存在する．

図 28.8　上肢のリンパ管
右上肢．

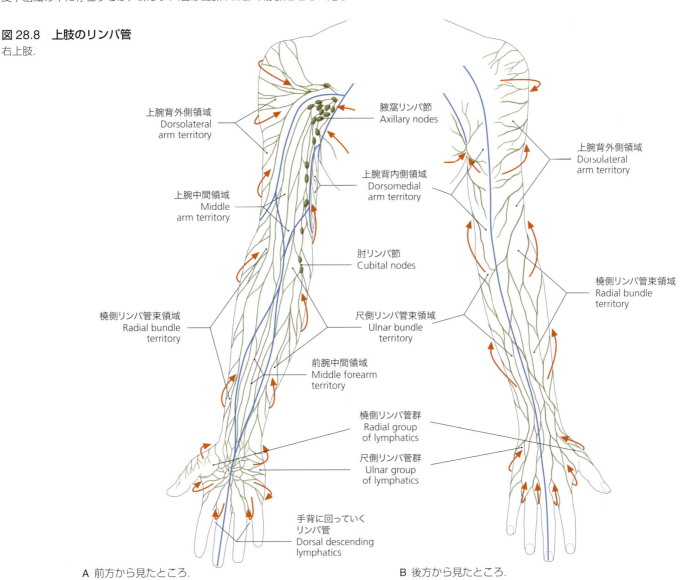

A 前方から見たところ．

B 後方から見たところ．

図 28.9　手のリンパ流路
右手，橈側面．手のリンパの大部分は肘窩リンパ節を経由して腋窩リンパ節に流れ込む．しかし，母指，示指，手背のリンパは直接腋窩リンパ節に流れ込む．

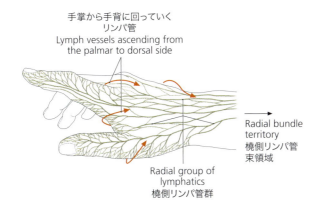

図 28.10　腋窩リンパ節
右側，前方から見たところ．手術上の目的のため，腋窩リンパ節は，小胸筋の位置に対して3つのレベルに分けられる（外側のレベルⅠ，後方のレベルⅡ，内側のレベルⅢ）．これらのリンパ節は乳癌の臨床において重要となる（**p.76** 参照）．

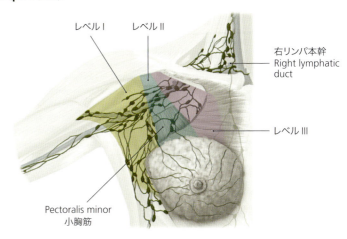

上肢の神経：腕神経叢とその枝
Nerves of the Upper Limb: Brachial Plexus

上肢のほぼ全ての筋は腕神経叢から出る神経によって支配される．この神経叢を形成する神経は脊髄分節のC5-T1に由来する．腕神経叢の鎖骨上部では，脊髄神経前枝もしくは神経幹から直接枝が分枝される．また鎖骨上部では，5本の脊髄神経前枝が癒合して3本の神経幹となり，さらに6本の神経幹枝（3本の前神経幹枝と3本の後神経幹枝）を経て3本の神経束に再編成される．腕神経叢の鎖骨下部は，神経束から出る短い枝と上肢を縦断する長い枝（終枝）からなる．

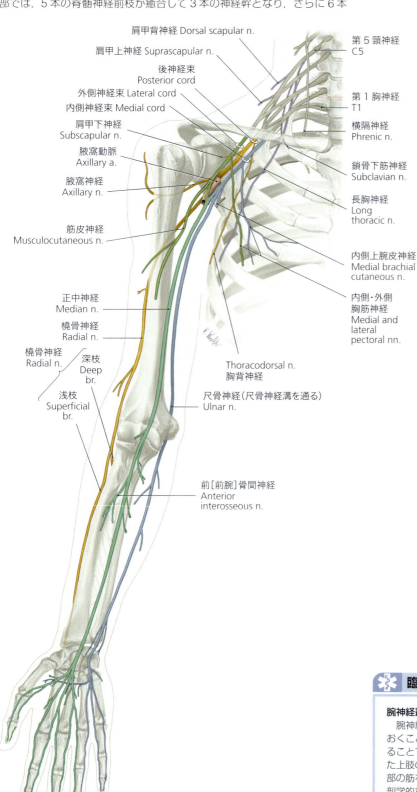

表28.1　腕神経叢から出る神経

鎖骨上部			
前枝もしくは神経幹から出る枝			
	肩甲背神経		C4-C5
	肩甲上神経		C5, C6
	鎖骨下筋神経		C5-C6
	長胸神経		C5-C7
鎖骨下部			
神経束から出る短い枝と長い枝			
外側神経束	外側胸筋神経		C5-C7
	筋皮神経		
	正中神経	外側根	C6-C7
		内側根	
内側神経束	内側胸筋神経		C8-T1
	内側前腕皮神経		
	内側上腕皮神経		T1
	尺骨神経		C7-T1
後神経束	上肩甲下神経		C5-C6
	胸背神経		C6-C8
	下肩甲下神経		C5-C6
	腋窩神経		
	橈骨神経		C5-T1

臨床 BOX 28.2

腕神経叢の神経損傷

　腕神経叢の損傷の診断は時に難しいが，神経叢の基本的な構成を理解しておくことは不可欠である．損傷位置は，障害のタイプと特性を注意深く調べることで特定できる可能性がある．神経叢上部の神経は，肩甲帯や腕といった上肢の近位部の筋を支配し，下部の神経は，前腕や手といった上肢の遠位部の筋を支配する．神経根や神経束のレベルでの損傷による症状は，この解剖学的な関係を反映する．また，近位部の神経損傷は，遠位部の神経損傷と比べてより広範な症状を引き起こす．

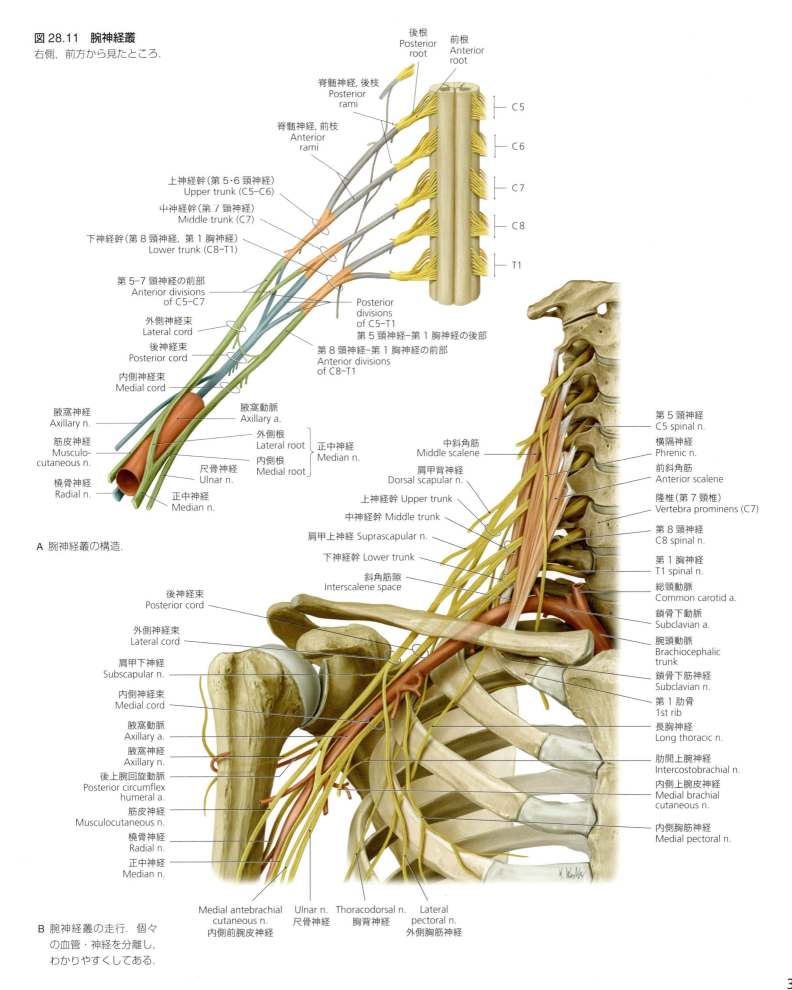

図 28.11 腕神経叢
右側，前方から見たところ．

A 腕神経叢の構造．

B 腕神経叢の走行．個々の血管・神経を分離し，わかりやすくしてある．

腕神経叢の鎖骨上部からの枝，後神経束
Supraclavicular Branches & Posterior Cord

図 28.12　鎖骨上部の枝
右肩．

腕神経叢の鎖骨上部から出る枝（直接枝）は，外側頸三角において脊髄神経前枝もしくは神経幹から分枝される．

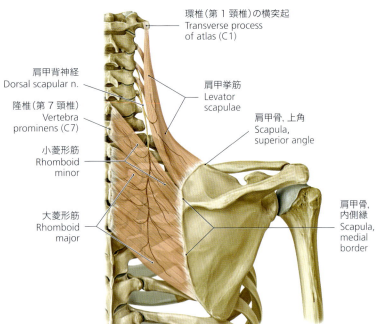

A　肩甲背神経，後方から見たところ．

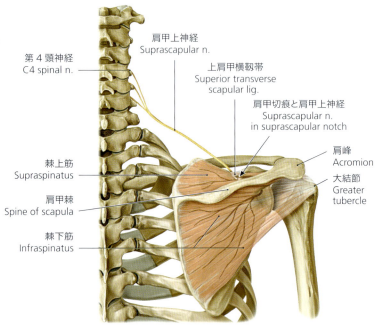

B　肩甲上神経，後方から見たところ．

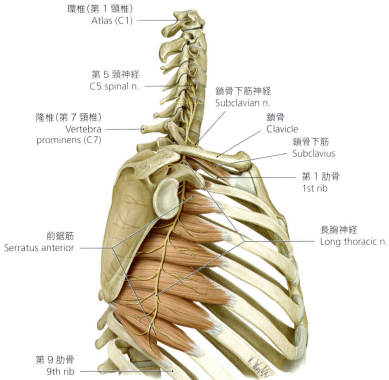

C　長胸神経と鎖骨下筋神経，右外側方から見たところ．

表 28.2	鎖骨上部の枝	
神経	脊髄分節	支配筋
肩甲背神経	C4-C5	肩甲挙筋，大菱形筋，小菱形筋
肩甲上神経	C5, C6	棘上筋，棘下筋
鎖骨下筋神経	C5-C6	鎖骨下筋
長胸神経	C5-C7	前鋸筋

図 28.13 後神経束：短い枝
右肩.

腕神経叢の後神経束は3種類の短い枝を出したのち，最終的には2本の長い枝（終枝，pp.372-373 参照）となる．

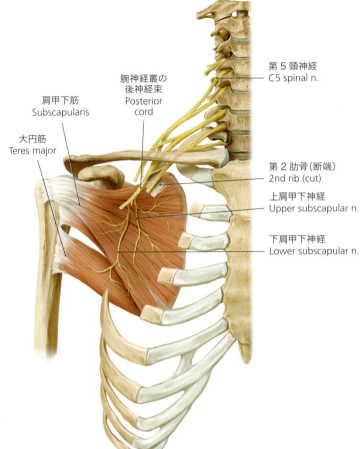

A 肩甲下神経，前方から見たところ．

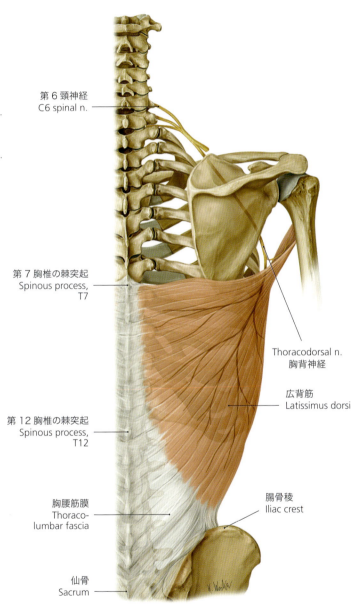

B 胸背神経，後方から見たところ．

表 28.3	後神経束の枝	
神経	脊髄分節	支配筋
短い枝		
上肩甲下神経	C5-C6	肩甲下筋
下肩甲下神経		肩甲下筋，大円筋
胸背神経	C6-C8	広背筋
長い枝（終枝）		
腋窩神経	C5-C6	**p.372** 参照
橈骨神経	C5-T1	**p.373** 参照

後神経束：橈骨神経と腋窩神経
Posterior Cord: Axillary & Radial Nerves

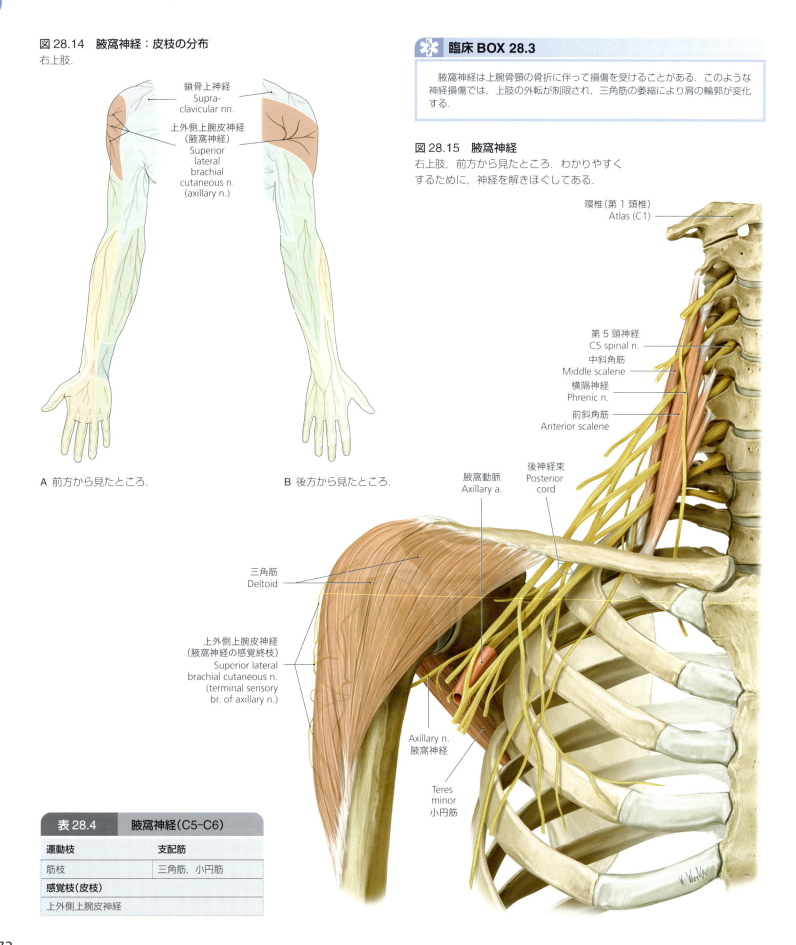

図 28.14 腋窩神経：皮枝の分布
右上肢．

A 前方から見たところ．
B 後方から見たところ．

臨床 BOX 28.3
腋窩神経は上腕骨頸の骨折に伴って損傷を受けることがある．このような神経損傷では，上肢の外転が制限され，三角筋の萎縮により肩の輪郭が変化する．

図 28.15 腋窩神経
右上肢，前方から見たところ．わかりやすくするために，神経を解きほぐしてある．

表 28.4	腋窩神経（C5-C6）
運動枝	支配筋
筋枝	三角筋，小円筋
感覚枝（皮枝）	
上外側上腕皮神経	

図 28.16　橈骨神経：皮枝の分布

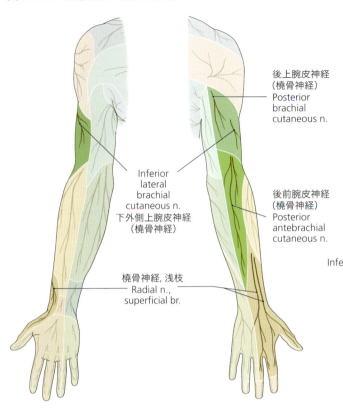

A 前方から見たところ.　　B 後方から見たところ.

図 28.17　橈骨神経

右上肢，前方から見たところ．
前腕は回内位．

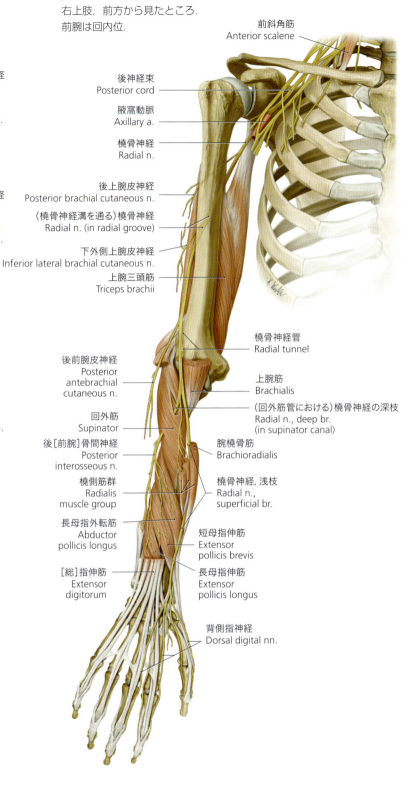

表 28.5	橈骨神経（C5-T1）
運動枝	支配筋
橈骨神経（本幹）から出る筋枝	上腕筋（部分的）
	上腕三頭筋
	肘筋
	腕橈骨筋
	長・短橈側手根伸筋
深枝（橈骨神経の終枝である後骨間神経となる）	回外筋
	［総］指伸筋
	小指伸筋
	尺側手根伸筋
	長・短母指伸筋
	示指伸筋
	長母指外転筋
感覚枝	
橈骨神経から出る関節枝：肩関節の関節包	
後骨間神経から出る関節枝：手首の関節の関節包，第 1-4 中手指節関節の関節包	
後上腕皮神経	
下外側上腕皮神経	
後前腕皮神経	
浅枝	背側指神経
	尺骨神経との交通枝

臨床 BOX 28.4

　腋窩における橈骨神経の慢性的な圧迫（例えば，長期にわたり松葉杖を不適切に使用した場合）により，手や前腕，上腕後面の感覚や運動が障害されることがある．橈骨神経の損傷がより遠位で生じた場合（例えば，麻酔中の不適切な肢位で生じる），麻痺する筋は少なくなり，上腕三頭筋の機能は正常だが下垂手が見られるといった状態になることもある．

内側・外側神経束
Medial & Lateral Cords

内側神経束と外側神経束は4本の短い神経を出す．ここでは肋間上腕神経は腕神経叢の短い枝に含めているが，実際にはこの神経は第2-3肋間神経の外側皮枝である．

表28.6　内側・外側神経束の枝

神経	脊髄分節	神経束	支配筋
短い枝			
外側胸筋神経	C5-C7	外側神経束	大胸筋と小胸筋
内側胸筋神経	C8-T1	内側神経束	
内側上腕皮神経	T1	内側神経束	—（皮膚に分布する感覚枝であり，筋には一際分布しない）
内側前腕皮神経	C8-T1		
肋間上腕神経	T2-T3		
長い枝（終枝）			
筋皮神経	C5-C7	外側神経束	烏口腕筋，上腕二頭筋，上腕筋
正中神経	C6-T1		p.376 参照
尺骨神経	C7-T1	内側神経束	p.377 参照

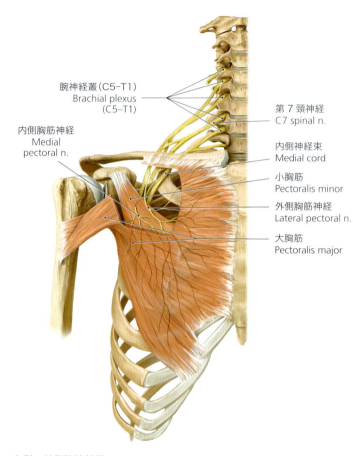

図28.18　内側・外側神経束：短い枝（胸筋神経）
右側，前方から見たところ．

A　内側・外側胸筋神経．

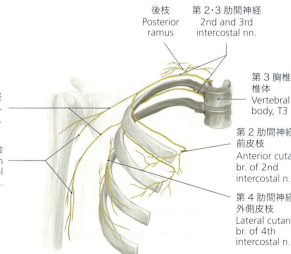

B　肋間上腕神経．

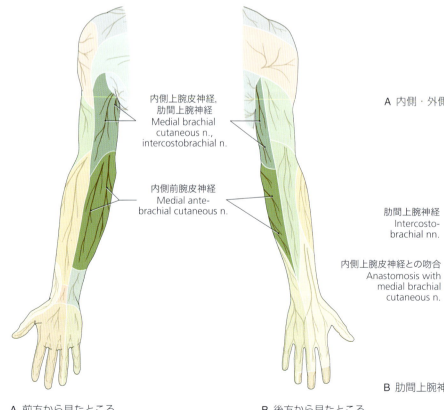

図28.19　内側・外側神経束：短い枝（皮枝）

A　前方から見たところ．　　B　後方から見たところ．

図 28.20 **筋皮神経**
右上肢，前方から見たところ．

表 28.7	筋皮神経(C5-C7)
運動枝	支配筋
筋枝	烏口腕筋
	上腕二頭筋
	上腕筋
感覚枝	
外側前腕皮神経	
関節枝：肘関節の関節包（前面）	

Note：筋皮神経は上腕では運動枝だけを出し，前腕（肘関節を含む）では感覚枝だけを出す．

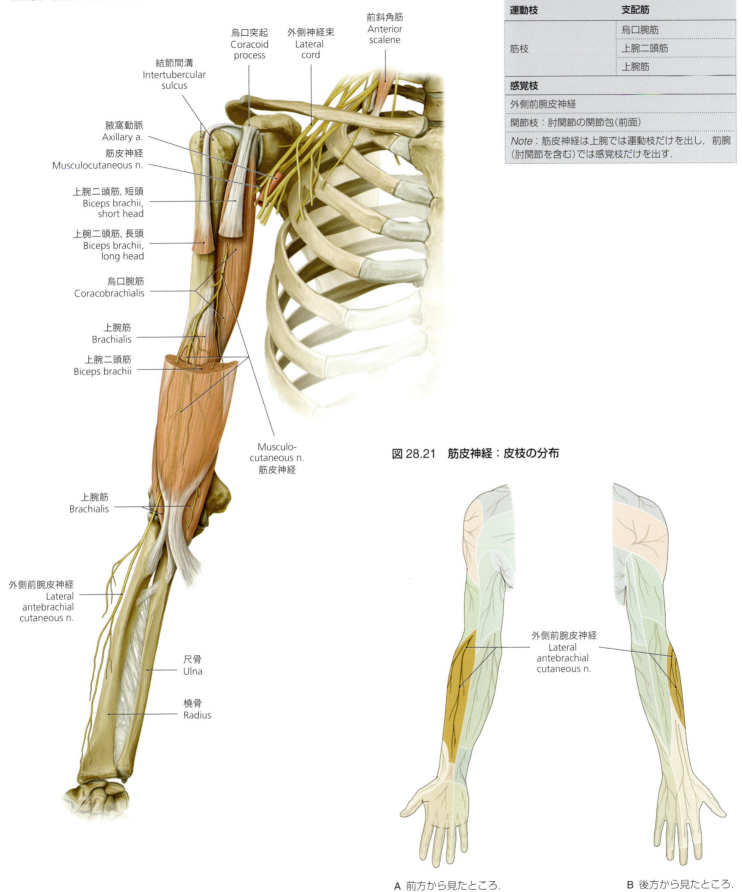

図 28.21 **筋皮神経：皮枝の分布**

A 前方から見たところ．　　B 後方から見たところ．

正中神経，尺骨神経
Median & Ulnar Nerves

正中神経は内側・外側神経束の両方に由来する終枝である．一方，尺骨神経は内側神経束だけに由来する終枝である．

図 28.22　正中神経
右上肢，前方から見たところ．

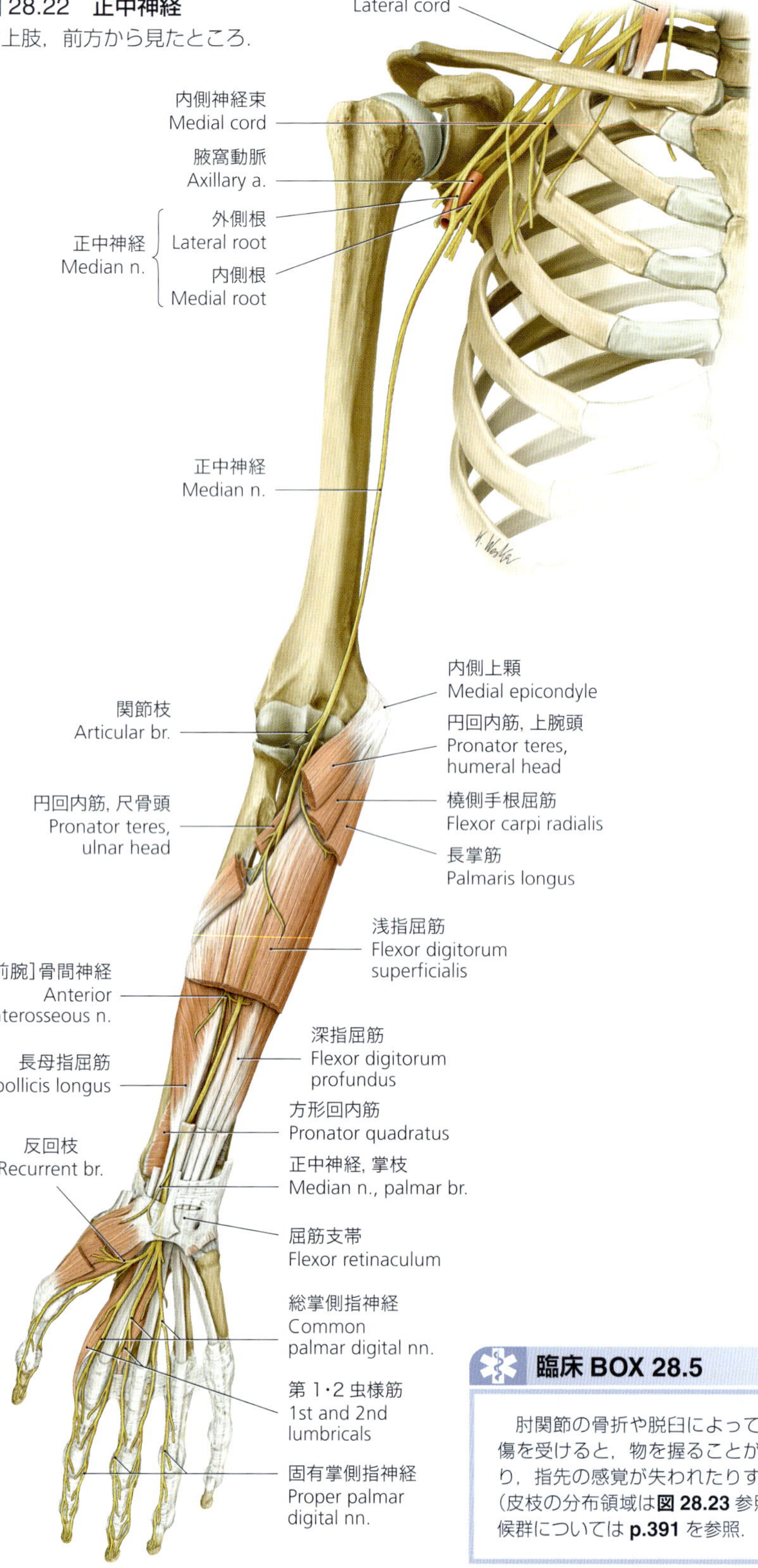

図 28.23　正中神経：皮枝の分布

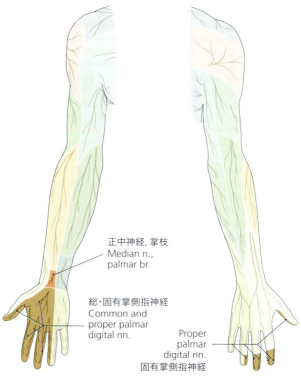

A 前方から見たところ．　　B 後方から見たところ．

表 28.8	正中神経（C6-T1）
運動枝	支配筋
正中神経（本幹）から出る筋枝	円回内筋
	橈側手根屈筋
	長掌筋
	浅指屈筋
前[前腕]骨間神経から出る筋枝	方形回内筋
	長母指屈筋
	深指屈筋（橈側半）
母指球筋への筋枝	短母指外転筋
	短母指屈筋（浅頭）
	母指対立筋
総掌側指神経から出る筋枝	第1・2虫様筋
感覚枝	
関節枝；肘と手首の関節の関節包	
掌枝（母指球の皮膚に分布）	
尺骨神経との交通枝	
総掌側指神経	
固有掌側指神経	

臨床 BOX 28.5

肘関節の骨折や脱臼によって正中神経が損傷を受けると，物を握ることが困難になったり，指先の感覚が失われたりする場合がある（皮枝の分布領域は図 28.23 参照）．手根管症候群については p.391 を参照．

図 28.24 尺骨神経：皮枝の分布

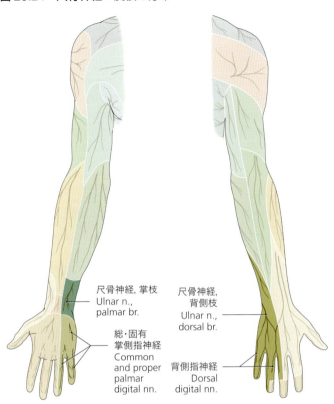

A 前方から見たところ．

B 後方から見たところ．

図 28.25 尺骨神経
右上肢，前方から見たところ．

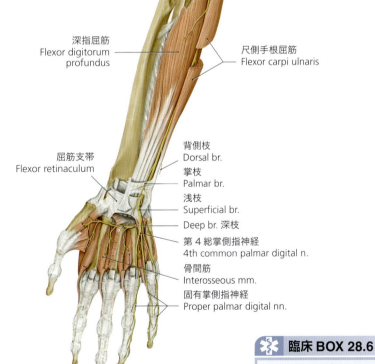

表 28.9	尺骨神経（C7-T1）
運動枝	支配筋
尺骨神経（本幹）から出る筋枝	尺側手根屈筋
	深指屈筋（尺側半）
浅枝から出る筋枝	短掌筋
深枝から出る筋枝	小指外転筋
	短小指屈筋
	小指対立筋
	第3・4虫様筋
	掌側・背側骨間筋
	母指内転筋
	短母指屈筋（深頭）
感覚枝	
関節枝：肘関節・手首の関節・中手指節関節の関節包	
手背枝（背側指神経となって終わる）	
掌枝	
固有掌側指神経（浅枝から出る）	
総掌側指神経（浅枝から出る，固有掌側指神経となって終わる）	

臨床 BOX 28.6

尺骨神経麻痺は最もよく見られる末梢神経障害である．この神経は肘関節や尺骨神経管（p.391 参照）における外傷や慢性的な圧迫により容易に損傷される．尺骨神経の損傷では，鷲手と骨間筋の萎縮が見られる．感覚障害は多くの場合，小指に限られる．

上肢の皮静脈，皮神経
Superficial Veins & Nerves of the Upper Limb

図 28.26　上肢における皮静脈，皮神経

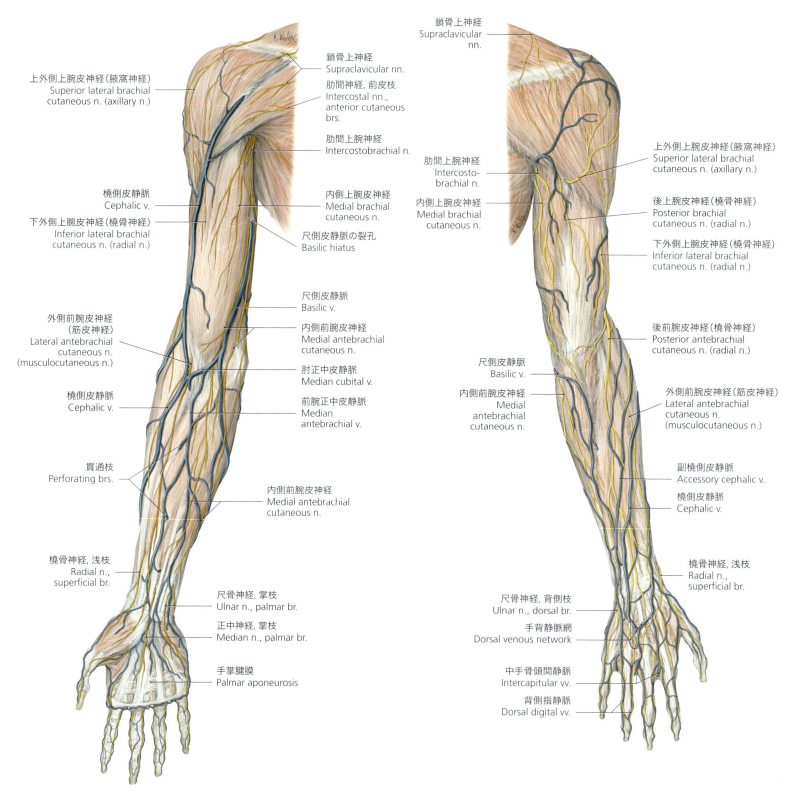

A 前方から見たところ．手掌の神経については pp.392-393 参照．

B 後方から見たところ．手背の神経については pp.394-395 参照．

図 28.27 上肢における皮神経の分布

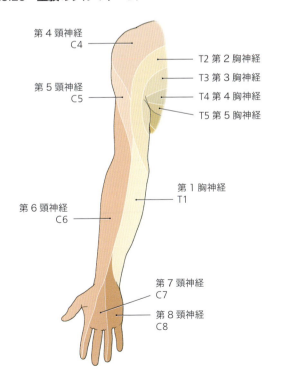

A 前方から見たところ. B 後方から見たところ.

図 28.28 上肢のデルマトーム

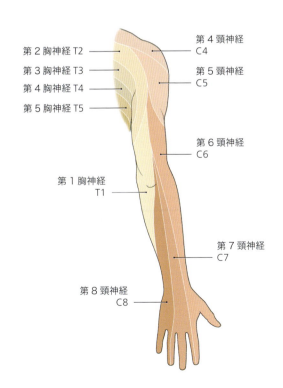

A 前方から見たところ. B 後方から見たところ.

肩の後面と腕
Posterior Shoulder & Arm

図 28.29 肩を後方から見たところ
右肩．僧帽筋（横行部）をめくり返し，棘上筋の一部を取り除いてある．
肩甲切痕の領域が現れている．

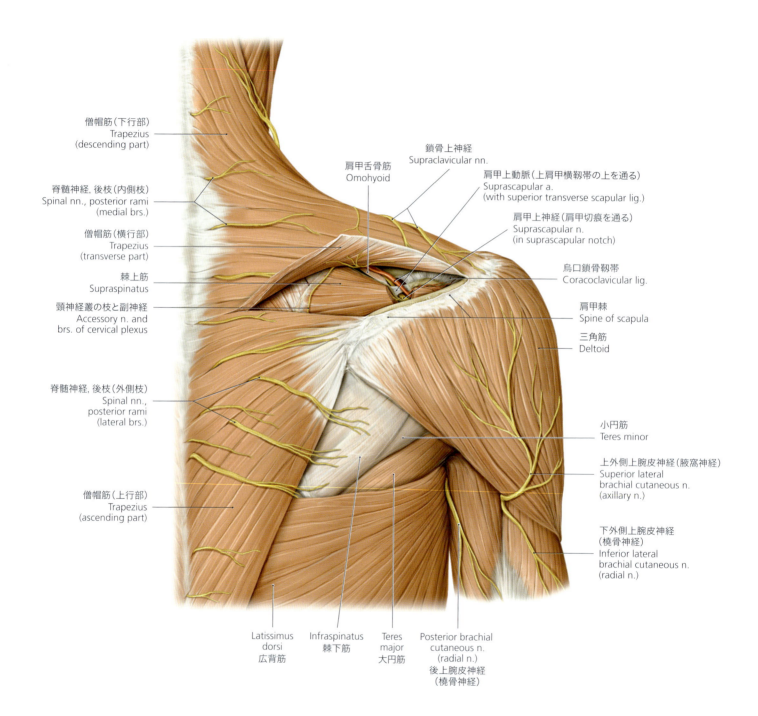

表 28.10　肩甲骨周囲における血管・神経の通路

通路		通路を縁取る構造	通過する構造
①	肩甲切痕	上肩甲横靱帯，肩甲骨	肩甲上動脈*・神経
②	肩甲骨の内側縁	肩甲骨	肩甲背動脈・神経
③	三角隙（内側腋窩隙）	大円筋，小円筋，上腕三頭筋の長頭	肩甲回旋動脈
④	上腕三頭筋裂孔	上腕三頭筋の長頭，大円筋，上腕骨	上腕深動脈，橈骨神経
⑤	四角隙（外側腋窩隙）	大円筋，小円筋，上腕三頭筋の長頭，上腕骨	後上腕回旋動脈，腋窩神経

*訳注）肩甲上動脈は上肩甲横靱帯の上方を走る．

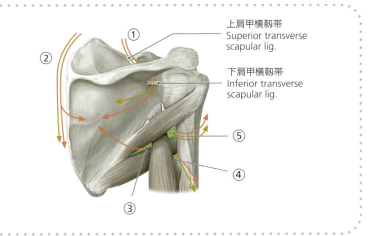

図 28.30　腋窩：三角隙と四角隙

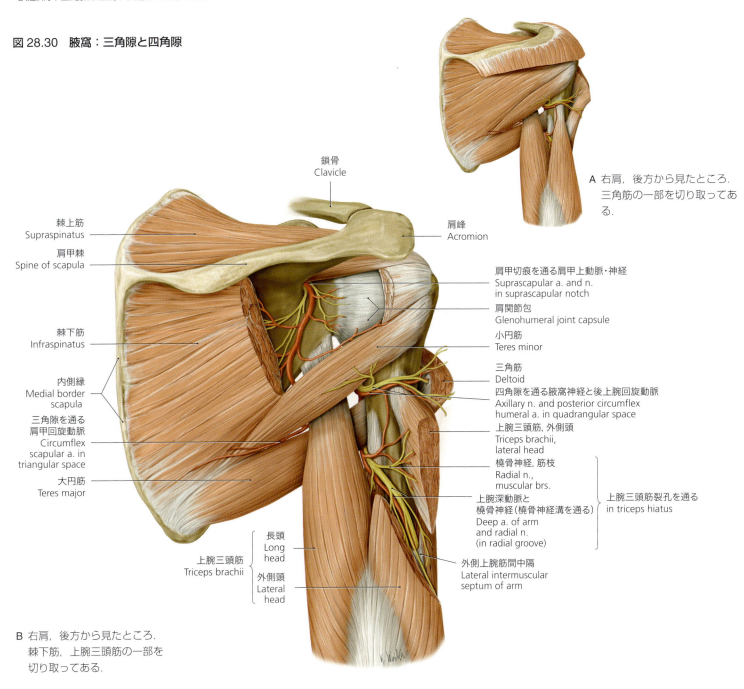

A　右肩，後方から見たところ．三角筋の一部を切り取ってある．

B　右肩，後方から見たところ．棘下筋，上腕三頭筋の一部を切り取ってある．

肩の前面
Anterior Shoulder

図 28.31 肩を前方から見たところ：表面
右肩．

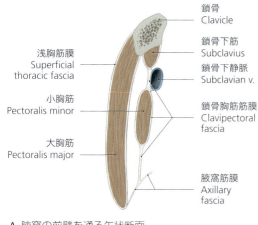

A 腋窩の前壁を通る矢状断面．

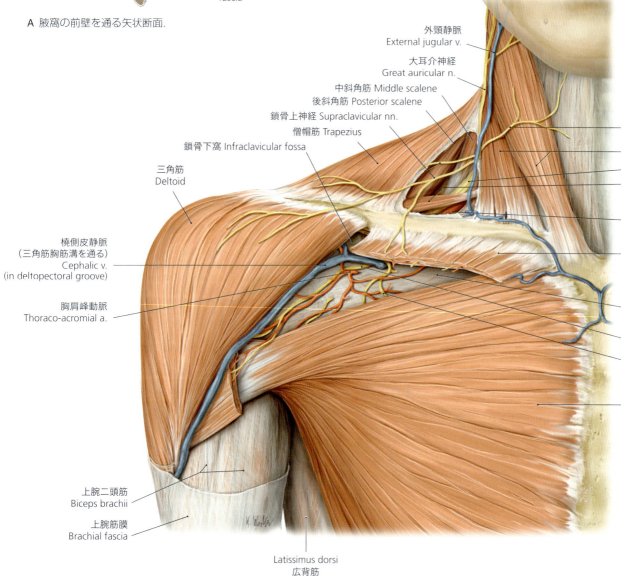

B 広頸筋，頸筋膜，大胸筋（鎖骨部）を取り除いたところ．
　鎖骨胸筋筋膜が見えている．

図 28.32 肩：横断面
右肩，下方から見たところ．

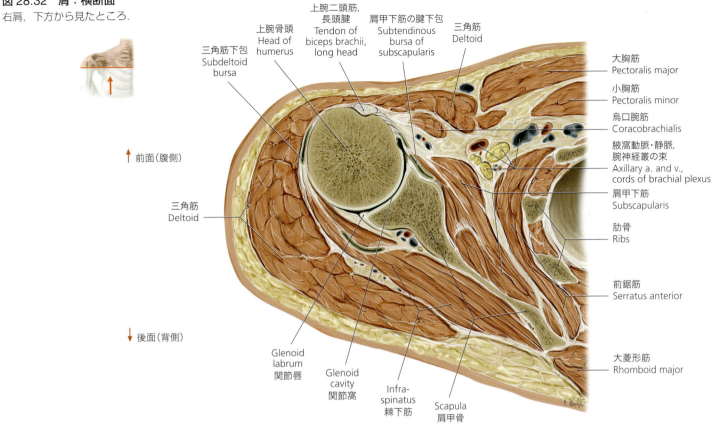

図 28.33 肩を前方から見たところ：深部
右上肢．胸鎖乳突筋，肩甲舌骨筋，大胸筋を取り除き，外側頸三角（pp.538-539 参照）と腋窩（pp.384-385 参照）にある血管・神経を示している．

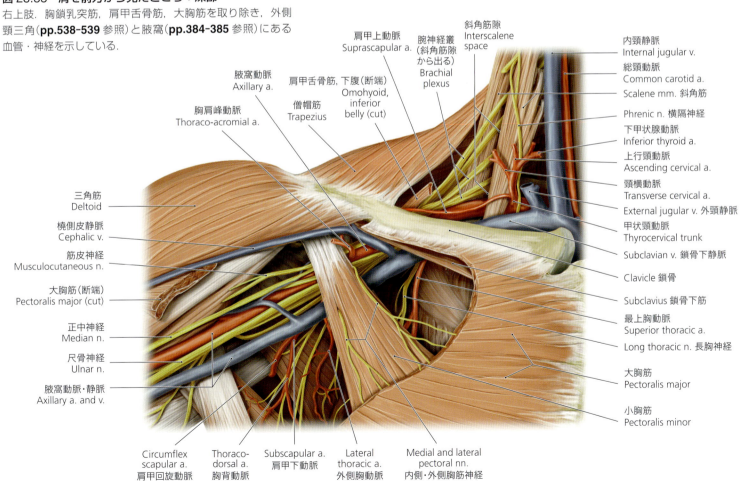

腋窩
Axilla

図 28.34　腋窩
右肩，前方から見たところ．

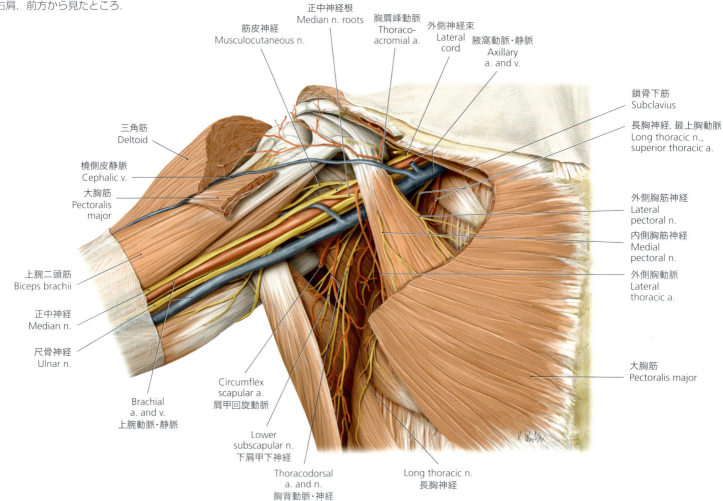

A　大胸筋の一部と鎖骨胸筋筋膜を取り除いたところ．

表 28.11	腋窩の壁
前壁	大胸筋 小胸筋 鎖骨胸筋筋膜
外側壁	上腕骨の結節間溝
後壁	肩甲下筋 大円筋 広背筋
内側壁	胸壁の外側部 前鋸筋

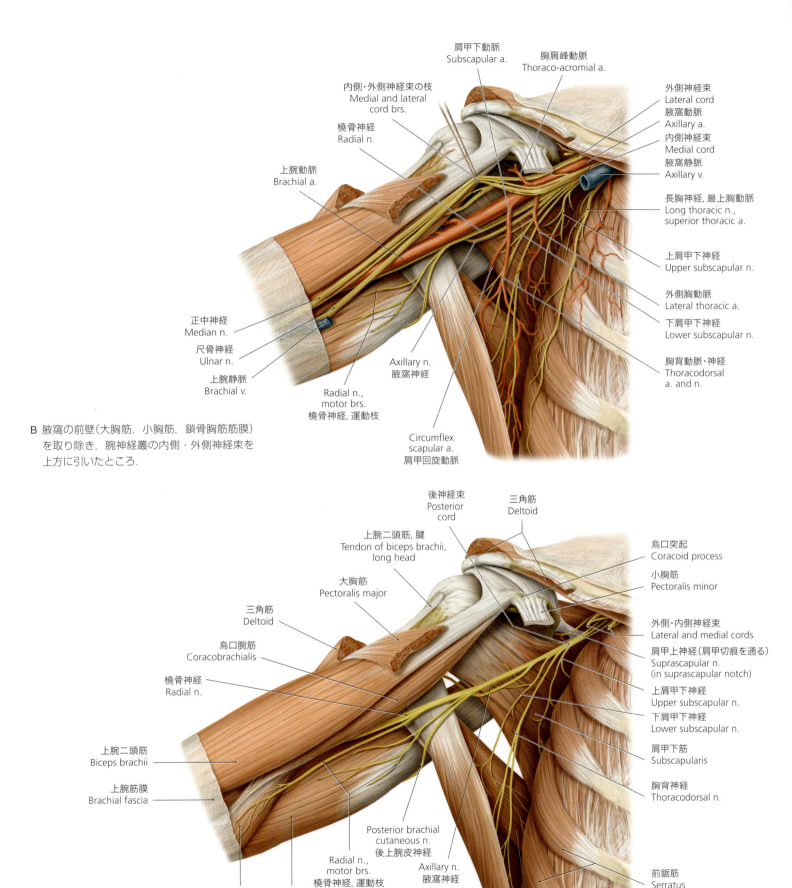

B 腋窩の前壁（大胸筋，小胸筋，鎖骨胸筋筋膜）を取り除き，腕神経叢の内側・外側神経束を上方に引いたところ．

C 内側・外側神経束，腋窩動脈・静脈を取り除いたところ．後神経束が見えている．

上腕前部と肘の局所解剖
Anterior Arm & Cubital Region

図 28.35　上腕
右上腕，前方から見たところ．三角筋，大胸筋，小胸筋を取り除いたところ．
内側二頭筋溝*にある構造が見えている．
*訳注）上腕二頭筋，上腕筋，内側上腕筋間中隔によって囲まれる溝で，上腕
前面を走る主要な血管・神経がここを通る．

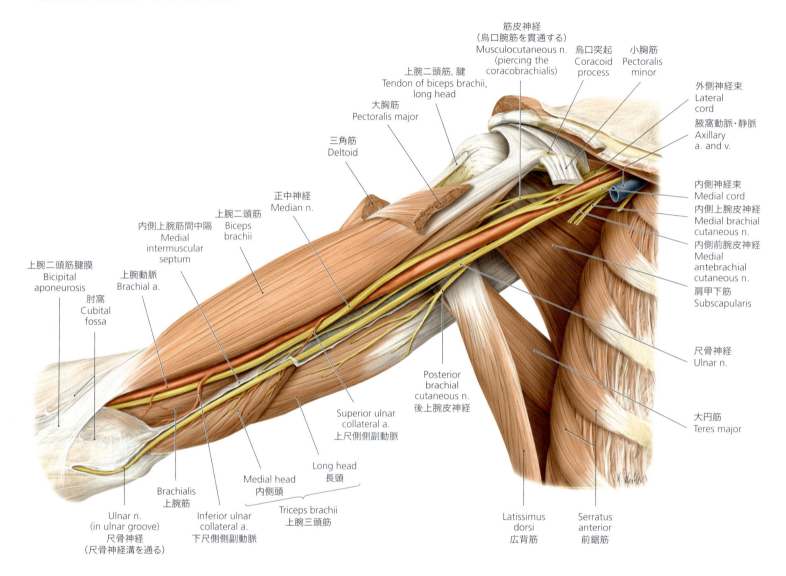

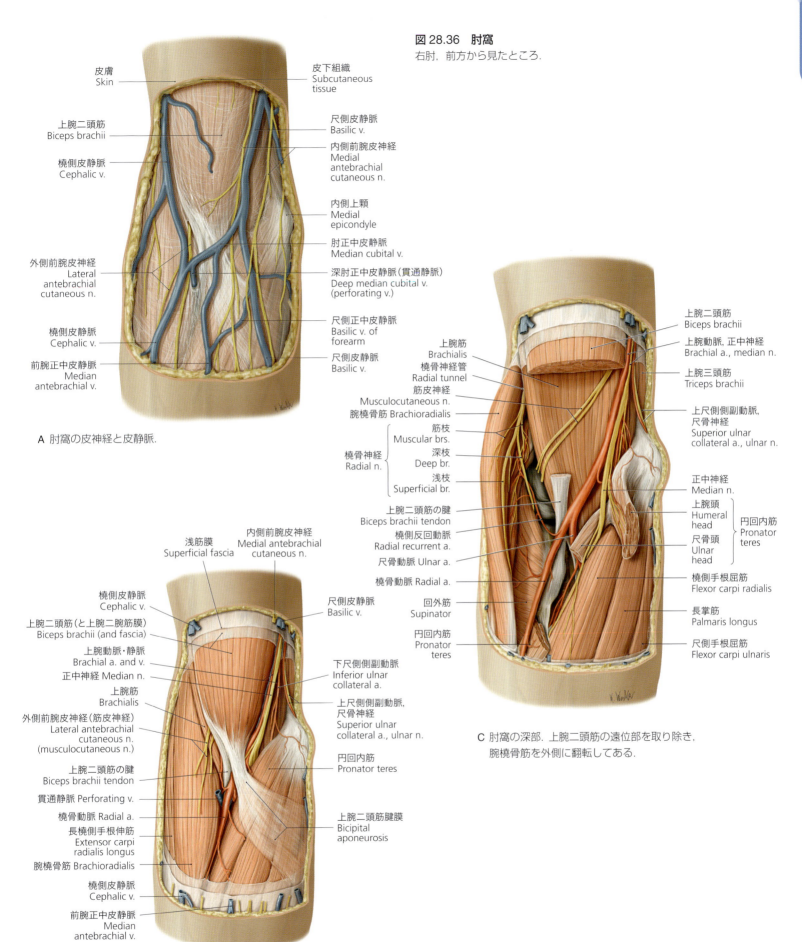

図 28.36 肘窩
右肘，前方から見たところ．

A 肘窩の皮神経と皮静脈．

B 肘窩の浅部．皮神経，皮静脈，上腕・前腕筋膜を取り除いたところ．

C 肘窩の深部．上腕二頭筋の遠位部を取り除き，腕橈骨筋を外側に翻転してある．

前腕前部・後部
Anterior and Posterior Forearm

図 28.37 前腕前部
右前腕，前方から見たところ．

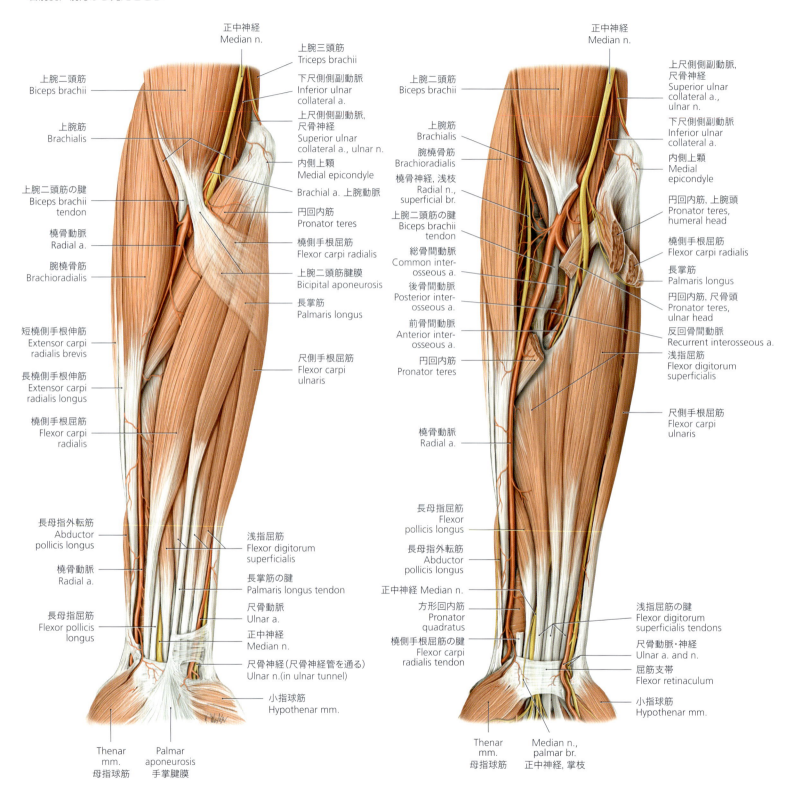

A 浅層．皮神経，皮静脈，前腕筋膜を取り除いたところ．

B 中層．浅層の屈筋（円回内筋，長掌筋，橈側手根屈筋）を部分的に取り除いたところ．

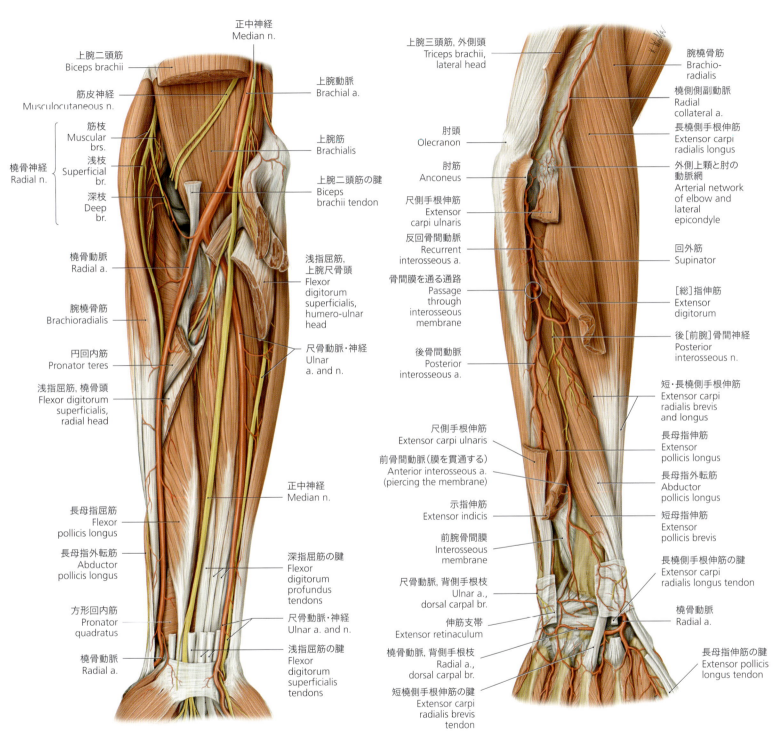

図 28.38 前腕後部
回内位にある右前腕．前方から見たところ．肘筋と上腕三頭筋を翻転し，尺側手根伸筋と[総]指伸筋を部分的に取り除いてある．

C 深層．浅指屈筋を部分的に取り除いたところ．

手根
Carpal Region

図 28.39 **手根の前部**
右手，掌側面（前方から見たところ）．

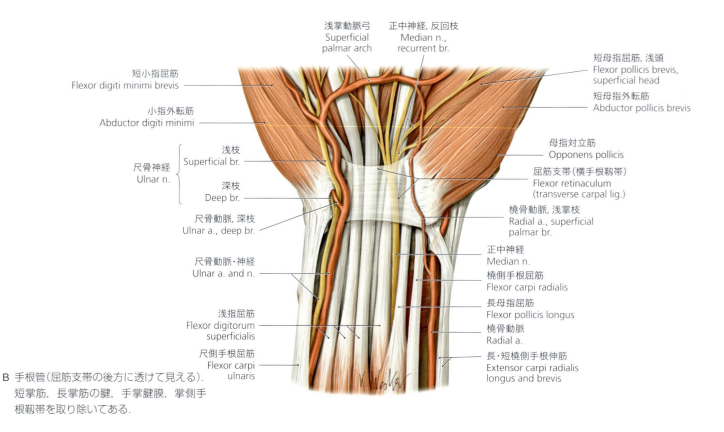

A 尺骨神経管．

B 手根管（屈筋支帯の後方に透けて見える）．短掌筋，長掌筋の腱，手掌腱膜，掌側手根靱帯を取り除いてある．

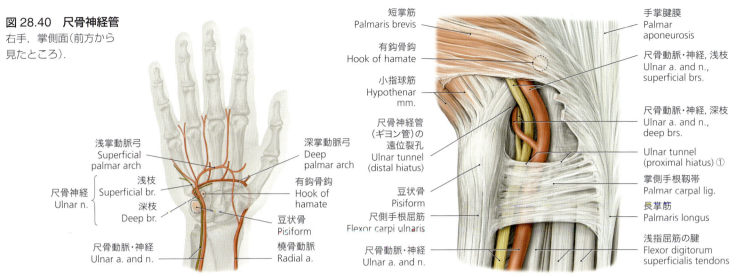

手掌
Palm of the Hand

図 28.42 手掌浅層の神経と動脈
右手，前方から見たところ．

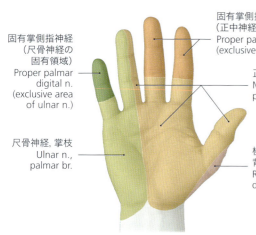

A 皮神経の分布領域．隣接する皮神経の分布領域は実際には広く重なっている．特定の皮神経だけが分布する領域（固有支配領域）を濃い色で示してある．

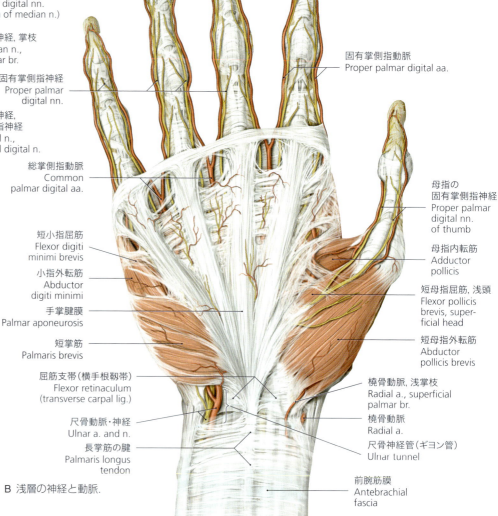

B 浅層の神経と動脈．

図 28.43 指の神経と動脈
右中指，外側方から見たところ．

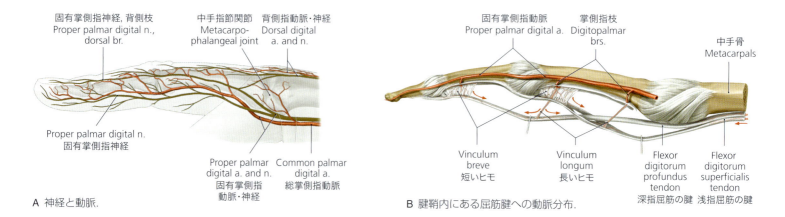

A 神経と動脈．　　B 腱鞘内にある屈筋腱への動脈分布．

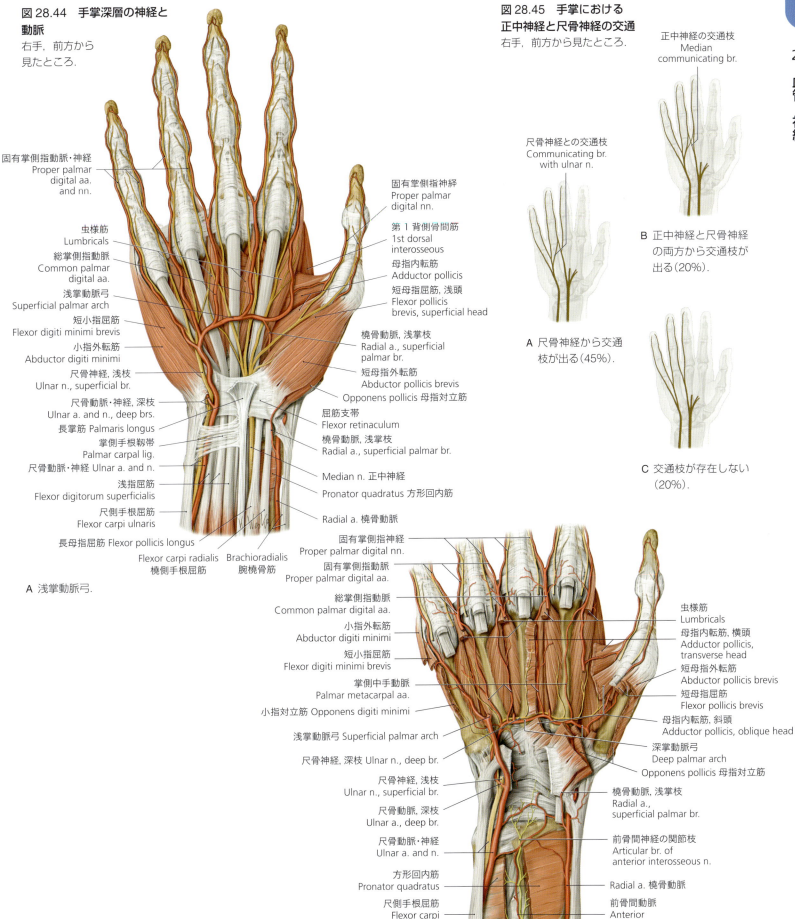

図 28.44 手掌深層の神経と動脈
右手，前方から見たところ．

A 浅掌動脈弓．

B 深掌動脈弓．

図 28.45 手掌における正中神経と尺骨神経の交通
右手，前方から見たところ．

A 尺骨神経から交通枝が出る（45％）．

B 正中神経と尺骨神経の両方から交通枝が出る（20％）．

C 交通枝が存在しない（20％）．

手背
Dorsum of the Hand

図 28.46 手背における皮神経の分布
右手，背側面（後方から見たところ）．

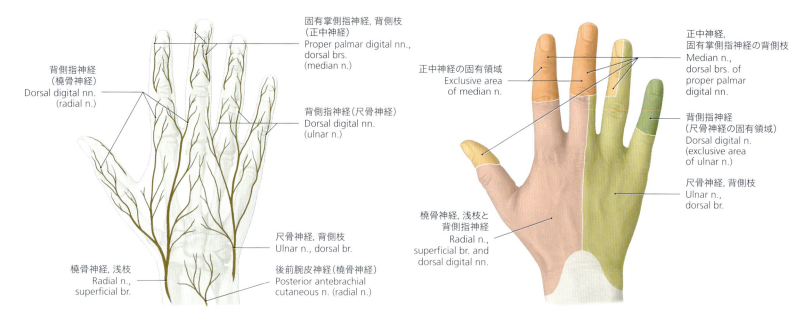

A 手背の皮神経．

B 皮神経の分布領域．隣接する皮神経の分布領域は実際には広く重なっている．特定の皮神経だけが分布する領域（固有支配領域）を濃い色で示してある．

図 28.47 解剖学的嗅ぎタバコ入れ
右手，橈側面．"解剖学的嗅ぎタバコ入れ"（半透明の緑色）は3方を囲まれたくぼみであり，背側の境界は長母指伸筋の腱，掌側の境界は短母指伸筋の腱と長母指外転筋の腱によって作られる．

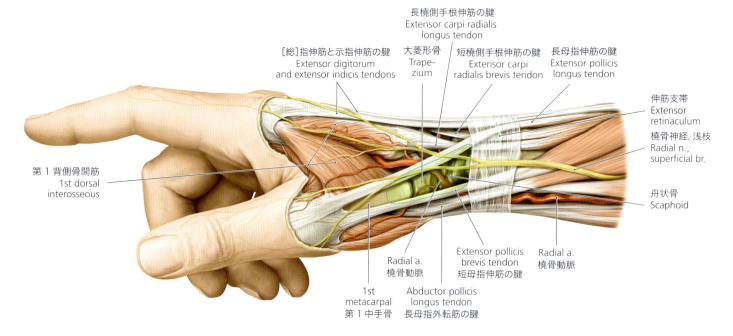

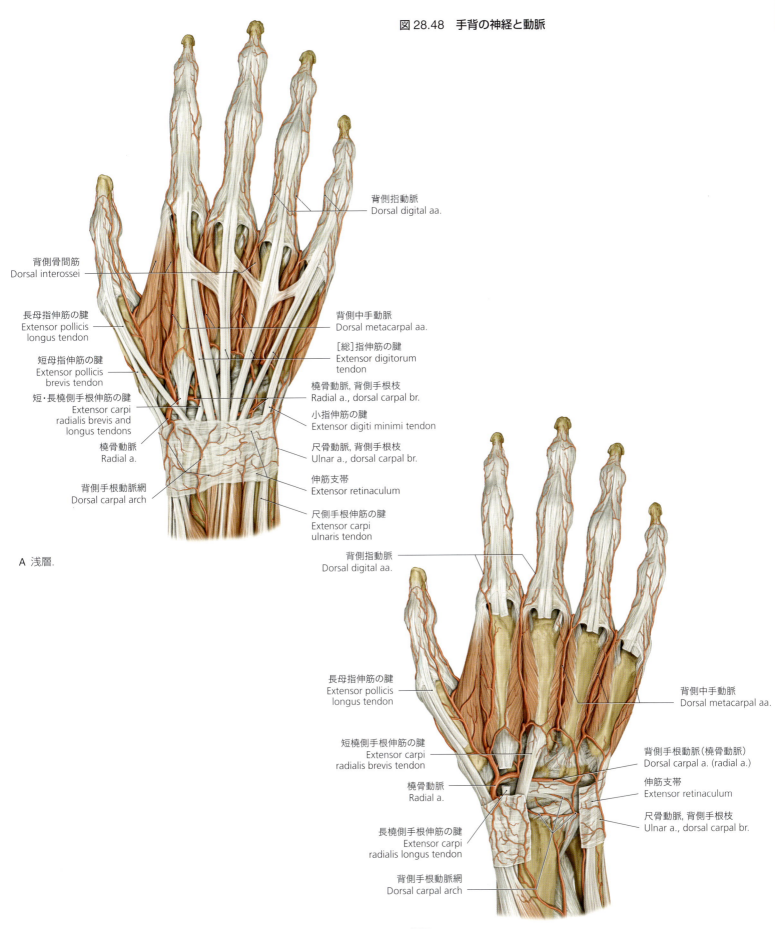

図 28.48　手背の神経と動脈

A 浅層．

B 深層．

29 断面解剖と画像解剖
上肢の断面解剖
Sectional Anatomy of the Upper Limb

図 29.1 上腕と前腕の断面
右の上肢，前方から見たところ．

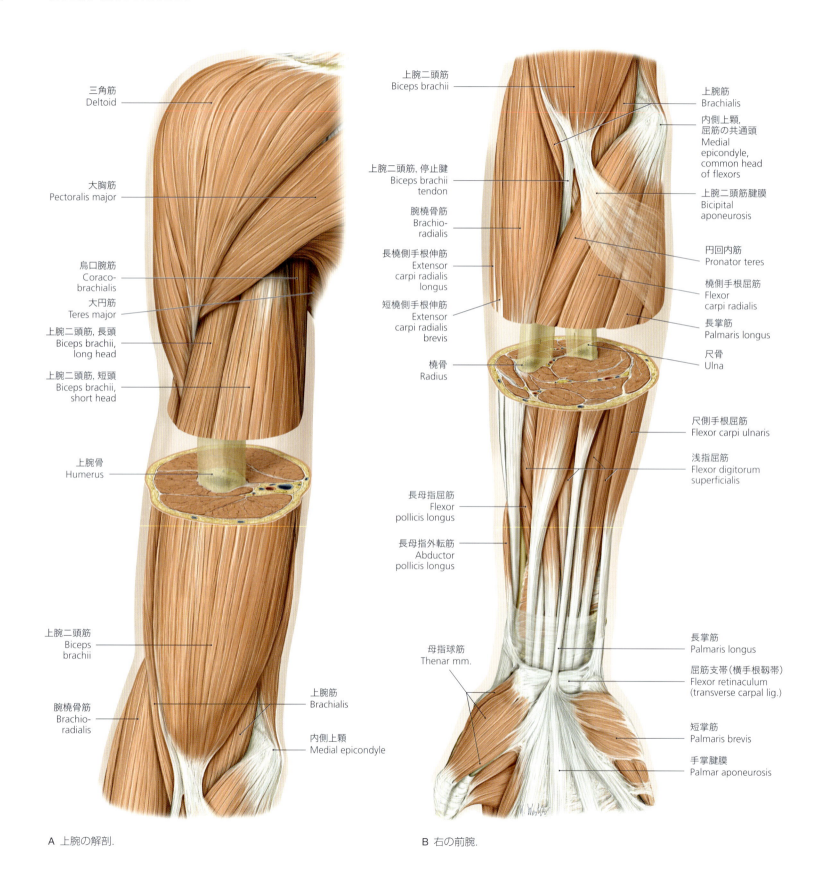

A 上腕の解剖．

B 右の前腕．

図 29.2 上腕と前腕の横断面
右の上肢，下面．

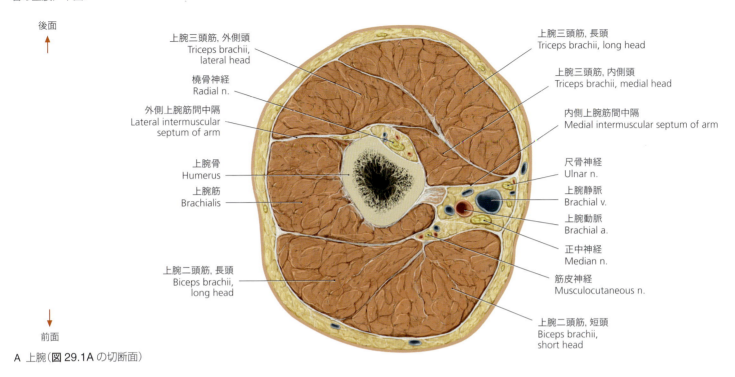

A 上腕（図 29.1A の切断面）

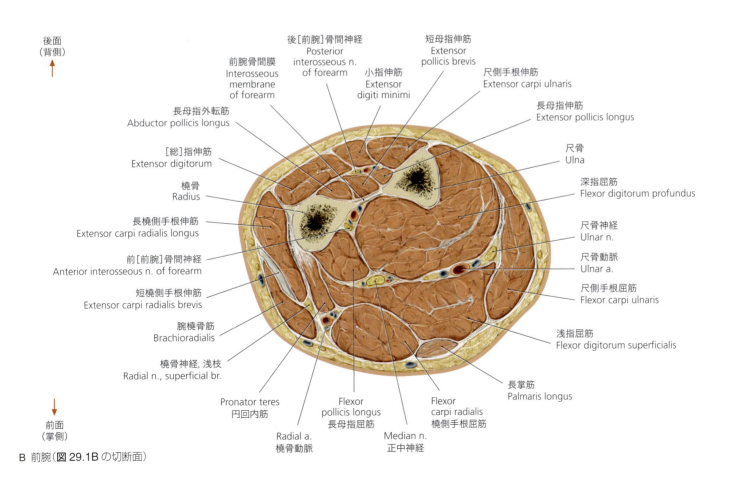

B 前腕（図 29.1B の切断面）

上肢の画像解剖（1）
Radiographic Anatomy of the Upper Limb (I)

図 29.3　上腕の MR 像
横断面，下面．

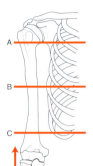
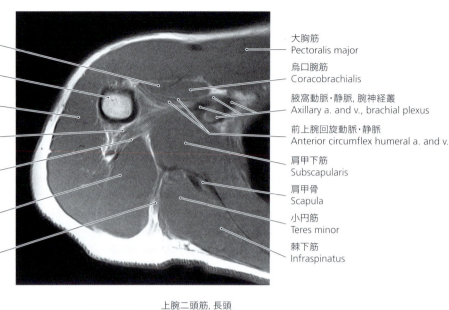

A　上腕近位．（Moeller TB, Reif E. Pocket Atlas of Sectional Anatomy, Vol 2, 4th ed. New York, NY: Thieme; 2014. より）

B　上腕中位．（Moeller TB, Reif E. Atlas of Sectional Anatomy: The Musculoskeletal System. New York, NY: Thieme; 2009. より）

C　上腕遠位．（Moeller TB, Reif E. Pocket Atlas of Sectional Anatomy, Vol 2, 4th ed. New York, NY: Thieme; 2014. より）

図 29.4 前腕の MR 像

横断面, 下面.

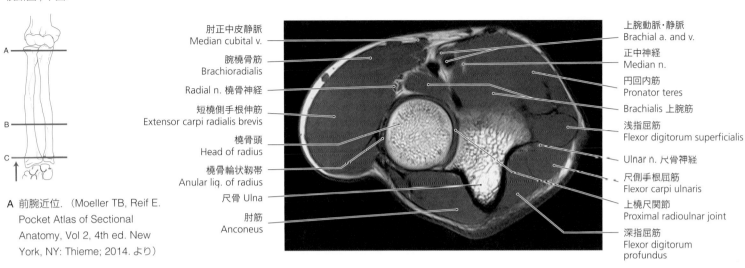

A 前腕近位．(Moeller TB, Reif E. Pocket Atlas of Sectional Anatomy, Vol 2, 4th ed. New York, NY: Thieme; 2014. より)

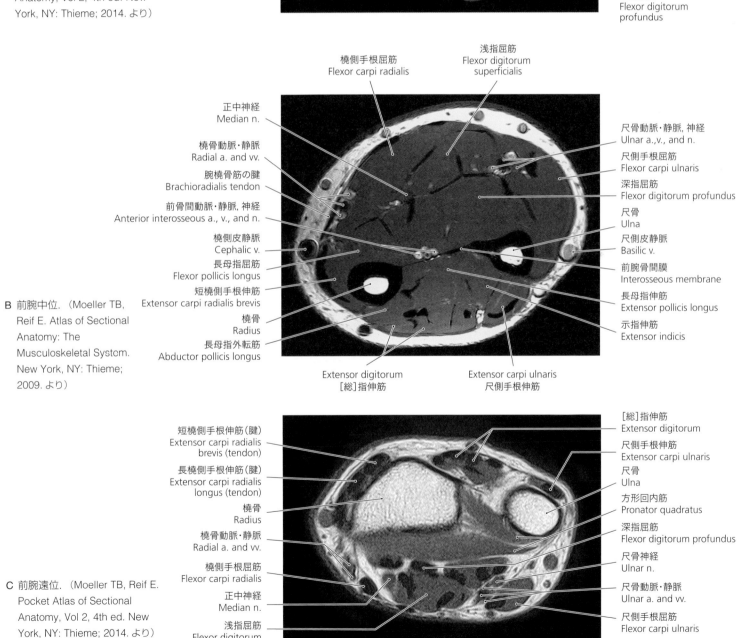

B 前腕中位．(Moeller TB, Reif E. Atlas of Sectional Anatomy: The Musculoskeletal System. New York, NY: Thieme; 2009. より)

C 前腕遠位．(Moeller TB, Reif E. Pocket Atlas of Sectional Anatomy, Vol 2, 4th ed. New York, NY: Thieme; 2014. より)

上肢の画像解剖(2)
Radiographic Anatomy of the Upper Limb (II)

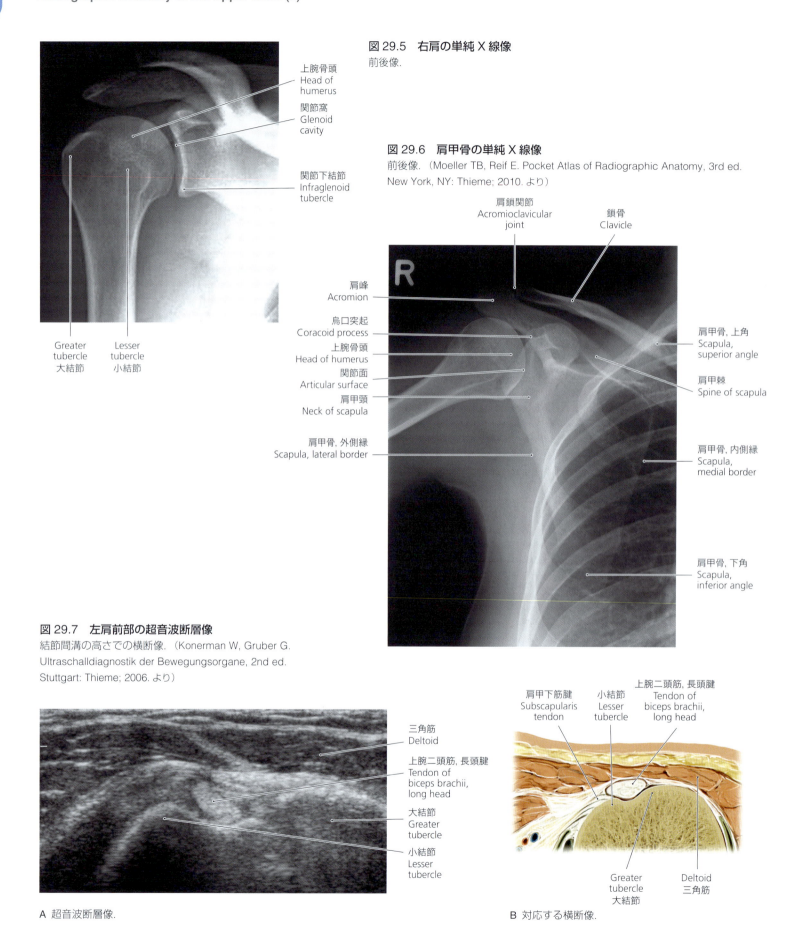

図 29.5 右肩の単純X線像
前後像.

図 29.6 肩甲骨の単純X線像
前後像.（Moeller TB, Reif E. Pocket Atlas of Radiographic Anatomy, 3rd ed. New York, NY: Thieme; 2010. より）

図 29.7 左肩前部の超音波断層像
結節間溝の高さでの横断像.（Konerman W, Gruber G. Ultraschalldiagnostik der Bewegungsorgane, 2nd ed. Stuttgart: Thieme; 2006. より）

A 超音波断層像.

B 対応する横断像.

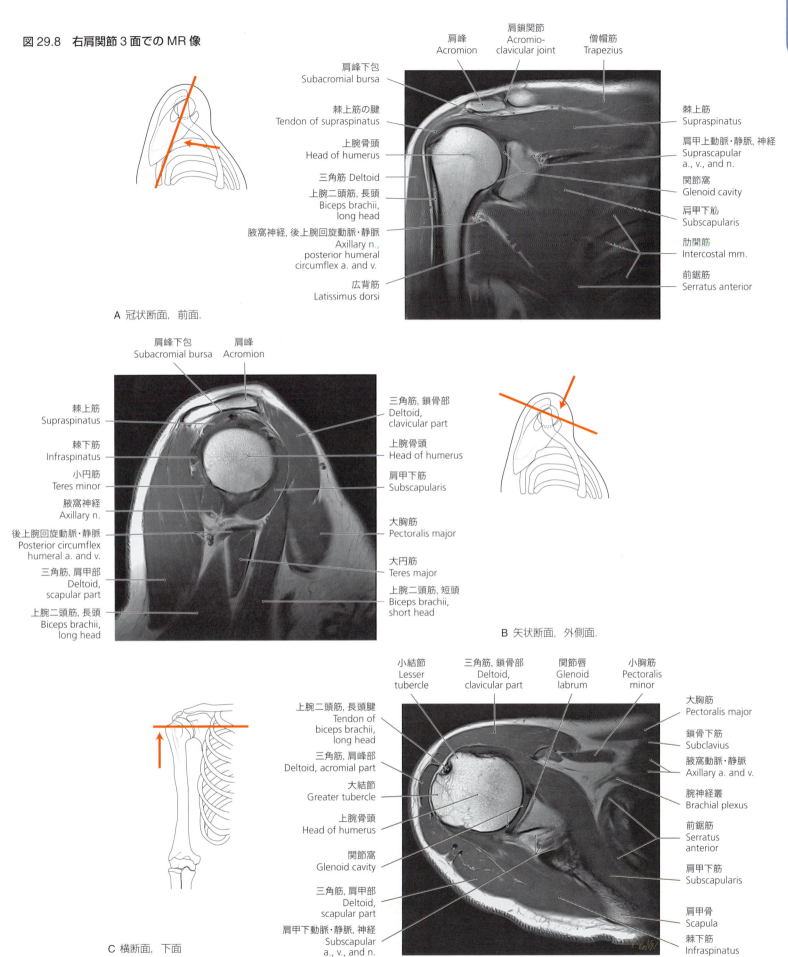

上肢の画像解剖（3）
Radiographic Anatomy of the Upper Limb (III)

図 29.9　肘の単純 X 線像
前後像．（Moeller TB, Reif E. Pocket Atlas of Radiographic Anatomy, 3rd ed. New York, NY: Thieme; 2010. より）

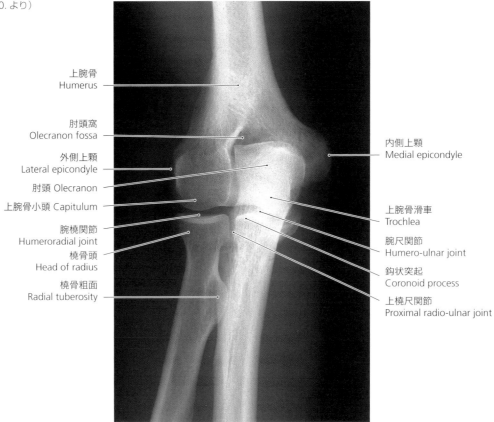

図 29.10　肘の X 線像
側面像．（Moeller TB, Reif E. Pocket Atlas of Radiographic Anatomy, 3rd ed. New York, NY: Thieme; 2010. より）

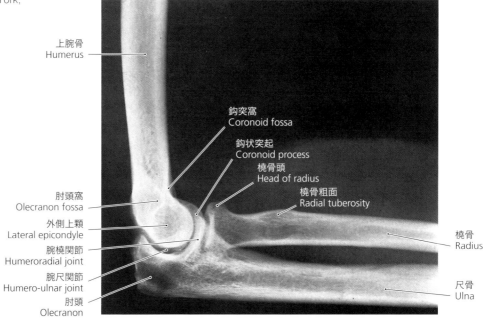

図 29.11　肘の MR 像
(Moeller TB, Reif E. Atlas of Sectional Anatomy: The Musculoskeletal System. New York, NY: Thieme; 2009. より)

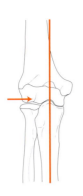
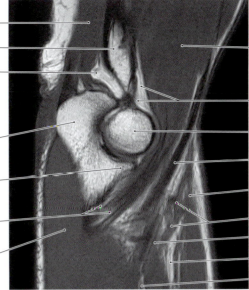

A　腕尺関節を通る矢状断面．

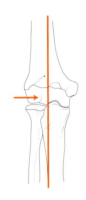
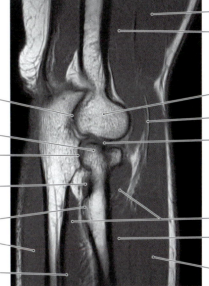

B　腕尺関節と腕橈関節を通る矢状断面．

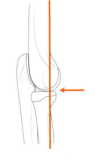
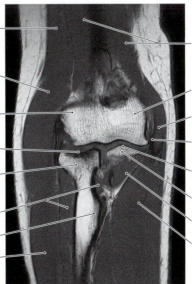

C　腕尺関節と腕橈関節を通る冠状断面．

上肢の画像解剖(4)
Radiographic Anatomy of the Upper Limb (IV)

図 29.12 手の単純 X 線像
(Moeller TB, Reif E. Pocket Atlas of Radiographic Anatomy, 3rd ed. New York, NY: Thieme; 2010. より)

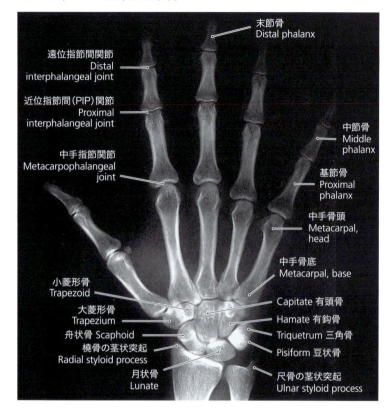

A 前後像.

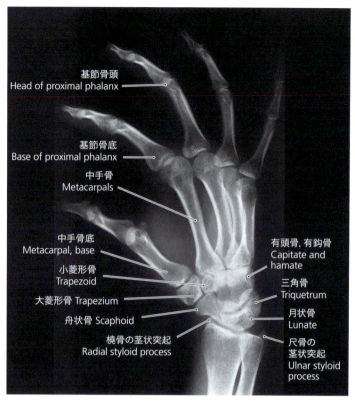

B 斜位像.

図 29.13 右手首の MR 像
横断面, 下面. (Moeller TB, Reif E. Atlas of Sectional Anatomy: The Musculoskeletal System. New York, NY: Thieme; 2009. より)

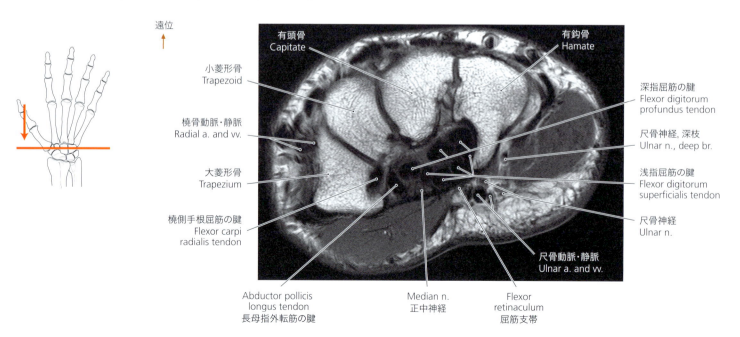

図29.14 手のMR像
(Moeller TB, Reif E. Atlas of Sectional Anatomy: The Musculoskeletal System. New York, NY: Thieme; 2009. より)

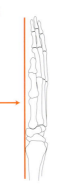
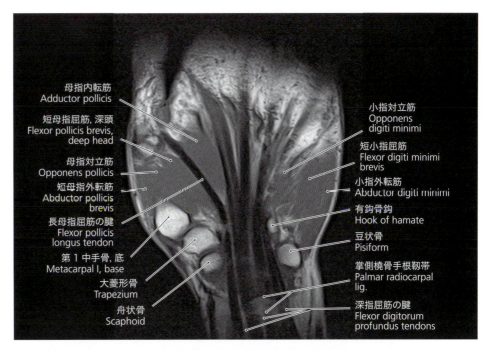

A 手根管の冠状断面．

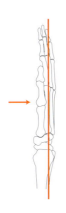
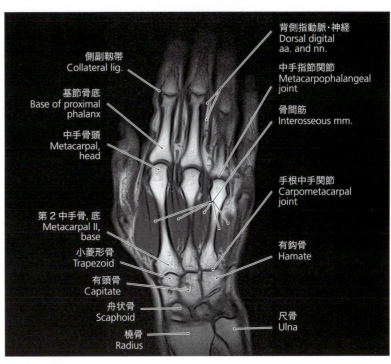

B 手掌を通る冠状断面．

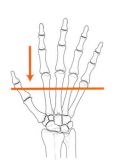
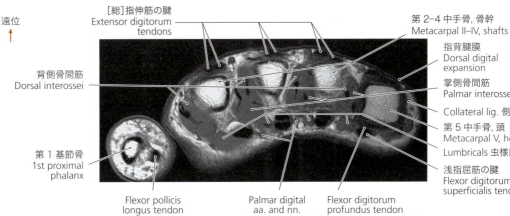

C 手掌を通る横断面，下面．

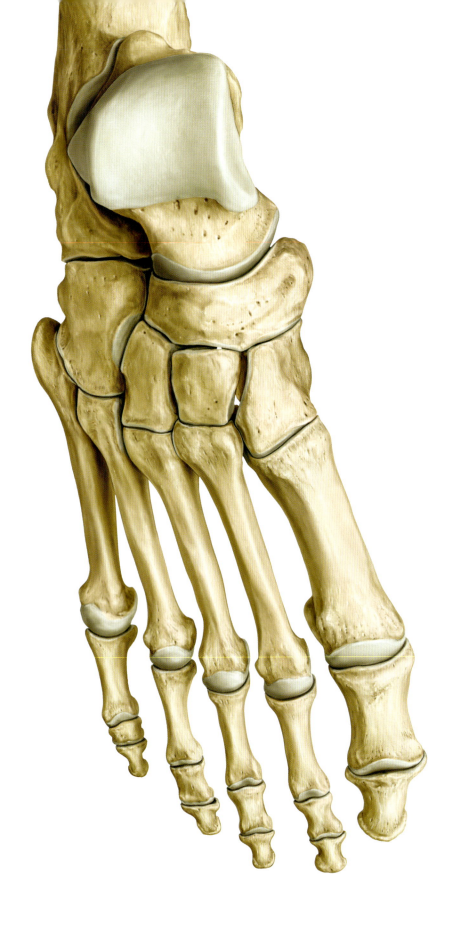

下肢
Lower Limb

30. 体表解剖
- 体表解剖 ……………………………………………… 408

31. 骨盤と大腿
- 下肢の骨 ……………………………………………… 410
- 大腿骨 ………………………………………………… 412
- 股関節：概観 ………………………………………… 414
- 股関節：靱帯と関節包 ……………………………… 416
- 骨盤部，殿部，大腿の前面にある筋(1) ………… 418
- 骨盤部，殿部，大腿の前面にある筋(2) ………… 420
- 骨盤部，殿部，大腿の後面にある筋(1) ………… 422
- 骨盤部，殿部，大腿の後面にある筋(2) ………… 424
- 個々の筋(1) ………………………………………… 426
- 個々の筋(2) ………………………………………… 428
- 個々の筋(3) ………………………………………… 430

32. 膝と下腿
- 脛骨と腓骨 …………………………………………… 432
- 膝関節：概観 ………………………………………… 434
- 膝関節：関節包，靱帯，滑液包 …………………… 436
- 膝関節：靱帯と半月 ………………………………… 438
- 十字靱帯 ……………………………………………… 440
- 膝関節腔 ……………………………………………… 442
- 下腿の前面と外側面にある筋 ……………………… 444
- 下腿の後面にある筋 ………………………………… 446
- 個々の筋(1) ………………………………………… 448
- 個々の筋(2) ………………………………………… 450

33. 足首と足
- 足の骨 ………………………………………………… 452
- 足の関節(1) ………………………………………… 454
- 足の関節(2) ………………………………………… 456
- 足の関節(3) ………………………………………… 458
- 足首と足の靱帯 ……………………………………… 460
- 土踏まずと足底弓 …………………………………… 462
- 足底の筋 ……………………………………………… 464
- 足の筋と腱鞘 ………………………………………… 466
- 個々の筋(1) ………………………………………… 468
- 個々の筋(2) ………………………………………… 470

34. 血管・神経
- 下肢の動脈 …………………………………………… 472
- 下肢の静脈とリンパ管 ……………………………… 474
- 腰仙骨神経叢 ………………………………………… 476
- 腰神経叢の枝 ………………………………………… 478
- 腰神経叢の枝：閉鎖神経と大腿神経 ……………… 480
- 仙骨神経叢の枝 ……………………………………… 482
- 仙骨神経叢の枝：坐骨神経 ………………………… 484
- 下肢の皮神経と皮静脈 ……………………………… 486
- 鼠径部の局所解剖 …………………………………… 488
- 殿部の局所解剖 ……………………………………… 490
- 大腿の前面，内側面，後面の局所解剖 …………… 492
- 下腿の後面と足部の局所解剖 ……………………… 494
- 下腿の外側面・前面と足背部の局所解剖 ………… 496
- 足底の局所解剖 ……………………………………… 498

35. 断面解剖と画像解剖
- 下肢の断面解剖 ……………………………………… 500
- 下肢の画像解剖(1) ………………………………… 502
- 下肢の画像解剖(2) ………………………………… 504
- 下肢の画像解剖(3) ………………………………… 506
- 下肢の画像解剖(4) ………………………………… 508

30 体表解剖

体表解剖
Surface Anatomy

図 30.1 体表から触知できる下肢の骨の隆起
右下肢.

図 30.2 下肢の部位
右下肢.

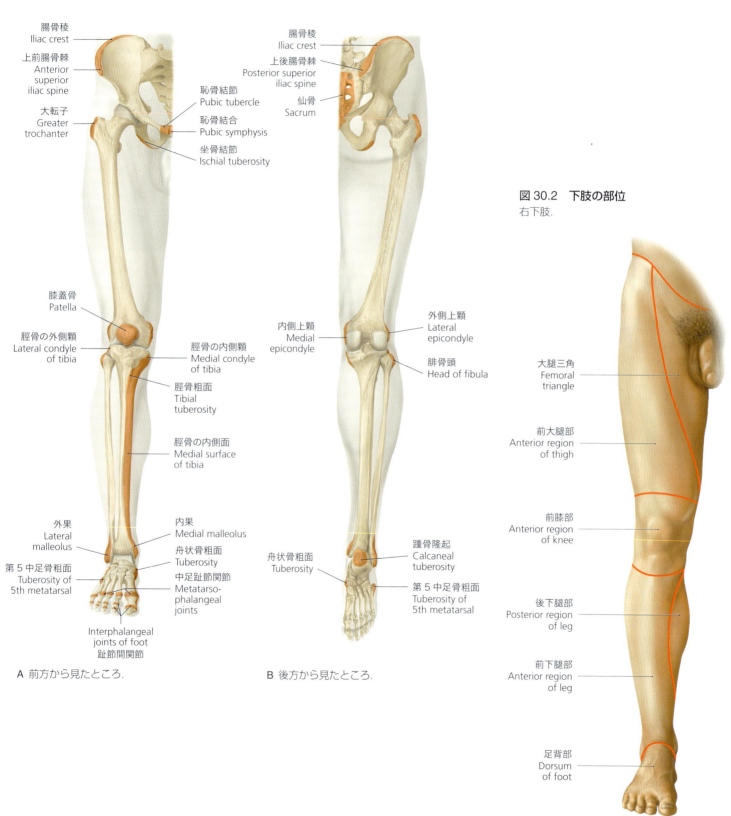

A 前方から見たところ.

B 後方から見たところ.

A 前方から見たところ.

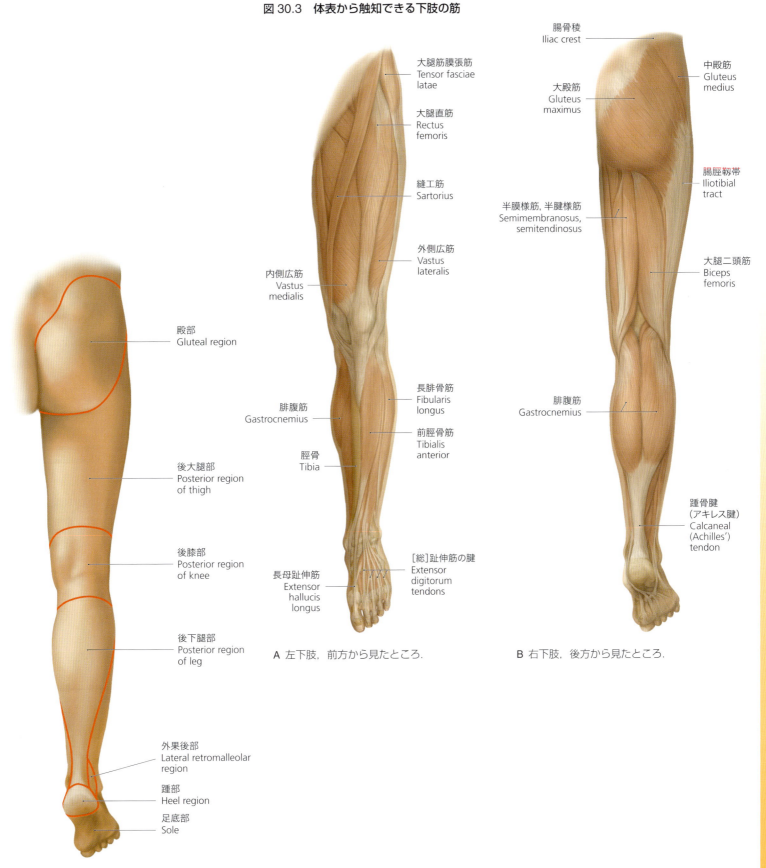

図 30.3 体表から触知できる下肢の筋

A 左下肢，前方から見たところ．

B 右下肢，後方から見たところ．

B 後方から見たところ．

31 骨盤と大腿

下肢の骨
Bones of the Lower Limb

下肢の骨格は寛骨と自由下肢骨からなる．左右の寛骨は仙腸関節によって体幹（仙骨）と連結し，下肢帯（p.230 参照）を形成する．自由下肢は大腿，下腿，足に区分され，股関節によって下肢帯と連結される．下肢帯を安定に保つことは，体幹から下肢へ荷重を伝えるうえで重要である．

図 31.1 下肢の骨

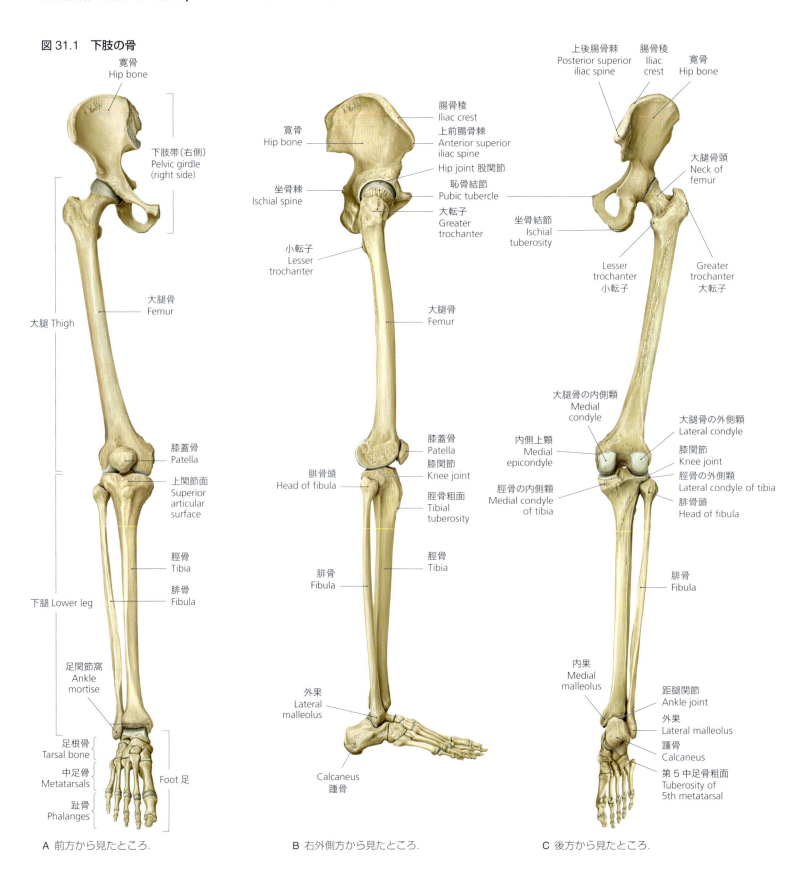

A 前方から見たところ．　　B 右外側方から見たところ．　　C 後方から見たところ．

図 31.2　重心線
右外側方から見たところ．重心線は重心から垂直に下り，特定の点を通過して地表面に至る．

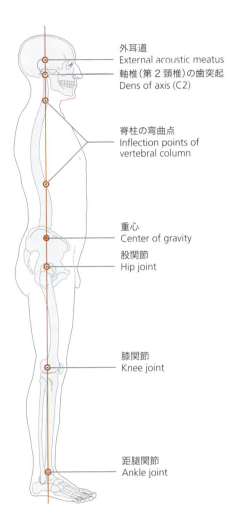

図 31.3　寛骨と体幹の骨との関係
左右の寛骨は仙骨と連結し，下肢帯を形成する（**p.230** 参照）．

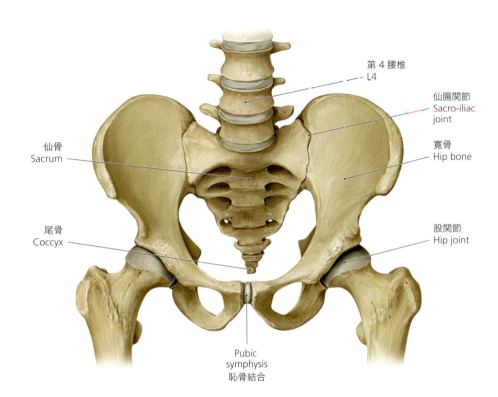

A　前方から見たところ．

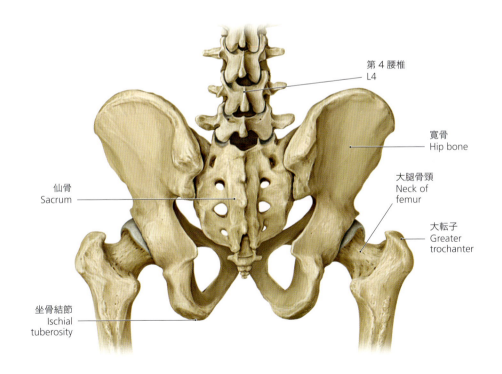

B　後方から見たところ．

大腿骨
Femur

図 31.4 大腿骨
右の大腿骨．大腿骨は近位では股関節で骨盤の寛骨臼と，遠位では膝関節で脛骨と関節をなす．

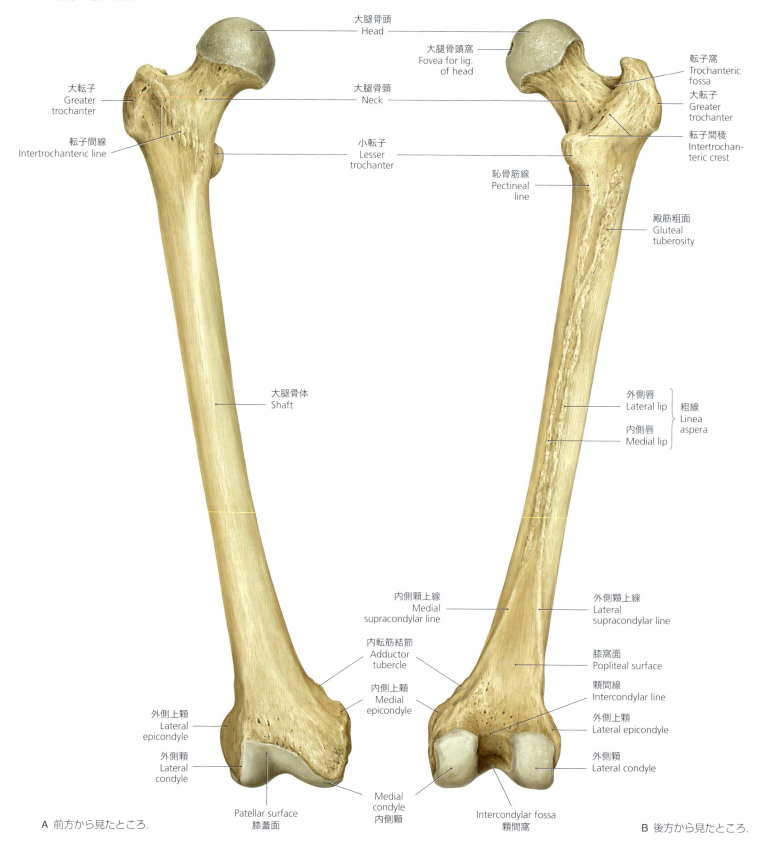

A 前方から見たところ．　　B 後方から見たところ．

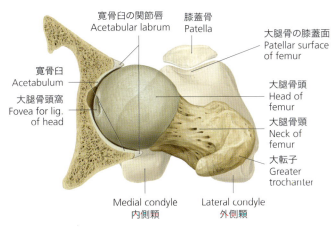

C 近位方向（上方）から見たところ．寛骨臼を水平断してある．

D 遠位方向（下方）から見たところ．

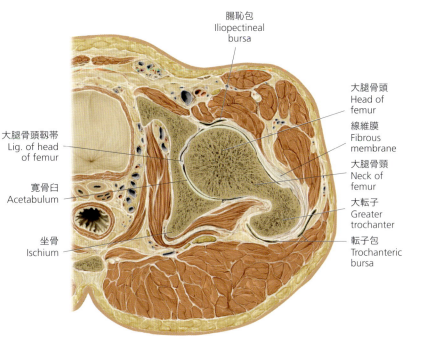

図 31.5　股関節：横断面
右股関節，上方から見たところ．

臨床 BOX 31.1

大腿骨頭の回転

寛骨臼縁は，矢状面に対して，前下方に傾いている．出生時の開口角はおよそ 7°だが，成人では 17°まで広がる（A）．この角度は，股関節における大腿骨頭の安定性と「座り」に影響する．大腿骨頭が寛骨臼の中心にある時には，遠位の大腿骨と膝関節は少し内側を向く．大腿骨の外側（B）と内側（C）の回転が膝関節の向きにどのように影響を与えるかよく見てみよう．

股関節：概観
Hip Joint: Overview

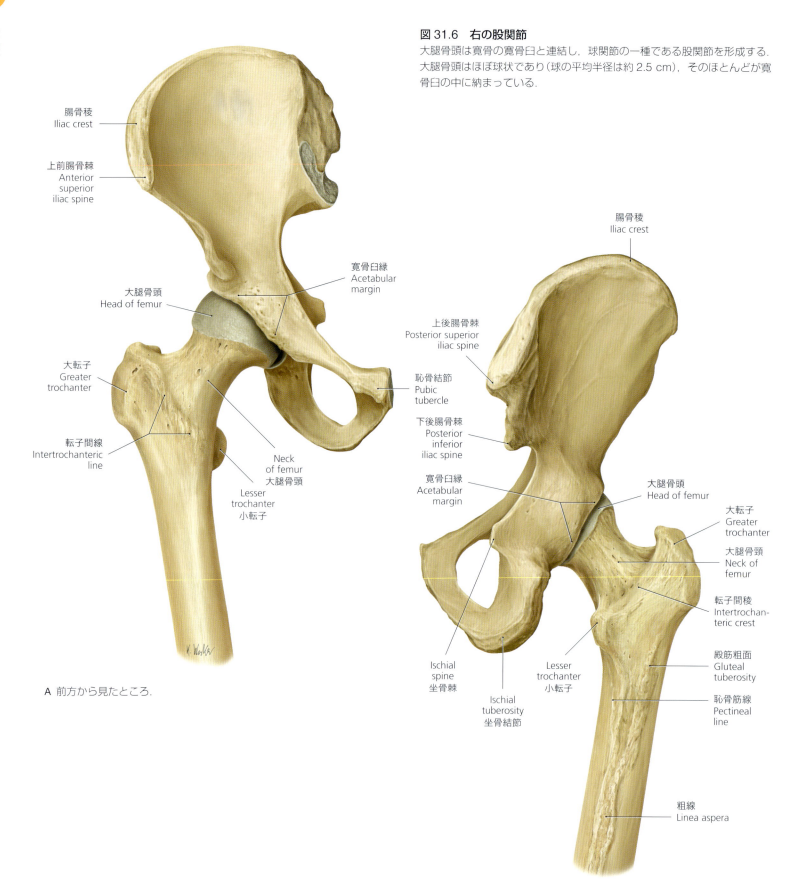

図 31.6 右の股関節
大腿骨頭は寛骨の寛骨臼と連結し，球関節の一種である股関節を形成する．大腿骨頭はほぼ球状であり（球の平均半径は約 2.5 cm），そのほとんどが寛骨臼の中に納まっている．

A 前方から見たところ．

B 後方から見たところ．

図 31.7　股関節：冠状断面
右の股関節，前方から見たところ．

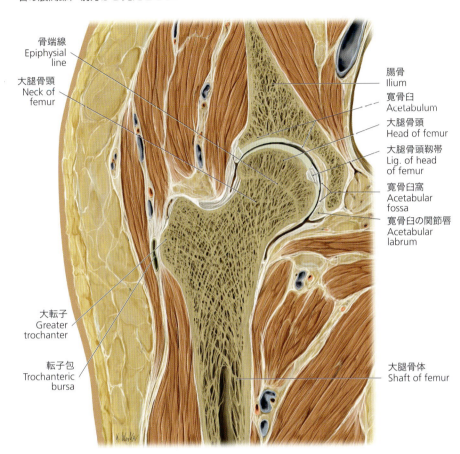

臨床 BOX 31.2

大腿骨骨折

骨粗鬆症患者が転倒し，大腿骨を骨折した場合，骨折の大部分は大腿骨頸に生じる．大腿骨体の骨折はずっと頻度が低く，通常は強い衝撃（例えば，自動車事故）によって生じる．

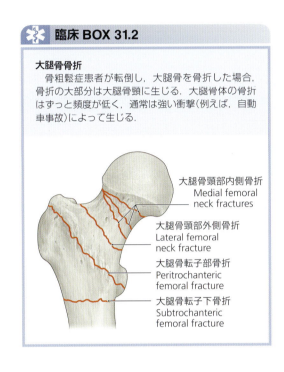

臨床 BOX 31.3

乳児における寛骨臼低形成と股関節脱臼の診断

超音波断層法は乳児の股関節をスクリーニングするうえで，最も重要な画像診断法であり，寛骨臼の低形成や股関節脱臼といった形態的変化を見つけるのに使われる．先天性の股関節脱臼では，股関節の不安定性や外転制限がみられる．また，患側の下肢が短くなり，殿溝が左右非対称となる．

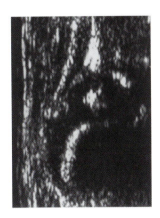 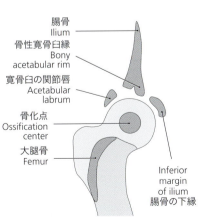

A　5 か月乳児の正常な股関節.

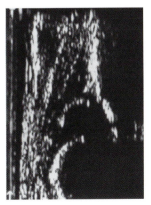 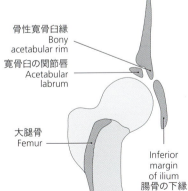

B　3 か月乳児の股関節脱臼と寛骨臼の低形成.

股関節：靱帯と関節包
Hip Joint: Ligaments & Capsule

股関節は3つの主要な靱帯（腸骨大腿靱帯，恥骨大腿靱帯，坐骨大腿靱帯）によって補強されている．これらの靱帯のうち，最も強いのが腸骨大腿靱帯である．この靱帯は股関節の安定化に重要であり，筋肉を使うことなく，直立位時での骨盤の後傾を防いでいる．さらに，この靱帯は伸展位の下肢の内転を制限し，歩行時の接地脚側の骨盤を安定化している．股関節の靱帯の深層には輪帯が存在する（図示していない）．輪帯（輪状靱帯）は関節包の輪状線維が束になったもので，大腿骨頸をボタン穴のように取り囲んでいる．

図 31.8　股関節の靱帯
右の股関節．

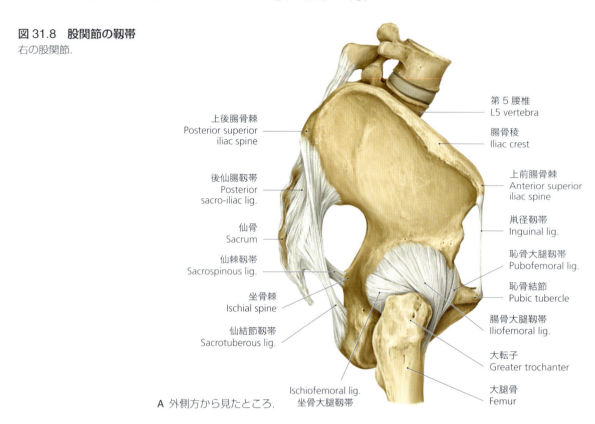

A 外側方から見たところ．

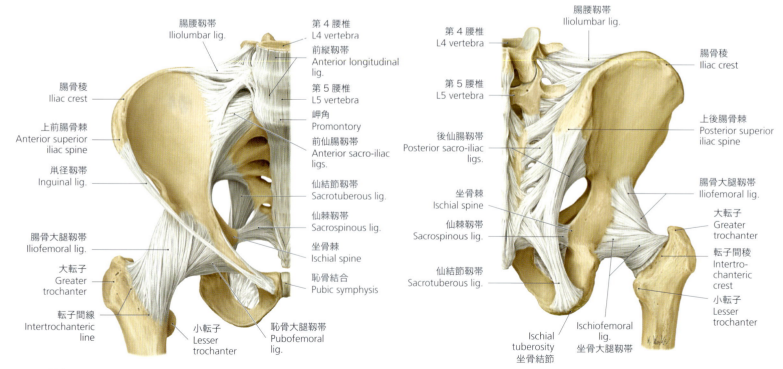

B 前方から見たところ．　　　　C 後方から見たところ．

図 31.9 関節包の脆弱性
右の股関節．関節包の脆弱部位（着色した部位）は関節靱帯の間に位置する．外傷によって，これらの部位で，大腿骨頭の寛骨臼からの脱臼が起こりうる．

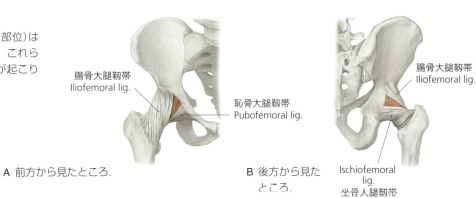

A 前方から見たところ．

B 後方から見たところ．

図 31.10 関節包の滑膜

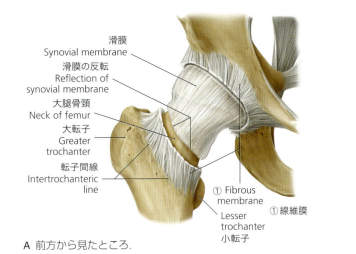

A 前方から見たところ．

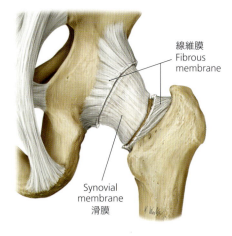

B 後方から見たところ．

図 31.11 寛骨臼内の大腿骨頭靱帯
右の股関節，外側方から見たところ．

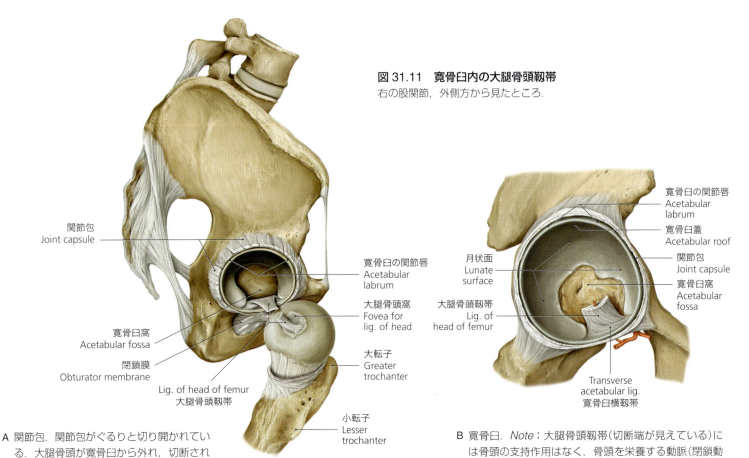

A 関節包．関節包がぐるりと切り開かれている．大腿骨頭が寛骨臼から外れ，切断された大腿骨頭靱帯が見えている．

B 寛骨臼．Note：大腿骨頭靱帯（切断端が見えている）には骨頭の支持作用はなく，骨頭を栄養する動脈（閉鎖動脈の枝）の通路となっている（p.473 参照）．

骨盤部，殿部，大腿の前面にある筋(1)
Anterior Muscles of the Hip, Thigh & Gluteal Region (I)

図 31.12 骨盤と大腿の前面にある筋(1)
右下肢．筋の起始を赤色，停止を青色で示してある．

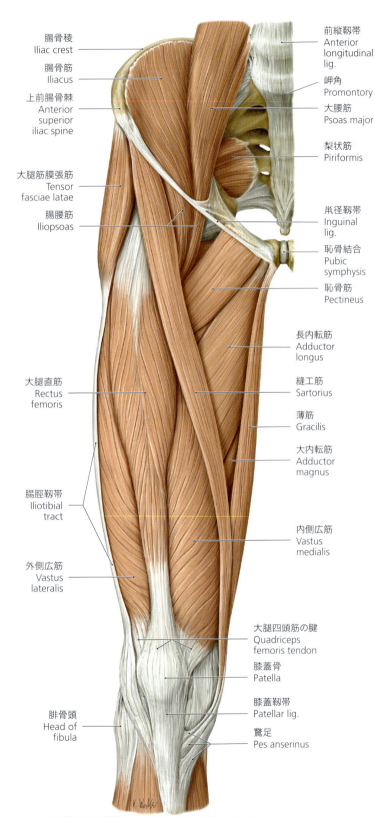

A 大腿筋膜を腸脛靱帯のところまで取り除いてある．

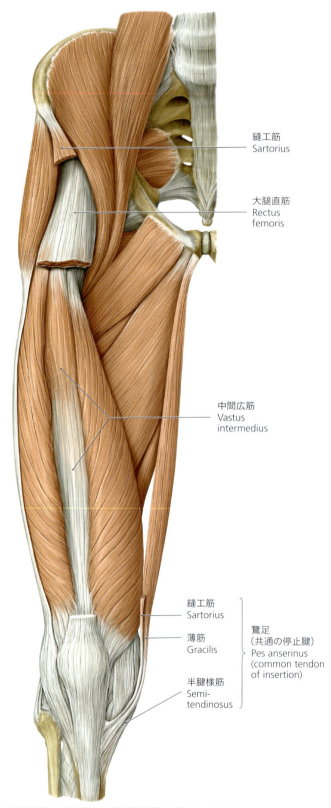

B 鼠径靱帯，縫工筋と大腿直筋を取り除いたところ．

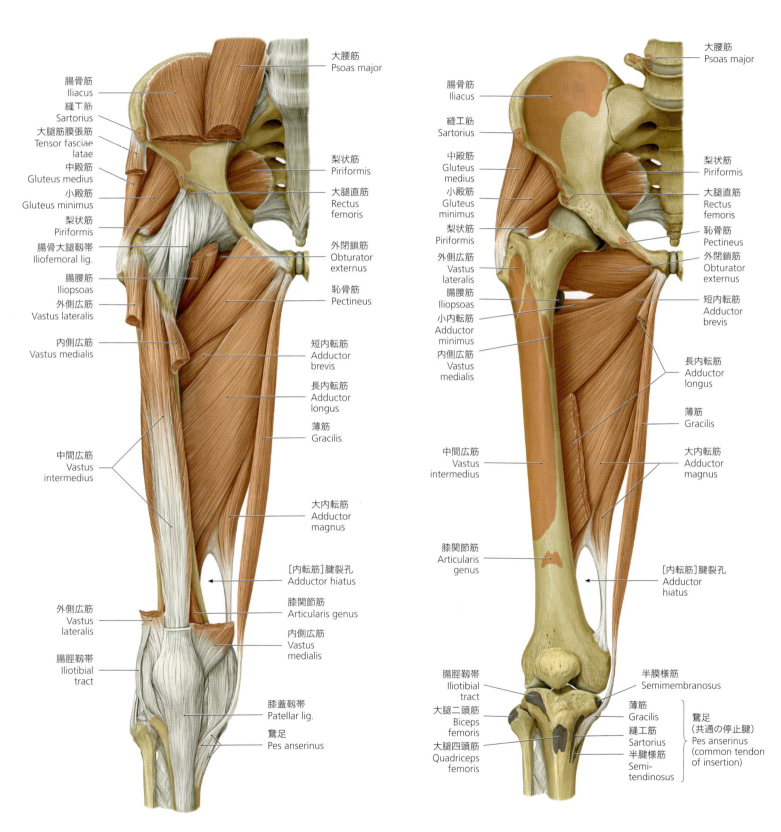

C 大腿直筋を完全に取り除き，さらに外側広筋，内側広筋，腸腰筋の遠位部，大腿筋膜張筋を取り除いたところ．

D 大腿四頭筋（大腿直筋，外側広筋，内側広筋，中間広筋），腸腰筋，大腿筋膜張筋，恥骨筋，長内転筋の中央部を取り除いたところ．

骨盤部，殿部，大腿の前面にある筋 (2)
Anterior Muscles of the Hip, Thigh & Gluteal Region (II)

図 31.13 骨盤と大腿の前面にある筋 (2)
右下肢．筋の起始を赤色，停止を青色で示してある．

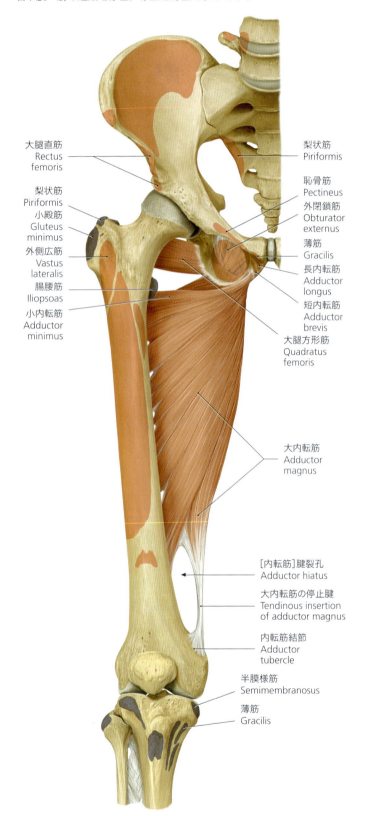

A 中殿筋，小殿筋，梨状筋，外閉鎖筋，長・短内転筋，薄筋を取り除いたところ．

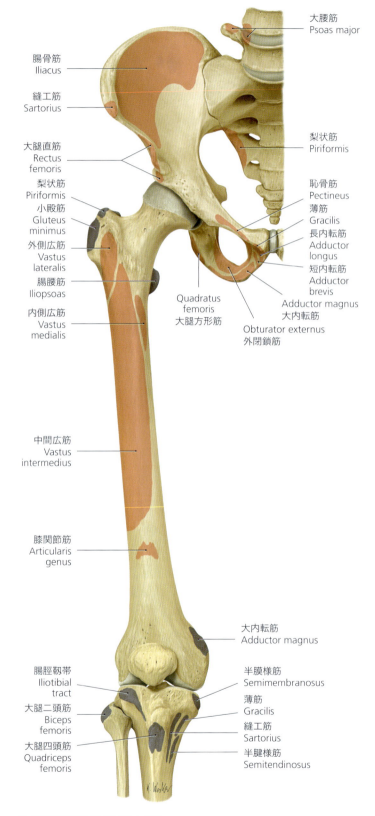

B 全ての筋を取り除いたところ．

図 31.14 骨盤と大腿の内側面にある筋
右下肢，正中矢状断．

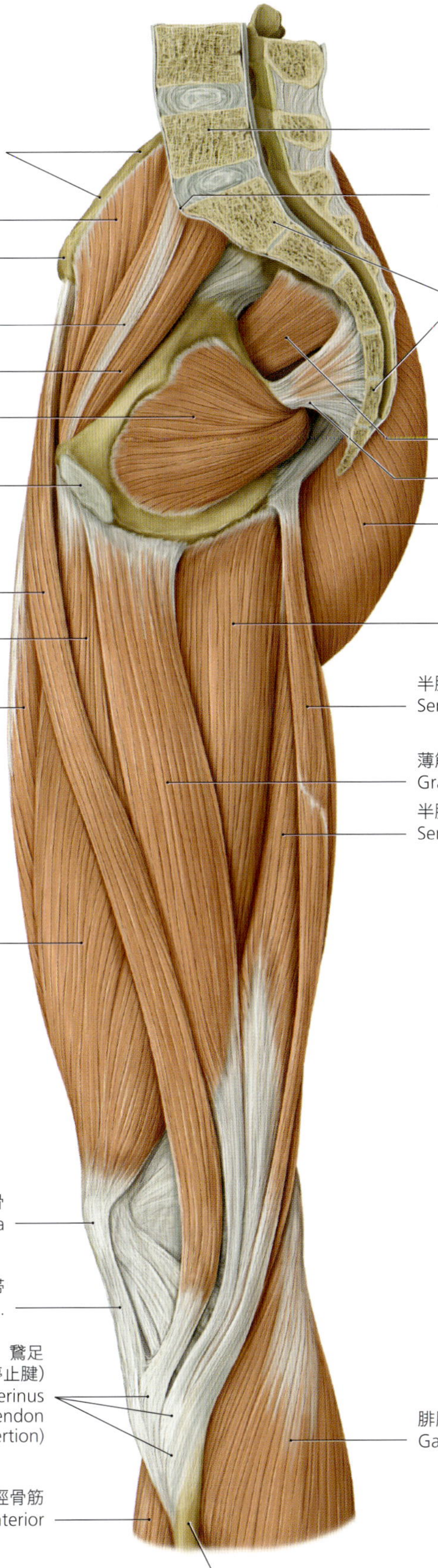

- 腸骨稜 Iliac crest
- 腸骨筋 Iliacus
- 上前腸骨棘 Anterior superior iliac spine
- 小腰筋 Psoas minor
- 大腰筋 Psoas major
- 内閉鎖筋 Obturator internus
- 恥骨結合 Pubic symphysis
- 縫工筋 Sartorius
- 長内転筋 Adductor longus
- 大腿直筋 Rectus femoris
- 内側広筋 Vastus medialis
- 膝蓋骨 Patella
- 膝蓋靱帯 Patellar lig.
- 鵞足（共通の停止腱） Pes anserinus (common tendon of insertion)
- 前脛骨筋 Tibialis anterior
- 第5腰椎の椎体 Vertebral body, L5
- 岬角 Promontory
- 仙骨 Sacrum
- 梨状筋 Piriformis
- 仙棘靱帯 Sacrospinous lig.
- 大殿筋 Gluteus maximus
- 大内転筋 Adductor magnus
- 半腱様筋 Semitendinosus
- 薄筋 Gracilis
- 半膜様筋 Semimembranosus
- 腓腹筋 Gastrocnemius
- Tibia 脛骨

骨盤部，殿部，大腿の後面にある筋 (I)
Posterior Muscles of the Hip, Thigh & Gluteal Region (I)

図 31.15　骨盤と大腿の後面にある筋 (1)
右下肢．筋の起始を赤色，停止を青色で示してある．

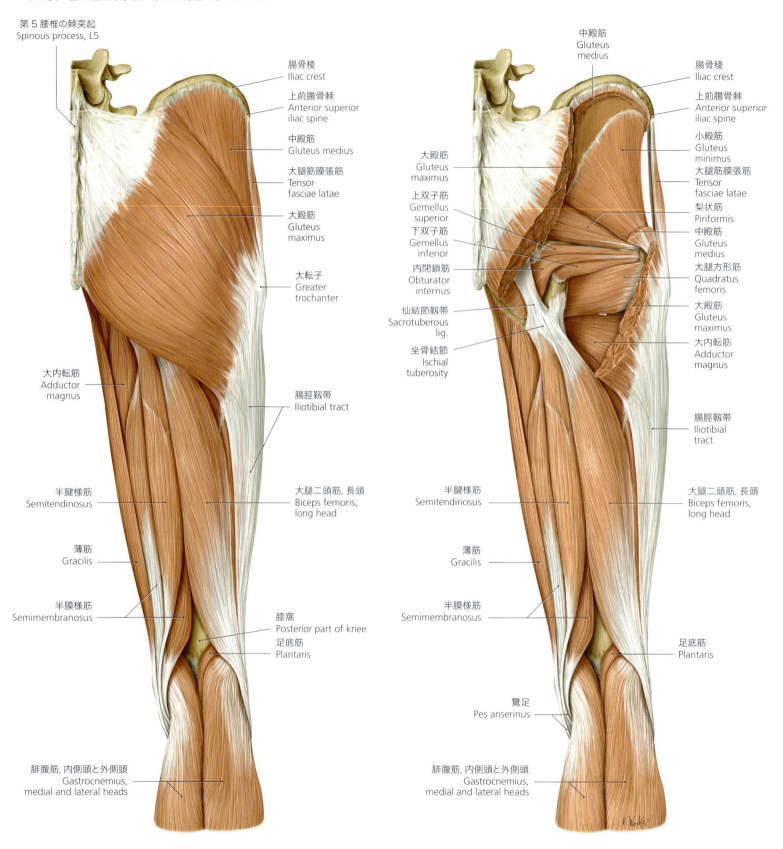

A 大腿筋膜を取り除いてある．

B 大殿筋（中央部）と中殿筋を取り除いたところ．

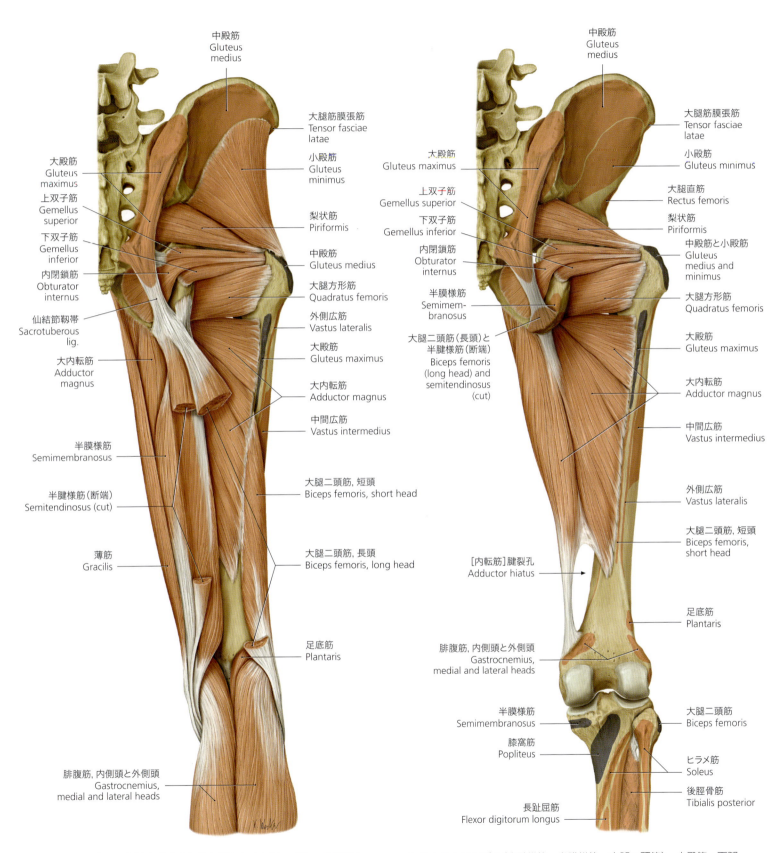

C 半腱様筋，大腿二頭筋を部分的に取り除いたところ．また，大殿筋と中殿筋を完全に取り除いてある．

D ハムストリングス（半腱様筋，半膜様筋，大腿二頭筋），小殿筋，下腿の筋（腓腹筋など）を完全に取り除いたところ．

骨盤部，殿部，大腿の後面にある筋(2)
Posterior Muscles of the Hip, Thigh & Gluteal Region (II)

図 31.16 骨盤と大腿の後面にある筋(2)
右下肢．筋の起始を赤色，停止を青色で示してある．

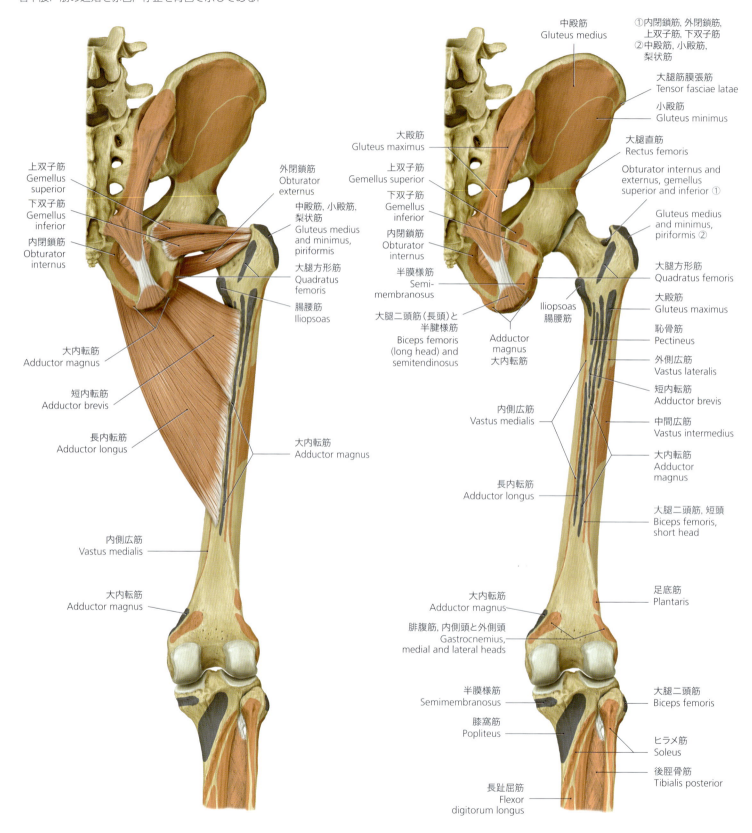

A 梨状筋，内閉鎖筋，大腿方形筋，大内転筋を取り除いたところ． 　　B 全ての筋を取り除いたところ．

図 31.17　骨盤と大腿の外側面にある筋

Note：腸脛靱帯（大腿筋膜の帯状に肥厚した部分）は，張力帯（引き綱）として働き，大腿骨近位部を曲げようとする力を軽減する．

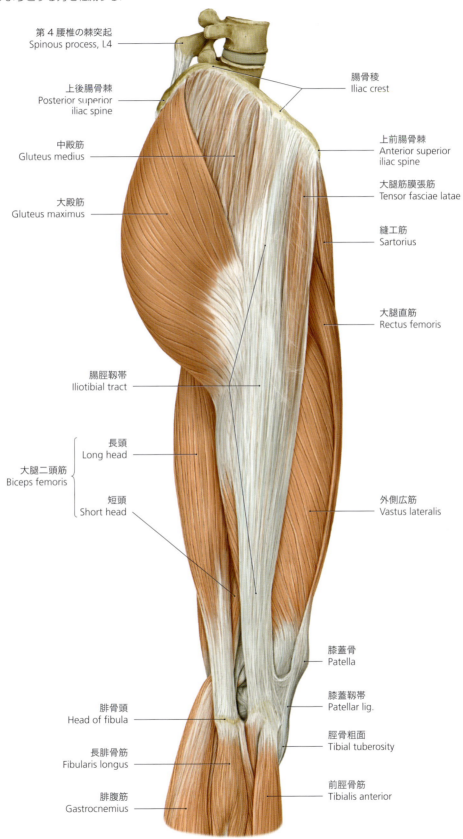

個々の筋（1）
Muscle Facts (I)

表 31.1　腸腰筋

筋		起始	停止	神経支配	作用
③腸腰筋	①大腰筋*	浅層：T12-L4の椎骨と椎間円板（外側面），深層：L1-L5の椎骨（肋骨突起）	大腿骨（小転子）	腰神経叢から直接出る枝（L2-L4）	・股関節：屈曲・外旋 ・腰部脊柱：大腿を固定した状態で片側が収縮すると体幹を同側に曲げる，仰臥位で両側が収縮すると体幹を引き起こす
	②腸骨筋	腸骨窩		大腿神経（L2-L4）	

*小腰筋は約半数の人に存在し，大腰筋の表面に見られる（図31.19を参照）．この筋の停止は骨盤であり，下肢の筋には含まれない．この筋の起始，停止，作用は表13.1（p.148）を参照．

図 31.18　骨盤の筋
右側，模式図．

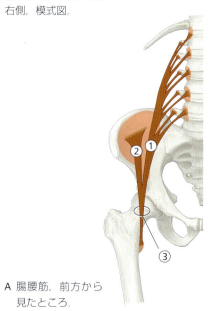

A　腸腰筋，前方から見たところ．

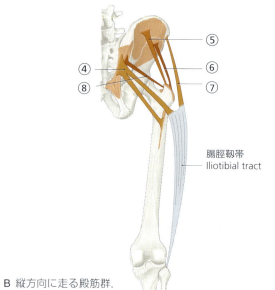

腸脛靱帯
Iliotibial tract

B　縦方向に走る殿筋群，後方から見たところ．

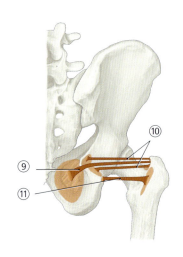

C　水平方向に走る殿筋群，後方から見たところ．

表 31.2　殿部と骨盤の筋

筋	起始	停止	神経支配	作用
④大殿筋	仙骨（後面の外側部），腸骨（殿筋面の後部），胸腰筋膜，仙結節靱帯	・上部の筋束：腸脛靱帯 ・下部の筋束：殿筋粗面	下殿神経（L5-S2）	・筋全体：股関節の伸展・外旋・矢状面および冠状面における股関節の安定化 ・上部の筋束：股関節の外転 ・下部の筋束：股関節の内転
⑤中殿筋	腸骨（殿筋面，前・後殿筋線に挟まれた部分）	大腿骨の大転子（外側面）	上殿神経（L4-S1)	・筋全体：股関節の外転・冠状面における骨盤の安定化 ・外側部の筋束：股関節の屈曲・内旋 ・内側部の筋束：股関節の伸展・外旋
⑥小殿筋	腸骨（殿筋面，中殿筋の起始部よりも下方の部分）	大腿骨の大転子（前外側面）		
⑦大腿筋膜張筋	上前腸骨棘	腸脛靱帯		・大腿筋膜の緊張 ・股関節の外転・屈曲・内旋
⑧梨状筋	仙骨の前面	大腿骨の大転子（尖端）	仙骨神経叢から直接出る枝（S1, S2）	・股関節の外旋・外転・伸展 ・股関節の安定化
⑨内閉鎖筋	閉鎖膜とこれを縁どる恥骨と坐骨の内面	大腿骨の大転子（内側面）	仙骨神経叢から直接出る枝（L5, S1）	股関節の外旋・内転・伸展（関節の位置によっては外転作用も持つ）
⑩双子筋	・上双子筋：坐骨棘 ・下双子筋：坐骨結節	大腿骨の大転子（内側面），内閉鎖筋の腱とともに停止する		
⑪大腿方形筋	坐骨結節の外側縁	大腿骨の転子間稜		股関節の外旋・内転

図 31.19 大腰筋，小腰筋，腸骨筋
右側，前方から見たところ．

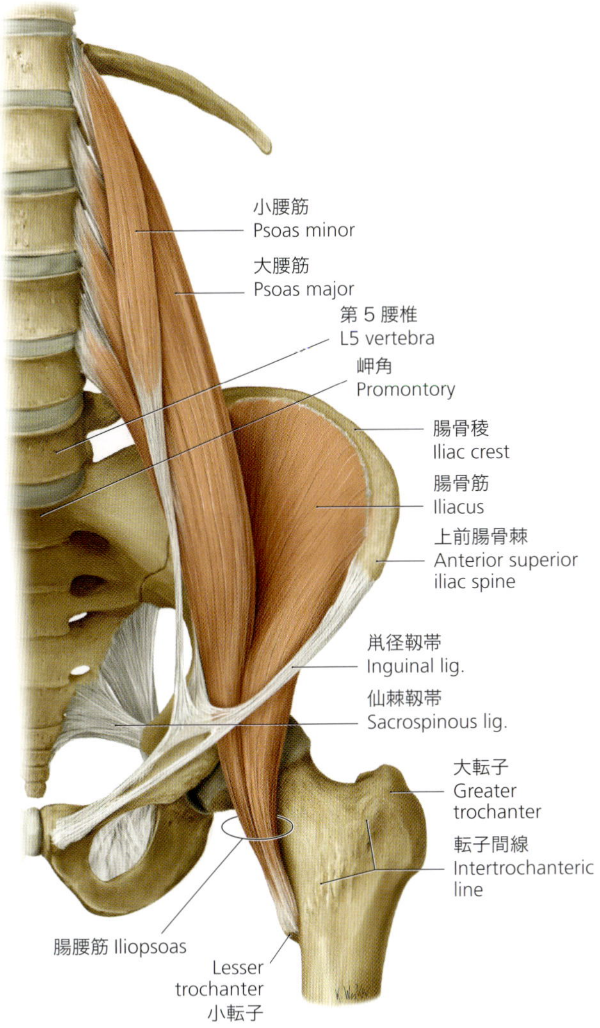

図 31.20 殿部表層の筋
右側，後方から見たところ．

図 31.21 殿部深層の筋
右側，後方から見たところ．

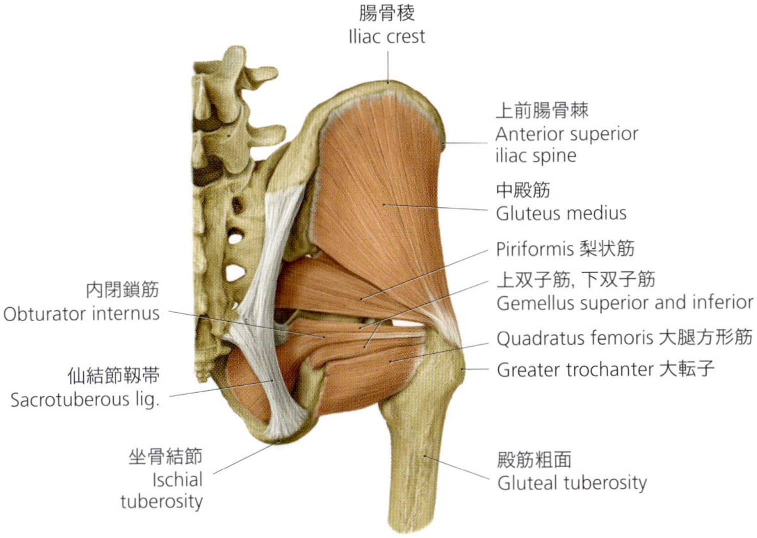

A 大殿筋を取り除いたところ．

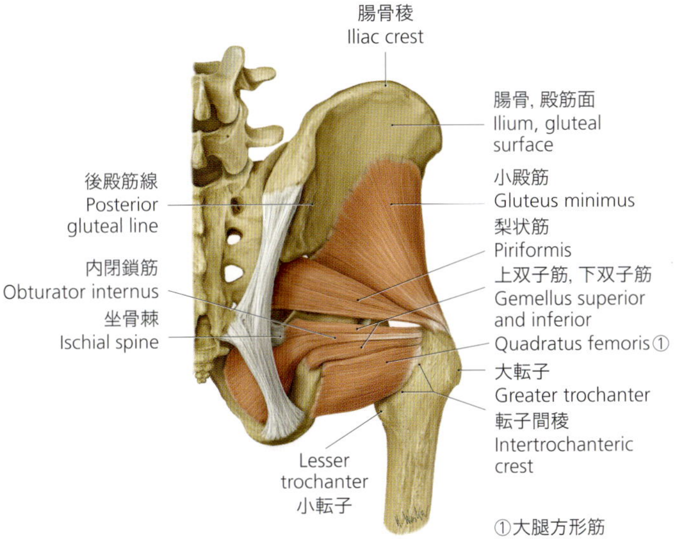

B 大殿筋，中殿筋を取り除いたところ．

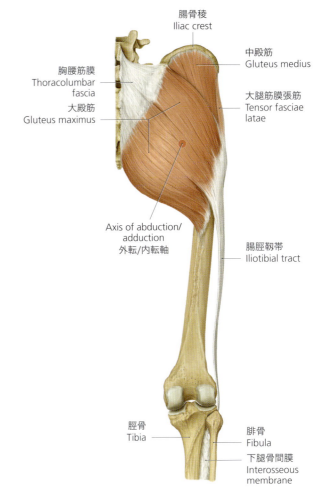

個々の筋(2)
Muscle Facts (II)

大腿内側の筋は股関節の内転筋である．

図 31.22 大腿内側の筋：浅層
右側，前方から見たところ．

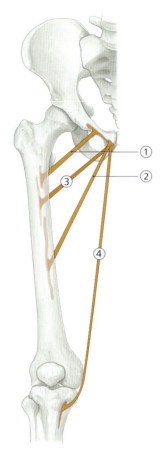

A 概要．

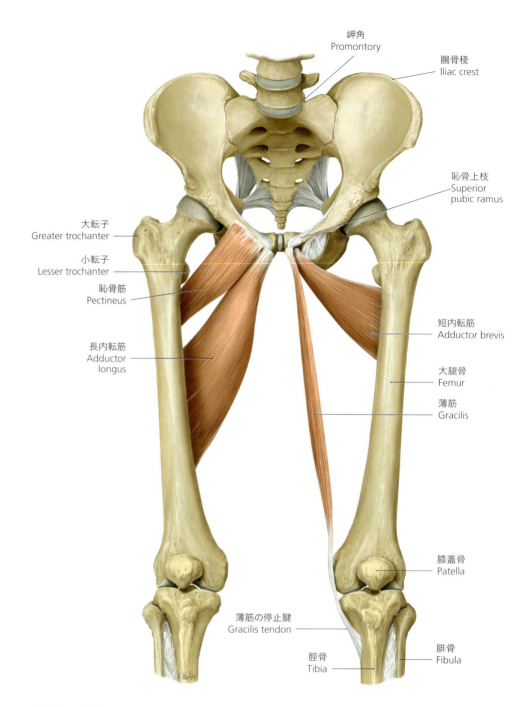

B 大腿の内転筋（表層）．

表 31.3　大腿内側の筋：浅層

筋	起始	停止	神経支配	作用
① 恥骨筋	恥骨櫛	大腿骨（恥骨筋線，粗線の近位部）	大腿神経，閉鎖神経（L2, L3）	・股関節：内転・外旋・わずかな屈曲 ・冠状面と矢状面での骨盤の安定化
② 長内転筋	恥骨上枝，恥骨結合の前面	大腿骨（粗線中央 1/3 の内側唇）	閉鎖神経（L2-L4）	・股関節：内転・屈曲（70°までの屈曲位）・伸展（80°以上の屈曲位） ・冠状面と矢状面での骨盤の安定化
③ 短内転筋	恥骨下枝			
④ 薄筋	恥骨下枝（恥骨結合より下方の部分）	脛骨粗面よりも内側の部分に停止する．停止腱は縫工筋腱や半腱様筋腱とともに鵞足を形成する	閉鎖神経（L2, L3）	・股関節：内転・屈曲 ・膝関節：屈曲と内旋

図 31.23 大腿内側の筋：深層
右側，前方から見たところ．

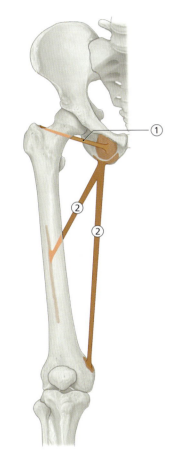

A 概要．

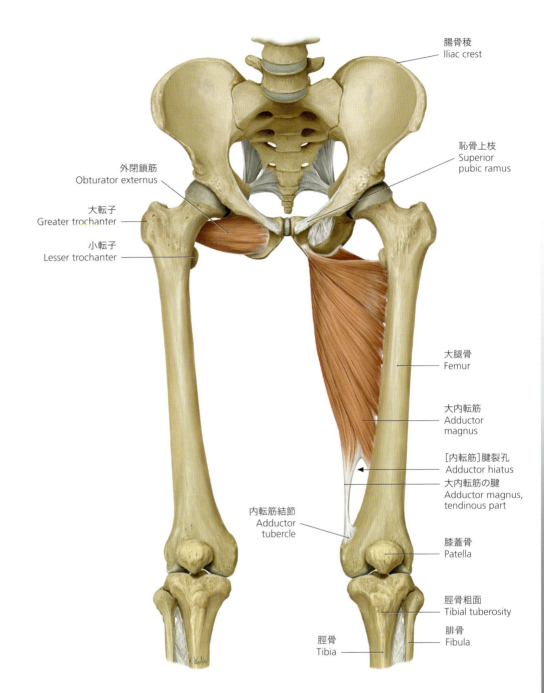

B 大腿の内転筋（深層）．

表 31.4	大腿内側の筋：深層			
筋	起始	停止	神経支配	作用
① 外閉鎖筋	閉鎖膜とこれを縁どる骨の外面	大腿骨の転子窩	閉鎖神経（L3，L4）	・股関節：内転・外旋，矢状面での骨盤の安定化
② 大内転筋	恥骨下枝，坐骨枝，坐骨結節	・深部（筋性の停止部）：粗線の内側唇	・深部：閉鎖神経（L2-L4）	・股関節：内転・外旋・わずかな屈曲（浅部は内旋作用もある）
		・浅部（腱性の停止部）：大腿骨の内転筋結節	・浅部：脛骨神経（L4）	・冠状面と矢状面で骨盤を安定化する

個々の筋 (3)
Muscle Facts (III)

大腿の前面と後面の筋は，それぞれ膝関節に対する伸筋および屈筋として分類される．

図 31.24　大腿前面の筋
右側，前方から見たところ．

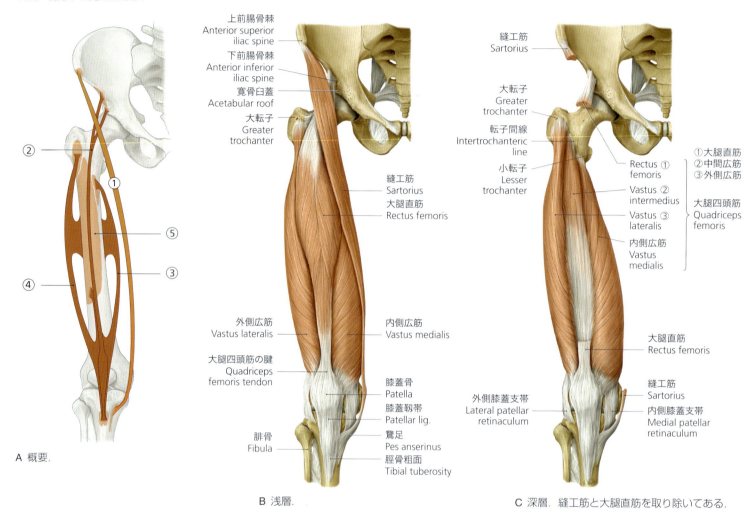

A 概要．
B 浅層．
C 深層．縫工筋と大腿直筋を取り除いてある．

表 31.5　大腿前面の筋

筋		起始	停止	神経支配	作用
① 縫工筋		上前腸骨棘	脛骨粗面よりも内側の部分(薄筋や半腱様筋とともに鵞足を形成して停止する)	大腿神経 (L2, L3)	・股関節：屈曲・外転・外旋 ・膝関節：屈曲・内旋
大腿四頭筋*	② 大腿直筋	下前腸骨棘，寛骨臼上縁	脛骨粗面(膝蓋靱帯を介して停止する)	大腿神経 (L2-L4)	・股関節：屈曲 ・膝関節：伸展
	③ 内側広筋	粗線(内側唇)，転子間線(遠位部)	脛骨粗面(内側・外側縦膝蓋支帯を介して停止する)		膝関節：伸展
	④ 外側広筋	粗線(外側唇)，大転子(外側面)			
	⑤ 中間広筋	大腿骨体(前面)	脛骨粗面(膝蓋靱帯を介して停止する)		
	膝関節筋(中間広筋の遠位筋束)	大腿骨体(前面，膝蓋上陥凹の高さ)	膝蓋上陥凹		膝関節：伸展．関節包が巻き込まれるのを防ぐ

*筋全体としては膝蓋靱帯を介して脛骨粗面に停止する．

図 31.25 大腿後面の筋
右側，後方から見たところ．

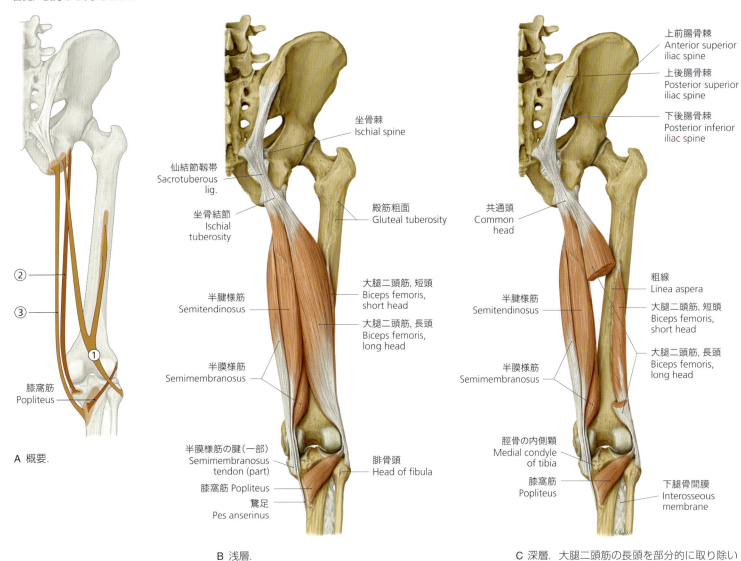

A 概要．

B 浅層．

C 深層．大腿二頭筋の長頭を部分的に取り除いてある．

表 31.6	大腿後面の筋			
筋	起始	停止	神経支配	作用
① 大腿二頭筋	長頭：坐骨結節，仙結節靱帯（半腱様筋と共通頭を形成する）	腓骨頭	脛骨神経（L5-S2）	・股関節（長頭）：伸展・矢状面で骨盤安定化する ・膝関節：屈曲・外旋
	短頭：粗線外側唇の中央1/3		総腓骨神経（L5-S2）	膝関節：屈曲・外旋
② 半膜様筋	坐骨結節	脛骨の内側顆，斜膝窩靱帯，膝窩筋膜	脛骨神経（L5-S2）	・股関節：伸展・矢状面で骨盤を安定化する ・膝関節：屈曲・内旋
③ 半腱様筋	坐骨結節，仙結節靱帯（大腿二頭筋の長頭と共通頭を形成する）	脛骨粗面よりも内側の部分に（薄筋や縫工筋とともに）鵞足を形成して停止する		
膝窩筋については p.451 を参照．				

32 膝と下腿
脛骨と腓骨
Tibia & Fibula

脛骨と腓骨の間には2つの関節が形成されるが，二骨間の運動（回旋）は制限されている．下腿骨間膜は丈夫な結合組織性のシートで，いくつかの下腿の筋がここから起始する．下腿骨間膜は脛腓靱帯結合とともに働き，足首の関節を安定に保つ．

図 32.1 脛骨と腓骨
右下腿．

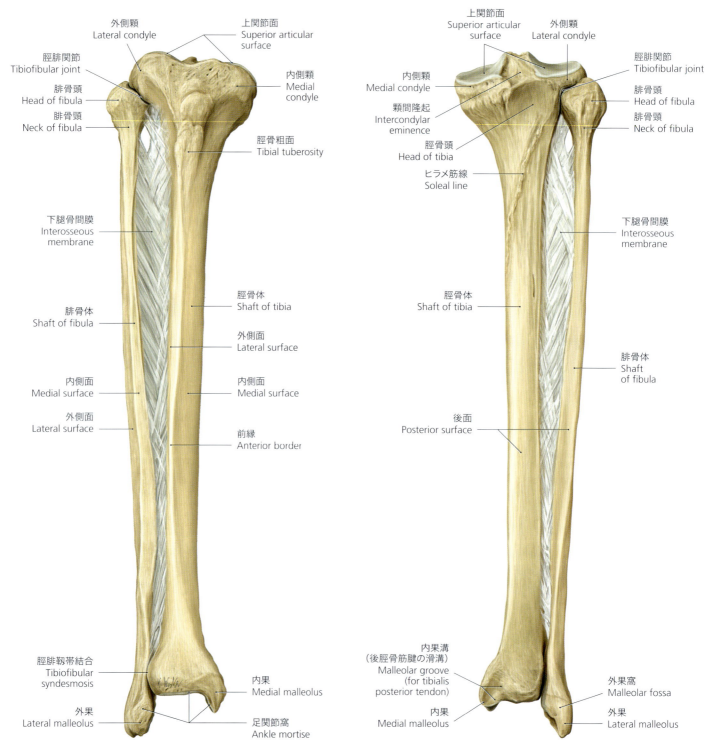

A 前方から見たところ．

B 後方から見たところ．

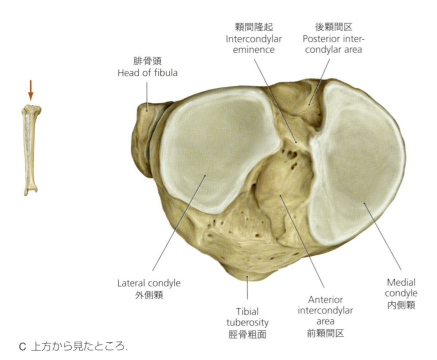

C 上方から見たところ．

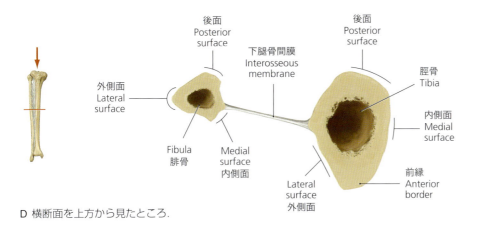

D 横断面を上方から見たところ．

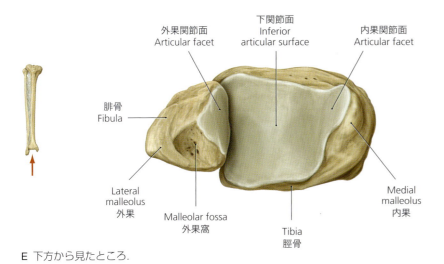

E 下方から見たところ．

臨床 BOX 32.1

腓骨骨折

腓骨骨折と診断された場合，脛腓靱帯結合（p.432参照）が損傷されているかどうかを判定する必要がある．腓骨骨折は脛腓靱帯結合を基準にして，遠位，同じ高さ，近位で起こりうる．同じ高さもしくは近位での腓骨骨折は，しばしば脛腓靱帯結合の断裂を伴う．

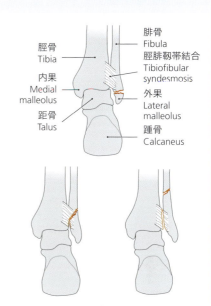

下のX線像では，近位での腓骨骨折が見られる（矢印）．また，距腿関節の内側の関節腔が外側よりも広がっていることから（pp.456-457参照），脛腓靱帯結合が断裂していることもわかる．

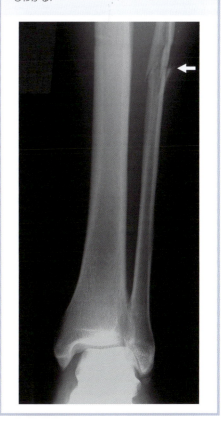

膝関節：概観
Knee Joint: Overview

膝関節において，大腿骨は脛骨および膝蓋骨との間に2つの関節を形成する．両方の関節は共通の関節包で包まれ，関節腔はつながっている．

Note：腓骨は膝関節に加わっていない（肘関節における尺骨と対比すること，p.326 参照）．その代わり，腓骨は脛骨との間で別の強固な関節を形成する．

図 32.2　右の膝関節

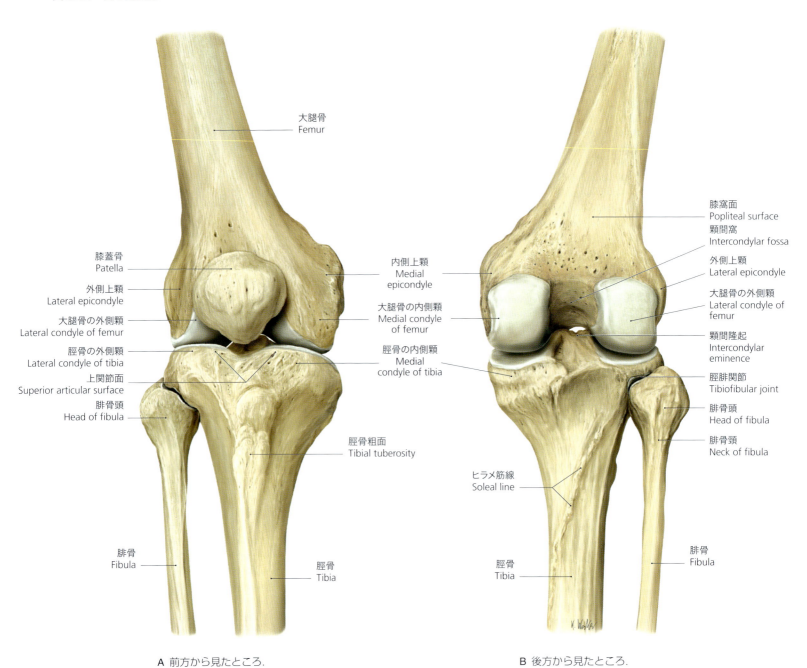

A 前方から見たところ．

B 後方から見たところ．

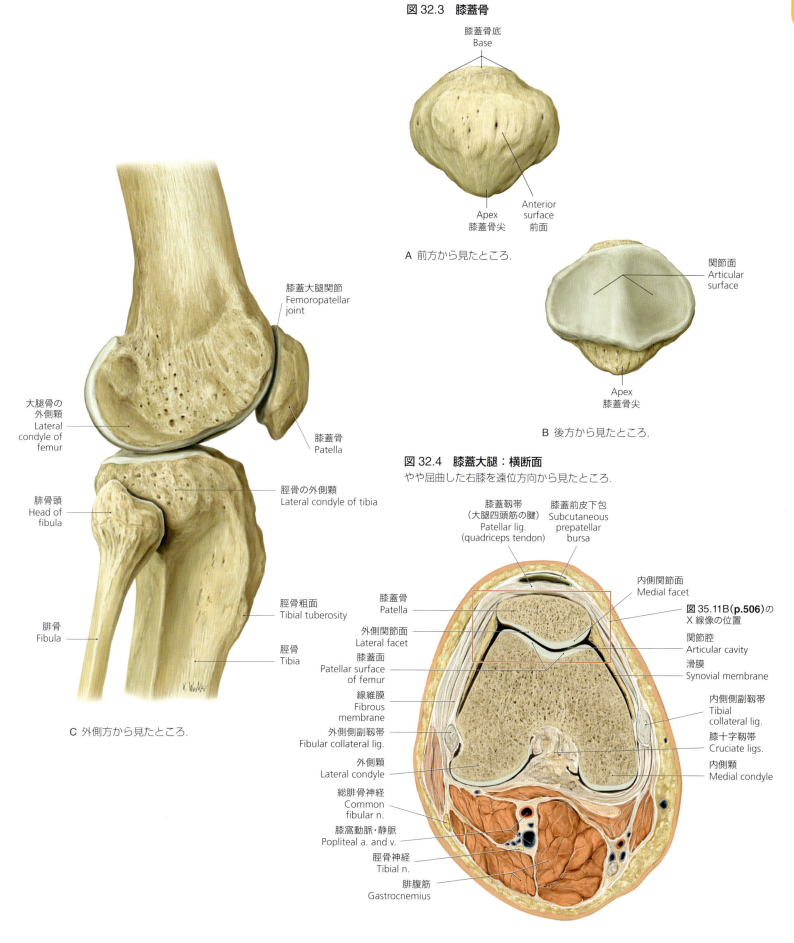

図 32.3 膝蓋骨

A 前方から見たところ.

B 後方から見たところ.

図 32.4 膝蓋大腿：横断面
やや屈曲した右膝を遠位方向から見たところ.

C 外側方から見たところ.

膝関節：関節包，靭帯，滑液包
Knee Joint: Capsule, Ligaments & Bursa

表 32.1　膝関節の靭帯

関節外靭帯		
前面	膝蓋靭帯
	内側縦膝蓋支帯
	外側縦膝蓋支帯
	内側横膝蓋支帯
	外側横膝蓋支帯
内側・外側面	内側側副靭帯
	外側側副靭帯
後面	斜膝窩靭帯
	弓状膝窩靭帯
関節内靭帯		
前十字靭帯		
後十字靭帯		
膝横靭帯		
後半月大腿靭帯		

図 32.5　膝関節の靭帯
右膝，前方から見たところ．

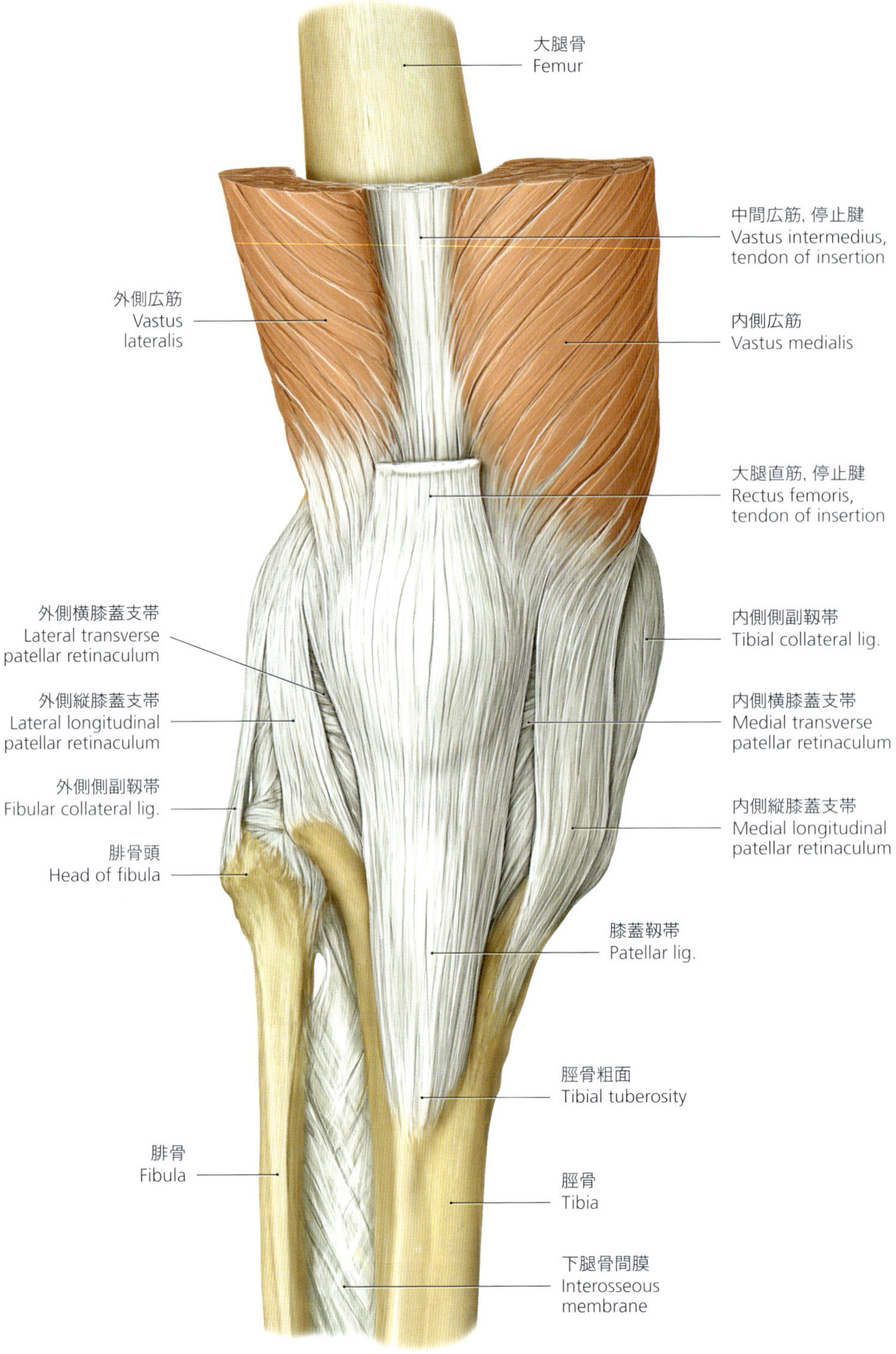

- 大腿骨 Femur
- 中間広筋, 停止腱 Vastus intermedius, tendon of insertion
- 外側広筋 Vastus lateralis
- 内側広筋 Vastus medialis
- 大腿直筋, 停止腱 Rectus femoris, tendon of insertion
- 外側横膝蓋支帯 Lateral transverse patellar retinaculum
- 内側側副靭帯 Tibial collateral lig.
- 外側縦膝蓋支帯 Lateral longitudinal patellar retinaculum
- 内側横膝蓋支帯 Medial transverse patellar retinaculum
- 外側側副靭帯 Fibular collateral lig.
- 内側縦膝蓋支帯 Medial longitudinal patellar retinaculum
- 腓骨頭 Head of fibula
- 膝蓋靭帯 Patellar lig.
- 脛骨粗面 Tibial tuberosity
- 腓骨 Fibula
- 脛骨 Tibia
- 下腿骨間膜 Interosseous membrane

図32.6 膝関節の関節包，靱帯，滑液包

右膝，後方から見たところ．膝関節の関節腔は関節周辺にある滑液包（膝窩筋下陥凹，半膜様筋の滑液包，腓腹筋の内側・外側腱下包）とつながっている．

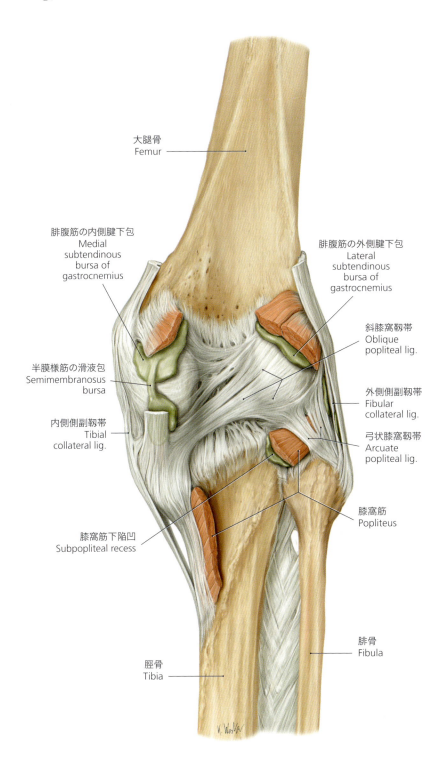

臨床 BOX 32.2

腓腹筋—半膜様筋の滑液包（ベイカー嚢胞）

膝窩の痛みを伴った腫脹は，関節包が嚢胞状に膨れ出たことに起因する場合がある．このような嚢胞状の膨らみは，関節腔内の圧が高まった場合（例えば，関節リウマチ）においてよく生じる．

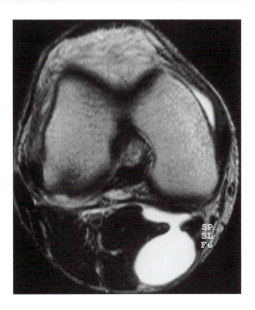

膝窩におけるベイカー嚢胞の横断 MR 像，下方から見たところ．右膝窩のベイカー嚢胞．この嚢胞は膝窩の内側部に見られることが多く，大腿骨の内側顆の高さで，半膜様筋腱と腓腹筋内側頭の間に生じる．

膝関節：靭帯と半月
Knee Joint: Ligaments & Menisci

図 32.7　膝関節の側副靭帯と膝蓋靭帯
右膝関節．膝関節は内側・外側側副靭帯によって補強される．内側側副靭帯は関節包と内側半月の両方と接着するが，外側側副靭帯は関節包や外側半月とは直接に接することはない．膝関節が伸展し，冠状面内で安定している場合には，どちらの側副靭帯も緊張している．

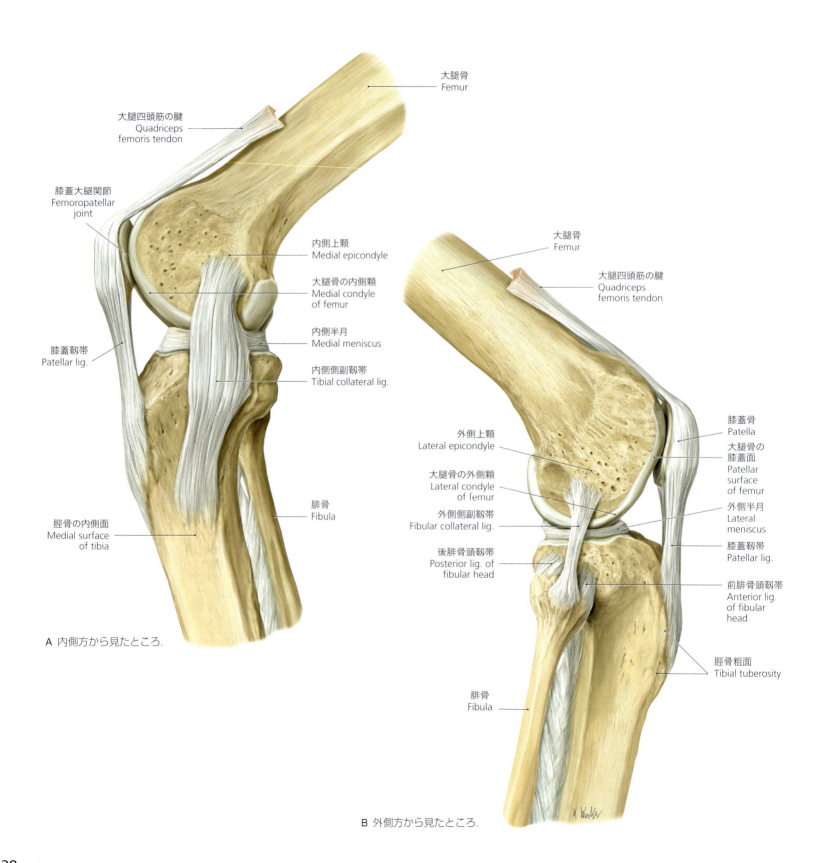

A　内側方から見たところ．

B　外側方から見たところ．

図 32.8 膝関節の半月
右の脛骨の上関節面，近位方向から見たところ．

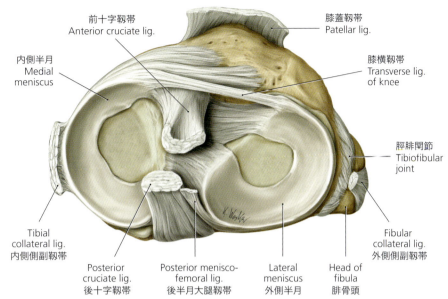

A 切断された十字靱帯，膝蓋靱帯，側副靱帯が見える．

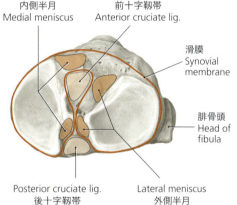

B 半月と十字靱帯の付着部．赤線は関節包の脛骨への付着部を示している．滑膜の付着部は十字靱帯の付着部を取り囲んでいる．十字靱帯は滑膜下結合組織の中に存在する．

臨床 BOX 32.3

半月損傷

内側半月は外側半月に比べて可動性が乏しく（図32.9参照），損傷を受けやすい．半月の損傷は，下腿が固定されている際に，屈曲位の膝を急激に伸展したり，回旋したりした場合に生じやすい．

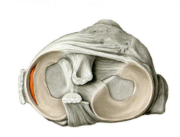

A バケツ柄状断裂．

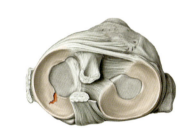

B 後角の放射状断裂．

図 32.9 半月の運動
右の膝関節．内側半月は外側半月より強固に固定されており，膝の屈曲時も，あまり移動することがない．

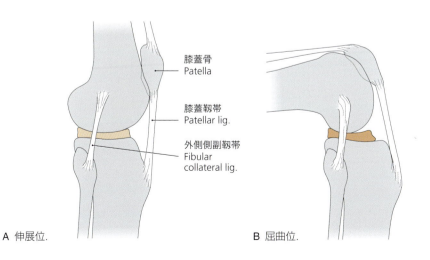

A 伸展位．　　B 屈曲位．

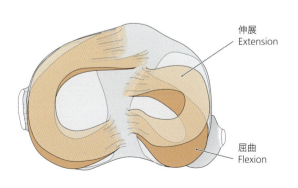

C 脛骨の上関節面，近位方向から見たところ．

十字靱帯
Cruciate Ligaments

図 32.10 十字靱帯と側副靱帯
右の膝関節．十字靱帯は大腿骨と脛骨の関節面を接触させた状態に保ち，脛骨が前後方向にずれるのを防いでいる．主に矢状面内において膝関節を安定にする．どちらの十字靱帯も全ての肢位において緊張している．

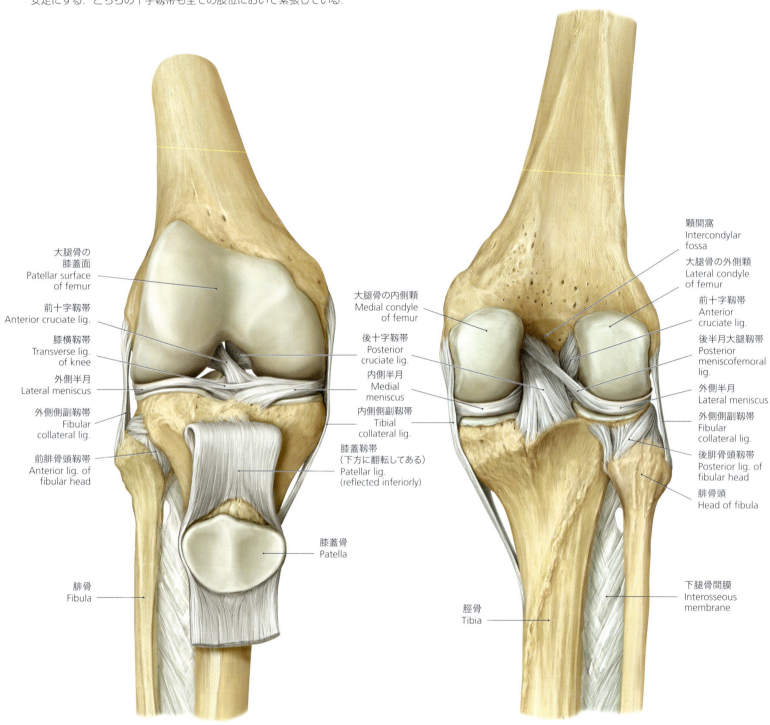

A 前方から見たところ．

B 後方から見たところ．

図32.11　屈曲位の右膝関節

前方から見たところ．関節包と膝蓋靭帯を取り除いてある．

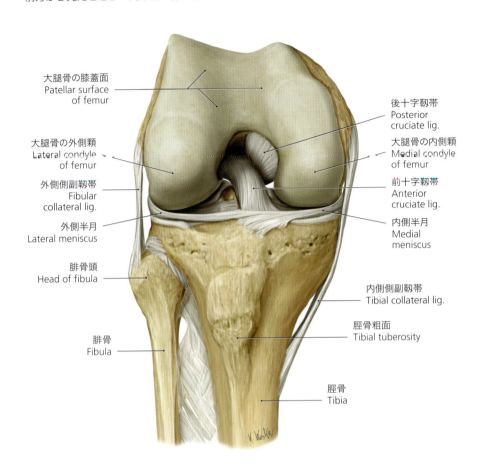

臨床 BOX 32.4

十字靭帯の断裂

　十字靭帯の断裂により膝関節は不安定になり，脛骨が大腿骨に対して前方あるいは後方に動くようになる（前方・後方引き出し徴候）．前十字靭帯の断裂は後十字靭帯のそれよりも約10倍の頻度で発生する．前十字靭帯の損傷は，下腿を固定した状態で，膝を内旋した場合に最もよくみられる．また，足を地面に着けたまま，膝を完全に屈曲した状態で外側から膝に強い衝撃を受けると，前十字靭帯と内側側副靭帯が断裂し，さらに内側側副靭帯と接着している内側半月も断裂することが多い．

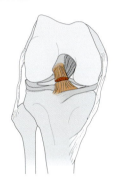

A　屈曲位の右膝．前十字靭帯の断裂．前方から見たところ．

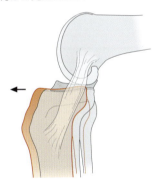

B　屈曲位の右膝．前方引き出し徴候．内側方から見たところ．前十字靭帯が断裂している場合，膝の屈曲位で脛骨を前方に引き出すことができる．

図32.12　屈曲位と伸展位における十字靭帯と側副靭帯

右膝，前方から見たところ．緊張している線維を赤色で示してある．側副靭帯の大半の部分は，伸展位でのみ緊張する（A）．十字靭帯（の一部）は屈曲，伸展，内旋位で緊張する（B, C）．つまり十字靭帯はどの関節位でも膝を安定化させている．

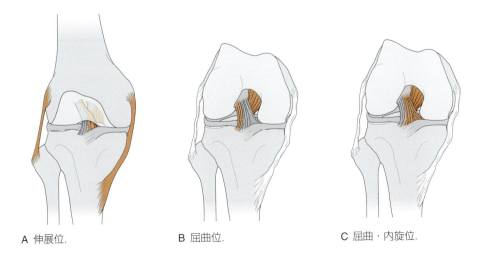

A　伸展位．　　B　屈曲位．　　C　屈曲・内旋位．

膝関節腔
Knee Joint Cavity

図 32.13 切り開かれた関節包
右膝，前方から見たところ．膝蓋骨を下方に翻転してある．

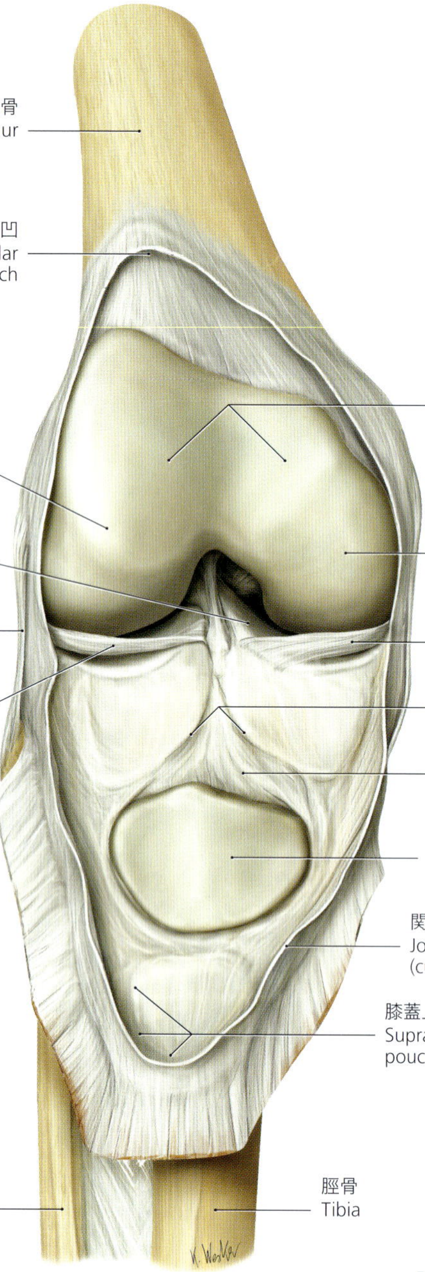

図 32.14 関節腔
右膝，外側方から見たところ．関節腔に樹脂を注入し，硬化させた後に関節包を取り除いてある．

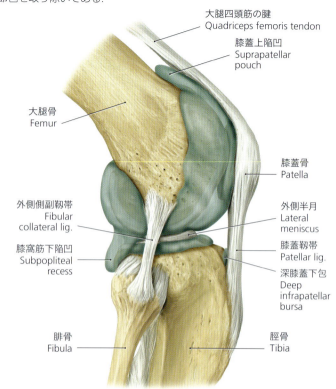

図 32.15 関節包・関節腔と関節構造の関係
右の膝関節，上面．
いくつかの関節構造が，関節腔の内外から膝の強度や安定性をもたらしている．
・関節包外構造（外側側副靱帯）は関節包の外側にある．
・関節包内構造（内側側副靱帯，十字靱帯）は関節包内にあるが，滑膜の外側にある滑膜下組織を走行するので，関節外でもある．
・関節内構造（半月）は関節腔内にあり，滑膜に囲まれ，滑液に満たされている．

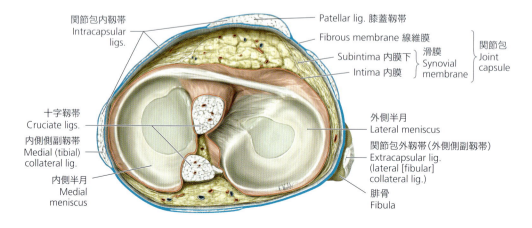

図 32.16　右の膝関節：正中矢状断面
外側方から見たところ．

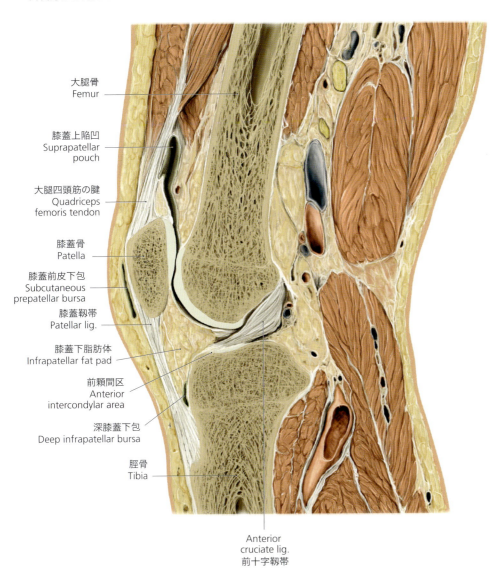

- 大腿骨 Femur
- 膝蓋上陥凹 Suprapatellar pouch
- 大腿四頭筋の腱 Quadriceps femoris tendon
- 膝蓋骨 Patella
- 膝蓋前皮下包 Subcutaneous prepatellar bursa
- 膝蓋靱帯 Patellar lig.
- 膝蓋下脂肪体 Infrapatellar fat pad
- 前顆間区 Anterior intercondylar area
- 深膝蓋下包 Deep infrapatellar bursa
- 脛骨 Tibia
- Anterior cruciate lig. 前十字靱帯

図 32.17　屈曲時の膝蓋上陥凹
右の膝関節，内側方から見たところ．

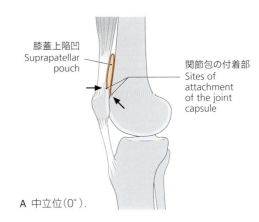

- 膝蓋上陥凹 Suprapatellar pouch
- 関節包の付着部 Sites of attachment of the joint capsule

A 中立位（0°）．

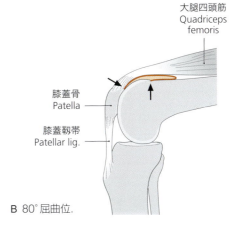

- 大腿四頭筋 Quadriceps femoris
- 膝蓋骨 Patella
- 膝蓋靱帯 Patellar lig.

B 80°屈曲位．

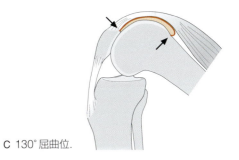

C 130°屈曲位．

臨床 BOX 32.5

膝滲出液による膝蓋骨跳動徴候

炎症性変化や外傷による関節内の滲出液は，伸展した膝の膝蓋骨を押し下げることで，関節包の腫脹と鑑別することが可能である．関節に過剰な液体がある場合には，押すのをやめると膝蓋骨が跳ね上がり，検査として陽性となる．

- 膝蓋骨 Patella
- Effusion 滲出液
- Femur 大腿骨
- Effusion 滲出液
- Tibia 脛骨
- Fibula 腓骨

下腿の前面と外側面にある筋
Muscles of the Leg: Anterior & Lateral Compartments

図 32.18 下腿の前面にある筋
右下腿．筋の起始を赤色，停止を青色で示してある．

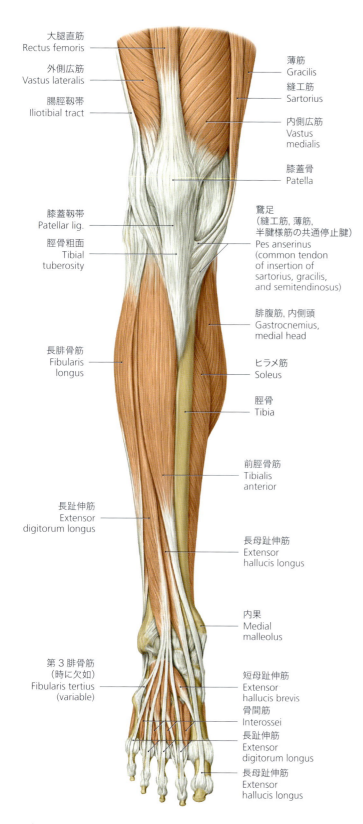

A 全ての筋．

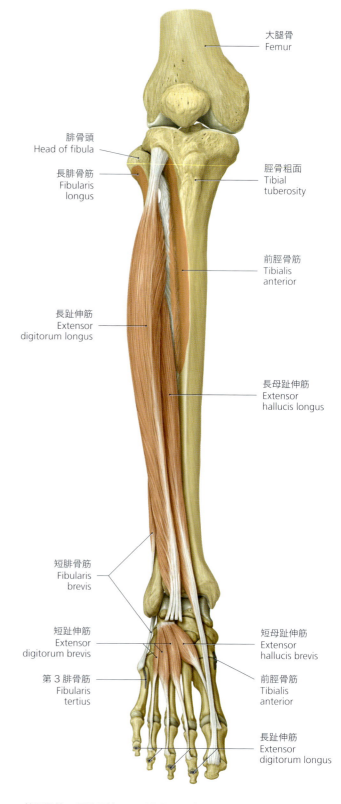

B 前脛骨筋，長腓骨筋，長趾伸筋の腱（遠位部）を取り除いてある．
Note：第3腓骨筋は長趾伸筋の分束である．

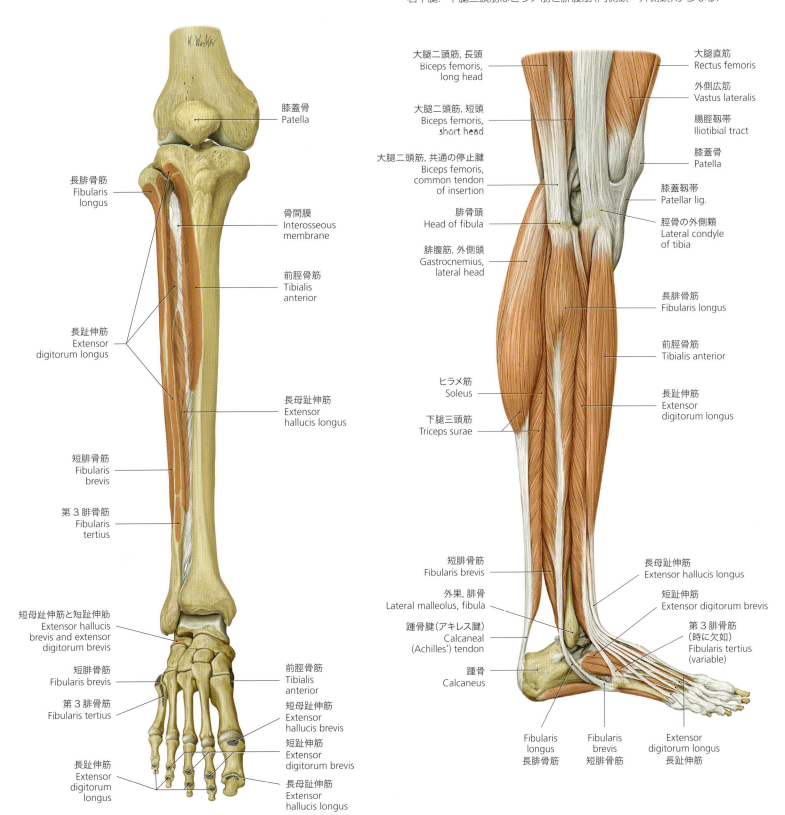

図 32.19 下腿の外側にある筋
右下腿．下腿三頭筋はヒラメ筋と腓腹筋（内側頭・外側頭）からなる．

c 全ての筋を取り除いたところ．

下腿の後面にある筋
Muscles of the Leg: Posterior Compartment

図 32.20　下腿の後面にある筋
右下腿．筋の起始を赤色，停止を青色で示してある．

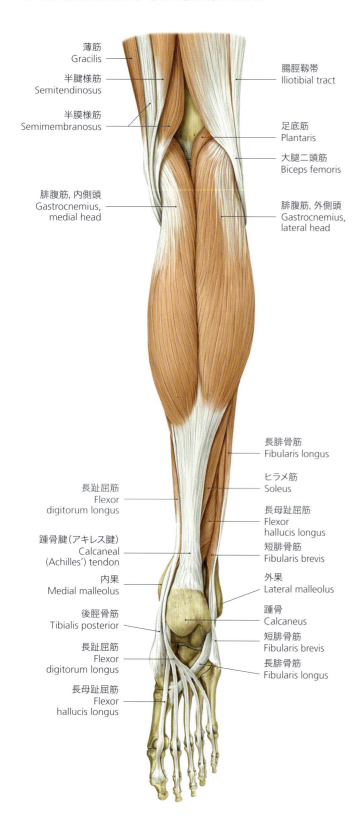

A *Note*：ふくらはぎの膨らみは主に下腿三頭筋（腓腹筋の2つの筋頭とヒラメ筋）によって形成される．

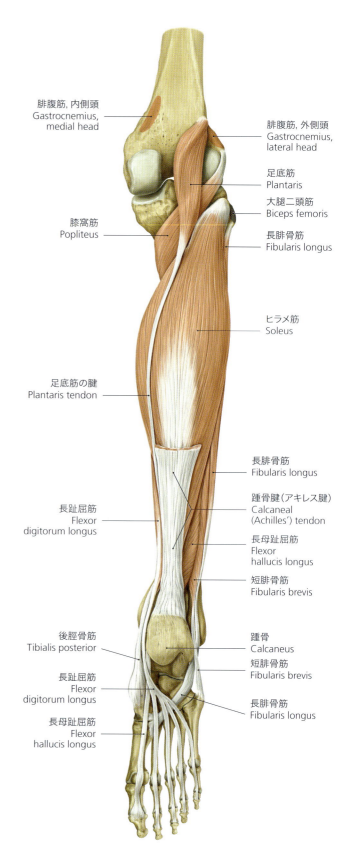

B 腓腹筋（の2つの筋頭）を取り除いたところ．

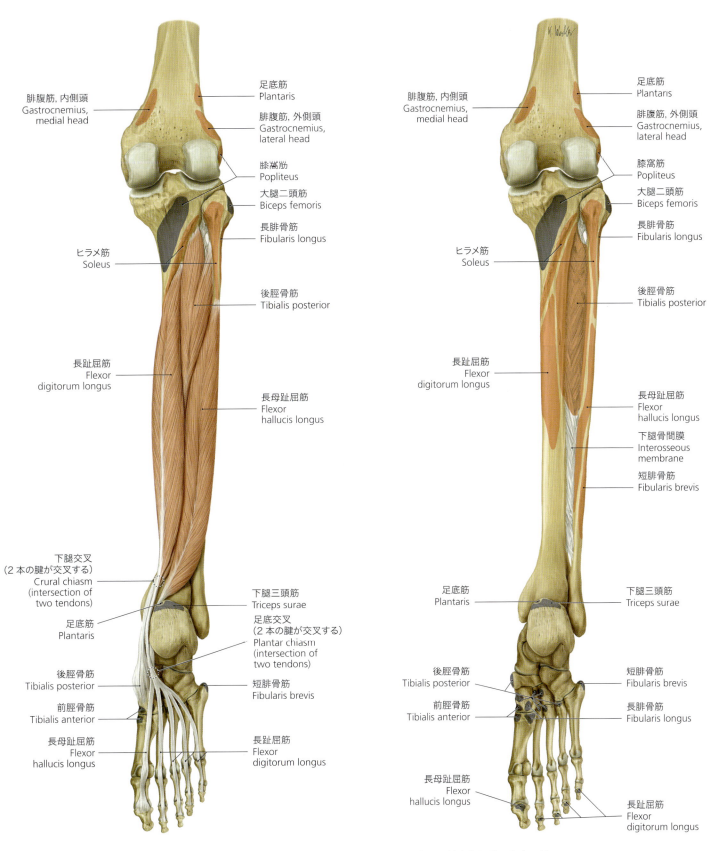

C 下腿三頭筋，足底筋，膝窩筋，長腓骨筋，短腓骨筋を取り除いたところ．

D 全ての筋を取り除いたところ．

個々の筋（1）
Muscle Facts (I)

下腿の筋により足の屈曲・伸展や外反・内反が行われ，股関節や膝関節での運動時に下肢を安定に保つ働きがある．

図 32.21　下腿外側の筋
右の下腿と足．

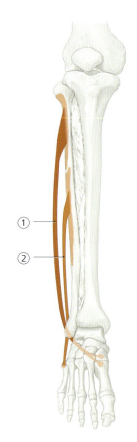

A　前方から見たところ．模式図．

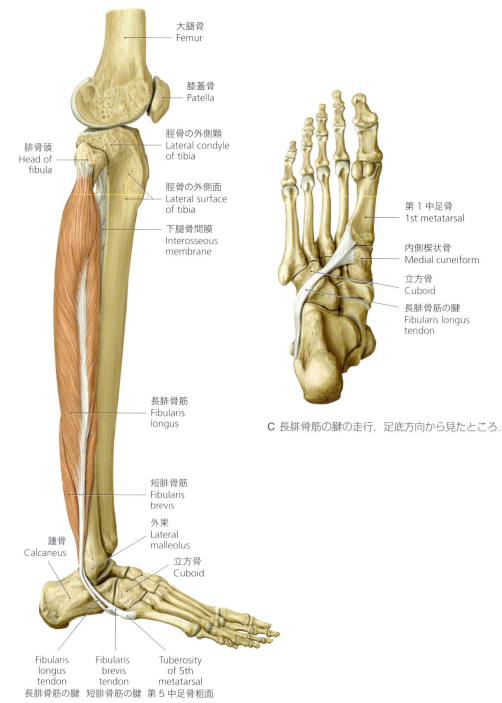

B　下腿外側の筋，外側方から見たところ．

C　長腓骨筋の腱の走行，足底方向から見たところ．

表 32.2	下腿外側の筋			
筋	起始	停止	神経支配	作用
①長腓骨筋	腓骨（頭，外側面の近位 2/3，一部は筋間中隔からも起始する）	内側楔状骨（足底面），第 1 中足骨底	浅腓骨神経（L5，S1）	・距腿関節：底屈 ・距骨下関節：外反 ・横足弓の保持
②短腓骨筋	腓骨（外側面の遠位 1/2），筋間中隔	第 5 中足骨粗面（場合によっては第 5 趾の指背腱膜へ分岐腱を伸ばす）		・距腿関節：底屈 ・距骨下関節：外反

図 32.22　下腿前面の筋
右の下腿と足，前方から見たところ．

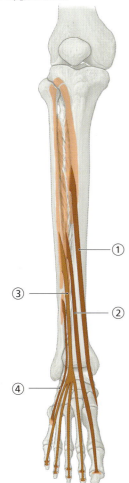

A　模式図．

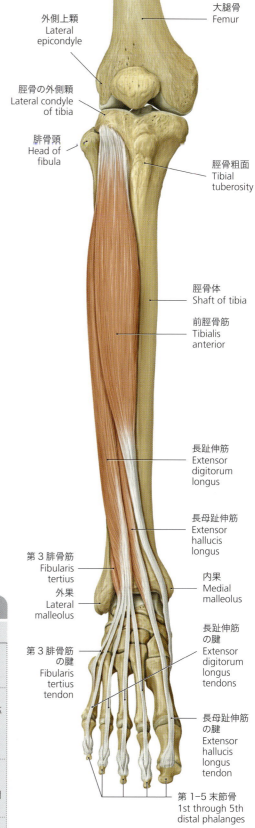

B　下腿前面の筋．

表 32.3	下腿前面の筋			
筋	起始	停止	神経支配	作用
① 前脛骨筋	脛骨（外側面の近位2/3），骨間膜，下腿筋膜（最上部）	内側楔状骨（内側面，足底面），第1中足骨底（内側面）	深腓骨神経（L4，L5）	・距腿関節：背屈 ・距骨下関節：内反
② 長母趾伸筋	腓骨（内側面の中間1/3），骨間膜	第1趾（指背腱膜，末節骨底）	深腓骨神経（L4，L5）	・距腿関節：背屈 ・距骨下関節：足の位置に応じ，内反と外反の両方に働く ・第1趾のMTP関節とIP関節：伸展
③ 長趾伸筋	腓骨（頭と前縁），脛骨（外側顆），骨間膜	第2-5趾（指背腱膜，末節骨底）	深腓骨神経（L4，L5）	・距腿関節：背屈 ・距骨下関節：外反 ・第2-5趾のMTP関節とIP関節：伸展
④ 第3腓骨筋	腓骨（前縁）の遠位部	第5中足骨底	深腓骨神経（L4，L5）	・距腿関節：背屈 ・距骨下関節：外反

IP関節，趾節間関節；MTP関節，中足趾節関節．

個々の筋(2)
Muscle Facts (II)

下腿後面の筋は2つのグループ(浅層と深層の屈筋)に分けられる．この2つの筋群の間には横筋間中隔が存在する．

図32.23　下腿後面の筋：浅層筋群
右下腿，後方から見たところ．

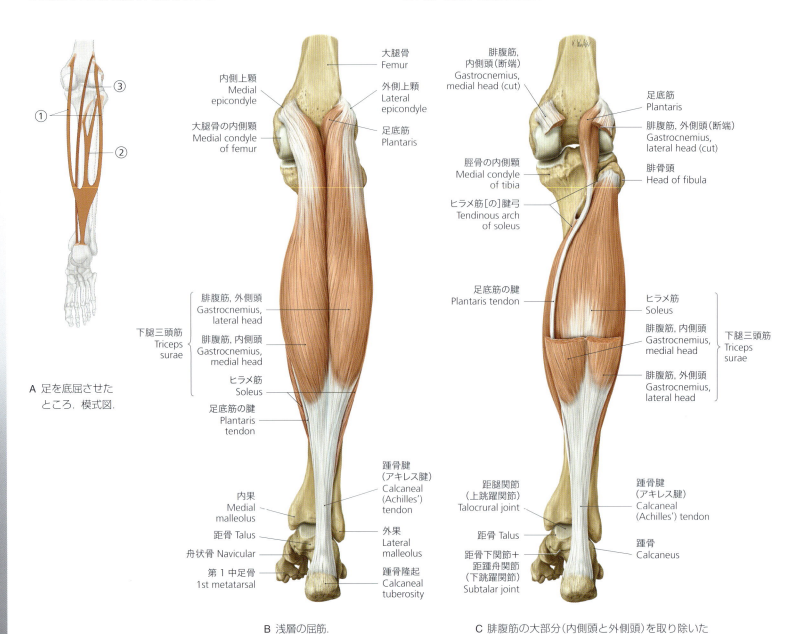

A 足を底屈させたところ．模式図．

B 浅層の屈筋．

C 腓腹筋の大部分(内側頭と外側頭)を取り除いたところ．

表32.4		下腿後面の筋(浅層の屈筋)			
筋		起始	停止	神経支配	作用
下腿三頭筋	①腓腹筋	大腿骨(内側頭：内側顆の上後部，外側頭：外側顆の外側面)	踵骨腱(アキレス腱)を介して踵骨粗面に停止する	脛骨神経(S1, S2)	・距腿関節：膝の伸展位において底屈(腓腹筋) ・膝関節：屈曲(腓腹筋) ・距腿関節：底屈(ヒラメ筋)
	②ヒラメ筋	腓骨(頭，頸，後面)，脛骨(ヒラメ筋腱弓を介してヒラメ筋線から起始する)			
③足底筋		大腿骨(外側上顆，腓腹筋外側頭よりも近位で起始する)	踵骨隆起		腓腹筋とともに距腿関節の底屈に関与するが，その作用は極めて小さい．

図 32.24 下腿後面の筋：深層筋群
右下腿．足を底屈させたところ．後方から見たところ．

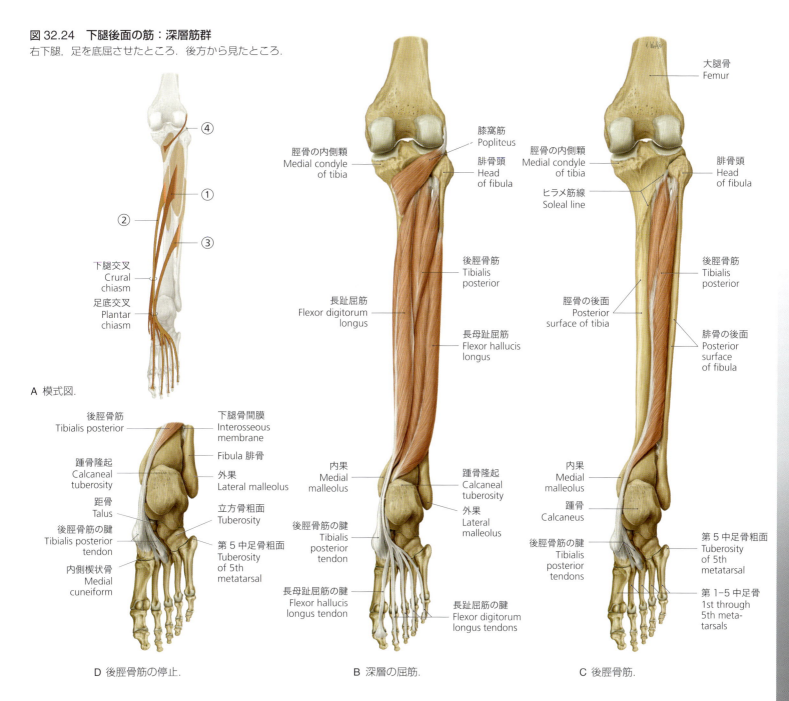

A 模式図．
D 後脛骨筋の停止．
B 深層の屈筋．
C 後脛骨筋．

表 32.5	下腿後面の筋（深層の屈筋）			
筋	起始	停止	神経支配	作用
①後脛骨筋	骨間膜，脛骨と腓骨（骨間膜付着部の近傍）	舟状骨粗面，内側・中間・外側楔状骨，第2-4中足骨底	脛骨神経（L4，L5）	・距腿関節：底屈 ・距骨下関節：内反（回外） ・縦足弓と横足弓の保持
②長趾屈筋	脛骨（後面の中間1/3）	第2-5末節骨底	脛骨神経（L5-S2）	・距腿関節：底屈 ・距骨下関節：内反（回外） ・第2-5趾のMTP関節とIP関節：底屈
③長母趾屈筋	腓骨（後面の遠位2/3），隣接する骨間膜	第1末節骨底		・距腿関節：底屈 ・距骨下関節：内反（回外） ・第1趾のMTP関節とIP関節：底屈 ・内側縦足弓の保持
④膝窩筋	大腿骨の外側上顆，外側半月の後角	脛骨後面（ヒラメ筋の起始部よりも上方）	脛骨神経（L4-S1）	膝関節：屈曲（脛骨が固定されている場合には大腿骨を脛骨に対して5°回旋する）

IP関節，趾節間関節；MTP関節，中足趾節関節．

33 足首と足

足の骨
Bones of the Foot

図 33.1 足の骨格の区分
右足，足背面（上方から見たところ）．記載解剖学では足の骨格を足根骨，中足骨，前足骨（趾骨）に区分する．一方，機能的あるいは臨床的な観点からは，後足，中足，前足に区分する．

図 33.2 右足の骨

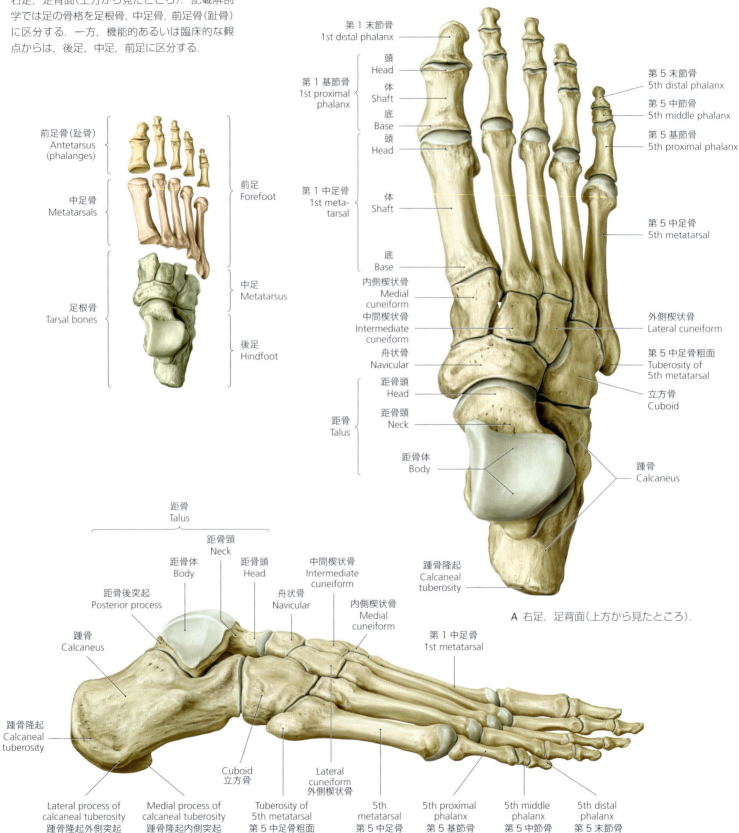

A 右足，足背面（上方から見たところ）．

B 右足，外側方から見たところ．

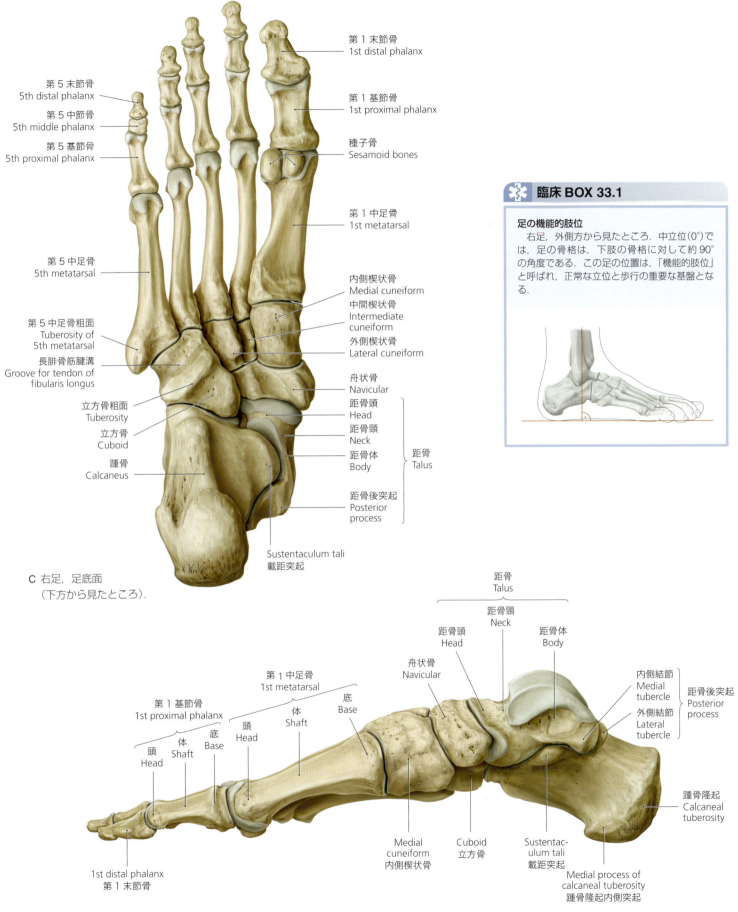

C 右足, 足底面（下方から見たところ）.

D 右足, 内側方から見たところ.

臨床 BOX 33.1

足の機能的肢位

右足, 外側方から見たところ. 中立位(0°)では, 足の骨格は, 下肢の骨格に対して約90°の角度である. この足の位置は, 「機能的肢位」と呼ばれ, 正常な立位と歩行の重要な基盤となる.

足の関節 (1)
Joints of the Foot (I)

図 33.3　足の関節
右足，距腿関節の底屈位．

A　前方から見たところ．

- 距腿関節 Ankle joint
- 距骨下関節 Subtalar (talocalcaneal) joint
- 楔間関節 Intercuneiform joints
- 楔立方関節 Cuneocuboid joint
- 足根中足関節 Tarsometatarsal joints
- 距舟関節 Talonavicular joint
- 踵立方関節 Calcaneocuboid joint
- 楔舟関節 Cuneonavicular joint
- 横足根関節（ショパール関節）Transverse tarsal joint
- 中足間関節 Intermetatarsal joints
- 中足趾節関節 Metatarsophalangeal joints
- 母趾の趾節間関節 Interphalangeal joint of hallux
- 近位趾節間関節 Proximal interphalangeal joints
- 遠位趾節間関節 Distal interphalangeal joints

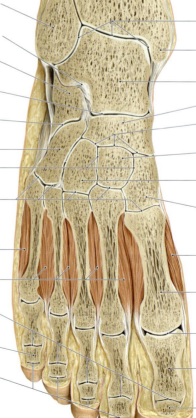

B　冠状断面を上方から見たところ．

- 腓骨 Fibula
- 外果 Lateral malleolus
- 骨間距踵靱帯 Talocalcaneal interosseous lig.
- 踵骨 Calcaneus
- 横足根関節（ショパール関節）Transverse tarsal joint
- 距舟関節 Talonavicular joint
- 踵立方関節 Calcaneocuboid joint
- 立方骨 Cuboid
- 楔間関節 Intercuneiform joints
- 足根中足関節（リスフラン関節線）Tarsometatarsal joints (Lisfranc's joint line)
- 小趾外転筋 Abductor digiti minimi
- 骨間筋 Interossei
- 近位趾節間関節 Proximal interphalangeal joints
- 第5中節骨 5th middle phalanx
- 遠位趾節間関節 Distal interphalangeal joints
- 脛骨 Tibia
- 距腿関節 Ankle joint
- 内果 Medial malleolus
- 距骨 Talus
- 舟状骨 Navicular
- 楔舟関節 Cuneonavicular joint
- 中間楔状骨 Intermediate cuneiform
- 外側楔状骨 Lateral cuneiform
- 内側楔状骨 Medial cuneiform
- 母趾外転筋 Abductor hallucis
- 第1中足骨 1st metatarsal
- 第1中足趾節関節 1st metatarsophalangeal joint
- 第1基節骨 1st proximal phalanx
- 第1末節骨 1st distal phalanx

図 33.4　近位関節面
右足，近位方向から見たところ．

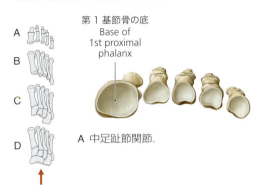

A　中足趾節関節．

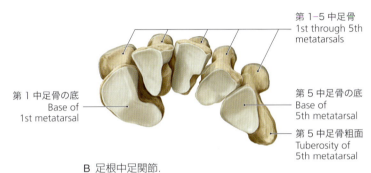

B　足根中足関節．

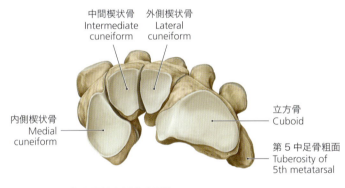

C　楔舟関節と踵立方関節．

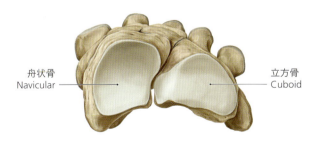

D　距舟関節と踵立方関節．

図 33.5　遠位関節面
右足，遠位方向から見たところ．

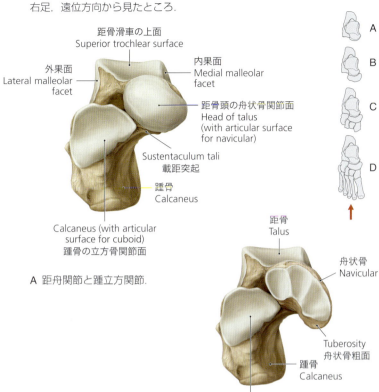

A　距舟関節と踵立方関節．

B　楔舟関節と踵立方関節．

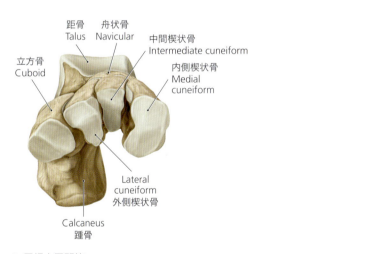

C　足根中足関節．

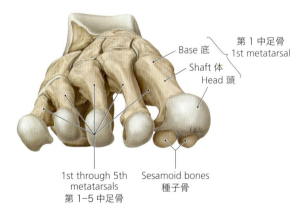

D　中足趾節関節．

足の関節（2）
Joints of the Foot (II)

図33.6 距腿関節と距骨下関節
右足．距腿関節では，脛骨と腓骨の遠位端が作るくぼみ（足関節窩）に距骨滑車がはまり込んでいる．距骨下関節は骨間距踵靭帯によって，前区（距踵舟関節）と後区（距踵関節）に分けられる（**p.458** 参照）．

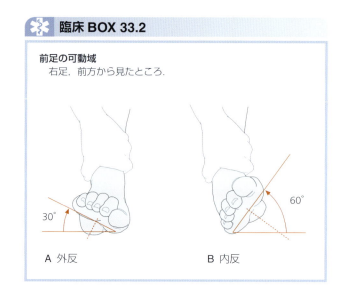

臨床 BOX 33.2

前足の可動域
右足，前方から見たところ．

A 外反　　B 内反

A 後方から見たところ．足は中立位（0°）にある．

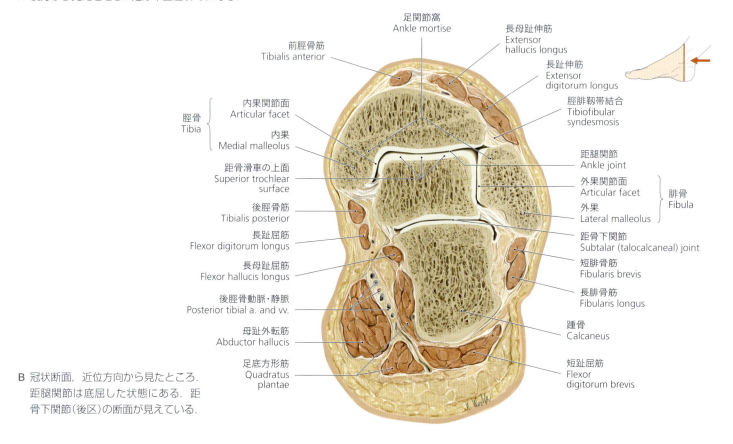

B 冠状断面，近位方向から見たところ．距腿関節は底屈した状態にある．距骨下関節（後区）の断面が見えている．

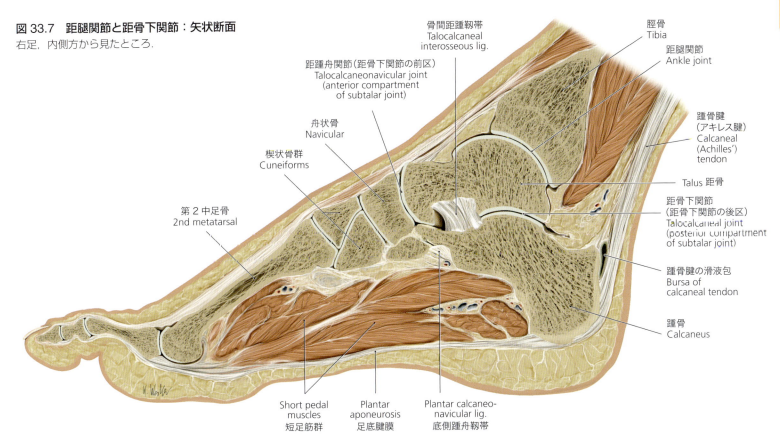

図 33.7 距腿関節と距骨下関節：矢状断面
右足，内側方から見たところ．

図 33.8 距腿関節
右足．距腿関節（足関節）は背屈位において固定され，より安定する．これは，幅の広い距骨滑車の前部が脛骨と腓骨でできる関節窩にはまり込むためである．底屈位では距腿関節の安定性は相対的に弱まる．

A 前方から見たところ．

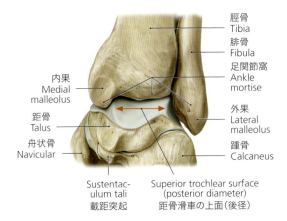

B 後方から見たところ．

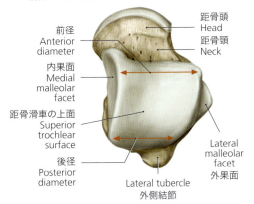

C 距骨を近位方向（上方）から見たところ．

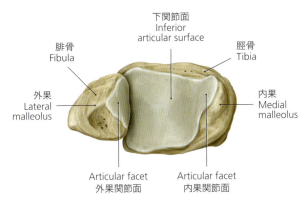

D 足関節窩を遠位方向（下方）から見たところ．

足の関節（3）
Joints of the Foot (III)

図 33.9　距骨下関節とその靱帯
右足．距骨下関節を外してある．距骨下関節は骨間距踵靱帯によって，前区（距踵舟関節）と後区（距踵関節）に分けられる．

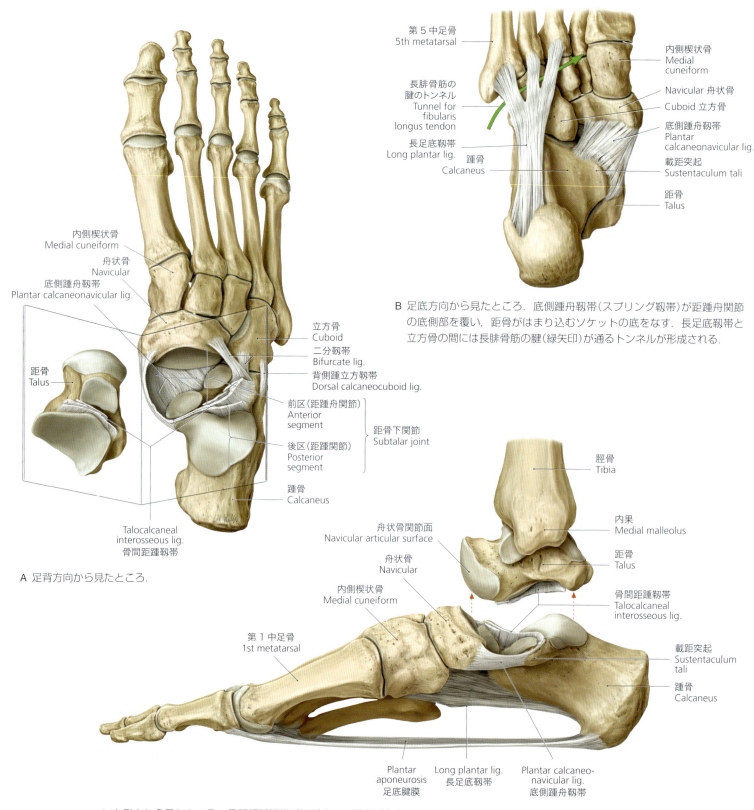

A 足背方向から見たところ．

B 足底方向から見たところ．底側踵舟靱帯（スプリング靱帯）が距踵舟関節の底側部を覆い，距骨がはまり込むソケットの底をなす．長足底靱帯と立方骨の間には長腓骨筋の腱（緑矢印）が通るトンネルが形成される．

C 内側方から見たところ．骨間距踵靱帯が切断され，距骨が上方へ外されている．底側踵舟靱帯に注目すること．この靱帯は長足底靱帯や足底腱膜とともに縦足弓の保持に役立っている．

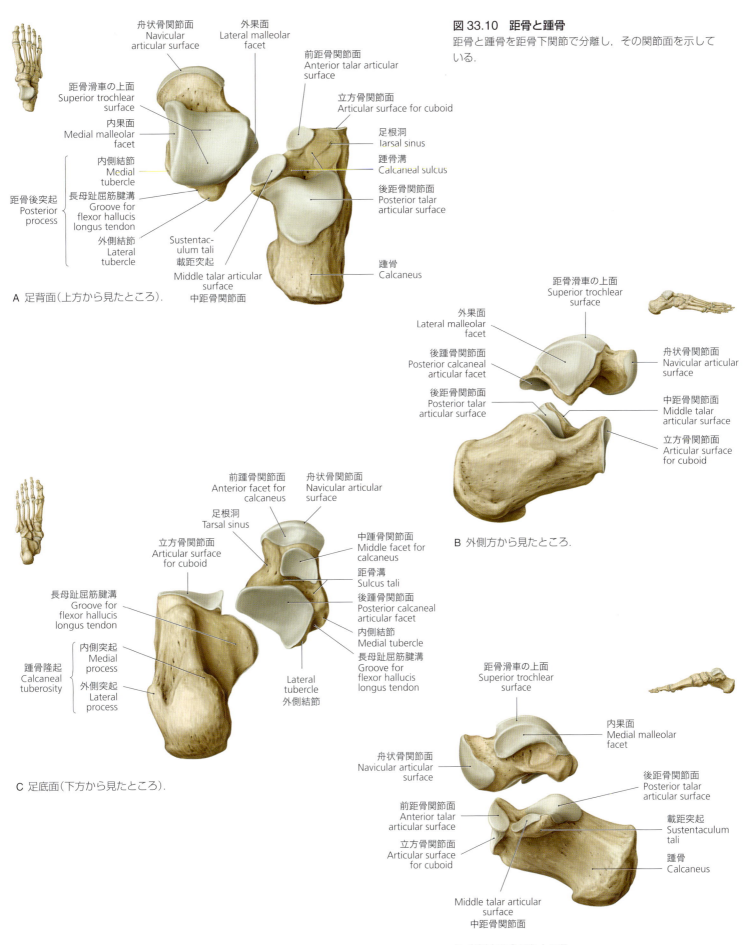

図 33.10 距骨と踵骨
距骨と踵骨を距骨下関節で分離し，その関節面を示している．

足首と足の靱帯
Ligaments of the Ankle & Foot

足の靱帯は5つに分類できる（距腿関節の靱帯，距骨下関節の靱帯，中足の靱帯，前足の靱帯，足底の靱帯）．内側・外側（側副）靱帯は距骨下関節を安定に保つうえで極めて重要である．

図 33.11 足首と足の靱帯
右足．足底（下方）から見た図は **p.458** を参照．

表 33.1	距腿関節の靱帯		
外側靱帯*	前距腓靱帯		
	後距腓靱帯		
	踵腓靱帯		
内側靱帯*	三角靱帯	前脛距部	
		後脛距部	
		脛舟部	
		脛踵部	
足関節窩の靱帯結合（脛腓靱帯結合）に関わる靱帯	前脛腓靱帯		
	後脛腓靱帯		

*内側・外側靱帯は内側・外側側副靱帯とも呼ばれる．

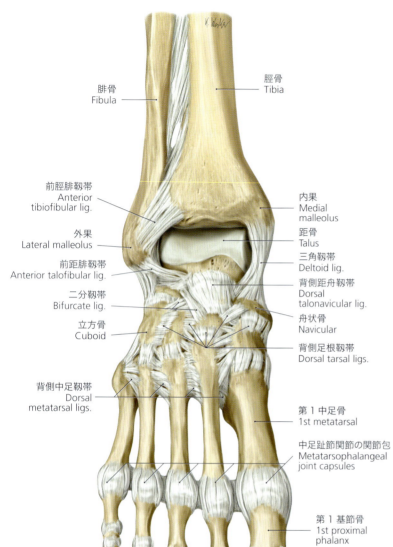

A 前方から見たところ．距腿関節の底屈位．

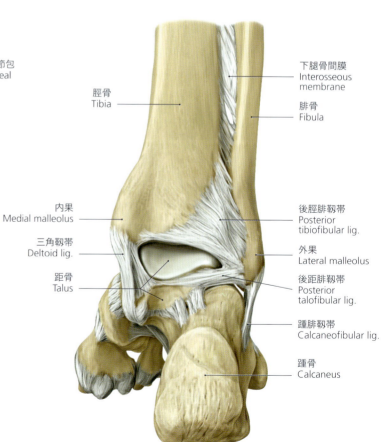

B 後方から見たところ．足底を地面に着けた足位．

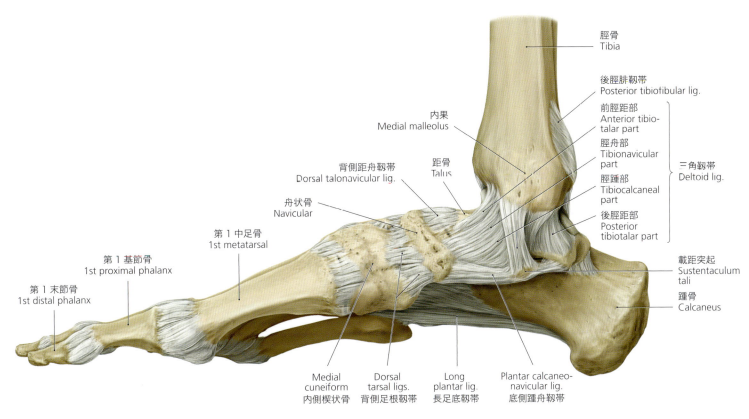

C 内側方から見たところ．

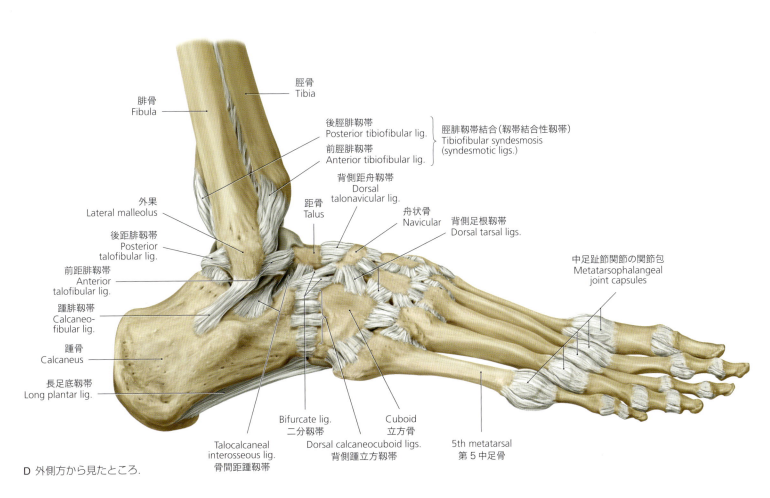

D 外側方から見たところ．

土踏まずと足底弓
Plantar Vault & Arches of the Foot

図 33.12　土踏まず
右足．足で発生した力は2つの外側足放線と3つの内側足放線に伝わる．これらの足放線は，足底に縦足弓と横足弓を形成し，足が垂直負荷を吸収するうえで役立っている．

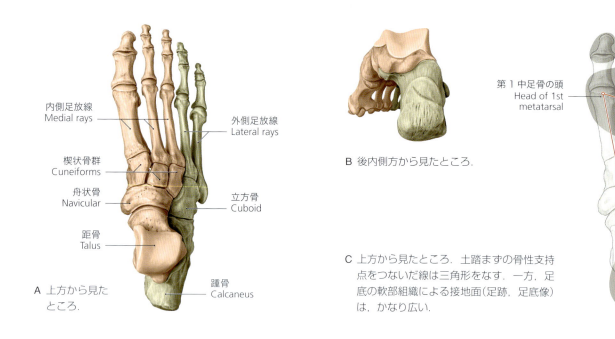

A 上方から見たところ．
B 後内側方から見たところ．
C 上方から見たところ．土踏まずの骨性支持点をつないだ線は三角形をなす．一方，足底の軟部組織による接地面（足跡，足底像）は，かなり広い．

図 33.13　横足弓の安定化構造
右足．横足弓を維持する能動的・受動的な安定化構造がある．能動的な安定化構造は筋であり，受動的なのは靱帯である．

Note：前足骨にできるアーチには，受動的な安定化構造しか備わっていない．一方，中足骨と足根骨にできるアーチは主として能動的に安定化される．

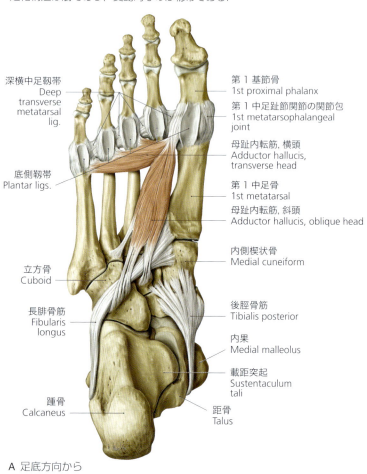

A 足底方向から見たところ．

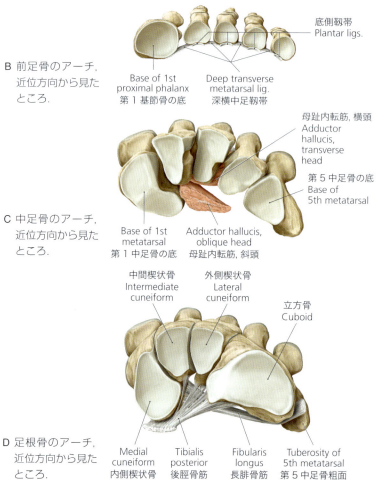

B 前足骨のアーチ，近位方向から見たところ．
C 中足骨のアーチ，近位方向から見たところ．
D 足根骨のアーチ，近位方向から見たところ．

図 33.14　縦足弓の安定化構造
右足，内側方から見たところ．

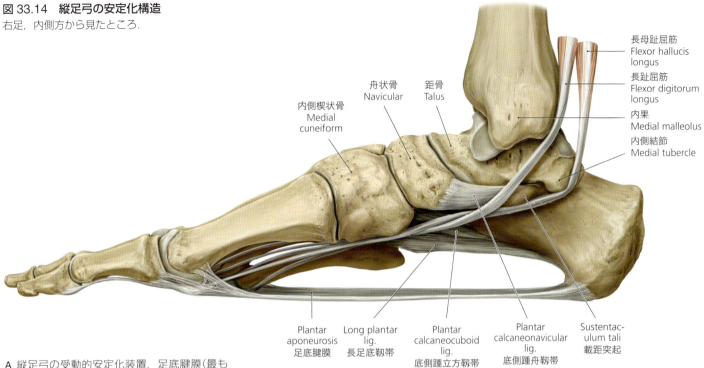

A 縦足弓の受動的安定化装置．足底腱膜（最も重要），長足底靱帯，底側踵舟靱帯（最も寄与が弱い）からなる．

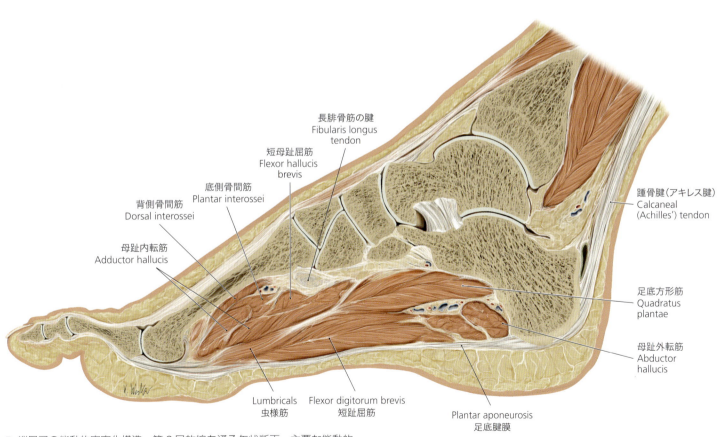

B 縦足弓の能動的安定化構造．第2足放線を通る矢状断面．主要な能動的安定化構造は，母趾外転筋，短母趾屈筋，短趾屈筋，足底方形筋，小趾外転筋である．

足底の筋
Muscles of the Sole of the Foot

図 33.15 足底腱膜
右足. 足底方向から見たところ. 足底腱膜は強靱であり，中央部が最も厚い．足の辺縁で足背筋膜（示されていない）に移行する．

図 33.16 足底の内在筋：第 1-3 層
右足，足底方向から見たところ．

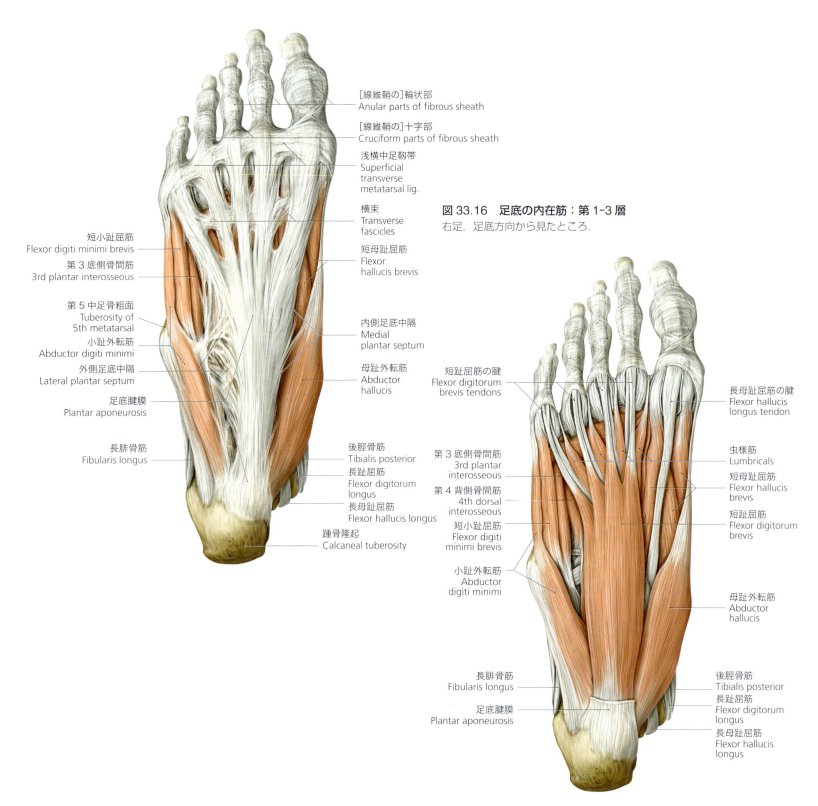

A 第 1 層（最浅層）．足底腱膜は浅横中足靱帯を含めて取り除いてある．

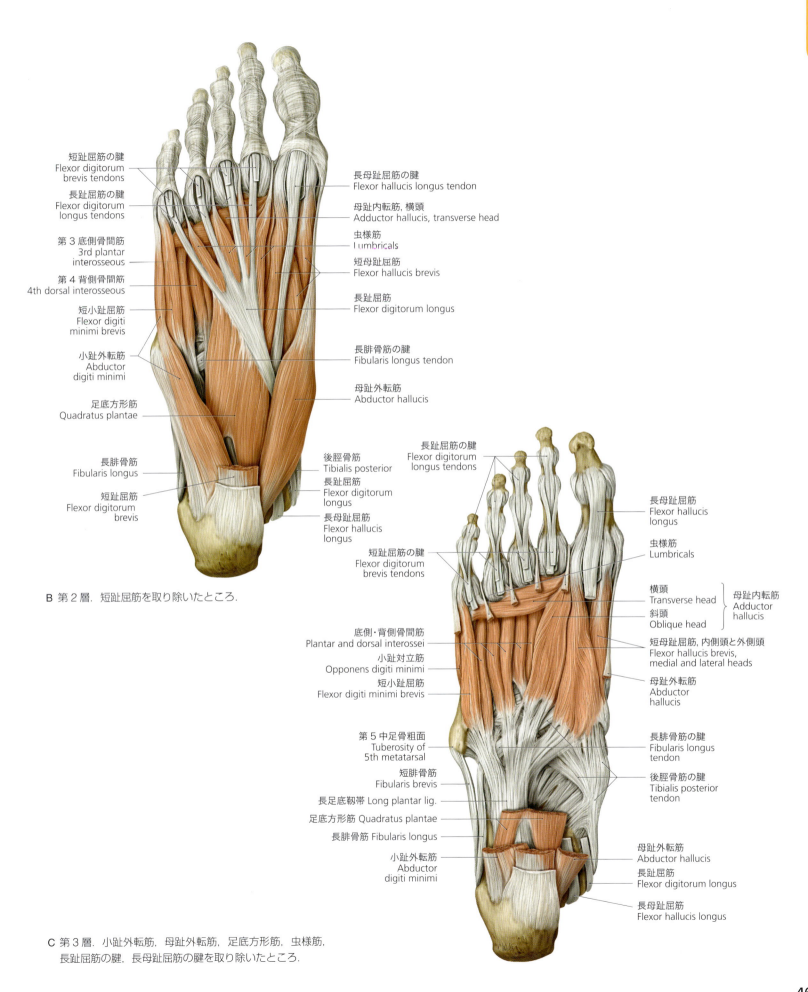

B 第2層. 短趾屈筋を取り除いたところ.

C 第3層. 小趾外転筋, 母趾外転筋, 足底方形筋, 虫様筋, 長趾屈筋の腱, 長母趾屈筋の腱を取り除いたところ.

足の筋と腱鞘
Muscles & Tendon Sheaths of the Foot

図 33.17　足底の内在筋：第 4 層
右足，足底方向から見たところ．

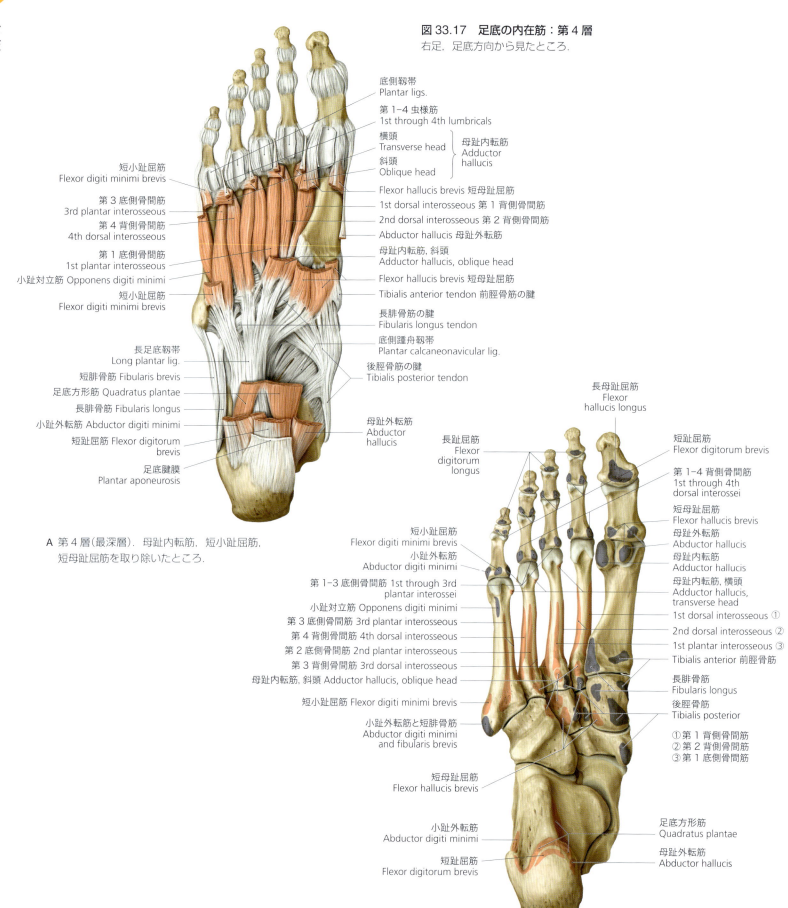

A 第 4 層（最深層）．母趾内転筋，短小趾屈筋，短母趾屈筋を取り除いたところ．

B 足における筋の起始（赤色）と停止（青色）．

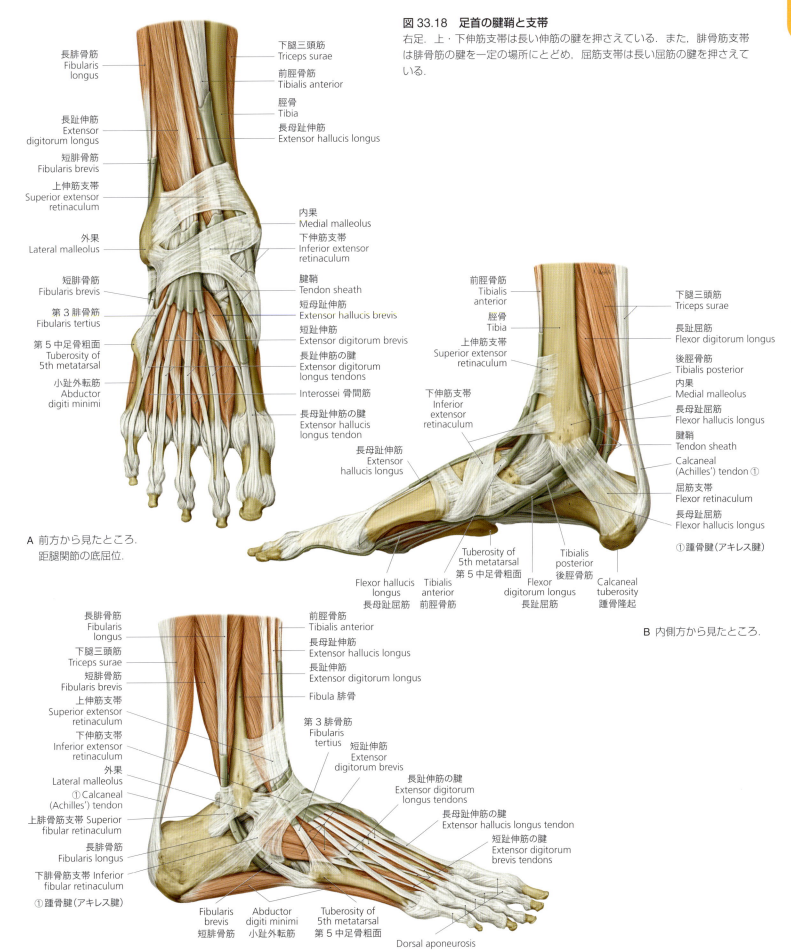

図 33.18 足首の腱鞘と支帯
右足．上・下伸筋支帯は長い伸筋の腱を押さえている．また，腓骨筋支帯は腓骨筋の腱を一定の場所にとどめ，屈筋支帯は長い屈筋の腱を押さえている．

A 前方から見たところ．距腿関節の底屈位．

B 内側方から見たところ．

C 外側方から見たところ．

個々の筋（1）
Muscle Facts (I)

足背にある筋は2種類のみ（短趾伸筋，短母趾伸筋）である．しかし，足底にある筋は4つの複雑な層からなり，足底弓を支えている．

図 33.19　足背の内在筋
右足．足背方向から見たところ．

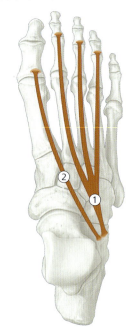

A　模式図．

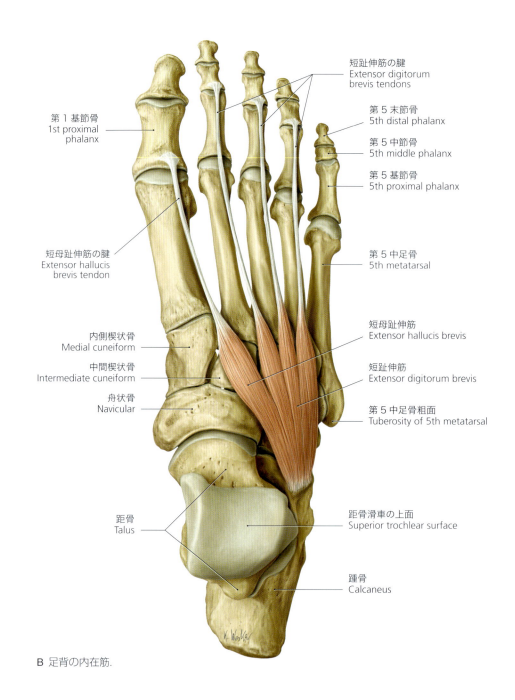

B　足背の内在筋．

表 33.2　足背の内在筋

筋	起始	停止	神経支配	作用
① 短趾伸筋	踵骨（足背面）	第2-4趾（趾背腱膜，中節骨底）	深腓骨神経（L5, S1）	第2-4趾のMTP関節とPIP関節を伸展する
② 短母趾伸筋	踵骨（足背面）	第1趾（趾背腱膜と基節骨底）	深腓骨神経（L5, S1）	第1趾のMTP関節を伸展する

MTP関節，中足趾節関節；PIP関節，近位趾節間関節．

図 33.20 足底の内在筋：浅層筋群（第1層）

右足．足底方向から見たところ．

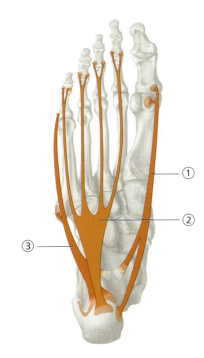

A 第1層，模式図．

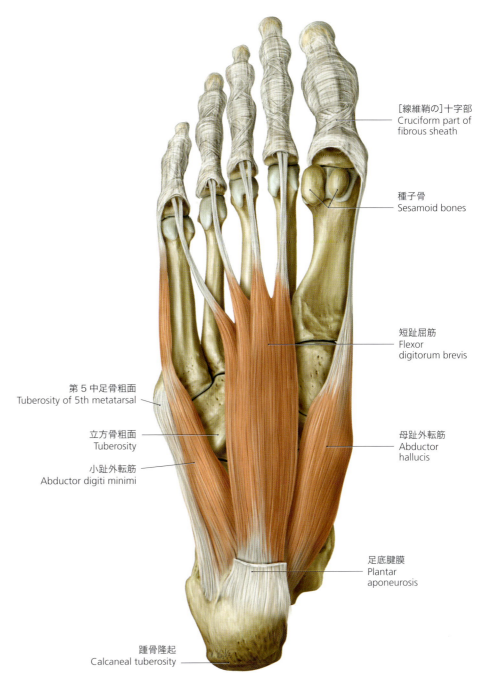

B 足底の内在筋（第1層）．

表 33.3	足底の内在筋（浅層：第1層）				
筋	起始	停止	神経支配	作用	
① 母趾外転筋	踵骨隆起（内側突起），屈筋支帯，足底腱膜	第1趾（内側種子骨を介して基節骨底に停止）	内側足底神経（S1，S2）	・第1趾のMTP関節：第1趾の屈曲と外転 ・縦足弓の保持	
② 短趾屈筋	踵骨隆起（内側結節），足底腱膜	第2-5趾（中節骨の側面）		・第2-5趾のMTP関節とPIP関節：屈曲 ・縦足弓の保持	
③ 小趾外転筋		第5趾（基節骨底），第5中足骨（粗面）	外側足底神経（S1-S3）	・第5趾のMTP関節：屈曲 ・第5趾の外転 ・縦足弓の保持	
MTP関節，中足趾節関節；PIP関節，近位趾節間関節．					

個々の筋(2)
Muscle Facts (II)

図 33.21　足底の深層筋群：第2-4層
右足．足底方向から見たところ．模式図．

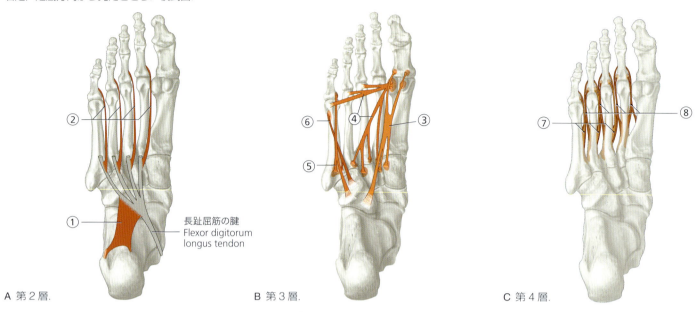

A 第2層．　　B 第3層．　　C 第4層．

表 33.4	足底の内在筋(深層：第2-4層)			
筋	起始	停止	神経支配	作用
①足底方形筋	踵骨隆起の足底面(内側縁と底側縁)	長趾屈筋腱(外側縁)	外側足底神経(S1-S3)	・長趾屈筋腱の方向を変える，またこの筋の作用を補助する
②虫様筋(4つの筋)	長趾屈筋腱(内側縁)	第2-5趾(趾背腱膜)	第1虫様筋：内側足底神経(S2, S3)　第2-4虫様筋：外側足底神経(S2, S3)	・第2-5趾のMTP関節：屈曲　・第2-5趾のIP関節：伸展　・第2-5趾を第1趾に近づける
③短母趾屈筋	立方骨，外側楔状骨，底側踵立方靱帯	第1基節骨底(内側・外側種子骨を介して停止する)	内側頭：内側足底神経(S1, S2)　外側頭：外側足底神経(S1, S2)	・第1趾のMTP関節：屈曲　・縦足弓の保持
④母趾内転筋	斜頭：第2-4中足骨底，立方骨，外側楔状骨　横頭：第3-5趾のMTP関節，深横中足靱帯	第1基節骨底(共通腱が外側種子骨を介して停止する)	外側足底神経，深枝(S2, S3)	・第1趾のMTP関節：屈曲　・第1趾の内転　・横頭：横足弓の保持　・斜頭：縦足弓の保持
⑤短小趾屈筋	第5中足骨底，長足底靱帯	第5基節骨底	外側足底神経，浅枝(S2, S3)	・第5趾のMTP関節：屈曲
⑥小趾対立筋*	長足底靱帯，長腓骨筋腱の足底腱鞘	第5中足骨		・第5趾を下内方に引く
⑦底側骨間筋(3つの筋)	第3-5中足骨(内側縁)	第3-5基節骨底の内側面	外側足底神経(S2, S3)	・第3-5趾のMTP関節：屈曲　・第3-5趾のIP関節：伸展　・第3-5趾を第2趾に近づける(内転)
⑧背側骨間筋(4つの筋)	第1-5中足骨(2頭が隣接する中足骨の側面から起始する)	第1背側骨間筋：第2基節骨底の内側面　第2-4背側骨間筋：第2-4基節骨底の外側面，第2-4趾の趾背腱膜		・第2-4趾のMTP関節：屈曲　・第2-4趾のIP関節：伸展　・第3・4趾を第2趾から離す(外転)

IP関節，趾節間関節；MTP関節，中足趾節関節．*欠損する場合もある．

図 33.22　足底の内在筋：深層筋群（第2-4層）
右足，足底方向から見たところ．

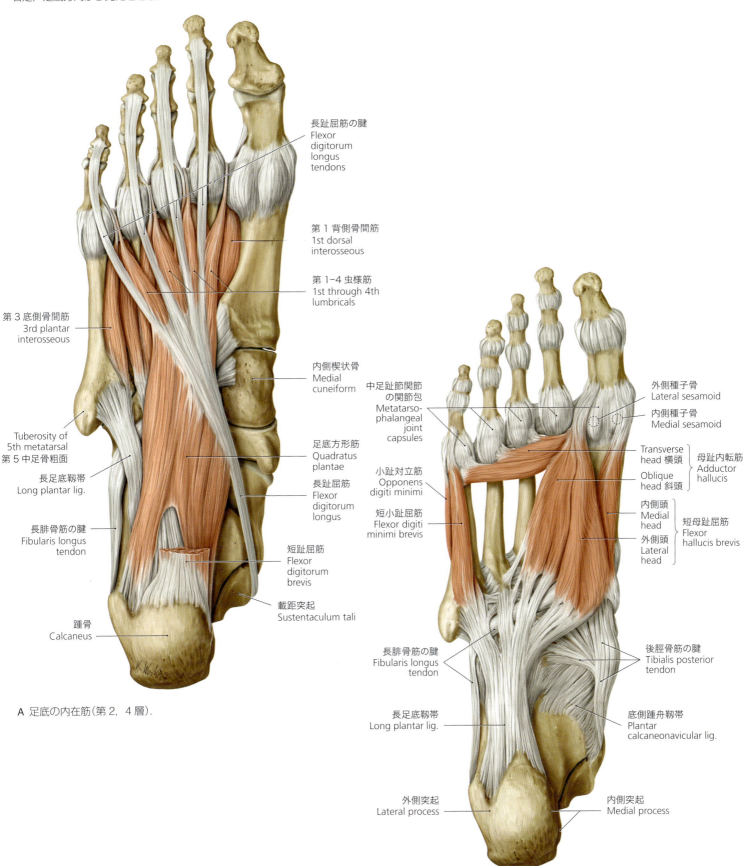

A　足底の内在筋（第2，4層）．

B　足底の内在筋（第3層）．

34 血管・神経
下肢の動脈
Arteries of the Lower Limb

図 34.1 下肢の動脈

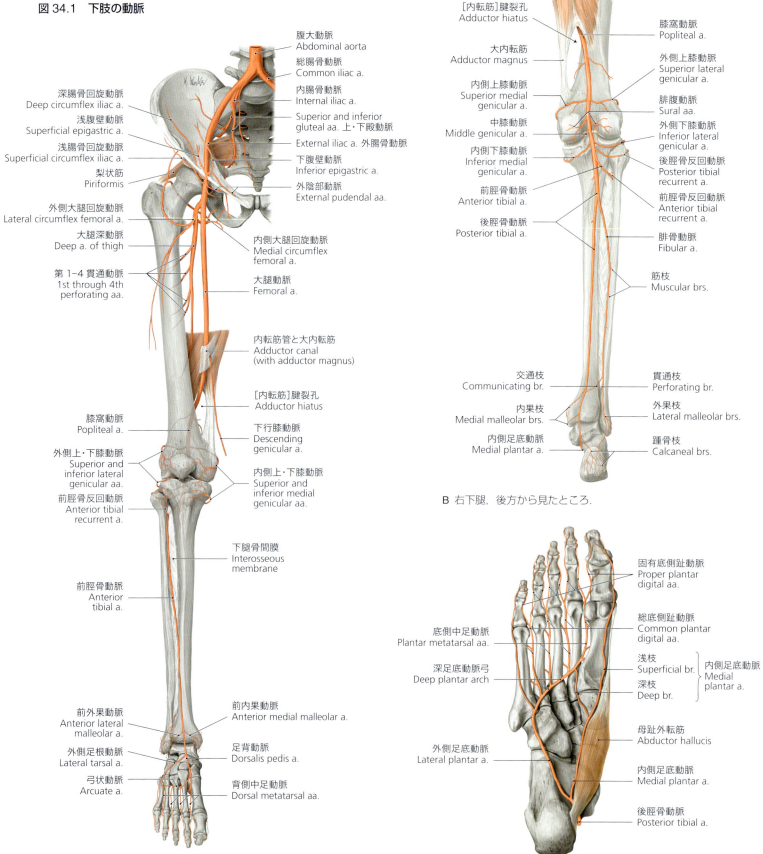

A 右下肢，前方から見たところ．

B 右下腿，後方から見たところ．

C 右足底，下方から見たところ．

図 34.2　下肢の動脈の主要部

下肢に分布する動脈は大腿動脈から始まる．大腿動脈とその分枝を，色を分けて示してある．

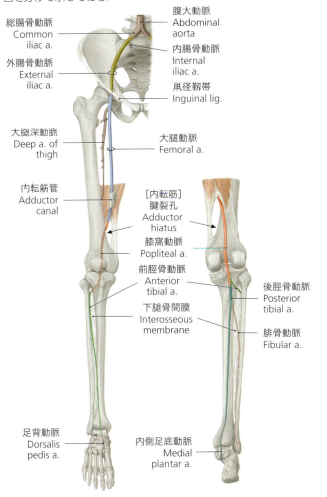

図 34.3　大腿深動脈

右の大腿．大腿深動脈は内転筋群を前方から後方にすり抜けながら，3-5本の貫通枝となる．貫通枝は大内転筋を貫いて，大腿後面の筋に分布する．大腿動脈が大腿深動脈の起始よりも近位で結紮された場合（左図），内腸骨動脈の枝と貫通動脈の吻合（右図，矢印）を介した側副血行路により，大腿と下腿の血流が代償される．

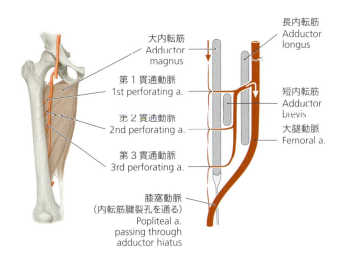

臨床 BOX 34.1

大腿骨頭壊死

大腿骨頭の骨折（骨粗鬆症患者でよくみられる）や脱臼によって，大腿骨頸の動脈や大腿骨頭窩動脈が損傷されると大腿骨頭は壊死する．

図 34.4　大腿骨頭の動脈

右股関節，前方から見たところ．

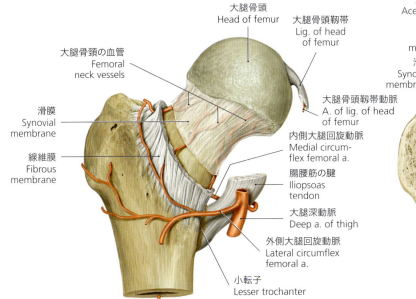

A　右大腿骨．

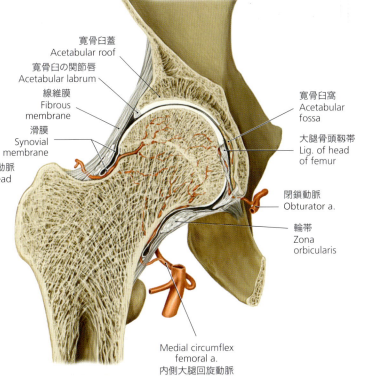

B　右大腿骨，冠状断面．

下肢の静脈とリンパ管
Veins & Lymphatics of the Lower Limb

図 34.5 下肢の浅静脈（皮静脈）

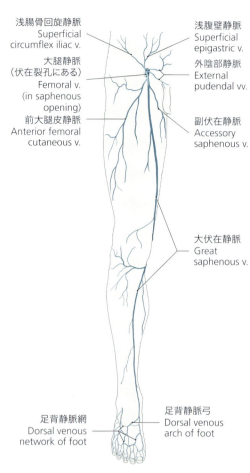

A 右下肢，前方から見たところ．

図 34.6 下肢の深静脈

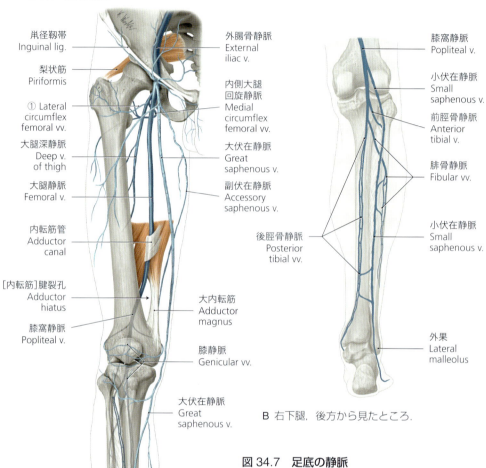

A 右下肢，前方から見たところ．

B 右下腿，後方から見たところ．

図 34.7 足底の静脈
右足，足底方向から見たところ．

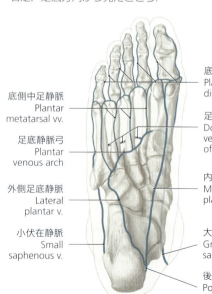

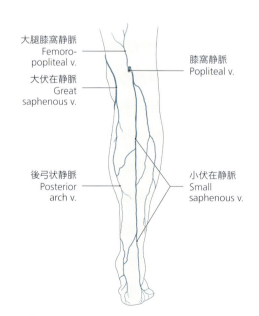

B 右下腿，後方から見たところ．

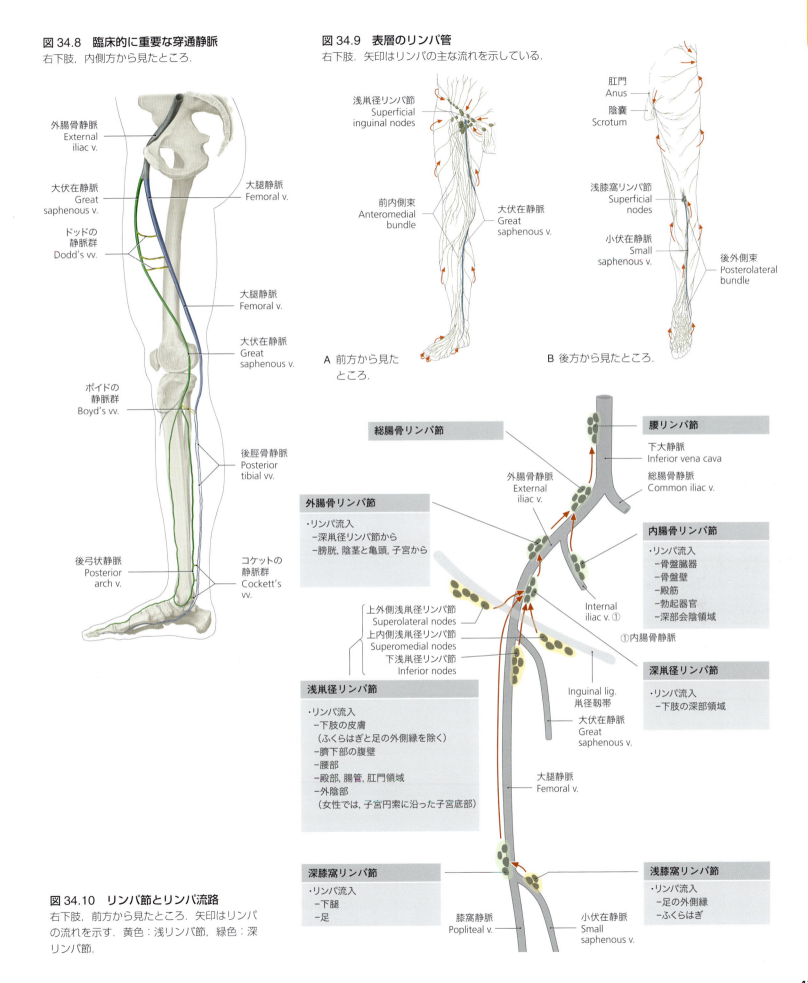

腰仙骨神経叢
Lumbosacral Plexus

腰仙骨神経叢から出る神経は，下肢の知覚と運動に関与する．この神経叢は，腰神経と仙骨神経の前枝によって形成されるが，肋下神経（T12）や尾骨神経（Co1）からの枝も参加する．腰神経叢は主に大腿の前部と内側部を支配し，一部，下腿内側部を支配する．仙骨神経叢は，大腿後部および，下腿と足部の大半を支配する．

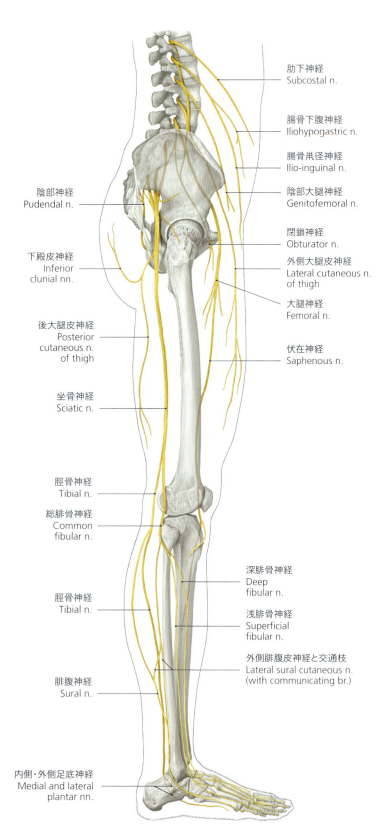

表34.1　腰仙骨神経叢から出る神経

腰神経叢			
腸骨下腹神経	L1		p.479
腸骨鼡径神経	L1		
陰部大腿神経	L1-L2		
外側大腿皮神経	L2-L3		
閉鎖神経	L2-L4		p.480
大腿神経			p.481
仙骨神経叢			
上殿神経	L4-S1		p.483
下殿神経	L5-S2		
後大腿皮神経	S1-S3		p.482
坐骨神経	総腓骨神経	L4-S2	p.484
	脛骨神経	L4-S3	p.485
陰部神経	S2-S4		pp.284-285

臨床 BOX 34.2

腰仙骨神経叢の損傷

　上肢の神経損傷と同様に，下肢の神経損傷による症状をよく理解するには，腰仙骨神経叢の構成を把握することが重要である．腰神経叢は脊髄のL1-L4から生じ，腹壁と大腿前部および内側を支配する．仙骨神経叢は腰神経叢よりも低いレベル（L4-S4）から生じ，会陰，大腿の後面，下腿，足の大部分を支配する．腰仙骨神経叢の根損傷は腕神経叢のそれよりも少ないが，例外として，腰椎椎間板ヘルニアによるL4神経根の椎間孔での損傷（圧迫）は頻度が高く，大腿神経や閉鎖神経の支配領域に神経症状をきたす．腰仙骨神経叢から出る末梢枝の損傷は神経が表層を走行し，骨に接する部位で生じることがある（例えば，総腓骨神経が腓骨頸に接する部位）．

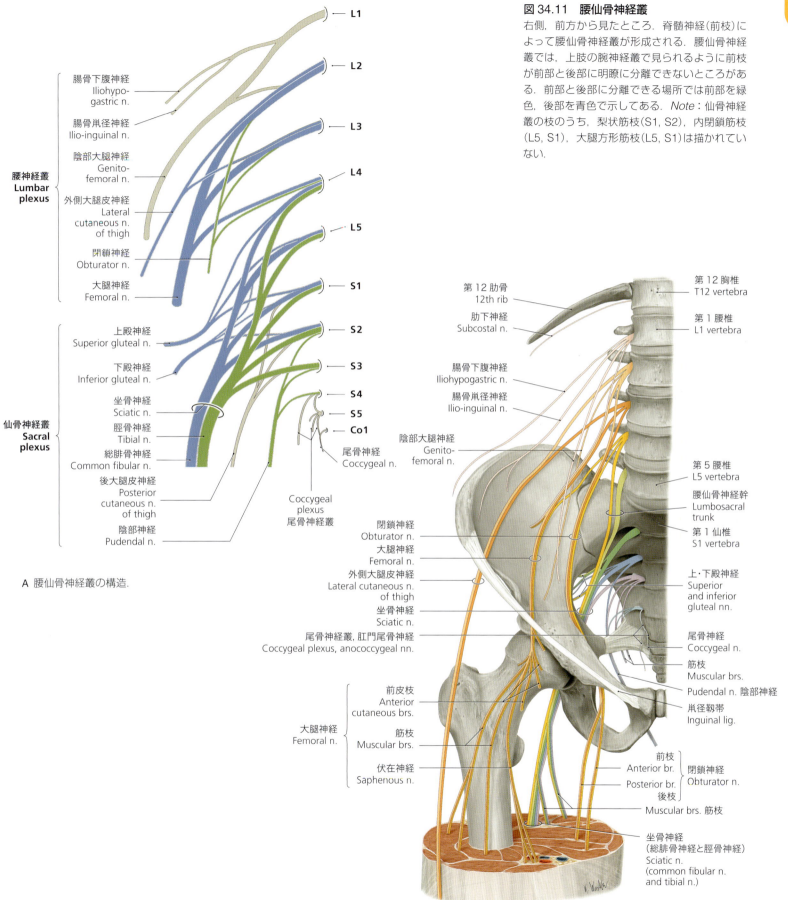

図 34.11 腰仙骨神経叢
右側，前方から見たところ．脊髄神経（前枝）によって腰仙骨神経叢が形成される．腰仙骨神経叢では，上肢の腕神経叢で見られるように前枝が前部と後部に明瞭に分離できないところがある．前部と後部に分離できる場所では前部を緑色，後部を青色で示してある．*Note*：仙骨神経叢の枝のうち，梨状筋枝（S1, S2），内閉鎖筋枝（L5, S1），大腿方形筋枝（L5, S1）は描かれていない．

A 腰仙骨神経叢の構造．

B 腰仙骨神経叢の走行．腰神経（黄色・橙色）と仙骨神経（青色・緑色）の殿部と下肢における分布．

腰神経叢の枝
Nerves of the Lumbar Plexus

表 34.2　腰神経叢から出る神経

神経	脊髄分節	支配筋	皮枝
腸骨下腹神経	L1	腹横筋，内腹斜筋（下部）	前皮枝，外側皮枝
腸骨鼠径神経	L1		男性：前陰嚢神経 女性：前陰唇神経
陰部大腿神経	L1-L2	男性：精巣挙筋（陰部枝）	陰部枝，大腿枝
外側大腿皮神経	L2-L3	―	外側大腿皮神経
閉鎖神経	L2-L4	**p.480** 参照	
大腿神経	L2-L4	**p.481** 参照	
短い筋枝，神経叢から直接出る	T12-L4	大腰筋 腰方形筋 腸骨筋 腰横突間筋	―

図 34.12　鼠径部における皮神経の分布
男性の右鼠径部，前方から見たところ．

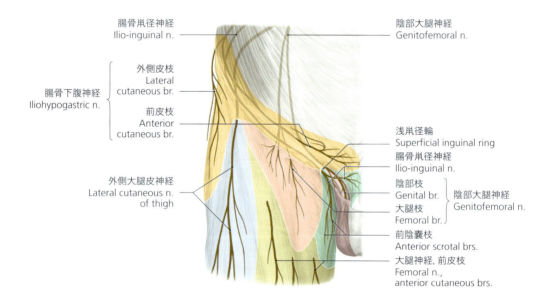

臨床 BOX 34.3

外側大腿皮神経の絞扼（知覚異常性大腿神経痛）
　外側大腿皮神経が鼠径靱帯によって圧迫（絞扼）された場合に（**図34.11B**）この神経は虚血に陥る．また，虚血は股関節が過度に伸展されたり，妊娠などの際に腰部脊柱の弯曲が増したりし，外側大腿皮神経が引き伸ばされた場合にも生じる．神経の虚血により，大腿外側部の皮膚に疼痛やしびれ，異常感覚が生じる．この疾患は肥満や糖尿病の患者，妊婦に見られる場合が多い．

図 34.13 腰神経叢から出る神経

右側，前方から見たところ．前腹壁を取り除いてある．

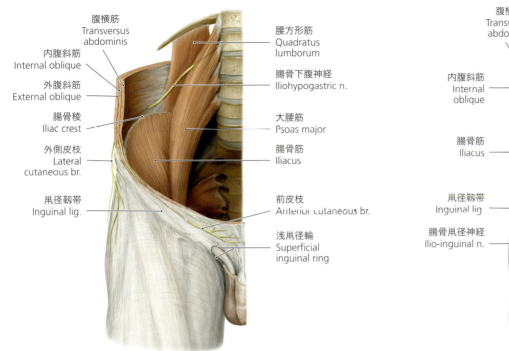

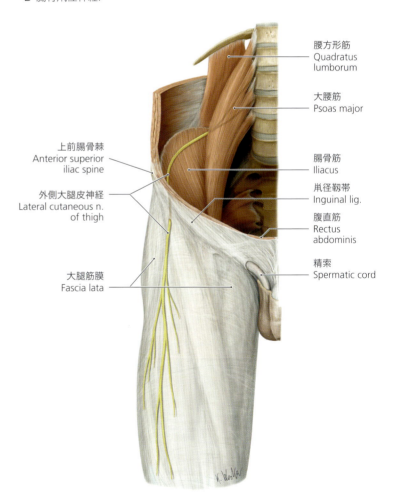

A 腸骨下腹神経．

B 腸骨鼡径神経．

C 陰部大腿神経．

D 外側大腿皮神経．

腰神経叢の枝：閉鎖神経と大腿神経
Nerves of the Lumbar Plexus: Obturator & Femoral Nerves

下肢

図 34.14　閉鎖神経：皮枝の分布
右下肢，内側方から見たところ．

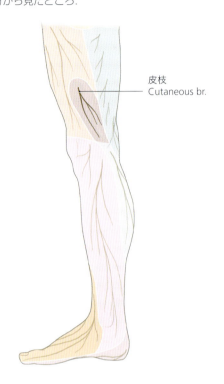

図 34.15　閉鎖神経
右側，前方から見たところ．

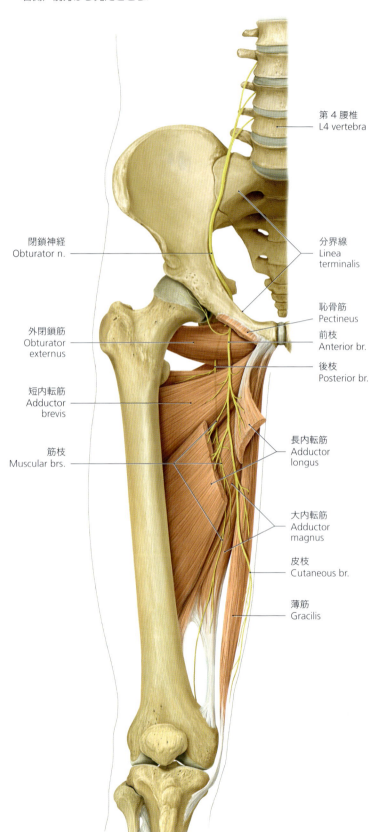

表 34.3	閉鎖神経（L2-L4）
運動枝	支配筋
直接枝	外閉鎖筋
前枝	長内転筋
	短内転筋
	薄筋
	恥骨筋
後枝	大内転筋
感覚枝	
皮枝	

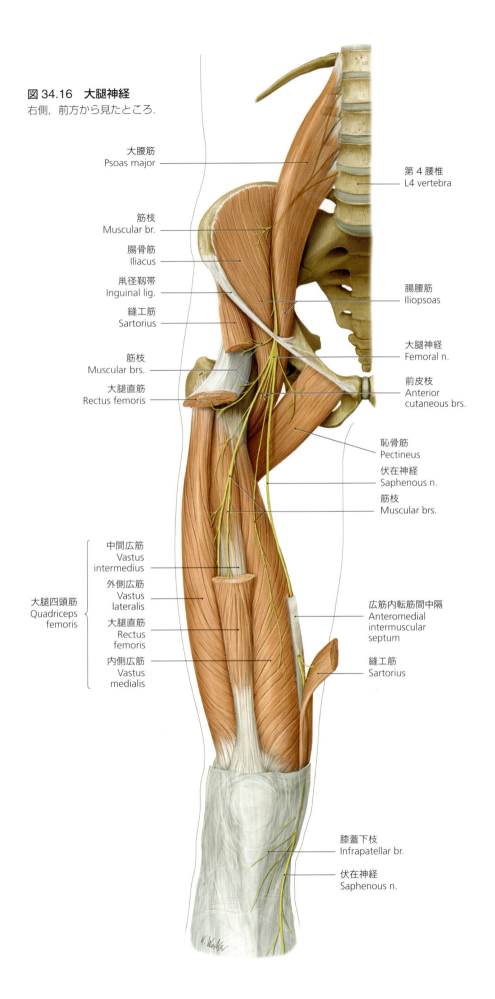

図 34.16 大腿神経
右側，前方から見たところ．

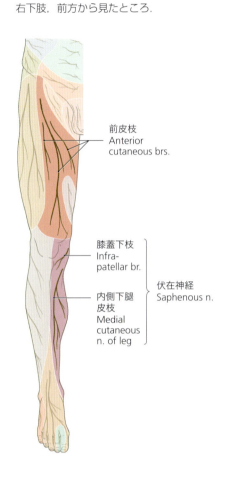

図 34.17 大腿神経：皮枝の分布
右下肢，前方から見たところ．

表 34.4	大腿神経（L2-L4）
運動枝	支配筋
筋枝	腸腰筋
	恥骨筋
	縫工筋
	大腿四頭筋
感覚枝	
前皮枝	
伏在神経	

仙骨神経叢の枝
Nerves of the Sacral Plexus

表 34.5　仙骨神経叢から出る神経

神経		脊髄分節	支配筋	皮枝	
上殿神経		L4–S1	中殿筋，小殿筋，大腿筋膜張筋	—	
下殿神経		L5–S2	大殿筋	—	
後大腿皮神経		S1–S3	—	後大腿皮神経	下殿皮神経
					会陰枝
直接枝	梨状筋枝	S1–S2	梨状筋	—	
	内閉鎖筋枝	L5–S1	内閉鎖筋	—	
	大腿方形筋枝		大腿方形筋	—	
坐骨神経	総腓骨神経	L4–S2	p.484 参照		
	脛骨神経	L4–S3	p.485 参照		
陰部神経		S2–S4	pp.284–285 参照		

図 34.18　殿部に分布する皮神経
右側，後方から見たところ．

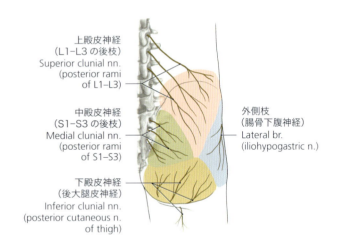

図 34.19　後大腿皮神経の分布
右下肢，後方から見たところ．

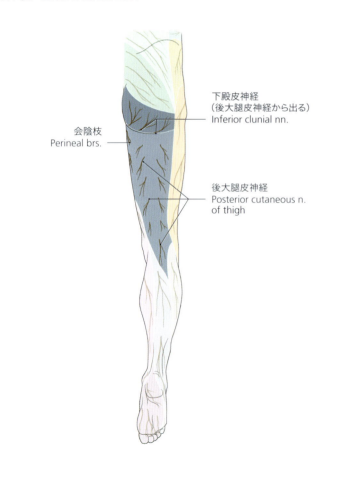

図 34.20　仙骨神経の走行
水平断面を上方から見たところ．

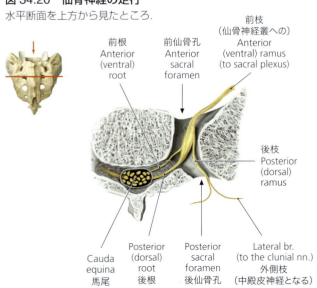

図 34.21　仙骨神経叢から出る神経
右下肢.

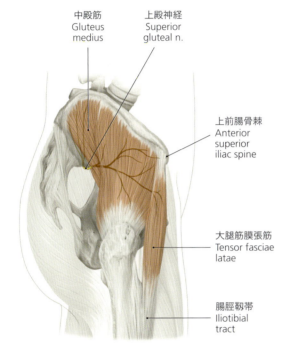

A　上殿神経，外側方から見たところ．

臨床 BOX 34.4

中・小殿筋の筋力低下

立脚側の中・小殿筋は骨盤を冠状面内で安定に保つ働きがある（A）．また，中・小殿筋に筋力低下や麻痺がみられる場合には，股関節を外転する力が弱まる．中・小殿筋の麻痺は，上殿神経の損傷（例えば，不適切な筋肉内注射が原因となる）によって生じる．中・小殿筋麻痺の患者は患側で片脚立ちすると，骨盤が正常側（遊脚側）に傾く（B）．これをトレンデレンブルグ試験が陽性であるという．このような患者が歩行する際には，平衡を保とうとして上体を患側に振り出す．これにより，重心は患側（立脚側）の下肢に移動し，遊脚側の骨盤が挙上する（デュシェンヌ跛行）（C）．両側の中・小殿筋が麻痺すると，患者は典型的な動揺歩行を示すようになる．

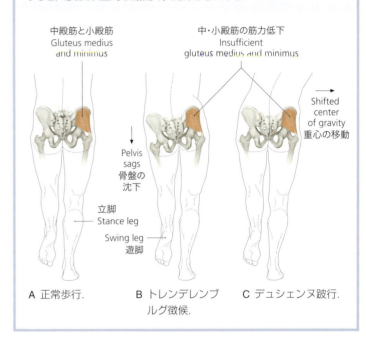

A　正常歩行．　　B　トレンデレンブルグ徴候．　　C　デュシェンヌ跛行．

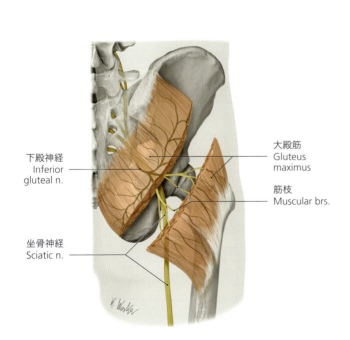

B　下殿神経，後方から見たところ．

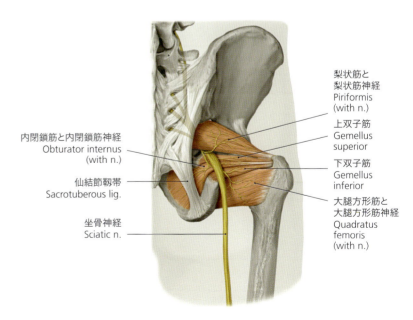

C　仙骨神経叢から直接出る筋枝，後方から見たところ．

仙骨神経叢の枝：坐骨神経
Nerves of the Sacral Plexus: Sciatic Nerve

坐骨神経からは数種類の筋枝が直接分かれる．通常，これらの筋枝が出た後に，坐骨神経は膝窩よりも近位で脛骨神経と総腓骨神経に分かれる．

図 34.22　総腓骨神経：皮枝の分布

図 34.23　総腓骨神経
右下肢，外側方から見たところ．

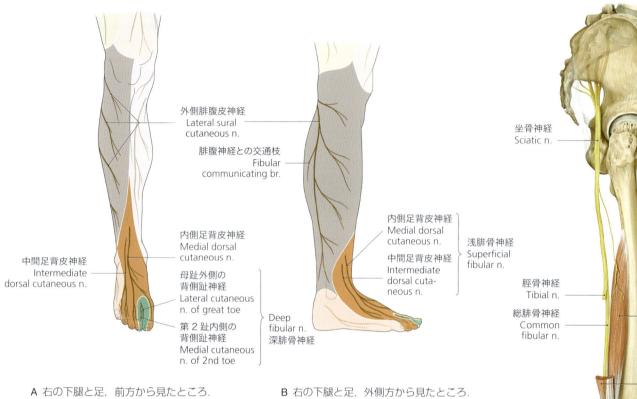

A 右の下腿と足，前方から見たところ．
B 右の下腿と足，外側方から見たところ．

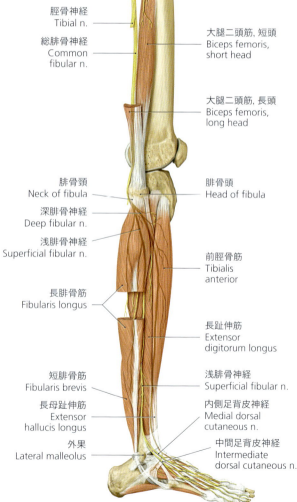

表 34.6	総腓骨神経（L4-S2）	
神経	支配筋	感覚枝
坐骨神経（総腓骨神経部）から直接出る筋枝	大腿二頭筋，短頭	―
浅腓骨神経	長・短腓骨筋	内側足背皮神経 中間足背皮神経
深腓骨神経	前脛骨筋 長・短趾伸筋 長・短母趾伸筋 第3腓骨筋	背側趾神経（第1趾の外側縁と第2趾の内側縁に分布する）

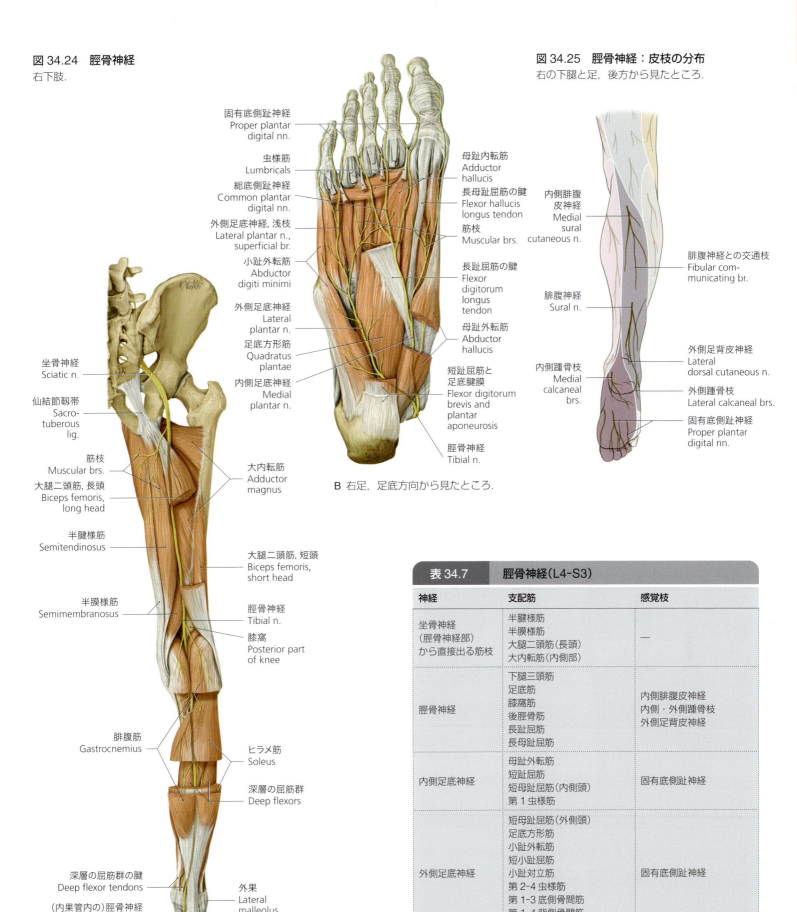

下肢の皮神経と皮静脈
Superficial Nerves & Vessels of the Lower Limb

図 34.26　下肢の皮神経と皮静脈
右下肢.

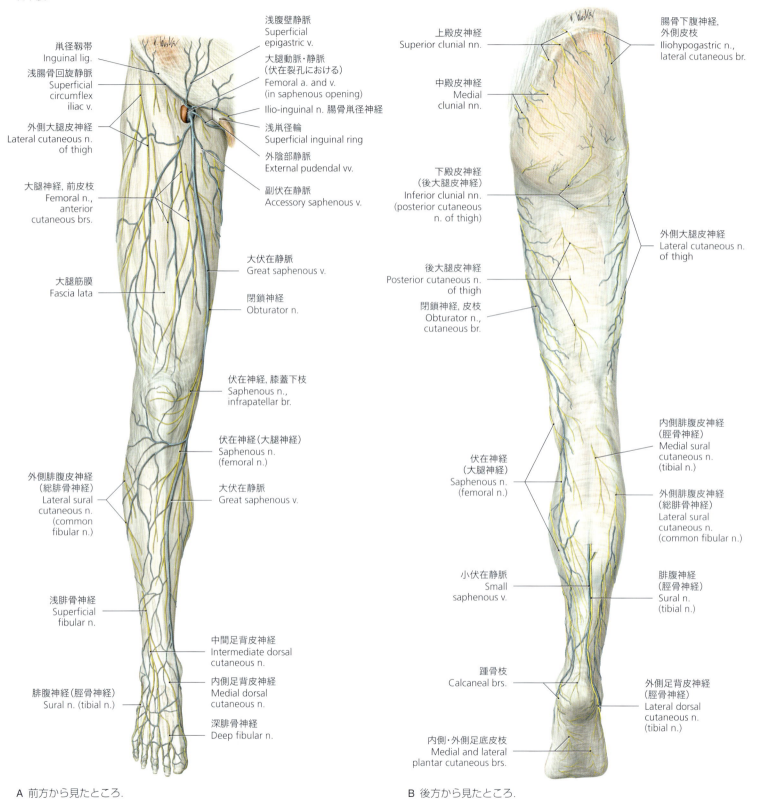

A 前方から見たところ.　　B 後方から見たところ.

図 34.27　下肢における皮神経の分布
右下肢.

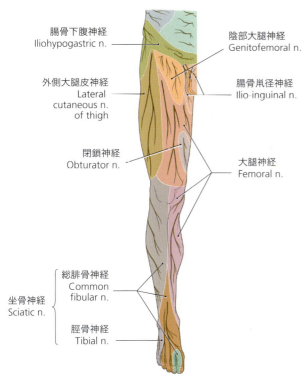

A 前方から見たところ.

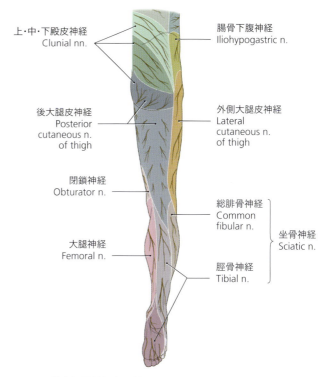

B 後方から見たところ.

図 34.28　下肢のデルマトーム
右下肢.

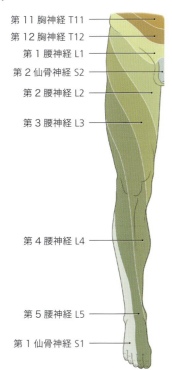

A 前方から見たところ.

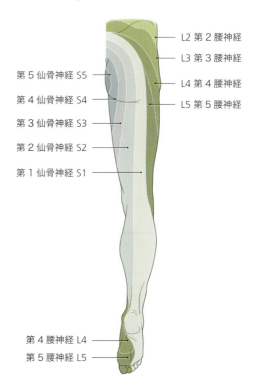

B 後方から見たところ.

鼠径部の局所解剖
Topography of the Inguinal Region

図 34.29　浅層にある静脈とリンパ節
男性の右鼠径部，前方から見たところ．
伏在裂孔を覆う篩状筋膜を取り除いてある．

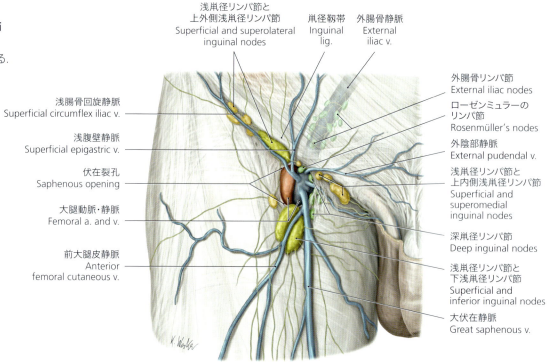

図 34.30　鼠径部
男性の右鼠径部，前方から見たところ．

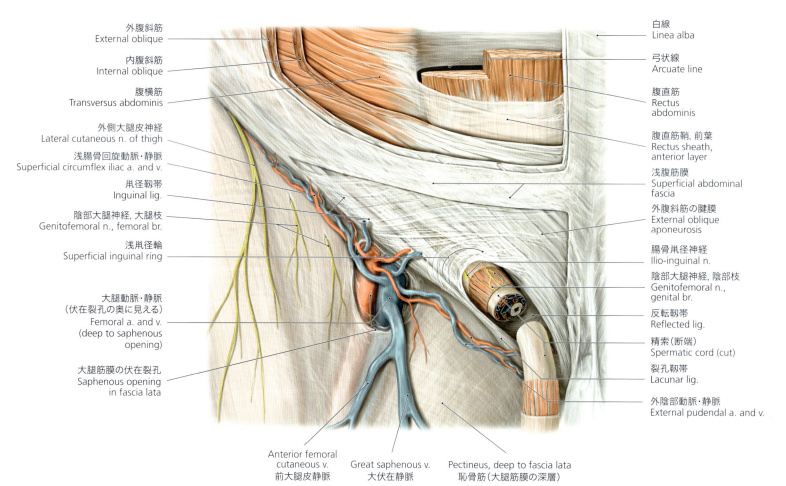

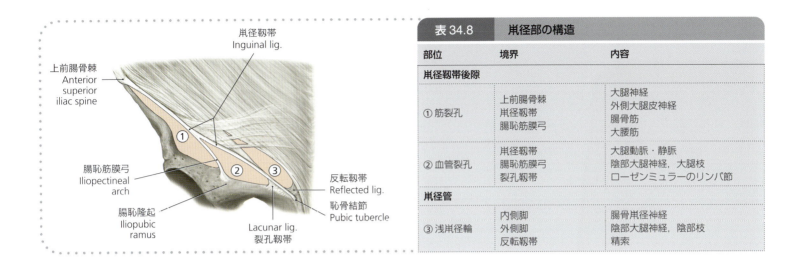

表 34.8	鼡径部の構造	
部位	境界	内容
鼡径靱帯後隙		
①筋裂孔	上前腸骨棘 鼡径靱帯 腸恥筋膜弓	大腿神経 外側大腿皮神経 腸骨筋 大腰筋
②血管裂孔	鼡径靱帯 腸恥筋膜弓 裂孔靱帯	大腿動脈・静脈 陰部大腿神経, 大腿枝 ローゼンミュラーのリンパ節
鼡径管		
③浅鼡径輪	内側脚 外側脚 反転靱帯	腸骨鼡径神経 陰部大腿神経, 陰部枝 精索

図 34.31 鼡径靱帯後隙：筋裂孔と血管裂孔
右鼡径部, 前方から見たところ.

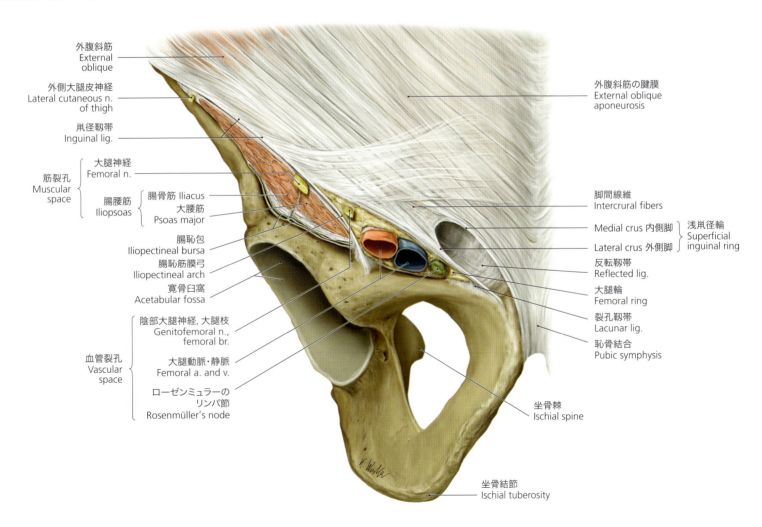

殿部の局所解剖
Topography of the Gluteal Region

図 34.32 殿部
右殿部,後方から見たところ.

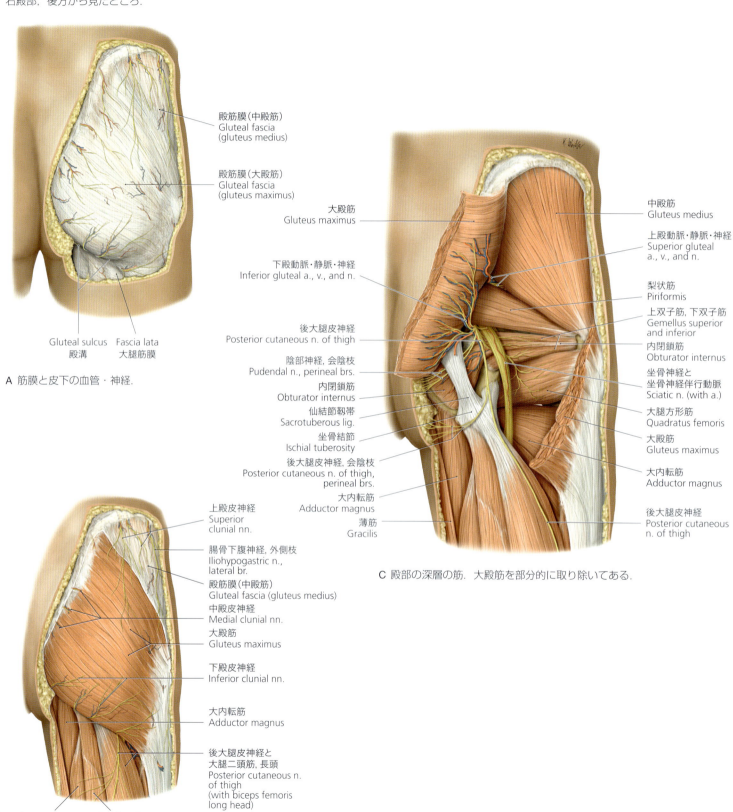

A 筋膜と皮下の血管・神経.

B 殿部の表層の筋.大腿筋膜を取り除いてある.

C 殿部の深層の筋.大殿筋を部分的に取り除いてある.

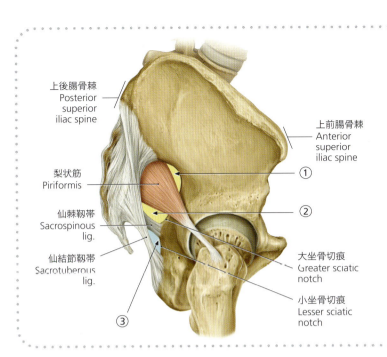

表 34.9　坐骨孔

孔		通過する構造	境界
大坐骨孔	① 梨状筋上孔	上殿動脈・静脈・神経	大坐骨切痕 仙棘靱帯 仙骨
	② 梨状筋下孔	下殿動脈・静脈・神経 内陰部動脈・静脈 陰部神経 坐骨神経 後大腿皮神経	
③ 小坐骨孔		内陰部動脈・静脈 陰部神経 内閉鎖筋腱	小坐骨切痕 仙棘靱帯 仙結節靱帯

図 34.33　殿部と坐骨直腸窩

右殿部，後方から見たところ．大殿筋と中殿筋を取り除いてある．

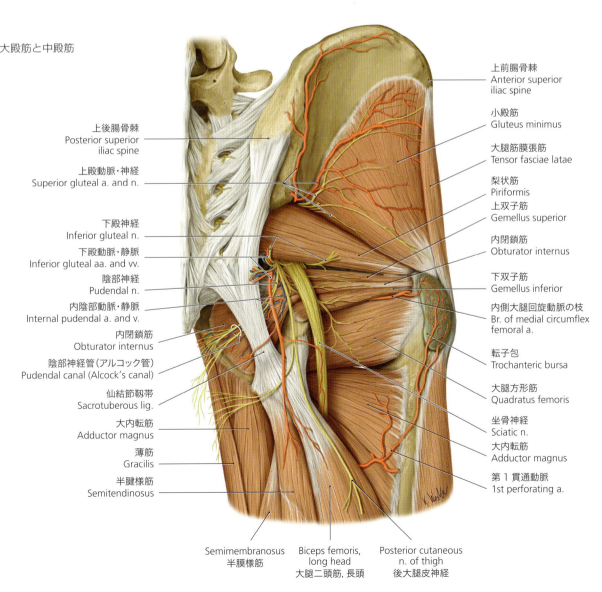

大腿の前面，内側面，後面の局所解剖
Topography of the Anterior, Medial & Posterior Thigh

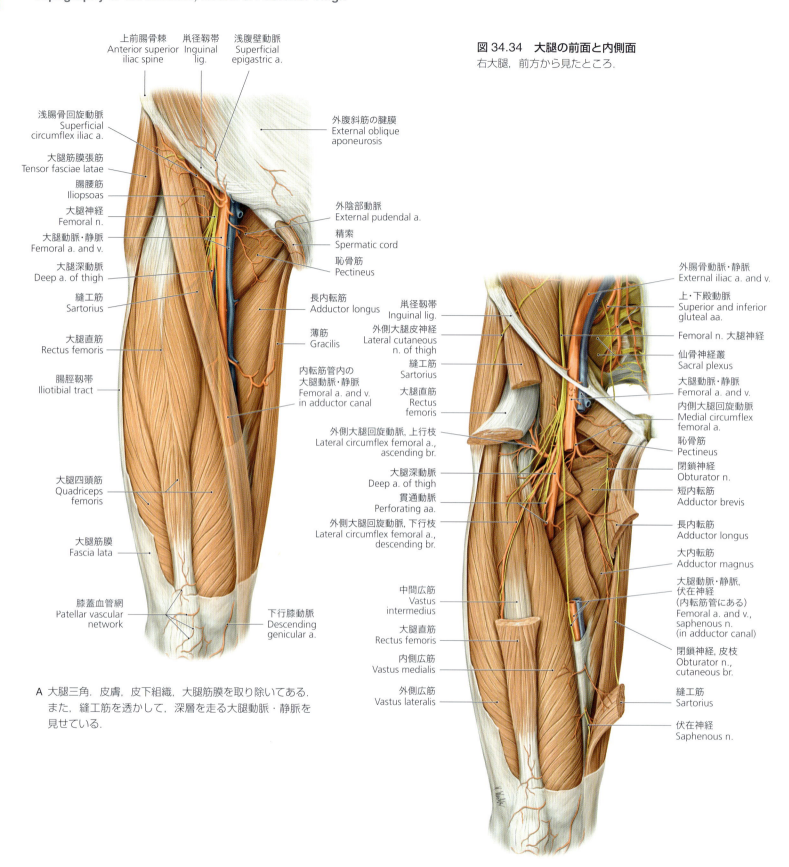

図 34.34　大腿の前面と内側面
右大腿，前方から見たところ．

A　大腿三角．皮膚，皮下組織，大腿筋膜を取り除いてある．また，縫工筋を透かして，深層を走る大腿動脈・静脈を見せている．

B　大腿前面の血管・神経．前腹壁を取り除いてある．また，縫工筋，大腿直筋，長内転筋，恥骨筋を部分的に取り除いてある．

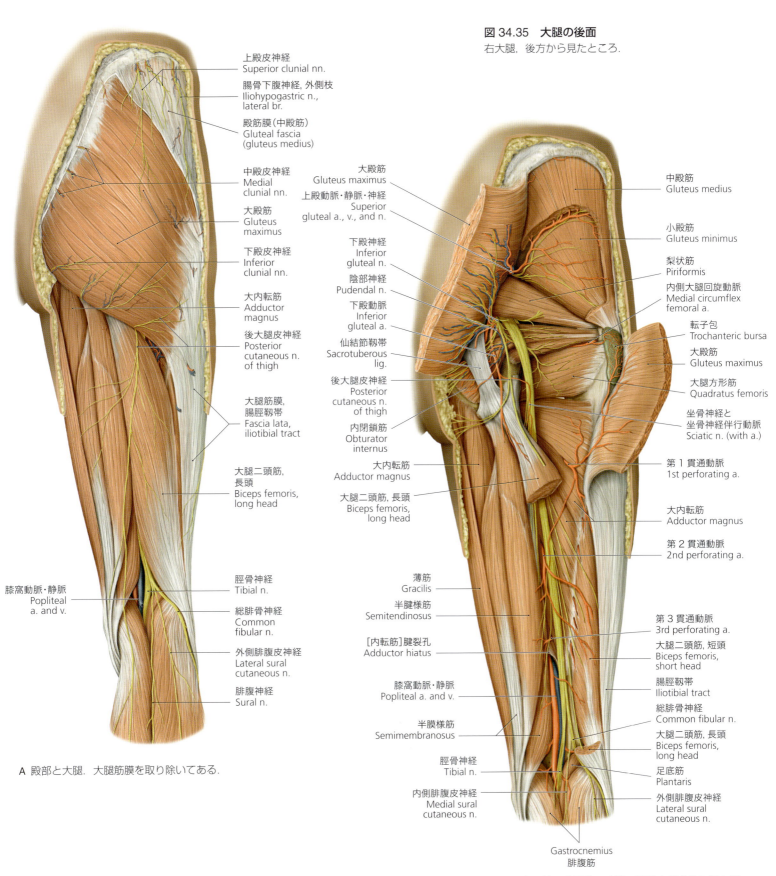

図 34.35 大腿の後面
右大腿，後方から見たところ．

A 殿部と大腿．大腿筋膜を取り除いてある．

B 大腿後面の血管・神経．大殿筋，中殿筋，大腿二頭筋を部分的に取り除いてある．

下腿の後面と足部の局所解剖
Topography of the Posterior Compartment of the Leg & Foot

図 34.36 下腿の後面
右下腿，後方から見たところ．

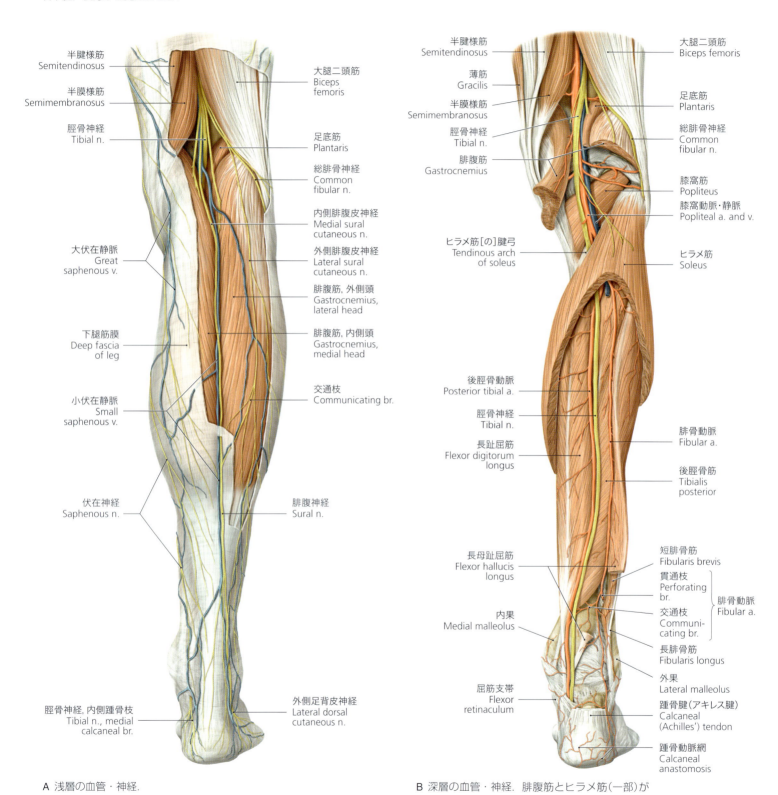

A 浅層の血管・神経．

B 深層の血管・神経．腓腹筋とヒラメ筋(一部)が取り除かれている．

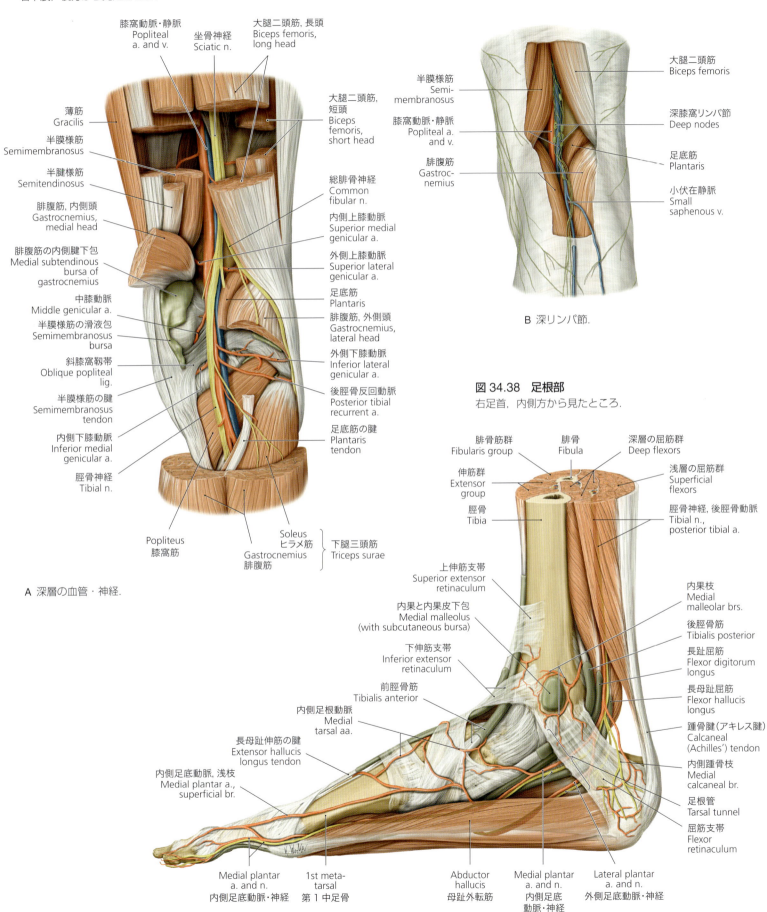

下腿の外側面・前面と足背部の局所解剖
Topography of the Lateral & Anterior Compartments of the Leg and Dorsum of the Foot

図 34.39　下腿外側の血管・神経
右の下腿と足．長腓骨筋と長趾伸筋の起始部を取り除いてある．

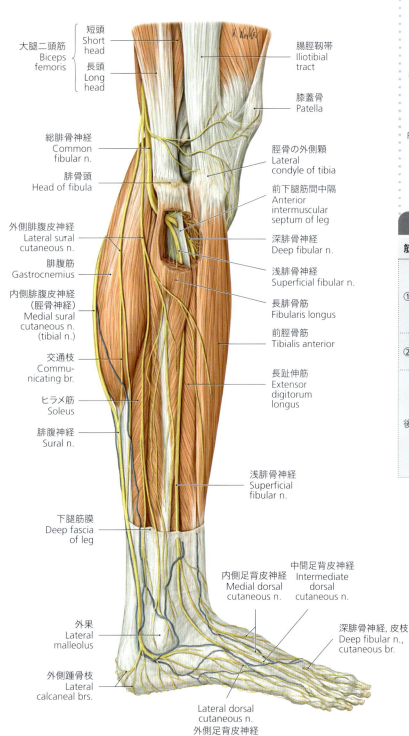

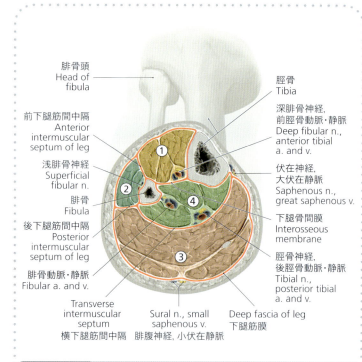

表 34.10　下腿の筋膜区分

筋膜区分		含まれる筋	含まれる血管・神経
① 前方筋膜区分		前脛骨筋	深腓骨神経 前脛骨動脈・静脈
		長趾伸筋	
		長母趾伸筋	
		第3腓骨筋	
② 外側筋膜区分		長腓骨筋	浅腓骨神経
		短腓骨筋	
後方筋膜区分	③ 浅部	下腿三頭筋(腓腹筋,ヒラメ筋)	—
		足底筋	
	④ 深部	後脛骨筋	脛骨神経 後脛骨動脈・静脈 腓骨動脈・静脈
		長趾屈筋	
		長母趾屈筋	

臨床 BOX 34.5

コンパートメント症候群

筋の浮腫や血腫により，筋区画内における組織圧が高くなる．高まった組織圧により神経や血管が圧迫を受け，これにより区画内の構造が虚血に陥り，筋や神経に不可逆的な障害を残すことがある．下腿の前コンパートメント症候群は最もよく見られ，患者はひどい痛みに見舞われ，趾を背屈させることができない．このような場合，緊急的に下腿筋膜を切開し，筋区画内の組織圧を下げ，神経と血管を圧迫から解放しなければならない．

図 34.40 下腿前面の血管・神経
右の下腿と足，底屈位．

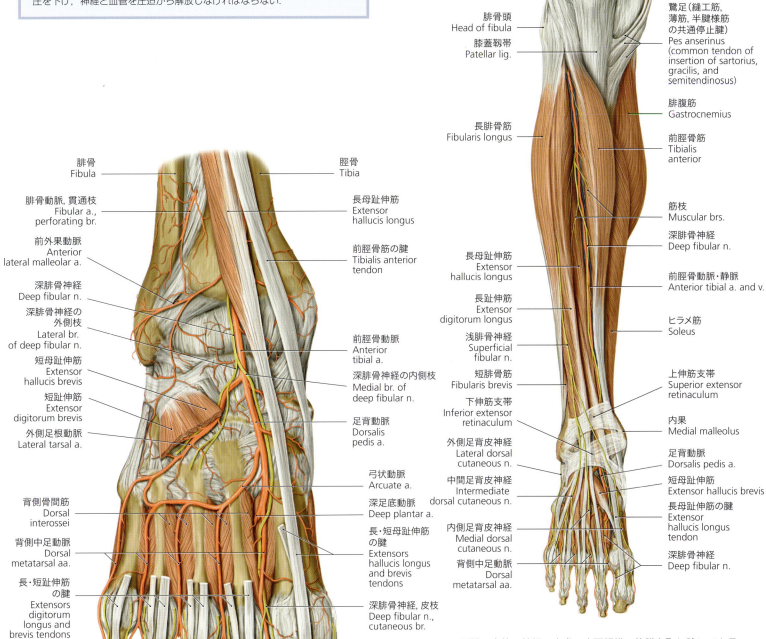

A 足背の血管・神経．

B 下腿の血管・神経．皮膚，皮下組織，筋膜を取り除いてある．前脛骨筋と長母趾伸筋を内側へ引いてある．

足底の局所解剖
Topography of the Sole of the Foot

図 34.41　足底の血管・神経
右足，足底方向から見たところ．

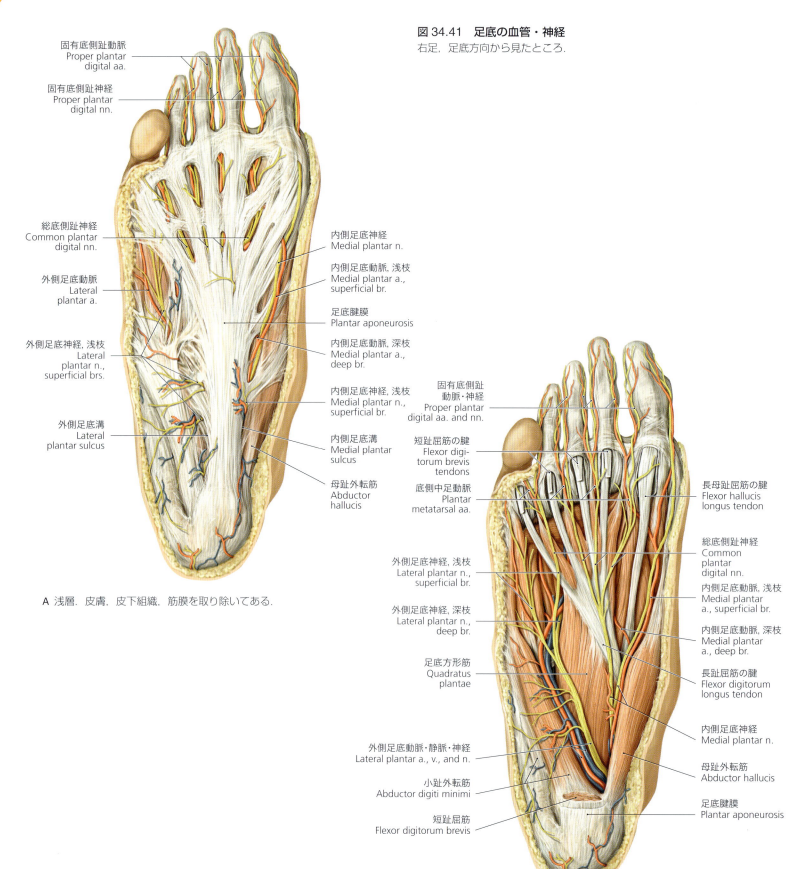

A 浅層．皮膚，皮下組織，筋膜を取り除いてある．

B 中間層．足底腱膜，短趾伸筋を取り除いたところ．

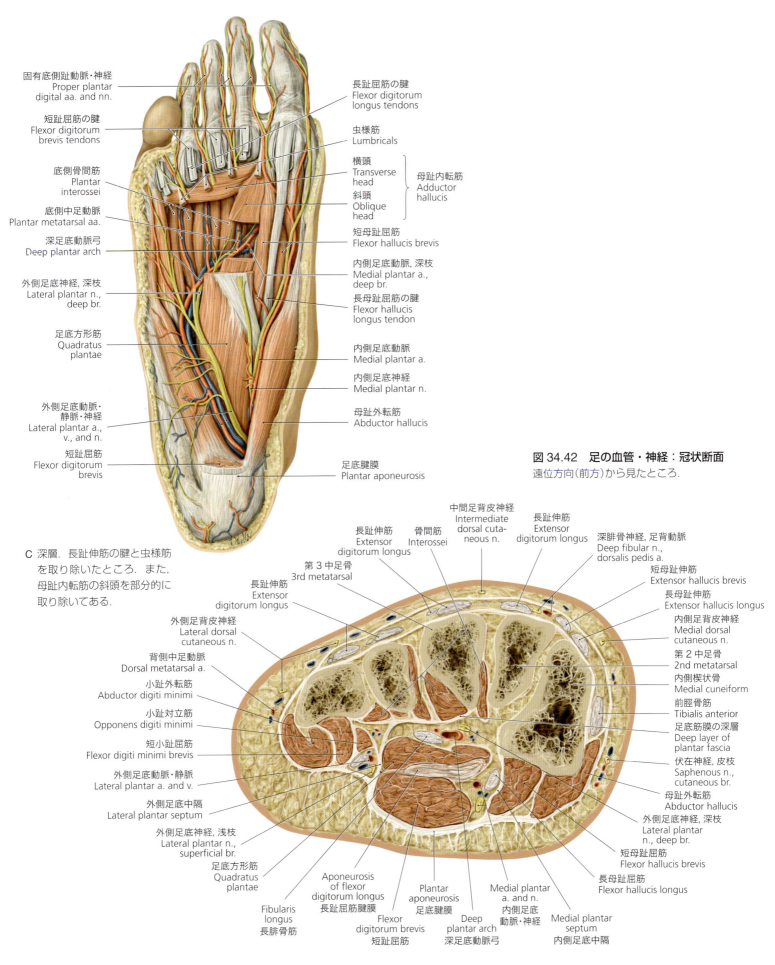

図 34.42 足の血管・神経：冠状断面
遠位方向（前方）から見たところ．

C 深層．長趾伸筋の腱と虫様筋を取り除いたところ．また，母趾内転筋の斜頭を部分的に取り除いてある．

35 断面解剖と画像解剖
下肢の断面解剖
Sectional Anatomy of the Lower Limb

図 35.1 **大腿と下腿の断面**
右の下肢，後方から見たところ．

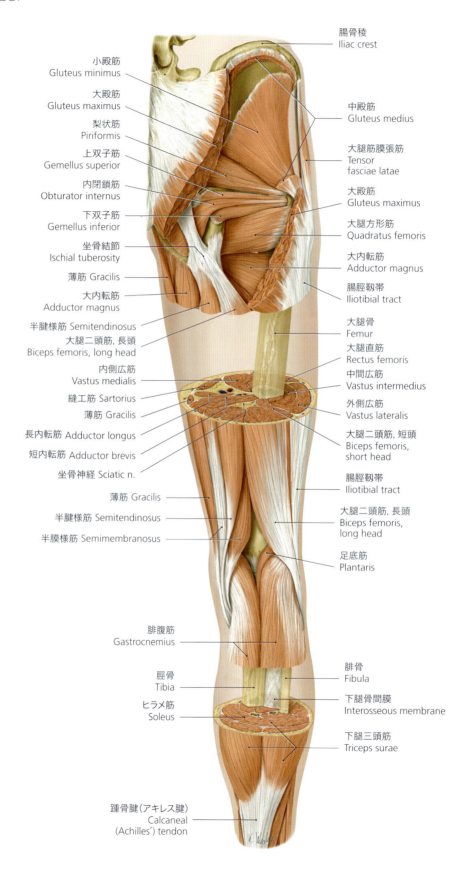

図 35.2　大腿と下腿の横断面
右の下肢，上面．

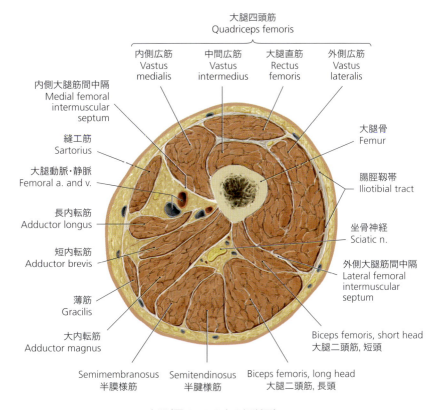

A　大腿（図 35.1 の上の切断面）

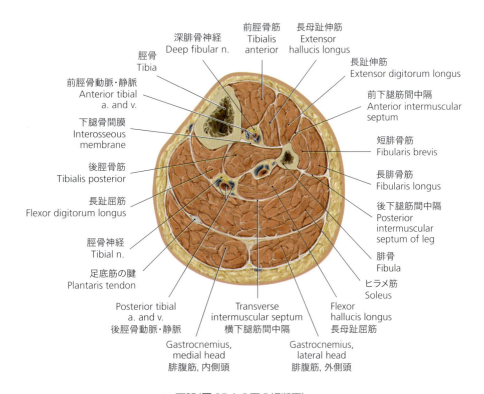

B　下腿（図 35.1 の下の切断面）

下肢の画像解剖（1）
Radiographic Anatomy of the Lower Limb (I)

図 35.3 大腿の MR 像
横断面，下面．

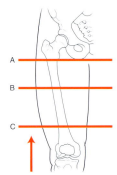

A 大腿近位部．(Moeller TB, Reif E. Pocket Atlas of Sectional Anatomy, Vol 2, 4th ed. New York, NY: Thieme; 2014. より）

B 大腿中位部．(Moeller TB, Reif E. Atlas of Sectional Anatomy: The Musculoskeletal System. New York, NY: Thieme; 2009. より）

C 大腿遠位部．(Moeller TB, Reif E. Pocket Atlas of Sectional Anatomy, Vol 2, 4th ed. New York, NY: Thieme; 2014. より）

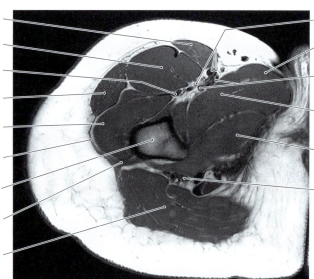

縫工筋 Sartorius
大腿直筋 Rectus femoris
外側大腿回旋動脈・静脈 Lateral circumflex femoral a. and v.
大腿筋膜張筋 Tensor fasciae latae
外側広筋 Vastus lateralis
腸脛靱帯 Iliotibial tract
大腿骨 Femur
外側大腿筋間中隔 Lateral femoral intermuscular septum
大殿筋 Gluteus maximus
大腿動脈・静脈 Femoral a. and v.
長内転筋 Adductor longus
大腿深動脈・静脈 Deep a. and v. of thigh
恥骨筋 Pectineus
大内転筋 Adductor magnus
坐骨神経 Sciatic n.

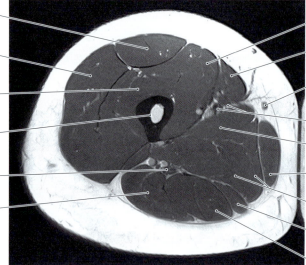

大腿直筋 Rectus femoris
外側広筋 Vastus lateralis
中間広筋 Vastus intermedius
大腿骨 Femur
坐骨神経 Sciatic n.
大腿二頭筋，長頭 Biceps femoris, long head
内側広筋 Vastus medialis
縫工筋 Sartorius
大伏在静脈 Great saphenous v.
大腿動脈・静脈 Femoral a. and v.
長内転筋 Adductor longus
薄筋 Gracilis
大内転筋 Adductor magnus
半膜様筋 Semimembranous
半腱様筋 Semitendinosus

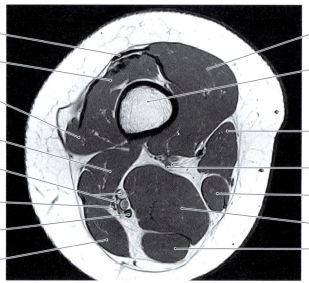

大腿直筋の腱 Rectus femoris, tendon
中間広筋 Vastus intermedius
外側広筋 Vastus lateralis
大腿二頭筋，短頭 Biceps femoris, short head
大腿動脈・静脈 Femoral a. and v.
総腓骨神経 Common fibular n.
脛骨神経 Tibial n.
大腿二頭筋，長頭 Biceps femoris, long head
内側広筋 Vastus medialis
大腿骨 Femur
縫工筋 Sartorius
大腿深動脈・静脈の貫通動脈・静脈 Perforating a. and v. of deep a. and v. of thigh
薄筋 Gracilis
半膜様筋 Semimembranous
半腱様筋 Semitendinosus

図 35.4　下腿の MR 像
横断面，下面．

A 下腿近位部．（Moeller TB, Reif E. Pocket Atlas of Sectional Anatomy, Vol 2, 4th ed. New York, NY: Thieme; 2014. より）

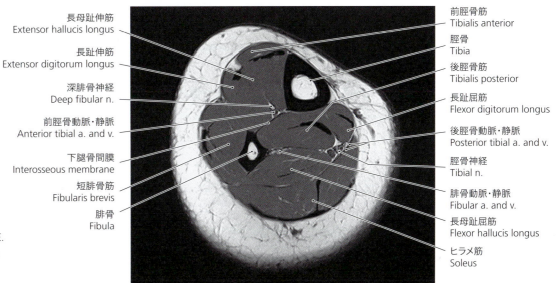

B 下腿中位部．（Moeller TB, Reif E. Atlas of Sectional Anatomy: The Musculoskeletal System. New York, NY: Thieme; 2009. より）

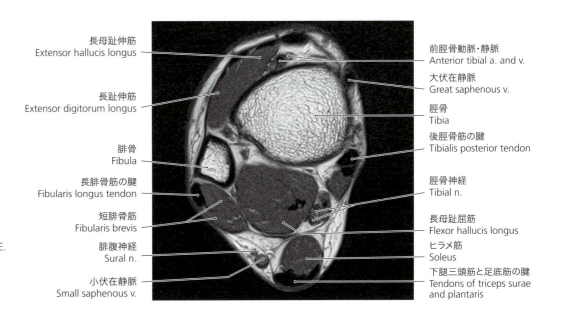

C 下腿遠位部．（Moeller TB, Reif E. Pocket Atlas of Sectional Anatomy, Vol 2, 4th ed. New York, NY: Thieme; 2014. より）

下肢の画像解剖(2)
Radiographic Anatomy of the Lower Limb (II)

図 35.5 右の股関節の単純 X 線像
前後像.

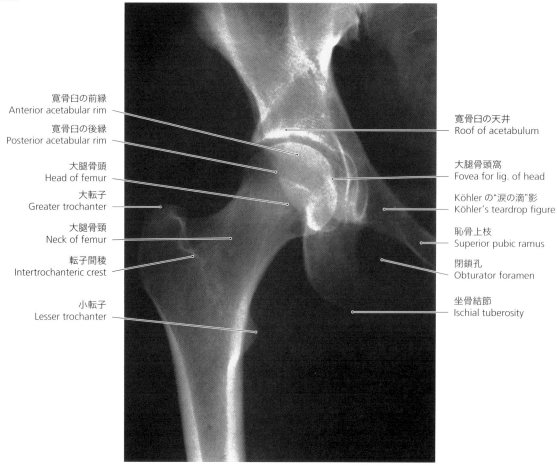

図 35.6 外転位の右の股関節の単純 X 線像(ラウエンシュタイン像)
(Moeller TB, Reif E. Pocket Atlas of Radiographic Anatomy, 3rd ed. New York, NY: Thieme; 2010. より)

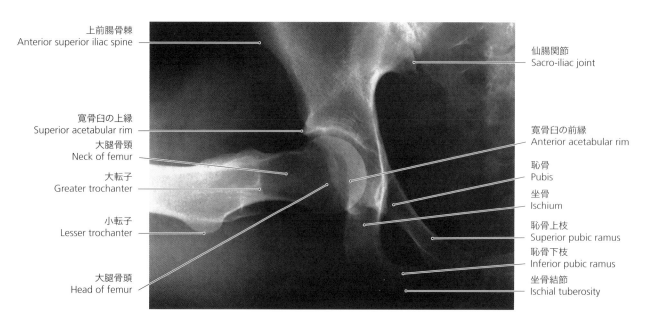

図 35.7　右の股関節の MR 像

横断面，下面．（Moeller TB, Reif E. Atlas of Sectional Anatomy: The Musculoskeletal System. New York, NY: Thieme; 2009. より）

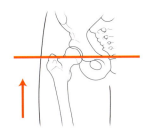
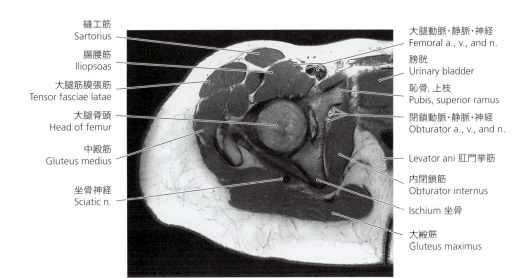

図 35.8　股関節の MR 像

冠状断面，前面．（Moeller TB, Reif E. Atlas of Sectional Anatomy: The Musculoskeletal System. New York, NY: Thieme; 2009. より）

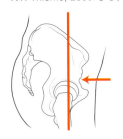

図 35.9　右の股関節の MR 像

矢状断面，内側面．（Moeller TB, Reif E. Atlas of Sectional Anatomy: The Musculoskeletal System. New York, NY: Thieme; 2009. より）

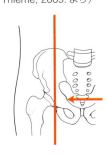
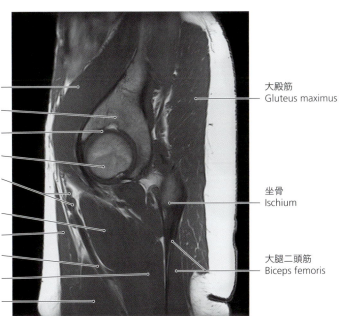

下肢の画像解剖（3）
Radiographic Anatomy of the Lower Limb (III)

図 35.10　右膝の単純 X 線像
前後像．（Klinik für Diagnostische Radiologie, Universitätsklinikum Schleswig Holstein, Campus Kiel: Prof. Dr. Med. S. Müller-Huelsbeck. より）

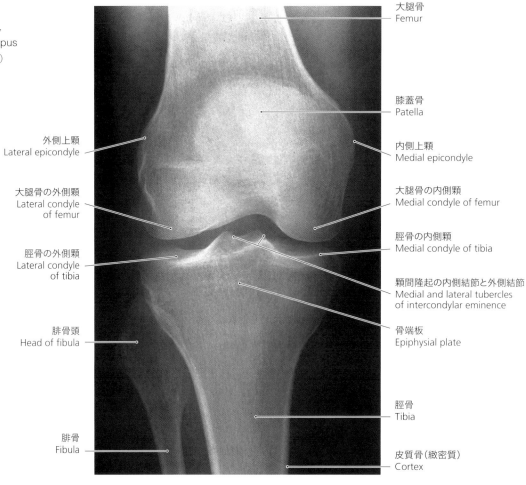

図 35.11　屈曲位の右膝の単純 X 線像
（Klinik für Diagnostische Radiologie, Universitätsklinikum Schleswig Holstein, Campus Kiel: Prof. Dr. Med. S. Müller-Huelsbeck. より）

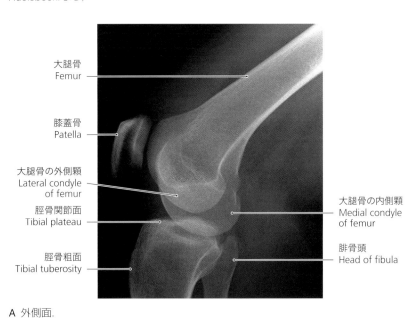

A　外側面．

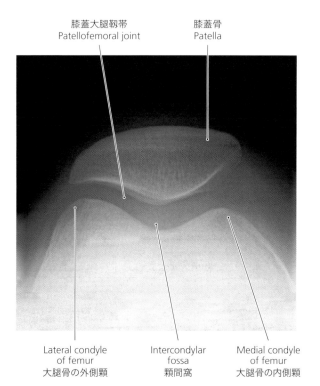

B　Sunrise 像．

図 35.12　膝関節のMR像
(Moeller TB, Reif E. Atlas of Sectional Anatomy: The Musculoskeletal System. New York, NY: Thieme; 2009. より)

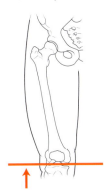

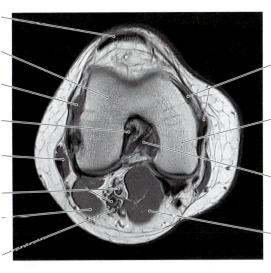

A 横断面, 下面.

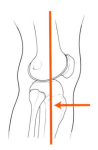
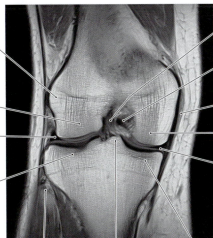

B 冠状断面.

図 35.13　膝のMR像
矢状断面. (Moeller TB, Reif E. Atlas of Sectional Anatomy: The Musculoskeletal System. New York, NY: Thieme; 2009. より)

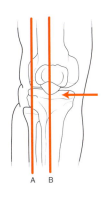

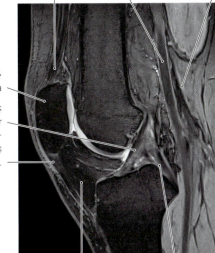

下肢の画像解剖（4）
Radiographic Anatomy of the Lower Limb (IV)

図 35.14 足首の単純 X 像
（Moeller TB, Reif E. Taschenatlas der Roentgenanatomie, 2nd ed. Stuttgart: Thieme; 1998. より）

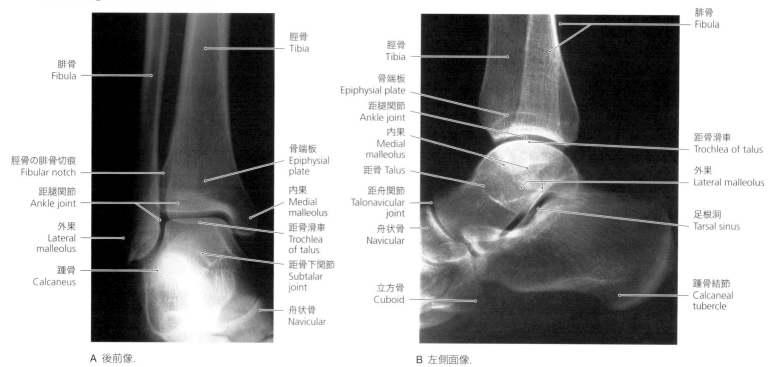

A 後前像．　　B 左側面像．

図 35.15 足の単純 X 線前後像

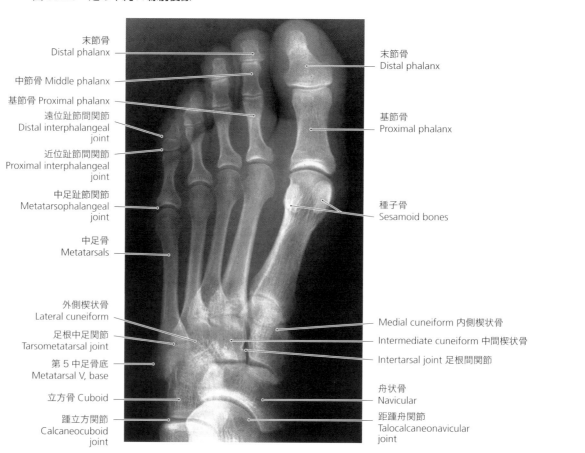

図 35.16 右の足首の MR 像
冠状断面，前面．（Moeller TB, Reif E. Atlas of Sectional Anatomy: The Musculoskeletal System. New York, NY: Thieme; 2009. より）

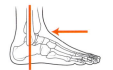
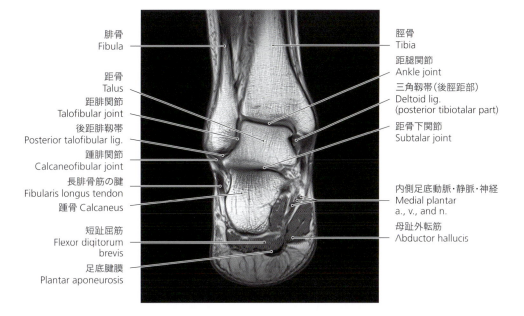

図 35.17 右足の MR 像
冠状断面，前面．（Moeller TB, Reif E. Atlas of Sectional Anatomy: The Musculoskeletal System. New York, NY: Thieme; 2009. より）

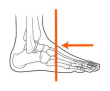
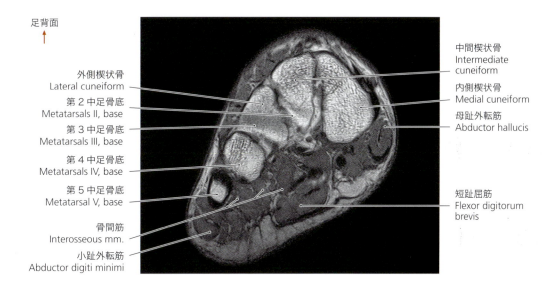

図 35.18 右の足首と足の MR 像
矢状断面．（Moeller TB, Reif E. Atlas of Sectional Anatomy: The Musculoskeletal System. New York, NY: Thieme; 2009. より）

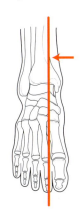

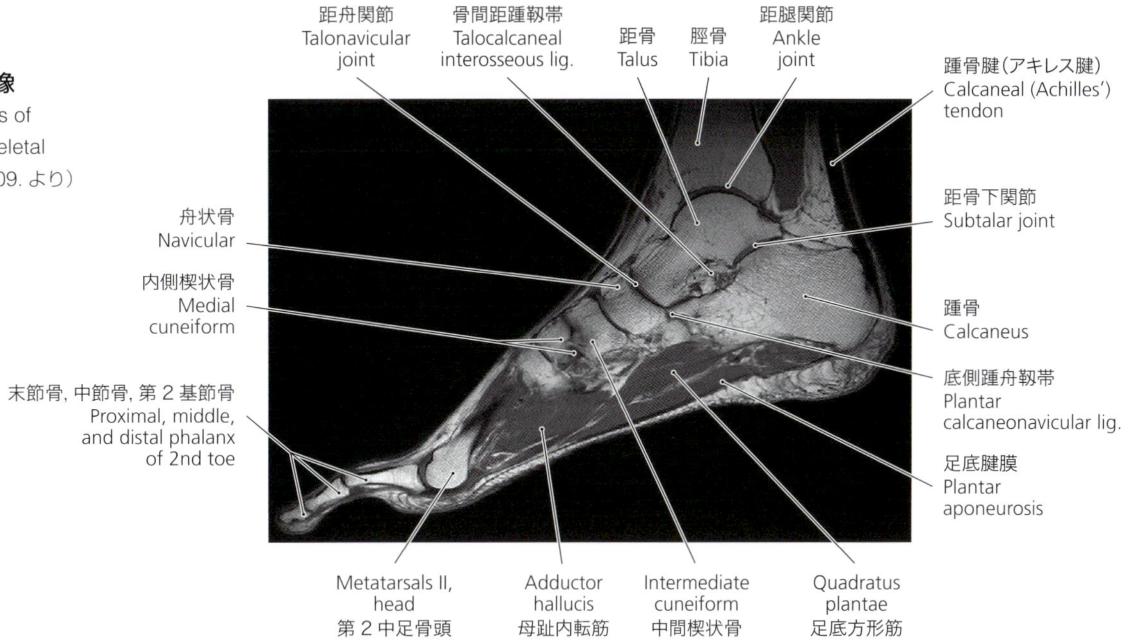

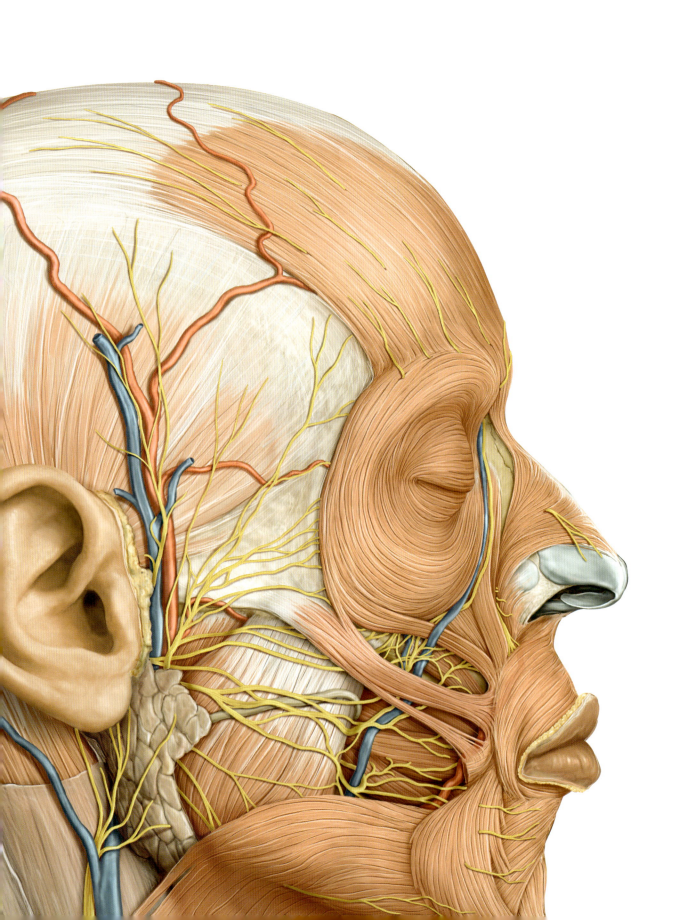

頭頸部
Head & Neck

36. 体表解剖
- 体表解剖 ... 512

37. 頸部
- 個々の筋(1) ... 514
- 個々の筋(2) ... 516
- 個々の筋(3) ... 518
- 頸部の動脈と静脈 ... 520
- 頸部のリンパ管 ... 522
- 頸部の神経支配 ... 524
- 喉頭：軟骨と構造 ... 526
- 喉頭：筋と区分 ... 528
- 喉頭の血管・神経，甲状腺と副甲状腺(上皮小体) ... 530
- 頸部の局所解剖：部位と筋膜 ... 532
- 前頸部の局所解剖 ... 534
- 前頸部と外側頸三角部の局所解剖 ... 536
- 外側頸三角部の局所解剖 ... 538
- 後頸部の局所解剖 ... 540

38. 頭部の骨
- 頭蓋：側面と前面 ... 542
- 頭蓋：後面と頭蓋冠 ... 544
- 頭蓋底 ... 546
- 脈管の頭蓋腔への通路 ... 548
- 篩骨と蝶形骨 ... 550

39. 頭部・顔面の筋
- 表情筋と咀嚼筋 ... 552
- 頭部の筋，起始と停止 ... 554
- 個々の筋(1) ... 556
- 個々の筋(2) ... 558

40. 脳神経
- 脳神経の概観 ... 560
- 脳神経：嗅神経(CN I)と視神経(CN II) ... 562
- 脳神経：動眼神経(CN III)，滑車神経(CN IV)，外転神経(CN VI) ... 564
- 脳神経：三叉神経(CN V) ... 566
- 脳神経：顔面神経(CN VII) ... 568
- 脳神経：内耳神経(CN VIII) ... 570
- 脳神経：舌咽神経(CN IX) ... 572
- 脳神経：迷走神経(CN X) ... 574
- 脳神経：副神経(CN XI)と舌下神経(CN XII) ... 576
- 自律神経系の分布 ... 578

41. 頭部・顔面の血管・神経
- 顔面の神経支配 ... 580
- 頭頸部の動脈 ... 582
- 外頸動脈：前枝，内側枝，後枝 ... 584
- 外頸動脈：終枝 ... 586
- 頭頸部の静脈 ... 588
- 髄膜 ... 590
- 硬膜静脈洞 ... 592
- 顔面浅層の局所解剖 ... 594
- 耳下腺咬筋部と側頭窩の局所解剖 ... 596
- 側頭下窩の局所解剖 ... 598
- 側頭下窩の血管・神経 ... 600

42. 眼窩と眼
- 眼窩の骨 ... 602
- 眼窩の筋 ... 604
- 眼窩の血管・神経 ... 606
- 眼窩の局所解剖 ... 608
- 眼窩と眼瞼 ... 610
- 眼球 ... 612
- 角膜，虹彩，水晶体 ... 614

43. 鼻腔と鼻
- 鼻腔の骨 ... 616
- 副鼻腔 ... 618
- 鼻腔の血管・神経 ... 620
- 翼口蓋窩 ... 622

44. 側頭骨と耳
- 側頭骨 ... 624
- 外耳と外耳道 ... 626
- 中耳：鼓室 ... 628
- 中耳：耳小骨連鎖と鼓膜 ... 630
- 中耳の動脈 ... 632
- 内耳 ... 634

45. 口腔・咽頭
- 口腔の骨 ... 636
- 顎関節 ... 638
- 歯 ... 640
- 口腔の筋 ... 642
- 口腔の神経支配 ... 644
- 舌 ... 646
- 口腔と唾液腺の局所解剖 ... 648
- 扁桃と咽頭 ... 650
- 咽頭筋 ... 652
- 咽頭の血管・神経 ... 654

46. 断面解剖と画像解剖
- 頭頸部の断面解剖(1) ... 656
- 頭頸部の断面解剖(2) ... 658
- 頭頸部の断面解剖(3) ... 660
- 頭頸部の断面解剖(4) ... 662
- 頭頸部の断面解剖(5) ... 664
- 頭頸部の画像解剖(1) ... 666
- 頭頸部の画像解剖(2) ... 668
- 頭頸部の画像解剖(3) ... 670

36 体表解剖

体表解剖
Surface Anatomy

図 36.1 頭頸部の部位

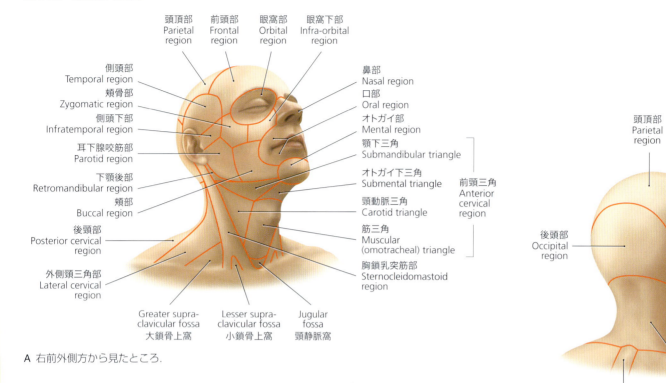

A 右前外側方から見たところ．

B 右後外側方から見たところ．

図 36.2 頭頸部の体表解剖

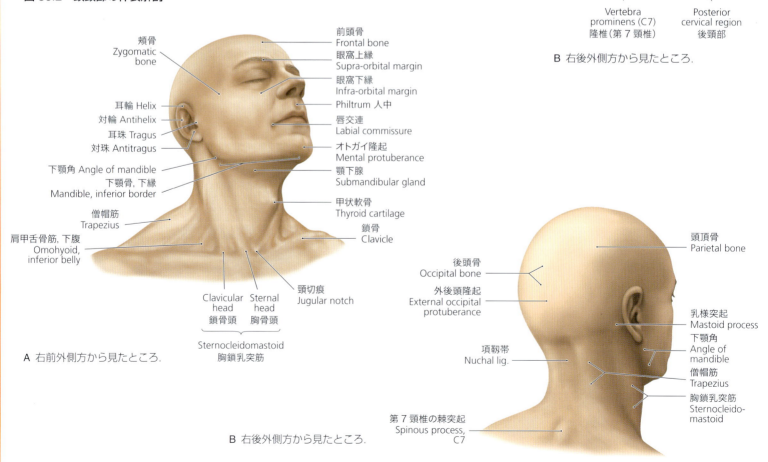

A 右前外側方から見たところ．

B 右後外側方から見たところ．

図 36.3　頭頸部の触知可能な骨部分

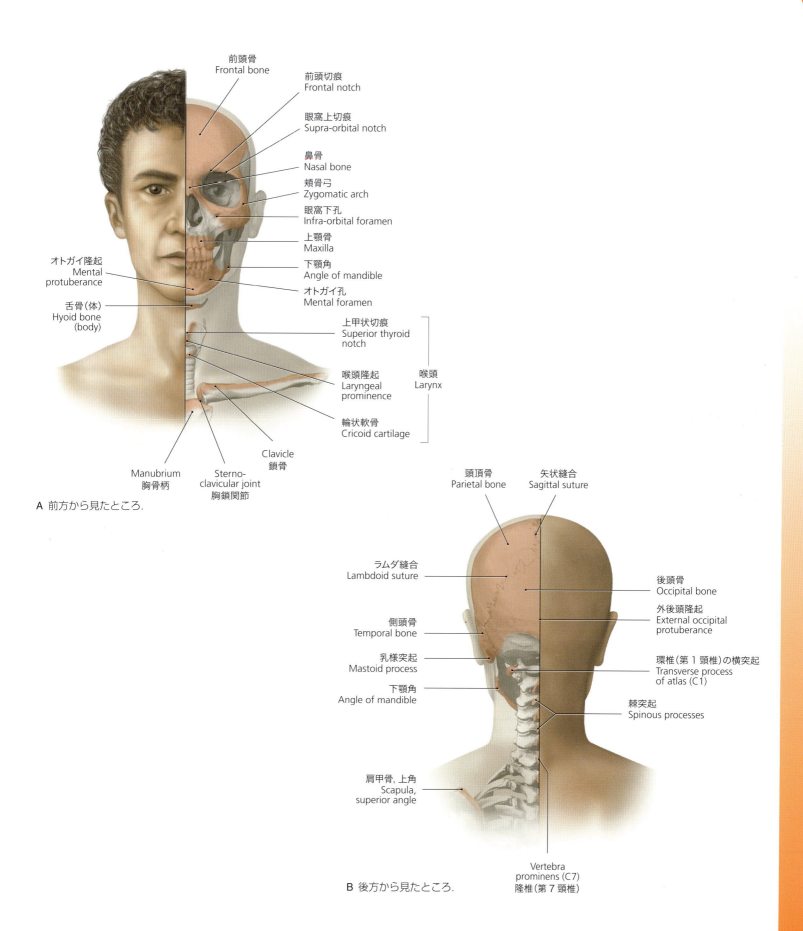

A 前方から見たところ.

B 後方から見たところ.

37 頸部
個々の筋（1）
Muscle Facts (I)

頸部の筋は筋腹の存在する位置により6つのグループに分けられる（**表37.1** 参照）．ただし，同じグループに属する筋であっても，機能面では全く異なる場合がある．例えば，頸部浅層の筋について見てみると，広頸筋は表情筋の一種であり，僧帽筋は上肢帯の運動に関与する．後頭下筋は頸部深層の筋として扱うことに注意．

表 37.1	頸部の骨，関節，靱帯，筋			
骨，関節，靱帯				
頸部脊柱の骨	pp.8-9 参照	頭蓋と脊柱の関節と靱帯	pp.18-19 参照	
頸部脊柱の関節と靱帯	pp.16-17, 20-21 参照	舌骨と喉頭	図 37.17，図 45.3	
筋				
I	頸部浅層の筋		III	舌骨上の筋
	広頸筋，①，②胸鎖乳突筋，③-⑤僧帽筋	図 37.3		顎二腹筋，オトガイ舌骨筋，顎舌骨筋，茎突舌骨筋	図 37.4A
II	後頸の筋（固有背筋）		IV	舌骨下の筋
	⑥頭半棘筋　⑦頸半棘筋	p.34 参照		胸骨舌骨筋，胸骨甲状筋，甲状舌骨筋，肩甲舌骨筋	図 37.4B
	⑧頭板状筋　⑨頸板状筋		V	椎骨前の筋
	⑩頭最長筋　⑪頸最長筋	p.32 参照		頭長筋，頸長筋，前頭直筋，外側頭直筋	図 37.6A, p.31 参照
	⑫頸腸肋筋		VI	頸部深層の筋
	後頭下筋（短い項筋と頭蓋-脊柱連結の筋）	図 37.6C		前斜角筋，中斜角筋，後斜角筋	図 37.6B

図 37.1　頸部浅層の筋
詳細については **表 37.2** 参照．

図 37.2　後頸の筋

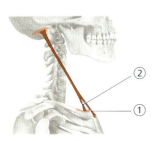

A 胸鎖乳突筋．

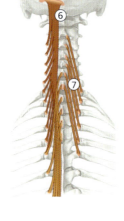

A 半棘筋．

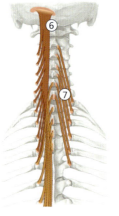

B 板状筋．

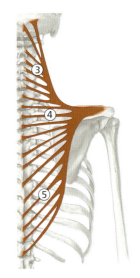

B 僧帽筋．

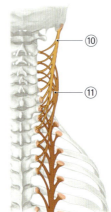

C 最長筋．

D 腸肋筋．

図 37.3　頸部浅層の筋

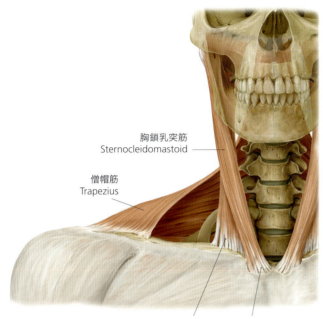

A 前方から見たところ．

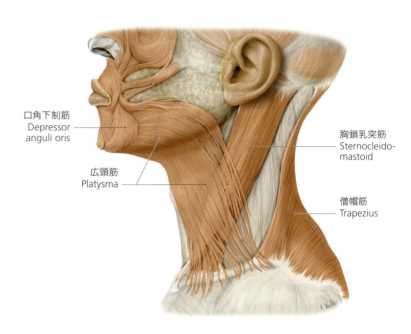

B 左外側方から見たところ．

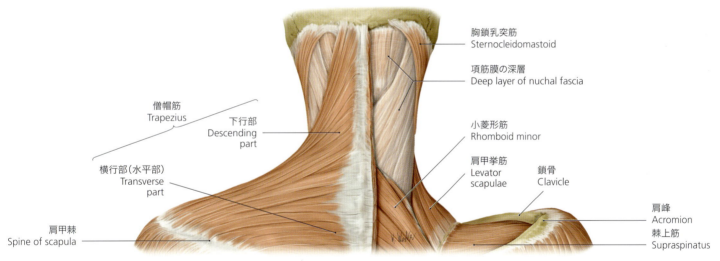

C 後方から見たところ．右側の僧帽筋は取り除いてある．

表 37.2	頸部浅層の筋				
筋		起始	停止	神経支配	作用
広頸筋		頸部の下部と胸部上外側の皮膚	下顎骨下縁，顔面下部と口角の皮膚	顔面神経 (CN VII) の頸枝	顔面下部と口の皮膚を下に引いてしわを作り，頸の皮膚を緊張させ，下顎の強制下制を助ける
胸鎖乳突筋	① 胸骨頭	胸骨柄	側頭骨の乳様突起，後頭骨の上項腺	運動神経：副神経 (CN XI) 痛覚と固有覚：頸神経叢 (C2, C3, [C4])	片側：同側に頭部を傾け，対側に回転させる 両側：頭部を上に向け，頭部が固定されている場合には呼吸を助ける
	② 鎖骨頭	鎖骨の内側 1/3			
僧帽筋	③ 下行部*	後頭骨，第 1-7 頸椎棘突起	鎖骨の外側 1/3		肩甲骨を上斜めに引いて，関節窩を下方に回す

*④ 横行部と ⑤ 上行部については p.320 参照．

個々の筋（2）
Muscle Facts (II)

表 37.3　舌骨上筋群

舌骨上筋群は咀嚼の補助筋とも考えられる．

筋		起始	停止	神経支配	作用
顎二腹筋	①a 前腹	下顎骨の二腹筋窩	線維性の滑車を伴う中間腱を介して停止	下顎神経（CN V_3）の枝の顎舌骨筋神経	嚥下時に舌骨を挙上し，下顎の開口を補助する
	①b 後腹	側頭骨乳様突起の内側にある乳突切痕		顔面神経（CN VII）	
② 茎突舌骨筋		側頭骨の茎状突起	分岐した腱を介して停止	顔面神経（CN VII）	
③ 顎舌骨筋		下顎骨の顎舌骨筋線	舌骨体／正中腱が縫線（顎舌骨筋縫線）に停止	下顎神経（CN V_3）の枝の顎舌骨筋神経	口腔底を持ち上げ，緊張させる．嚥下時に舌骨を前方に引き，下顎の開口を助ける．咀嚼時に下顎の横方向の運動を助ける
④ オトガイ舌骨筋		下顎骨のオトガイ棘（下棘）	直接停止	舌下神経（CN XII）を経由する第1頸神経（C1）の前枝	嚥下時に舌骨を前方に引き，下顎の開口を助ける

図 37.4　舌骨上と舌骨下の筋

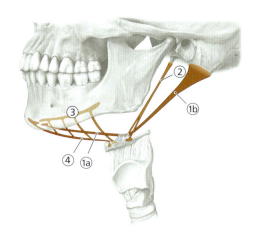

A　舌骨上の筋．左外側方から見たところ．

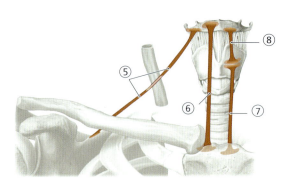

B　舌骨下の筋．左外側方から見たところ．

表 37.4　舌骨下筋群

筋	起始	停止	神経支配	作用
⑤ 肩甲舌骨筋	肩甲骨の上縁-下腹	舌骨体-上腹	頸神経叢の頸神経ワナ（C1-C3）	舌骨を押し下げて固定し，発声時と嚥下の最終相において喉頭と舌骨を下げる*
⑥ 胸骨舌骨筋	胸骨柄と胸鎖関節後面		頸神経叢の頸神経ワナ（C1-C3）	
⑦ 胸骨甲状筋	胸骨柄の後面	甲状軟骨の斜線	頸神経叢の頸神経ワナ（C2-C3）	
⑧ 甲状舌骨筋	甲状軟骨の斜線	舌骨体	舌下神経（CN XII）を経由する第1頸神経（C1）の前枝	舌骨を押し下げて固定し，嚥下時に喉頭を挙上

*肩甲舌骨筋は中間腱を通じて頸筋膜を緊張させる．

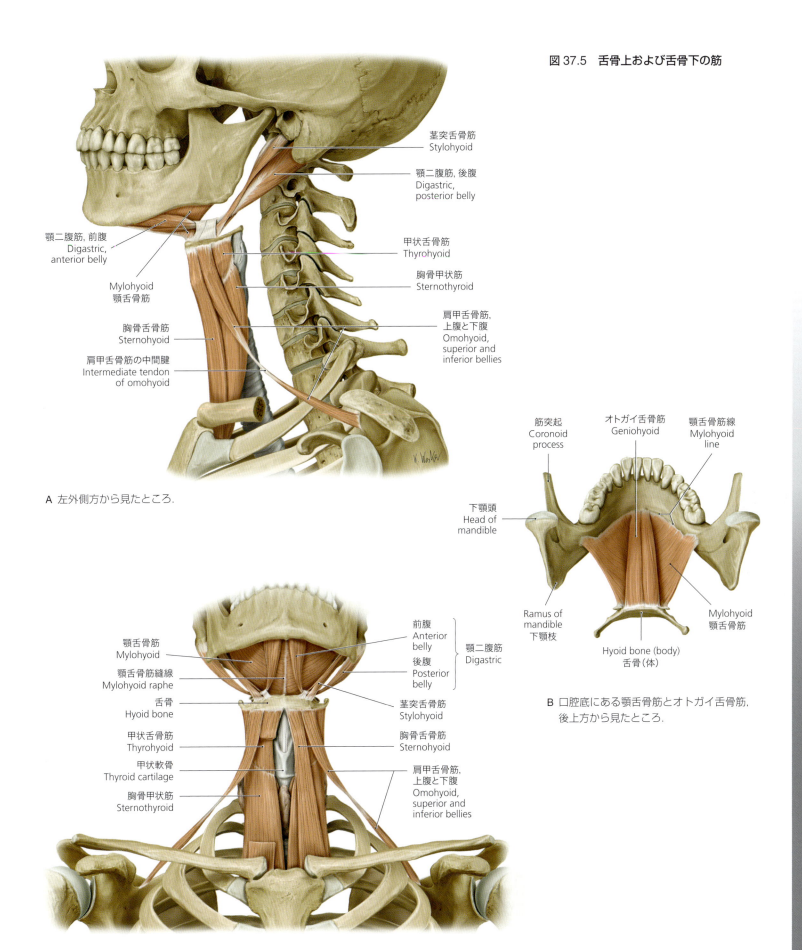

図 37.5 舌骨上および舌骨下の筋

A 左外側方から見たところ．

B 口腔底にある顎舌骨筋とオトガイ舌骨筋，後上方から見たところ．

C 前方から見たところ．右側では胸骨舌骨筋の一部を取り除いてある．

個々の筋(3)
Muscle Facts (III)

図 37.6 頸部深層の筋

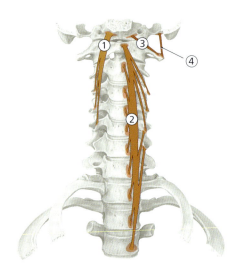

A 椎骨前の筋, 前方から見たところ.

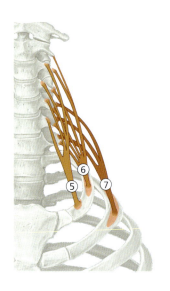

B 斜角筋, 前方から見たところ.

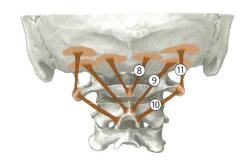

C 後頭下の筋, 後方から見たところ.

表 37.5	頸部深層の筋				
筋		起始	停止	神経支配	作用
椎骨前の筋					
① 頭長筋		第3-6頸椎(C3-C6)の横突起の前結節	後頭骨の基底部	第1-3頸神経(C1-C3)の前枝	環椎後頭関節で頭部の屈曲
② 頸長筋	垂直部(中間部)	第5頸椎-第3胸椎(C5-T3)の椎体の前面	第2-4頸椎(C2-C4)の前面	第1-6頸神経(C2-C6)の前枝	片側:頸椎を傾け, 反対側に回旋 両側:頸椎の前方への屈曲
	上斜部	第3-5頸椎(C3-C5)の横突起の前結節	環椎(C1)の前結節		
	下斜部	第1-3胸椎(T1-T3)の椎体の前面	第5-6頸椎(C5-C6)の横突起の前結節		
③ 前頭直筋		環椎(C1)の外側部	後頭骨の基底部	第1・2頸神経(C1-C2)の前枝	片側:環椎後頭関節の外屈 両側:環椎後頭関節の屈曲
④ 外側頭直筋		環椎(C1)の横突起	後頭骨の基底部(後頭顆より外側)		
斜角筋					
⑤ 前斜角筋		第3-6頸椎(C3-C6)の横突起の前結節	第1肋骨の斜角筋結節	第4-6頸神経(C4-C6)の前枝	肋骨が動く場合:努力吸息時に上位肋骨を挙上 肋骨が固定されている場合:(片側)頸椎を同側に曲げる, (両側)頸部の屈曲
⑥ 中斜角筋		環椎(C1)および軸椎(C2)の横突起, 第3-7頸椎(C3-C7)の横突起の後結節	第1肋骨の鎖骨下動脈溝の後側	第3-8頸神経(C3-C8)の前枝	
⑦ 後斜角筋		第5-7頸椎(C5-C7)の横突起の後結節	第2肋骨の外側面	第6-8頸神経(C6-C8)の前枝	
後頭下の筋(短い項筋と頭蓋-脊柱連結の筋)					
⑧ 小後頭直筋		環椎(C1)の後結節	後頭骨下項線の内側1/3	第1頸神経(C1)の後枝(後頭下神経)	片側:頭を同側に回旋 両側:頭を後屈
⑨ 大後頭直筋		軸椎(C2)の棘突起	後頭骨下項線の中間1/3		
⑩ 下頭斜筋			環椎(C1)の横突起		
⑪ 上頭斜筋		環椎(C1)の横突起	後頭骨の大後頭直筋停止部の上部		片側:頭を同側に傾け, 反対側に回旋 両側:頭を後屈

図 37.7 頸部深層の筋

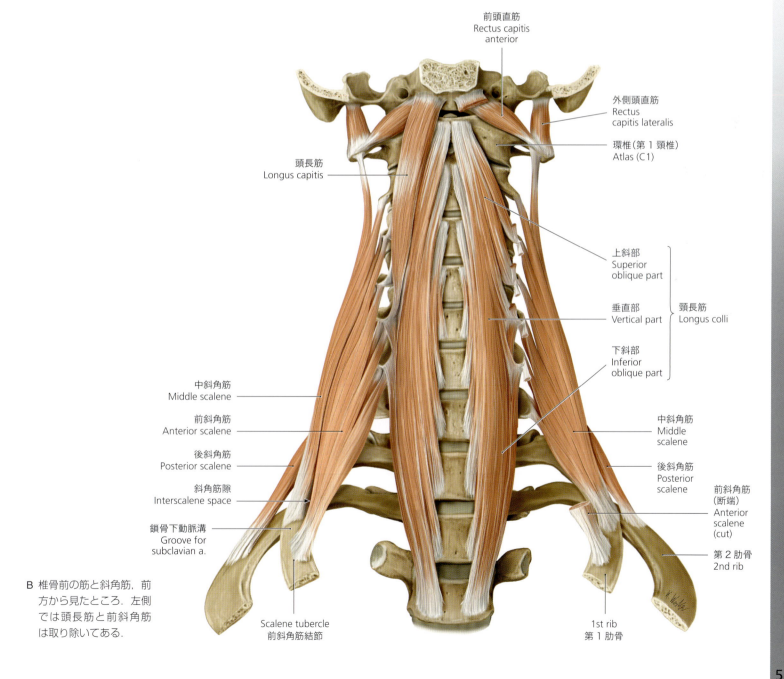

A 後頭下の筋，後方から見たところ．

B 椎骨前の筋と斜角筋，前方から見たところ．左側では頭長筋と前斜角筋は取り除いてある．

頸部の動脈と静脈
Arteries & Veins of the Neck

図 37.8 頸部の動脈
左外側方から見たところ．頸部の構造には主に外頸動脈（前枝）と鎖骨下動脈（椎骨動脈，肋頸動脈，甲状頸動脈）が血液を供給する．

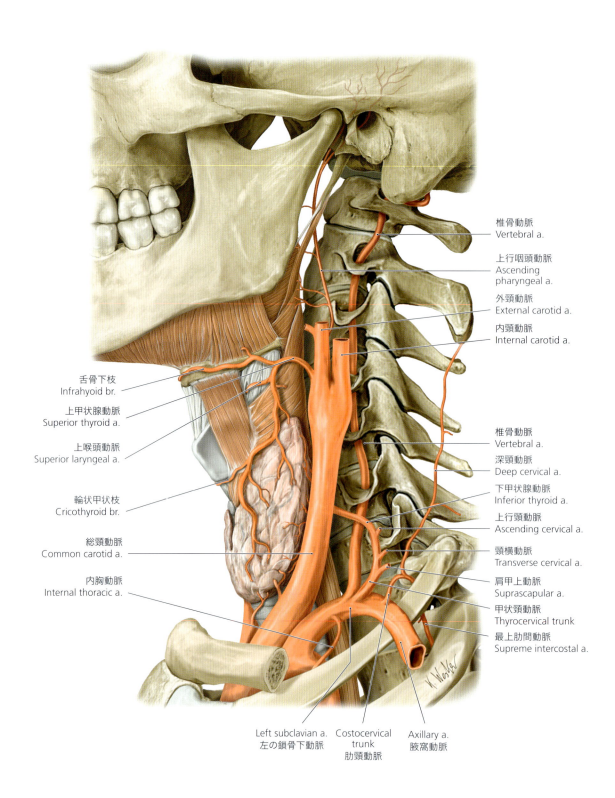

図 37.9 頸部の静脈
左外側方から見たところ．頸部の主要な静脈は，内頸静脈，外頸静脈，前頸静脈である．

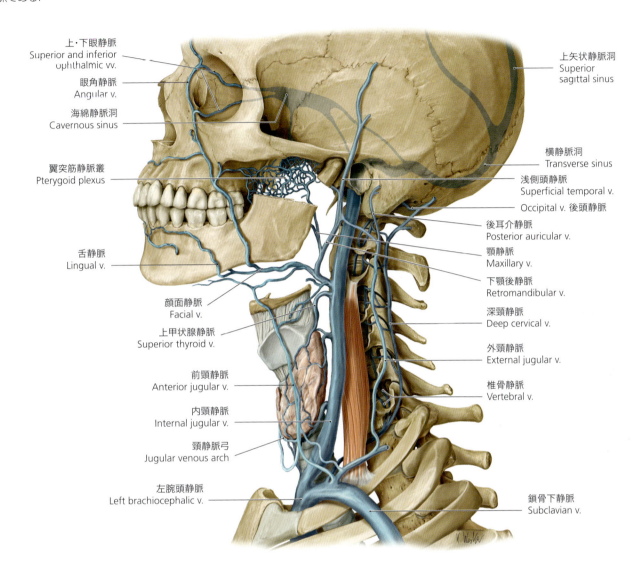

臨床 BOX 37.1

頸部の静脈と血流障害
疾患（慢性肺疾患，縦隔腫瘍，感染症など）によって右心への血流が障害されると，血液は上大静脈でせき止められ，さらに頸静脈にも血液がたまる（A）．このような状態になると，頸静脈（ときにはさらに細い静脈）が怒張し，顕在化する（B）．

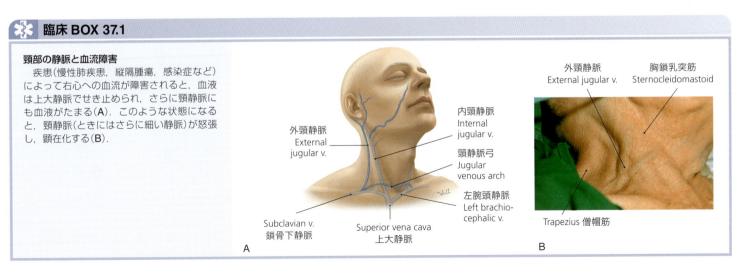

頸部のリンパ管
Lymphatics of the Neck

図 37.10 頸部のリンパ流路
右外側方から見たところ.

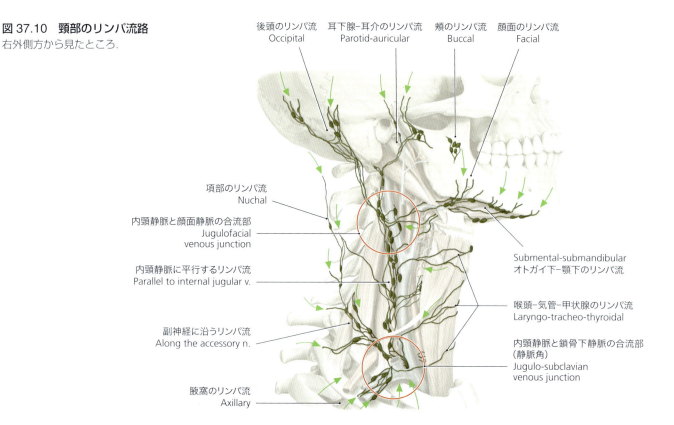

図 37.11 舌と口腔底のリンパ流路
舌と口腔底のオトガイ下リンパ節と顎下リンパ節に流れ込んだリンパは，最終的に，内頸静脈沿いのリンパ節に流れ込む．リンパ節は同側と体側の両方からのリンパが流れ込むので(B)，この領域では腫瘍細胞が広範囲に広がりうる(例：特に舌の外側縁にある転移性扁平上皮癌は，頻繁に対側に転移する).

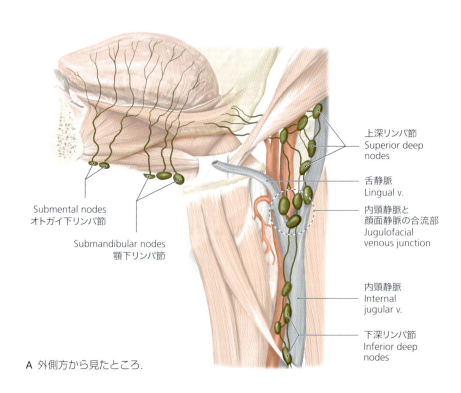

A 外側方から見たところ.

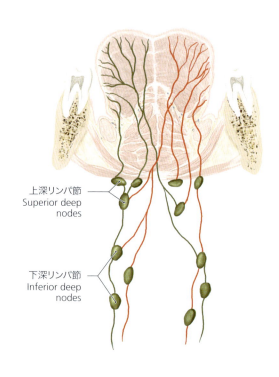

B 冠状断．舌の片側からのリンパが両側の頸部のリンパ節に流れることを示す．

図37.12 浅頸リンパ節
右外側方から見たところ．

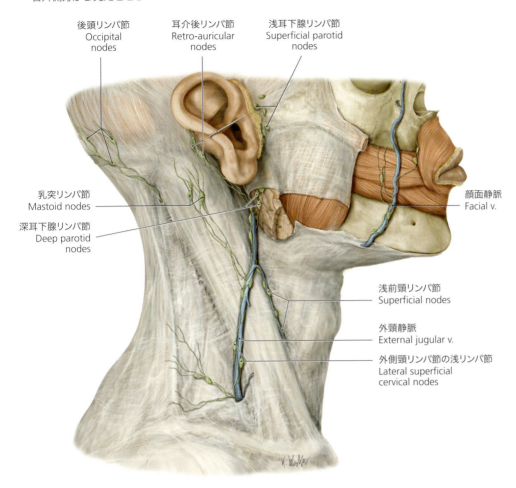

表37.6	頸部浅層のリンパ節
リンパ節	分布域
耳介後リンパ節	
後頭リンパ節	後頭部
乳突リンパ節	
浅耳下腺リンパ節	耳下腺耳介部
深耳下腺リンパ節	
浅前頸リンパ節	
外側頸リンパ節の浅リンパ節	胸鎖乳突筋部

図37.13 深頸リンパ節
右外側方から見たところ．

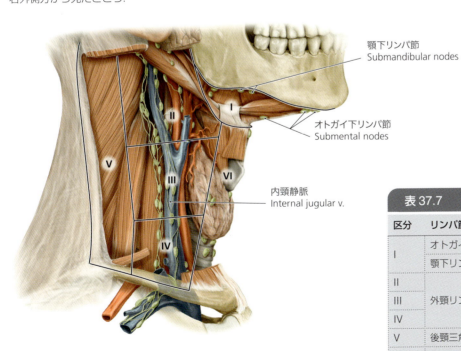

表37.7	頸部深層のリンパ節		
区分	リンパ節		分布域
I	オトガイ下リンパ節		顔
	顎下リンパ節		
II	外頸リンパ節	上外側グループ	項部，喉頭-気管-甲状腺部
III		中外側グループ	
IV		下外側グループ	
V	後頸三角のリンパ節		項部
VI	前頸リンパ節		喉頭-気管-甲状腺部

頸部の神経支配
Innervation of the Neck

表 37.8　頸部の脊髄神経の枝

後枝

	神経	感覚機能	運動機能
C1	後頭下神経	C1 は皮膚分節に関与しない	
C2	大後頭神経	C2 皮膚分節	後頸部の固有筋を支配
C3	第 3 後頭神経	C3 皮膚分節	

前枝

	感覚神経	感覚機能	運動神経	運動機能
C1	—	—		
C2	小後頭神経	頸神経叢の感覚部をなし，前頸部と外頸部を支配	頸神経ワナを作る（頸神経叢の運動部）	甲状舌骨筋以外の舌骨下の筋を支配
C2-C3	大耳介神経 頸横神経			
C3-C4	鎖骨上神経			
			横隔神経を作る*	横隔膜と心膜を支配

*C3-C5 の前枝が合流して横隔神経を作る（**p.66** 参照）．

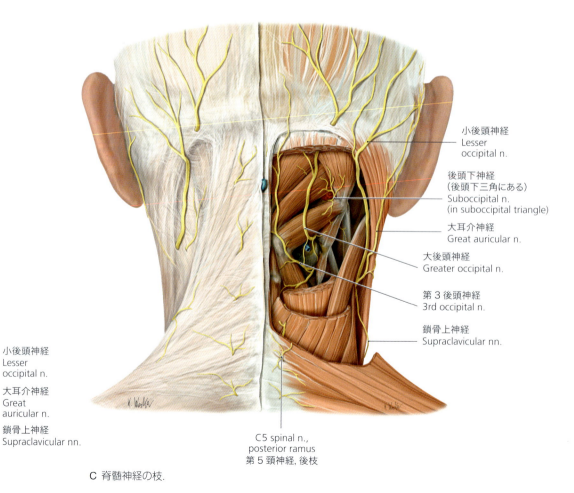

頸神経叢の枝

図 37.14　後頸部の感覚神経支配
後方から見たところ．

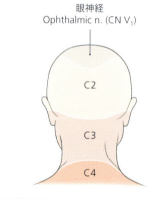

A　皮膚分節（デルマトーム）．

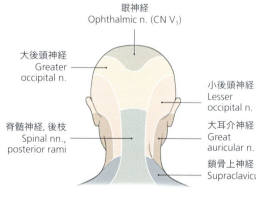

B　皮神経の領域．

C　脊髄神経の枝．

図37.15 前・外側頸部の感覚神経支配
左外側方から見たところ.

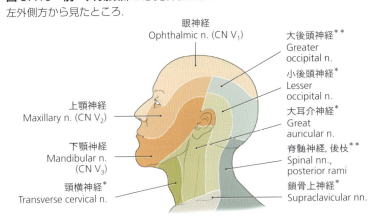

A 皮神経の領域. 三叉神経 CN V₁–V₃（橙色），前枝（*），後枝（**）.

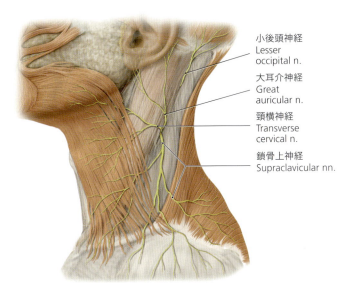

B 頸神経叢の感覚神経.

図37.16 前・外側頸部の運動神経支配
左外側方から見たところ.

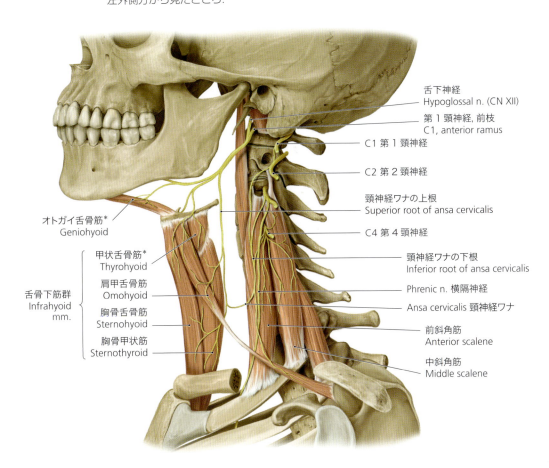

* 舌神経と伴行する第1頸神経（C1）の前枝によって支配される.

喉頭：軟骨と構造
Larynx: Cartilage & Structure

図 37.17　喉頭軟骨
左外側方から見たところ．喉頭は，喉頭蓋軟骨，甲状軟骨，輪状軟骨，1 対の披裂軟骨，1 対の小角軟骨の 5 つの軟骨からなる．これらの軟骨は互いに，また気管や舌骨と弾性のある靱帯でつながっている．

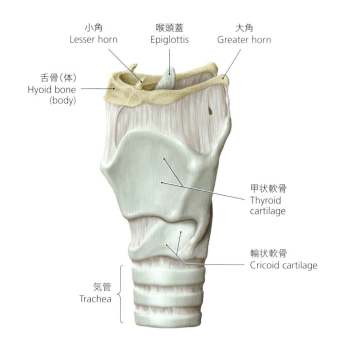

図 37.18　喉頭蓋軟骨
喉頭蓋の内部骨格は，弾性軟骨の喉頭蓋軟骨からなり，嚥下終了時に喉頭蓋が自動的に元の位置に戻るようになっている．

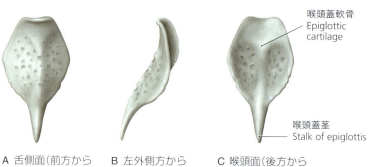

A　舌側面（前方から見たところ）．　　B　左外側方から見たところ．　　C　喉頭面（後方から見たところ）．

図 37.19　甲状軟骨
左外側面．

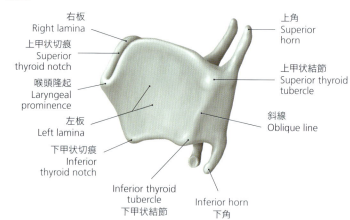

図 37.20　輪状軟骨

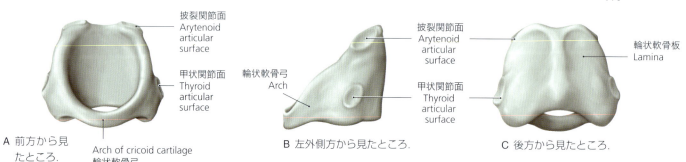

A　前方から見たところ．　　B　左外側方から見たところ．　　C　後方から見たところ．

図 37.21　披裂軟骨と小角軟骨
右側の軟骨．

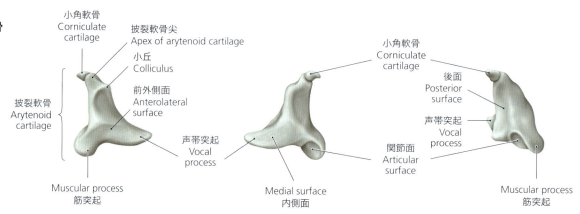

A　右外側方から見たところ．　　B　内側方から見たところ．　　C　後方から見たところ．

図 37.22 咽頭の構造
喉頭は，主に甲状舌骨膜によって，舌骨から吊り下げられている．舌骨には舌骨上筋群と舌骨下筋群が付着し，これを保持している．

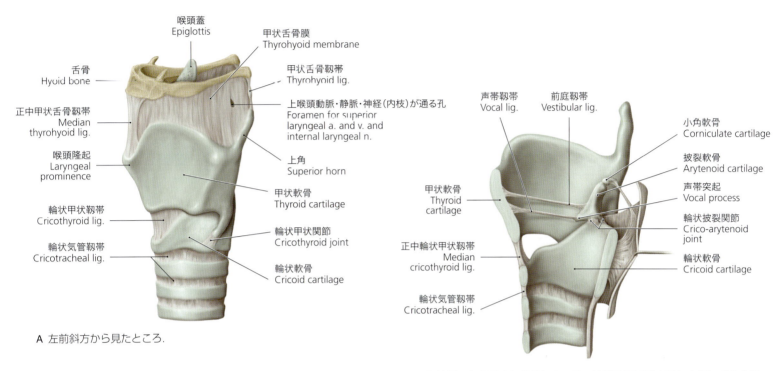

A 左前斜方から見たところ．

B 矢状断，左内側方から見たところ．披裂軟骨は発声時に声帯ヒダの位置を変化させる．

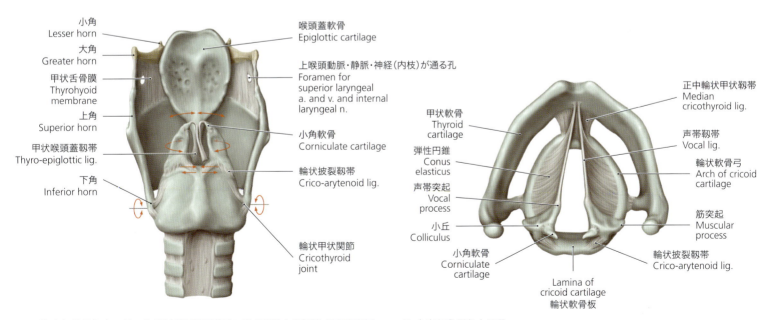

C 後方から見たところ．矢印は喉頭の関節における種々の運動の方向を示す．

D 上方から見たところ．

喉頭：筋と区分
Larynx: Muscles & Levels

図 37.23 喉頭筋

喉頭の筋は喉頭軟骨を動かし，それぞれの相対的な位置を変えて，声帯ヒダの緊張や位置に影響を与える．喉頭全体を動かす筋（舌骨上と舌骨下の筋）は p.516 に解説している．

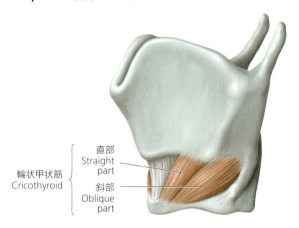

A 左外側斜方から見たところ．

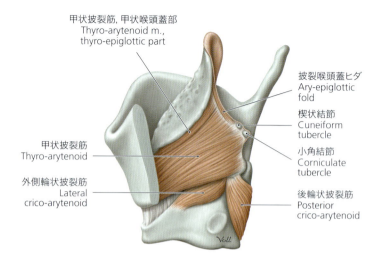

B 左外側方から見たところ．甲状軟骨の左半分は取り除いてある．喉頭蓋と甲状披裂筋が示される．

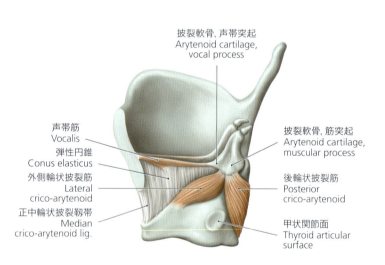

C 左外側方から見たところ．喉頭蓋は取り除いてある．

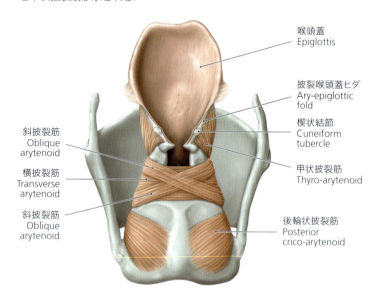

D 後方から見たところ．

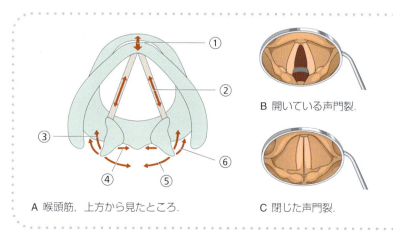

A 喉頭筋，上方から見たところ．
B 開いている声門裂．
C 閉じた声門裂．

表 37.9	喉頭筋の作用	
筋	作用	声門裂への効果
① 輪状甲状筋*	声帯ヒダの緊張	なし
② 声帯筋		
③ 甲状披裂筋	声帯ヒダの内転	閉じる
④ 横披裂筋		
⑤ 後輪状披裂筋	声帯ヒダの外転	開く
⑥ 外側輪状披裂筋	声帯ヒダの内転	閉じる

*輪状甲状筋は上喉頭神経によって支配される．他の喉頭筋は全て下喉頭神経（反回神経の延長）によって支配される．

表 37.10	喉頭の区分	
区分	領域	範囲
I	声門上腔(喉頭前庭)	喉頭の入口(喉頭口)から前庭ヒダまで
II	声門間腔(喉頭室)	前庭ヒダから喉頭室(粘膜の外側への膨出)を通り,声帯ヒダまで
III	声門下腔	声帯ヒダから輪状軟骨の下縁まで

後方から見たところ.

図 37.24　喉頭腔

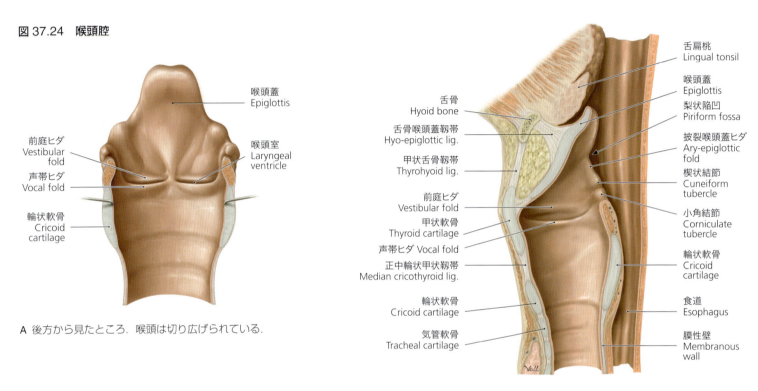

A 後方から見たところ. 喉頭は切り広げられている.

B 正中矢状断,左外側方から見たところ.

図 37.25　前庭ヒダと声帯ヒダ
冠状断,上方から見たところ.

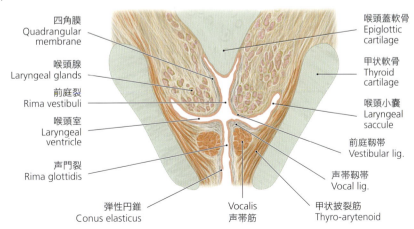

喉頭の血管・神経，甲状腺と副甲状腺（上皮小体）
Neurovasculature of the Larynx, Thyroid & Parathyroids

図 37.26 甲状腺と副甲状腺（上皮小体）

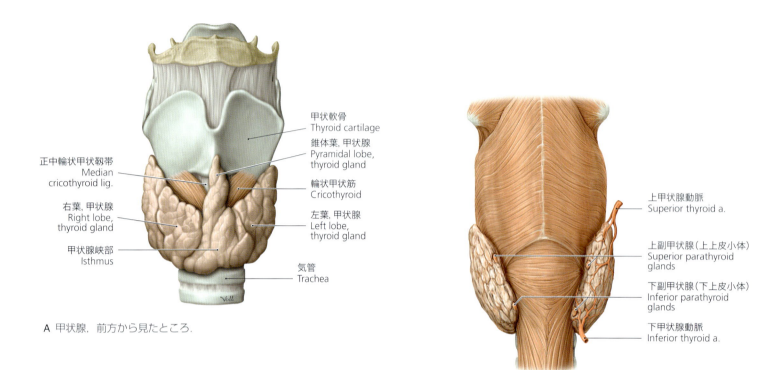

A 甲状腺，前方から見たところ．

B 甲状腺と副甲状腺（上皮小体），後方から見たところ．

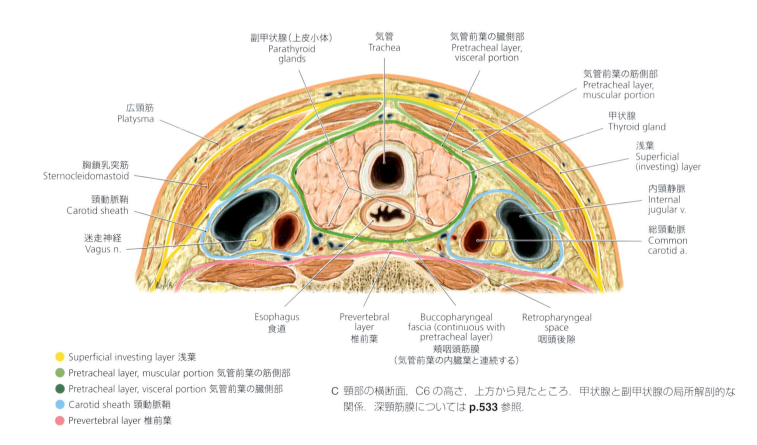

- 🟡 Superficial investing layer 浅葉
- 🟢 Pretracheal layer, muscular portion 気管前葉の筋側部
- 🟢 Pretracheal layer, visceral portion 気管前葉の臓側部
- 🔵 Carotid sheath 頸動脈鞘
- 🩷 Prevertebral layer 椎前葉

C 頸部の横断面．C6 の高さ，上方から見たところ．甲状腺と副甲状腺の局所解剖学的な関係．深頸筋膜については p.533 参照．

図 37.27 動脈と神経
前方から見たところ．甲状腺の右半分を取り除いている．

図 37.28 静脈
左外側方から見たところ．Note：下甲状腺静脈は通常は左腕頭静脈に合流する．

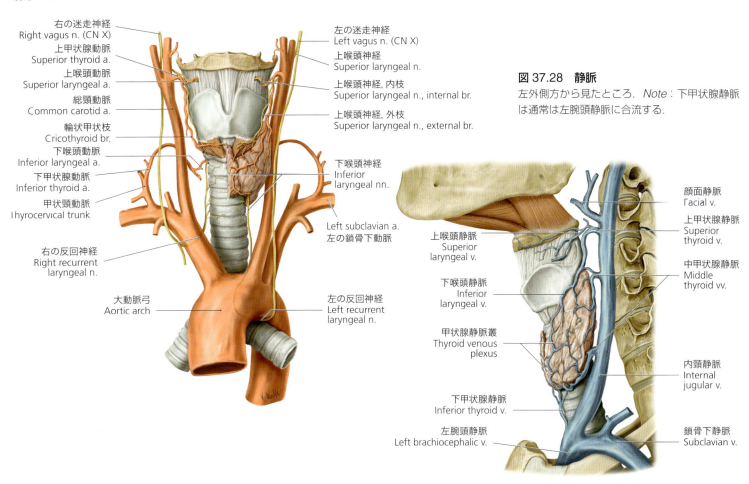

図 37.29 血管・神経
左外側方から見たところ．

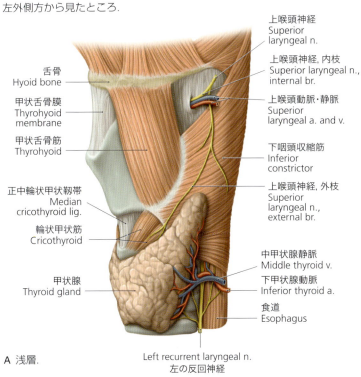

A 浅層．

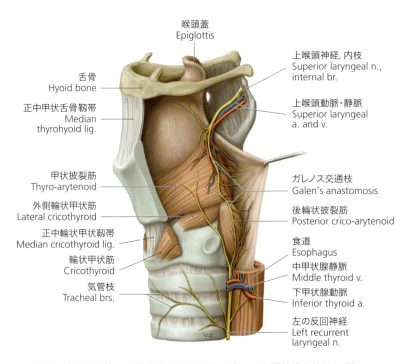

B 深層．輪状甲状筋と甲状軟骨の左板は取り除き，咽頭粘膜を後ろに引いてある．

頸部の局所解剖：部位と筋膜
Topography of the Neck: Regions & Fascia

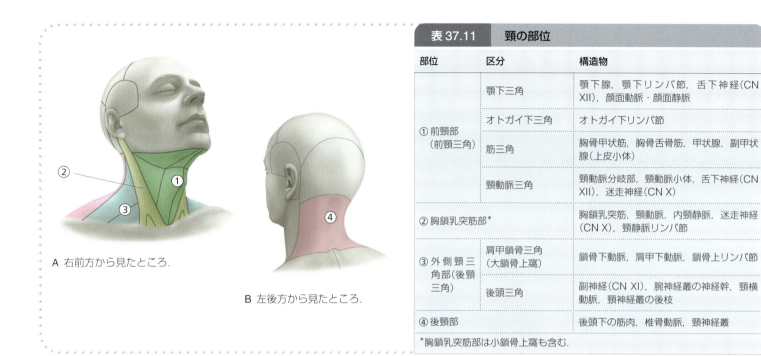

A 右前方から見たところ．

B 左後方から見たところ．

表 37.11　頸の部位

部位	区分	構造物
① 前頸部（前頸三角）	顎下三角	顎下腺，顎下リンパ節，舌下神経（CN XII），顔面動脈・顔面静脈
	オトガイ下三角	オトガイ下リンパ節
	筋三角	胸骨甲状筋，胸骨舌骨筋，甲状腺，副甲状腺（上皮小体）
	頸動脈三角	頸動脈分岐部，頸動脈小体，舌下神経（CN XII），迷走神経（CN X）
② 胸鎖乳突筋部*		胸鎖乳突筋，頸動脈，内頸静脈，迷走神経（CN X），頸静脈リンパ節
③ 外側頸三角部（後頸三角）	肩甲鎖骨三角（大鎖骨上窩）	鎖骨下動脈，肩甲下動脈，鎖骨上リンパ節
	後頭三角	副神経（CN XI），腕神経叢の神経幹，頸横動脈，頸神経叢の後枝
④ 後頸部		後頭下の筋肉，椎骨動脈，頸神経叢

*胸鎖乳突筋部は小鎖骨上窩も含む．

図 37.30　頸部の部位

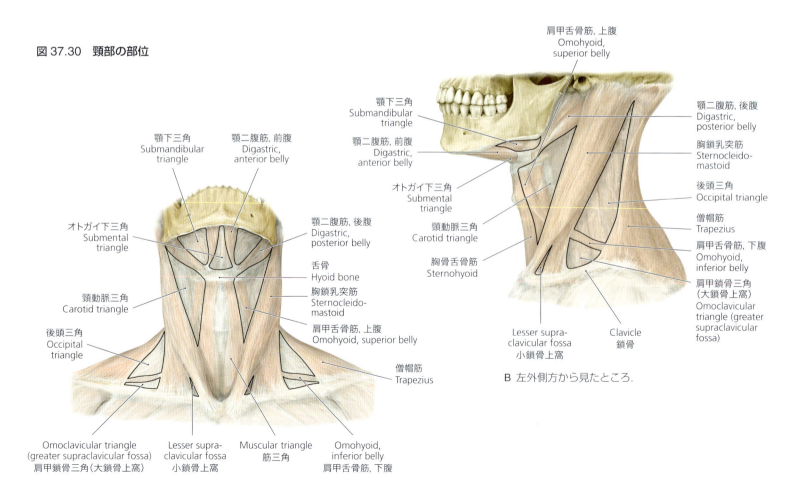

A 前方から見たところ．

B 左外側方から見たところ．

表 37.12 頸筋膜

頸筋膜は頸部の構造を囲む4層に分けられる.

葉		包む構造	特徴
● ① 浅葉		筋	頸全体を覆う. 2葉に分かれて胸鎖乳突筋と僧帽筋を包む
気管前葉	● ② 筋側部	舌骨下筋を包む	
	● ③ 臓側部	甲状腺, 喉頭, 気管, 咽頭, 食道を取り囲む	
● ④ 椎前葉		筋	脊柱の頸部と付着する筋肉を取り囲む
● ⑤ 頸動脈鞘		神経・血管	総頸動脈, 内頸静脈, 迷走神経を包む

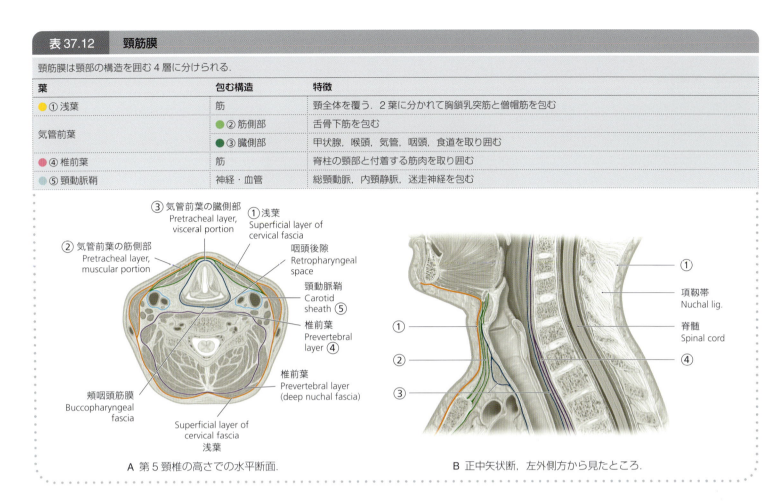

A 第5頸椎の高さでの水平断面.

B 正中矢状断, 左外側方から見たところ.

図 37.31 頸筋膜

前方から見たところ.

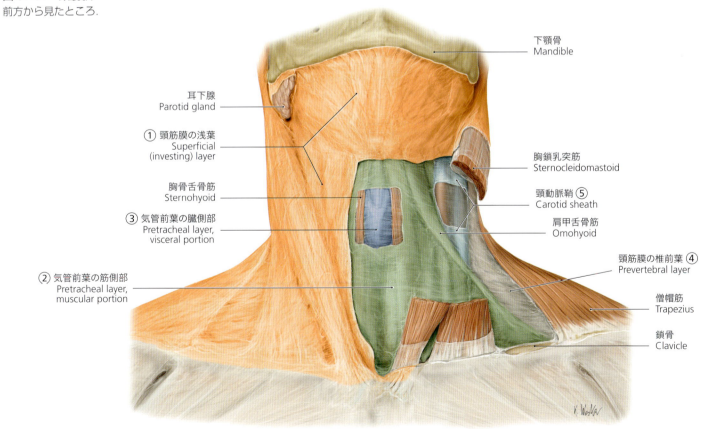

前頸部の局所解剖
Topography of the Anterior Cervical Region

図 37.32　前頸三角
前方から見たところ．

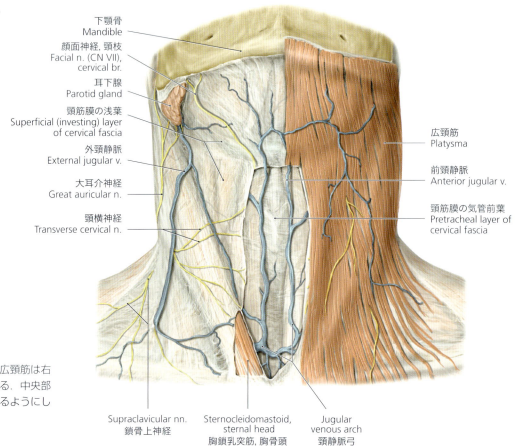

A　浅層．皮下にある広頸筋は右側では剥離してある．中央部では頸筋膜を見えるようにしてある．

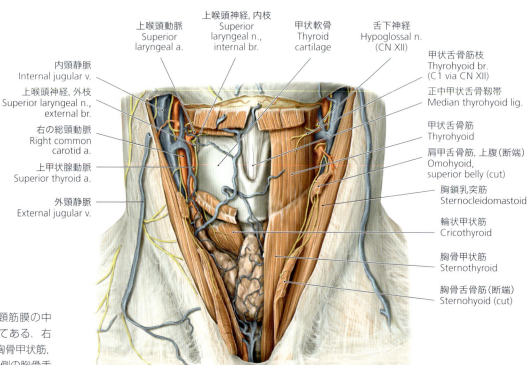

B　深層．気管前葉(頸筋膜の中間層)は取り除いてある．右側の胸骨舌骨筋,胸骨甲状筋,甲状舌骨筋と,左側の胸骨舌骨筋を切断している．

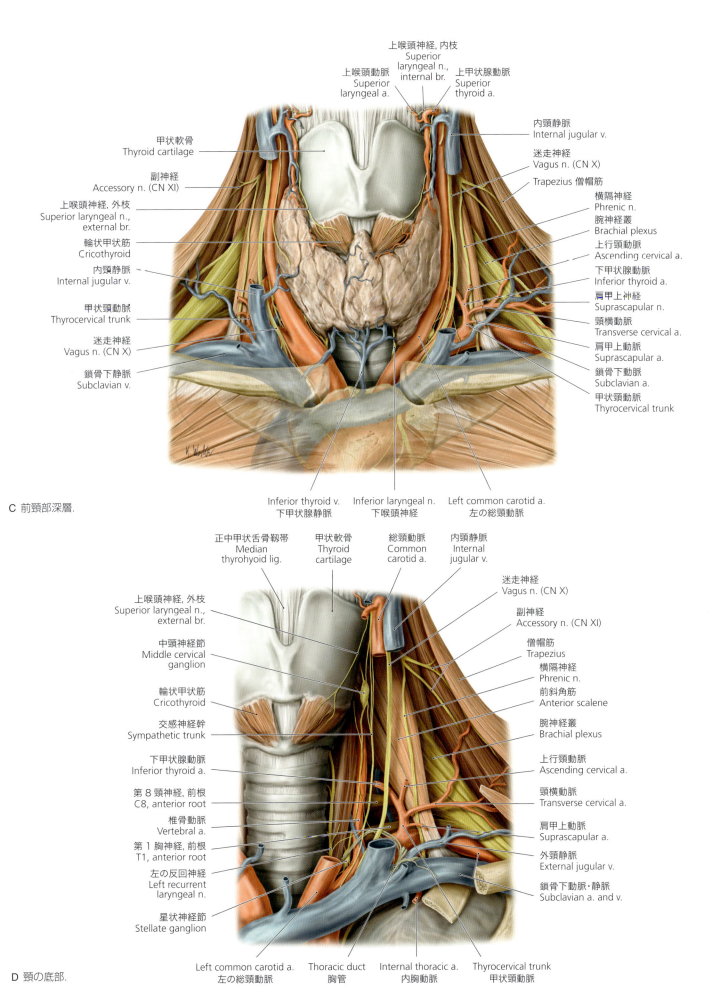

C 前頸部深層.

D 頸の底部.

前頸部と外側頸三角部の局所解剖
Topography of the Anterior & Lateral Cervical Regions

図 37.33　前頸部の深層
甲状腺と喉頭は前頸部の正中に位置する内臓であり，これらの外側には主要な血管・神経の通路が存在する．甲状腺と喉頭にはこの通路を通過する血管・神経から枝が分布する．

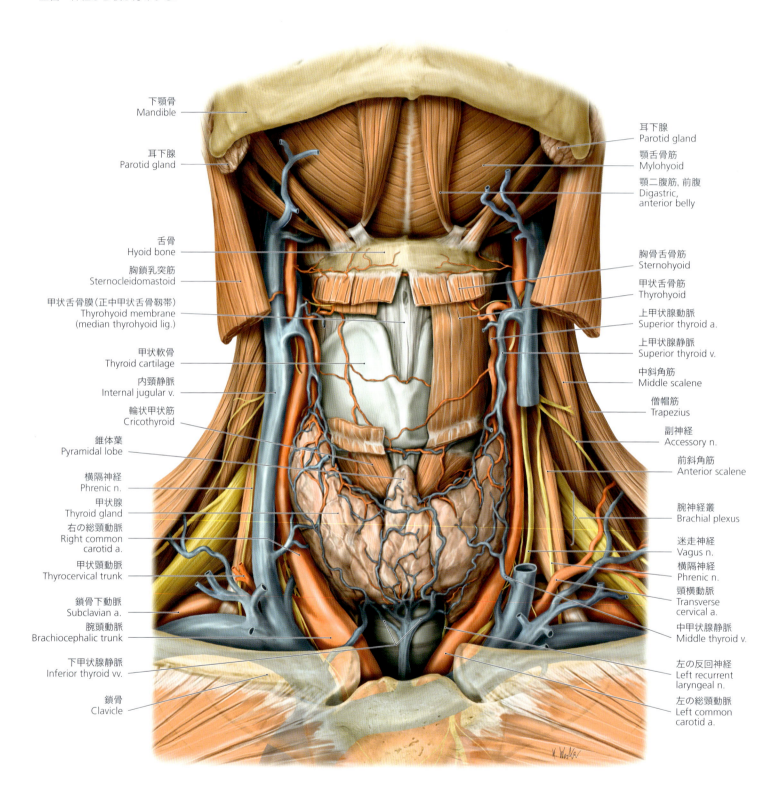

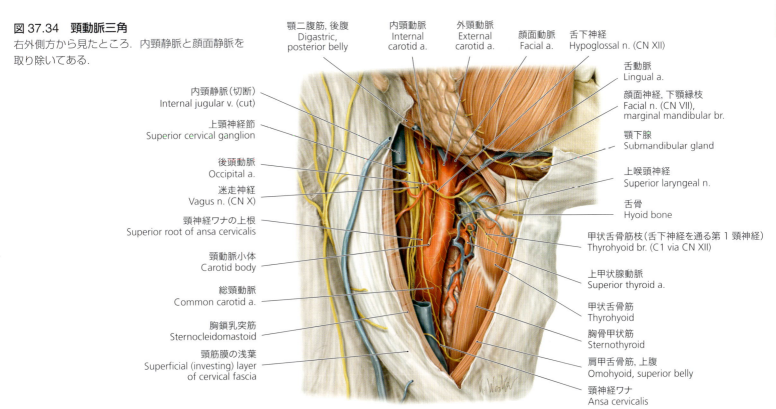

図 37.34 頸動脈三角
右外側方から見たところ．内頸静脈と顔面静脈を取り除いてある．

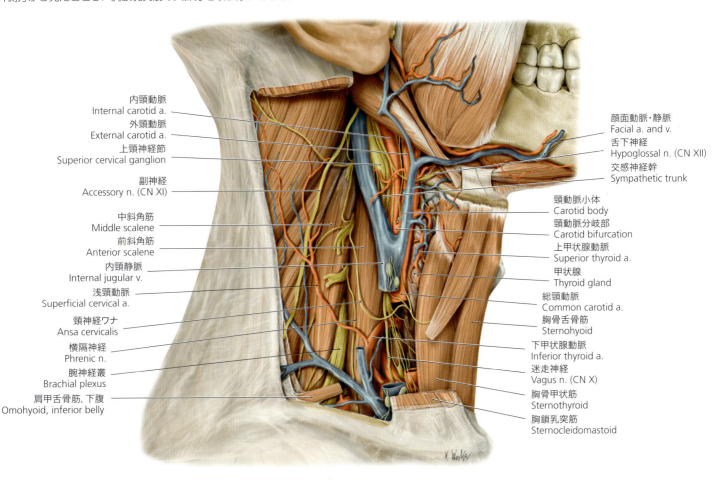

図 37.35 外側頸三角部の深層
右外側方から見たところ．胸鎖乳突筋の大部分を取り除いてある．

外側頸三角部の局所解剖
Topography of the Lateral Cervical Region

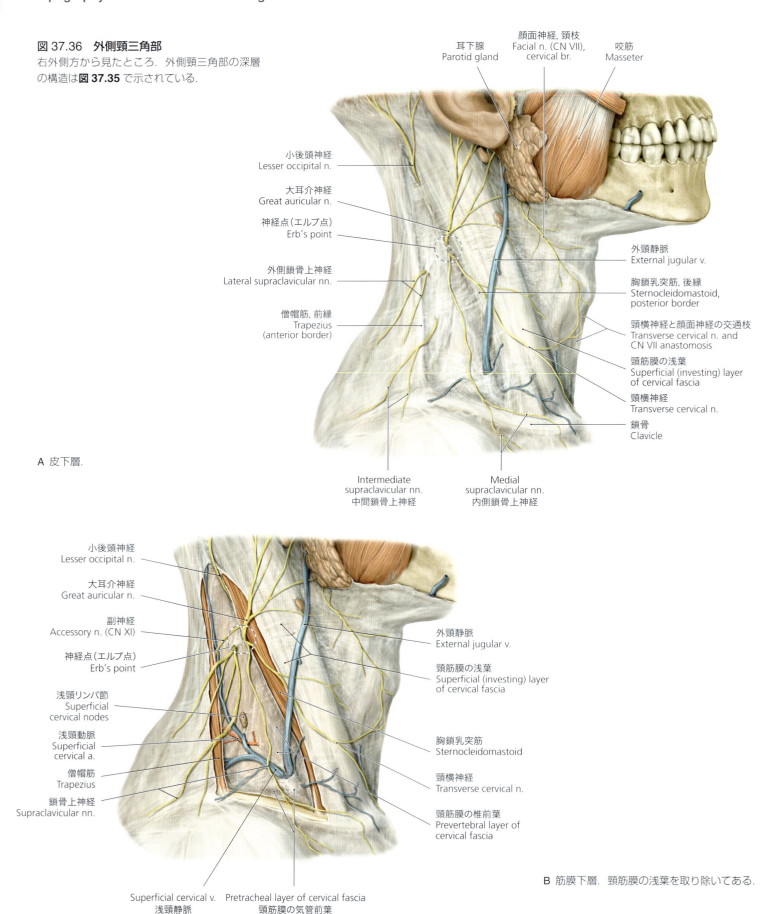

図 37.36 外側頸三角部
右外側方から見たところ．外側頸三角部の深層の構造は図 37.35 で示されている．

A 皮下層．

B 筋膜下層．頸筋膜の浅葉を取り除いてある．

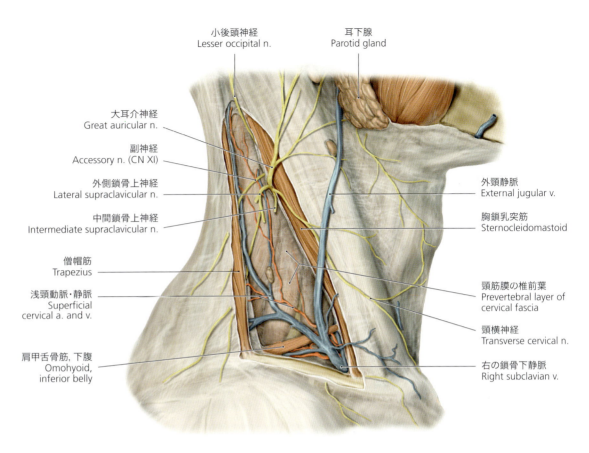

C 深層．頸筋膜の気管前葉を取り除いてある．
肩甲舌骨筋，肩甲鎖骨三角が見える．

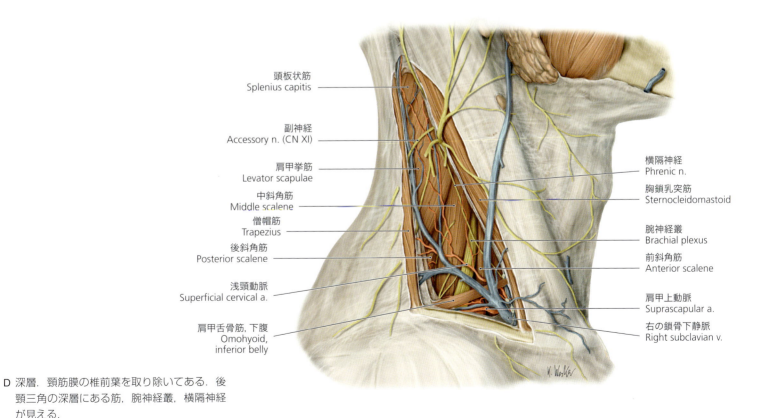

D 深層．頸筋膜の椎前葉を取り除いてある．後
頸三角の深層にある筋，腕神経叢，横隔神経
が見える．

後頸部の局所解剖
Topography of the Posterior Cervical Region

図 37.37 後頭部と後頸部
後方から見たところ．左側の皮下層と右側の筋膜下層．後頭部は厳密には頭部の一部であるが，頸部の血管と神経と連続しているために本項で解説する．右側では頸筋膜の浅葉が取り除いてある．

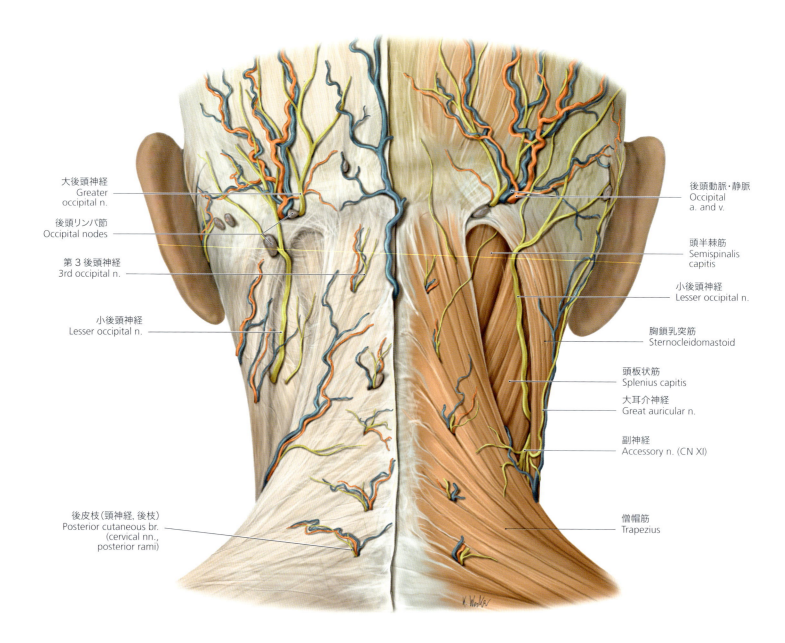

図 37.38 後頭下三角

右側，後方から見たところ．僧帽筋，頭板状筋，頭半棘筋の一部を切り取り，後頭下三角が見えるようにしてある．後頭下三角の境界は後頭下の筋（大後頭直筋，上頭斜筋，下頭斜筋）であり，椎骨動脈が通っている．左右の椎骨動脈は環椎後頭膜を出た後で合流して脳底動脈を形成する．

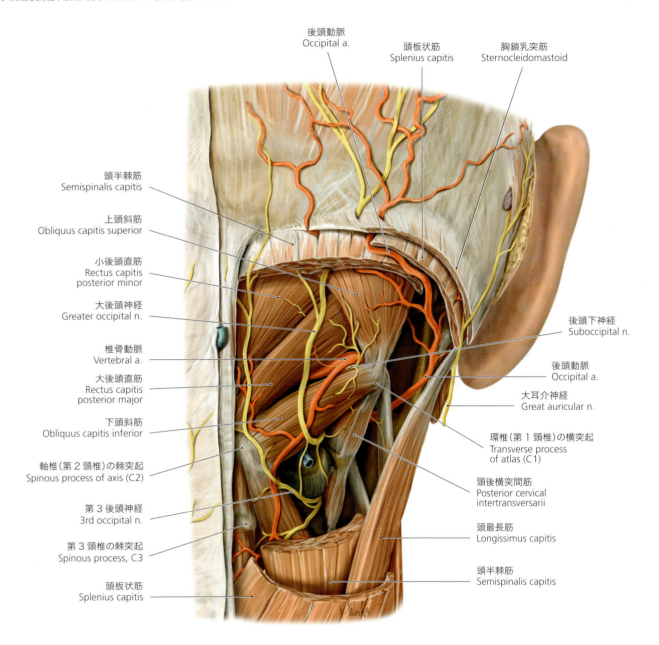

38 頭部の骨
頭蓋：側面と前面
Anterior & Lateral Skull

図 38.1 頭蓋の側面
左外側方から見たところ．

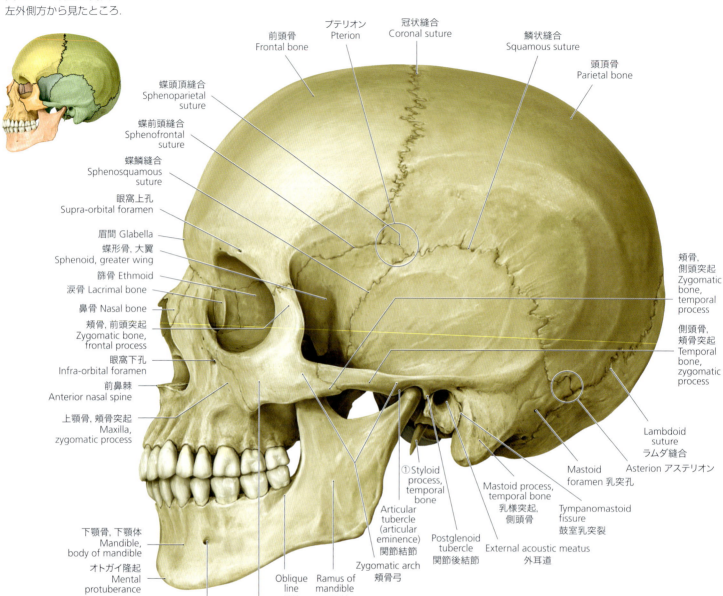

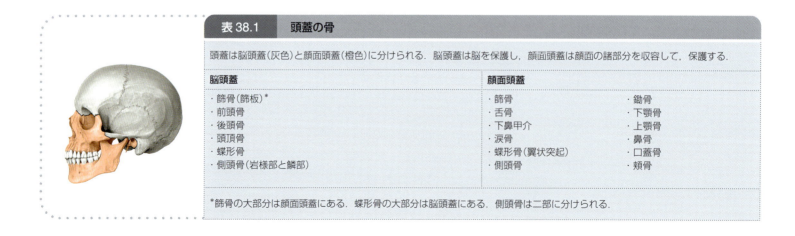

表 38.1　頭蓋の骨

頭蓋は脳頭蓋（灰色）と顔面頭蓋（橙色）に分けられる．脳頭蓋は脳を保護し，顔面頭蓋は顔面の諸部分を収容して，保護する．

脳頭蓋	顔面頭蓋	
・篩骨（篩板）*	・篩骨	・鋤骨
・前頭骨	・舌骨	・下顎骨
・後頭骨	・下鼻甲介	・上顎骨
・頭頂骨	・涙骨	・鼻骨
・蝶形骨	・蝶形骨（翼状突起）	・口蓋骨
・側頭骨（岩様部と鱗部）	・側頭骨	・頬骨

*篩骨の大部分は顔面頭蓋にある．蝶形骨の大部分は脳頭蓋にある．側頭骨は二部に分けられる．

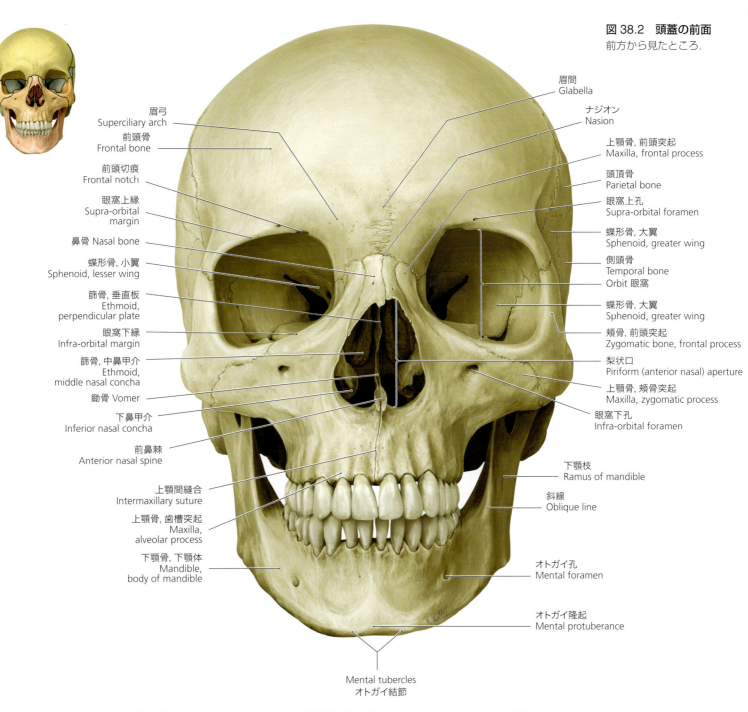

図 38.2 頭蓋の前面
前方から見たところ.

38 頭部の骨

臨床 BOX 38.1

顔面骨折
顔面骨格は枠状の構造であるために骨折線は特徴的なパターンを示し，ル・フォールⅠ型，ル・フォールⅡ型，ル・フォールⅢ型と分類される．

A ル・フォールⅠ型． B ル・フォールⅡ型． C ル・フォールⅢ型．

頭蓋：後面と頭蓋冠
Posterior Skull & Calvaria

図 38.3　頭蓋
後方から見たところ．

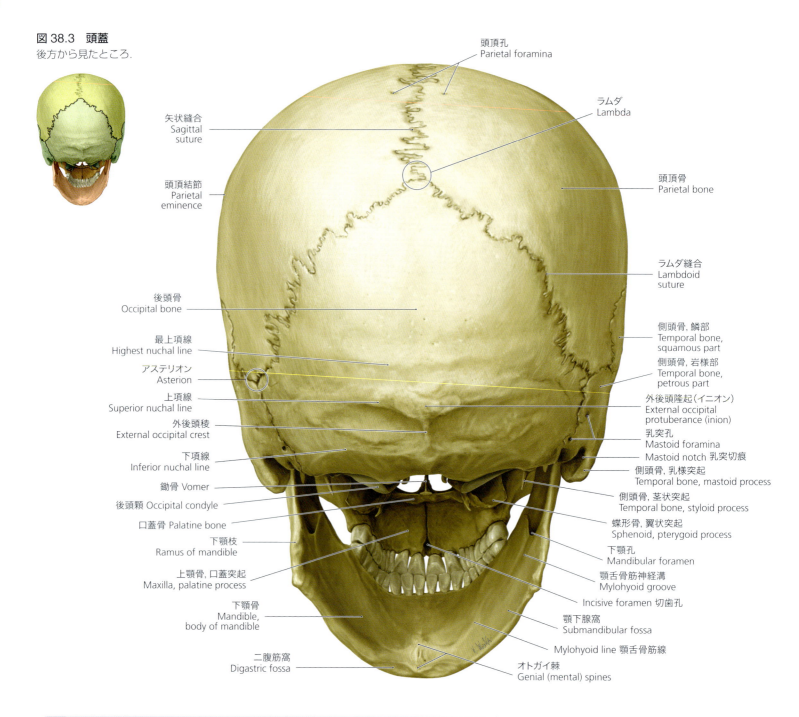

臨床 BOX 38.2

頭蓋泉門

新生児の成長途中には頭蓋骨の間に頭蓋骨で覆われていない領域があり，泉門と呼ばれる．それぞれの領域が閉じる時期は異なり，臨床的に重要である．小泉門は出産時に胎児の頭の位置を示す基準点となり，大泉門は幼児から脳脊髄液を採取する際（髄膜炎を疑った時など）の採取位置となる．

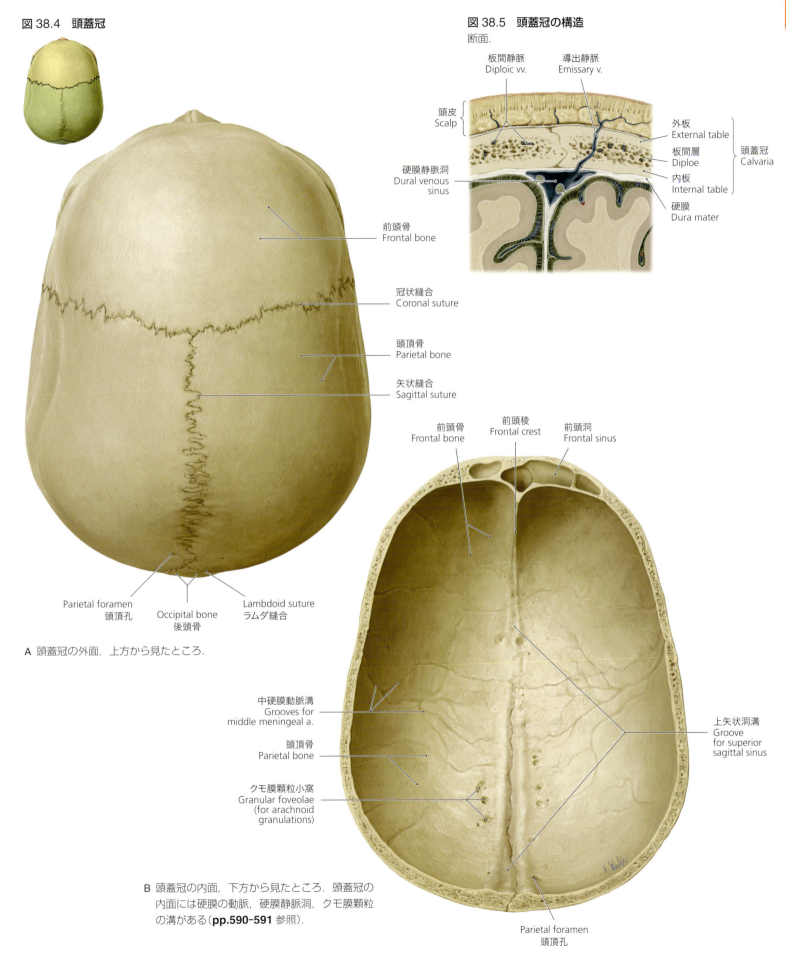

頭蓋底
Base of the Skull

図 38.6 頭蓋底の外面
下方から見たところ．血管・神経（p.582 参照）を通す開口部と管に注目．
Note：この方向からは鼻腔の後方部も見ることができる．

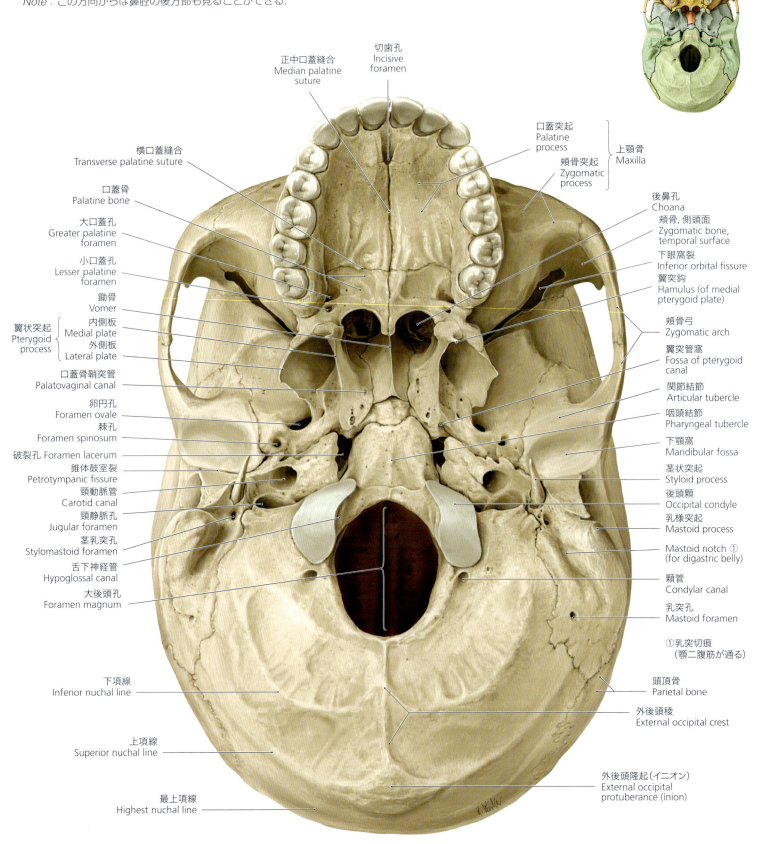

図 38.7　頭蓋窩

頭蓋底の内面は連続する3つの窩からなる．これらの窩は前方から後方に向かって段階的に深くなる．

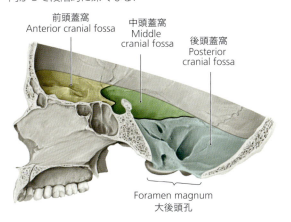

A　正中矢状断．左方から見たところ．

B　頭蓋の内面．上方から見たところ．

図 38.8　頭蓋底の内面

上方から見たところ．

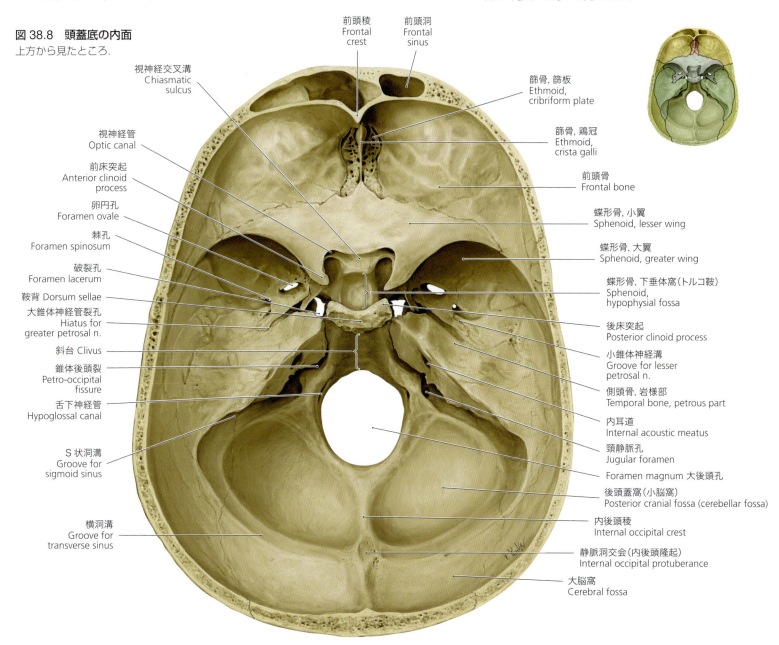

脈管の頭蓋腔への通路
Neurovascular Pathways Exiting or Entering the Cranial Cavity

図 38.9 頭蓋腔に出入りする血管・神経の概要

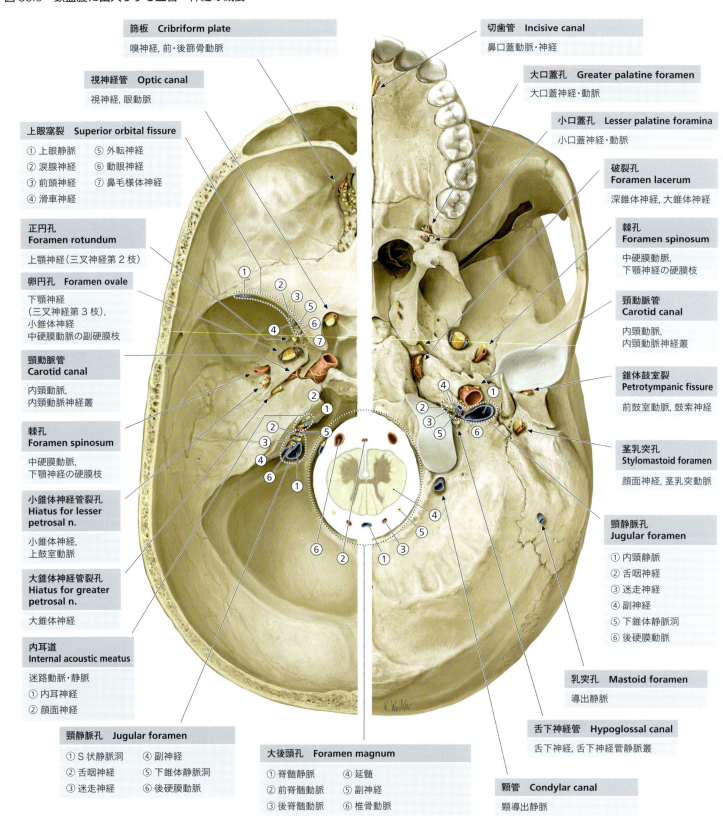

A 頭蓋腔（頭蓋底内面）．左側，上方から見たところ．　　B 頭蓋底外面．左側，下方から見たところ．

図 38.10 脳神経の頭蓋底の通路

頭蓋腔(頭蓋底内面)．右側，上方から見たところ．脳と小脳テントは取り除いてある．頭蓋窩の通路となる裂孔，窩，硬膜の孔を示すために，脳神経は孔の手前で切ってある．

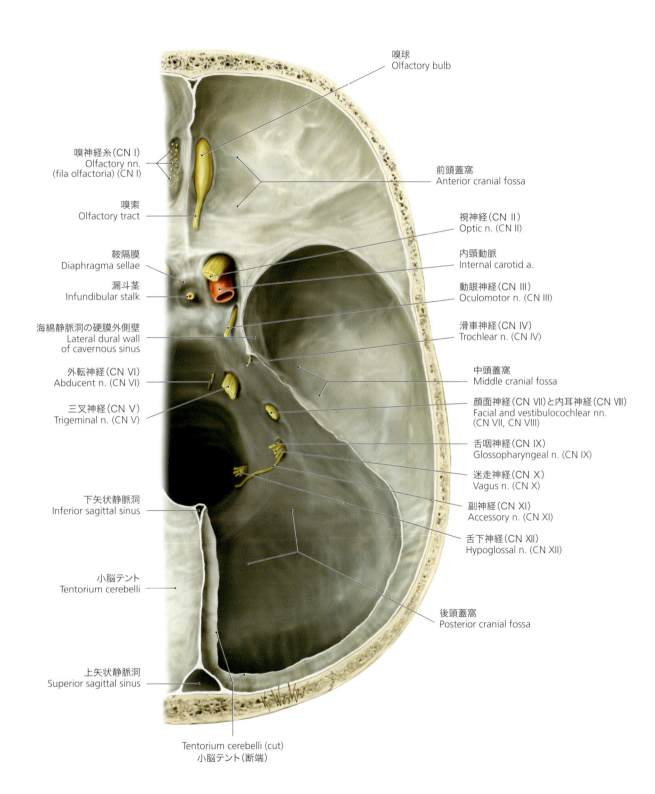

篩骨と蝶形骨
Ethmoid & Sphenoid Bones

構造の複雑な篩骨と蝶形骨を分離して示す．頭蓋の他の骨は個々の領域ごとに示す：眼窩（**pp.602-603** 参照），鼻腔（**pp.616-617** 参照），口腔（**pp.636-637** 参照），耳（**pp.624-625** 参照）．

図 38.11 　篩骨
篩骨は鼻腔や副鼻腔の中心となる骨である（**pp.616-619** 参照）．

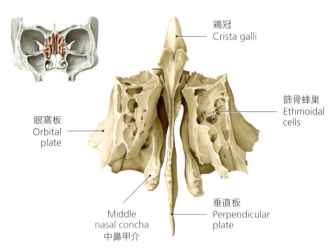

A　前方から見たところ．

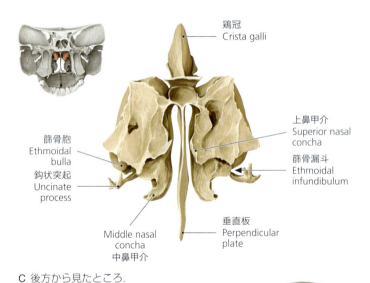

C　後方から見たところ．

B　上方から見たところ．

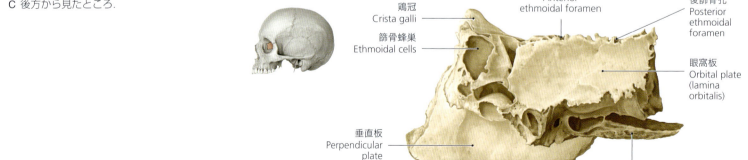

D　左外側方から見たところ．

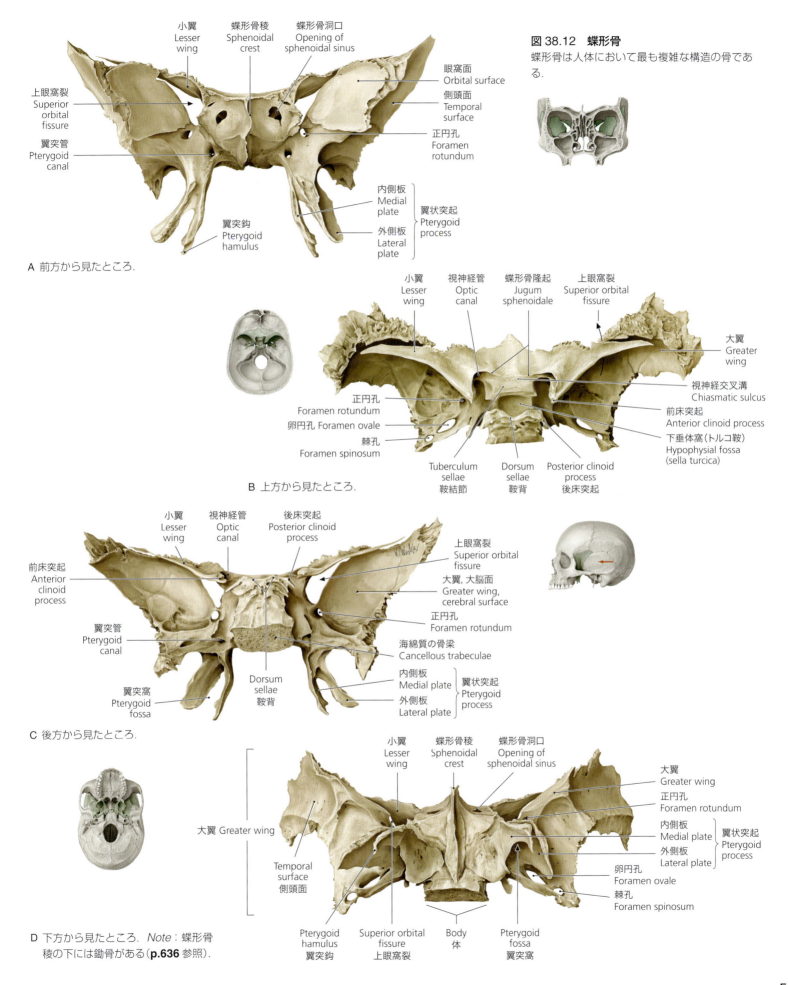

39 頭部・顔面の筋
表情筋と咀嚼筋
Muscles of Facial Expression & of Mastication

頭蓋と顔面の筋肉は2つのグループに分類される．顔面の表情筋は顔面浅層の筋からなる．咀嚼筋は咀嚼時の下顎の運動を行う．

図 39.1　表情筋

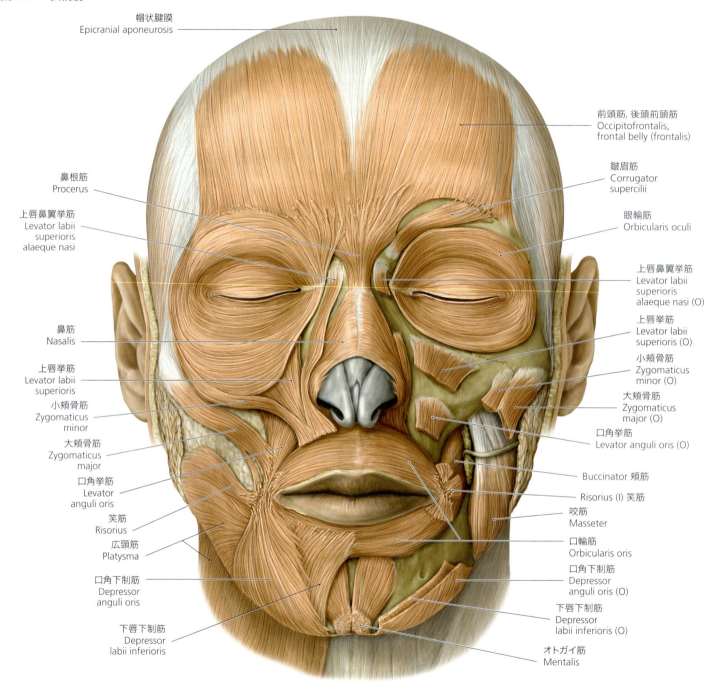

A 前方から見たところ．左半分では筋の起始を(O)，停止を(I)で示している．

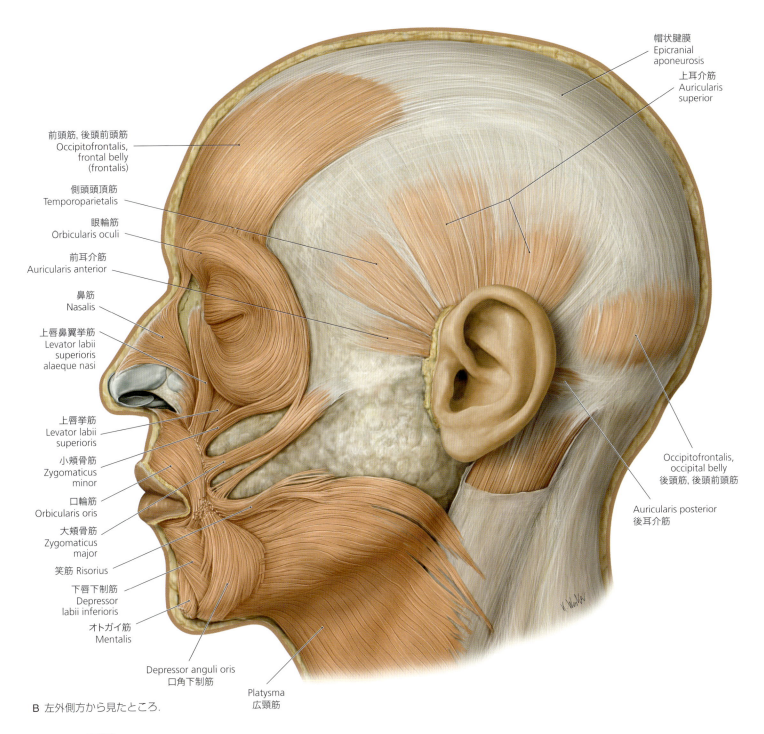

B 左外側方から見たところ.

図 39.2 咀嚼筋
左外側方から見たところ.

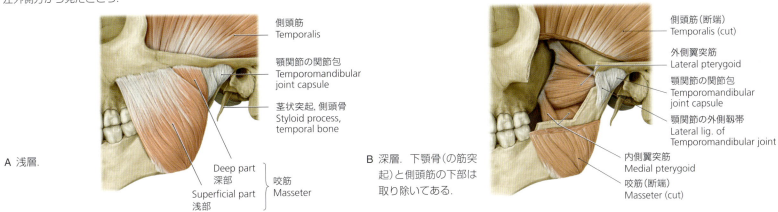

A 浅層.

B 深層. 下顎骨(の筋突起)と側頭筋の下部は取り除いてある.

頭部の筋，起始と停止
Muscle Origins & Insertions on the Skull

図 39.3 頭蓋の側面：起始と停止
左外側方から見たところ．赤色が筋の起始，青色が停止．
Note：一般に表情筋は骨に停止せず，皮膚や他の表情筋に停止する．

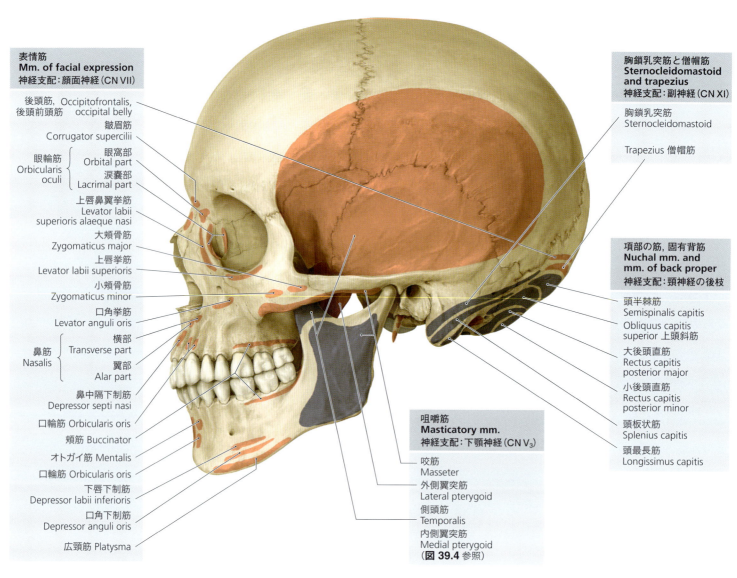

図 39.4 下顎骨：起始と停止
下顎骨右半分を内側方から見たところ．
赤色が筋の起始．青色が停止．

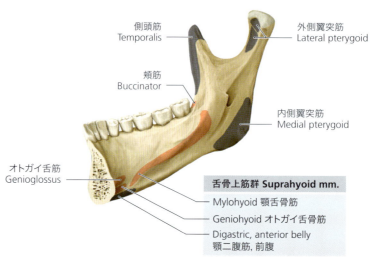

図 39.5　頭蓋底：起始と停止

頭蓋の外面を下方から見たところ．
赤色が筋の起始．青色が停止．

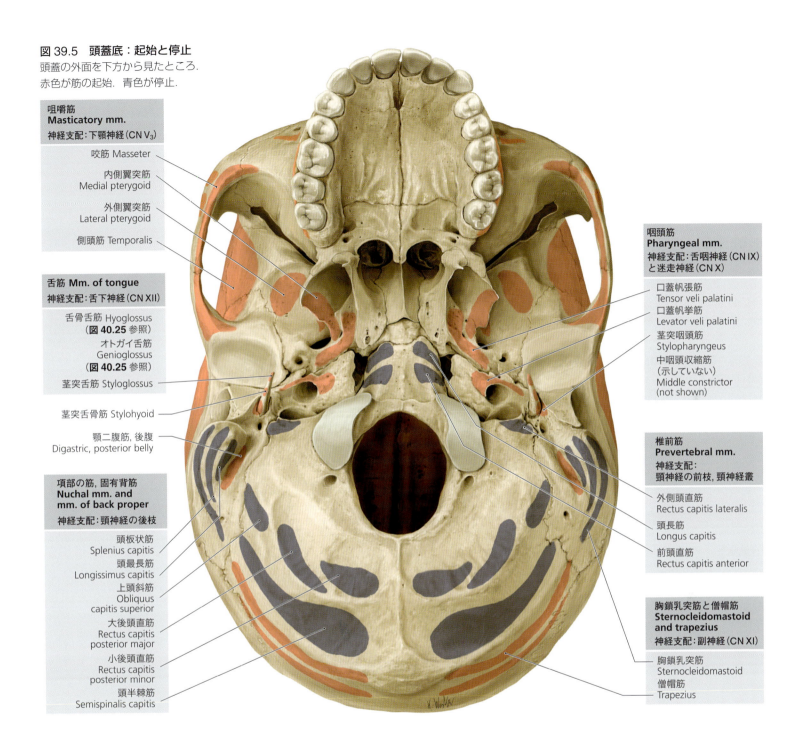

咀嚼筋 Masticatory mm.
神経支配：下顎神経（CN V₃）
- 咬筋 Masseter
- 内側翼突筋 Medial pterygoid
- 外側翼突筋 Lateral pterygoid
- 側頭筋 Temporalis

舌筋 Mm. of tongue
神経支配：舌下神経（CN XII）
- 舌骨舌筋 Hyoglossus（図 40.25 参照）
- オトガイ舌筋 Genioglossus（図 40.25 参照）
- 茎突舌筋 Styloglossus
- 茎突舌骨筋 Stylohyoid
- 顎二腹筋，後腹 Digastric, posterior belly

項部の筋，固有背筋 Nuchal mm. and mm. of back proper
神経支配：頸神経の後枝
- 頭板状筋 Splenius capitis
- 頭最長筋 Longissimus capitis
- 上頭斜筋 Obliquus capitis superior
- 大後頭直筋 Rectus capitis posterior major
- 小後頭直筋 Rectus capitis posterior minor
- 頭半棘筋 Semispinalis capitis

咽頭筋 Pharyngeal mm.
神経支配：舌咽神経（CN IX）と迷走神経（CN X）
- 口蓋帆張筋 Tensor veli palatini
- 口蓋帆挙筋 Levator veli palatini
- 茎突咽頭筋 Stylopharyngeus
- 中咽頭収縮筋（示していない）Middle constrictor (not shown)

椎前筋 Prevertebral mm.
神経支配：頸神経の前枝，頸神経叢
- 外側頭直筋 Rectus capitis lateralis
- 頭長筋 Longus capitis
- 前頭直筋 Rectus capitis anterior

胸鎖乳突筋と僧帽筋 Sternocleidomastoid and trapezius
神経支配：副神経（CN XI）
- 胸鎖乳突筋 Sternocleidomastoid
- 僧帽筋 Trapezius

図 39.6　舌骨：起始と停止

喉頭は主に甲状舌骨膜によって舌骨に吊り下げられている．舌骨は舌骨上筋群と舌骨下筋群の付着部となっている．青色は筋の停止．

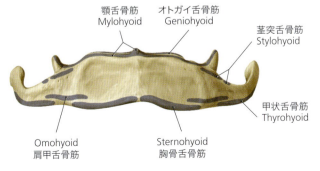

A 前方から見たところ．

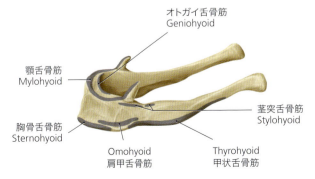

B 左斜め上方から見たところ．

個々の筋（1）
Muscle Facts (I)

表情筋は骨や筋膜から起始し，顔面の皮下組織に停止しているので，皮膚を引っ張ることで表情に影響を及ぼすことができる．

図 39.7　前頭筋
前方から見たところ．

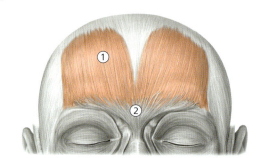

図 39.9　耳の筋
左外側方から見たところ．

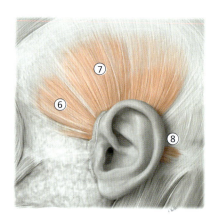

図 39.8　眼瞼裂と鼻の筋
前方から見たところ．

 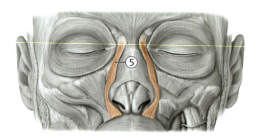

A　眼輪筋．　　　　　　　　　　　B　鼻筋．　　　　　　　　　　　C　上唇鼻翼挙筋．

表 39.1　表情筋（顔面筋）：額，鼻，耳

筋	起始	停止*	主な作用**
頭蓋冠			
① 前頭筋	帽状腱膜	眉と額の皮膚と皮下組織	眉を挙上．額の皮膚にヒダを作る
眼瞼裂と鼻			
② 鼻根筋	鼻骨，外側鼻軟骨（上部）	額下部の眉間の皮膚	眉の内側角を引下げ，鼻背に横方向のヒダを作る
③ 眼輪筋	眼窩内側縁，内側眼瞼靱帯，涙骨	眼窩縁の皮膚，上瞼板，下瞼板	眼裂の括約筋として働く（眼瞼を閉じる） ・眼瞼部は軽く閉ざす ・眼窩部は強く閉ざす（まばたき）
④ 鼻筋	上顎骨（犬歯上部）	鼻軟骨	鼻中隔に向かって鼻翼を引くことで鼻孔をせばめる
⑤ 上唇鼻翼挙筋	上顎骨（前頭突起）	鼻翼軟骨と上唇	上唇を引上げ，鼻孔を開く
耳			
⑥ 前耳介筋	側頭筋膜（前部）	耳輪	耳を上方と前方に引く
⑦ 上耳介筋	頭部側方の帽状腱膜	耳介上部	耳を持ち上げる
⑧ 後耳介筋	乳様突起	耳甲介腔	耳を上方と後方に引く

*表情筋は骨に停止しない．
**表情筋は全て耳下腺神経叢（pp.568-569 参照）から起こる側頭枝，頬骨枝，頬筋枝，下顎縁枝，頸枝を通して顔面神経（CN VII）によって支配される．

図 39.10 口の筋

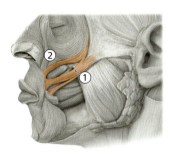
A 大頬骨筋と小頬骨筋，左外側方から見たところ．

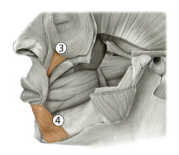
B 上唇挙筋と下唇下制筋，左外側方から見たところ．

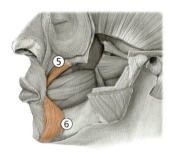
C 口角挙筋と口角下制筋，左外側方から見たところ．

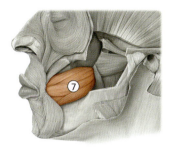
D 頬筋，左外側方から見たところ．

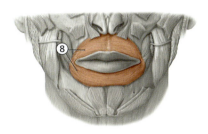
E 口輪筋，前方から見たところ．

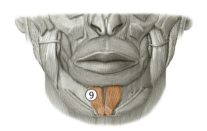
F オトガイ筋，前方から見たところ．

表 39.2　表情筋（顔面筋）：口と頸

筋	起始	停止*	主な作用**
口			
①大頬骨筋	頬骨（外面，後部）	口角の皮膚	口角を外上方に引く
②小頬骨筋		口角のすぐ内側の上唇	上唇を上方に引く
上唇鼻翼挙筋（図 39.8C 参照）	上顎骨（前頭突起）	鼻翼軟骨と上唇	上唇を引上げ，鼻孔を開く
③上唇挙筋	上顎骨（前頭突起）と眼窩下縁	上唇の皮膚，鼻翼軟骨	上唇を引上げ，鼻孔を広げ，口角を上げる
④下唇下制筋	下顎骨（斜線の前部）	下唇の正中線；反対側からの筋肉と混ざる	下唇を外下方に引く
⑤口角挙筋	上顎骨（眼窩下孔の下部）	口角の皮膚	口角を上げ，鼻唇溝の形成を助ける
⑥口角下制筋	下顎骨（犬歯・小臼歯・第一大臼歯下部の斜線）	口角の皮膚；口輪筋と混ざる	口角を外下方に引く
⑦頬筋	下顎骨，上下顎の歯槽突起，翼突下顎縫線	口角，口輪筋	頬を臼歯に押しつけ，舌と協力して食物を咬合面間にとどめ，また口腔前庭より外に追い出す；口腔から空気を吹き出すとき，息を強く吹き出すときに拡張を抑える 片側：口を片側に引く
⑧口輪筋	皮膚の深層 上側：上顎骨（正中面） 下側：下顎骨	唇の粘膜	口の括約筋として働く ・唇を引き締め，突き出す（口笛を吹くとき，吸うとき，キスをするときなど） ・拡張を抑える（息を強く吹き出すとき）
笑筋（pp.552-553 参照）	咬筋の筋膜	口角の皮膚	顔をしかめるときなどに口角を外に引く
⑨オトガイ筋	下顎骨（切歯窩）	オトガイ部の皮膚	下唇を持ち上げ，突き出す
頸			
広頸筋（pp.552-553 参照）	頸部下部と胸部上部の皮膚	下顎骨（下縁），顔面下部の皮膚，口角	顔面下部の皮膚と口を下げ，ヒダを作る；頸の皮膚を緊張させる；下顎骨の強制下制を助ける

*表情筋は骨に停止しない．
**表情筋は全て耳下腺神経叢から起こる側頭枝，頬骨枝，頬筋枝，下顎縁枝，頸枝を通して顔面神経（CN VII）によって支配される．

個々の筋(2)
Muscle Facts (II)

咀嚼筋は顔面の耳下腺部と側頭下部に浅層から深層にかけて位置する．咀嚼筋は下顎骨に付着し下顎神経（CN V$_3$）から運動性神経支配を受ける．口を開くのを助ける口腔底の筋については**p.516**の**表37.3**を参照．

表39.3　咀嚼筋：咬筋と側頭筋

筋	起始	停止	神経支配	作用
①咬筋	浅部：頬骨弓（前2/3） 深部：頬骨弓（後1/3）	下顎角（咬筋粗面）	下顎神経（CN V$_3$）の咬筋神経	下顎骨を引き上げ（筋全体），前に突き出す（浅部）
②側頭筋	側頭窩（下側頭線）	下顎骨筋突起（先端と内側面）	下顎神経（CN V$_3$）の深側頭神経	垂直線維：下顎骨を引き上げる 水平線維：下顎骨を後方に引く 片側：下顎骨を外側に動かす（咀嚼時）

図 39.11　咬筋
左外側方から見たところ．

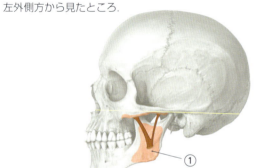

A　模式図．

図 39.12　側頭筋
左外側方から見たところ．

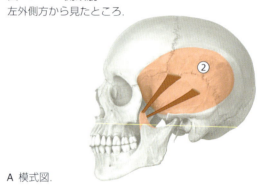

A　模式図．

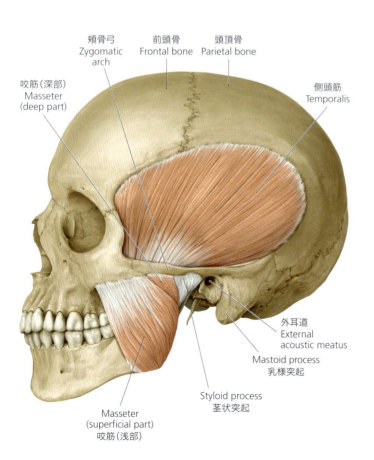

B　側頭筋と咬筋．

B　咬筋と頬骨弓は取り除いてある．

表39.4　咀嚼筋：翼突筋

筋		起始	停止	神経支配	作用
外側翼突筋	③ 上頭	蝶形骨の大翼（側頭下稜）	顎関節（関節円板）	下顎神経（CN V₃）の外側翼突筋神経	両側：下顎骨を前に突き出す（関節円板を前方に引く） 片側：下顎骨を外側に動かす（咀嚼時）
	④ 下頭	翼状突起の外側板（外側面）	下顎骨（関節突起）		
内側翼突筋	⑤ 浅頭	上顎骨（粗面）	下顎角内面の翼突筋粗面	下顎神経（CN V₃）の内側翼突筋神経	両側：咬筋と協働して下顎骨を引き上げる．下顎骨を前に突き出す作用を助ける． 片側：小さな臼磨運動．
	⑥ 深頭	外側翼突板と翼突窩の内側面			

図39.13　外側翼突筋
左外側方から見たところ．

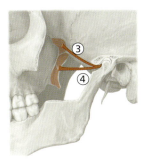

A　模式図．

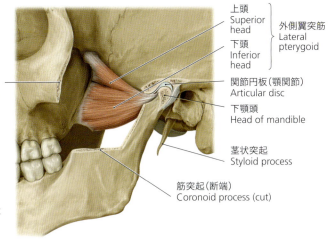

B　下顎骨の筋突起と下顎枝の一部は取り除いてある．

図39.14　内側翼突筋
左外側方から見たところ．

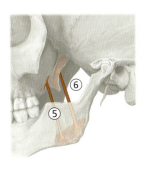

A　模式図．

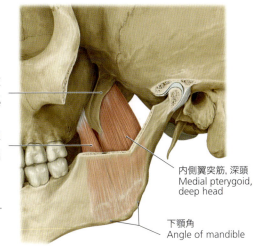

B　下顎骨の筋突起は取り除いてある．

図39.15　咀嚼筋が作る吊り紐
斜め後方から見たところ．

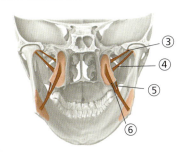

A　模式図．

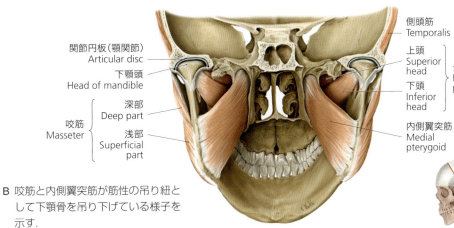

B　咬筋と内側翼突筋が筋性の吊り紐として下顎骨を吊り下げている様子を示す．

40 脳神経
脳神経の概観
Cranial Nerves: Overview

図 40.1　脳神経
頭蓋底を内方から見たところ．12対の脳神経は脳幹からあらわれる順にローマ数字で示される．

Note：感覚線維と運動線維は脳幹の同じ部位で出入りする．この点が脊髄神経と異なる．脊髄神経では運動線維は前根から出て，感覚線維は後根から入る．神経線維の色分けは，**表 40.1** を参照．

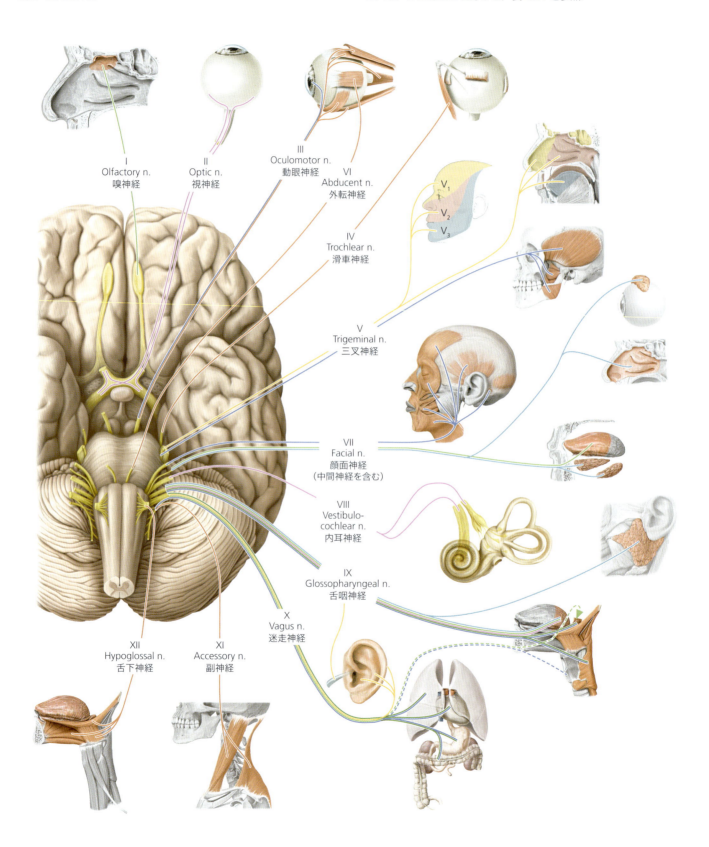

脳神経には求心性（感覚）線維と遠心性（運動）線維があり，さらに体性あるいは自律（臓性）神経系に分類される（**pp.694-695** 参照）．体性神経線維は外部環境との相互作用を可能にし，臓性神経線維は内臓の自律活動を調節する．一般の線維のほかに，脳神経には特定の構造（聴覚器，味蕾など）と結びついた特殊線維も含まれる．脳神経線維は特定の核に起始あるいは停止するが，この核も一般と特殊，体性と臓性，求心性と遠心性に分類される．

表 40.1　脳神経線維と脳神経核

この色分けは神経線維と神経核の分類を示すために，以降の章でも用いる．

神経線維	例	神経線維	例
一般体性遠心性線維（体性運動機能）	骨格筋を支配	一般体性求心性線維（体性感覚）	皮膚と筋紡錘からのインパルスを伝える
一般臓性遠心性線維（内臓運動機能）	内臓平滑筋，眼筋，心臓，唾液腺などを支配	特殊体性求心性線維	網膜，聴覚器，前庭器からのインパルスを伝える
特殊臓性遠心性線維	鰓弓由来の骨格筋と心筋を支配	一般臓性求心性線維（臓性感覚）	内臓，血管からのインパルスを伝える
		特殊臓性求心性線維	味蕾，嗅粘膜からのインパルスを伝える

図 40.2　脳神経の核

脳神経（CN III-XII）の感覚線維と運動線維は脳幹の特定の核に出入りする．

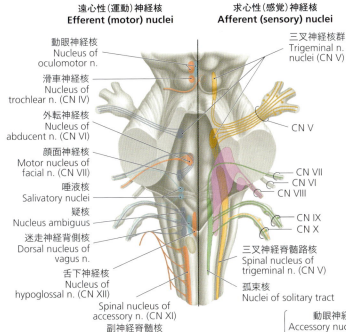

表 40.2　脳神経

脳神経		起始部	機能的線維型
CN I	：嗅神経	終脳*	
CN II	：視神経	間脳*	
CN III	：動眼神経	中脳	
CN IV	：滑車神経		
CN V	：三叉神経		
CN VI	：外転神経	橋	
CN VII	：顔面神経		
CN VIII	：内耳神経		
CN IX	：舌咽神経		
CN X	：迷走神経	延髄	
CN XI	：副神経		
CN XII	：舌下神経		

*嗅神経と視神経は真の神経というよりは脳の延長である．それゆえ脳幹の核とは関係しない．

A 後方から見たところ．小脳を取り除いてある．

B 正中矢状断面．左外側方から見たところ．

脳神経：嗅神経（CN I）と視神経（CN II）
CN I & II: Olfactory & Optic Nerves

嗅神経と視神経は真の末梢神経ではなく，それぞれ終脳と間脳の延長（神経路）である．そのため脳幹の脳神経核とは関係しない．

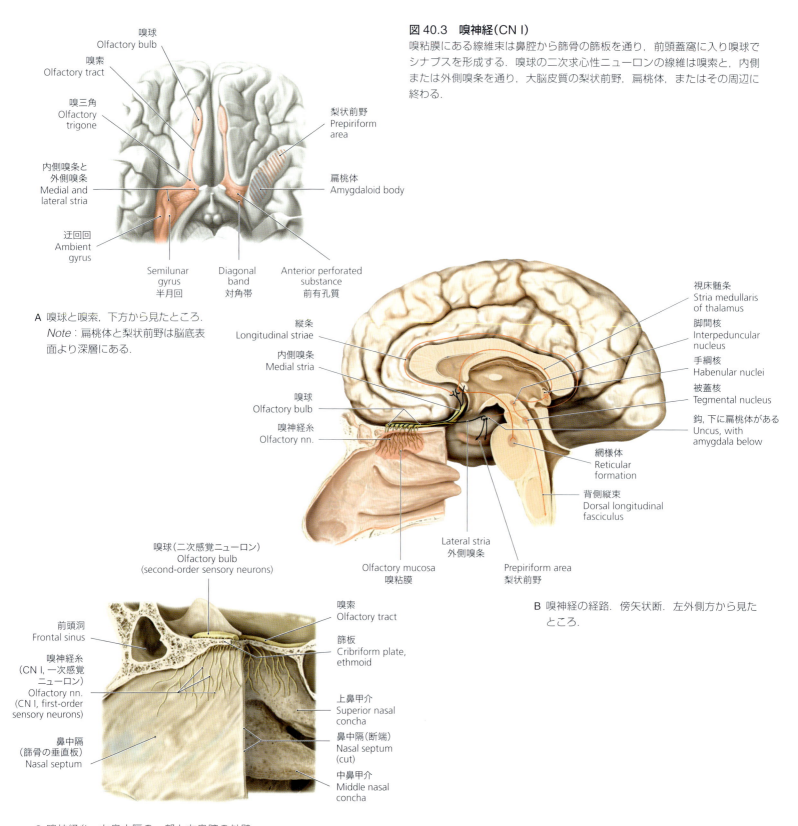

図 40.3 嗅神経（CN I）
嗅粘膜にある線維束は鼻腔から篩骨の篩板を通り，前頭蓋窩に入り嗅球でシナプスを形成する．嗅球の二次求心性ニューロンの線維は嗅索と，内側または外側嗅条を通り，大脳皮質の梨状前野，扁桃体，またはその周辺に終わる．

A 嗅球と嗅索，下方から見たところ．
Note：扁桃体と梨状前野は脳底表面より深層にある．

B 嗅神経の経路．傍矢状断．左外側方から見たところ．

C 嗅神経糸，左鼻中隔の一部と右鼻腔の外壁，左外側方から見たところ．

図 40.4 視神経（CN II）

視神経は眼球から視神経管を通り中頭蓋窩に至る．左右の視神経は間脳の下部で視交叉を作り，その後に左右の視索に分かれる．それぞれの視索は外側根と内側根に分かれる．視交叉において多くの網膜神経節細胞からの軸索が，正中線を横切り脳の反対側に向かう．

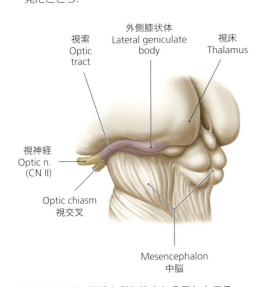

A 膝状体へ向かう視神経の経路．左外側方から見たところ．

B 視索の終端．脳幹左側を後方から見たところ．視神経は網膜神経節細胞の軸索から構成されている．これらの軸索は主に間脳の外側膝状体と中脳の上丘に終わる．

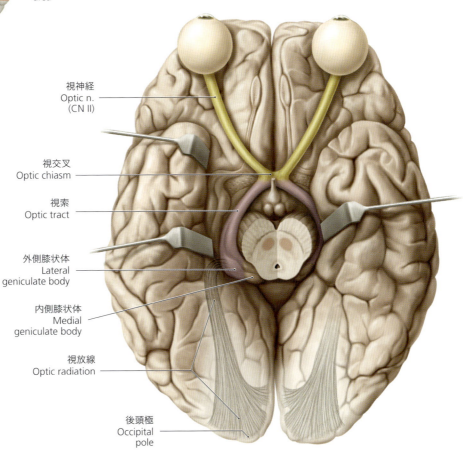

C 視神経の走行．脳の底面．

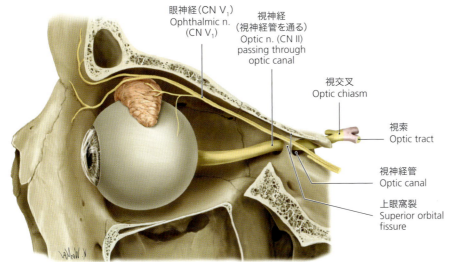

D 左眼窩における視神経．外側方から見たところ．視神経は視神経管を通って眼窩に至る．
Note：他の脳神経（III，IV，V₁，VI）は上眼窩裂を通って眼窩に入る．

脳神経：動眼神経（CN III），滑車神経（CN IV），外転神経（CN VI）
CN III, IV & VI: Oculomotor, Trochlear & Abducent Nerves

脳神経 III, IV, VI は外眼筋を支配する（**p.605** 参照）．このうち動眼神経（CN III）だけが体性遠心性線維と臓性遠心性線維を含み，さらに複数の外眼筋と内眼筋を支配する唯一の神経でもある．

図 40.5 動眼神経（CN III），滑車神経（CN IV），外転神経（CN VI）の核

脳神経のうち，すべての線維が対側に向かうのは滑車神経（CN IV）だけである．また滑車神経は脳幹の背側から出る唯一の脳神経であり，したがって硬膜内でたどる経路が最も長い．

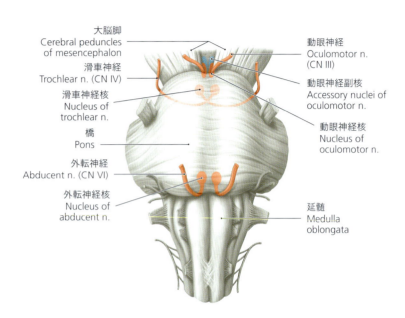
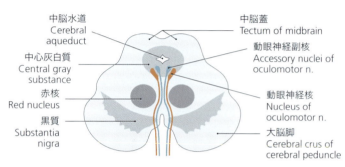

A 外眼筋の脳神経の起始部，脳幹を前方から見たところ．

B 動眼神経核，横断面，上方から見たところ．

表 40.3 外眼筋の脳神経

経路*	線維	核	機能	障害時の影響
動眼神経（CN III）				
中脳から前方に走行	体性遠心性線維	動眼神経核	分布： ・上眼瞼挙筋 ・上直筋，内側直筋，下直筋 ・下斜筋	動眼神経の完全麻痺（外眼筋と内眼筋の麻痺） ・眼瞼下垂（眼瞼が下に垂れる） ・下方および外側への注視の偏り ・複視（二重視） ・散瞳（瞳孔散大） ・遠近調節困難（毛様体麻痺）
	臓性遠心性線維	動眼神経副核（エディンガー–ウェストファル核）	毛様体神経節のニューロンとシナプスを形成する 分布： ・瞳孔括約筋 ・毛様体筋	
滑車神経（CN IV）				
脳幹後面の正中線近くから起こり，大脳脚の周囲を前方に走行	体性遠心性線維	滑車神経核	分布： ・上斜筋	・複視 ・障害側の眼が上方やや外側に偏る（下斜筋優位）
外転神経（CN VI）				
硬膜外を長く走行**	体性遠心性線維	外転神経核	分布： ・外側直筋	・複視 ・内斜視（内側直筋の拮抗作用が失われるため）

*この 3 つの神経は全て上眼窩裂から眼窩に入る．動眼神経と外転神経は総腱輪を通る．
**外転神経は硬膜外を走行する．そのため外転神経麻痺は髄膜炎やクモ膜下出血に関連して起こりやすい．

Note：動眼神経は内眼筋を副交感性に支配し，外眼筋の大部分と上眼瞼挙筋は体性運動性に支配する．動眼神経の副交感性線維は毛様体神経節でシナプスを形成する．動眼神経麻痺が起こると，その影響が副交感性線維だけにあらわれる場合や体性線維だけにあらわれる場合，さらに両方に同時にあらわれる場合がある．

図 40.6 外眼筋を支配する神経の経路
右眼窩．

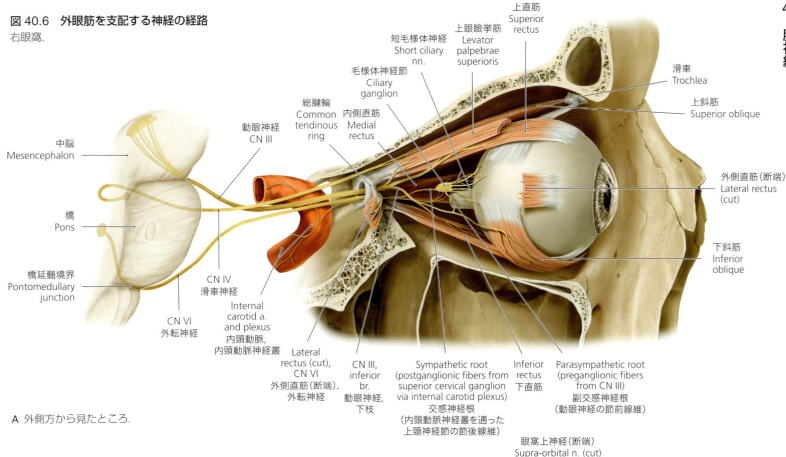

A 外側方から見たところ．

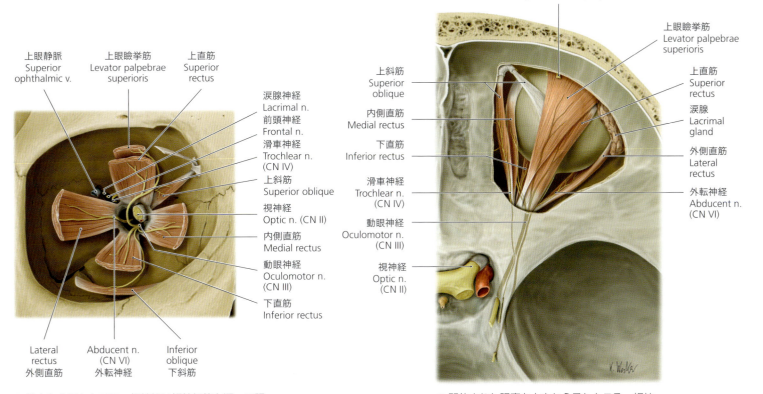

B 前方から見たところ．視神経は視神経管を通って眼窩にあらわれる．視神経管は動眼神経・滑車神経・外転神経があらわれる上眼窩裂より正中側にある．

C 開放された眼窩を上方から見たところ．視神経管と上眼窩裂との関係に注意．

脳神経：三叉神経（CN V）
CN V: Trigeminal Nerve

三叉神経は頭部の感覚神経で，3つの求心性神経核がある．咀嚼筋からの固有感覚線維を受けとる三叉神経中脳路核，触覚を主に伝達する三叉神経主感覚核（橋核），痛覚と温度覚を主に伝達する三叉神経脊髄路核の3つである．三叉神経運動核は咀嚼筋を支配する．

図 40.7 三叉神経（CN V）の核

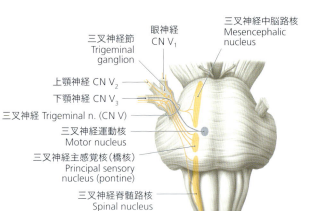

A 脳幹を前方から見たところ．

B 橋の横断面，上方から見たところ．

図 40.8 三叉神経（CN V）の枝
右外側方から見たところ．

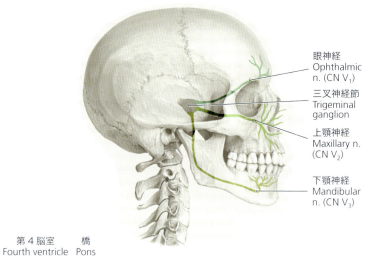

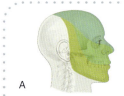

A　　　　　　　　　B　　　　　　　　　C　　　　　　　　　D

表 40.4　三叉神経（CN V）

経路	線維	核	機能	障害時の影響
中頭蓋窩から外に出る **眼神経（三叉神経第1枝, CN V₁）**：上眼窩裂を通り，眼窩に入る **上顎神経（三叉神経第2枝, CN V₂）**：正円孔を通り，翼口蓋窩に入る **下顎神経（三叉神経第3枝, CN V₃）**：卵円孔を通り，頭蓋底の下面に出る	体性求心性線維	・三叉神経主感覚核（橋核） ・三叉神経中脳路核 ・三叉神経脊髄路核	分布： ・顔面皮膚（A） ・鼻咽頭粘膜（B） ・舌（前 2/3）（C） 角膜反射に関与（眼瞼の反射性閉合）	・感覚の消失（外傷性神経障害） ・眼の帯状疱疹（水痘・帯状疱疹ウイルス），顔面帯状疱疹
	特殊臓性遠心性線維	三叉神経運動核	分布（CN V₃ を経由）： ・咀嚼筋〔側頭筋，咬筋，外側翼突筋，内側翼突筋（D）〕 ・口腔底筋（顎舌骨筋，顎二腹筋前腹） ・鼓膜張筋 ・口蓋帆張筋	
	臓性遠心性線維の経路*		・涙腺神経（CN V₁ の枝）は，顔面神経の副交感性線維を，頬骨神経（CN V₂ の枝）と合流して涙腺まで運ぶ ・舌神経（CN V₃ の枝）は顔面神経の副交感性線維を鼓索神経と合流して顎下腺および舌下腺に運ぶ ・耳介側頭神経（CN V₃ の枝）は舌咽神経の副交感性線維を耳下腺まで運ぶ	
	臓性求心性線維の経路*		顔面神経の味覚線維（鼓索神経）は，舌神経とともに進み，舌の前 2/3 に分布する	

*一部の脳神経の線維は三叉神経の枝や小枝に合流して，それぞれの支配領域に至る．
**3 枝ともに前頭蓋窩・中頭蓋窩の神経支配に関与する．

図 40.9　三叉神経（CN V）の枝の経路
右外側方から見たところ．

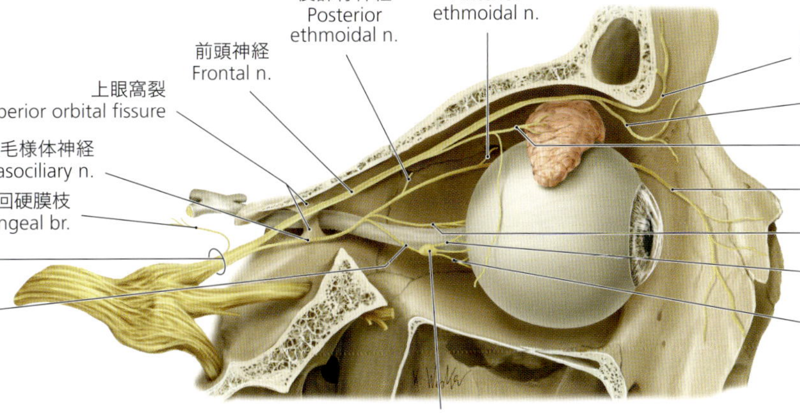

A　眼神経（CN V₁）．右眼窩を部分的に開放してある．

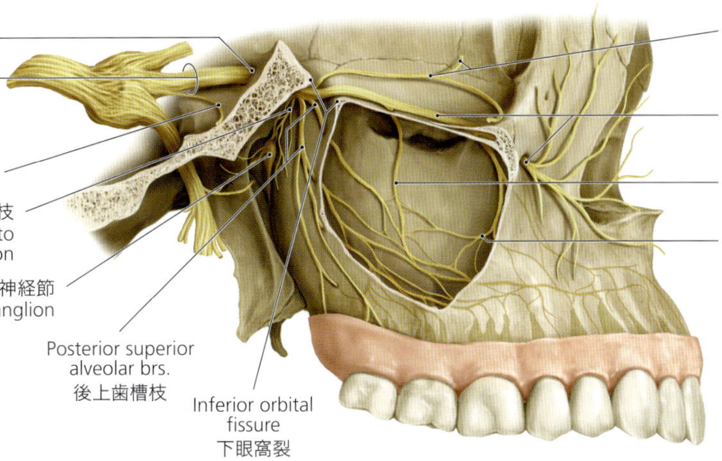

B　上顎神経（CN V₂）．右上顎洞．頬骨弓を取り除き，部分的に開放してある．

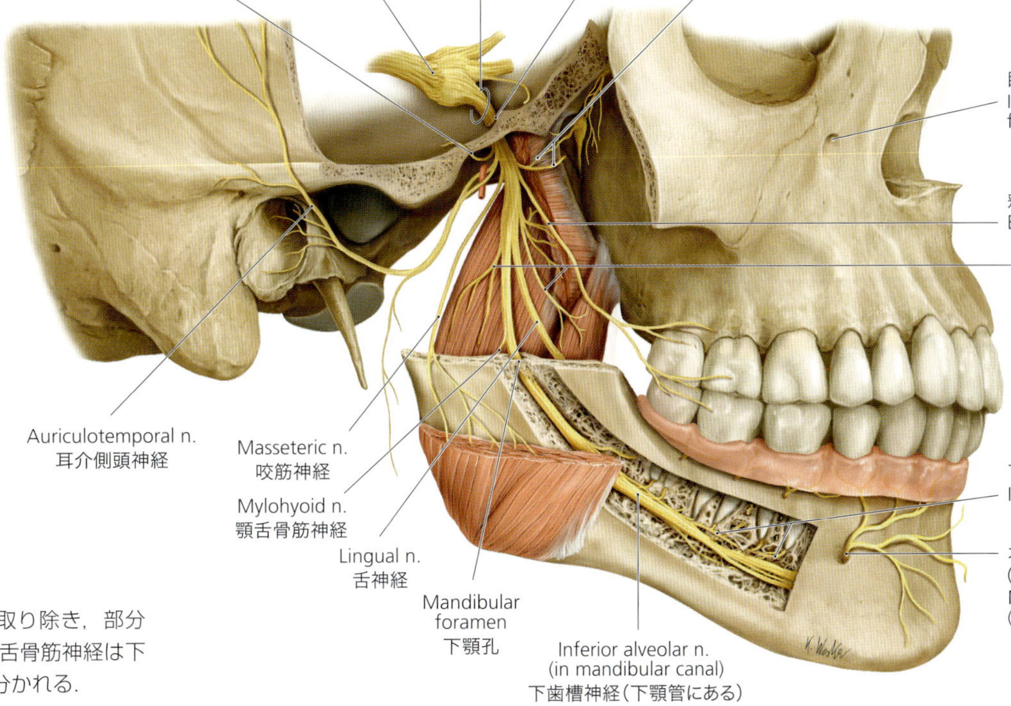

C　下顎神経（CN V₃）．頬骨弓を取り除き，部分的に開放してある．*Note*：顎舌骨筋神経は下顎孔の直前で下歯槽神経から分かれる．

脳神経：顔面神経（CN VII）
CN VII: Facial Nerve

顔面神経は，主に顔面神経核からの特殊臓性遠心性（鰓性）線維を表情筋に運ぶ．上唾液核からの臓性遠心性（副交感性）線維は，臓性求心性（の味覚）線維とまとまって中間神経を形成する．

図40.10　顔面神経（CN VII）の核

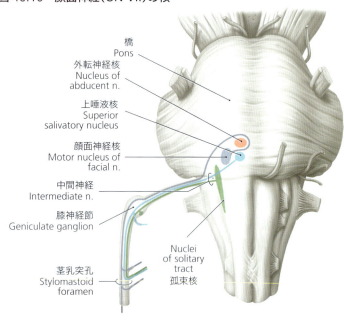

図40.11　顔面神経（CN VII）の枝
右側方から見たところ．

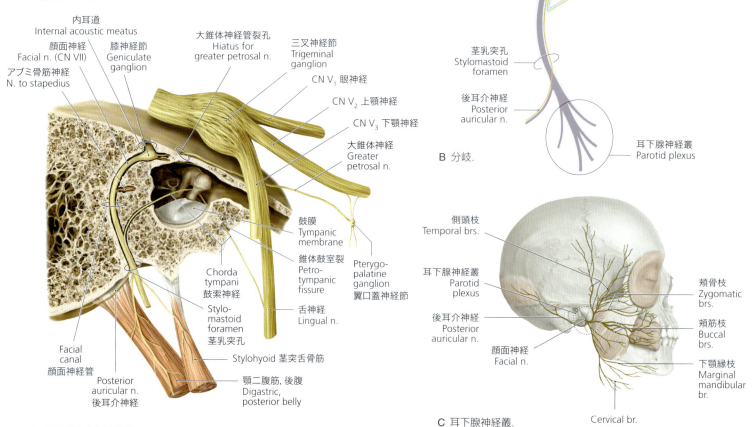

表 40.5　顔面神経（CN VII）

経路	線維	核	機能	障害時の影響
橋とオリーブの間の橋小脳三角から起こり，内耳道から側頭骨の岩様部に入り， ・大錐体神経 ・アブミ骨筋神経 ・鼓索神経 に分かれる 特殊臓性遠心性線維の一部は茎乳突孔を通って頭蓋底に向かい，耳下腺内神経叢を作る	特殊臓性遠心性線維	顔面神経核	分布： ・表情筋 ・茎突舌骨筋 ・顎二腹筋の後腹 ・アブミ骨筋	末梢の顔面神経の障害：障害側の表情筋の麻痺 味覚，涙液分泌，唾液分泌，聴覚過敏の関連障害など
	臓性遠心性線維（副交感性）*	上唾液核	翼口蓋神経節または顎下神経節のニューロンとシナプスを形成する 分布： ・涙腺 ・鼻粘膜，硬口蓋，軟口蓋の小腺 ・顎下腺 ・舌下腺 ・舌背の小唾液腺	
	特殊臓性求心性線維*	孤束核	膝神経節からの末梢性突起は鼓索神経を作る（舌からの味覚線維）	
	体性求心性線維		耳介，外耳道の皮膚，鼓膜の外面からの感覚性線維は顔面神経経由で三叉神経主感覚核に行く	

*中間神経を形成し，顔面神経核からの臓性遠心性線維と合流する．

図 40.12　顔面神経（CN VII）の走行

右外側方から見たところ．この図では，**表 40.5** に示した全ての線維の神経支配を示す．臓性遠心性（副交感性）線維と特殊臓性求心性（の味覚）線維はそれぞれ青色と緑色の線で示してある．交感神経節後線維は黒線で示してある．

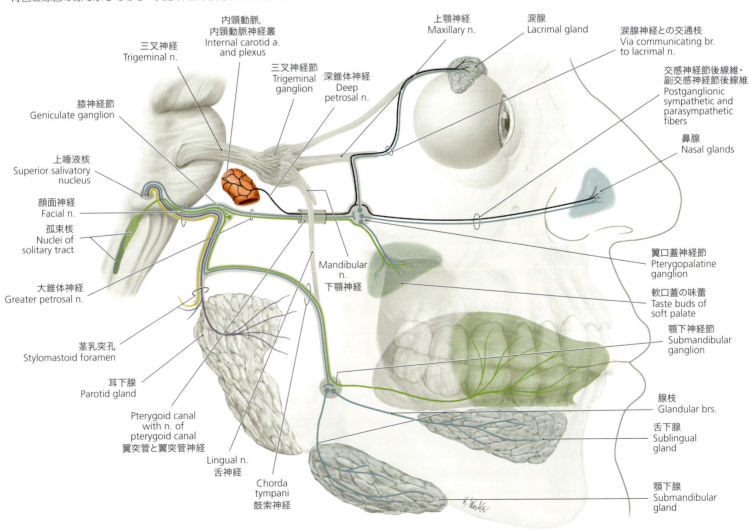

脳神経：内耳神経（CN VIII）
CN VIII: Vestibulocochlear Nerve

内耳神経は2つの根からなる特殊体性求心性神経である．前庭神経は平衡器からの興奮を伝え，蝸牛神経は聴覚器からの興奮を伝える．

図 40.13　内耳神経（CN VIII）の前庭神経部

図 40.14　内耳神経（CN VIII）の蝸牛神経部

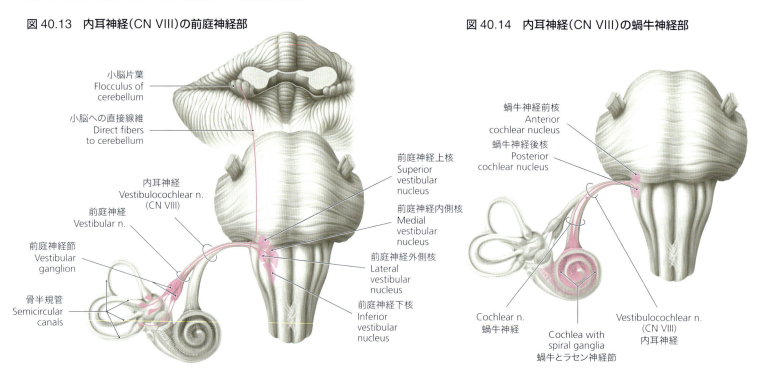

A　延髄と橋，小脳を前方から見たところ．

A　延髄と橋，小脳を前方から見たところ．

B　延髄上部の横断面．

B　延髄上部の横断面．

表 40.6　内耳神経（CN VIII）

神経	経路	線維	核	機能	障害時の影響
前庭神経	内耳から内耳道を経由して橋小脳三角に至り，そこで脳に入る	特殊体性求心性線維	前庭神経外側核，前庭神経内側核，前庭神経上核，前庭神経下核	骨半規管，球形嚢，卵形嚢からの末梢枝は前庭神経節を経由して，その後4つの前庭神経核に至る．	めまい
蝸牛神経			蝸牛神経後核と蝸牛神経前核	コルチ器の有毛細胞から始まる末梢枝はラセン神経節を経由して，2つの蝸牛神経核に至る．	聴覚障害

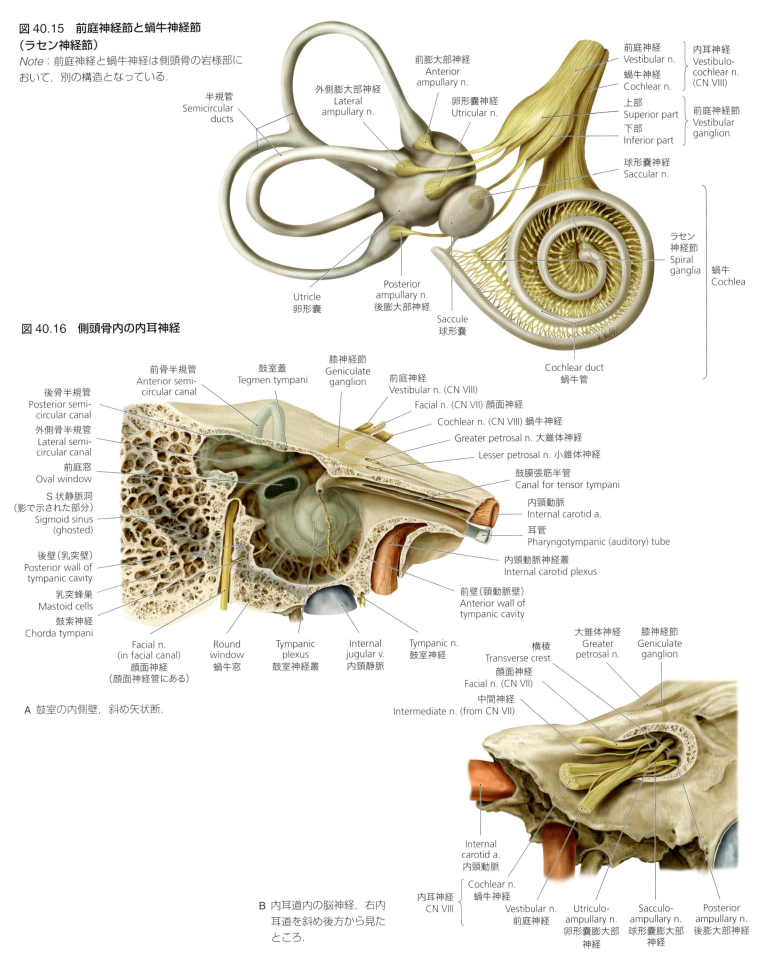

脳神経：舌咽神経（CN IX）
CN IX: Glossopharyngeal Nerve

図 40.17　舌咽神経（CN IX）の核

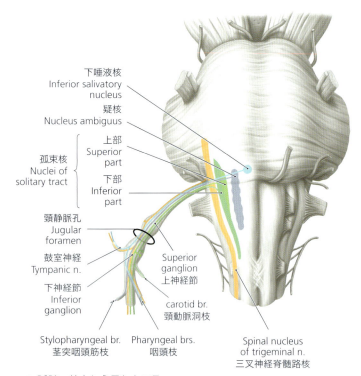

A 延髄，前方から見たところ．

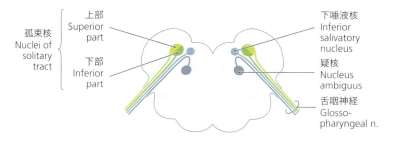

B 延髄の横断面，上方から見たところ．三叉神経の核は示していない．

図 40.18　舌咽神経（CN IX）の走行
左外側方から見たところ．Note：迷走神経（CN X）の線維と舌咽神経（CN IX）の線維は咽頭神経叢を形成して，頸動脈洞に分布する．

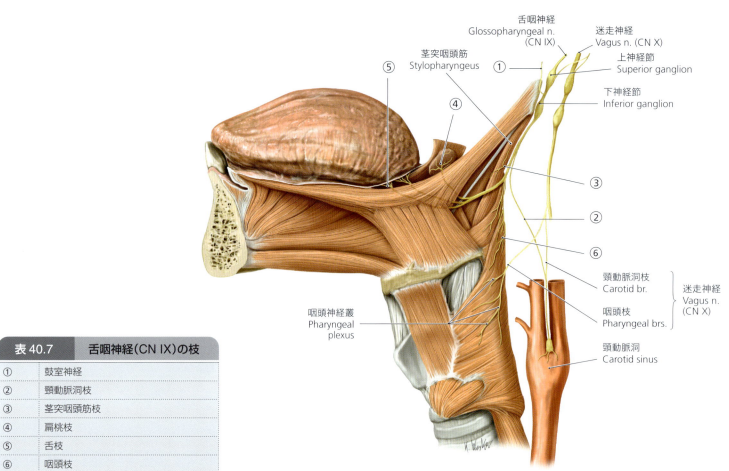

表 40.7	舌咽神経（CN IX）の枝
①	鼓室神経
②	頸動脈洞枝
③	茎突咽頭筋枝
④	扁桃枝
⑤	舌枝
⑥	咽頭枝

A

B

C

D

E

F

表40.8　舌咽神経（CN IX）

経路	線維	核	機能	障害時の影響
延髄から起こり，頸静脈孔から頭蓋腔を出る	臓性遠心性線維（副交感性）	下唾液核	副交感性節前線維は耳神経節に向かう 節後線維の分布： ・耳下腺（A） ・頬腺 ・口唇腺	舌咽神経の単独の障害は稀である．一般に頸静脈孔を通る迷走神経と副神経延髄根の障害を伴い，頭蓋底骨折時に障害が起こりやすい
	特殊臓性遠心性線維（鰓性）	疑核	分布： ・咽頭収縮筋（咽頭枝は迷走神経とともに咽頭神経叢を作る） ・茎突咽頭筋	
	臓性求心性線維	孤束核下部	頸動脈小体の化学受容器（B）と頸動脈洞の圧受容器から感覚情報を受け取る	
	特殊臓性求心性線維	孤束核上部	舌の後1/3（C）からの感覚情報を舌咽神経下神経節を通して受け取る	
	体性求心性線維	三叉神経脊髄路核	頭蓋内の上神経節と頭蓋外の下神経節からの末梢枝は以下の部位から起こる ・舌，軟口蓋，咽頭粘膜，扁桃（D, E） ・鼓室，鼓膜の内側面，耳管の粘膜（鼓室神経叢）（F） ・外耳と外耳道の皮膚（迷走神経と混じっている）	

図40.19　鼓室内にある舌咽神経（CN IX）
左前外側方から見たところ．鼓室神経は耳神経節に伸びる臓性遠心性（副交感性節前）線維と鼓室と耳管に伸びる体性求心性線維を含み，内頸動脈神経叢から頸鼓神経を経由してくる交感性線維と合流して鼓室神経叢を形成する．

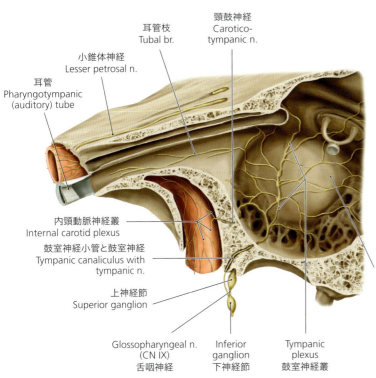

図40.20　舌咽神経（CN IX）の臓性遠心性（副交感性）線維

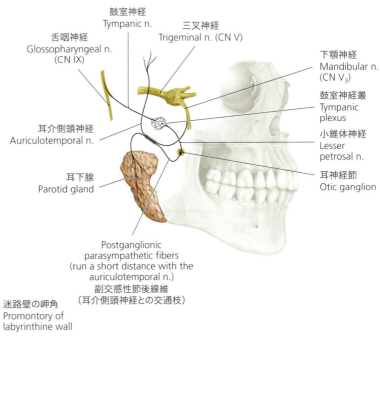

脳神経：迷走神経（CN X）
CN X: Vagus Nerve

図40.21　迷走神経（CN X）の核

A　延髄を前方から見たところ．

B　延髄の横断面，上方から見たところ．

表40.9	迷走神経（CN X）			
経路	線維	核	機能	障害時の影響
延髄から起こり，頸静脈孔を通って頭蓋腔から出る．迷走神経は脳神経の中で最も広範囲に分布し，頭部・頸部・胸部（p.87参照）・腹部（p.215参照）の枝に分かれる	特殊臓性遠心性線維（鰓性）	疑核	分布： ・咽頭筋（舌咽神経とともに咽頭神経叢を通して） ・軟口蓋の筋 ・喉頭筋（輪状甲状筋に分布する上喉頭神経，その他の喉頭筋に分布する下喉頭神経）	反回神経は声帯を外転させる唯一の筋である後輪状披裂筋の臓性運動性に支配する．片側の損傷は嗄声が引き起こされ，両側の損傷は呼吸困難に陥る
	臓性遠心性線維（副交感性）	迷走神経背側核	椎前神経節または壁内神経節でシナプスを形成する．胸部内臓と腹部内臓の平滑筋と腺に分布（A）	
	体性求心性線維	三叉神経脊髄路核	上神経節（頸静脈神経節）には後頭蓋窩の硬膜（C）と耳の皮膚（D），外耳道（E）からの末梢枝が至る	
	特殊臓性求心性線維	孤束核上部	下神経節（節状神経節）には喉頭蓋と舌根の味蕾（F）からの末梢枝が至る．	
	臓性求心性線維	孤束核下部	下神経節には以下から末梢枝が至る ・咽頭下部の食道移行部の粘膜（G） ・声帯ヒダより上（上喉頭神経）・下（下喉頭神経）の喉頭粘膜（G） ・大動脈弓の圧受容器（B） ・大動脈小体の化学受容器（B） ・胸部・腹部の内臓（A）	

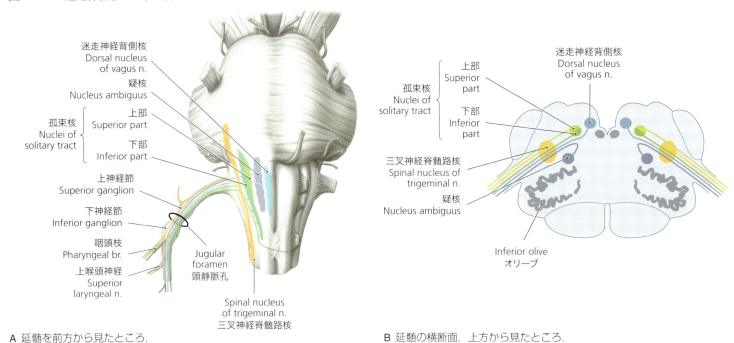

図 40.22 迷走神経（CN X）の走行

迷走神経は頸部で4つの枝を出す．下喉頭神経は，反回神経の終枝である．
Note：左の反回神経は大動脈弓の下を回り，右の反回神経は鎖骨下動脈の下を回る．

表 40.10	頸部の迷走神経の枝
①	咽頭枝
②	上喉頭神経
③R	右の反回神経
③L	左の反回神経
④	頸心臓枝

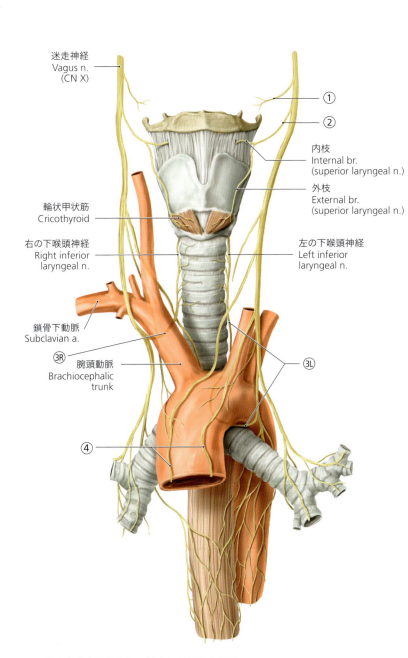

A 頸部の迷走神経の枝，前方から見たところ．

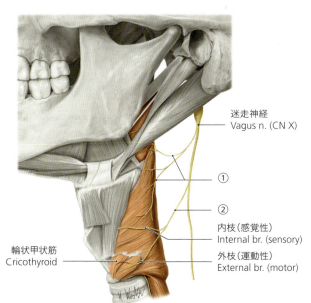

B 咽頭と喉頭の筋への分布，左外側方から見たところ．

脳神経：副神経(CN XI)と舌下神経(CN XII)
CN XI & XII: Accessory & Hypoglossal Nerves

疑核に細胞体をもつ、副神経(CN XI)の延髄根とされてきたものは、現在では迷走神経(CN X)の一部として考えられ、脊髄根と短い距離だけ合流しているが、すぐに分離する。脊髄根との短い並走ののち、延髄根の線維は迷走神経を介して分配される。副神経核から生じる脊髄根の線維は、副神経(CN XI)として伸びていく。

図 40.23 副神経(CN XI)
脳幹を後方から見たところ(小脳は取り除いてある). Note：わかりやすくするために右側の筋肉を示す.

図 40.24 副神経(CN XI)の障害
右の副神経の障害.

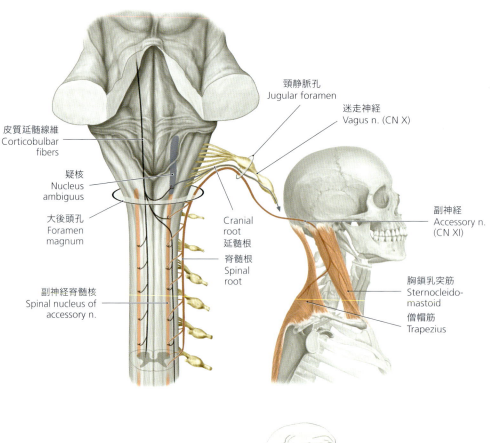

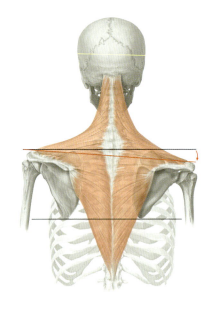

A 僧帽筋麻痺、後方から見たところ. 臨床的相関については下の**表 40.11**を参照.

B 胸鎖乳突筋麻痺、右前外側方から見たところ. 臨床的相関については下の**表 40.11**を参照.

表 40.11	副神経(CN XI)*			
経路	線維	核	機能	障害時の影響
脊髄根はC1-C5/6の脊髄から起こって上行し、大後頭孔から頭蓋に入り、延髄からの延髄根と合流する. 両根は頸静脈孔で頭蓋から出る. 延髄根の線維は頸静脈孔で迷走神経と合流する(内枝). 脊髄根は外枝として頸部を下行する	特殊臓性遠心性線維	疑核の尾側部	迷走神経と合流し、反回神経とともに分布する 分布： ・輪状甲状筋以外の喉頭の筋	僧帽筋麻痺：障害側の肩が下がり、腕を水平以上に挙上することが困難になる. この麻痺は頸部の手術(リンパ節の生検など)の際に重要である. 僧帽筋は第3-4頸神経にも支配されているので、副神経が傷害されても僧帽筋は完全には麻痺しない
	体性遠心性線維	副神経脊髄核	副神経外枝を作る 分布： ・僧帽筋 ・胸鎖乳突筋	胸鎖乳突筋麻痺：斜頸(ねじれた頸、つまり頸の回転が困難になる). 副神経だけが分布するので片側が障害されると弛緩性の麻痺が起こる. 両側が障害されると、頭部を直立させることができない

*副神経(CN XI)の延髄根の線維については、本頁の本文と、**表 40.2**を参照.

図 40.25 舌下神経（CN XII）

脳幹を後方から見たところ（小脳は取り除いてある）．
Note：甲状舌骨筋とオトガイ舌骨筋を支配する第 1 頸神経は短い距離だけ舌下神経とともに進む．

図 40.26 舌下神経（CN XII）の核

Note：舌下神経核には反対側の皮質ニューロンが分布している．

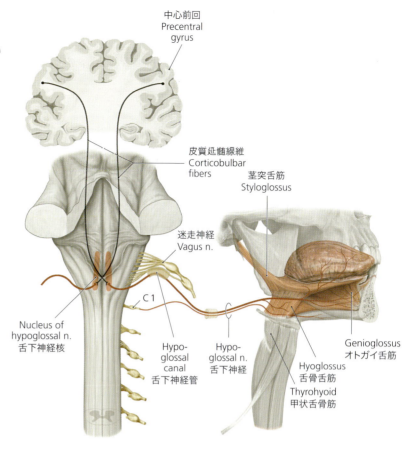

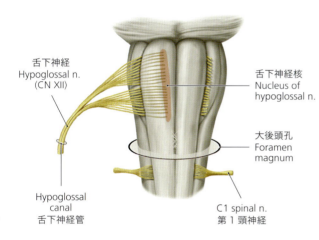

A 前方から見たところ．

B 延髄の横断面．

図 40.27 舌下神経（CN XII）の障害

上方から見たところ．臨床的相関については下の**表 40.12** を参照．

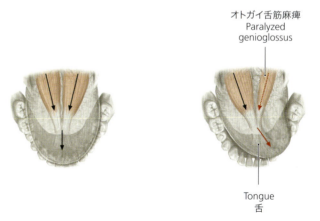

A 正常なオトガイ舌筋．　　B 片側の核または末梢の障害．

表 40.12　舌下神経（CN XII）

経路	線維	核	機能	障害時の影響
延髄から起こり，舌下神経管を通って頭蓋腔から出て，迷走神経の傍を下行する．舌下神経は舌骨の上で舌根に入る	体性遠心性線維	舌下神経核	分布： ・内舌筋と外舌筋（口蓋舌筋以外．口蓋舌筋は迷走神経の支配を受ける）	中枢の舌下神経麻痺（核上位）：舌は障害された側の反対側へ曲がる 核または末梢の麻痺：舌は，健常な側の筋が優位になるため，障害がある側に曲がる 弛緩麻痺：両核が障害されると，舌を突き出すことができない

自律神経系の分布
Autonomic Innervation

頭頸部

図 40.28　概観：副交感神経系（頭部）

脳幹には4つの副交感神経核がある．それぞれの核からの臓性遠心性線維と脳神経の組合せは以下の通りである．
- 動眼神経副核（エディンガー-ウェストファル核）：動眼神経（CN III）
- 上唾液核：顔面神経（CN VII）
- 下唾液核：舌咽神経（CN IX）
- 迷走神経背側核：迷走神経（CN X）

副交感神経節前線維は多数の脳神経とともに走行し，それぞれの標的器官に達する．迷走神経は，胸部器官および左結腸曲付近までの腹部器官の全てを支配する．
Note：頭部への交感神経線維は，それぞれの標的器官に向かって内頸動脈に沿って走行する．

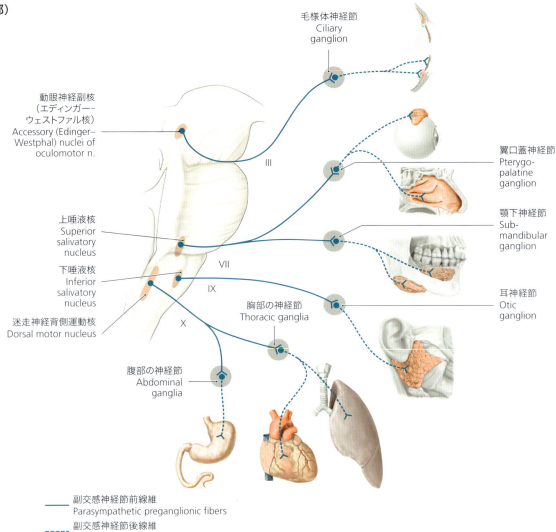

― 副交感神経節前線維
Parasympathetic preganglionic fibers
-- 副交感神経節後線維
Parasympathetic postganglionic fibers

表 40.13　頭部における副交感神経節

核	節前線維の進路	神経節	節後線維	標的器官
エディンガー-ウェストファル核	動眼神経（CN III）	毛様体神経節	短毛様体神経	毛様体筋（調節作用） 瞳孔括約筋（縮瞳）
上唾液核	中間神経（CN VII 根）→大錐体神経→翼突管神経	翼口蓋神経節	・上顎神経（CN V_2）→頬骨神経→吻合→涙腺神経（CN V_1） ・眼窩枝 ・内側・外側上後鼻枝 ・鼻口蓋神経 ・大口蓋神経・小口蓋神経	・涙腺 ・鼻腔と副鼻腔の分泌腺 ・歯肉の分泌腺 ・硬口蓋と軟口蓋の分泌腺 ・咽頭の分泌腺
	中間神経（CN VII 根）→鼓索神経→舌神経（CN V_3）		腺枝	顎下腺と舌下腺
下唾液核	舌咽神経（CN IX）→鼓室神経→小錐体神経	耳神経節	耳介側頭神経（CV V_3）	耳下腺
迷走神経背側核	迷走神経（CN X）	器官近傍の神経節	器官に分布する細線維（個別に命名されていない）	胸部内臓・腹部内臓
→：経由				

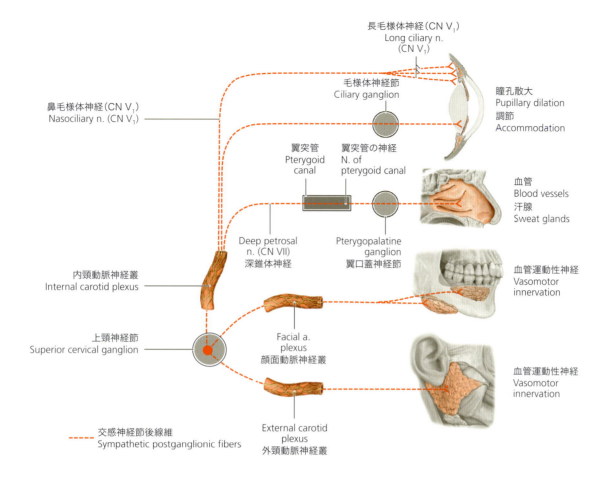

図 40.29　頭部の交感神経系の分布

頭部の交感神経節前線維は脊髄（第1胸髄-第2腰髄）の側角から起こる．節前線維は交感神経幹に入って上行し，上頸神経節でシナプスを形成する．節後線維は動脈神経叢とともに走行する．（内頸動脈上の）内頸動脈神経叢とともに走行する節後線維は（CN V₁の）鼻毛様体神経に合流し，そこから長毛様体神経とともに瞳孔散大筋へ向かう（散瞳）．他の節後線維は，（シナプスを形成せずに）毛様体神経節を通過して，毛様体筋（調節）へ向かう．それ以外に，深錐体神経とともに内頸動脈神経叢から離れていくものは，大錐体神経（CN VII）に加わって翼突管神経へと至る．この翼突管神経は翼口蓋神経節を通過したあとに枝分かれして，上顎神経の枝とともに鼻腔，上顎洞，硬口蓋・軟口蓋，歯肉，咽頭，頭部の汗腺・血管へ向かう．

上頸神経節からの節後線維のうち，顔面動脈神経叢を経て（シナプスを形成せずに）顎下神経節を通過するものは，顎下腺と舌下腺へ向かう．外頸動脈神経叢を経る節後線維は，（シナプスを形成せずに）耳神経節を通り，耳下腺へ向かう．

表 40.14　頭部における交感神経線維

核	節前線維の進路	神経節	節後線維	標的器官
脊髄（第1胸髄-第2腰髄）の側角	交感神経幹に入って上頸神経節まで上行	上頸神経節	内頸動脈神経叢→鼻毛様体神経（CN V₁）→長毛様体神経（CN V₁）	瞳孔散大筋（散瞳）
			節後線維→毛様体神経節*→短毛様体神経	毛様体筋（調節）
			内頸動脈神経叢→深錐体神経→翼突管神経→翼口蓋神経節*→上顎神経の枝	鼻腔の分泌腺 汗腺 血管
			顔面動脈神経叢→顎下神経節*	顎下腺 舌下腺
			外頸動脈神経叢	耳下腺

＊：シナプスを形成せずに通過
→：経由

41 頭部・顔面の血管・神経

顔面の神経支配
Innervation of the Face

図 41.1 顔の運動神経
左外側方から見たところ．表情筋は顔面神経（CN VII）の5つの枝によって運動性に神経支配される．咀嚼筋は三叉神経の下顎神経（CN V₃）によって運動性に神経支配される．

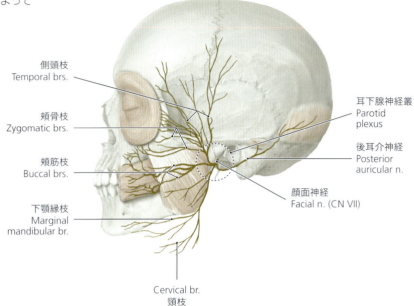

A 表情筋の運動神経支配．

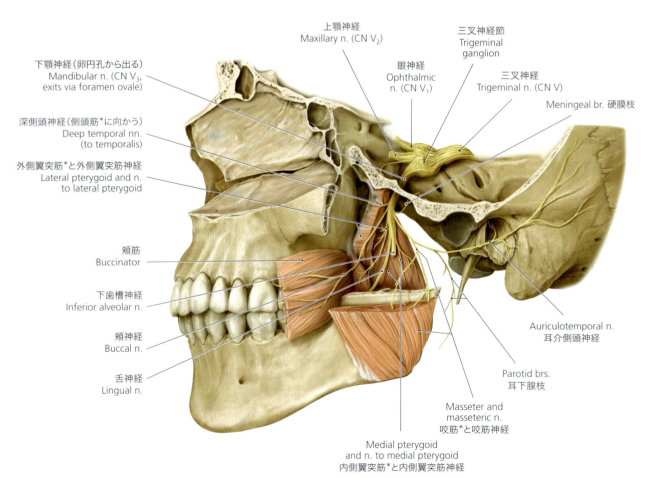

B 咀嚼筋（*）の運動神経支配．

図 41.2 顔面の感覚神経支配

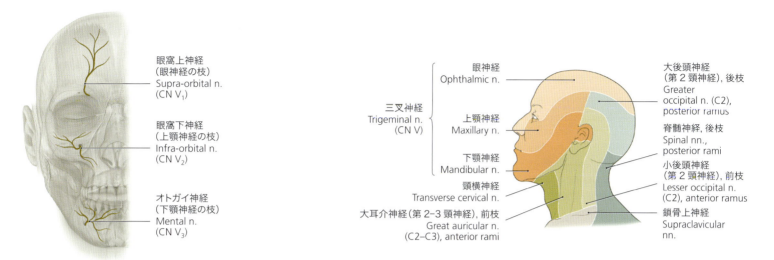

A 三叉神経からの感覚神経，前方から見たところ．眼窩上神経，眼窩下神経，オトガイ神経のそれぞれから感覚枝が出て，それぞれ眼窩の上部，眼窩の下部，オトガイ部に分布する．

B 頭部と頸部の感覚神経支配，左外側方から見たところ．後頭部と後頭下部は脊髄神経の後枝（青色）によって支配される．大後頭神経は第2頸神経（C2）の後枝である．

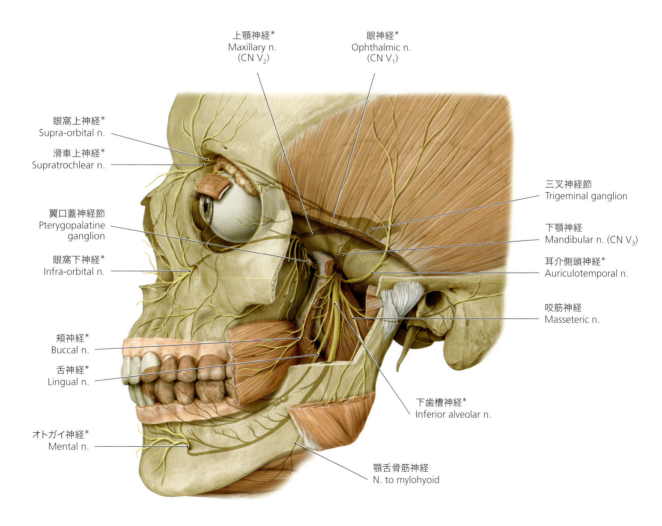

C 三叉神経の枝，左外側方から見たところ．
*感覚神経を示す．

頭頸部の動脈
Arteries of the Head & Neck

頭頸部には総頸動脈の枝が分布する．総頸動脈は頸動脈分岐部で内頸動脈と外頸動脈に分かれる．内頸動脈は脳に主に分布する(**p.688**)が，その枝は眼窩と鼻中隔で外頸動脈と吻合する．頭部と頸部の構造物に分布するのは主に外頸動脈である．

図41.3 内頸動脈
左外側方から見たところ．内頸動脈の脳以外への枝の中で最も重要なのは眼動脈である．眼動脈は鼻中隔上部(**p.620**)と眼窩(**p.608**)に分布する．脳の動脈については **pp.688–689** 参照．

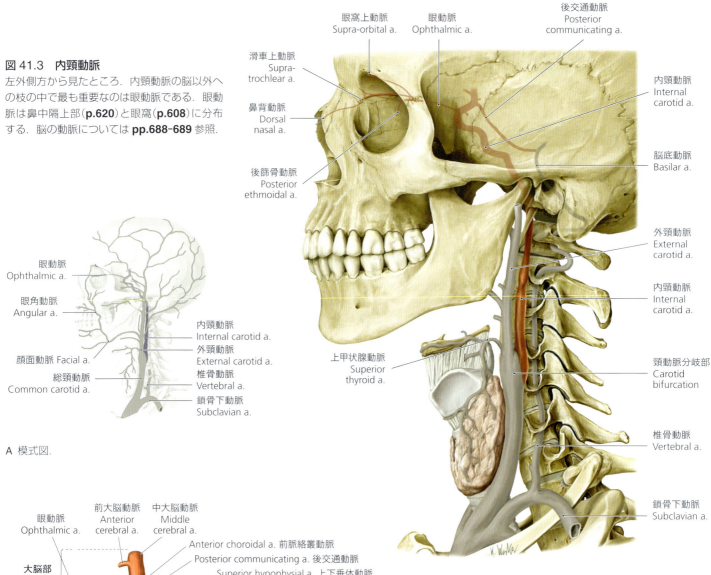

A 模式図．

B 内頸動脈の区分と枝．

C 内頸動脈の走行．

臨床 BOX 41.1

頸動脈アテローム性硬化症

頸動脈はしばしばプラークの形成によって動脈壁が硬化するアテローム性硬化症を起こす．超音波によって動脈の状態を検査することができる．

Note：頸動脈のアテローム性硬化症がない場合でも，冠性心疾患や他の場所でのアテローム性硬化の疑いを排除することはできない．

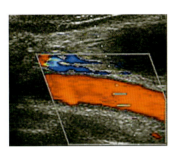

A 正常血液を示す総頸動脈．

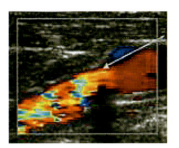

B 頸動脈球における石灰化プラーク．

図 41.4 外頸動脈：概観
左外側方から見たところ．

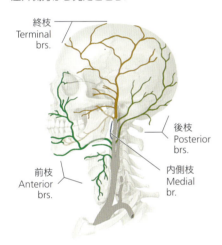

A 模式図．

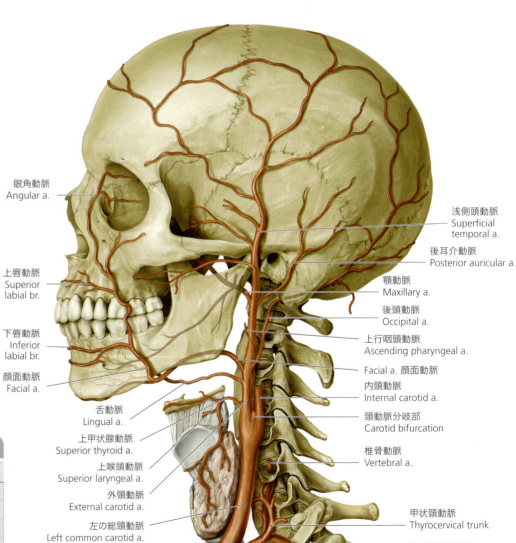

B 外頸動脈の走行．

表 41.1　外頸動脈の枝

枝のグループ	枝の名称
前枝（p.584）	上甲状腺動脈
	舌動脈
	顔面動脈
内側枝（p.584）	上行咽頭動脈
後枝（p.585）	後頭動脈
	後耳介動脈
終枝（p.586）	顎動脈
	浅側頭動脈

41 頭部・顔面の血管・神経

外頸動脈：前枝，内側枝，後枝
External Carotid Artery: Anterior, Medial & Posterior Branches

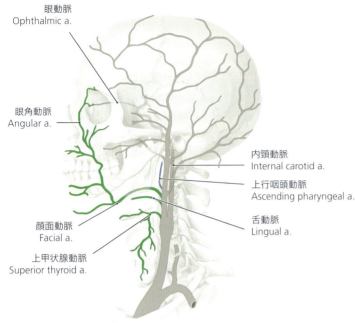

A 前枝と内側枝の動脈．顔面には血液が豊富に供給されているために，顔面が傷害されると大量に出血するが，急速に治癒する．外頸動脈の枝同士の間，また外頸動脈と眼動脈の枝の間には吻合が多数存在する．

図 41.5　前枝と内側枝
左外側方から見たところ．前枝の動脈は，眼窩（p.606），耳（p.632），喉頭（p.530），咽頭（p.654），口腔などの頭頸部の前側の構造に分布する．
Note：眼角動脈は，内頸動脈から起こる眼動脈の枝である鼻背動脈と吻合する．

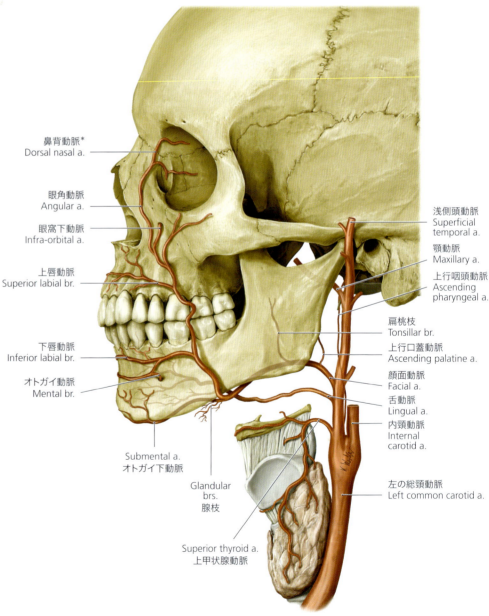

B 前枝と内側枝の走行．
*眼動脈の枝

図 41.6 後枝

左側方から見たところ．外頸動脈の後枝は耳（**p.632**），後頭（**p.595**），後頸部（**p.541**）に分布する．

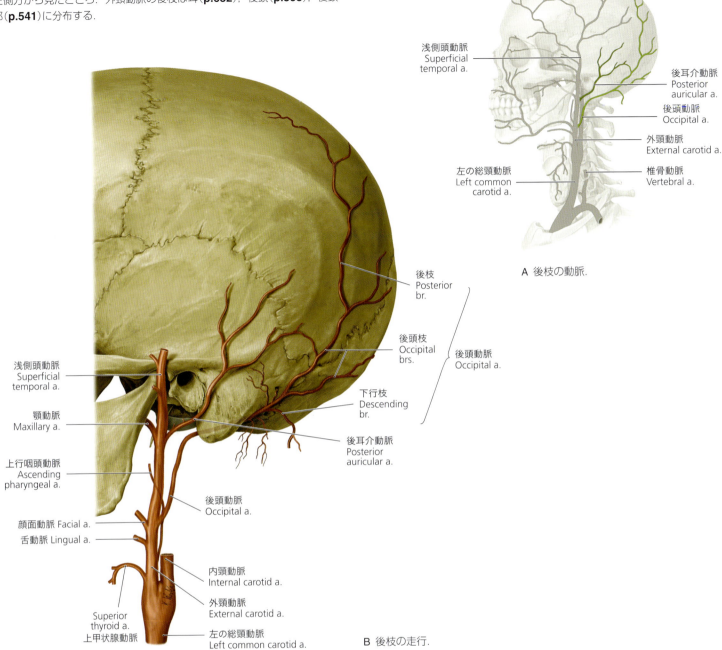

A 後枝の動脈．

B 後枝の走行．

表 41.2	外頸動脈の前枝，内側枝，後枝	
枝	動脈	区分と分布
前枝	上甲状腺動脈	腺枝（甲状腺へ），上喉頭動脈，胸鎖乳突筋枝
	舌動脈	舌背枝（舌根，口蓋舌弓，扁桃，軟口蓋，喉頭蓋へ），舌下動脈（舌下腺，舌，口腔底，口腔へ），舌深動脈
	顔面動脈	上行口蓋動脈（咽頭壁，軟口蓋，耳管へ），扁桃枝（口蓋扁桃へ），オトガイ下動脈（口腔底，顎下腺へ），上唇動脈・下唇動脈，眼角動脈（鼻根へ）
内側枝	上行咽頭動脈	咽頭枝，下鼓室動脈（内耳の粘膜へ），後硬膜動脈
後枝	後頭動脈	後頭枝，下行枝（後頸筋へ）
	後耳介動脈	茎乳突孔動脈（顔面神経管内の顔面神経へ），後鼓室動脈，耳介枝，後頭枝，耳下腺枝

終枝については**表 41.3**（**p.586**）を参照．

外頸動脈：終枝
External Carotid Artery: Terminal Branches

外頸動脈の終枝は浅側頭動脈と顎動脈の2つの大きな動脈からなる．浅側頭動脈は頭蓋外側部に分布し，顎動脈は顔面の内部構造の主要な動脈である．

図 41.7　浅側頭動脈
左外側方から見たところ．浅側頭動脈の炎症は激しい頭痛を引き起こす．浅側頭動脈の前頭枝は高齢者では皮下の浅層に走行をたどることができる．

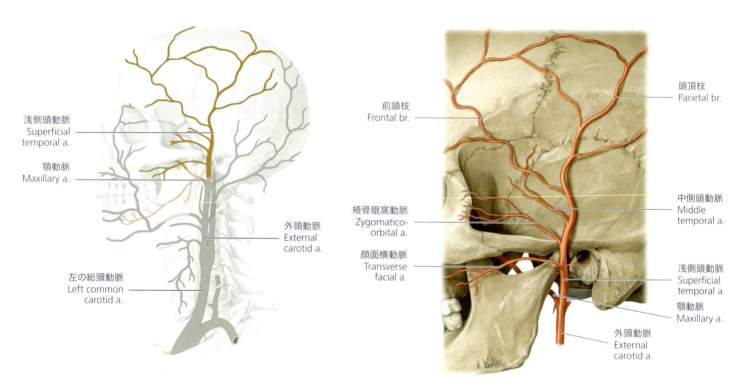

A　終枝の動脈．

B　浅側頭動脈の走行．

表 41.3　外頸動脈の終枝

枝	動脈		区分と分布	
終枝	浅側頭動脈		顔面横動脈（頬骨弓より下方の軟部組織へ），前頭枝，頭頂枝，頬骨眼窩動脈（眼窩の外側壁へ）	
	顎動脈	下顎部	下歯槽動脈（下顎骨，歯，歯肉へ），中硬膜動脈，深耳介動脈（顎関節，外耳道へ），前鼓室動脈	
		翼突筋部	咬筋動脈，前・後深側頭動脈，翼突筋枝，頬動脈	
		翼口蓋部	後上歯槽動脈（上顎大臼歯，上顎洞，歯肉へ），眼窩下動脈（上顎歯槽へ）	
			下行口蓋動脈	大口蓋動脈（硬口蓋へ）
				小口蓋動脈（軟口蓋，口蓋扁桃，咽頭壁へ）
			蝶口蓋動脈	外側後鼻枝（鼻腔の側壁，鼻甲介へ）
				中隔後鼻枝（鼻中隔へ）

ここで示していない部位がある．図 41.27（p.599），表 41.8（p.601）参照．

図 41.8 顎動脈
左外側方から見たところ．顎動脈は下顎部（青色）・翼突筋部（緑色）・翼口蓋部（黄色）の3つの部分からなる．

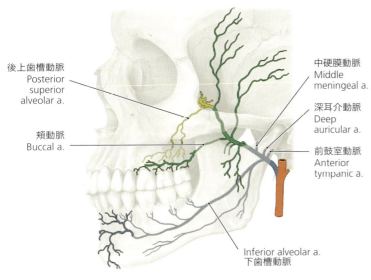

A 顎動脈の枝．

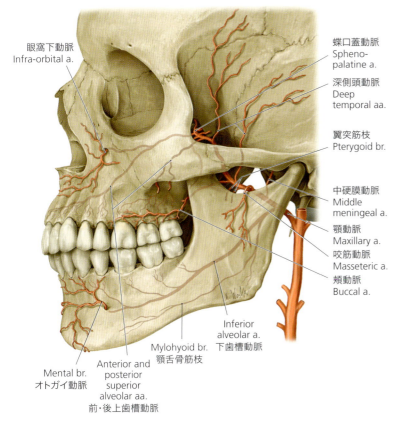

B 顎動脈の走行．

臨床 BOX 41.2

中硬膜動脈

中硬膜動脈は髄膜とその上にある頭蓋冠に分布する．（一般に頭部の外傷によって）動脈が破裂すると硬膜外血腫が生じる．

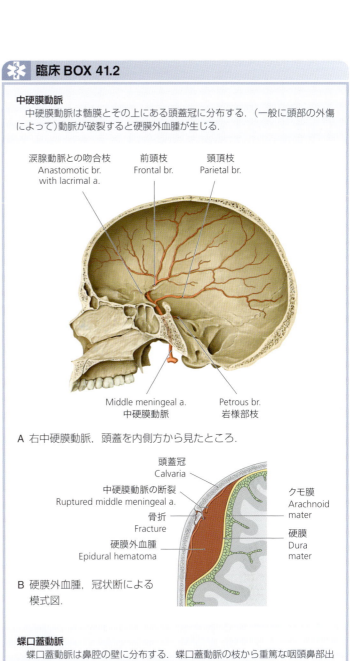

A 右中硬膜動脈，頭蓋を内側方から見たところ．

B 硬膜外血腫，冠状断による模式図．

蝶口蓋動脈

蝶口蓋動脈は鼻腔の壁に分布する．蝶口蓋動脈の枝から重篤な咽頭鼻部出血が起こった場合，翼口蓋窩で顎動脈を結紮する必要がある．

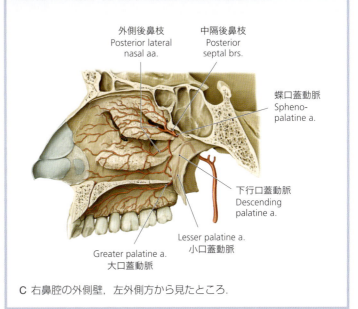

C 右鼻腔の外側壁，左外側方から見たところ．

頭頸部の静脈
Veins of the Head & Neck

図 41.9 頭頸部の静脈
左外側方から見たところ．頭頸部の静脈は腕頭静脈に流れ込む．
Note：左腕頭静脈と右腕頭静脈は対称ではない．

表 41.4	主要な浅静脈	
静脈	排出される領域	位置
内頸静脈	頭蓋内部（脳を含む）	頸動脈鞘内
外頸静脈	頭部（浅層）	頸筋膜の浅葉内
前頸静脈	頸部，頭部の一部	

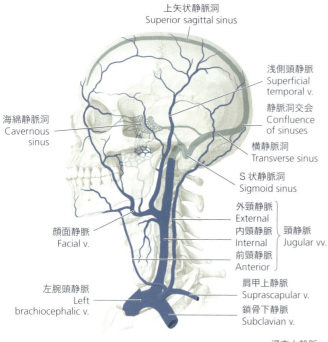

A 頭頸部の主な静脈．

B 頭頸部の浅静脈．
Note：静脈の走行は変異に富む．

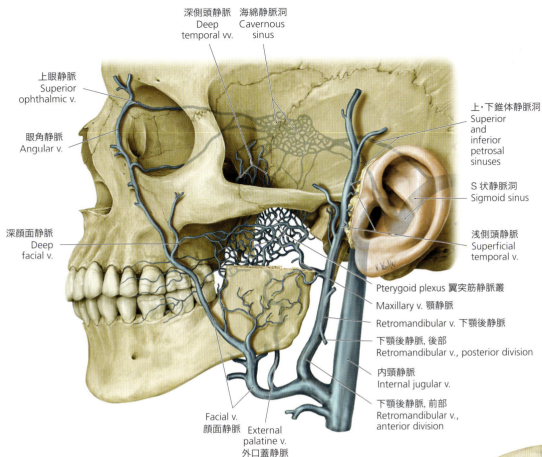

図41.10 頭部の深静脈

左外側方から見たところ．下顎骨の下顎枝，関節突起，筋突起は取り除いてある．翼突筋静脈叢は下顎枝と咀嚼筋の間にある静脈網である．海綿静脈洞は顔面静脈の枝をS状静脈洞に連絡する．

41 頭部・顔面の血管・神経

図41.11 後頭部の静脈

後方から見たところ．後頭部の浅静脈は板間静脈に流れ込む導出静脈を経由して硬膜静脈洞に連絡する（p.545の頭蓋冠を参照）．
Note：外椎骨静脈叢は椎骨全長にわたって存在する（p.45参照）．

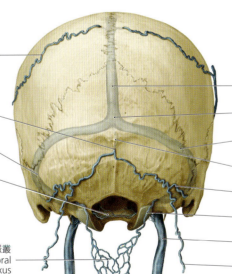

表41.5　静脈吻合

頭頸部の大きな静脈吻合は感染拡大の経路となる．

頭蓋外の静脈	連絡する静脈	静脈洞
眼角静脈	上眼静脈，下眼静脈	海綿静脈洞*
口蓋扁桃静脈	翼突筋静脈叢，下眼静脈	
浅側頭静脈	頭頂導出静脈	上矢状静脈洞
後頭静脈	後頭導出静脈	横静脈洞，静脈洞交会
後耳介静脈	乳突導出静脈	S状静脈洞
外椎骨静脈叢	顆導出静脈	

*顔面領域の細菌感染が深部まで広がると，海綿静脈洞血栓症に至ることがある．

髄膜
Meninges

脳と脊髄は髄膜によって覆われる．髄膜は硬膜，クモ膜，軟膜の3層からなる．クモ膜と軟膜の間にある空間はクモ膜下腔と呼ばれ，脳脊髄液で満たされている（**p.684** 参照）．脊髄の髄膜については **p.40** 参照．

図 41.12 髄膜の層
脳の静脈（硬膜静脈洞）については **pp.686-687** 参照．

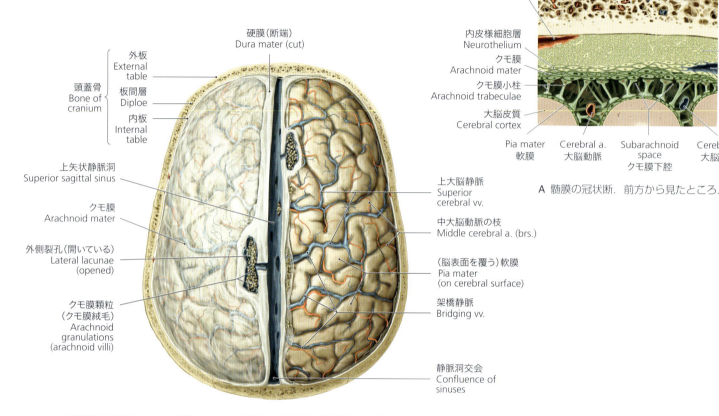

A 髄膜の冠状断．前方から見たところ．

B 頭蓋冠を開き，上方から見たところ．左側では最外層の硬膜を取り除いて，中間層のクモ膜を示す．右側では硬膜とクモ膜を取り除いて，脳表面を覆う最内層の軟膜を示す．Note：脳脊髄液を静脈血に還流させるクモ膜顆粒は，クモ膜から硬膜静脈洞へ突出している．

図 41.13 硬膜中隔
左前上方から見たところ．骨膜性硬膜から分離した2枚の髄膜性硬膜が硬膜静脈洞を形成した後に，硬膜中隔を作る．硬膜中隔には，左右の大脳半球を隔てる大脳鎌，大脳を支えて小脳側に落ち込むのを妨げる小脳テント，小脳テントの下で小脳の左右の半球を隔てる小脳鎌（図には示されていない），下垂体窩を覆って下垂体を包み込む鞍隔膜が含まれる．

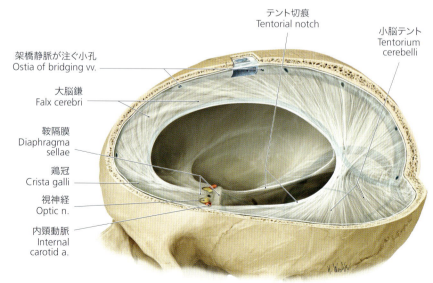

臨床 BOX 41.3

脳外出血

硬い骨である頭蓋冠と軟らかな脳実質の間で生じた出血（脳外出血）により，脳が圧迫され，障害が現れる場合がある．血腫の増大により頭蓋内圧が高まると，直接圧迫されている部位だけでなく，血腫から離れた部位も損傷を受ける．脳外出血は硬膜との位置関係により3つのタイプに分けられる．脳の動脈については pp.688-689 を，静脈については pp.686-687 を参照．

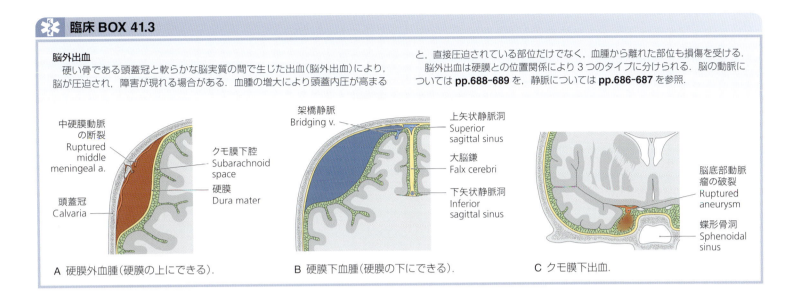

図 41.14　硬膜の動脈
正中矢状断，左内側方から見たところ．脳の動脈については pp.688-689 を参照．

図 41.15　硬膜の支配神経
上方から見たところ．右側の小脳テントを取り除いてある．

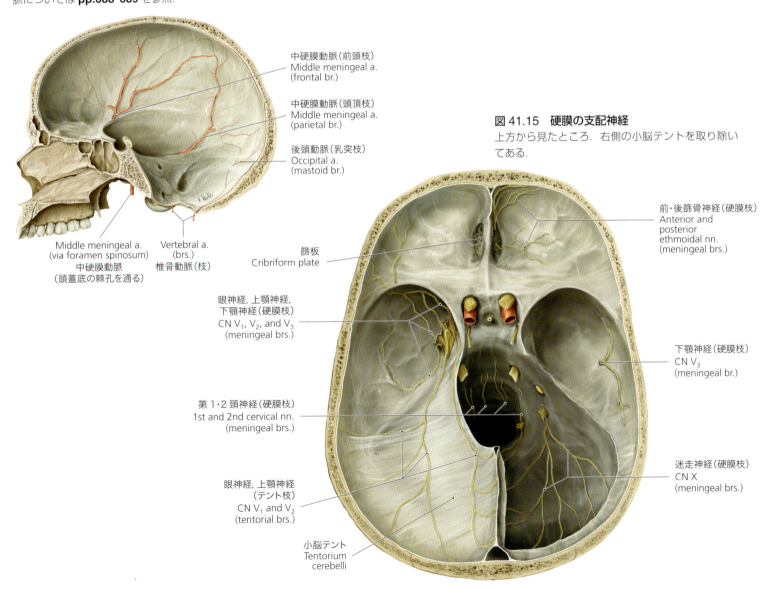

硬膜静脈洞
Dural Venous Sinuses

硬膜は2層からなり，外層の骨膜性の硬膜は頭蓋冠の内面と内層の髄膜性硬膜を裏打ちし，硬膜静脈洞において髄膜性硬膜から分離する．髄膜性硬膜は硬膜静脈洞の骨から遊離した部分の境界をなしている．2層の硬膜が合わさって硬膜静脈洞を作った後は硬膜中隔を形成する〔図41.13（p.590）参照〕．硬膜静脈洞は頭皮，頭蓋冠の骨，脳の血液を集め，頸静脈孔から内頸静脈へと送る．

図41.16 硬膜静脈洞

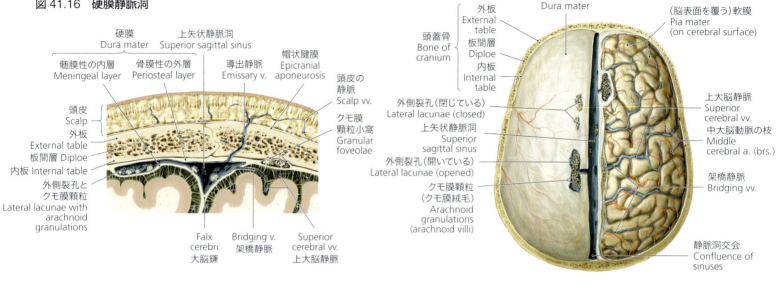

A 硬膜静脈洞の構造．上矢状静脈洞の冠状断を前方から見たところ．

B 原位置の上矢状静脈洞．開いた頭蓋腔を上方から見たところ．静脈洞の上壁（頭蓋冠に付着する骨膜性の硬膜）は取り除いてある．左側では硬膜を取り除いて，原位置のクモ膜顆粒（クモ膜の突出）を示す．右側では硬膜とクモ膜を取り除いて，大脳皮質に付着する軟膜を示す．

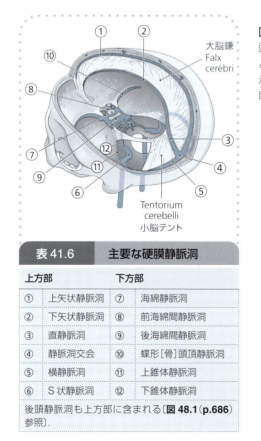

図41.17 頭蓋腔の硬膜静脈洞
頭蓋腔を開き，上方から見たところ．硬膜静脈洞は青色で示す．右側では小脳テントを取り除いてある．

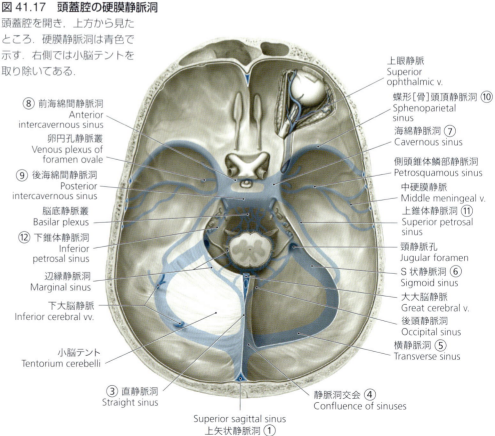

表41.6	主要な硬膜静脈洞		
上方部		下方部	
①	上矢状静脈洞	⑦	海綿静脈洞
②	下矢状静脈洞	⑧	前海綿間静脈洞
③	直静脈洞	⑨	後海綿間静脈洞
④	静脈洞交会	⑩	蝶形［骨］頭頂静脈洞
⑤	横静脈洞	⑪	上錐体静脈洞
⑥	S状静脈洞	⑫	下錐体静脈洞

後頭静脈洞も上方部に含まれる〔図48.1（p.686）参照〕．

図 41.18 海綿静脈洞と脳神経

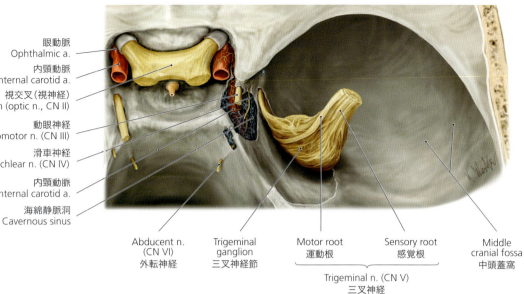

A 右側の前頭蓋窩と中頭蓋窩を上方から見たところ．海綿静脈洞の外側壁と上壁を取り除いてある．三叉神経節と周辺の硬膜は切断し，外側に翻転．

B 斜台上と左の海綿静脈洞内における外転神経の硬膜外の走行．左外側方から見たところ．斜台上を走る外転神経の長い硬膜外の経路に注意．外転神経は，クモ膜下腔を走行し，硬膜を貫通して，グルーバー靱帯の下のドレロ管を通って，側頭骨岩様部の先端（中頭蓋窩と後頭蓋窩の境）から海綿静脈洞に入る．海綿静脈洞内を内頸動脈に沿って走行し，上眼窩裂から眼窩に入る．

図 41.19 海綿静脈洞，中頭蓋窩の冠状断

前方から見たところ．鞍隔膜に覆われた下垂体窩で下垂体周辺を通る前・後海綿間静脈によって左右の海綿静脈洞は連絡している．内頸動脈の海綿静脈洞部が180°の屈曲を行う頸動脈サイホンのために，図では各側で内頸動脈が二度切断されている．海綿静脈洞に関連する5本の脳神経のうち外転神経のみが硬膜外側壁から独立している．

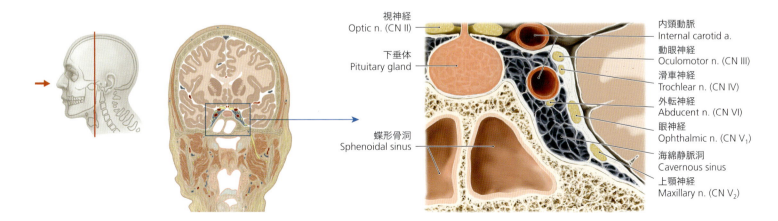

顔面浅層の局所解剖
Topography of the Superficial Face

図 41.20　顔面浅層の血管・神経
前方から見たところ．皮膚と脂肪組織は取り除いてある．
左半分ではいくつかの表情筋も取り除いてある．

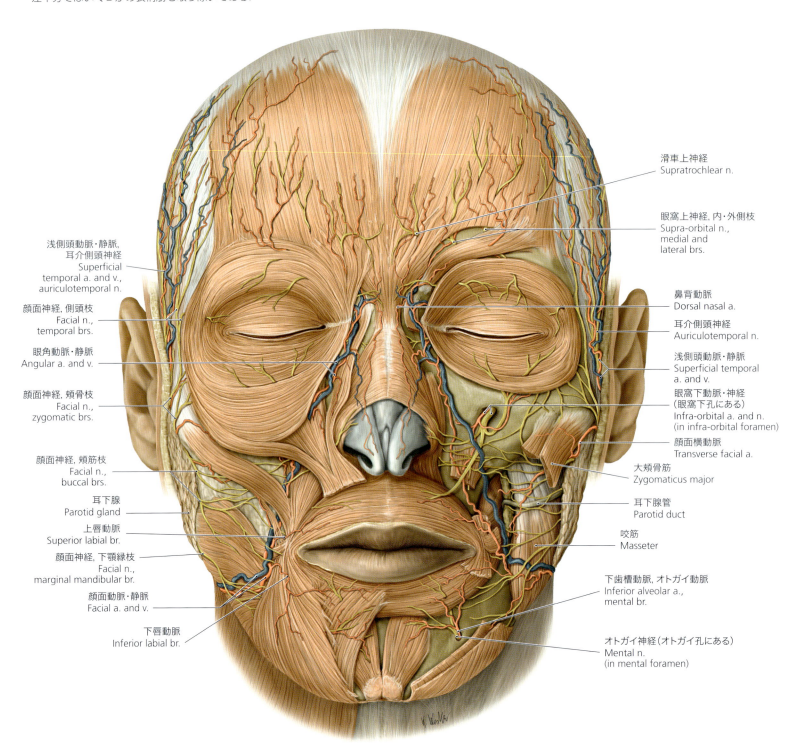

図 41.21 頭部浅層の血管・神経
左外側方から見たところ.

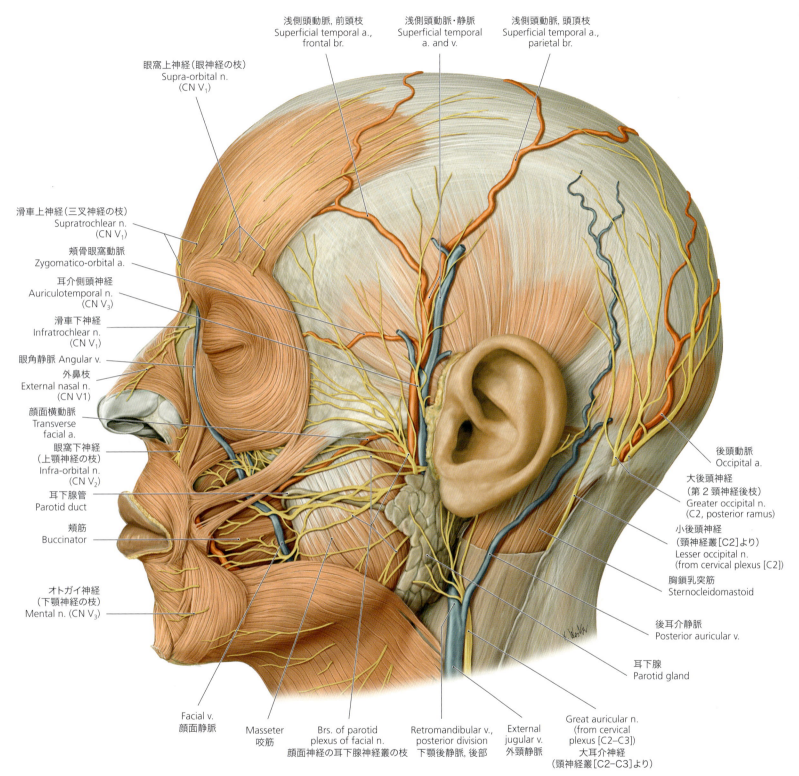

耳下腺咬筋部と側頭窩の局所解剖
Topography of the Parotid Region & Temporal Fossa

図 41.22 耳下腺咬筋部
左外側方から見たところ．耳下腺，胸鎖乳突筋，頭部の静脈は取り除いてある．耳下腺床と頸動脈三角を示している．

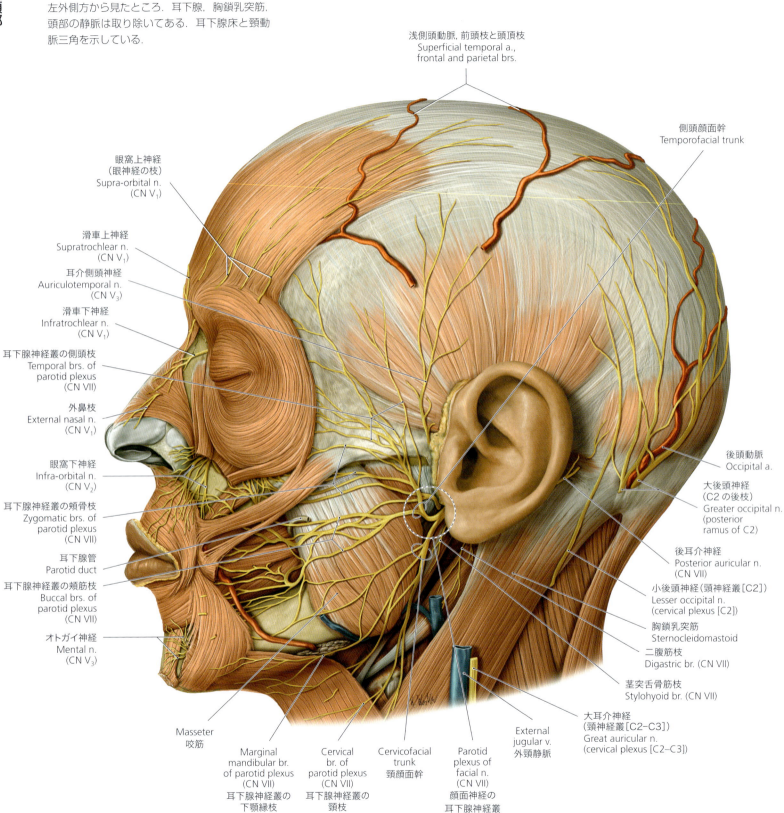

図 41.23 側頭窩

左から見たところ．側頭窩は頭蓋の側面に位置する．側頭窩の下方は（頬骨弓より内側で）側頭下窩となっている．この図では頬骨弓と頬骨が取り除いてあることによって，側頭下窩のさらに内側に翼口蓋窩を見ることができる．

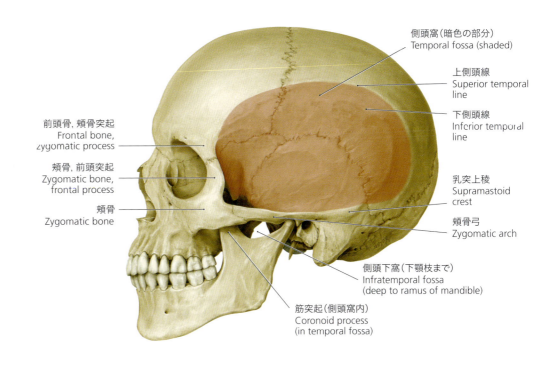

図 41.24 側頭窩

左外側方から見たところ．胸鎖乳突筋と咬筋は取り除いてある．側頭窩と顎関節（**p.638**）を示している．

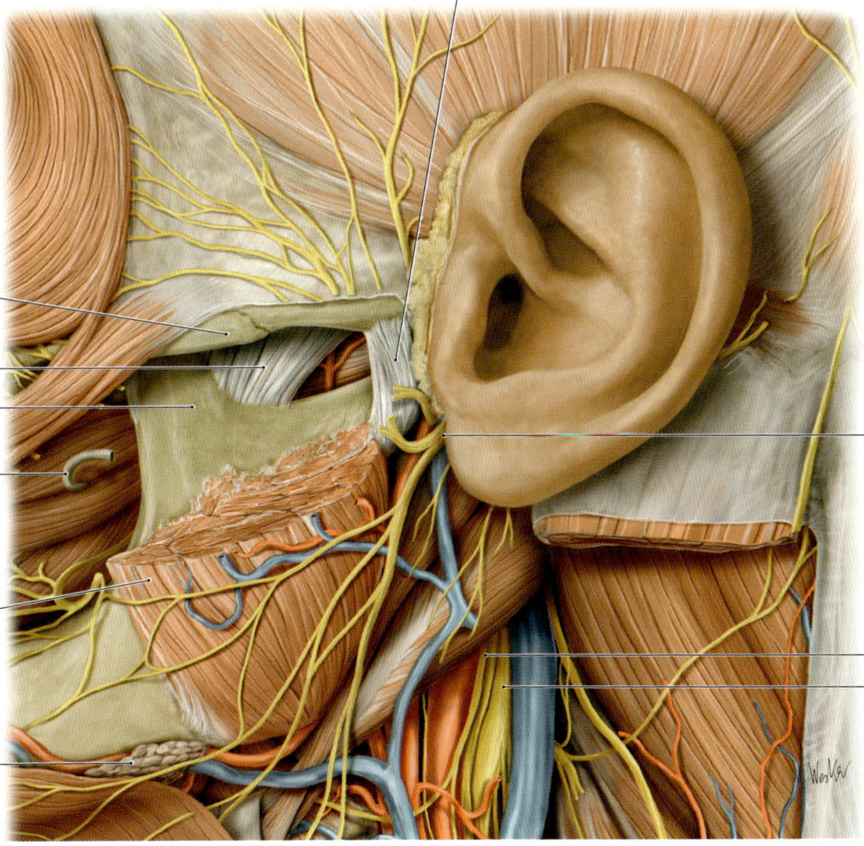

側頭下窩の局所解剖
Topography of the Infratemporal Fossa

図 41.25 側頭下窩の骨境界
頭蓋底を斜め下から見たところ．

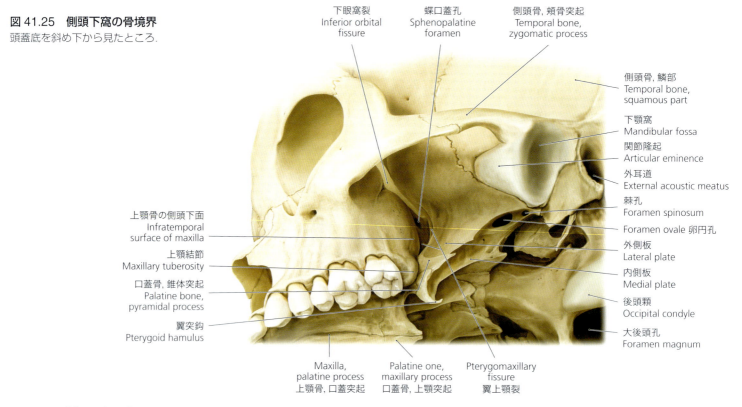

図 41.26 側頭下窩：浅層
左外側方から見たところ．下顎枝は取り除いてある．
Note：顎舌骨筋神経（図 **45.15**，**45.17A** 参照）は下顎孔の直前で下歯槽神経から出る．

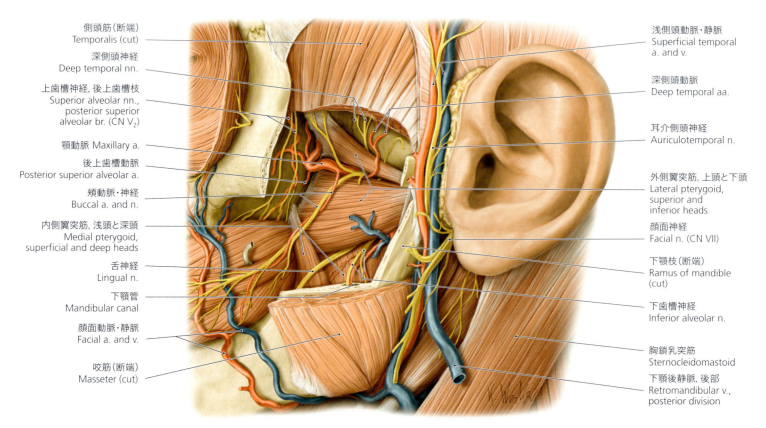

図 41.27 側頭下窩：深層

左外側方から見たところ．外側翼突筋の上頭と下頭は取り除いてある．側頭下窩の深層と下顎神経を示している．下顎神経は卵円孔を通って側頭下窩に入り，下顎管へ至る．

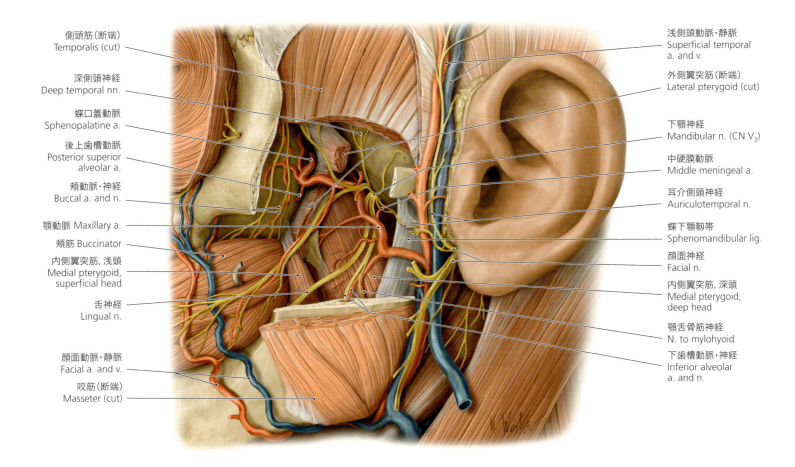

側頭下窩の血管・神経
Neurovasculature of the Infratemporal Fossa

図 41.28　側頭下窩の下顎神経（CN V₃）

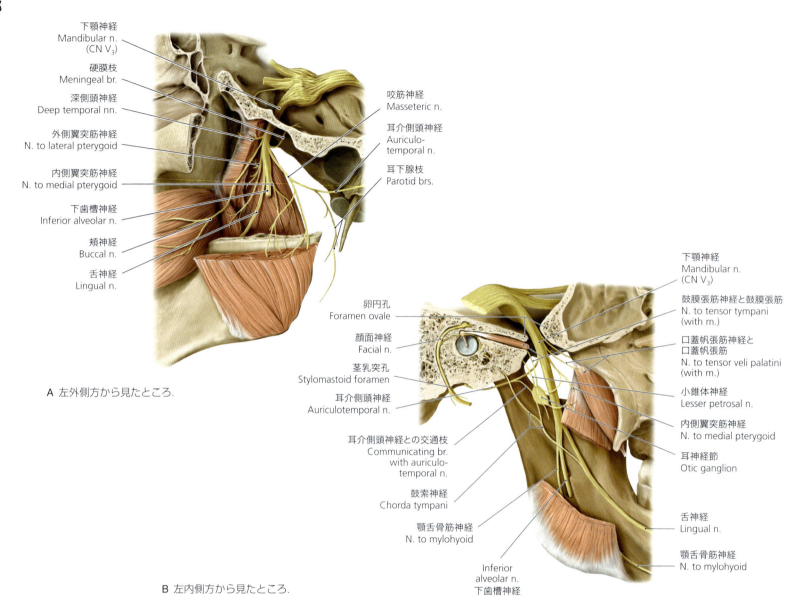

A　左外側方から見たところ．

B　左内側方から見たところ．

表 41.7　側頭下窩の神経

神経	神経線維	支配
筋への枝（CN V₃）	鰓弓器官の運動性	咀嚼筋，顎舌骨筋，鼓膜張筋，口蓋帆張筋，顎二腹筋の前腹
耳介側頭神経（CN V₃）	一般感覚性	耳介，側頭部，顎関節
	舌咽神経（CN IX）からの内臓運動性	耳下腺
下歯槽神経（CN V₃）	一般感覚性	下顎の歯．オトガイ神経は下唇とオトガイを支配．
舌神経（CN V₃）	一般感覚性	舌の前2/3，口腔底
頬神経（CN V₃）	一般感覚性	頬の皮膚と粘膜
硬膜枝（CN V₃）	一般感覚性	中頭蓋窩の硬膜
鼓索神経（CN VII）	特殊感覚性（味覚）	舌の前2/3
	内臓運動性	顎下神経節と舌神経（CN V₃）を介して顎下腺と舌下腺

図 41.29　翼口蓋窩の動脈

左外側方から見たところ．顎動脈は側頭下窩の外側翼突筋の浅層あるいは深層を走り〔**図 41.27 (p.599)** 参照〕，翼上顎裂から翼口蓋窩に入る．

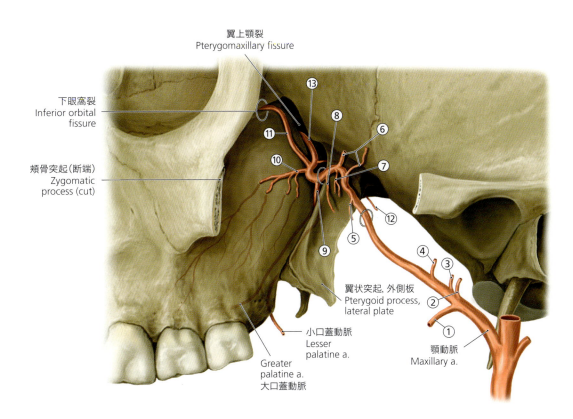

表 41.8　顎動脈の枝

枝	動脈		分布
下顎部〔起始から動脈を囲む（**図 41.29** の）最初の円まで〕	① 下歯槽動脈		下顎骨，歯，歯肉
	② 前鼓室動脈		鼓室
	③ 深耳介動脈		顎関節，外耳道
	④ 中硬膜動脈		頭蓋冠，硬膜，前頭蓋窩・中頭蓋窩
翼突筋部（動脈を囲む最初の円から2番目の円の間）	⑤ 咬筋動脈		咬筋
	⑥ 前・後深側頭動脈		側頭筋
	⑦ 翼突筋枝		翼突筋
	⑧ 頬動脈		頬粘膜
翼口蓋部（2番目の円から3番目の円の間）	⑨ 下行口蓋動脈	大口蓋動脈	硬口蓋
		小口蓋動脈	軟口蓋，口蓋扁桃，咽頭壁
	⑩ 後上歯槽動脈		上顎臼歯，上顎洞，歯肉
	⑪ 眼窩下動脈		上顎歯槽
	⑫ 翼突管動脈		
	⑬ 蝶口蓋動脈	外側後鼻枝	鼻腔側壁，後鼻孔
		中隔後鼻枝	鼻中隔

42 眼窩と眼

眼窩の骨
Bones of the Orbit

図 42.1　眼窩の骨

主な表示：眼窩上孔 Supra-orbital foramen／前頭骨, 眼窩面 Frontal bone, orbital surface／頬骨眼窩孔 Zygomatico-orbital foramen／上眼窩裂 Superior orbital fissure／頬骨 Zygomatic bone／下眼窩裂 Inferior orbital fissure／眼窩下溝 Infra-orbital groove／前頭切痕 Frontal notch／後篩骨孔 Posterior ethmoidal foramen／前篩骨孔 Anterior ethmoidal foramen／蝶形骨, 視神経管 Sphenoid, optic canal／鼻骨 Nasal bone／上顎骨, 前頭突起 Maxilla, frontal process／涙骨 Lacrimal bone／篩骨, 眼窩板 Ethmoid, orbital plate／Maxilla, orbital surface 上顎骨, 眼窩面／Infra-orbital foramen 眼窩下孔

A　前方から見たところ.

主な表示：前頭骨, 眼窩面 Frontal bone, orbital surface／Lacrimal bone 涙骨／前・後篩骨孔 Anterior and posterior ethmoidal foramina／篩骨 Ethmoid／蝶形骨, 視神経管 Sphenoid, optic canal／上眼窩裂 Superior orbital fissure／正円孔 Foramen rotundum／下眼窩裂 Inferior orbital fissure／上顎骨, 前頭突起 Maxilla, frontal process／涙骨, 後涙嚢稜 Lacrimal bone, posterior lacrimal crest／上顎骨, 前涙嚢稜 Maxilla, anterior lacrimal crest／涙嚢窩と鼻涙管の開口部 Fossa for lacrimal sac (with opening for nasolacrimal duct)／上顎骨, 眼窩面 Maxilla, orbital surface／眼窩下管 Infra-orbital canal／Pterygopalatine fossa 翼口蓋窩／Maxillary hiatus 上顎洞裂孔／Maxillary sinus 上顎洞／Infra-orbital foramen 眼窩下孔

B　右眼窩を右外側方から見たところ.

表 42.1　眼窩の血管・神経の通る開口部

開口部*	神経		血管
視神経管	視神経（CN II）		眼動脈
上眼窩裂	動眼神経（CN III） 滑車神経（CN IV） 外転神経（CN VI）	三叉神経の眼神経（CN V₁） ・涙腺神経 ・前頭神経 ・鼻毛様体神経	上眼静脈
下眼窩裂	眼窩下神経（CN V₂） 頬骨神経（CN V₂）		眼窩下動脈・静脈, 下眼静脈
眼窩下管	眼窩下神経（CN V₂）		眼窩下動脈・静脈
眼窩上孔	眼窩上神経（外側枝）		眼窩上動脈
前頭切痕	眼窩上神経（内側枝）		滑車上動脈
前篩骨孔	前篩骨神経		前篩骨動脈・静脈
後篩骨孔	後篩骨神経		後篩骨動脈・静脈

*涙嚢から続く鼻涙管は骨性の鼻涙管を通る.

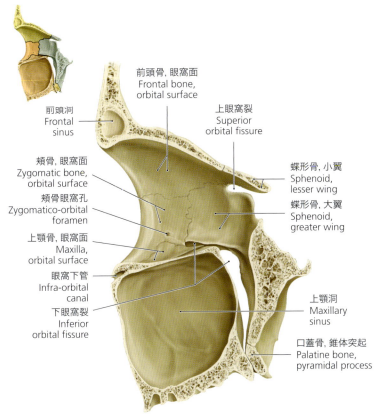

C 右の眼窩を左外側方から見たところ．

表42.2	眼窩周囲の構造
方向	境界をなす構造
上方	前頭洞
	前頭蓋窩
内側	篩骨蜂巣
下方	上顎洞
眼窩と臨床的に重要な関係にある深部構造	
・蝶形骨洞　　・下垂体	
・中頭蓋窩　　・海綿静脈洞	
・視交叉　　　・翼口蓋窩	

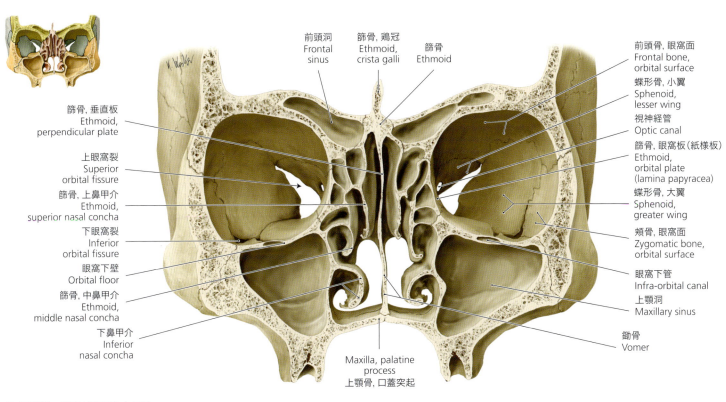

D 冠状断．前方から見たところ．

眼窩の筋
Muscles of the Orbit

図 42.2　外眼筋
眼球は，4つの直筋（上直筋，下直筋，内側直筋，外側直筋）と2つの斜筋（上斜筋，下斜筋）の6つの外在筋によって動かされる．

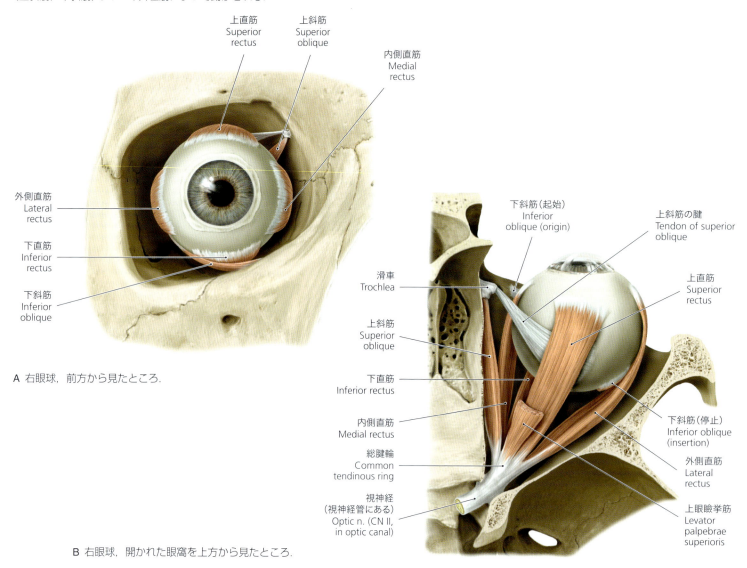

A　右眼球，前方から見たところ．

B　右眼球，開かれた眼窩を上方から見たところ．

図 42.3　外眼筋の検査

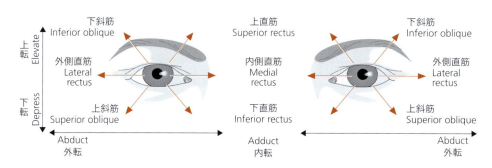

A　前方を真っ直ぐ注視した状態から基本的な注視方向（矢印）への運動には2つの外眼筋の作用が必要である．これらの2つの筋はそれぞれ異なった脳神経によって支配される．このような関係を元にして注視方向ごとで作用する筋の機能を検査する．

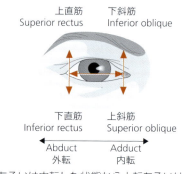

B　外転あるいは内転した状態から上転あるいは下転を行う場合には，斜筋あるいは直筋のどちらかのみが働く．これにより個々の筋の機能を検査する．

図 42.4 外眼筋の作用

眼窩を開き，上方から見たところ．水平軸は黒色，鉛直軸は赤色，前後軸は青色で示す．

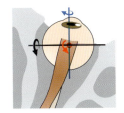
A 上直筋．

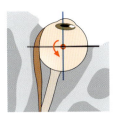
B 内側直筋．

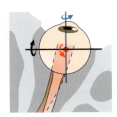
C 下直筋．

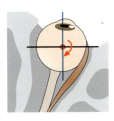
D 外側直筋．

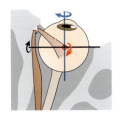
E 上斜筋．

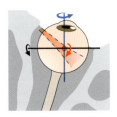
F 下斜筋．

表 42.3 外眼筋

筋肉	起始	停止	作用（図 42.4 参照）*			神経支配
			水平軸（黒色）	鉛直軸（赤色）	前後軸（青色）	
上直筋	総腱輪	強膜	上転	内転	内旋	動眼神経（CN III），上枝
内側直筋	総腱輪	強膜	—	内転	—	動眼神経（CN III），下枝
下直筋	総腱輪	強膜	下転	内転	外旋	動眼神経（CN III），下枝
外側直筋	総腱輪	強膜	—	外転	—	外転神経（CN VI）
上斜筋	蝶形骨**	強膜	下転	外転	内旋	滑車神経（CN IV）
下斜筋	眼窩内側縁	強膜	上転	外転	外旋	動眼神経（CN III），下枝

*前方を真っ直ぐに注視した状態からの作用．
**上斜筋の停止腱は眼窩上内側縁に付着する腱性のループ（滑車）を通る．

臨床 BOX 42.1

眼球運動麻痺

眼球運動麻痺は外眼筋や関連する脳神経核や神経路の損傷によって起こる．ある外眼筋の筋力が低下したり麻痺すると，眼球の偏位が起こる．外眼筋の協調作用の障害によって片方の眼の視軸が正常からずれる．そのため患者には像が二重に見える複視が生じる．

A 外転神経麻痺．
　外側直筋の障害．

B 滑車神経麻痺．
　上斜筋の障害．

C 動眼神経完全麻痺．
　上直筋，下直筋，内側直筋，下斜筋の障害．

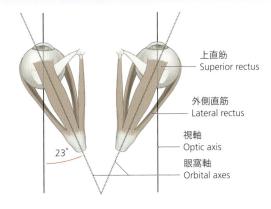
D 正常の視軸と眼窩軸．

眼窩の血管・神経
Neurovasculature of the Orbit

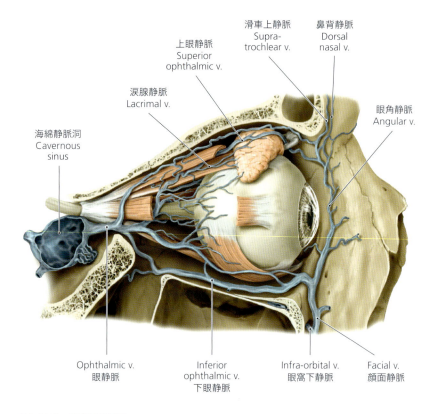

図 42.5　眼窩の静脈
右眼窩．右外側方から見たところ．眼窩の外側壁を取り除き，上顎洞を開いてある．

図 42.6　眼窩の動脈
右眼窩．上方から見たところ．視神経管と眼窩の上壁を開いてある．

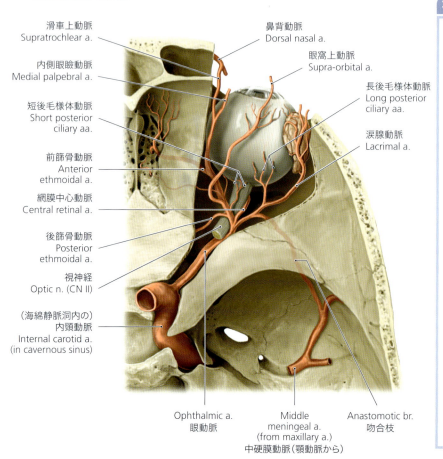

臨床 BOX 42.2

海綿静脈洞血栓症

　顔面の危険三角域（下図）の硬膜静脈洞からの血液は重力によって無弁の上・下眼静脈から海綿静脈洞へと流れていく．この領域の腫れ物（癤）が潰れると，感染性の血栓ができて静脈系に入り込み，海綿静脈洞に至る可能性がある．海綿静脈洞血栓症の診断は，感染した海綿静脈洞周囲の脳神経による眼球運動障害によって行われる．
　外転神経（CN VI）は海綿静脈洞内を通過するため，最も影響を受けやすい眼球運動は外転である．動眼神経（CN III）と滑車神経（CN IV）は海綿静脈洞の硬膜外側壁に付着しているため，感染の影響が静脈洞から硬膜に至ることもある．外眼筋を支配する神経全てに感染が広がった場合には眼球は停止する．眼神経も海綿静脈洞の硬膜外側壁に付着しているため，支配している感覚領域である前頭部に刺痛や異常感覚が起こる．時には上顎神経にも感染が拡大し，異常感覚が眼窩より下の部分まで及ぶこともある．前・後海綿間静脈洞によって感染は反対側に広がる．治療をせずに放置した場合には死に至る危険性もあるが，診断と治療の改善が行われた結果，海綿静脈洞の化膿性血栓静脈炎による死亡率は 100% から 20% へと減少している．

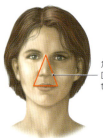

危険三角域
Danger triangle

図 42.7 眼窩の神経支配

右眼窩，右外側方から見たところ．外側壁を取り除いてある．

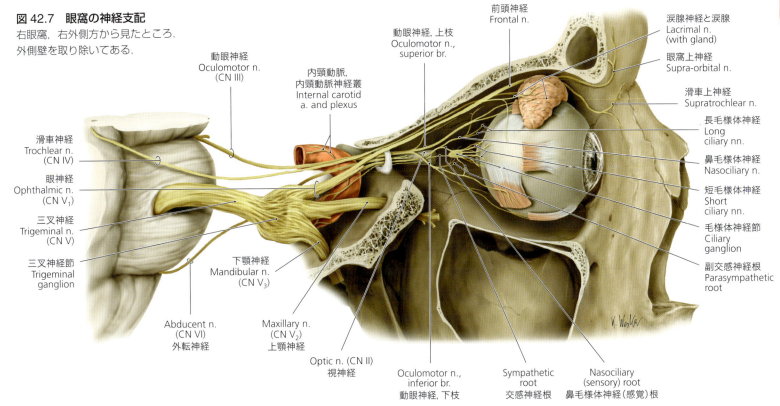

図 42.8 海綿静脈洞を通り眼窩に向かう脳神経の走行

トルコ鞍と部分的に開放された海綿静脈洞（右側）．上方から見たところ．三叉神経節は両側に見られる．右の神経節は通常の位置から外側方に引っ張られており〔そのため，三叉神経腔（メッケル腔）が見える〕，海綿静脈洞とそこを通る内頸動脈が見える．

外転神経も海綿静脈洞内を通り，頸動脈に沿って走行することに注意．他の全ての神経（動眼神経，滑車神経，三叉神経の3つの枝）は，海綿静脈洞の硬膜外壁を通り，前方ないし下方に走行する．多くの場合，海綿静脈洞内の動脈瘤は，外転神経のみが影響を受ける．動脈瘤が洞内を圧迫し，神経を押すことで機能障害が起こる．単独の外転神経麻痺が突然発生した場合は，海綿静脈洞内の動脈瘤を考慮すべきである．一方，単独の滑車神経障害はまれである．より多く見られるのは，滑車神経が，影響を受けた複数の神経のうちの1つである場合で，たとえば，海綿静脈洞内を通る全ての神経が影響を受ける海綿静脈洞血栓症候群である．この場合は，三叉神経の両方の枝が影響を受けることが多い．

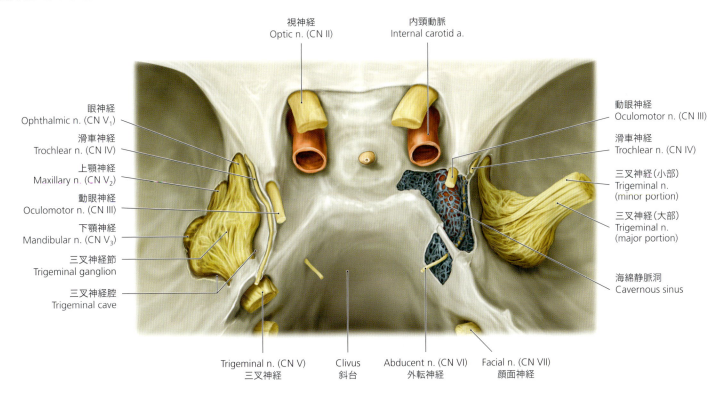

眼窩の局所解剖
Topography of the Orbit

図 42.9　眼窩の血管・神経
前方から見たところ．右側は眼輪筋を，左側は眼窩隔膜を一部取り除いてある．

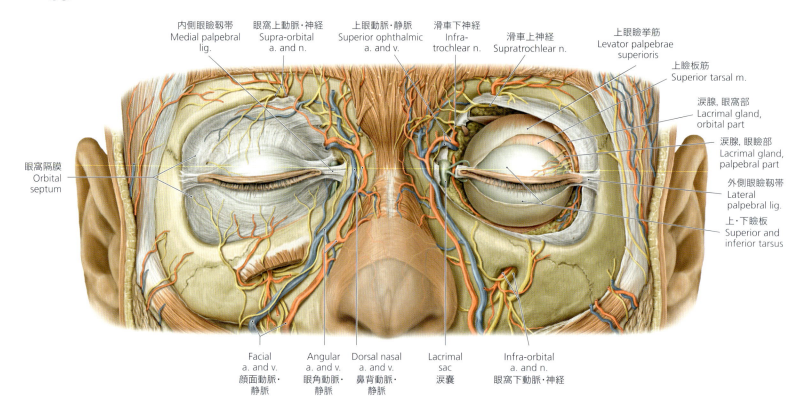

図 42.10　眼窩を通過する血管・神経
前方から見たところ．眼窩内の構造を取り除いてある．*Note*：視神経と眼動脈は視神経管を通る．残りの血管・神経は上眼窩裂を通る．

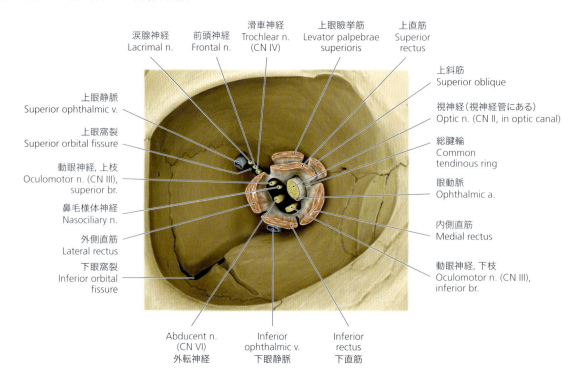

図 42.11　眼窩の血管・神経
上方から見たところ．眼窩の上壁の骨，眼窩骨膜，眼窩脂肪体を取り除いてある．

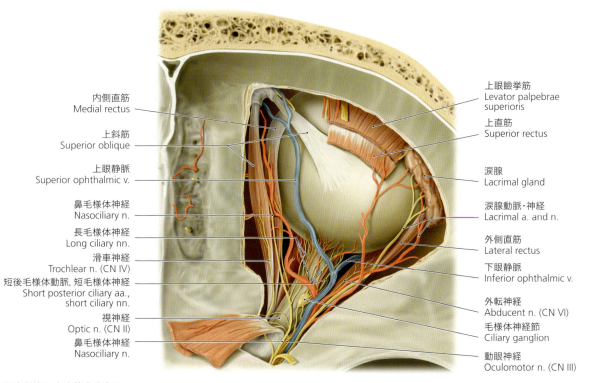

A　眼窩上部．

B　眼窩中部．上眼瞼挙筋と上直筋を翻転し，視神経を示す．

眼窩と眼瞼
Orbit & Eyelid

図 42.12　眼窩の局所解剖
右眼窩の矢状断，左内側方から見たところ．

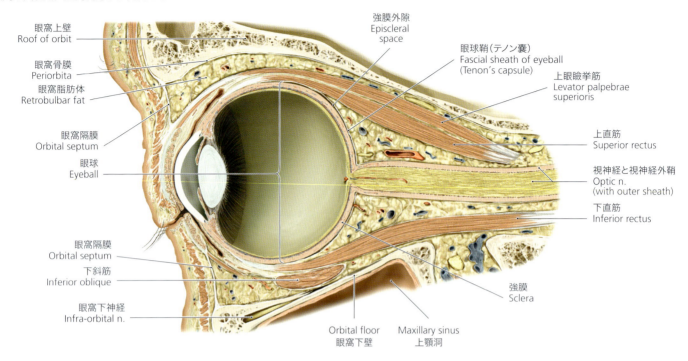

図 42.13　眼瞼と結膜
眼窩前方，矢状断．

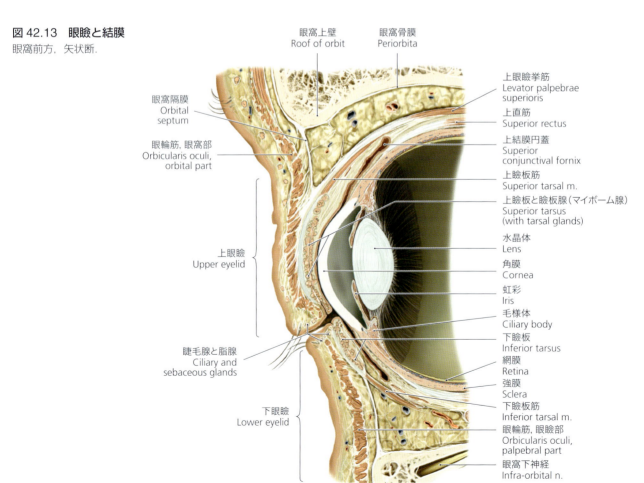

図 42.14 涙器

右眼球，前方から見たところ．眼窩隔膜を一部取り除き，上眼瞼挙筋の停止腱を切開してある．

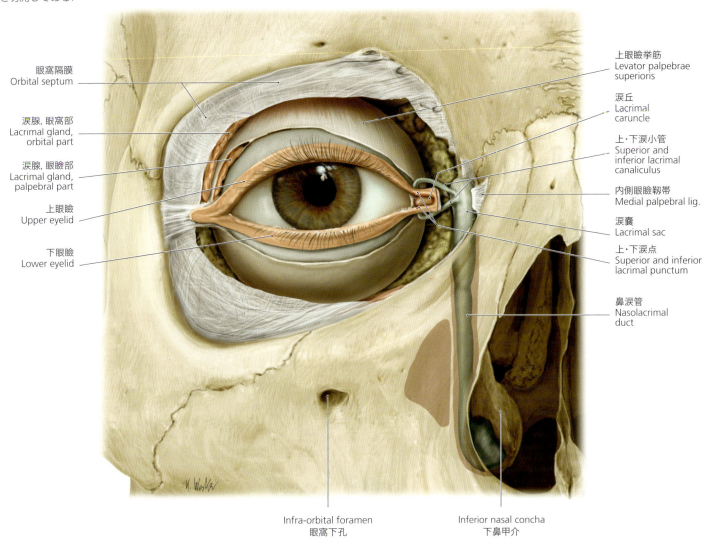

臨床 BOX 42.3

涙液の排出

閉経後の女性は涙腺での涙液産生不足のため，しばしば慢性的にドライアイ（乾性角結膜炎）になる．（細菌による）急性の涙腺炎症は一般的ではないが，激しい炎症を起こし，触診すると極めて軟らかいのが特徴である．上眼瞼は特徴的なS字カーブを描く．

眼球
Eyeball

図 42.15 眼球の構造
右眼球の横断面，上方から見たところ．

Note：視神経円板を通って視神経に沿う眼窩軸は，眼球の中心から中心窩に向かう視軸から23°ずれている．

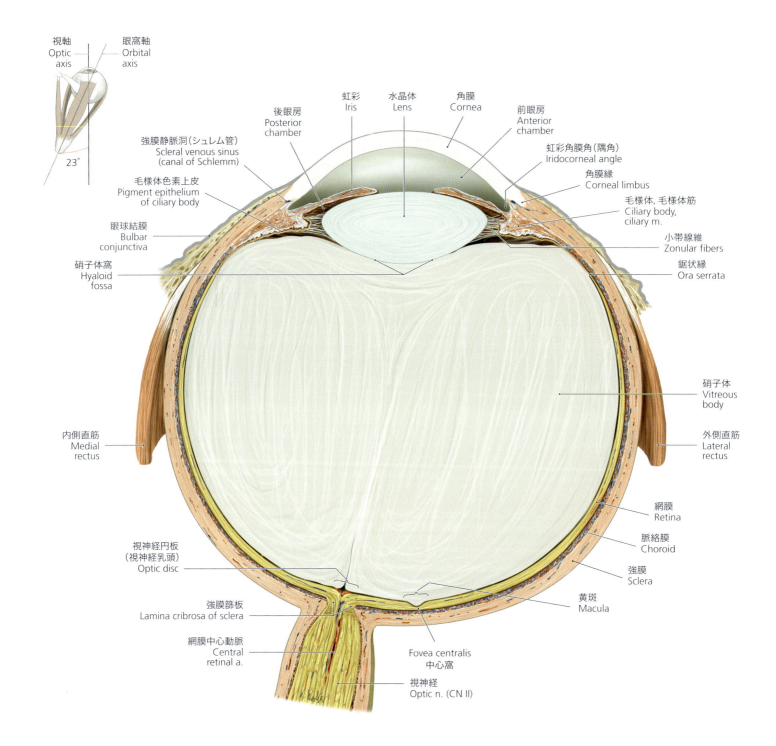

図 42.16　眼球の血管
視神経の高さでの右眼球の横断面．上方から見たところ．眼球の動脈は眼動脈から起こり，眼動脈は内頸動脈の終枝の1つである．血液は4-8本の渦静脈を介して上・下眼静脈に注ぐ．

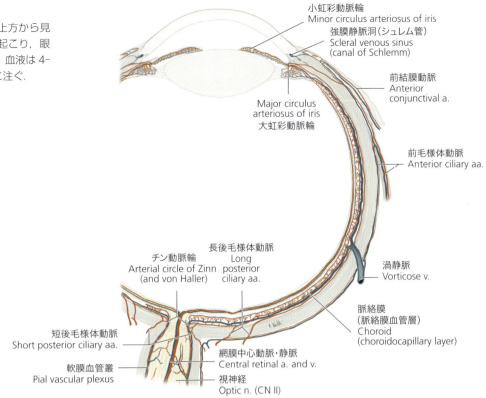

臨床 BOX 42.4

眼底

眼底は毛細血管を直接検査できる人体唯一の場所である．眼底の検査により高血圧や糖尿病によって生じる血管の変化を観察できる．視神経円板（視神経乳頭）の検査は，頭蓋内圧を測定して多発性硬化症を診断する際に重要である．

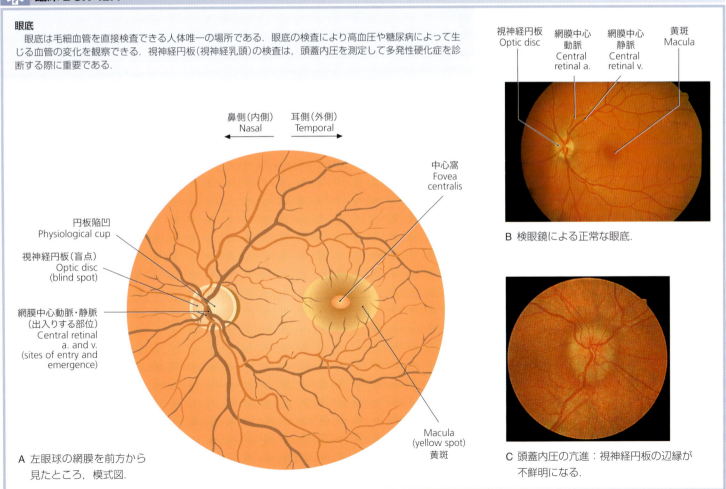

A　左眼球の網膜を前方から見たところ．模式図．

B　検眼鏡による正常な眼底．

C　頭蓋内圧の亢進：視神経円板の辺縁が不鮮明になる．

角膜，虹彩，水晶体
Cornea, Iris & Lens

図 42.17　角膜，虹彩，水晶体
眼球前方，横断面，上前方から見たところ．

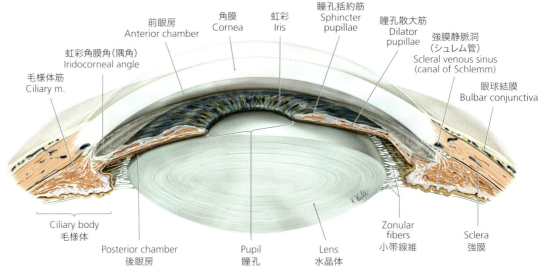

図 42.18　虹彩
眼球前方，横断面，上前方から見たところ．

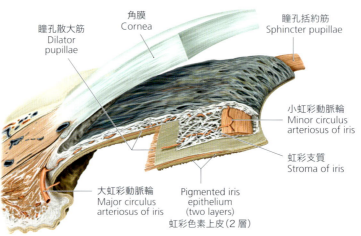

臨床 BOX 42.5

緑内障

後眼房で産生される眼房水は瞳孔を経由して前眼房に入る．眼房水は小柱網の間隙から強膜静脈洞（シュレム管）に入って強膜上静脈に至る．眼房水排出路の閉塞によって眼内圧亢進（緑内障）が起こり，篩板で視神経が締め付けられる．この圧迫によって失明することもある．最も一般的な緑内障（症例のほぼ90%）は慢性緑内障（開放隅角緑内障）である．急性緑内障は稀であるが，充血，激しい頭痛，眼痛，悪心，強膜上静脈拡張，角膜浮腫が特徴である．

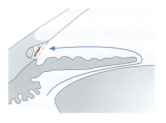
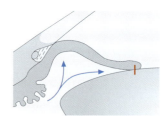

A　正常な排出．

B　慢性緑内障（開放隅角緑内障）．小柱網からの排出が障害される．

C　急性緑内障（閉塞隅角緑内障）．隅角が虹彩組織によって閉塞される．眼房水は前眼房に流出できず，虹彩の一部が持ち上げられて隅角を閉塞する．

図 42.19　瞳孔

瞳孔の大きさは，虹彩の2つの内眼筋すなわち瞳孔を収縮させる瞳孔括約筋（副交感神経支配）と瞳孔を拡張させる瞳孔散大筋（交感神経支配）によって調節されている．

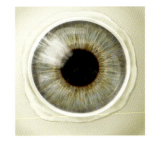
A　正常の大きさ．

B　極度の縮小（縮瞳）．

C　極度の拡大（散瞳）．

図 42.20　水晶体と毛様体

後方から見たところ．水晶体の曲率は輪状の毛様体筋線維によって調節される．

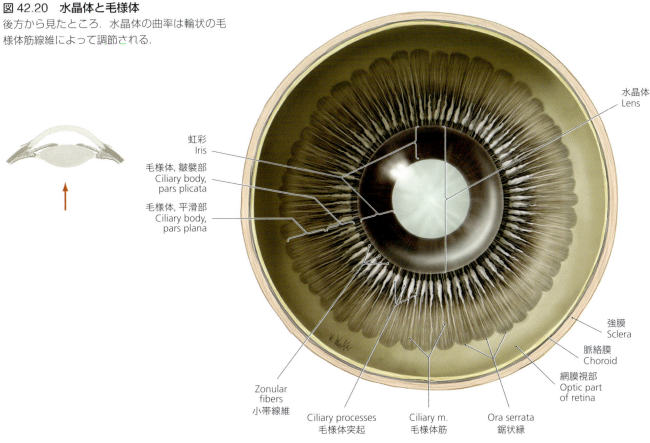

図 42.21　水晶体の光屈折

横断面，上方から見たところ．正常において光線は水晶体と角膜で屈折して網膜表面の焦点（中心窩）に向かう．遠くを見るときは，平行な光線が遠方の光源から入射し，小帯線維が緊張して毛様体筋が弛緩することで，水晶体が平らになる．近くを見るときは，毛様体筋が収縮して小帯線維が弛緩し，水晶体が円形になる．

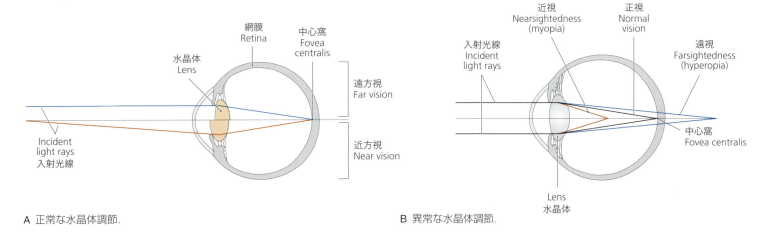

A　正常な水晶体調節．

B　異常な水晶体調節．

43 鼻腔と鼻

鼻腔の骨
Bones of the Nasal Cavity

図 43.1 鼻の骨格
鼻の骨格は上部は骨，下部は軟骨からなる．外鼻孔（鼻翼）の近位部は結合組織からなり，小片の軟骨が埋もれている．

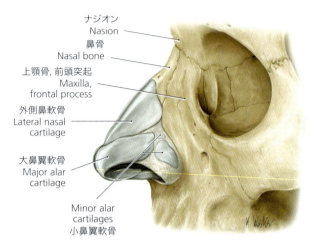

A 左外側方から見たところ．

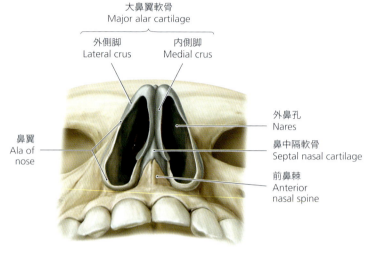

B 下方から見たところ．

図 43.2 鼻腔の骨
左右の鼻腔は外側壁に囲まれ，鼻中隔で隔てられている．空気は梨状口から鼻腔に入り，上鼻道，中鼻道，下鼻道の3つの鼻道（B，Cに矢印で示す）を通る．3つの鼻道は上鼻甲介，中鼻甲介，下鼻甲介で隔てられる．空気は後鼻孔を経て咽頭鼻部に入る．

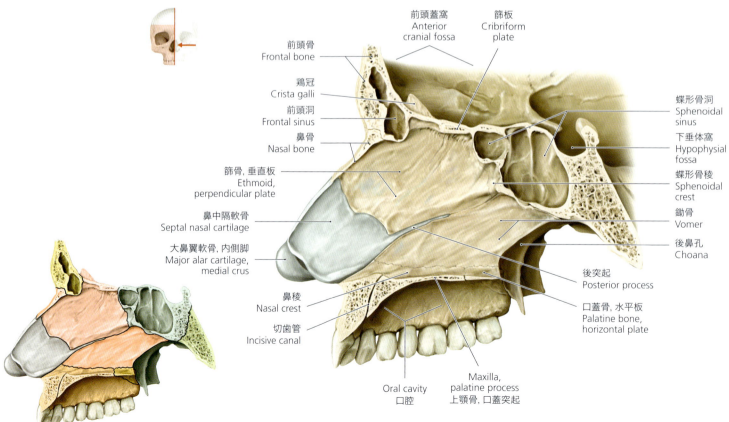

A 鼻中隔，傍矢状断，左外側方から見たところ．

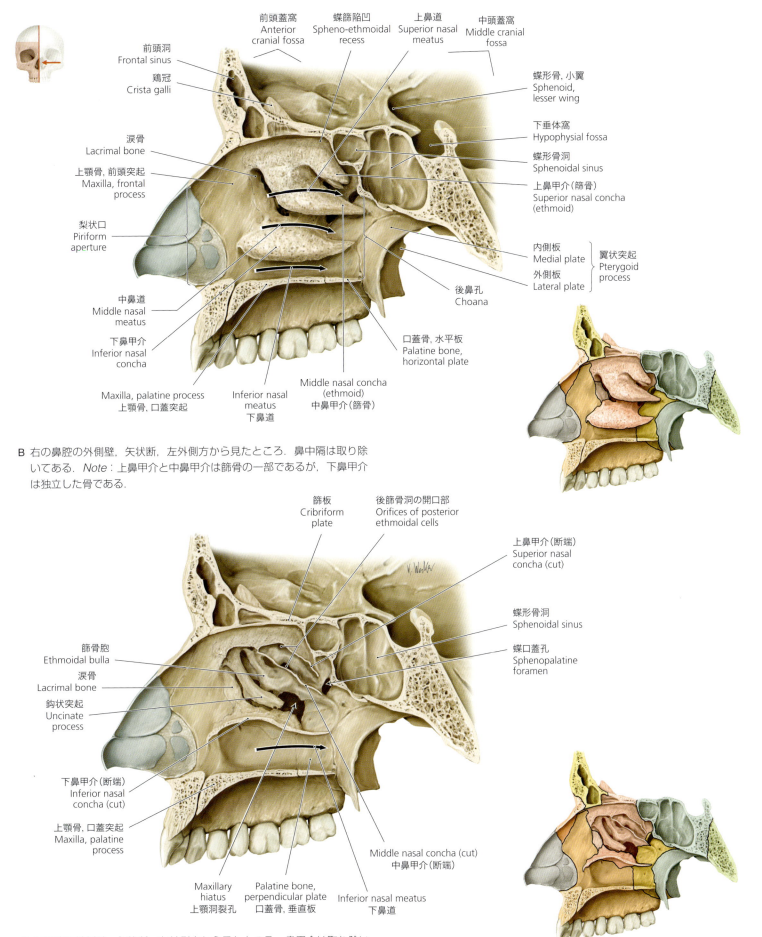

B 右の鼻腔の外側壁，矢状断，左外側方から見たところ．鼻中隔は取り除いてある．Note：上鼻甲介と中鼻甲介は篩骨の一部であるが，下鼻甲介は独立した骨である．

C 右鼻腔の外側壁，矢状断，左外側方から見たところ．鼻甲介は取り除いてある．副鼻腔（**p.618**）が示される．

副鼻腔
Paranasal Air Sinuses

図 43.3　副鼻腔の位置
前頭洞，篩骨洞，上顎洞，蝶形骨洞からなる副鼻腔は，空気で満たされた空洞で，頭蓋の重さを軽くする．

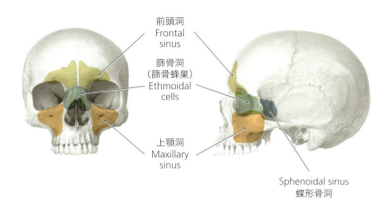

A 前方から見たところ．
B 左外側方から見たところ．

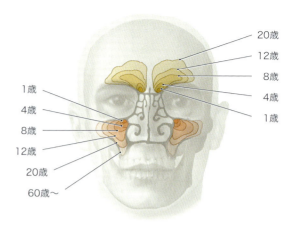

C 成長に伴う上顎洞と前頭洞の含気化（空気を含む蜂巣・腔の形成）．前頭洞（黄色）と上顎洞（橙色）は頭蓋の成長を通じて次第に大きくなる．

図 43.4　副鼻腔
矢印は鼻腔に開口する副鼻腔からの粘膜分泌物の排液路と鼻涙管を示す（**表 43.1** 参照）．

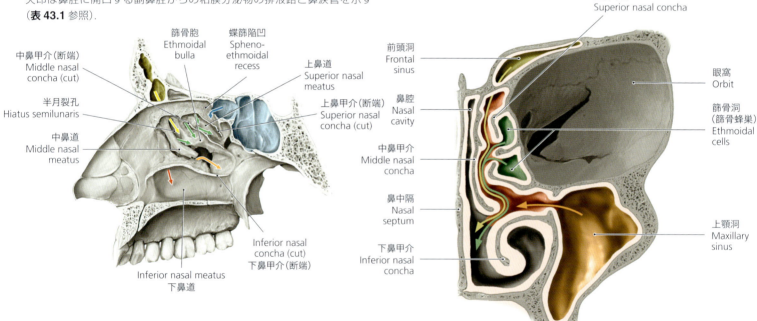

A 副鼻腔と鼻涙管の開口部，矢状断，右鼻腔を左外側方から見たところ．

B 左側の鼻腔の副鼻腔と洞口鼻道系（osteomeatal unit），冠状断，前方から見たところ．

表 43.1	鼻涙管や副鼻腔が開口する鼻道		
副鼻腔/管		鼻道	通過部位
蝶形骨洞（青色）		蝶篩陥凹	直接
篩骨洞（緑色）	後篩骨蜂巣	上鼻道	直接
	前・中篩骨蜂巣	中鼻道	篩骨胞
前頭洞（黄色）		中鼻道	鼻前頭管から半月裂孔へ
上顎洞（橙色）		中鼻道	半月裂孔
鼻涙管（赤色）		下鼻道	直接

図 43.5　副鼻腔の骨性構造
冠状断，前方から見たところ．

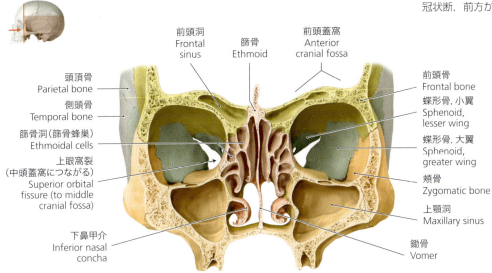

A　副鼻腔の骨．

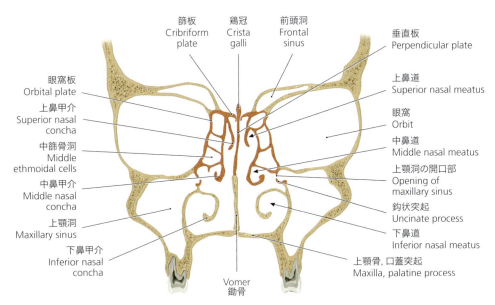

B　副鼻腔における篩骨（赤色）．

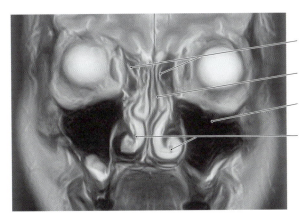

C　副鼻腔のMR像．

臨床 BOX 43.1

鼻中隔弯曲

正常位の鼻中隔は鼻腔をほぼ対称に隔てている．鼻中隔が極端に外側に偏位すると鼻腔が閉塞されるが，軟骨を除去すること（鼻中隔形成術）で解消される．

副鼻腔炎

篩骨洞の粘膜が炎症によって腫脹すると，前頭洞と上顎洞から洞口鼻道系（図 43.4 参照）への分泌液の流れが阻害される．この阻害により，分泌液とともに細菌も他の副鼻腔に移っていき，二次的炎症を起こすことがある．慢性副鼻腔炎の患者には，狭窄した部位を外科的に拡張することで有効な排膿路を確立することができる．

鼻腔の血管・神経
Neurovasculature of the Nasal Cavity

図 43.6　鼻中隔と側壁

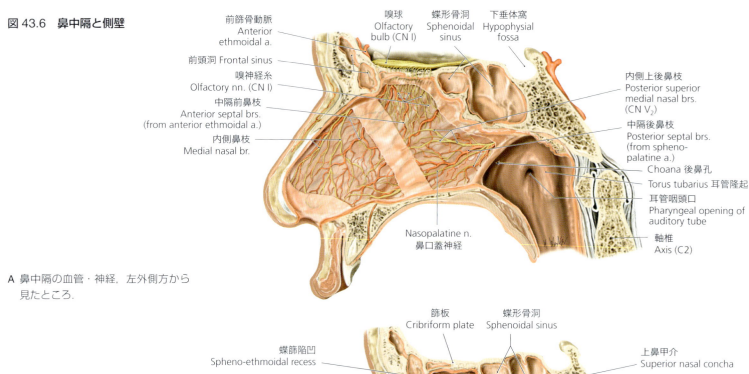

A　鼻中隔の血管・神経，左外側方から見たところ．

B　鼻腔側壁の粘膜，矢状断，左外側方から見たところ．

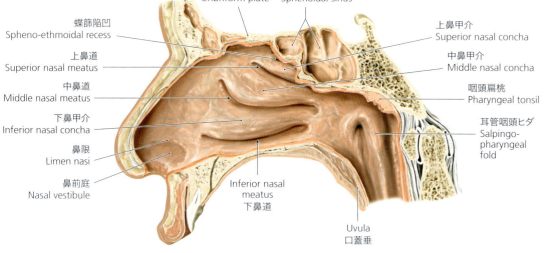

図 43.7　鼻腔の動脈
Note：鼻腔の静脈は顔面静脈と眼静脈に注ぐ．

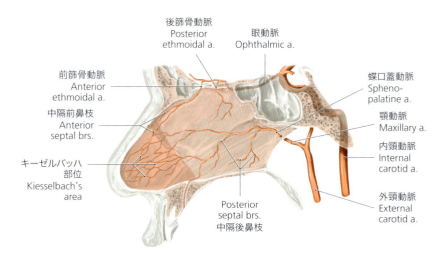

A　左側の鼻中隔の動脈．

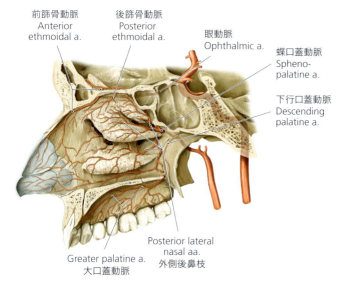

B　右の鼻腔側壁の動脈．

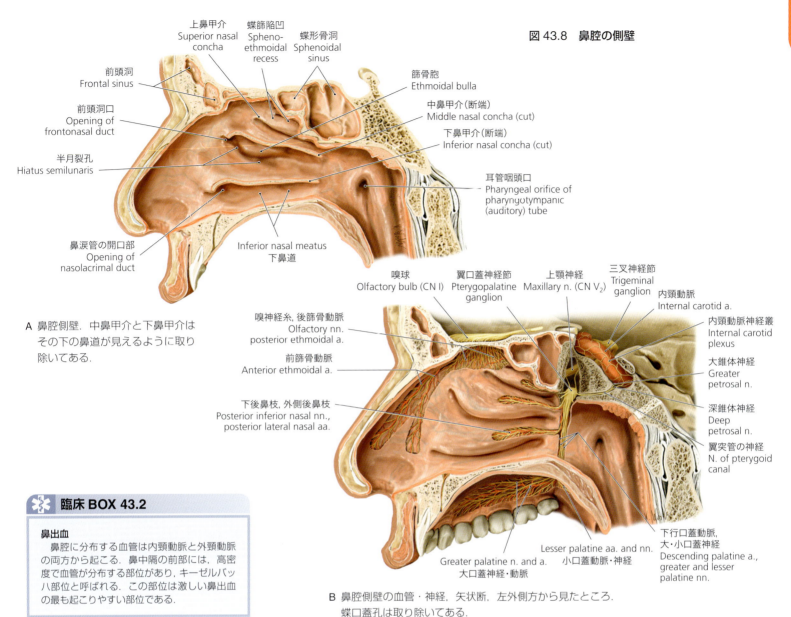

図 43.8 鼻腔の側壁

A 鼻腔側壁．中鼻甲介と下鼻甲介はその下の鼻道が見えるように取り除いてある．

B 鼻腔側壁の血管・神経，矢状断，左外側方から見たところ．蝶口蓋孔は取り除いてある．

臨床 BOX 43.2

鼻出血

鼻腔に分布する血管は内頸動脈と外頸動脈の両方から起こる．鼻中隔の前部には，高密度で血管が分布する部位があり，キーゼルバッハ部位と呼ばれる．この部位は激しい鼻出血の最も起こりやすい部位である．

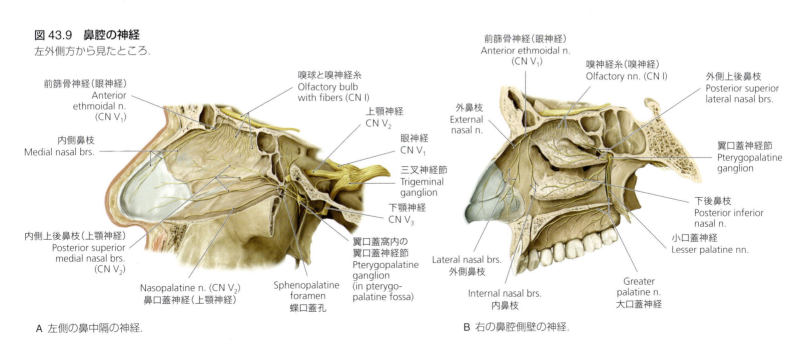

図 43.9 鼻腔の神経
左外側方から見たところ．

A 左側の鼻中隔の神経．

B 右の鼻腔側壁の神経．

翼口蓋窩
Pterygopalatine Fossa

翼口蓋窩は眼窩尖の下方にあるピラミッド状の小さな空間である。翼口蓋窩は外側で翼上顎裂を通じて側頭下窩と連続する。翼口蓋窩は中頭蓋窩，眼窩，鼻腔，口腔の間を結ぶ血管・神経が交叉する場である。

図 43.10　翼口蓋窩の骨境界

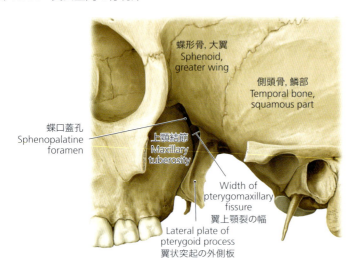

A　左外側方から見たところ。外側では翼上顎裂を介して，側頭下窩に通じる。

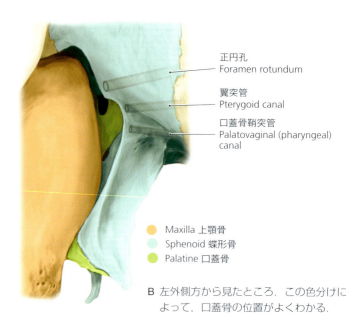

B　左外側方から見たところ。この色分けによって，口蓋骨の位置がよくわかる。

- Maxilla 上顎骨
- Sphenoid 蝶形骨
- Palatine 口蓋骨

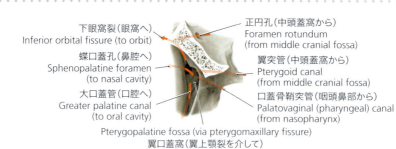

表 43.2　翼口蓋窩の交通

交通	方向	通過部位	通過する血管・神経
中頭蓋窩	上後方	正円孔	上顎神経
中頭蓋窩	破裂孔の前壁を後方	翼突管	・翼突管神経 　・大錐体神経（CN VII からの副交感神経節前線維） 　・深錐体神経（内頸動脈神経叢からの交感神経節後線維） ・翼突管動脈 ・翼突管静脈
眼窩	上前方	下眼窩裂	・上顎神経の枝 　・眼窩下神経 　・頬骨神経 ・眼窩下動脈・静脈 ・下眼静脈と翼突筋静脈叢の交通枝
鼻腔	内側方	蝶口蓋孔	・鼻口蓋神経，外側上後鼻枝，内側上後鼻枝 ・蝶口蓋動脈・静脈
口腔	下方	大口蓋管（大口蓋孔）	・大口蓋神経，大口蓋動脈 ・小口蓋管を通る枝 　・小口蓋神経，小口蓋動脈
咽頭鼻部	下後方	口蓋骨鞘突管	咽頭枝（上顎神経），上行咽頭動脈
側頭下窩	外側方	翼上顎裂	・上顎動脈（翼口蓋部） ・後上歯槽枝，後上歯槽動脈・静脈

三叉神経の上顎神経〔CN V₂，図40.9（p.567）参照〕は中頭蓋窩から正円孔を通り，翼口蓋窩に入る．副交感性の翼口蓋神経節には大錐体神経（顔面神経の中間神経の副交感神経根）からの節前線維が入る．翼口蓋神経節では，節前線維が涙腺，口蓋腺，鼻腺を支配する神経節細胞とシナプスを形成する．

深錐体神経の交感性線維（交感神経根）と上顎神経の感覚線維（感覚根）は，シナプスを形成せずに，翼口蓋神経節を通過する．図43.8B（p.621）では翼口蓋窩の構造を内側から見ている．

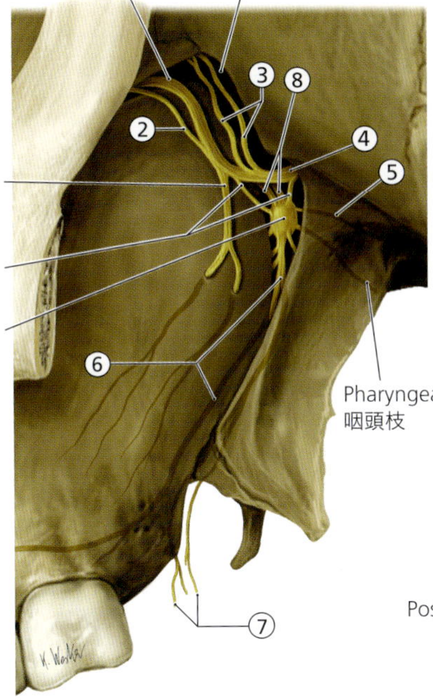

図 43.11　翼口蓋窩の神経

左外側方から見たところ．小さく構造が密な場所なので，数字を使って神経を示す．数字は下の表43.3に示す通り．

図 43.12　翼口蓋窩の冠状面

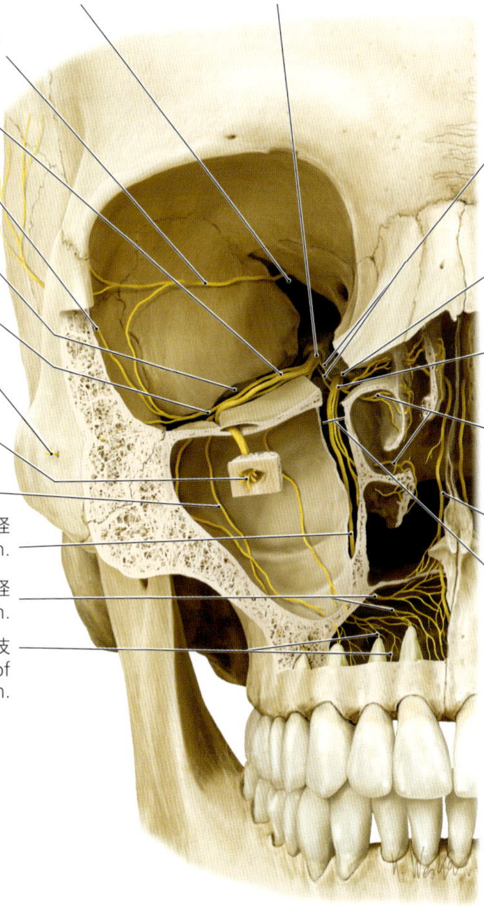

表 43.3	翼口蓋窩への血管・神経の通路	
由来	経路	通過する神経
眼窩	下眼窩裂	① 眼窩下神経
		② 頬骨神経
		③ 眼窩枝（上顎神経の枝）
中頭蓋窩	正円孔	④ 上顎神経（CN V₂）
頭蓋底	翼突管	⑤ 翼突管神経（大錐体神経，深錐体神経）
口蓋	大口蓋管	⑥ 大口蓋神経
	小口蓋管	⑦ 小口蓋神経
鼻腔	蝶口蓋孔	⑧ 内側上後鼻枝，外側上後鼻枝，下後鼻枝（鼻口蓋神経，上顎神経より）

44 側頭骨と耳

側頭骨
Temporal Bone

図 44.1 側頭骨
左側頭骨．側頭骨は鱗部，岩様部，鼓室部の3つから形成される（図44.2 参照）．

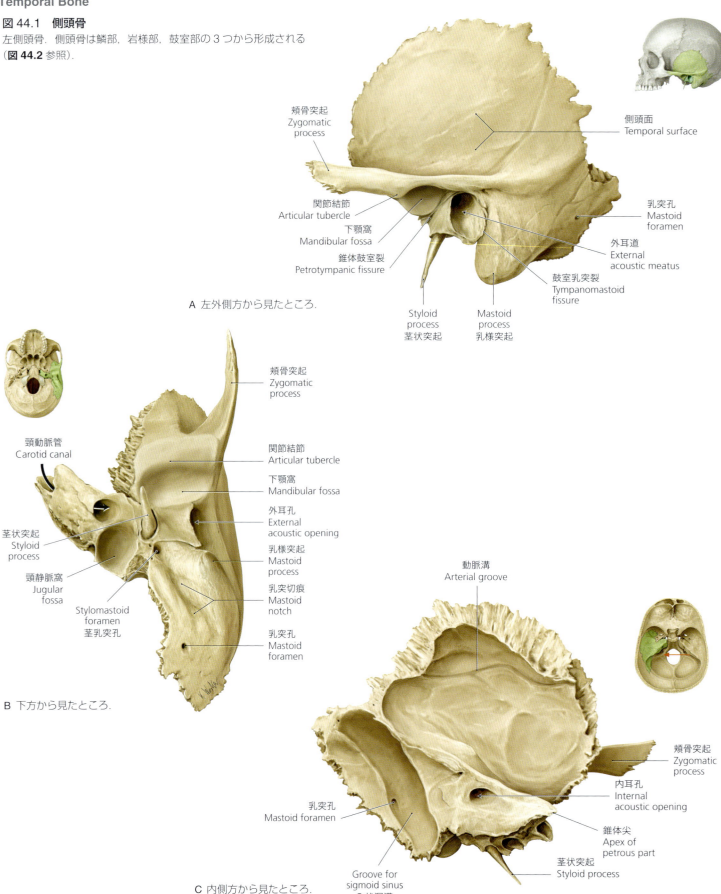

A 左外側方から見たところ．

B 下方から見たところ．

C 内側方から見たところ．

図 44.2 側頭骨の部分

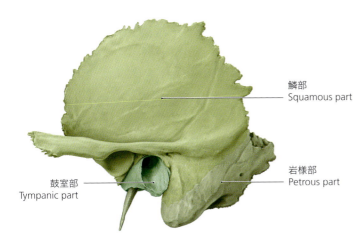

A 左外側方から見たところ.

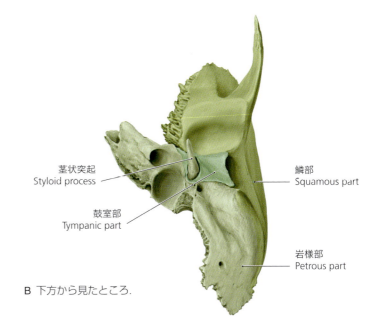

B 下方から見たところ.

臨床 BOX 44.1

側頭骨内部の構造

乳様突起には中耳と連絡する乳突蜂巣が含まれる．中耳は咽頭鼻部を介して耳管にも連絡する（A）．細菌は耳管を通って咽頭鼻部から中耳へ移動することもある．重篤な場合には細菌が乳突蜂巣から頭蓋腔に入り，髄膜炎を引き起こすこともある．

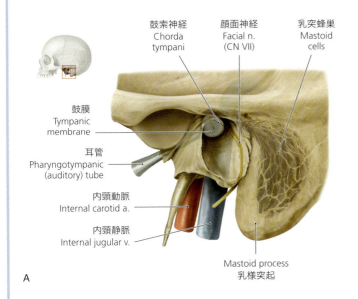

A

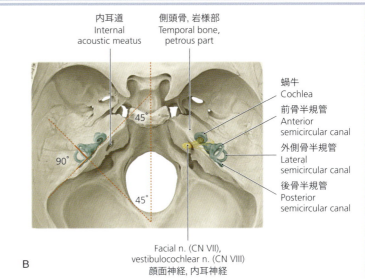

B

側頭骨の岩様部には中耳，内耳，鼓膜が含まれる．骨半規管は冠状面，矢状面，横断面に対して約 45°をなしている（B）．

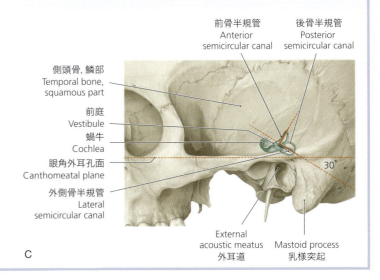

C

温水（44℃）あるいは冷水（30℃）を外耳道に注ぐと半規管の内リンパに対流が生じ，眼振（律動眼振，前庭動眼反射）を引き起こすことができる．この温度眼振検査は原因不明のめまいの診断に重要である．温度眼振検査では対象の半規管が垂直位になるように患者の向きを変える必要がある（C）．

外耳と外耳道
External Ear & External Acoustic Meatus

聴覚器は大きく外耳，中耳，内耳の3つに分けられる．外耳と中耳は音の伝達器官で，内耳が実際の聴覚器（**p.634**参照）である．内耳には平衡覚のための器官である前庭器も含まれる（**p.634**参照）．

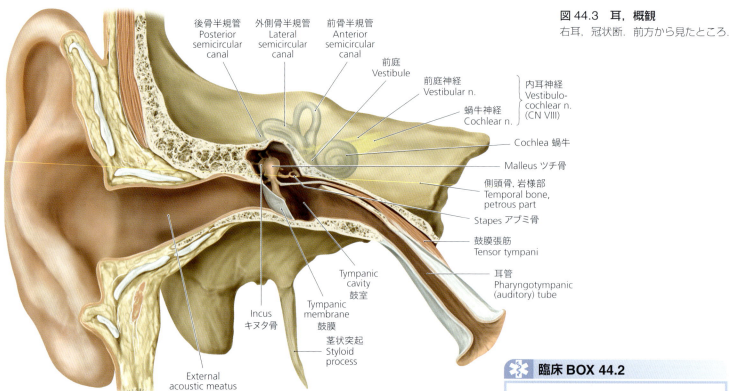

図44.3 耳，概観
右耳，冠状断．前方から見たところ．

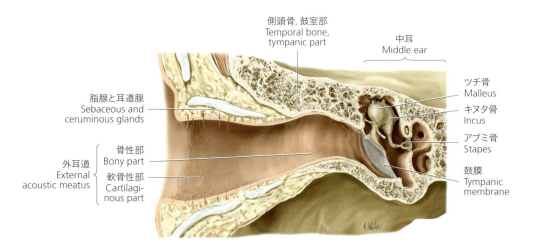

図44.4 外耳道
右耳，冠状断．前方から見たところ．鼓膜は外耳道と中耳の鼓室を境界する．外耳道の外側1/3は軟骨性で，内側2/3は骨性（側頭骨の鼓室部）である．

臨床 BOX 44.2

外耳道の弯曲
外耳道は軟骨性部で大きく弯曲している．オトスコープ（耳鏡）を挿入するときは，耳介を後上方に引くと外耳道が真っ直ぐになり，耳鏡を挿入することができる．

A 耳鏡の挿入．

B 前方から見たところ．

C 横断面．

図 44.5 耳介の構造

耳介には，音を振動させるための漏斗状の音受容器である軟骨のフレームがある．耳介筋は表情筋だと考えられているが，ヒトでは退化している．

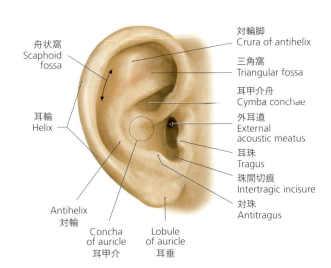

A 右の耳介，外側方から見たところ．

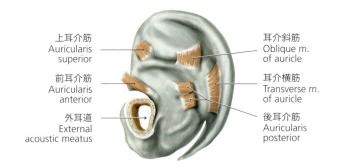

B 右耳介の軟骨と筋，外側方から見たところ．

C 右の耳介の軟骨と筋，後面を内側方から見たところ．

図 44.6 耳介の動脈

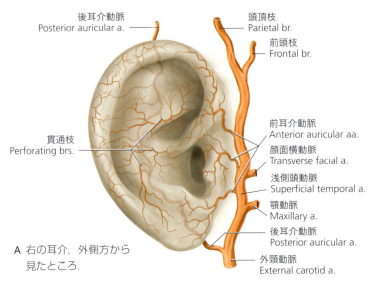

A 右の耳介，外側方から見たところ．

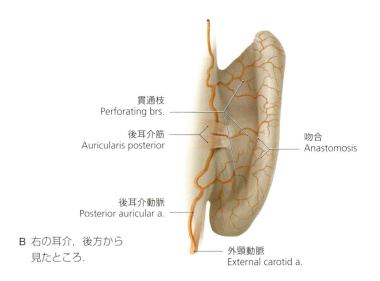

B 右の耳介，後方から見たところ．

図 44.7 耳介の神経

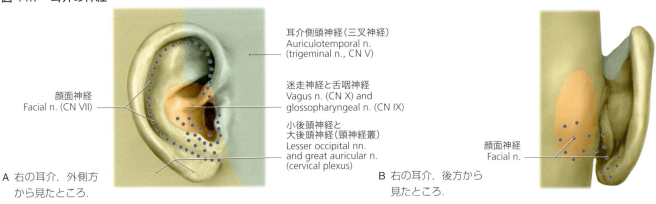

A 右の耳介，外側方から見たところ．

B 右の耳介，後方から見たところ．

中耳：鼓室
Middle Ear: Tympanic Cavity

図 44.8　中耳
右岩様部，上方から見たところ．中耳の鼓室は前方で耳管によって咽頭につながっており，後方で乳突蜂巣につながっている．

図 44.9　鼓室と耳管
鼓室を開き，内側方から見たところ．

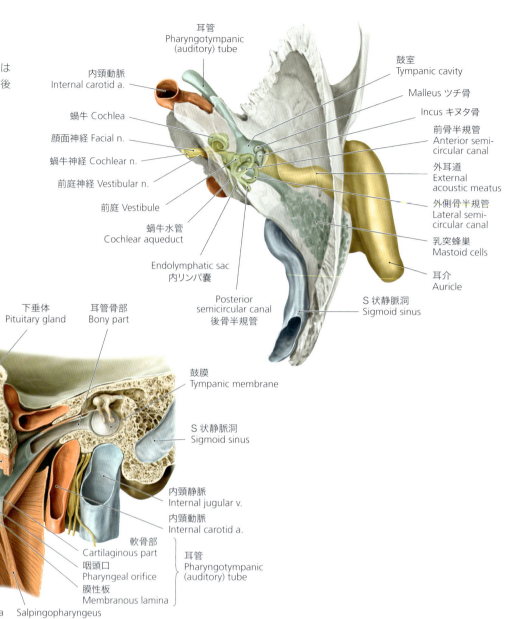

表 44.1		鼓室の境界			
慢性化膿性中耳炎（中耳の炎症）では，病原菌が周囲の領域に広がる可能性がある．					
方向	壁	解剖学的境界		近傍の構造	炎症
前方	頸動脈壁	耳管開口部		頸動脈管	
外側	鼓膜壁	鼓膜		外耳	
上方	室蓋壁	鼓室蓋		中頭蓋窩	髄膜炎，（特に側頭葉の）脳膿瘍
内側	迷路壁	蝸牛基底回転上の岬角		内耳	
				CSF腔（錐体尖を介して）	外転神経麻痺，三叉神経過敏，視力障害（グラデニーゴ症候群）
下方	頸静脈壁	側頭骨鼓室部		頸静脈球	
				S状静脈洞	静脈洞血栓症
後方	乳突壁	乳突洞口		乳突蜂巣	乳突炎
				顔面神経管	顔面神経麻痺
CSF，脳脊髄液．					

図 44.10 鼓室

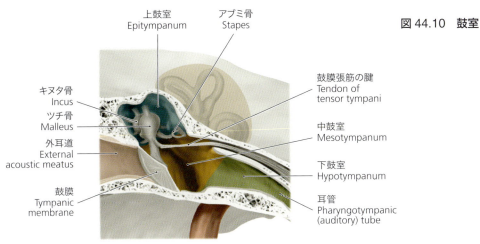

A 鼓室のレベル，前方から見たところ．鼓室は，上鼓室，中鼓室，下鼓室の3つのレベルに分けられる．

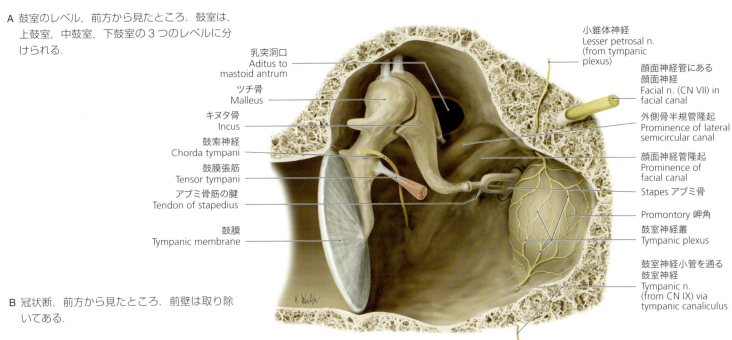

B 冠状断，前方から見たところ．前壁は取り除いてある．

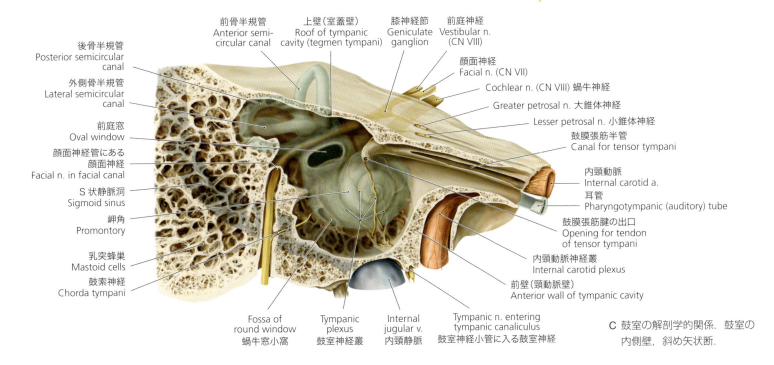

C 鼓室の解剖学的関係．鼓室の内側壁，斜め矢状断．

中耳：耳小骨連鎖と鼓膜
Middle Ear: Ossicular Chain & Tympanic Membrane

図 44.11　耳小骨
左耳．耳小骨は3つの骨からなり，関節によって鼓膜から前庭窓までつながっている．

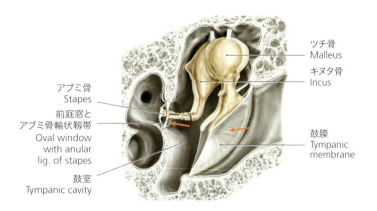

A　中耳の耳小骨，前方から見たところ．

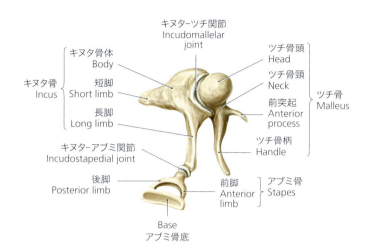

B　耳小骨の連鎖，右外側方から見たところ．

図 44.12　ツチ骨
左耳．

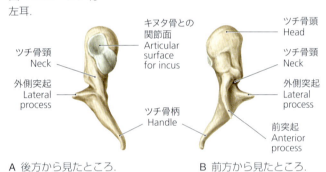

A　後方から見たところ．　　B　前方から見たところ．

図 44.13　キヌタ骨
左耳．

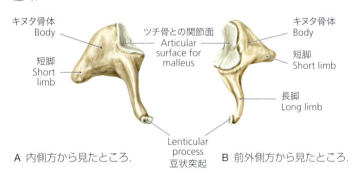

A　内側方から見たところ．　　B　前外側方から見たところ．

図 44.14　アブミ骨
左耳．

A　上方から見たところ．　　B　内側方から見たところ．

図 44.15　鼓膜
右鼓膜．鼓膜は，4つの部分（I–IV）に分割される．

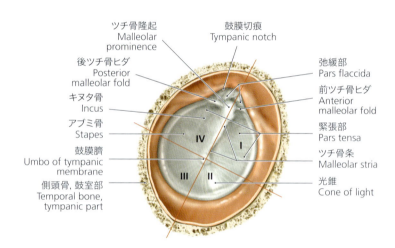

A　外側方から見たところ．

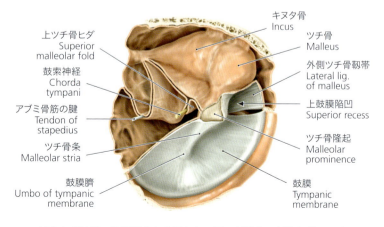

B　鼓室内の粘膜，後外側方から見たところ．鼓膜を一部取り除いてある．

図 44.16 鼓室の耳小骨連鎖

右耳，外側方から見たところ．耳小骨連鎖の靱帯と中耳の筋（アブミ骨筋と鼓膜張筋）を示す．

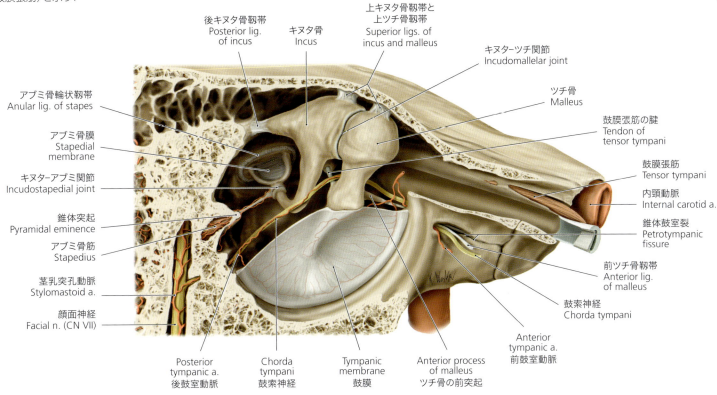

臨床 BOX 44.3

聴覚における耳小骨連鎖

音波は外耳道を通り，鼓膜を振動させる．耳小骨連鎖はこの振動を前庭窓に伝え，そこで内耳の液体に振動が伝えられる．液体中の音波は高いインピーダンス（振動に対する抵抗）を受けるために，中耳で増幅する必要がある．鼓膜と前庭窓の表面積の差により音圧は 17 倍になる．さらに耳小骨連鎖のてこの作用によって全体として 22 倍に増幅される．耳小骨連鎖が鼓膜とアブミ骨底の間で音圧を変換できないと，20 dB の伝音難聴が生じる．

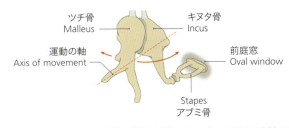

A 鼓膜の振動は耳小骨連鎖の振動を引き起こす．耳小骨連鎖の構造のために，てこの作用によって音波は 1.3 倍に増強される．

B アブミ骨の通常の位置は前庭窓と同じ面にある．

C 耳小骨連鎖の振動はアブミ骨を傾斜させる．前庭窓のアブミ骨膜に対するアブミ骨底の運動に対応して，波動が内耳の流体柱に引き起こされる．

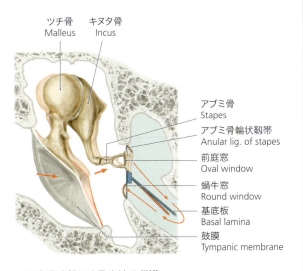

D 耳小骨連鎖による音波の伝導．

中耳の動脈
Arteries of the Middle Ear

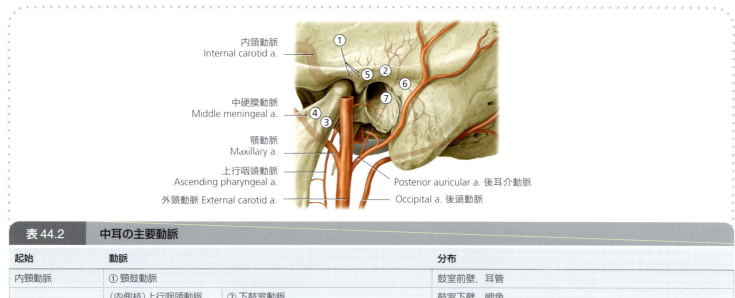

表 44.2　中耳の主要動脈

起始	動脈		分布
内頸動脈	① 頸鼓動脈		鼓室前壁，耳管
外頸動脈	（内側枝）上行咽頭動脈	② 下鼓室動脈	鼓室下壁，岬角
	（終枝）顎動脈	③ 深耳介動脈	鼓室下壁，鼓膜
		④ 前鼓室動脈	鼓膜，乳突洞，ツチ骨，キヌタ骨
	中硬膜動脈	⑤ 上鼓室動脈	室蓋壁，鼓膜張筋，アブミ骨
	（後枝）後耳介動脈 茎乳突孔動脈	⑥ 茎乳突孔動脈	鼓室後壁，乳突蜂巣，アブミ骨筋，アブミ骨
		⑦ 後鼓室動脈	鼓索神経，鼓膜，ツチ骨

図 44.17　中耳の動脈：耳小骨連鎖と鼓膜

右鼓膜，内側方から見たところ．炎症が起こると鼓膜の動脈は拡張し，この図で示したように見えるようになる．

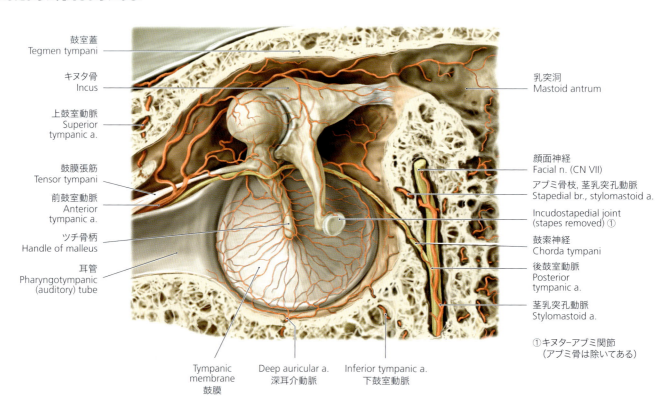

図 44.18 中耳の動脈：鼓室
右側頭骨の岩様部．前面．ツチ骨，キヌタ骨，鼓索神経の一部，
前鼓室動脈は取り除いてある．

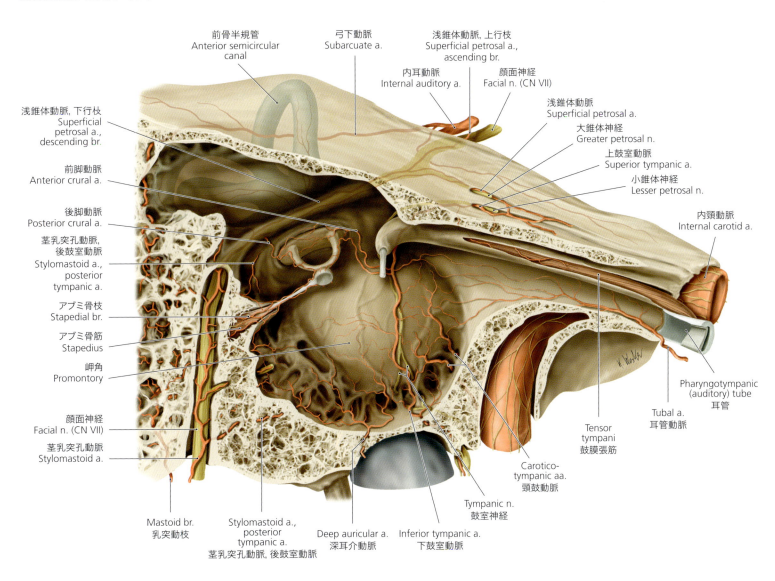

臨床 BOX 44.4

中耳炎

中耳炎は中耳に起こる感染で，子供がよく罹り，しばしば上気道炎を続発する．中耳に溜まった液体によって，一時的に聞こえにくくなり，鼓室の内壁の炎症によって耳管が詰まることがある．

聴覚過敏

アブミ骨筋は，中耳からアブミ骨へ振動を伝える際に，非常に大きな音の振動を抑制して，繊細な内耳を保護する．顔面神経損傷によるアブミ骨筋の麻痺が起こると，音に対して過度に敏感になり聴覚過敏と呼ばれる．

内耳
Inner Ear

内耳は平衡覚を司る前庭器と聴覚を司る聴覚器からなり，どちらも側頭骨岩様部にある骨迷路内の膜迷路が構成している．骨迷路は外リンパで満たされ，膜迷路は内リンパで満たされている．

図 44.19 前庭器
右外側方から見たところ．

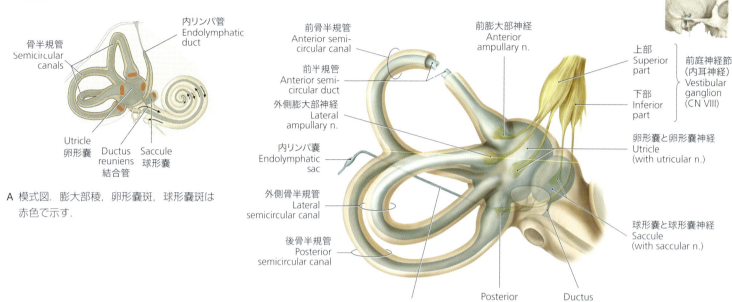

A 模式図．膨大部稜，卵形嚢斑，球形嚢斑は赤色で示す．

B 前庭器の構造．

図 44.20 聴覚器
蝸牛は，蝸牛迷路と骨性の外殻からなり，聴覚器の感覚上皮（コルチ器）が含まれる．

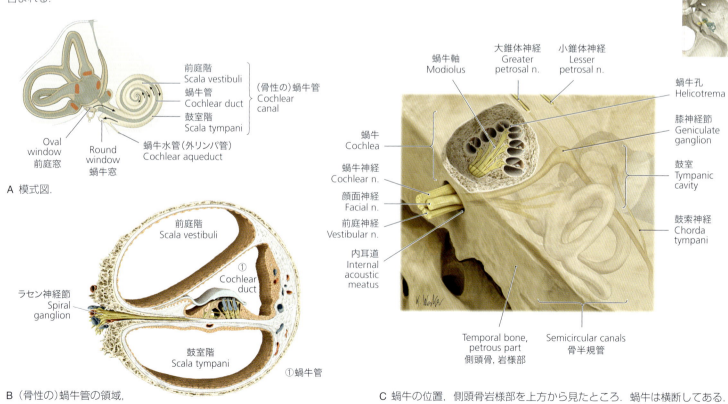

A 模式図．

B （骨性の）蝸牛管の領域，横断面．

C 蝸牛の位置．側頭骨岩様部を上方から見たところ．蝸牛は横断してある．蝸牛の骨性の管（ラセン管）は骨性の軸（蝸牛軸）を2.5回転する．

図 44.21 膜迷路の神経

右耳，前方から見たところ．内耳神経（CN VIII；p.570 参照）は内耳から内耳道を通って脳幹へ求心性のインパルスを伝える．内耳神経は前庭神経と蝸牛神経に分けられる．Note：半規管の感覚器は回転加速度に対応し，球形嚢斑と卵形嚢斑は水平方向と垂直方向の直線加速度に対応する．

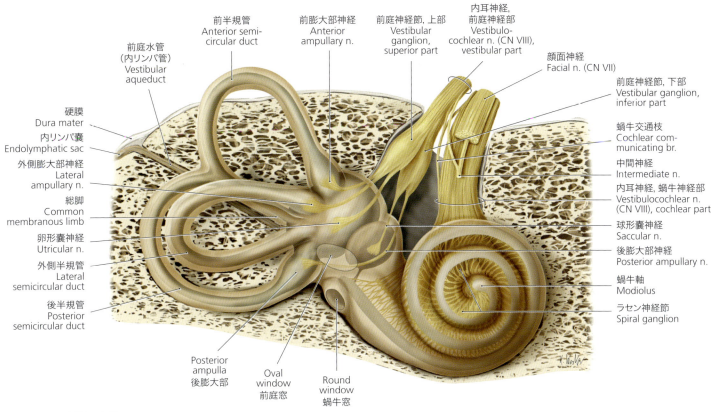

図 44.22 内耳の血管

右前方から見たところ．迷路は全ての血液を内耳動脈から受ける．内耳動脈は前下小脳動脈（p.688 参照）の枝である．

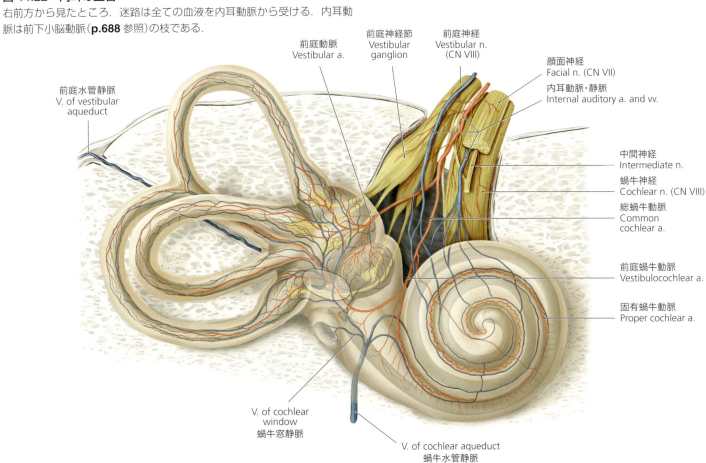

45 口腔・咽頭

口腔の骨
Bones of the Oral Cavity

鼻腔底（上顎骨と口蓋骨）は口蓋の上壁である硬口蓋を作る．上顎骨の水平方向の2つの突起（口蓋突起）が成長し，最終的には正中口蓋縫合で癒合する．癒合が不完全の場合には口蓋裂となる．

図 45.1 硬口蓋

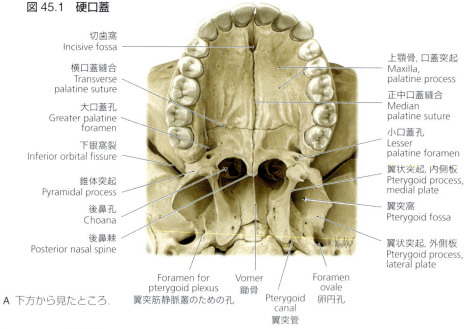

A 下方から見たところ．

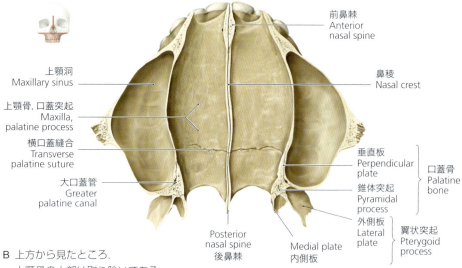

B 上方から見たところ．
上顎骨の上部は取り除いてある．

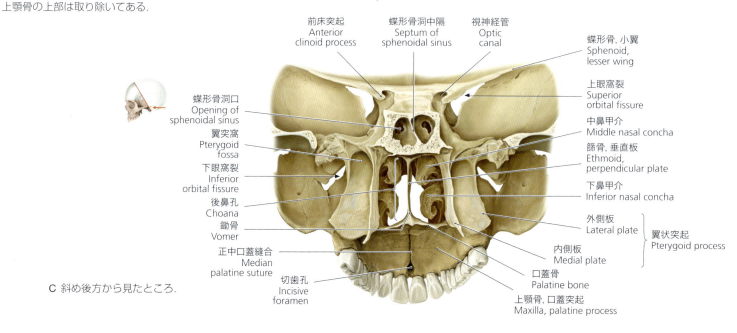

C 斜め後方から見たところ．

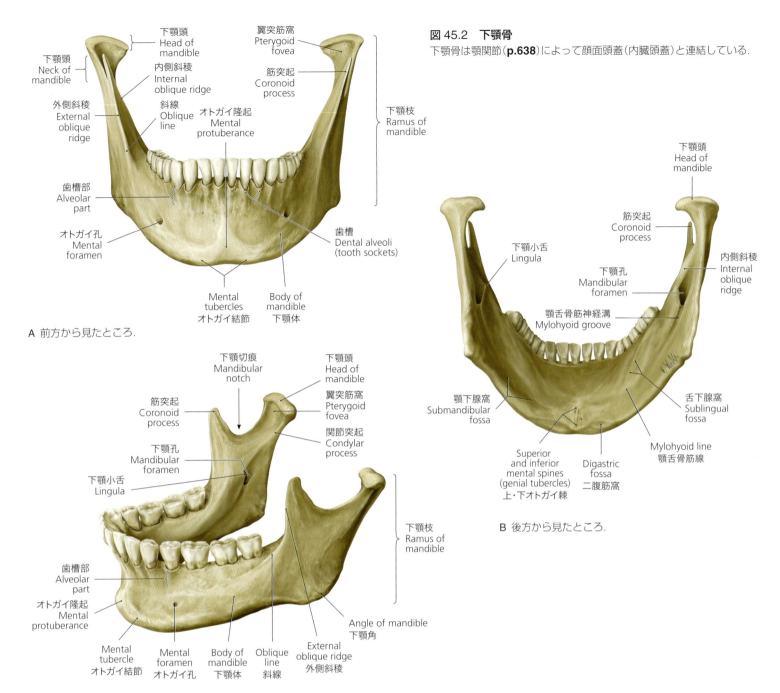

図 45.2　下顎骨
下顎骨は顎関節（p.638）によって顔面頭蓋（内臓頭蓋）と連結している．

A 前方から見たところ．
B 後方から見たところ．
C 左外側方から斜めに見たところ．

図 45.3　舌骨
舌骨は頸部にあり，口腔底と喉頭をつなぐ筋によって吊り下げられている．頭蓋の骨とみなされない場合もあるが，舌骨は口腔底の筋肉の付着部となっている．大角と体は頸部で触知できる．

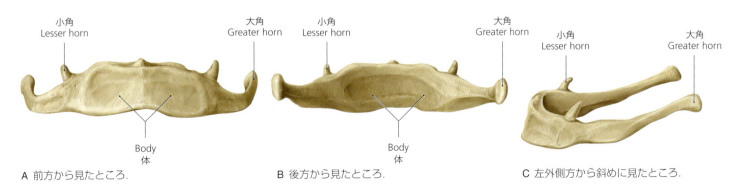

A 前方から見たところ．
B 後方から見たところ．
C 左外側方から斜めに見たところ．

顎関節
Temporomandibular joint

図 45.4 顎関節
顎関節では，下顎頭が下顎窩と関節を作る．

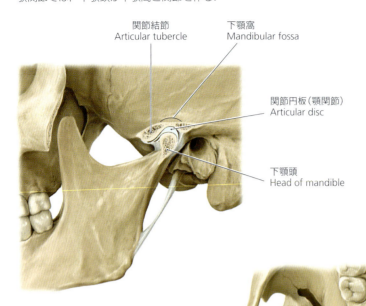

A 左外側方から見たところ．
顎関節は矢状方向に切開してある．

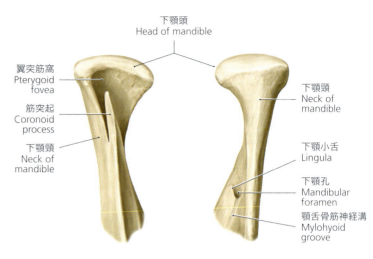

B 下顎頭，前方から見たところ． C 下顎頭，後方から見たところ．

D 顎関節の下顎窩，下方から見たところ．

図 45.5 顎関節の靭帯

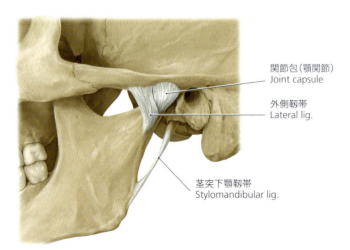

A 左の顎関節，外側方から見たところ．

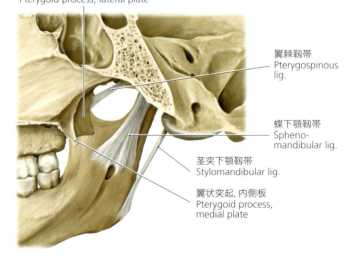

B 右の顎関節，内側方から見たところ．

図 45.6 顎関節の運動
左外側方から見たところ．15°までの開口では，下顎頭は下顎窩の中にとどまっている．15°以上の開口では，下顎頭は前方に滑走し関節結節上にある．

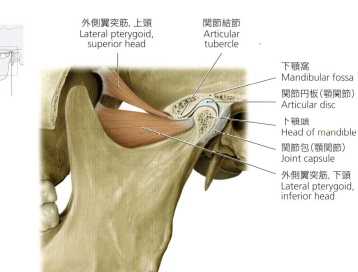

A 閉口時．

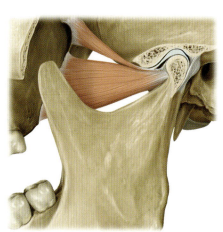

B 15°までの開口時．

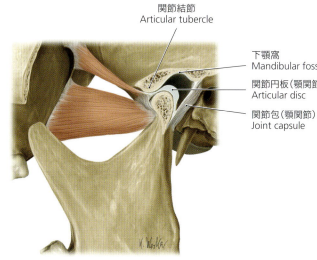

C 15°以上の開口時．

臨床 BOX 45.1

顎関節の脱臼
下顎頭が関節結節を越えて，脱臼が生じることがある．この場合に下顎骨は突出位で固定され，下顎の歯列を押すことで整復される．

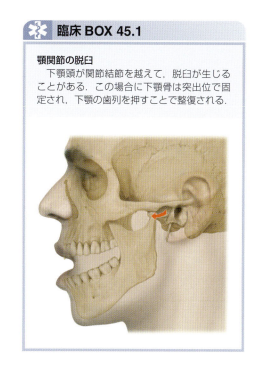

図 45.7 顎関節の関節包の神経支配
上方から見たところ．

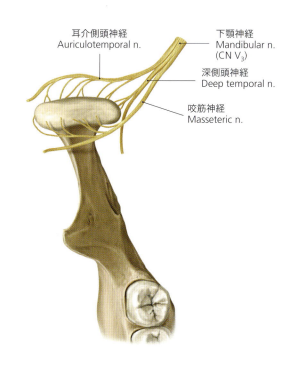

歯
Teeth

図 45.8 歯の構造
歯は，硬組織（エナメル質，象牙質，セメント質）と軟組織（歯髄）からなり，歯冠，歯頸，歯根に分けられる．

図 45.9 永久歯
上顎と下顎の左右半側には，3本の前歯（2本の切歯，1本の犬歯）と5本の臼歯（2本の小臼歯，3本の大臼歯）がある．

図 45.10 歯の面
歯の上面は咬合面として知られている．

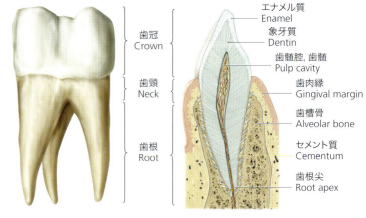
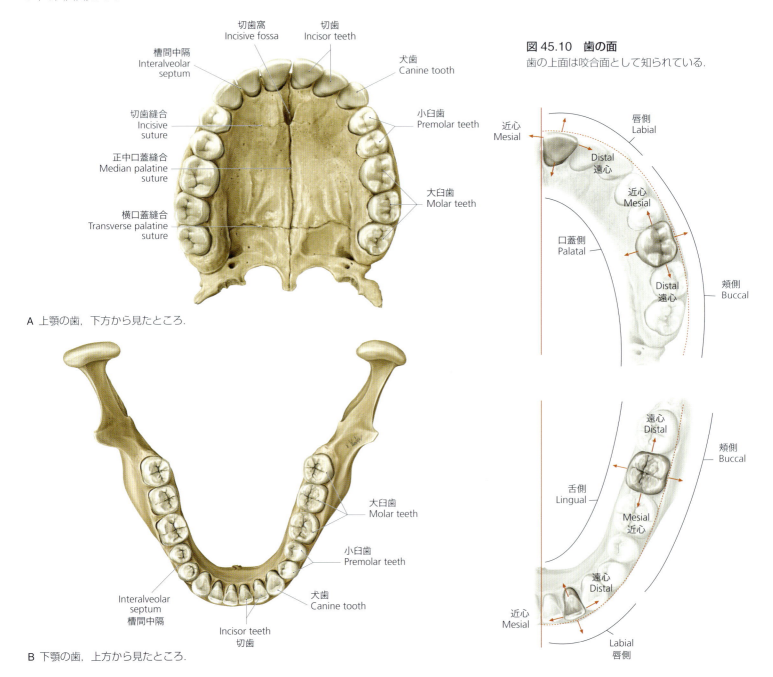

図 45.11 歯の記号

アメリカでは，32本の永久歯は，上下左右の4域に分けずに数える．20本の乳歯は，上顎で右から左にAからJ，下顎で左から右にKからTと表される．上顎の右第2小臼歯はAである．

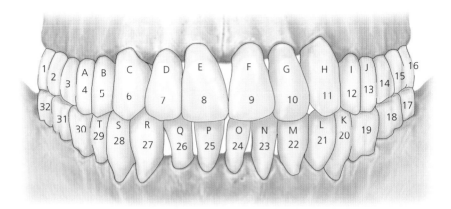

図 45.12 歯のパノラマ断層像

歯のパノラマ断層像（DPT）は，顎関節，上顎洞，上・下顎骨および歯の状態（齲歯の病変や智歯の位置など）を予備的に知ることができる．

（断層写真は，Dr. U. J. Rother, Director of the Department of Diagnostic Radiology, Center for Dentistry and Oromaxillofacial Surgery, Eppendorf University Medical Center, Hamburg, Germany のご厚意による）

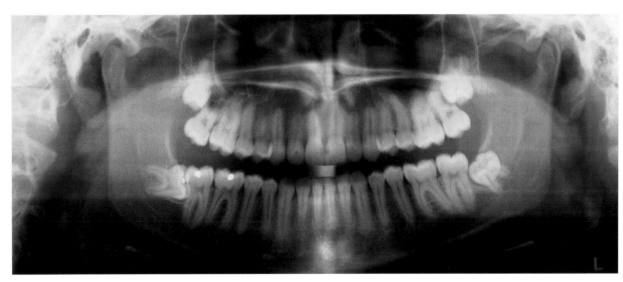

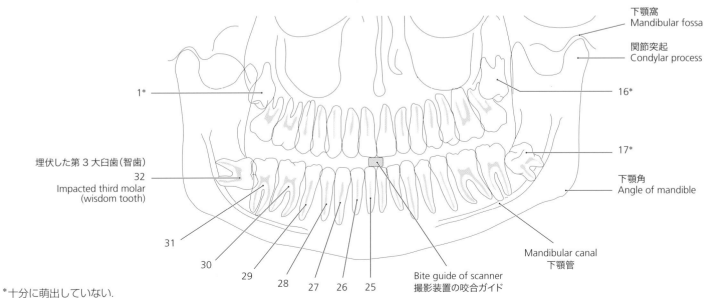

*十分に萌出していない．

口腔の筋
Oral Cavity Muscle Facts

図 45.13　口腔底の筋
舌骨下筋群は pp.516-517 参照．

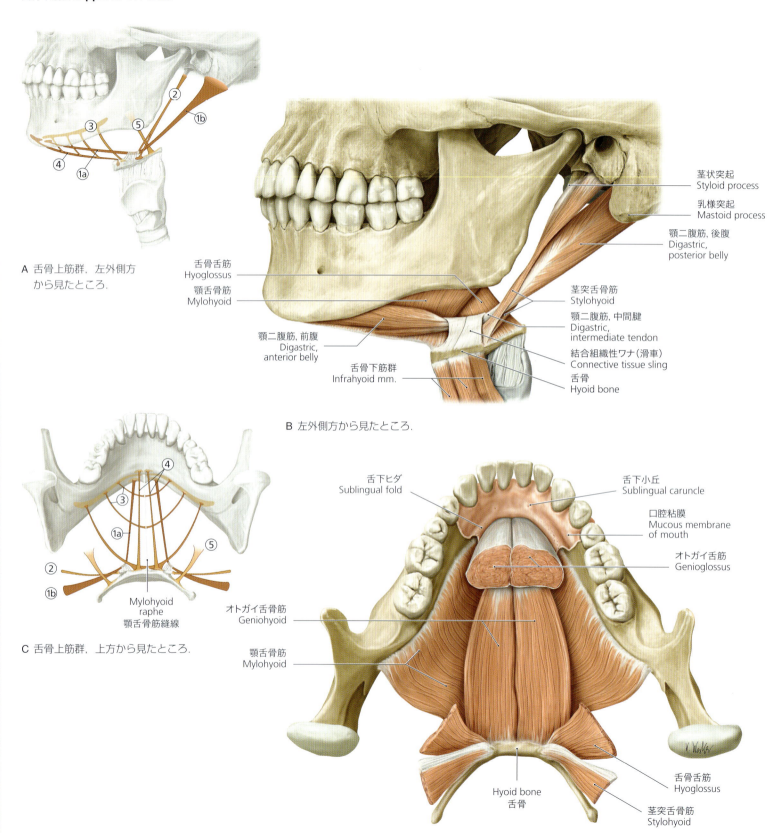

A 舌骨上筋群，左外側方から見たところ．

B 左外側方から見たところ．

C 舌骨上筋群，上方から見たところ．

D 下顎骨と舌骨，上方から見たところ．

表 45.1　舌骨上筋群

筋		起始	停止		神経支配	作用
① 顎二腹筋	ⓐ 前腹	下顎骨の二腹筋窩	線維性の滑車を伴う中間腱を介して停止	舌骨体	下顎神経の枝の顎舌骨筋神経	嚥下時に舌骨を挙上し，下顎の開口を補助する
	ⓑ 後腹	側頭骨の乳様突起内側にある乳突切痕			顔面神経（CN VII）	
② 茎突舌骨筋		側頭骨の茎状突起	分裂した腱を介して停止		顔面神経（CN VII）	
③ 顎舌骨筋		下顎骨の顎舌骨筋線	正中腱を介して停止（顎舌骨筋縫線）		下顎神経の枝の顎舌骨筋神経	口腔底を持ち上げ，緊張させる．嚥下時に舌骨を前方に引き，下顎の開口を助ける．咀嚼時に下顎の側方運動を助ける
④ オトガイ舌骨筋		下顎骨の下オトガイ棘	舌骨体に停止		舌下神経（CN XII）を経由する第1頸神経（C1）の前枝	嚥下時に舌骨を前方に引き，下顎の開口を助ける
⑤ 舌骨舌筋		舌骨大角の上縁	舌の側方		舌下神経（CN XII）	舌を押し下げる

図 45.14　軟口蓋の筋

下方から見たところ．軟口蓋は口腔の後部の境界を成し，口腔と咽頭を区分している．

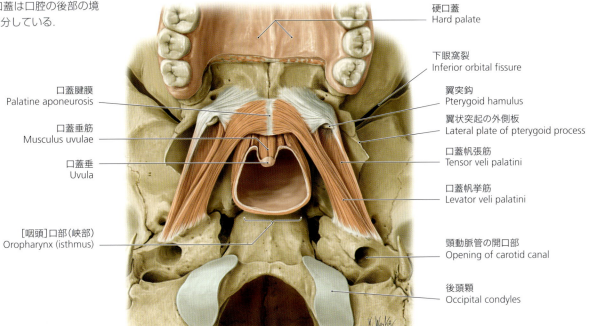

表 45.2　軟口蓋の筋

筋	起始	停止	神経支配	作用
口蓋帆張筋	翼状突起内側板の舟状窩，蝶形骨棘，耳管軟骨	口蓋腱膜	内側翼突筋神経（下顎神経の枝で耳神経節を経由する）	軟口蓋を緊張させる．嚥下時やあくび時に耳管開口部を開く
口蓋帆挙筋	耳管軟骨，側頭骨岩様部		咽頭神経叢を経由する迷走神経	軟口蓋を水平位まで持ち上げる
口蓋垂筋	口蓋垂の粘膜	口蓋腱膜，後鼻棘		口蓋垂を持ち上げ，短くする
口蓋舌筋*	舌の側方	口蓋腱膜		舌後部を持ち上げる．軟口蓋を舌へ牽引する
口蓋咽頭筋*				軟口蓋を緊張させる．嚥下時に咽頭壁を上方・前方・内側に引く

*口蓋舌筋については，図 45.19（p.646），図 45.24（p.648）を参照．口蓋咽頭筋については図 45.24（p.648），図 45.29C（p.653）を参照．

口腔の神経支配
Innervation of the Oral Cavity

図 45.15　口腔の三叉神経（CN V）
右外側方から見たところ．

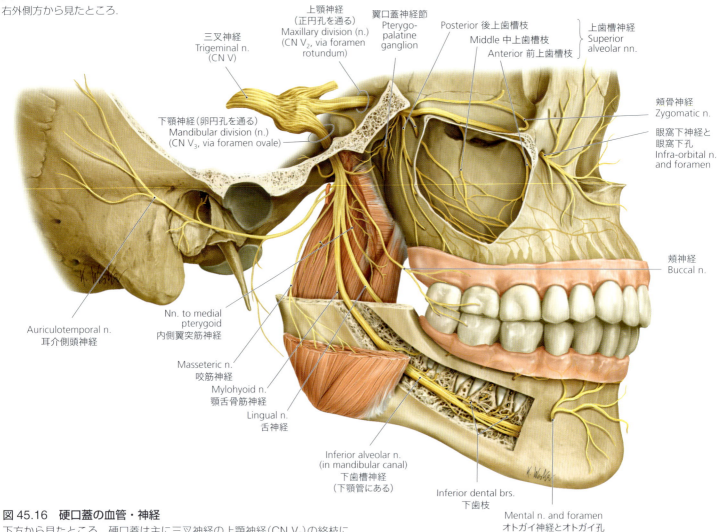

図 45.16　硬口蓋の血管・神経
下方から見たところ．硬口蓋は主に三叉神経の上顎神経（CN V₂）の終枝によって感覚性神経支配を受ける．硬口蓋の動脈は，顎動脈から起こる．

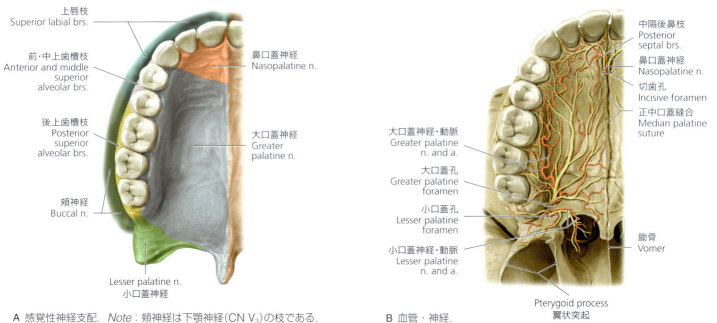

A 感覚性神経支配．*Note*：頬神経は下顎神経（CN V₃）の枝である．　　B 血管・神経．

口腔底の筋肉の神経支配は複雑で，下顎神経(CN V₃)，顔面神経(CN VII)，舌下神経(CN XII)を経由する第1頸神経によって支配される．

図45.17 口腔底の筋肉の神経支配

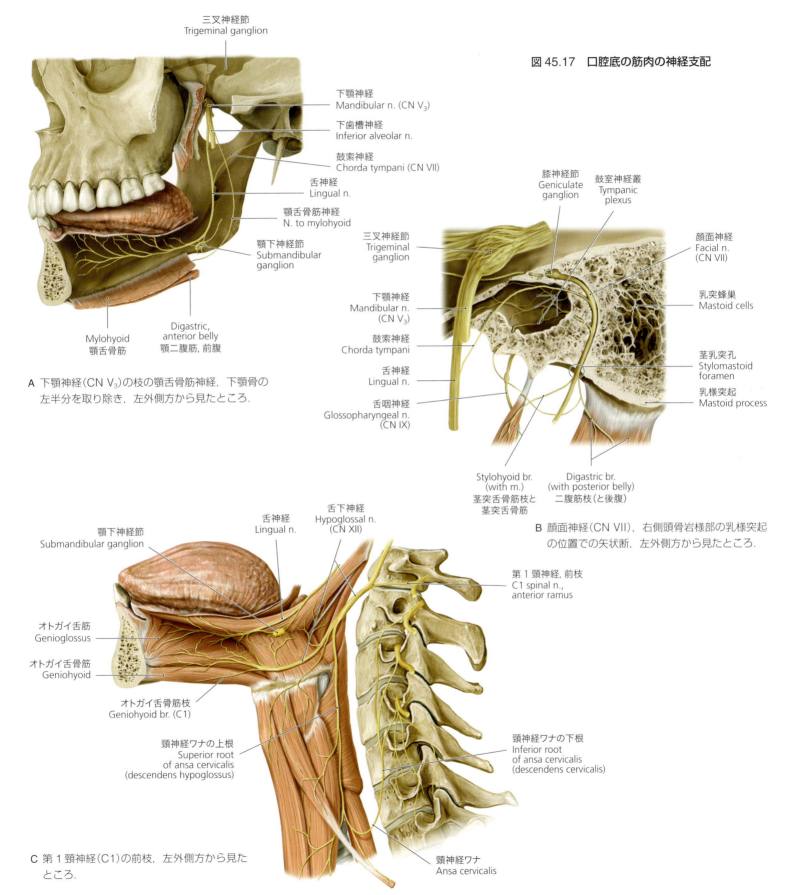

A 下顎神経(CN V₃)の枝の顎舌骨筋神経，下顎骨の左半分を取り除き，左外側方から見たところ．

B 顔面神経(CN VII)，右側頭骨岩様部の乳様突起の位置での矢状断，左外側方から見たところ．

C 第1頸神経(C1)の前枝，左外側方から見たところ．

舌
Tongue

舌背は感覚機能（味覚と微細な触覚識別）を助ける高度に分化した粘膜で覆われている．舌には咀嚼，嚥下，発語において舌の運動機能を助ける非常に強力な筋肉が備わっている．

図 45.18 舌の構造
上方から見たところ．V字形の溝によって，舌は前部 2/3（口部，溝前部）と後部 1/3（咽頭部，溝後部）に分けられる．

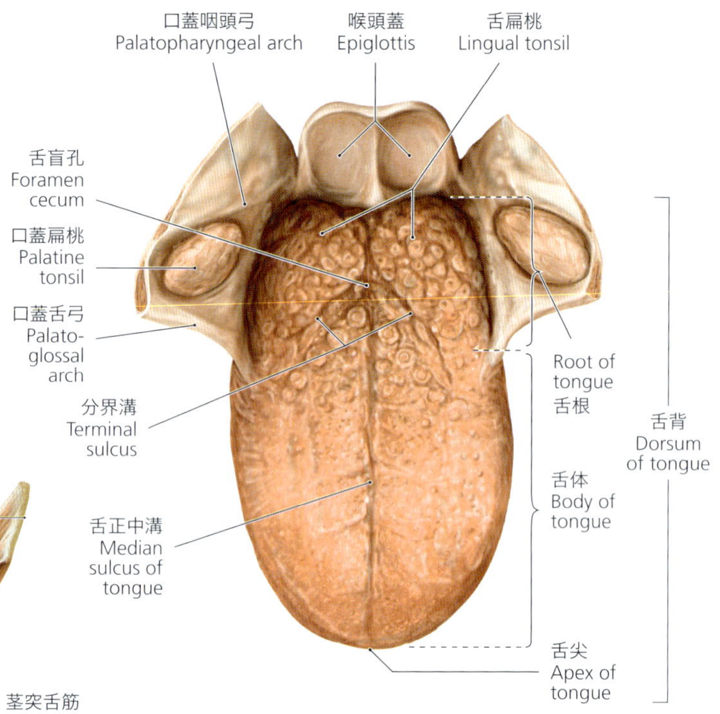

図 45.19 舌の筋肉
外舌筋（オトガイ舌筋，舌骨舌筋，口蓋舌筋，茎突舌筋）は骨に付着し，舌全体を動かす．内舌筋（上縦舌筋，下縦舌筋，横舌筋，垂直舌筋）は骨に付着せず，舌の形を変える．

A 左外側方から見たところ．

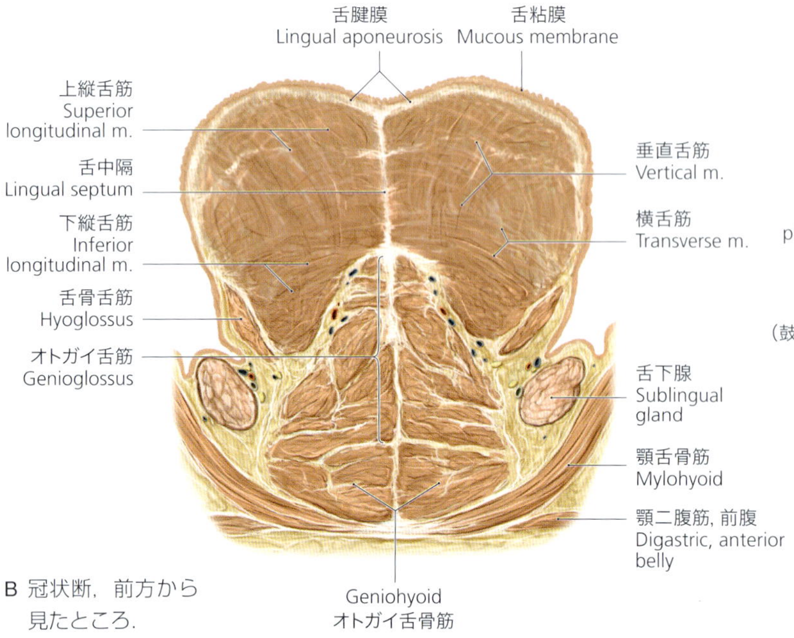

B 冠状断，前方から見たところ．

図 45.20 舌の体性感覚性神経支配と味覚神経支配
上方から見たところ．

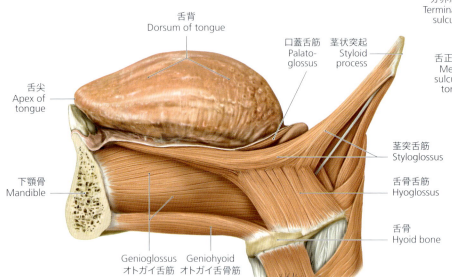

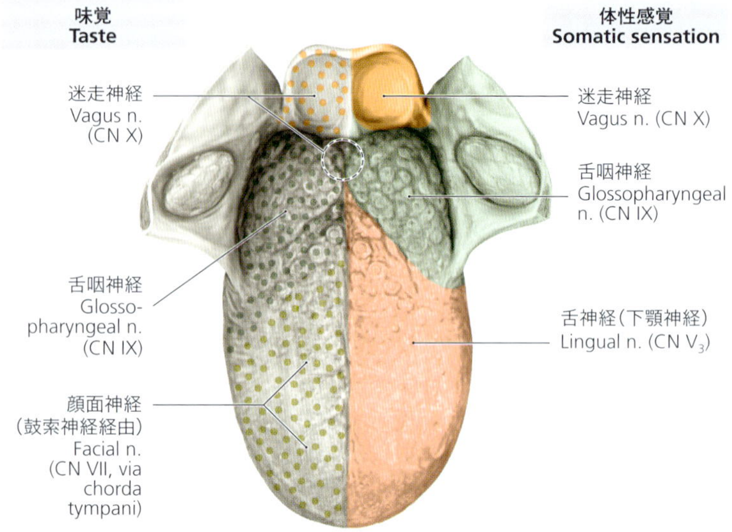

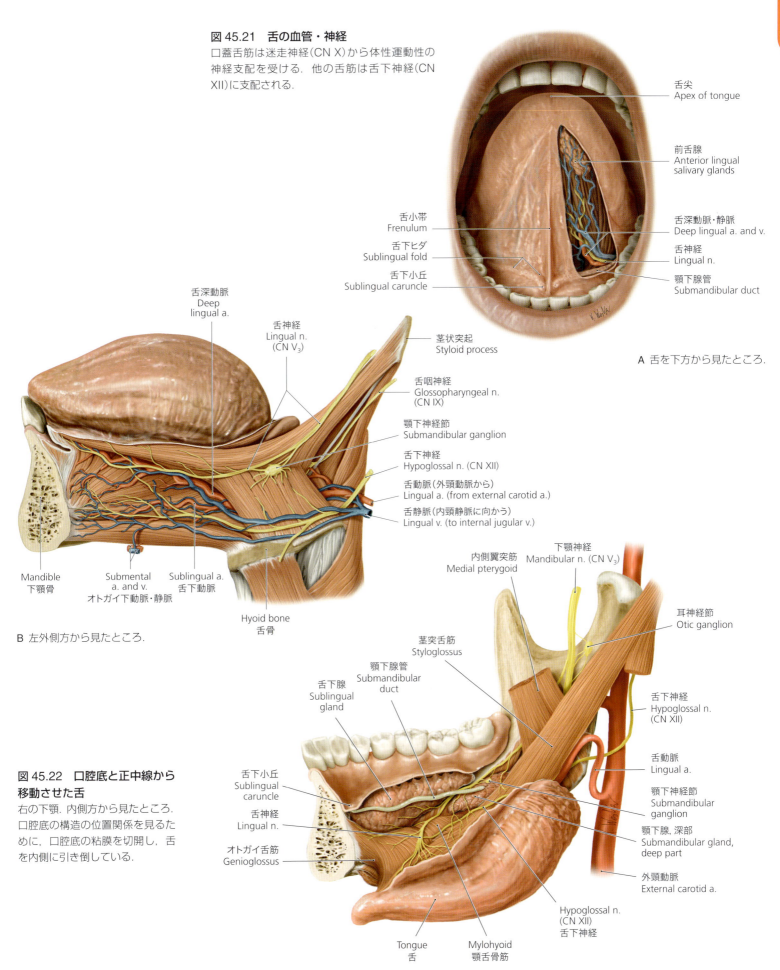

口腔と唾液腺の局所解剖
Topography of the Oral Cavity & Salivary Glands

口腔は鼻腔の下方にあり，咽頭の前方に位置する．口腔は硬口蓋と軟口蓋，舌，口腔底の筋肉，口蓋垂で囲まれる．

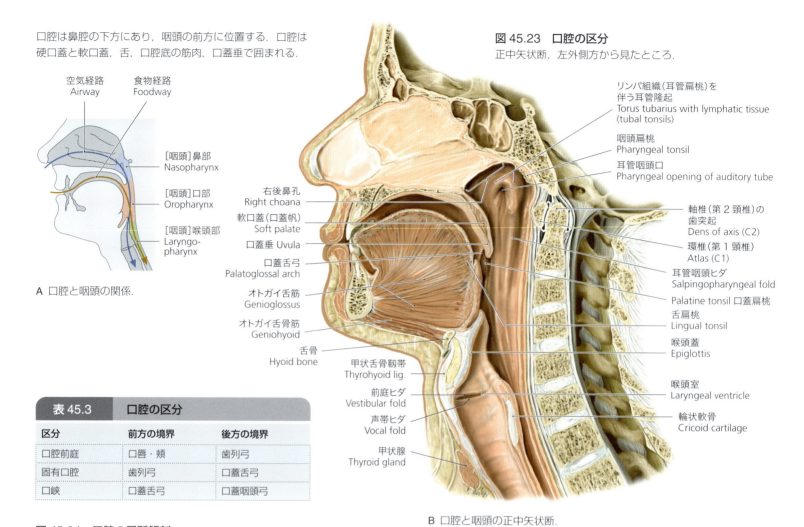

図 45.23　口腔の区分
正中矢状断，左外側方から見たところ．

A　口腔と咽頭の関係．

B　口腔と咽頭の正中矢状断．

表 45.3	口腔の区分	
区分	前方の境界	後方の境界
口腔前庭	口唇・頬	歯列弓
固有口腔	歯列弓	口蓋舌弓
口峡	口蓋舌弓	口蓋咽頭弓

図 45.24　口腔の局所解剖
右側，前方から見たところ．

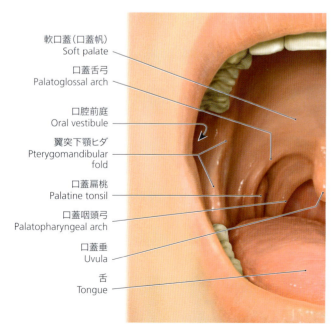

A　開口した口腔．

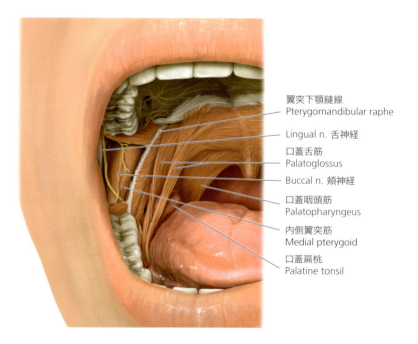

B　口蓋と側面の粘膜，頬筋を取り除いた口腔．

大唾液腺（耳下腺，顎下腺，舌下腺）は左右に3対ある．耳下腺は純粋な（水様の）漿液腺である．舌下腺は主に粘液腺であり，顎下腺は漿粘液性の混合腺である．

図 45.25 唾液腺

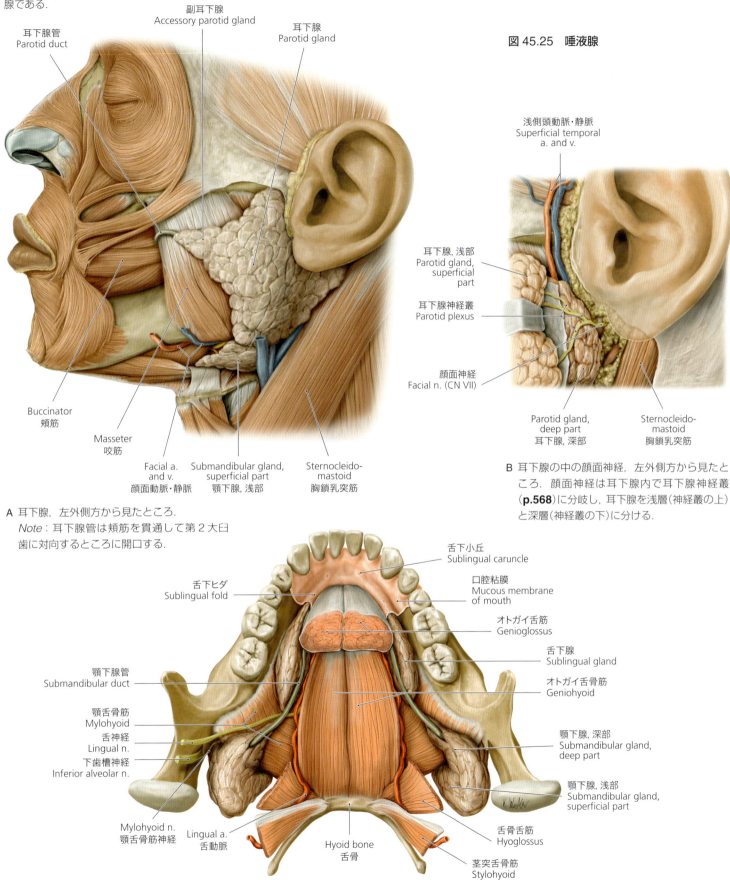

A 耳下腺，左外側方から見たところ．
Note：耳下腺管は頬筋を貫通して第2大臼歯に対向するところに開口する．

B 耳下腺の中の顔面神経，左外側方から見たところ．顔面神経は耳下腺内で耳下腺神経叢（p.568）に分岐し，耳下腺を浅層（神経叢の上）と深層（神経叢の下）に分ける．

C 顎下腺と舌下腺，上方から見たところ．舌は取り除いてある．

扁桃と咽頭
Tonsils & Pharynx

図 45.26　扁桃

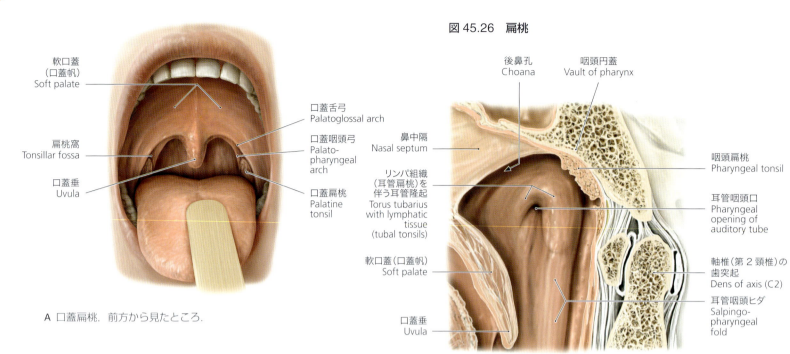

A　口蓋扁桃，前方から見たところ．

B　咽頭扁桃，咽頭円蓋の矢状断面．

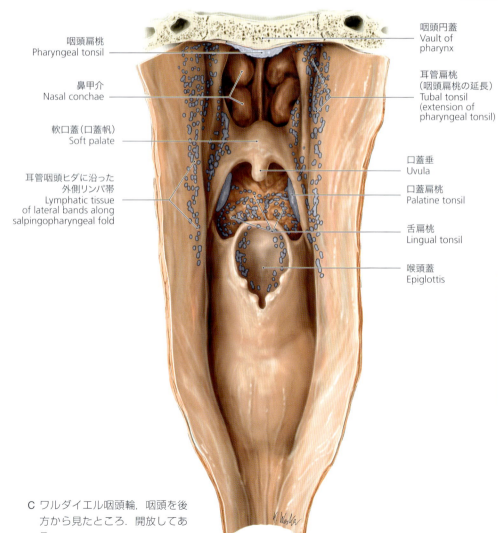

C　ワルダイエル咽頭輪，咽頭を後方から見たところ．開放してある．

表 45.4　ワルダイエル咽頭輪

扁桃	個数
咽頭扁桃	1
耳管扁桃	2
口蓋扁桃	2
舌扁桃	1
外側リンパ帯	2

臨床 BOX 45.2

扁桃感染症

重度のウイルス感染や細菌感染による口蓋扁桃の異常肥大によって咽頭口部が閉塞され，嚥下が困難になる．

肥大した口蓋扁桃
Enlarged palatine tonsil

幼・小児では咽頭扁桃が特によく発達しているが，6，7歳になると消退し始める．咽頭扁桃の異常肥大はよく見られ，咽頭鼻部にまで膨れ，気道を閉塞するので口呼吸を余儀なくされる．

後鼻孔
Choana

肥大した咽頭扁桃
Enlarged pharyngeal tonsil

図 45.27　咽頭粘膜

開放した咽頭，後方から見たところ．咽頭の前部には，後鼻孔（鼻腔へ），口峡峡部（口腔へ），喉頭口（喉頭へ）の3つの開口部がある．

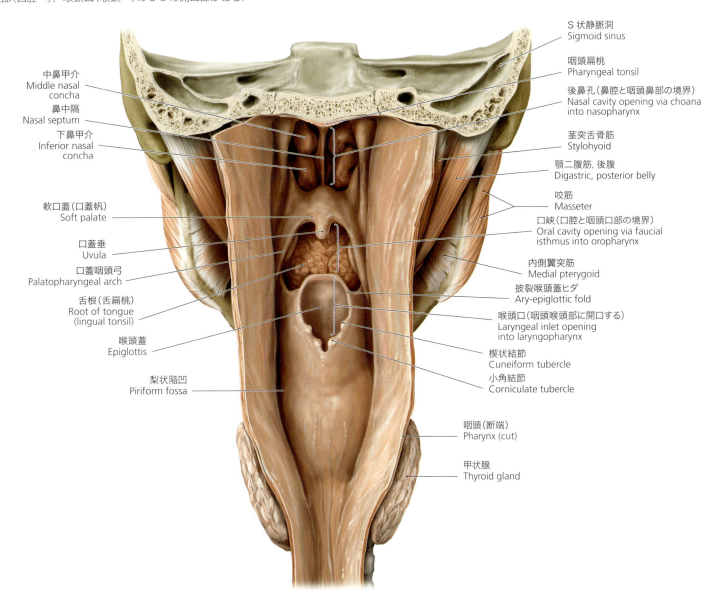

咽頭筋
Pharyngeal Muscles

図 45.28　咽頭筋：左側方から見たところ
咽頭筋は咽頭収縮筋と比較的弱い咽頭挙筋からなる．

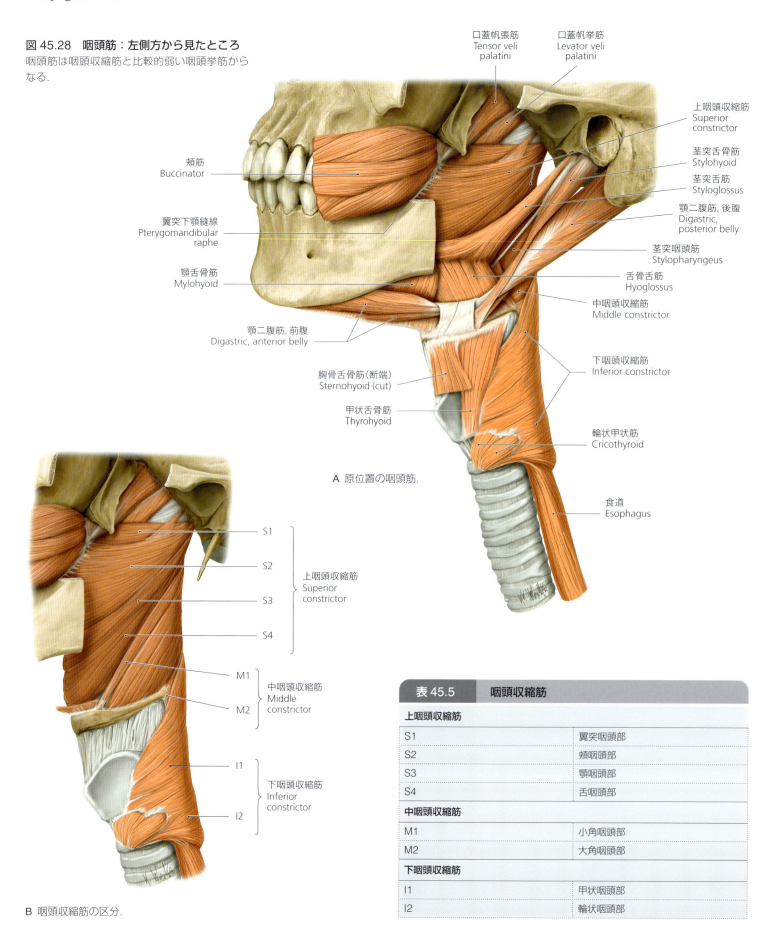

A　原位置の咽頭筋．

B　咽頭収縮筋の区分．

表 45.5	咽頭収縮筋
上咽頭収縮筋	
S1	翼突咽頭部
S2	頬咽頭部
S3	顎咽頭部
S4	舌咽頭部
中咽頭収縮筋	
M1	小角咽頭部
M2	大角咽頭部
下咽頭収縮筋	
I1	甲状咽頭部
I2	輪状咽頭部

図 45.29　咽頭筋：後方から見たところ

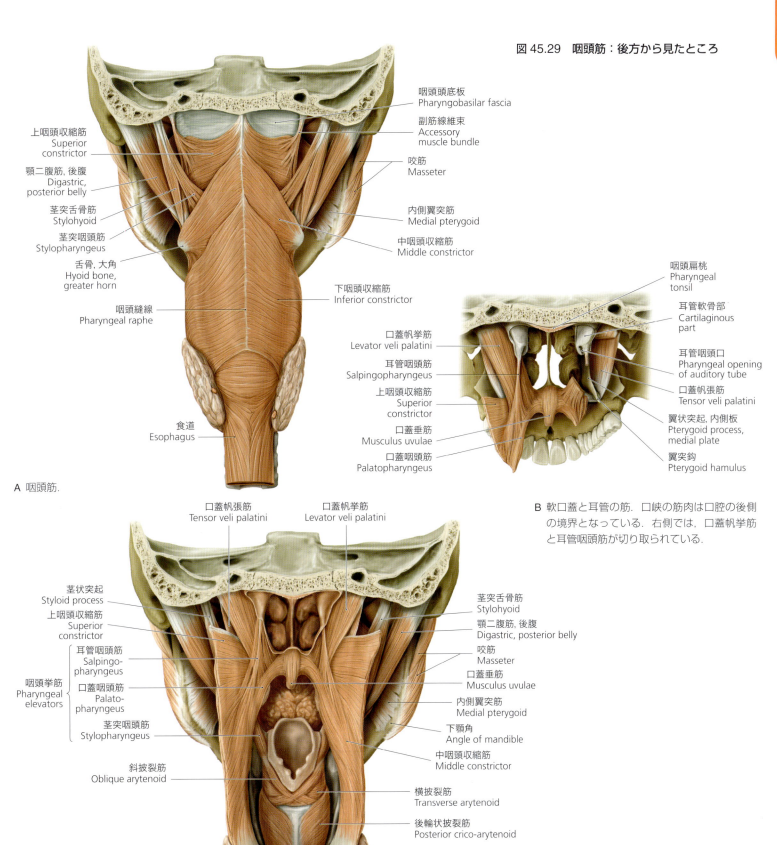

A　咽頭筋.

B　軟口蓋と耳管の筋．口峡の筋肉は口腔の後側の境界となっている．右側では，口蓋帆挙筋と耳管咽頭筋が切り取られている．

C　開いた咽頭の筋.

咽頭の血管・神経
Neurovasculature of the Pharynx

図 45.30 咽頭周囲隙の血管・神経
後方から見たところ．脊柱と後側にある全ての構造は取り除いてある．

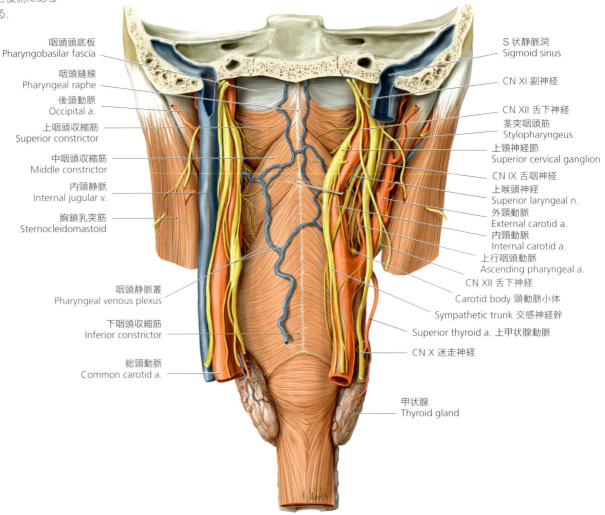

図 45.31 頭部における筋膜と潜在的な組織間隙
扁桃窩の高さにおける水平断面，上方から見たところ．頭部の間隙は感染が波及する経路を理解するうえで重要となる．図示したような潜在的な間隙に感染が生じると，滲出液や膿が溜まり，空間として顕在化する．これらの間隙は骨や筋，筋膜によって境界が形成される．感染が生じても初期のうちは間隙内にとどめておけるが，いずれは間隙間の通路を介して感染巣は拡大する．

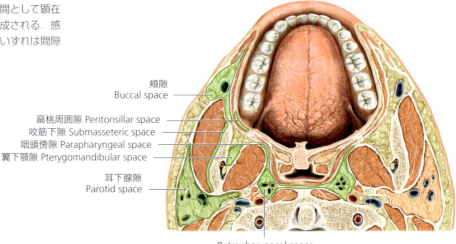

図 45.32 開いた咽頭の血管・神経

後方から見たところ．脳神経は**第40章(pp.560-579)**参照．

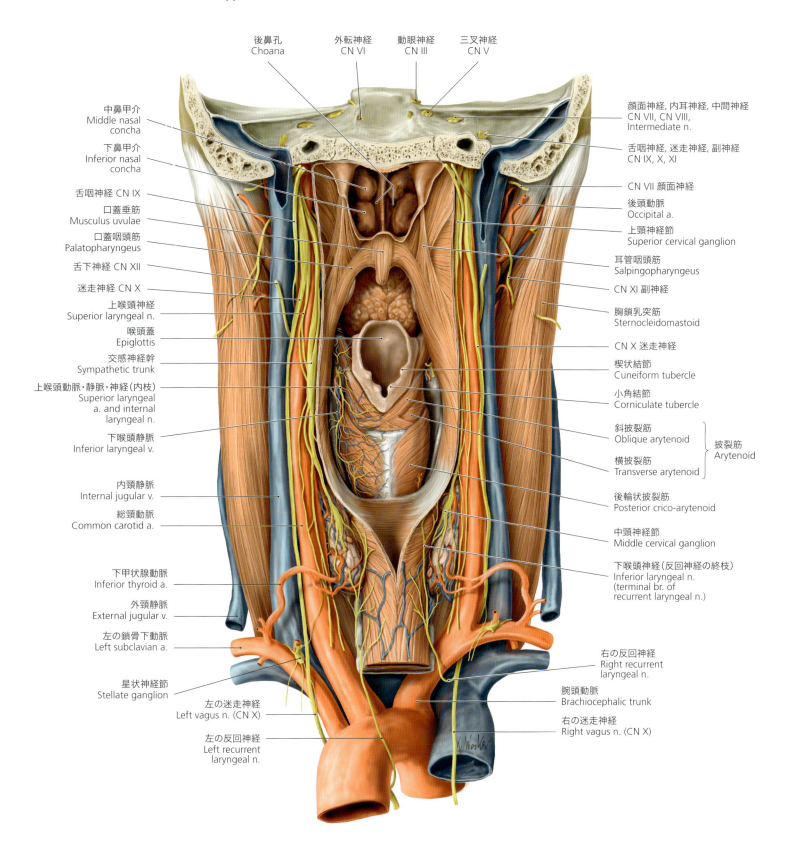

46 断面解剖と画像解剖
頭頸部の断面解剖（1）
Sectional Anatomy of the Head & Neck (I)

図 46.1　眼窩縁を通る冠状断面

前方から見たところ．この断面では頭部の4つの領域（口腔，鼻腔・副鼻腔，眼窩，前頭蓋窩）が見えている．口腔の領域には，口腔底の筋，舌尖，硬口蓋，下顎管内にある動脈・静脈と神経，第1大臼歯が含まれる．臨床上重要な解剖学的関係のうち，この断面で見ることができるのは，上顎洞の底から上顎の歯が生えている点である．また，上顎洞の天井が薄い骨板を介して眼窩と接し，上顎洞と眼窩の間には眼窩下溝を走る上顎神経が存在することも重要である．眼窩の内側壁は薄い骨板（眼窩板）からなるが，眼窩板は篩骨洞（蜂巣）の外側壁にもなっている．この断面はかなり前方寄りのため，眼窩の外側壁をなす骨は見えていない．

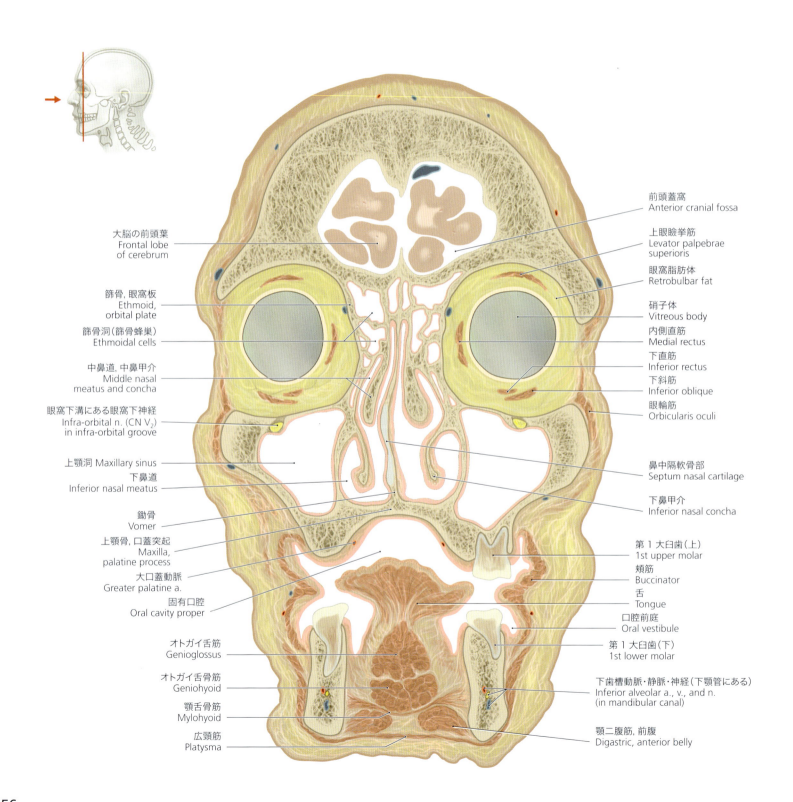

図 46.2 眼窩尖を通る冠状断面

前方から見たところ．図 46.1 よりも後方で作られた断面．軟口蓋が口腔と鼻腔を隔てており，豊富な頬脂肪体も見えている．右側では下顎枝が見えていないが，これはこの断面がやや傾斜しているためである．

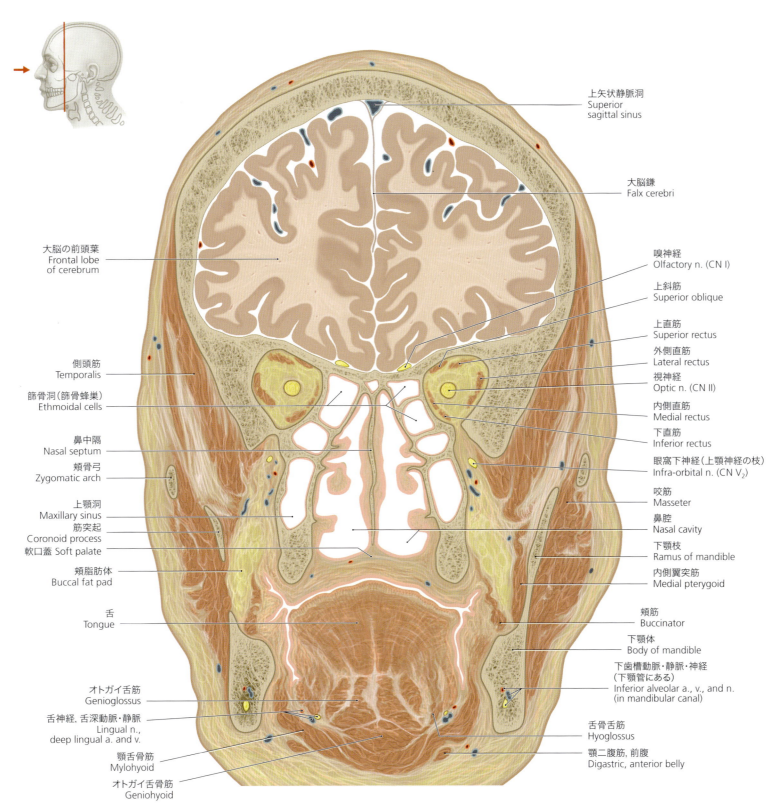

頭頸部の断面解剖（2）
Sectional Anatomy of the Head & Neck (II)

図 46.3 下垂体を通る冠状断面
前方から見たところ．

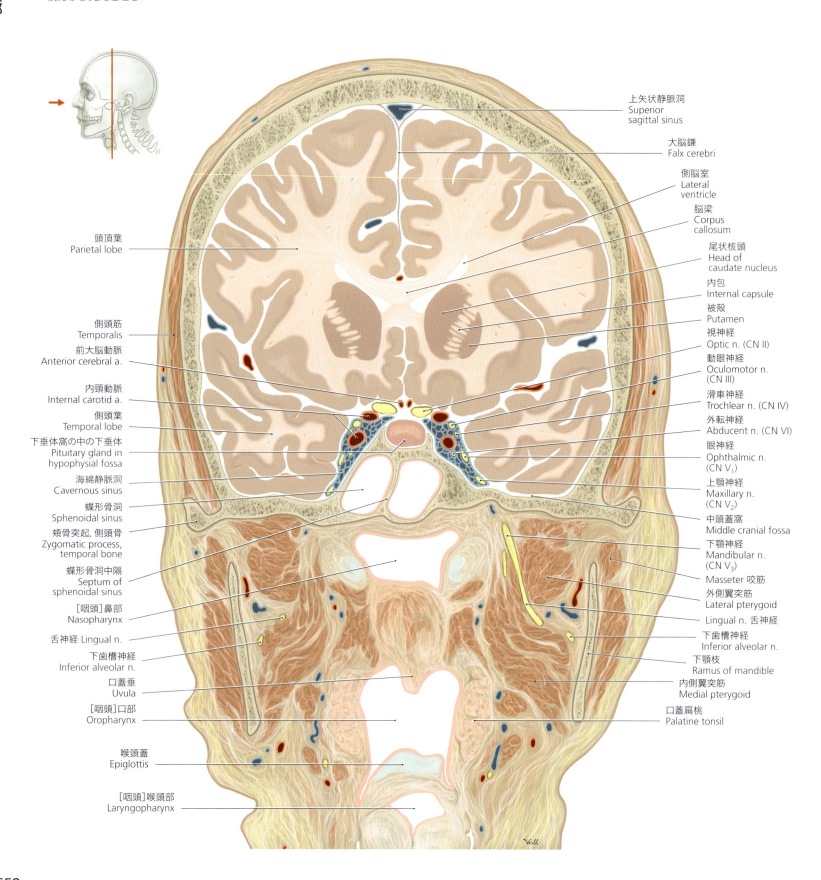

図 46.4 鼻中隔を通る正中断面
左外側方から見たところ．

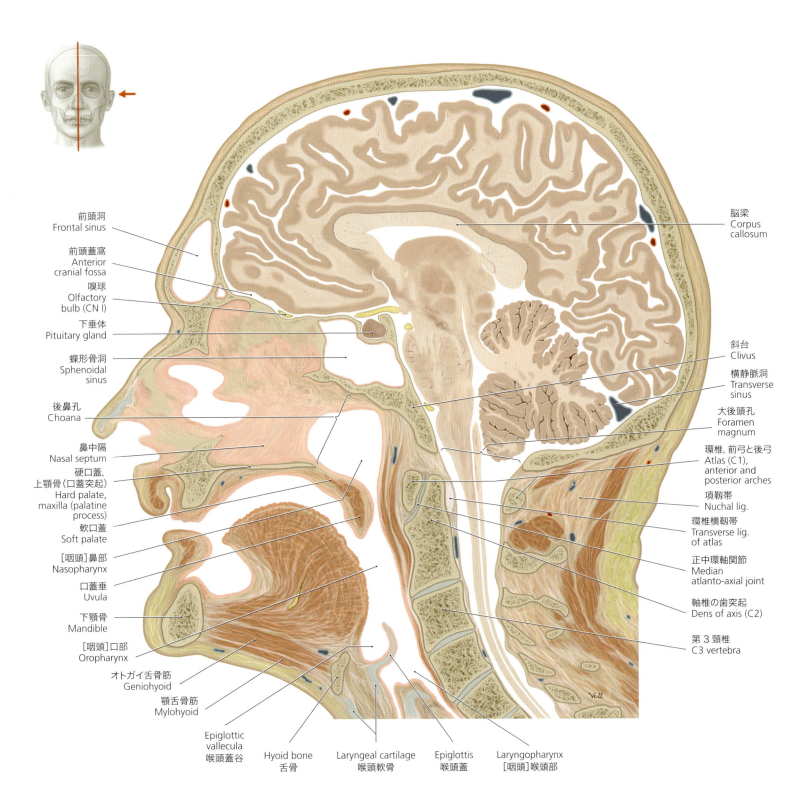

頭頸部の断面解剖（3）
Sectional Anatomy of the Head & Neck (III)

図 46.5 眼窩内側壁を通る矢状断面
左外側方から見たところ．この断面では鼻腔内に下鼻甲介と中鼻甲介が見えている．また，4種類ある副鼻腔のうち，3種類（篩骨洞，蝶形骨洞，前頭洞）が見えており，鼻腔との位置関係がわかる．脊柱の領域では，椎骨動脈の長軸断面と頸神経の短軸断面が見えている．頸神経は椎間孔を出る直前の部分で切れている．

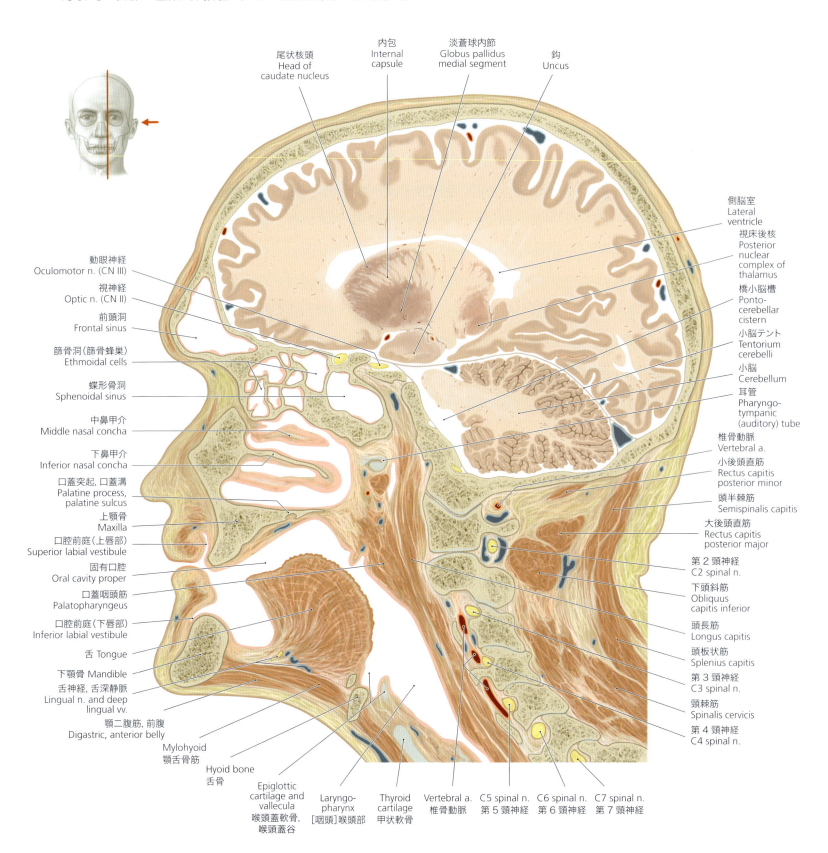

図 46.6 眼窩の内側 1/3 を通る矢状断面

左外側方から見たところ．この断面では上顎洞，前頭洞，蝶形骨洞，篩骨洞（ごく一部）が見えている．軟口蓋の筋と咀嚼筋が耳管軟骨部の前下方に塊として見えている．口蓋扁桃と顎下腺（内側部分）が口腔壁と口腔底にそれぞれ見えている．

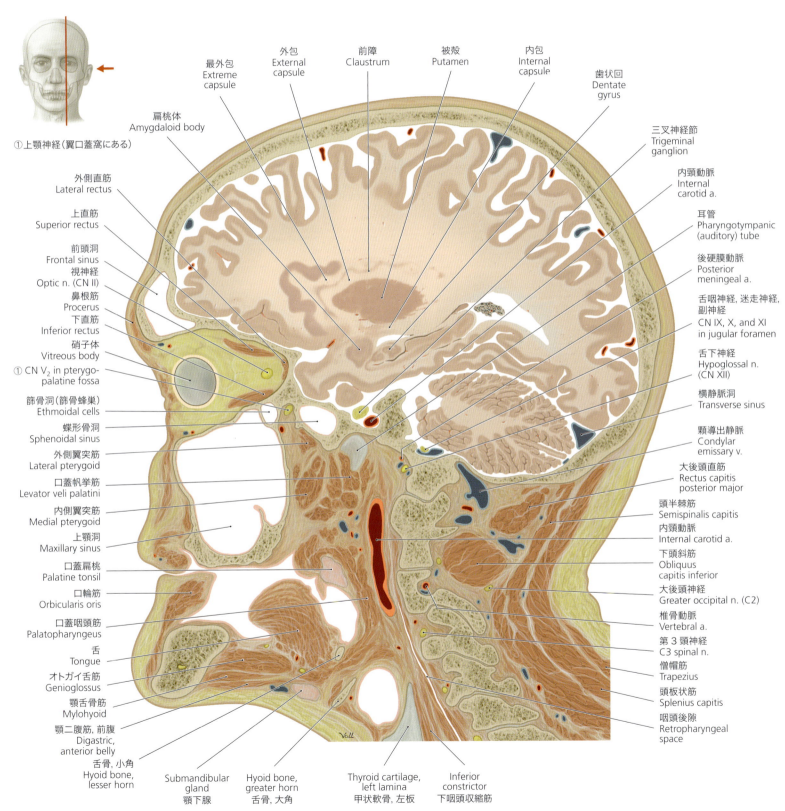

頭頸部の断面解剖 (4)
Sectional Anatomy of the Head & Neck (IV)

図 46.7　視神経と下垂体の高さの水平断面
下方から見たところ．

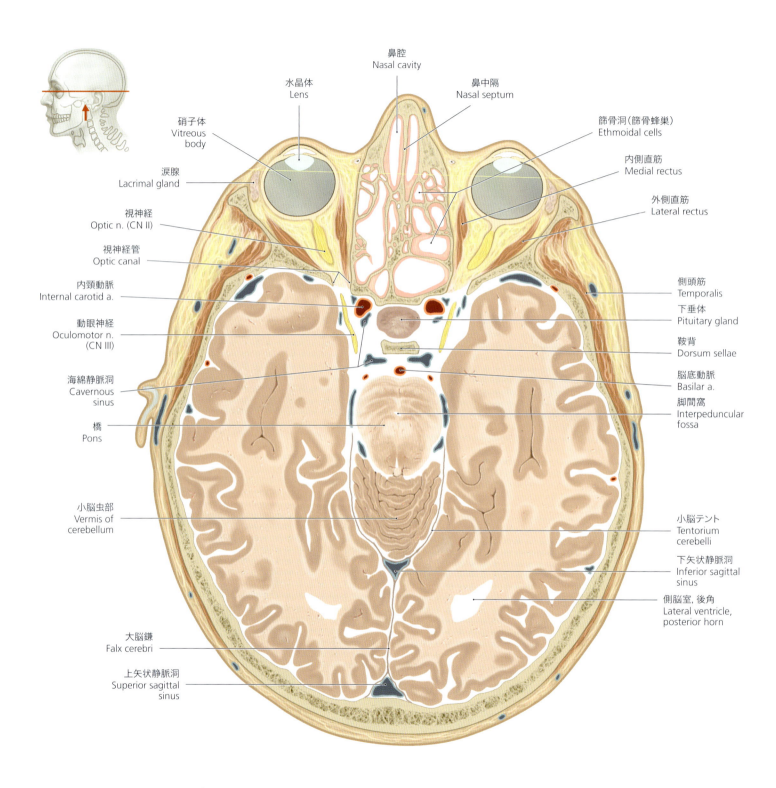

図46.8 正中環軸関節を通る水平断面

上方から見たところ．この断面は硬口蓋と軟口蓋の高さでもあり，硬口蓋の粘膜と骨膜，軟口蓋の筋が見えている．正中環軸関節において環椎(C1)の前弓と軸椎の歯突起(dens of C2)が接していることがわかる．この関節の外側には，内頸動脈，内頸静脈，脳神経(舌咽神経，迷走神経，副神経，舌下神経)の断面がまとまって見えている．

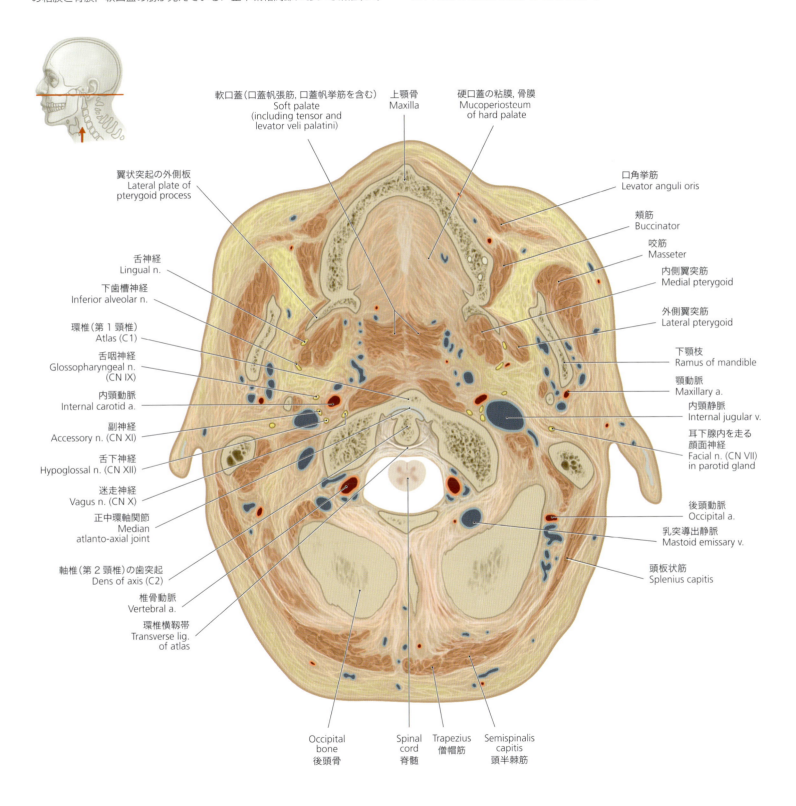

頭頸部の断面解剖 (5)
Sectional Anatomy of the Head & Neck (V)

図 46.9 頸部の水平断面

第5頸椎体を通る水平断面．下方から見たところ．外頸静脈と内頸静脈が胸鎖乳突筋により隔てられている．この断面では，副神経 (CN XI) は胸鎖乳突筋の内側面に接しているが，この筋への支配枝はこの断面よりも上方ですでに分かれている．頸部脊柱は前方に弯曲しているため，第7頸椎（隆椎）の棘突起も見えている．

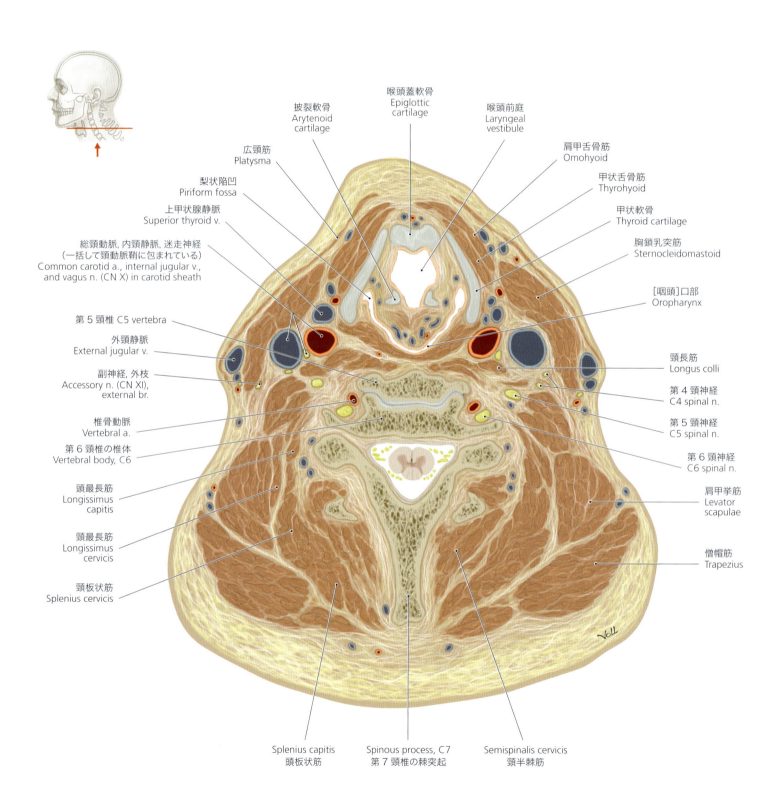

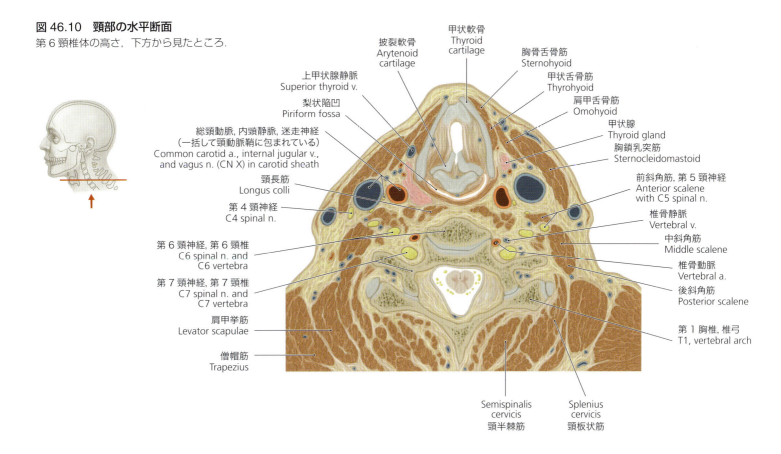

図 46.10 頸部の水平断面
第6頸椎体の高さ，下方から見たところ．

図 46.11 頸部の水平断面
第7頸椎と第1胸椎の移行部を通過する水平断面．下方から見たところ．この断面では，前斜角筋と中斜角筋の間に腕神経叢の根（第6-8頸神経に由来するもの）が見えている．横隔神経は前斜角筋の前面に接している．総頸動脈，内頸静脈，迷走神経は一括して頸動脈鞘に包まれており，前斜角筋，胸鎖乳突筋，甲状腺に囲まれた領域にある．

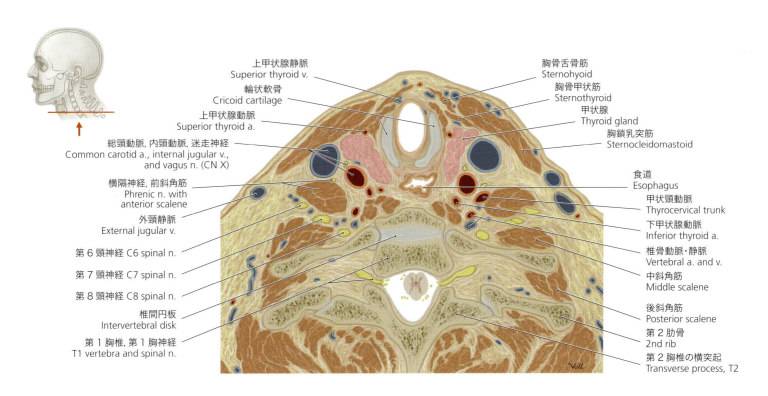

頭頸部の画像解剖（1）
Radiographic Anatomy of the Head & Neck (I)

図 46.12　頭蓋の X 線像
前後像．（Moeller TB, Reif E. Pocket Atlas of Radiographic Anatomy, 3rd ed. New York, NY: Thieme; 2010. より）

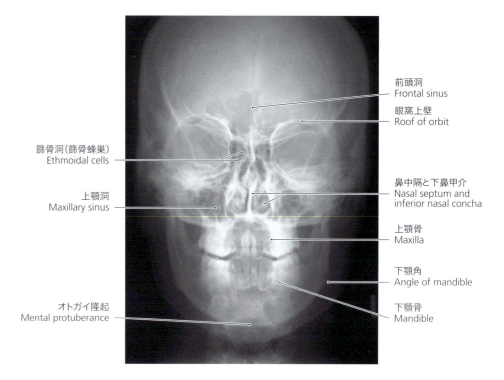

図 46.13　眼球を通る冠状断 MR 像
前方から見たところ．

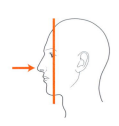

図 46.14 頭蓋の X 線像
左外側方から見たところ．（Moeller TB, Reif E. Pocket Atlas of Radiographic Anatomy, 3rd ed. New York, NY: Thieme; 2010. より）

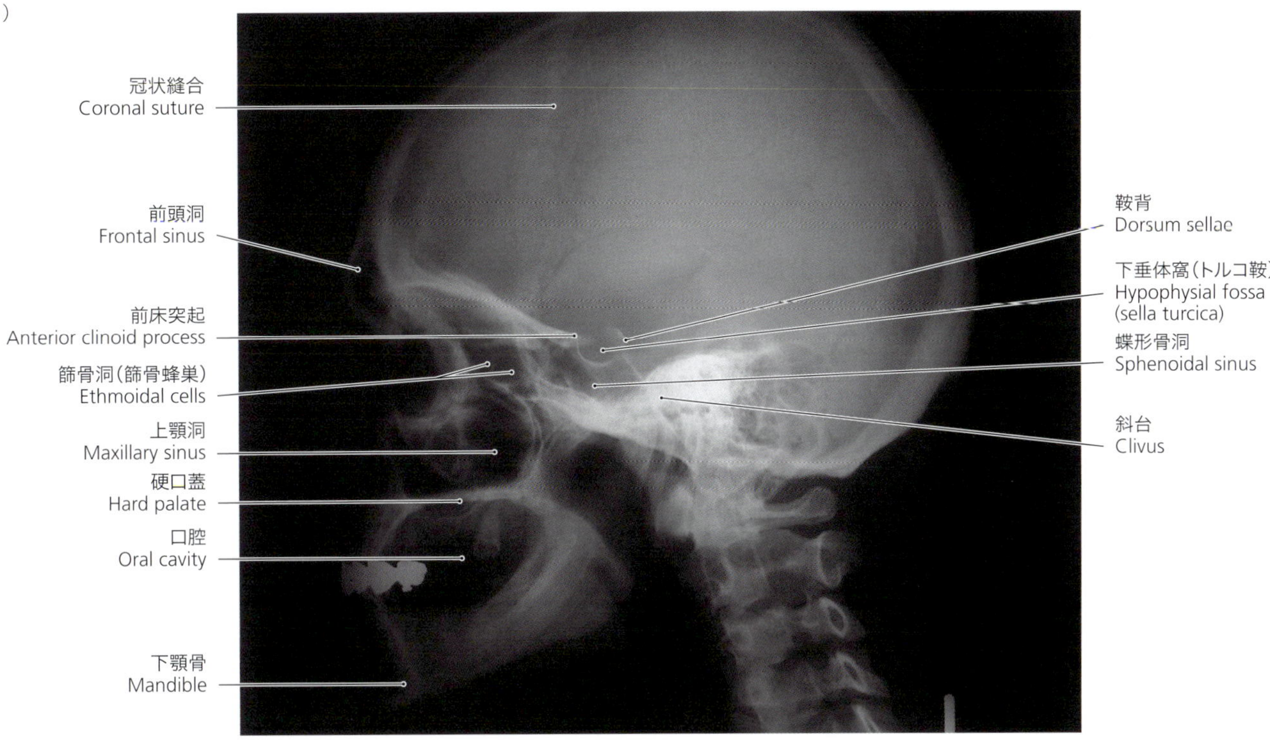

図 46.15 鼻中隔を通る正中矢状断 MR 像
左外側方から見たところ．四角で囲んだ領域は脳室系・視床・橋の領域を示す．この領域の詳細な図は **図 51.5（p.700）** を参照．（Moeller TB, Reif E. Pocket Atlas of Sectional Anatomy, Vol 1, 4th ed. New York, NY: Thieme; 2014. より）

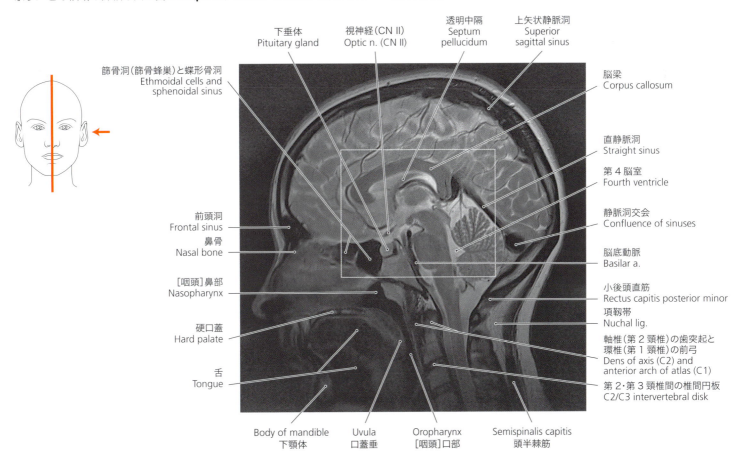

頭頸部の画像解剖（2）
Radiographic Anatomy of the Head & Neck (II)

図 46.16 頭蓋の X 線像
後頭オトガイ像（ウォーターズ像）．（Moeller TB, Reif E. Pocket Atlas of Radiographic Anatomy, 3rd ed. New York, NY: Thieme; 2010. より）

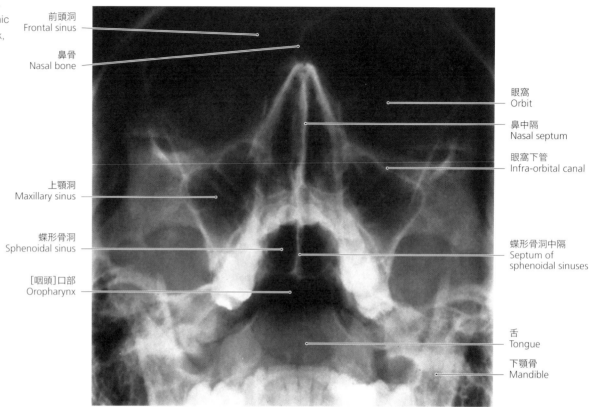

図 46.17 下顎骨の X 線像
左外側方から見たところ．（Moeller TB, Reif E. Pocket Atlas of Radiographic Anatomy, 3rd ed. New York, NY: Thieme; 2010. より）

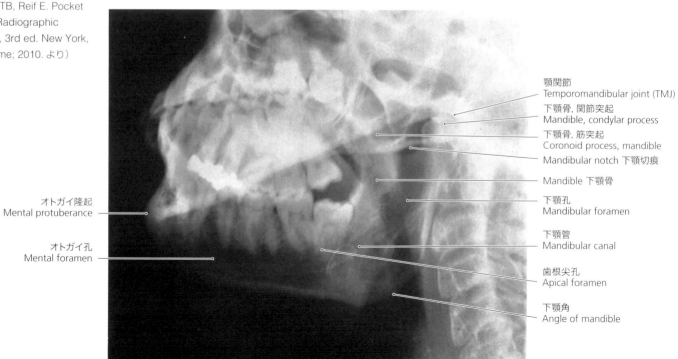

図 46.18 眼球と鼻涙管を通る水平断 MR 像

下方から見たところ．（Moeller TB, Reif E. Pocket Atlas of Sectional Anatomy, Vol 1, 4th ed. New York, NY: Thieme; 2014. より）

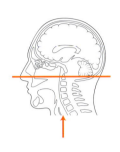
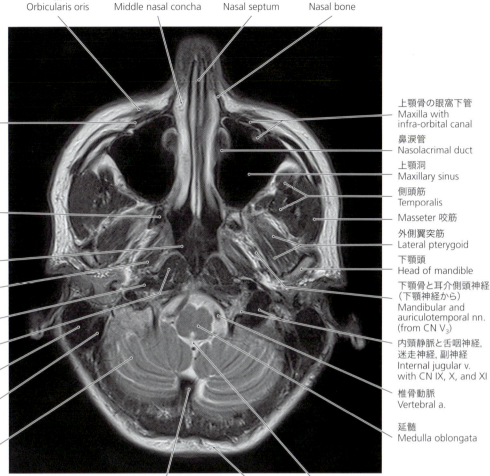

図 46.19 頸を通る水平断 MR 像

下方から見たところ．（Moeller TB, Reif E. Pocket Atlas of Sectional Anatomy, Vol 1, 4th ed. New York, NY: Thieme; 2014. より）

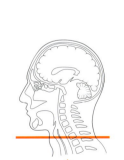
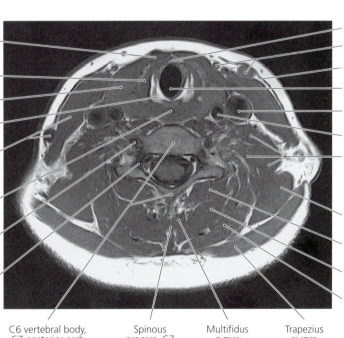

頭頸部の画像解剖（3）
Radiographic Anatomy of the Head & Neck (III)

図 46.20　顎関節の CT 像（TMJ）
冠状断．（Moeller TB, Reif E. Atlas of Sectional Anatomy: The Musculoskeletal System. New York, NY: Thieme; 2009. より）

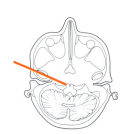
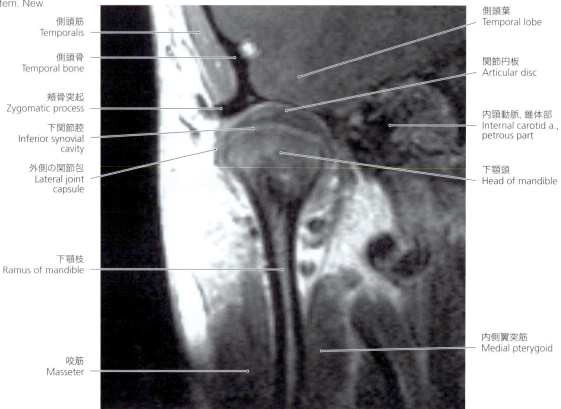

- 側頭筋 Temporalis
- 側頭骨 Temporal bone
- 頬骨突起 Zygomatic process
- 下関節腔 Inferior synovial cavity
- 外側の関節包 Lateral joint capsule
- 下顎枝 Ramus of mandible
- 咬筋 Masseter
- 側頭葉 Temporal lobe
- 関節円板 Articular disc
- 内頸動脈, 錐体部 Internal carotid a., petrous part
- 下顎頭 Head of mandible
- 内側翼突筋 Medial pterygoid

図 46.21　顎関節の CT 像（TMJ）
口を閉じた状態での矢状断．（Moeller TB, Reif E. Atlas of Sectional Anatomy: The Musculoskeletal System. New York, NY: Thieme; 2009. より）

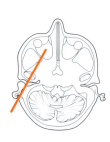
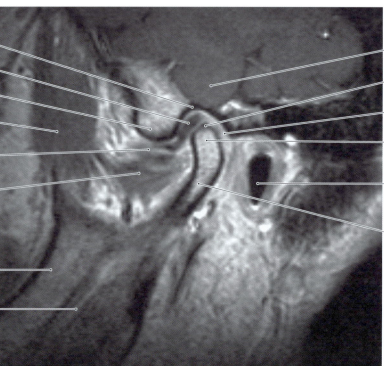

- 上関節腔 Superior synovial cavity
- 関節円板 Articular disc
- 関節結節 Articular tubercle
- 側頭筋 Temporalis
- 外側翼突筋, 上頭 Lateral pterygoid, superior head
- 外側翼突筋, 下頭 Lateral pterygoid, inferior head
- 下顎枝 Ramus of mandible
- 下顎管内の下歯槽神経 Inferior alveolar n. in mandibular canal
- 大脳, 側頭葉 Temporal lobe of cerebrum
- 下関節腔 Inferior synovial cavity
- 関節円板後部 Retrodiscal region
- 下顎頭 Head of mandible
- 外耳道 External acoustic meatus
- 下顎頸 Neck of mandible

図 46.22 頭蓋の MRA 像

頭方から見たところ．この血管画像においては，右の後大脳動脈が脳底動脈ではなく内頸動脈から起こる変異があることに注意．左側の配置は通常例となっている．（Moeller TB, Reif E. Pocket Atlas of Sectional Anatomy, Vol 1, 4th ed. New York, NY: Thieme; 2014. より）

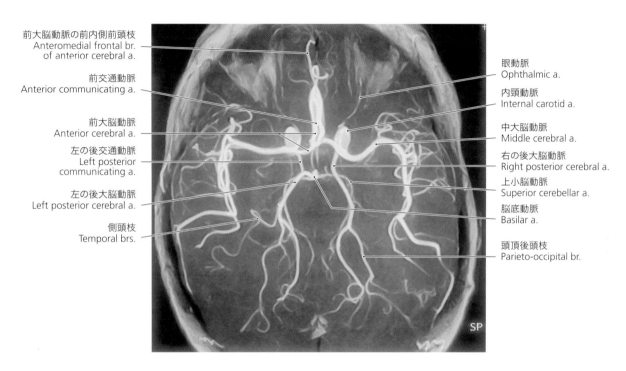

図 46.23 頭部の硬膜静脈洞系

右外側方から見たところ．外頸動脈・内頸動脈の造影（静脈相）．

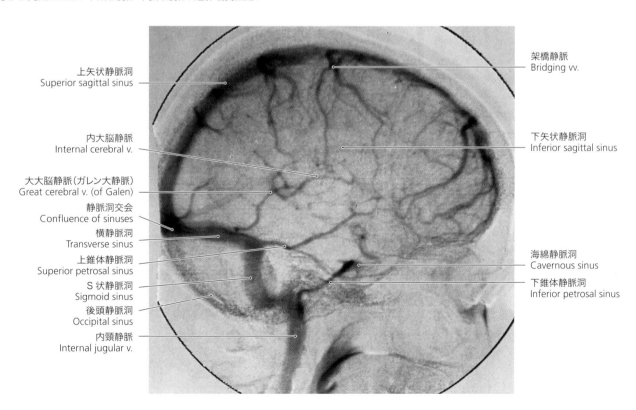

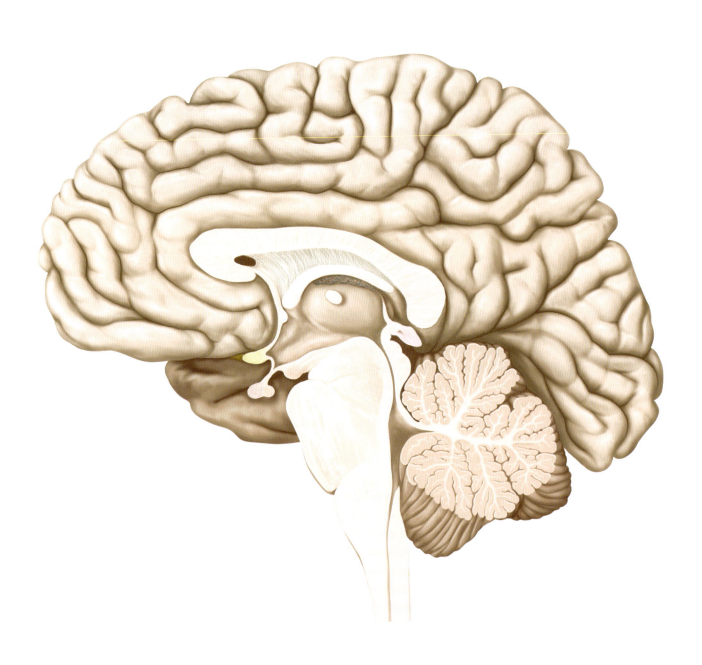

脳神経系
Brain & Nervous system

47. 脳
神経系：概観 ... 674
神経系：発生 ... 676
脳，肉眼組織 ... 678
間脳 ... 680
脳幹，小脳 ... 682
脳室と脳脊髄液の空間 ... 684

48. 脳の血管
脳の静脈と硬膜静脈洞 ... 686
脳の動脈 ... 688

49. 機能系
脊髄の解剖と構成 ... 690
一般感覚と運動の伝導路 ... 692

50. 自律神経系
自律神経系(1)：概要 ... 694
自律神経系(2) ... 696

51. 断面解剖と画像解剖
神経系の断面解剖 ... 698
中枢神経系の画像解剖 ... 700

47 脳

神経系：概観
Nervous System: Overview

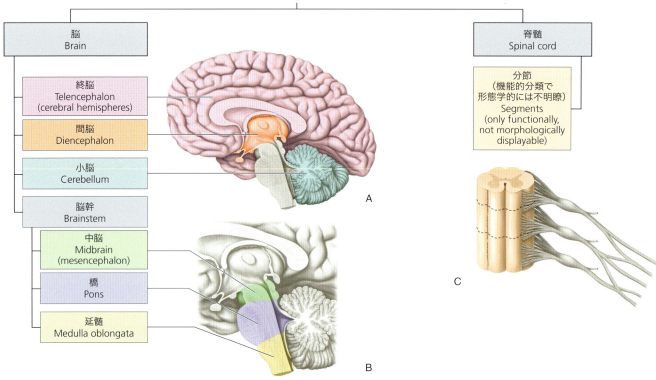

図 47.1　中枢神経系（CNS）の形態
A, B 脳の右側，内側方から見たところ．C 脊髄の分節，腹側方から見たところ．神経系全体の一般的な形態学的概観は，本章の学習内容の理解に必須である．中枢神経系は脳と脊髄に分けられ，脳はさらに以下の区分に分けられる．
- 終脳
- 間脳
- 小脳
- 脳幹（中脳・橋・延髄からなる）

一方，中枢神経系のもう 1 つの構成要素である脊髄は，形態学的にはむしろ均一な 1 つの構造として捉えられる．機能面では，脊髄も分節に分けられる．白質と灰白質の区別は明瞭である．
- 灰白質：中央に位置し，蝶の形をした構造
- 白質：「蝶」を囲む領域

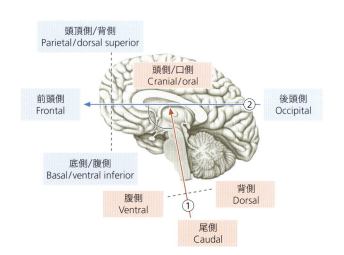

図 47.2　神経系の軸と方向に関する用語
全身と末梢神経では，平面，軸，方向に関する用語は同じものが使われる．中枢神経系では，2 つの軸が区別される．
- 第 1 軸（図の①）：マイネルト軸．これは全身の軸と同一で，脊髄，脳幹，小脳の位置について使用される．
- 第 2 軸（図の②）：フォレル軸．この軸は間脳と終脳を水平に通り，第 1 軸と 80°の角度をなす．その結果，間脳と終脳は「下を向く」位置となる．

Note：位置の誤解を防ぐために，第 2 軸（フォレル軸）には以下の用語が用いられる．
- 腹側の代わりに底側
- 背側の代わりに頭頂側
- 頭側の代わりに前頭側
- 尾側の代わりに後頭側

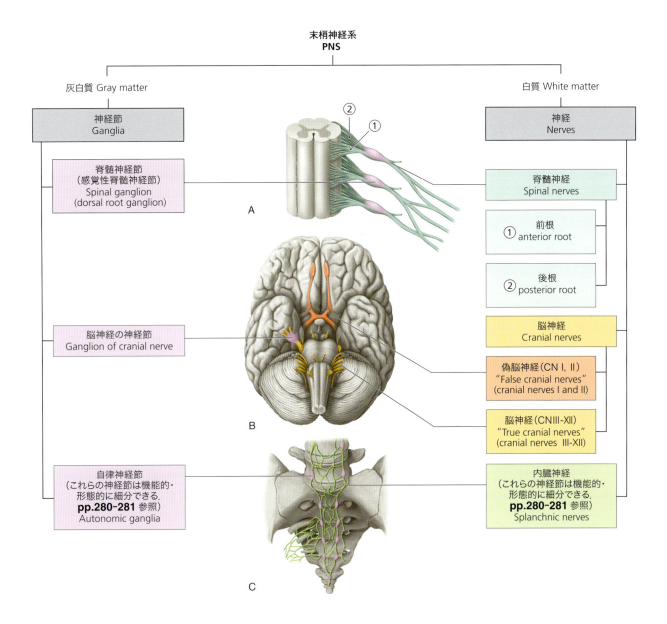

図47.3 末梢神経系の形態

A 脊髄．腹側方から見たところ．B 脳の底面．C 仙骨前面にある交感神経節と神経．

末梢神経系を構成する神経と神経節は，中枢神経系のどの部位と交通するかによって命名されるのが一般的である．

- 脊髄神経（末梢部と脊髄をつなぐ）．通常31あるいは32対．T1-T11あるいはT12の高さの脊髄神経を除く，脊髄神経は通常，前根がさまざまな機能的理由から神経叢をつくる．
- 脳神経（末梢部と脳をつなぐ）．12対．

末梢神経系の神経節内の神経細胞は，神経系の機能的区分への属性に基づいて分類される．

- 感覚ニューロンは神経系のどの区分にも見られる．末梢神経系では，感覚ニューロンの細胞体は，脊髄神経の後根にある脊髄神経節で見られる．中枢神経系では，感覚線維をもつ脳神経に関連した感覚核で見られる．
- 自律神経系の神経節は，体内器官を支配する交感神経節後線維と副交感神経節後線維の細胞体を含む．自律神経節は，内臓に神経線維を送る内臓神経と関連がある．自律神経系も特徴的な神経叢を形成する．

Note：中枢神経系の感覚神経の分類は，一部の特殊な例には当てはまらない．たとえば，脳神経Ⅰ（嗅神経）と脳神経Ⅱ（視神経）は，真の神経ではなく，終脳あるいは間脳の一部であり，明らかに中枢神経系の一部である．歴史的な理由で神経と呼ばれてきたが，体系的に誤りである．これらの「偽」脳神経（上図で赤色で示す）は，しばしば，明らかに末梢神経系に属する，他10の真の脳神経（上図で黄色で示す）と対比される．ここでは詳細にはふれず，本書の各所での説明に委ねる．

神経系：発生
Nervous System: Development

図 47.4　中枢神経系と末梢神経系
神経系は中枢神経系と末梢神経系に区分される．中枢神経系は脳と脊髄からなり，これらは1つの機能ユニットを形成する．末梢神経系は脳や脊髄から出る神経からなる（脳からは脳神経，脊髄からは脊髄神経が出る）．脊髄の末端から生じる神経は馬尾を形成する（**p.41** 参照）．

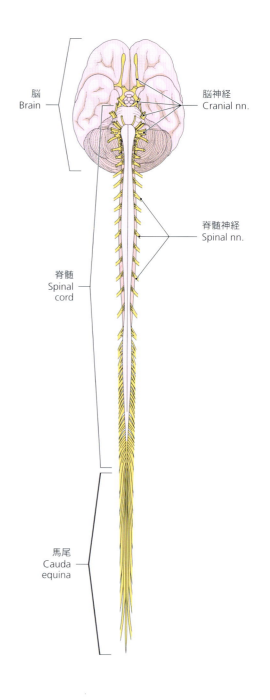

図 47.5　中枢神経系における灰白質と白質
神経細胞の細胞体は肉眼的には灰白色に見える．一方，軸索とそれを絶縁する髄鞘は白色に見える．

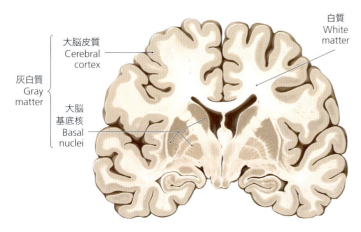

A　脳の冠状断面．

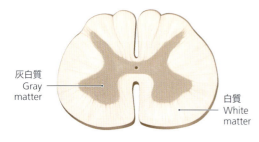

B　脊髄の横断面．

表 47.1　脳の発生

	発生初期の脳	成人の脳			構造
神経管	前脳胞（前脳）	終脳（大脳）			大脳皮質，大脳白質，大脳基底核
		間脳			視床上部（松果体），背側視床，腹側視床，視床下部
	中脳胞（中脳）*				中脳蓋（上丘と下丘），中脳被蓋，大脳脚
	菱脳胞（後脳）	後脳	小脳		小脳皮質，小脳核，小脳脚
			橋*		神経核，神経路
		髄脳	延髄*		

*中脳，橋，延髄を合わせて脳幹と呼ぶ．

図 47.6 脳の発生
左外側方から見たところ．

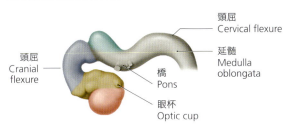

A 胎生2か月初め．

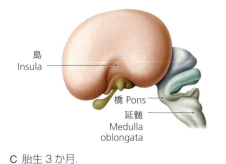

C 胎生3か月．

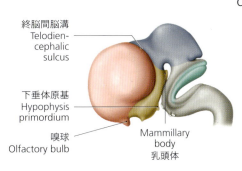

B 胎生2か月終わり．

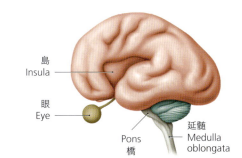

D 胎生7か月．

図 47.7 成人の脳
大脳半球の葉については**図47.10**を参照すること．CN，脳神経．

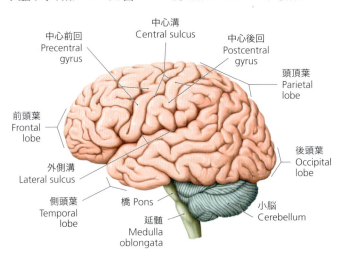

A 左外側方から見たところ．

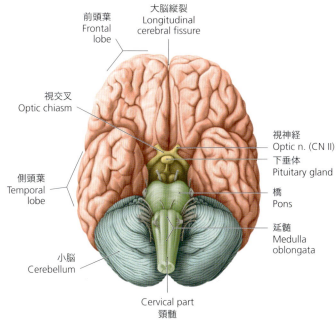

B 底側方から見たところ．

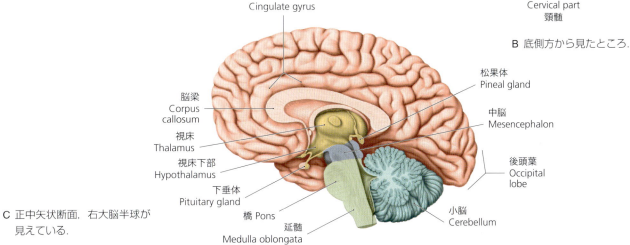

C 正中矢状断面．右大脳半球が見えている．

脳，肉眼組織
Brain, Macroscopic Organization

図 47.8　大脳
左外側方から見たところ．大脳は，胚の前脳における前方区分の一部（終脳）であり，大脳半球や関連する構造を含む成人の前脳の一部である．大脳は肉眼で見て 4 葉に区分することができる．すなわち，前頭葉，頭頂葉，側頭葉，後頭葉である．大脳の表面形状はたたみ込み（回）とくぼみ（溝）で形作られる．

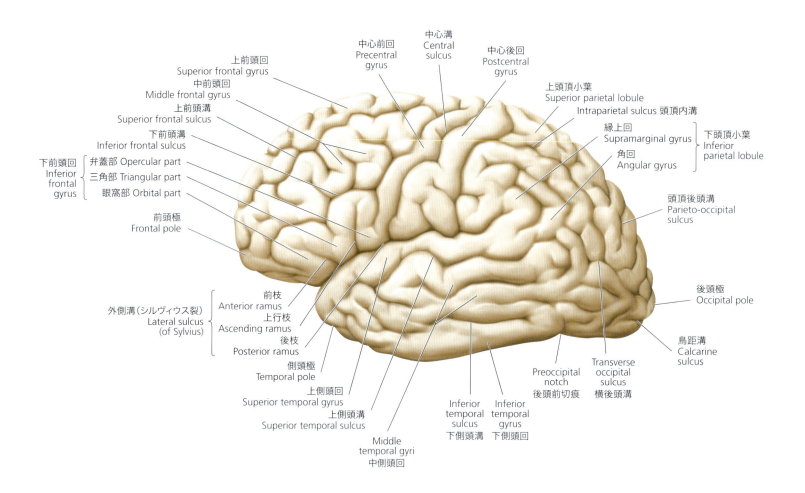

図 47.9　島葉
左大脳半球がひっぱられた外側面．大脳皮質の一部は発生の過程で，表面下に入り島（島葉）を形成する．この深部皮質に覆い被さるような大脳皮質の箇所を弁蓋（"小さな蓋"）と呼ぶ．

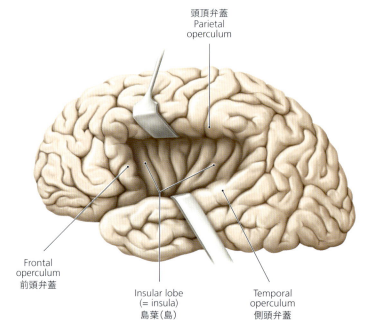

図 47.10 大脳半球の葉

等皮質は機能的に関連する領域（葉）に区分されることもある．

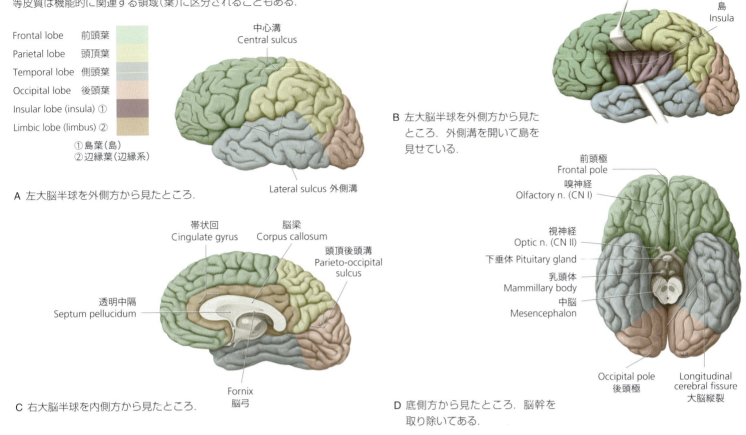

A 左大脳半球を外側方から見たところ．
B 左大脳半球を外側方から見たところ．外側溝を開いて島を見せている．
C 右大脳半球を内側方から見たところ．
D 底側方から見たところ．脳幹を取り除いてある．

図 47.11 脳の正中矢状断面

脳は大脳縦裂に沿って左右に分けられ，右大脳半球の内側面が見えている．

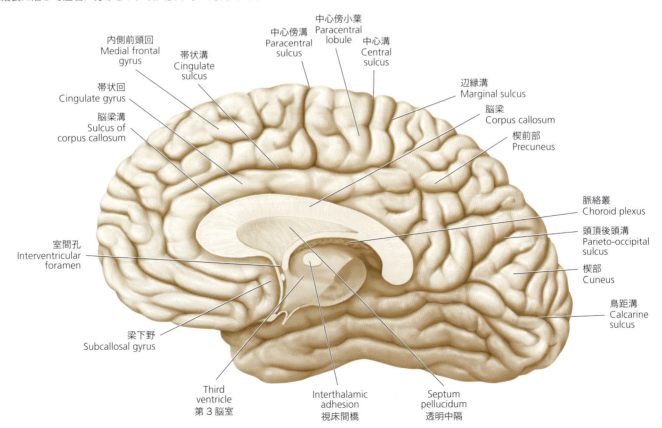

間脳
Diencephalon

間脳は前脳の後方部であり，成人では視床とその周辺構造からなる．

図 47.12　間脳

右半球，正中矢状断面．間脳の主要な構造は視床，視床下部，脳下垂体の後葉である．間脳は上方にある脳梁と下方にある中脳の間に位置する．視床は間脳の 4/5 を占めるが，間脳のうち表面から見えるのは視床下部と視床上部に限られる．成人では，間脳は内分泌の調節に関与するとともに，松果体や下垂体（後葉），視床下部を協調させる働きを持つ．また，間脳（視床）は感覚情報や体性運動情報の中継点としての役割も持つ．

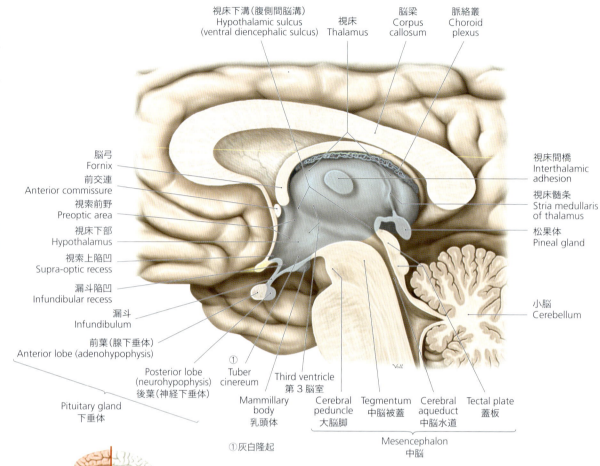

①灰白隆起

図 47.13　第 3 脳室周囲の間脳

斜めに冠状断した脳の前半を後方から見たところ．脳梁，脳弓の断面が見える．脈絡ヒモに沿って第 3 脳室脈絡叢が付着しているが，この標本では除去してある．また，この標本では第 3 脳室の外側壁が間脳（青色で示してある）からなることがよくわかる．

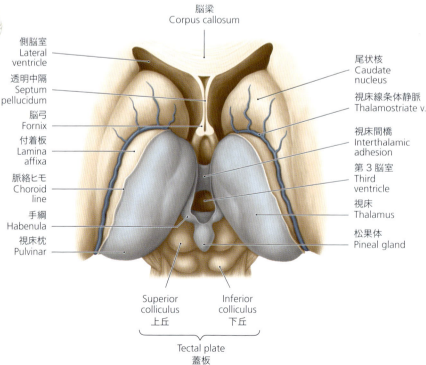

図 47.14 間脳と脳幹

左側面．視床の周囲から終脳を取り除き，さらに小脳も取り除いてある．この標本で見えている間脳の部位は視床，外側膝状体，視索である．外側膝状体と視索は視覚路の一部を構成する．さらに，この標本では間脳が下方にある脳幹と上方にある大脳半球を連結していることもわかる．

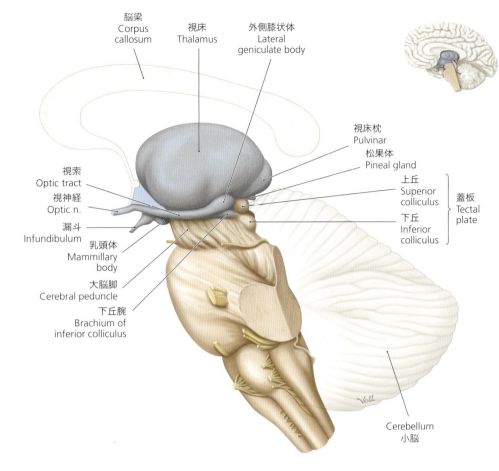

図 47.15 成人の脳における間脳の位置

脳の基底面(脳幹は中脳の高さで切断してある)．この面では脳の基底面に位置する間脳の一部を見ることができる．また，間脳に属する視索が大脳脚を取り巻いている様子もよくわかる．発達の過程で終脳が拡大するため，脳の基底面から見える間脳の構造は以下のものに限られる．

- 視神経
- 視交叉
- 視索
- 漏斗と灰白隆起
- 乳頭体
- 外側膝状体
- 下垂体後葉(神経下垂体)

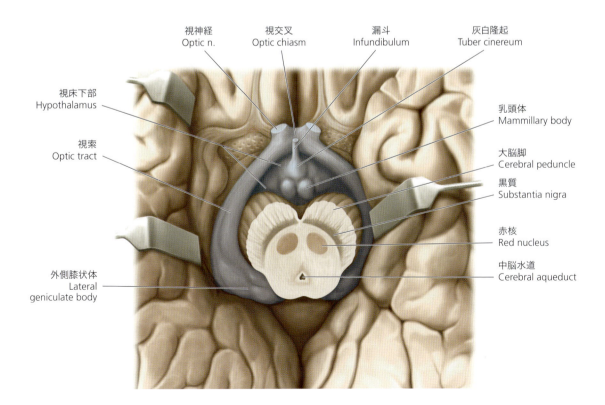

脳幹，小脳
Brainstem & Cerebellum

大脳半球と小脳あるいは脊髄を連絡する茎状の構造がいくつかあり，これらは間脳と脳幹に含まれる．脊髄からの神経線維束（脊髄視床路，後索内側毛帯路）は脳幹や間脳を通過し大脳に達する．また，大脳から出る太い神経線維束（上小脳脚）は小脳半球に達する．12対の脳神経のうち10対は脳幹を出入りする．

図 47.16　間脳，脳幹，小脳
左外側方から見たところ．

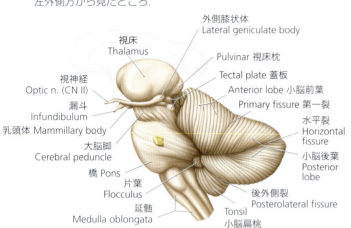

A 大脳を取り除いたところ．

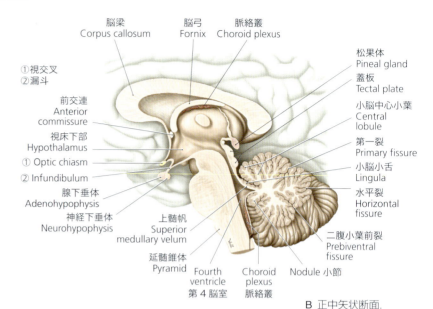

B 正中矢状断面．

図 47.17　小脳

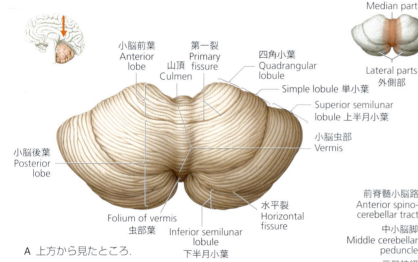

A 上方から見たところ．
B 前方から見たところ．

図 47.18　小脳脚
求心性（感覚性）と遠心性（運動性）の軸索路は小脳脚を経由して小脳を出入りする．求心性の軸索は脊髄，平衡覚器，下オリーブ核，橋から起始する．遠心性の軸索は小脳核から起始する．

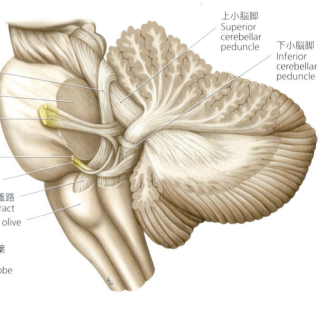

図 47.19 脳幹

脳幹は生命維持中枢であり，上方から中脳，橋，延髄の順で連なる．また，脳幹には10対の脳神経（CN III-XII）が出入りする．脳神経とその核については pp.560-561 で概観できる．

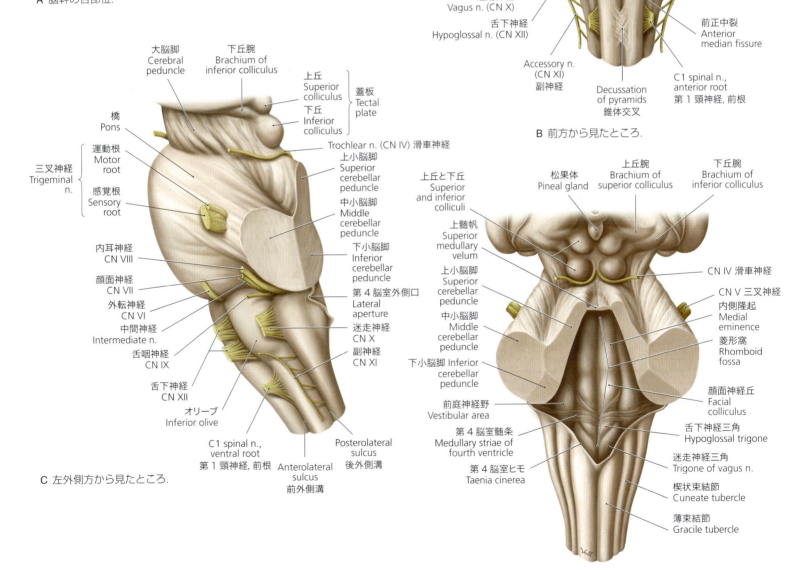

A 脳幹の各部位．
B 前方から見たところ．
C 左外側方から見たところ．
D 後方から見たところ．

脳室と脳脊髄液の空間
Ventricles & CSF Spaces

図 47.20 脳脊髄液の循環

脳と脊髄は周囲を脳脊髄液に満たされた状態で支えられている．脳脊髄液は脳室壁にある脈絡叢で持続的に産生され，脳室やクモ膜下腔を満たす．脳脊髄液の大部分はクモ膜顆粒を介して硬膜静脈洞（主に上矢状静脈洞）へ回収されるが，一部は脊髄神経の近位部を介して周囲の静脈叢やリンパ管へ流れ込む．

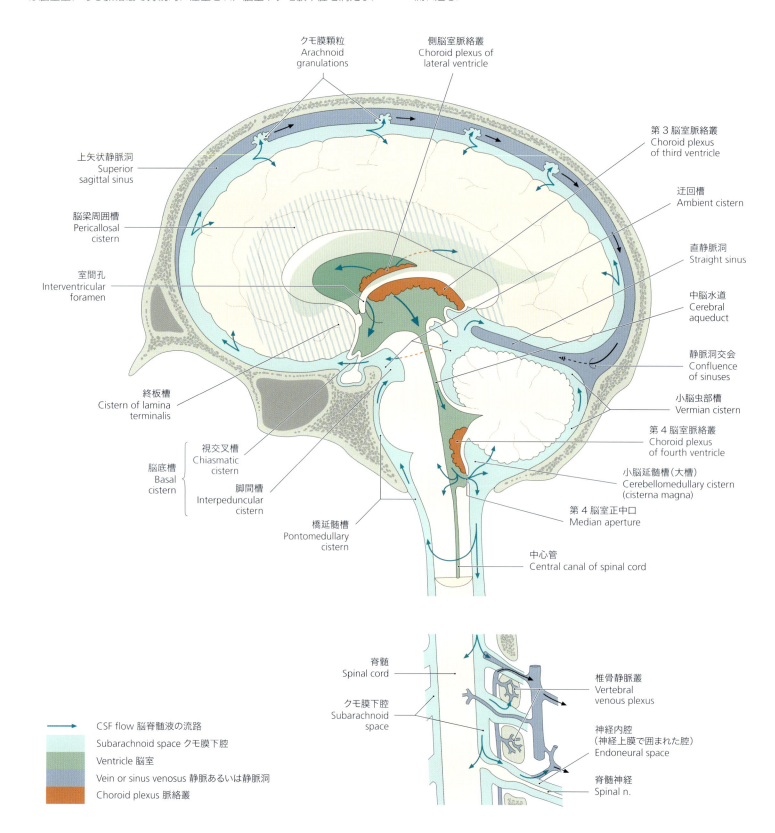

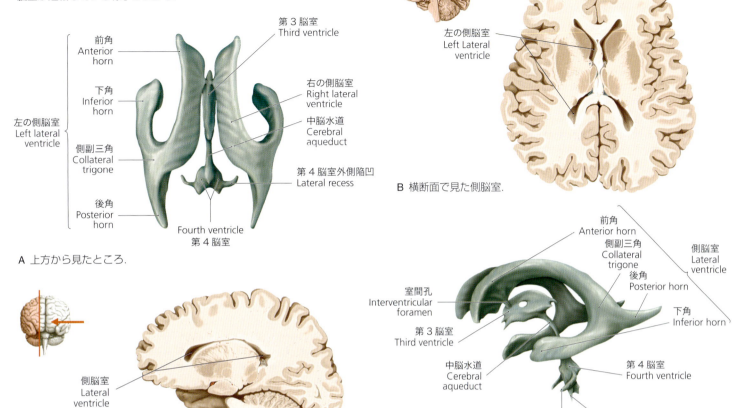

図 47.21 脳室系
脳室系は脊髄にある中心管に連なる．脳室系の鋳型標本をみると4つの脳室が連絡している様子がわかる．

A 上方から見たところ．
B 横断面で見た側脳室．
C 傍正中矢状断面で見た左の側脳室．
D 左外側方から見たところ．

図 47.22 脳室系とその周辺構造
左外側方から見たところ．

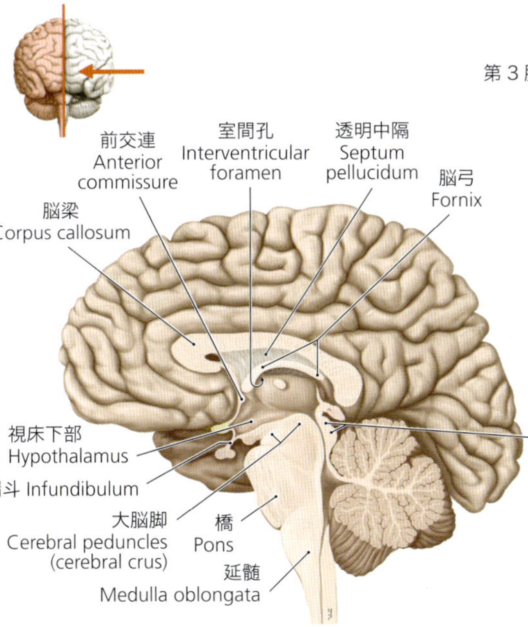

A 正中矢状断面で見た第3・4脳室．
B 脳室系とその周辺構造．

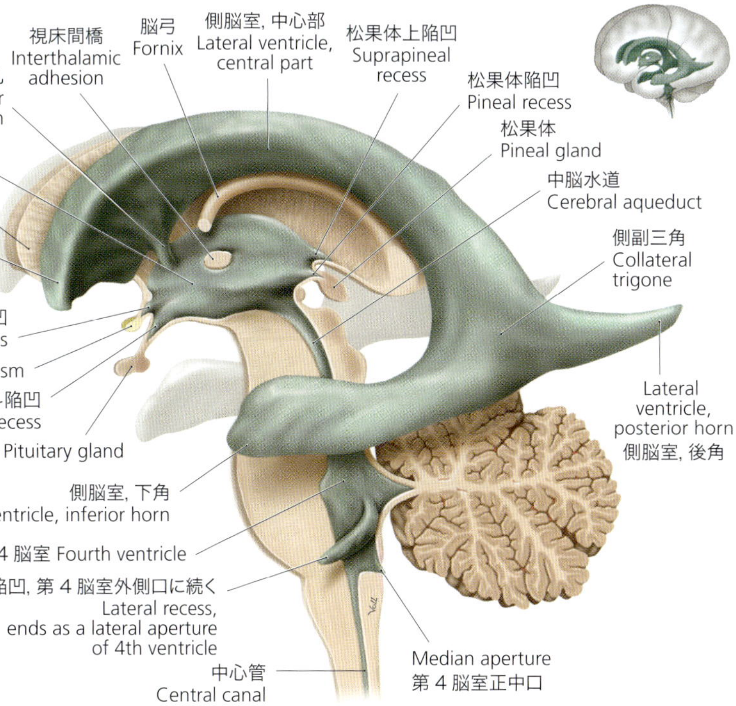

48 脳の血管
脳の静脈と硬膜静脈洞
Veins and Venous Sinuses of the Brain

硬膜静脈洞と頭蓋腔の硬膜ヒダについての詳細は **pp.590-593** を参照.

図 48.1 脳表の静脈

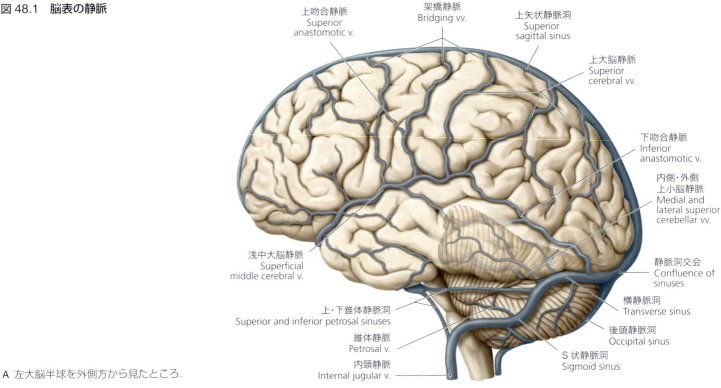

A 左大脳半球を外側方から見たところ.

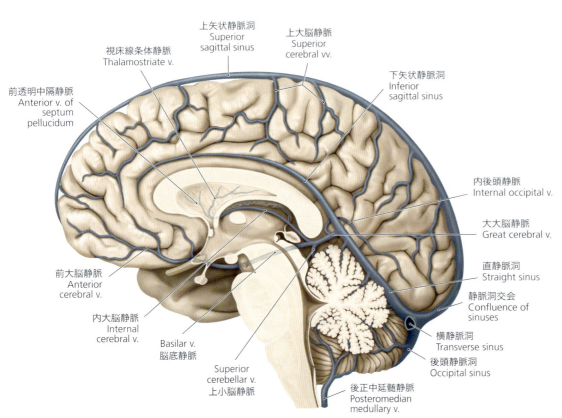

B 右大脳半球を内側方から見たところ.

図 48.2 脳底の静脈
底側方から見たところ．

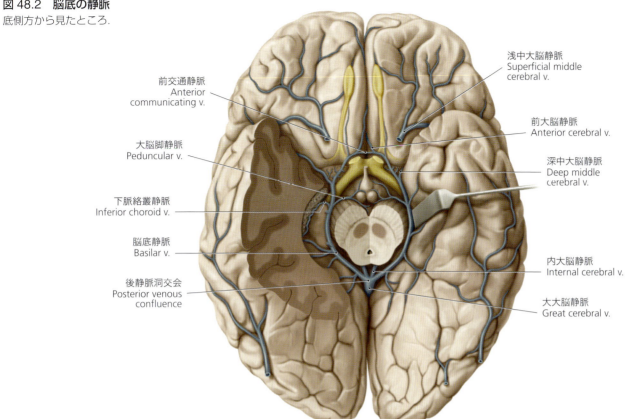

図 48.3 脳幹の静脈
底側方から見たところ．

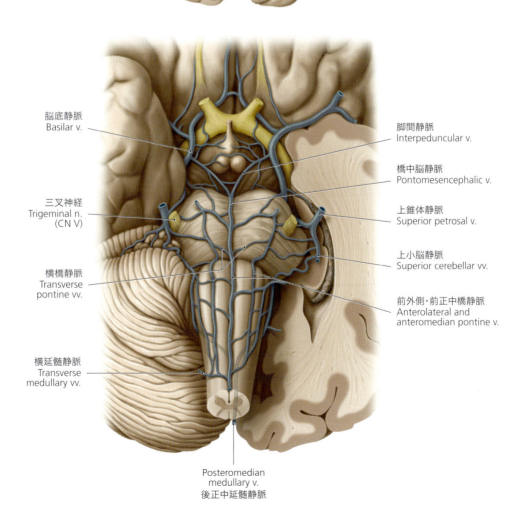

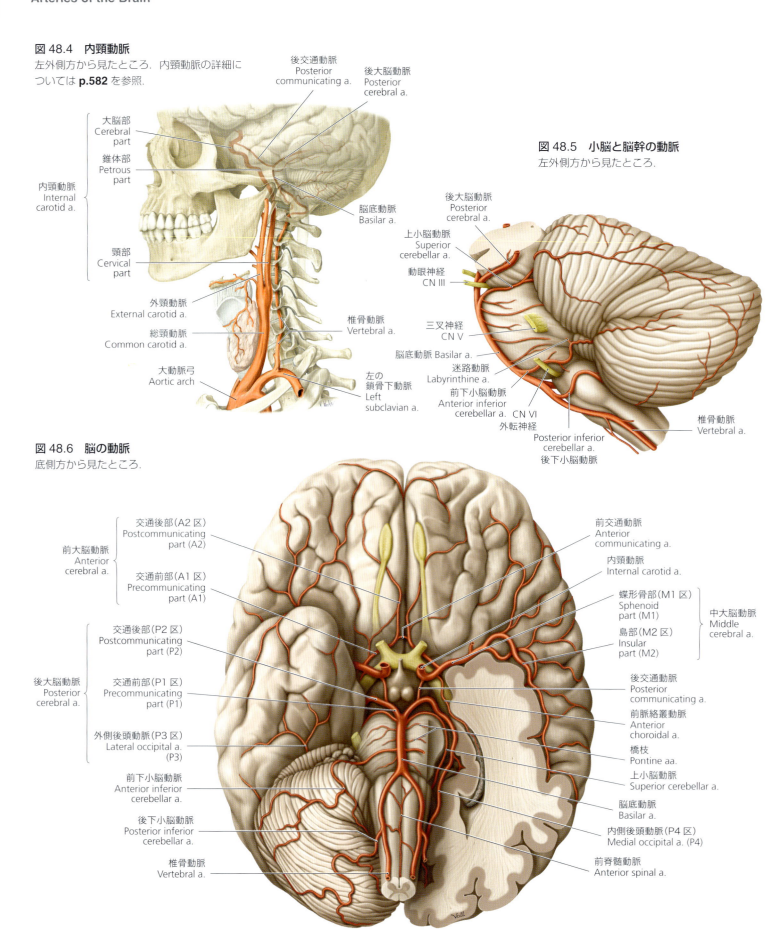

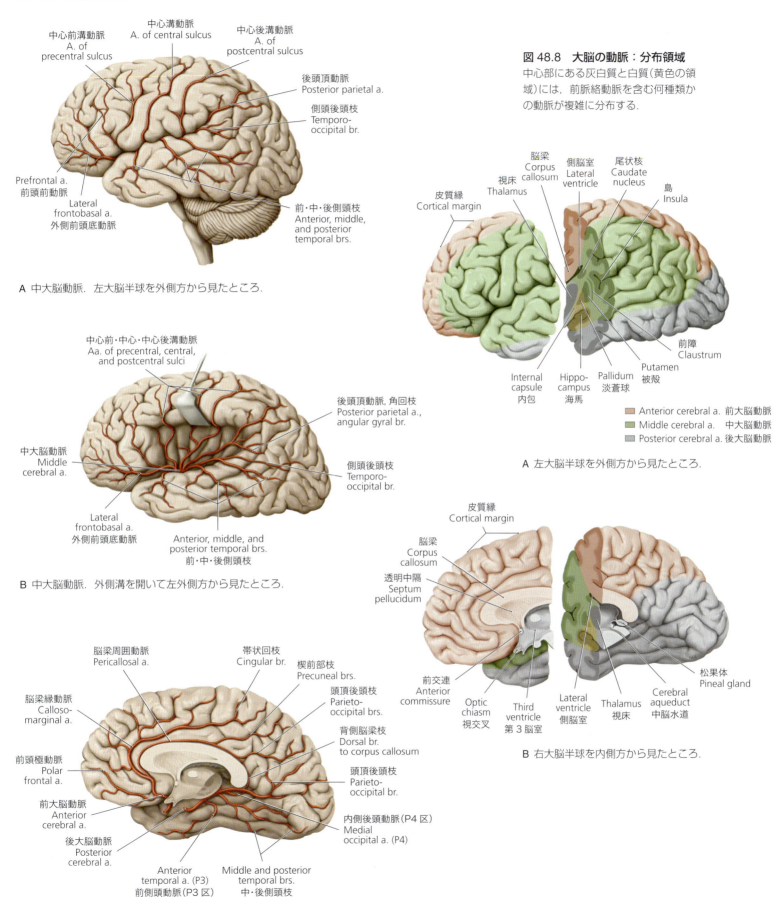

49 機能系
脊髄の解剖と構成
Anatomy & Organization of the Spinal Cord

図 49.1 脊髄分節
脊髄分節を左前上方から見ており，立体的な位置関係がよくわかる．脊髄の灰白質は内部にあって中心管を取り囲み，断面はアルファベットのHあるいは昆虫の蝶のような形をしている．脳では灰白質が表面と深部の両方にあり，脊髄とは位置が異なる．脊髄の主な役割は末梢と脳の間での情報伝達であり，これを効率よく行うために脊髄の灰白質と白質はいくつかの柱状の塊に分かれている．

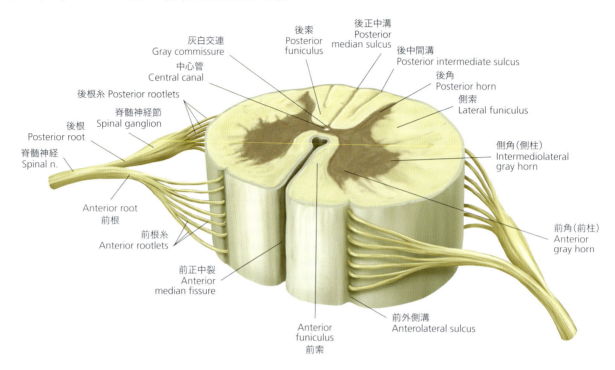

図 49.2 脊髄灰白質の構成
左前上方から見たところ．脊髄の灰白質は3種類の柱（角）に区分される．
- 前角（前柱）：運動ニューロンを含む．
- 側角（側柱）：交感神経および副交感神経（臓性運動性）ニューロンを含む．胸髄にのみ見られる．
- 後角（後柱）：感覚ニューロンを含む．

体性感覚性線維（青色）と体性連動性線維（赤色）の細胞体はこれらの柱（角）の中にあり，同じ機能を持つ細胞どうしが核として集団を形成する．

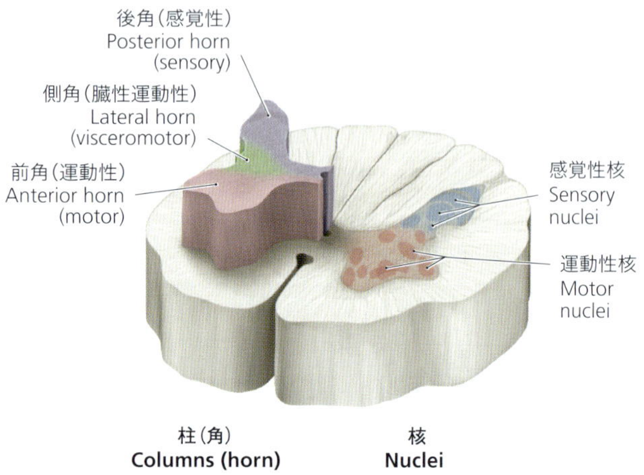

図 49.3 筋の神経支配
特定の筋を支配する運動ニューロンは灰白質の前柱（角）の中で垂直方向に集まっている．この柱状の細胞集団は，脳幹の運動神経核と同様なものといえる〔核柱（運動柱）と呼ばれることがある〕．複数の体節に由来する筋（多分節筋）は複数の脊髄分節から支配神経を受けており，核柱も複数の脊髄分節にわたって伸びている．一部の筋（単分節筋，指標筋）は単一の体節に由来し，単一の脊髄分節から支配神経を受ける．

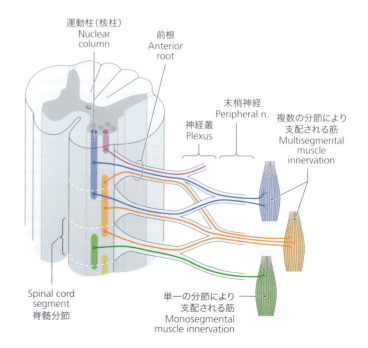

図 49.4　脊髄白質の構成

左前上方から見たところ．灰白質の形により，周囲の白質は3つの領域（前索，側索，後索）に区画される．脊髄の白質には上行路と下行路の神経軸索が含まれ，中枢神経の中でも末梢神経に類似した機能を持つ．

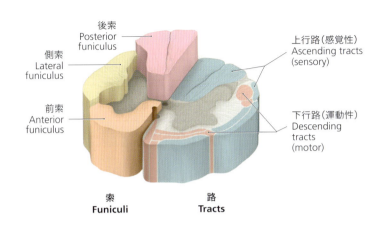

図 49.5　感覚系と運動系の統合

一次求心性（感覚）ニューロンからのインパルスはその軸索を上行し，脳幹や間脳において二次，三次求心性（感覚）ニューロンとシナプスを形成する．さらに三次求心性（感覚）ニューロンは大脳皮質の感覚野にあるニューロンとシナプスを形成する．介在ニューロンは感覚野のニューロンと運動野の上位運動ニューロンを結びつけている．上位運動ニューロンは脊髄の白質を下行し，下位運動ニューロンとシナプスを形成する．下位運動ニューロンは脊髄神経として脊髄を出て，標的臓器に到達する．

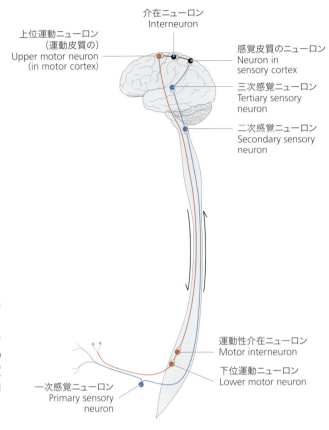

図 49.6　脊髄の主要な固有束（黄色）

左前上方から見たところ．固有束とは脊髄内部で完結する神経線維束であり，脊髄反射に必要な回路を形成する．多くの筋は複数の脊髄分節によって支配されるため，脊髄反射に対応するニューロン（介在ニューロン）は脊髄内の複数の分節へ上行ないし下行する必要がある．介在ニューロンの軸索が集合したものが固有束であり，灰白質を囲むように位置する．

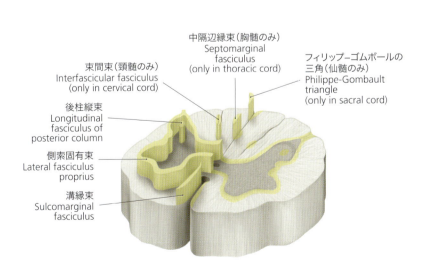

図 49.7　脊髄における内在性回路

求心性ニューロンは青色，遠心性ニューロンは赤色，脊髄反射回路（介在ニューロン）は黒色で示してある．介在ニューロンによる連絡は脊髄内にとどまっており，脊髄の内在性回路といえる．介在性ニューロンの軸索は灰白質の周囲にある固有束を通る．

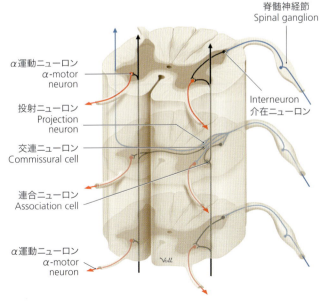

一般感覚と運動の伝導路
Sensory & Motor Pathways

図 49.8 感覚情報の経路（上行路）

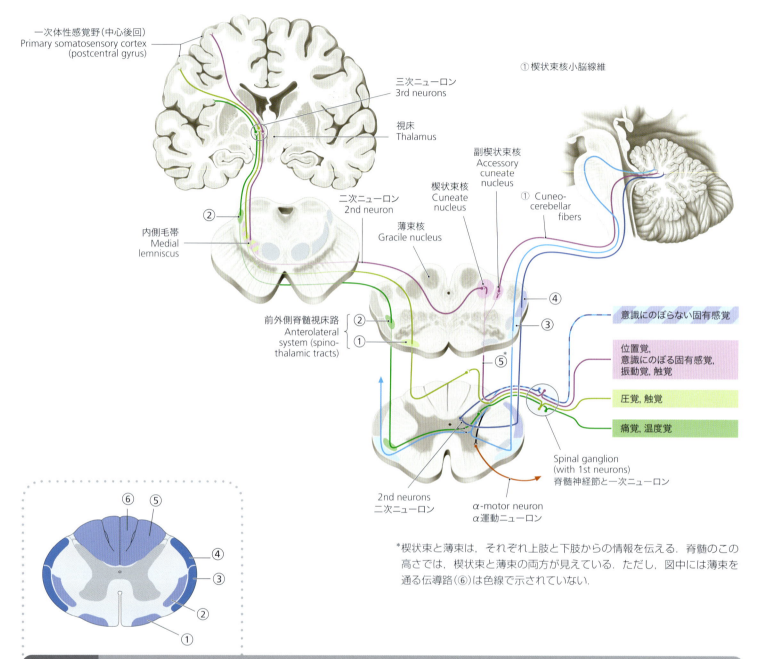

*楔状束と薄束は，それぞれ上肢と下肢からの情報を伝える．脊髄のこの高さでは，楔状束と薄束の両方が見えている．ただし，図中には薄束を通る伝導路（⑥）は色線で示されていない．

表 49.1	脊髄の感覚情報の経路（上行路）			
伝導路		位置	機能	ニューロン
①	前脊髄視床路	前索	粗大性触圧覚の経路	一次ニューロンの細胞体は脊髄神経節に存在する．二次ニューロンの細胞体は後角に存在し，軸索は前交連を通り，反対側の前索に入る
②	外側脊髄視床路	前索・側索	痛覚，温度覚，くすぐり感，瘙痒感，性感の経路	
③	前脊髄小脳路	側索	意識にのぼらない固有覚を小脳へ伝える経路（運動の自動的な協調に関与する，例えばジョギングやサイクリングをしたりするような場合）	一次ニューロンの細胞体は脊髄神経節に存在する．二次ニューロンの細胞体は後角に存在し，軸索は側索を通り，小脳に至る
④	後脊髄小脳路			
⑤	楔状束	後索	意識にのぼる固有覚（体肢の位置と姿勢についての情報，位置覚）と識別性触圧覚（振動，繊細な圧覚，2点の識別）の経路	上肢からの情報を伝える（楔状束はT3より下には存在しない）	一次ニューロンの細胞体は脊髄神経節に存在し，軸索は同側の後索を上行する．二次ニューロンの細胞体は延髄の後索核（楔状束核・薄束核）に存在し，軸索は反対側の内側毛帯へ入る
⑥	薄束			下肢からの情報を伝える	

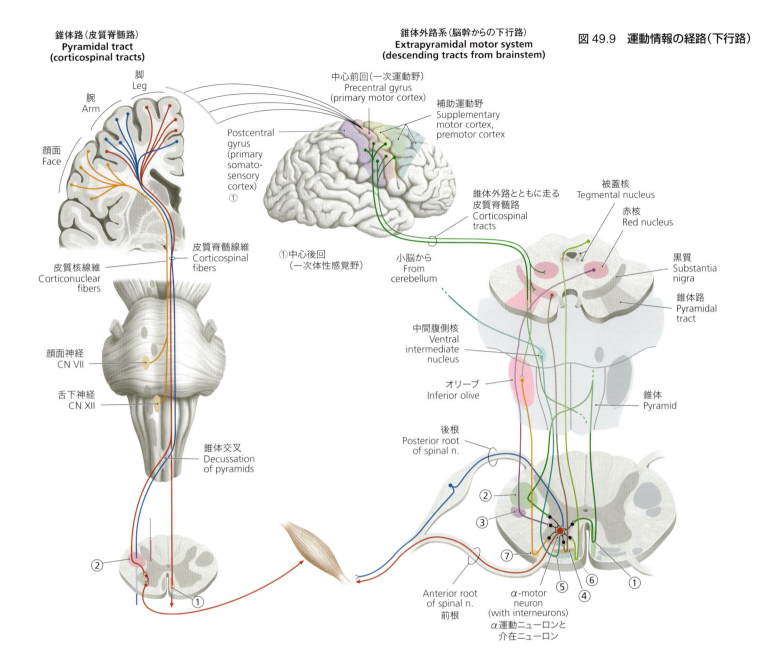

図 49.9 運動情報の経路（下行路）

表 49.2		脊髄の下行路	
伝導路			機能
錐体路 （皮質脊髄路）	①	前皮質脊髄路	随意運動のための最も重要な経路
	②	外側皮質脊髄路	一次ニューロンの細胞体は大脳皮質の運動野に存在する 皮質核線維は脳神経の運動核に達する 皮質脊髄線維は脊髄前角の運動神経細胞に達する 皮質網様体線維は網様体核に達する
錐体外路系 （脳幹からの下行路）	③	赤核脊髄路	自動的な運動（例えば，歩行，ランニング，サイクリング）や習熟した動作のための経路
	④	網様体脊髄路	
	⑤	前庭脊髄路	
	⑥	視蓋脊髄路	
	⑦	オリーブ脊髄路	

50 自律神経系

自律神経系(1)：概要
Autonomic Nervous System (I): Overview

図 50.1 自律神経系
自律神経系は末梢神経系の一部であり，平滑筋，心筋，腺に分布する．交感神経系(赤色)と副交感神経系(青色)に区分され，臓器機能(血流や分泌など)の調節を拮抗的に行う．

自律神経の神経路は2種類のニューロン(節前・節後ニューロン)から形成され，これは交感神経系，副交感神経系に共通している．自律神経系は，視床にある上位ニューロンを介して，中枢神経系による支配を受けている．

交感神経系：節前ニューロンの細胞体は脊髄の側角(柱)にあり，白交通枝から脊髄を出て，交感神経節(椎傍神経節，椎前神経節)において節後ニューロンとシナプスを形成する．椎傍神経節は脊柱の両側にある交感神経幹にあり，幹神経節とも呼ばれる．椎前神経節は大動脈から出る主要な動脈の基部に見られる(そのため個々の椎前神経節は動脈の名称と対応させ，腹腔神経節，上腸間膜動脈神経節，下腸間膜動脈神経節と呼ばれる)．交感神経系の節後ニューロンは灰白交通枝を介して脊髄に戻ってから標的組織に分布するものと，脊髄には戻らずに動脈に沿って標的臓器に達するものがある．

副交感神経系：節前ニューロンの細胞体は脳幹もしくは脊髄(仙髄)の副交感神経核にある．節前ニューロンは迷走神経や骨盤内臓神経を介して胸腹部や骨盤の標的臓器に達し，臓器内にある神経節で節後ニューロンとシナプスを形成する．節後ニューロンは短く，直ちに標的組織に分布する．ただし，例外的に頭部では，副交感神経節(毛様体神経節，翼口蓋神経節，顎下神経節，耳神経節)は標的臓器から離れた位置に形成され，これらの神経節には脳神経(動眼神経，顔面神経，舌咽神経)から節前ニューロンが送られる．頭部にある4つの副交感神経節から出た節後ニューロンは眼球内の平滑筋，涙腺，大唾液腺，小唾液腺，鼻腔や副鼻腔，咽頭の腺に分布する．自律神経系の節前ニューロンは，交感神経系，副交感神経系ともに，アセチルコリンを分泌し，節後ニューロンの細胞体にあるニコチン受容体に作用する．交感神経系の節後ニューロンはノルアドレナリンを分泌し，標的組織にあるα受容体，β受容体に作用する．一方，副交感神経系の節後ニューロンはアセチルコリンを分泌し，標的組織のムスカリン受容体に作用する．

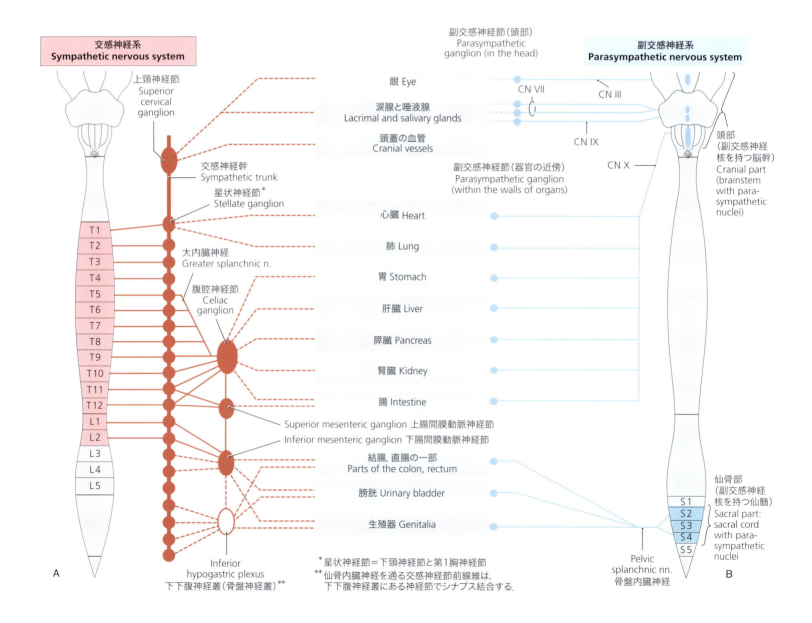

表 50.1	副交感神経系の経路	
ニューロンの種類	細胞体の位置	
上位運動ニューロン	**視床下部:** 副交感上位運動ニューロンの細胞体は視床下部に位置する.軸索は白質を下行し,脳幹や仙髄(S2-S4)の下位運動ニューロンとシナプスを形成する.	
節前ニューロン(下位運動ニューロン)	副交感神経系は,副交感神経核の位置により,2つの領域(脳神経部と仙骨神経部)に分けられる.	
	脳神経部: 節前ニューロンの細胞体は**脳幹**の神経核にあり,軸索は脳神経(動眼神経,顔面神経,舌咽神経,迷走神経)の運動根として中枢神経系を出る.	**仙骨神経部:** 節前ニューロンの細胞体は,交感神経が生じる側角に似た,**S2-S4分節**の灰白質領域にある.これらの軸索はS2-S4の前根から前枝を介して脊髄を出て,前枝から生じる骨盤内臓神経を介して骨盤神経叢に入り,骨盤や後腸の標的臓器に分布する.
節後ニューロン	**脳神経副交感神経節:** 頭部の副交感脳神経はそれぞれ少なくとも1つの神経節をもつ. ・動眼神経:毛様体神経節 ・顔面神経:翼口蓋神経節,顎下神経節 ・舌咽神経:耳神経節 ・迷走神経:標的臓器内にある微小な神経節	標的臓器内にある微小な神経節.
節後線維の分布	副交感脳神経線維は,標的器官まで他の神経線維と走行する.頭部では,翼口蓋神経節(CN VII)と耳神経節(CN IX)の節後線維は,三叉神経(CN V)の枝を介して分布する.毛様体神経節(CN III)の節後線維は,動眼神経の体性運動線維と並走する節前線維である,短毛様体神経の交感神経感覚線維とともに走行する.胸部・腹部・骨盤部では,迷走神経や骨盤内臓神経からの副交感神経節前線維が,交感神経節後線維とともに神経叢(例:心臓神経叢,肺神経叢,食道神経叢)を形成する.	

表 50.2	交感神経系の経路	
ニューロンの種類	細胞体の位置	
上位運動ニューロン	**視床下部:** 交感上位運動ニューロンの細胞体は視床下部に位置する.軸索は白質を下行し,胸腰髄(T1-L2)の側角にある下位運動ニューロンとシナプスを形成する.	
節前ニューロン(下位運動ニューロン)	**胸腰髄(T1-L2)の側角:** 側角は脊髄の灰白質の中間部分で,前角と後角の間に位置する.含まれるニューロンは自律性(交感神経性)のものだけである.これらのニューロンの軸索は脊髄神経の運動根として中枢神経系を出て,白交通枝(ミエリン化されている)を介して椎傍神経節に入る.	
節前ニューロンの走行	全ての交感神経節前ニューロンは,交感神経鎖に入る.そこでシナプス形成することもあれば,上行ないし下行してシナプス形成することもある.交感神経節前ニューロンは2つの場所のいずれか1つでシナプスを形成し,2種類の交感神経節が生じる.	
	椎傍神経節でシナプスを形成する.	シナプス形成することなく通過する.これらの線維は胸部・腰部・仙骨部の内臓神経を走行し,椎前神経節でシナプスを形成する.
節後ニューロン	**椎傍神経節:** これらの神経節は脊髄に沿った交感神経幹を形成する.節後線維の軸索は,灰白交通枝(ミエリン化されていない)を介して交感神経幹を出る.	**椎前神経節:** 腹大動脈に沿って広がる末梢の神経叢と関連する.主な椎前神経節は以下の3つである. ・腹腔神経節 ・上腸間膜動脈神経節 ・下腸間膜動脈神経節
節後線維の分布	節後線維は以下の2つの方法で分布する. 1. 髄神経:節後ニューロンは灰白交通枝を介して脊髄神経に再度入ることがある.これらの交感ニューロンは皮膚の血管の収縮を促したり,骨格筋の血管拡張,汗腺の分泌,立毛筋(毛包に停止する平滑筋.「鳥肌」を立てる)の収縮も促す. 2. 動脈・管:神経叢は既存の器官に沿って作られることがある.交感神経節後線維は,動脈に沿って標的器官に達する.内臓はこの方法で支配を受ける(例:血管収縮,気管支拡張,腺の分泌促進,瞳孔散大,平滑筋収縮の交感神経支配).	

自律神経系（2）
Autonomic Nervous System (II)

図 50.2　脊髄神経における体性神経の経路
体性神経とは，自律神経に対し，体壁の皮膚・筋に分布する神経を指す．体壁から脊髄へ向かう体性感覚性（求心性）線維と脊髄から体壁へ向かう体性運動性（遠心性）線維を含む．体性感覚性線維のうち，体壁の背部から来るものは脊髄神経の後枝に入り，前外側部から来るものは前枝に入る．これらの体性感覚性線維の細胞体は脊髄神経節にあり，線維の全てが後根を経由して脊髄に入る．脊髄では灰白質の後角にある感覚ニューロンとシナプスを形成し，このニューロンの大部分は脳に投射し，解析される．体性運動性線維はその細胞体が脊髄灰白質の前角に存在し，前根を通過して脊髄を出る．脊髄における体性神経の経路は全ての脊髄分節（C1-S5）において共通している．

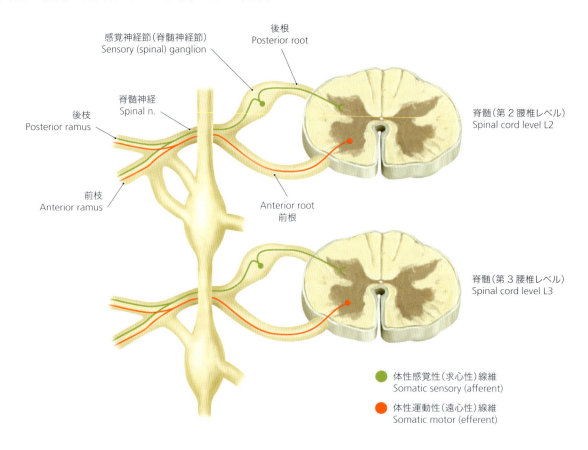

図 50.3　自律神経系の経路
体壁に分布する交感神経系：
交感神経系は体壁にも分布し，立毛筋の収縮や汗腺の分泌に関与している．体壁に分布する交感神経系の節前ニューロン（紫色）は脊髄灰白質の側角に細胞体があり，軸索は前根を通って脊髄神経に達する．さらに，これらの節前ニューロンは交通枝を介して，椎傍神経節に入る（節前ニューロンはミエリン化されていて白っぽく見えるため，この交通枝は白交通枝と呼ばれる）．節前ニューロンはその後以下のどちらかの様式をとって節後ニューロンとシナプスを形成し，これが体壁へ分布する．

1) 進入した椎傍神経節において直ちに節後ニューロン（橙色）とシナプスを形成する．節後ニューロンは別の交通枝を介して脊髄神経に入る（節後ニューロンはミエリン化されず灰色っぽく見えるため，この交通枝は灰白交通枝と呼ばれる）．その後，節後ニューロンは前枝もしくは後枝を通り，感覚神経や運動神経とともに体壁に分布する．
2) 節前ニューロンは侵入した椎傍神経節を素通りし，上位もしくは下位の椎傍神経節に入り，そこで節後ニューロンの細胞体とシナプスを形成する．脊髄の側角は T1-L2 の間にしか存在せず，これ以外の脊髄分節からは交感神経が出ない．したがって，節前ニューロンのこのような上下方向への伸長は体壁全体に交感神経が分布するうえで重要である．この図では，節前ニューロンを出す最下位の脊髄分節（L2）から出た節前ニューロンが交感神経幹を通り，下位の椎傍神経節（L3）に達して節後ニューロンの細胞体とシナプスを形成し，さらに節後ニューロンの軸索が前枝もしくは後枝に入る様子を示している．

白交通枝は脊髄から椎傍神経節へのいわば入力経路なので，側角が存在するレベル（T1-L2）の椎傍神経節にだけ見られる．一方，灰白交通枝は椎傍神経節から脊髄神経への出力経路であり，全ての椎傍神経節で見られる．

内臓に分布する交感神経系：
内臓に分布する節前ニューロンは体壁に分布するものとは異なり，第3の経路をたどって標的臓器に到達する．内臓に分布する節前ニューロンは椎傍神経節を素通りし，椎傍神経節から出る内臓神経を介して椎前神経節に入り節後ニューロンとシナプスを形成する．椎前神経節は腹大動脈から出る主要な動脈（腹腔動脈，上・下腸間膜動脈など）の基部に見られる．節後ニューロン（橙色）は動脈とともに標的臓器に到達し，平滑筋の収縮や腺の分泌を調節する．

副交感神経系：
体壁には副交感神経は分布しない．体壁に分布する血管の拡張（平滑筋の弛緩）は椎傍神経節後ニューロンの発火を抑えることで達成される．しかし，内臓における平滑筋の収縮・弛緩や腺の分泌は交感神経系と副交感神経系の拮抗によりなされる．胸腹部の内臓に分布する副交感神経は迷走神経によって運ばれる．迷走神経には副交感神経系の節前ニューロン（紺色）が含まれ，これが椎前神経節を経由（素通り）して，動脈に沿って標的臓器に達する．臓器内には微小な副交感神経節が多数存在し，ここで節後ニューロンとシナプスを形成する．したがって，節後ニューロンの軸索は非常に短い（水色）．腹部内臓の一部（横行結腸の中央から直腸）と骨盤内臓においては例外的に節前ニューロンが仙髄（S2-S4）から骨盤内臓神経を介して出ているが，副交感神経節が標的臓器の内部に存在する点は他の胸腹部内臓と同様である．

自律神経系の求心路：
臓性求心性ニューロン（濃い緑色）は中枢神経系に情報を送っており，このため内臓にも痛みを生じる（ただし体壁のそれと異なり，鈍く局在が不明瞭）．臓性求心性ニューロンは内臓を支配する交感神経系の節後・節前ニューロンの経路を逆行して脊髄に到達する．ただし，脊髄に入る際には，体性求心性ニューロンと同様に後根を介する．臓性求心性ニューロンの細胞体は体性求心性（感覚）ニューロンと同様に脊髄神経節に存在し，その線維は椎前神経節や椎傍神経節を素通りし，脊髄に入るまでシナプスを形成しない．脊髄内では，体性求心性ニューロンと同様に，後角にある感覚ニューロンとシナプスを形成する．臓性求心性ニューロンは体性のそれよりもはるかに少ないため，脳では両者の情報を区別することが難しく，本来内臓に由来する痛み（内臓痛）を同じ脊髄分節で支配される体壁（皮膚）の痛みだと誤って判断してしまう．このため，内臓痛は関連痛とも呼ばれる．

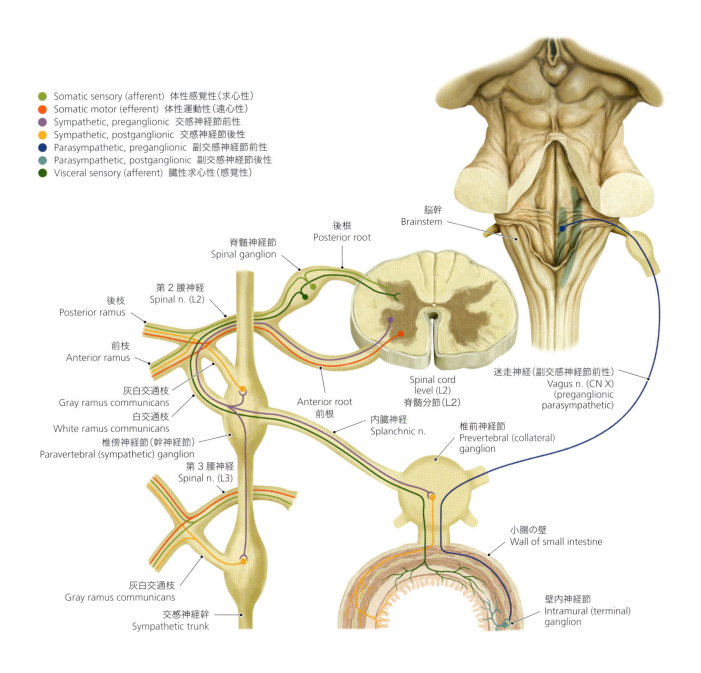

51 断面解剖と画像解剖

神経系の断面解剖
Sectional Anatomy of the Nervous System

図51.1 脳の正中矢状断面

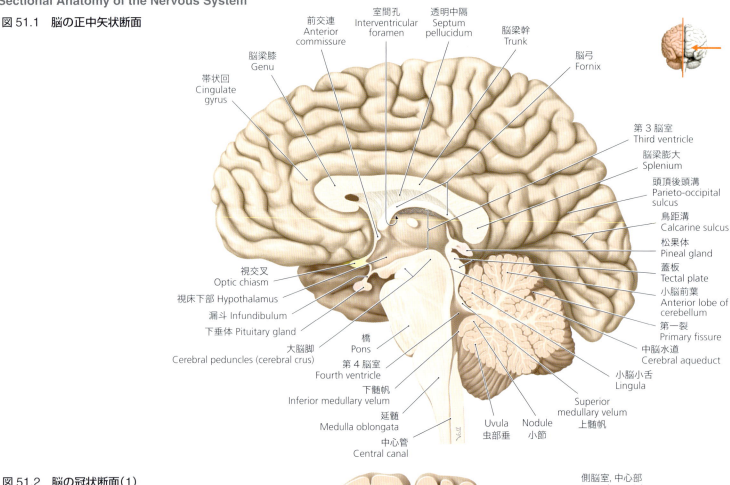

図51.2 脳の冠状断面（1）

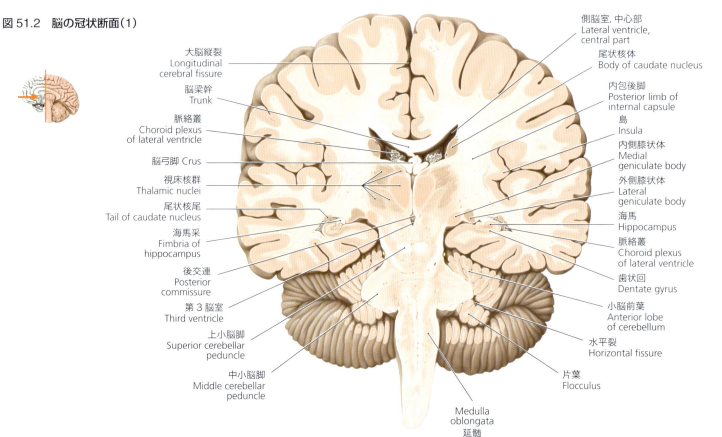

図 51.3 脳の冠状断面（2）

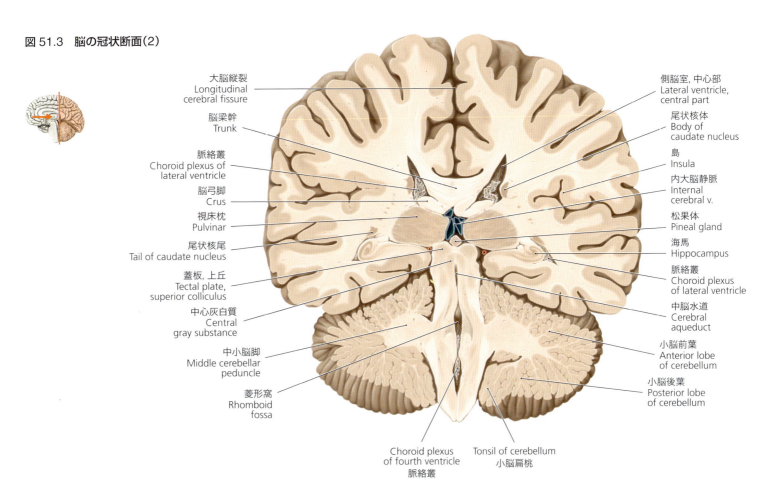

図 51.4 脳幹上部における脳の横断面

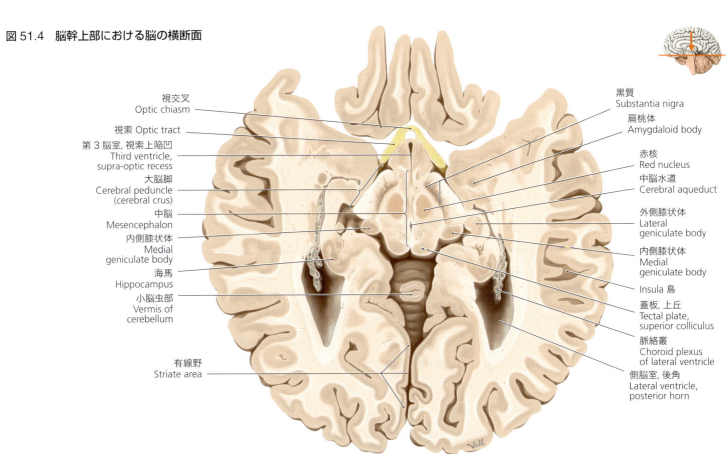

中枢神経系の画像解剖
Radiographic Anatomy of the Nervous System

脳の血管に関する画像解剖（**p.671**）を参照．

図 51.5　脳の MR 像
正中矢状断面．右脳の内側面．(Moeller TB, Reif E. Pocket Atlas of Sectional Anatomy, Vol 1, 4th ed. New York, NY: Thieme; 2014. より)

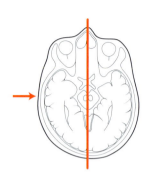
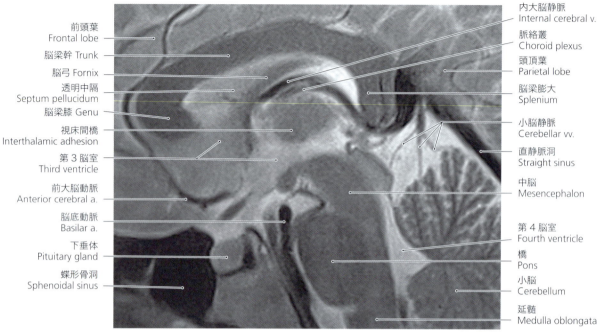

図 51.6　脳の MR 像
大脳半球を通る水平断面．下面．(Moeller TB, Reif E. Pocket Atlas of Sectional Anatomy, Vol 1, 4th ed. New York, NY: Thieme; 2014. より)

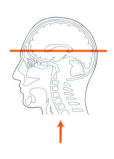
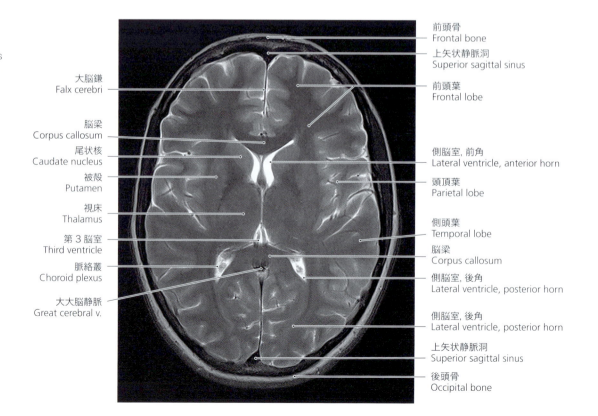

図 51.7 脳の MR 像
第 3 脳室を通る冠状断面，前面．（Moeller TB, Reif E. Pocket Atlas of Sectional Anatomy, Vol 1, 4th ed. New York, NY: Thieme; 2014. より）

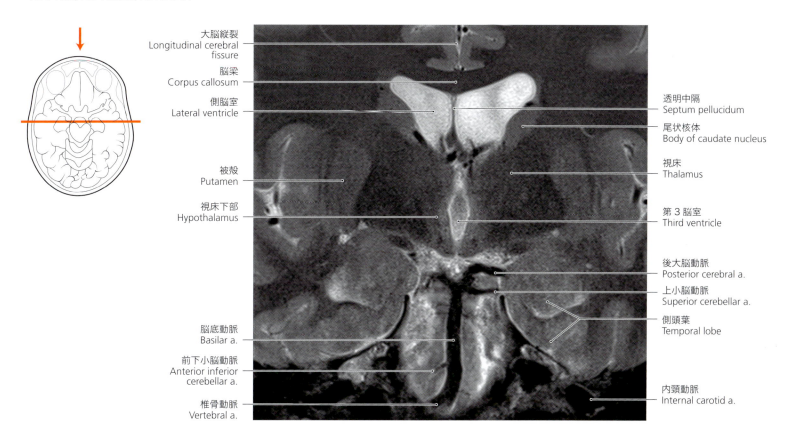

図 51.8 頸部の MR 像
頸髄を通る冠状断面，前面．（Moeller TB, Reif E. Pocket Atlas of Sectional Anatomy, Vol 1, 4th ed. New York, NY: Thieme; 2014. より）

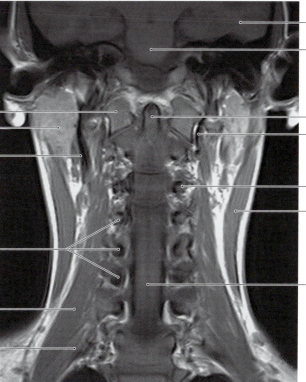

索 引
Index

英文索引 ……………………………………………………… 704
和文索引 ……………………………………………………… 734

英文索引
Index of English Term

・項目の主要掲載ページは太字で示す．

A

a -motor neuron　a 運動ニューロン　692, 693
Abdominal
－ aorta　腹大動脈　25, 36, 67, 68, 156, 163, 165, 186, 187, **188**, 190, 193, 220, 222, 250
－ part
－－ of esophagus　腹部《食道の》　106
－－ of pectoralis major　腹部《大胸筋の》　144, 308, 318
－－ of ureter　腹部《尿管の》　250
Abducent nerve(CN Ⅵ)　外転神経　549, 560, 565, 593, 607-609, 683, 688
－ palsy　外転神経麻痺　605
Abductor
－ digiti minimi
－－ 小指外転筋　346, 354-358, 360, **361**, 405
－－ 小趾外転筋　454, 464, 465, 467, **469**, 485, 498, 509
－ hallucis　母趾外転筋　454, 456, 463-466, **469**, 472, 495, 498, 499, 509
－ pollicis
－－ brevis　短母指外転筋　354-357, 360, **361**, 405
－－ longus　長母指外転筋　332, 334, 335, 340, **341**, 355, 357, 396, 399
－－－ tendon　長母指外転筋の腱　355, 356, 358, 404
Accessory
－ cephalic vein　副橈側皮静脈　366, 378
－ collateral ligament　副側副靱帯　352
－ cuneate nucleus　副楔状束核　692
－ hemi-azygos vein　副半奇静脈　37, 45, 69, **82**, 83, 91, 109, 127
－ muscle bundle　副筋線維束　653
－ nerve(CN Ⅺ)　副神経　535, 537-540, 549, 560, **576**, 654, 683
－ nuclei of oculomotor nerve(Edinger-Westphal nuclei)　動眼神経副核(エディンガー-ウェストファル核)　561, **564**, 578
－ pancreatic duct　副膵管　168, 178, 180
－ parotid gland　副耳下腺　649
－ process　副突起　7, 11
－ saphenous vein　副伏在静脈　474, 486
－ sex glands　付生殖腺　266
Acetabular
－ fossa　寛骨臼窩　**231**, 415, 417, 473
－ labrum　関節唇《股関節の》　413, 415, 417, 473
－ margin　寛骨臼縁　230, **231**, 232, 233, 414
－ notch　寛骨臼切痕　231
－ roof　寛骨臼蓋　417, 473
Acetabulum　寛骨臼　**230**, 231, 233, 237, 413, 415, 504
Achilles' tendon(calcaneal tendon)　アキレス腱(踵骨腱)　409, 445, 446, 450, 457, 463, **467**, 494, 495, 509
Acinus　腺房　121
Acromial
－ angle of scapula　肩峰角《肩甲骨の》　299
－ branch
－－ of suprascapular artery　肩峰枝《肩甲上動脈の》　365
－－ of thoraco-acromial artery　肩峰枝《胸肩峰動脈の》　364
－ end of clavicle　肩峰端《鎖骨の》　298, 303
－ facet of clavicle　肩峰関節面《鎖骨の》　298
－ part of deltoid　肩峰部《三角筋の》　309, 316
Acromioclavicular
－ joint　肩鎖関節　59, 296, 302, **303**, 400, 401
－ ligament　肩鎖靱帯　303, 305

Acromion　肩峰　2, 24, 295, **299**, 302-306, 401
Adductor
－ brevis　短内転筋　419, 424, **428**, 492, 500
－ canal　内転筋管　472, 474
－ hallucis　母趾内転筋　463, 465, 466, 470, **471**, 499
－ hiatus　[内転筋]腱裂孔　429, 472-474, 493
－ longus　長内転筋　418, 419, 421, 424, **428**, 492, 500, 502, 505
－ magnus　大内転筋　284, 285, 418-424, 472, 491, 493, 500, 502
－ muscles　内転筋群　247
－ pollicis　母指内転筋　354, 356, 357, 360, **361**, 405
－ tubercle　内転筋結節　412, 420
Adenohypophysis(anterior lobe of pituitary gland)　腺下垂体(下垂体の前葉)　680, 682
Aditus to mastoid antrum　乳突洞口　629
Adventitia of urinary bladder　外膜《膀胱の》　252
Afferent nerve fibers　求心性線維　66
Ala
－ of ilium　腸骨翼　142, 231, 232
－ of sacrum　仙骨翼　7, 12, 13
Alar
－ folds　翼状ヒダ　442
－ ligaments　翼状靱帯　19
－ part of nasalis　翼部《鼻筋の》　554
Alcock's canal(pudendal canal)　アルコック管(陰部神経管)　491
Alveolar
－ bone　歯槽骨　640
－ ducts　肺胞管　121
－ macrophage　肺胞大食細胞　121
－ part of mandible　歯槽部《下顎骨の》　637
－ process of maxilla　歯槽突起《上顎骨の》　543
－ sacs　肺胞嚢　121
Alveoli　肺胞　121, 126
Ambient
－ cistern　迂回槽　684
－ gyrus　迂回回　562
Ampulla
－ of ductus deferens　精管膨大部　156, 253, 255, 266
－ of uterine tube　卵管膨大部　257
Amygdaloid body　扁桃体　562, 661, 699
Anal
－ canal　肛門管　248, 249
－ columns　肛門柱　249
－ pecten(white zone)　肛門櫛(白帯)　249
－ region　肛門部　3
－ sinuses　肛門洞　249
－ triangle　肛門三角　229
－ valves　肛門弁　249
Anastomotic branch with lacrimal artery of middle meningeal artery　涙腺動脈との吻合枝《中硬膜動脈の》　587
Anatomical
－ neck of humerus　解剖頸《上腕骨の》　**300**, 301, 304
－ snuffbox(anatomic snuffbox)　解剖学的嗅ぎタバコ入れ(橈骨窩)　394
Anconeus　肘筋　312, 314, **323**, 334
Angle
－ of mandible　下顎角　512, 513, 666, 668
－ of rib　肋骨角　57, 59
Angular
－ artery　眼角動脈　583, 584, 594, 608
－ gyrus　角回　678
－ incisure of stomach　角切痕《胃の》　166
－ vein　眼角静脈　521, 588, 589, 594, **606**, 608

Ankle
－ joint　距腿関節　410, 454, 456, **457**, 508, 509
－ mortise　足関節窩　410, 432, **456**, 457
Anococcygeal
－ ligament　肛門尾骨靱帯　238-240
－ nerve　肛門尾骨神経　284, 285
－ raphe　肛門尾骨縫線　238
Anocutaneous line　肛門皮膚線　249
Anorectal junction　肛門直腸結合　249
Ansa cervicalis　頸神経ワナ　**524**, 525, 537, 645
Antebrachial fascia　前腕筋膜　354
Anterior
－ ampullary nerve　前膨大部神経　571, 634, **635**
－ arch of atlas(C1)　前弓《環椎(第1頸椎)の》　9
－ articular facet of vertebra　前関節面《椎骨の》　8, 9
－ atlanto-occipital membrane　前環椎後頭膜　20, 21
－ auricular arteries　前耳介動脈　627
－ axillary line　前腋窩線　55
－ band of inferior glenohumeral ligament　前帯《下関節上腕靱帯の》　305
－ basal
－－ segment of lungs　前肺底区《肺》　118, 133
－－ segmental artery of lungs　前肺底動脈　125
－－ vein of lungs　前肺底静脈　125
－ belly of digastric　前腹《顎二腹筋の》　**517**, 554, 642, 652
－ border
－－ of anus　肛門前縁　229
－－ of lungs　前縁《肺の》　117
－－ of radius　前縁《橈骨の》　324, 325
－－ of tibia　前縁《脛骨の》　432
－ branch/es
－－ of external carotid artery　前枝《外頸動脈の》　583, 584
－－ of inferior pancreaticoduodenal artery　前下膵十二指腸動脈　191, 192, 199
－－ of obturator nerve　前枝《閉鎖神経の》　477, 480
－－ of renal artery　前枝《腎動脈の》　189
－ cecal artery　前盲腸動脈　192, 193, **200**, 201
－ cerebral
－－ artery　前大脳動脈　582, 671, 688, 689, 700
－－ veins　前大脳静脈　686, 687
－ cervical triangle(anterior triangle)　前頸部(前頸三角)　532, 534
－ chamber of eyeball　前眼房　612, 614
－ choroidal artery　前脈絡叢動脈　582, 688
－ ciliary arteries　前毛様体動脈　613
－ circumflex humeral artery　前上腕回旋動脈　364, 365
－ clinoid process　前床突起　547, 551, 636, 667
－ cochlear nucleus　蝸牛神経前核　570
－ commissure
－－　前陰唇交連　262
－－　前交連　680, 682, 685, 689, 698
－ communicating
－－ artery　前交通動脈　671, 688
－－ vein　前交通静脈　687
－ conjunctival arteries　前結膜動脈　613
－ cranial fossa　前頭蓋窩　547, 549, 619, 659
－ cruciate ligament　前十字靱帯　439, **440**, 441, 507
－ crural artery　前脚動脈　633
－ cusp
－－ of left atrioventricular valve　前尖《左房室弁の》　98, 99
－－ of right atrioventricular valve　前尖《右房室弁の》　97-99

(Antihelix)

- cutaneous branch/es
-- of femoral nerve　前皮枝《大腿神経の》　211, 477, 478, 481, 486
-- of iliohypogastric nerve　前皮枝《腸骨下腹神経の》　151, 211, 478, 479
-- of intercostal nerves　前皮枝《肋間神経の》　70, 73, 374, 379
-- of spinal nerve　前皮枝《脊髄神経の》　**43**, 71
- deep temporal artery　前深側頭動脈　601
- diameter of trochlea of talus　前径《距骨滑車の》　457
- ethmoidal
-- artery　前篩骨動脈　606, 609, **620**, 621
-- foramen　前篩骨孔　550, 602
-- nerve　前篩骨神経　567, 609, 621
- external vertebral venous plexus　前外椎骨静脈叢　**37**, 45, 69
- extremity of spleen　前端《脾臓の》　180
- facet for calcaneus of talus　前踵関節面《距骨の》　459
- femoral cutaneous vein　前大腿皮静脈　474, 488
- funiculus of spinal cord　前索《脊髄の》　690, 691
- gastric plexus　前胃神経叢　108, 214, 216
- gluteal line of ilium　前殿筋線《腸骨の》　231
- horn
-- of lateral ventricle　前角《側脳室の》　685
-- of spinal cord　前角《脊髄の》　690
- inferior
-- cerebellar artery　前下小脳動脈　688, 701
-- iliac spine　下前腸骨棘　**230**, 231-233, 236
-- segmental artery of kidney　下前区動脈《腎臓の》　189
- intercavernous sinus　前海綿間静脈洞　592
- intercondylar area of tibia　前顆間区《脛骨の》　433, 443
- intercostal
-- branches of internal thoracic artery　前肋間枝《内胸動脈の》　36, 68
-- veins　前肋間静脈　37, 69
- intermuscular septum of leg　前下腿筋間中隔　496, 501
- internal vertebral venous plexus　前内椎骨静脈叢　37, 40, 45, **69**
- internodal bundles　前結節間束　102
- interosseous
-- artery　前骨間動脈　364, **365**, 388, 393
-- nerve　前［前腕］骨間神経　368, 376
-- veins　前骨間静脈　366
- interventricular
-- branch of left coronary artery　前室間枝（前下行枝）《左冠状動脈の》　93, 100, 134
-- sulcus　前室間溝　96
- jugular vein　前頸静脈　521, 534, **588**, 669
- labial nerves　前陰唇神経　285
- lacrimal crest　前涙嚢稜　602
- lateral
-- malleolar artery　前外果動脈　472, 497
-- segment (segment Ⅵ) of right liver　右外側前区域（区域Ⅵ）《右肝部の》　177
- layer
-- of rectus sheath　前葉《腹直筋鞘の》　146
-- of renal fascia　前葉《腎筋膜の》　25, 182
- ligament
-- of fibular head　前腓骨頭靱帯　438, 440
-- of malleus　前ツチ骨靱帯　631
-- limb of stapes　前脚《アブミ骨の》　630
-- lingual salivary gland　前舌腺　647
-- lip of external os of uterus　前唇《外子宮口の》　260

- lobe
-- of cerebellum　小脳前葉　682, 698, 699
-- of pituitary gland (adenohypophysis)　前葉《下垂体の》（腺下垂体）　680, 682
- longitudinal ligament　前縦靱帯　**20**, 21-23, 63, 236, 416, 418
- malleolar fold　前ツチ骨ヒダ　630
- medial
-- malleolar artery　前内果動脈　472
-- segment (segment Ⅴ) of right liver　右内側前区域（区域Ⅴ）《右肝部の》　177
- median
-- fissure　前正中裂　683, 690
-- line　前正中線　55
- mediastinum　前縦隔　79, 88, 115
- nasal spine　前鼻棘　542, 543, 636
- papillary muscle　前乳頭筋　97, 99, 102
- perforated substance　前有孔質　562
- process of malleus　前突起《ツチ骨の》　630
- radicular vein　前根静脈　45
- ramus/i
-- of cervical nerves　前枝《頸神経の》　525, 645
-- of intercostal nerves　前枝《肋間神経の》　73
-- of lateral sulcus　前枝《外側溝の》　678
-- of lumbar nerves　前枝《腰神経の》　280
-- of sacral nerve　前枝《仙骨神経の》　43, 217, 281
-- of spinal nerve　前枝《脊髄神経の》　40, 42, **43**, 71, 369
- region
-- of arm　前上腕部　294
-- of elbow　前肘部　294
-- of forearm　前前腕部　294
-- of knee　前膝部　408
-- of leg　前下腿部　408
-- of thigh　前大腿部　408
-- of wrist　前手根部　294
- root
-- of sacral nerve　前根《仙骨神経の》　43
-- of spinal nerve　前根《脊髄神経の》　40, **42**, 71, 369, 482, 535, 693
- rootlets　前根糸　42
- sacral foramina　前仙骨孔　6, 12, 13, 51, 233, 237
- sacro-iliac ligament　前仙腸靱帯　51, **236**, 237, 238, 416
- sacrococcygeal ligament　前仙尾靱帯　237
- scalene　前斜角筋　63, 89, 365, 369, 518, **519**, 535, 537
- scrotal
-- artery　前陰嚢動脈　275
-- branches of ilio-inguinal nerve　前陰嚢枝《腸骨鼠径神経の》　478
-- veins　前陰嚢静脈　275
- segment of lungs　前上葉区《肺の》　118, 133
- segmental
-- artery of lungs　前上葉動脈《肺の》　125
-- medullary artery　前髄節動脈　44
- semicircular
-- canal　前骨半規管　626, 628, 629, **634**
-- duct　前半規管　634, 635
- semilunar cusp of pulmonary valve　前半月弁《肺動脈弁の》　98, 99
- septal branches of anterior ethmoidal artery　中隔前鼻枝《前篩骨動脈の》　620
- spinal
-- artery　前脊髄動脈　688
-- veins　前脊髄静脈　45
- spinocerebellar tract　前脊髄小脳路　682
- sternoclavicular ligament　前胸鎖靱帯　302, 303

- superior
-- alveolar
--- arteries　前上歯槽動脈　587
--- branches of superior alveolar nerves　前上歯槽枝《上歯槽神経の》　567, 644
-- iliac spine　上前腸骨棘　2, 140, 142, **230**, 231-233, 237, 408, 410, 414, 504
-- pancreaticoduodenal artery　前上膵十二指腸動脈　187, **191**, 192, 198, 199
-- segmental artery of kidney　上前区動脈《腎臓の》　189
- surface
-- of kidney　前面《腎臓の》　184
-- of patella　前面《膝蓋骨の》　435
-- talar articular surface of calcaneum　前距骨関節面《踵の》　459
- talofibular ligament　前距腓靱帯　460
- temporal
-- artery (P3)　前側頭動脈 (P3区)　689
-- branches of middle cerebral artery　前側頭枝《中大脳動脈の》　689
- tibial
-- artery　前脛骨動脈　**472**, 473, 497, 503
-- recurrent artery　前脛骨反回動脈　472
-- veins　前脛骨静脈　**474**, 497, 503
- tibiofibular ligament　前脛腓靱帯　460, 461
- tibiotalar part of deltoid ligament　前脛距部《三角靱帯の》　461
- triangle (anterior cervical triangle)　前頸三角（前頸部）　532, 534
- trunk
-- of internal iliac artery　前枝《内腸骨動脈の》　250
-- of internal iliac vein　前枝《内腸骨静脈の》　250
- tubercle
-- of atlas (C1)　前結節《環椎（第1頸椎）の》　9
-- of cervical vertebrae　前結節《頸椎の》　8, 9
-- of vertebra　前結節《椎骨の》　7, 9, 20
- tympanic artery　前鼓室動脈　587, 601, 632
- vagal trunk　前迷走神経幹　**108**, 214, 216-218
- vaginal
-- column　前皺柱《腟の》　260
-- fornix　前部《腟円蓋の》　252, 256
- vein/s
-- of right ventricle　前右心室静脈　100
-- of septum pellucidum　前透明中隔静脈　686
-- of superior lobe of lungs　前上葉静脈《肺の》　125
- wall
-- of stomach　前壁《胃の》　220
-- of tympanic cavity　前壁《頸動脈壁》《鼓室の》　571
-- of vagina　前壁《腟の》　257, 260
Anterolateral
- pontine vein　前外側橋静脈　687
- sulcus　前外側溝　683
- surface
-- of arytenoid cartilage　前外側面《披裂軟骨の》　526
-- of humerus　前外側面《上腕骨の》　300
- system (spinothalamic tracts)　前外側脊髄視床路　692
Anteromedial
- bundle of lymphatics of lower limb　前内側束《下肢リンパ管の》　475
- intermuscular septum　広筋内転筋間中隔　481
- surface of humerus　前内側面《上腕骨の》　300
Anteromedian pontine vein　前正中橋静脈　687
Anteroposterior (AP) dimension　胸部前後径　60
Antihelix　対輪　512, 627

705

Antitragicus　対珠筋　627
Antitragus　対珠　512, 627
Anular
 − ligament
　−− of radius　橈骨輪状靱帯　327-331
　−− of stapes　アブミ骨輪状靱帯　630
 − ligaments　輪状靱帯《気管の》　120
 − part of fibrous sheath　［線維鞘の］輪状部　353, 354, 359, 464
Anulus fibrosus　線維輪　14, 22
Anus　肛門　229, 249, 262, 284, 285
Aorta　大動脈　89
Aortic
 − arch　大動脈弓　36, **80**, 89, 91, 93, 96, 102, 105, 109, 124, 132, 133, 135
 − bifurcation　大動脈分岐部　68, 186, 193
 − dissection　大動脈解離　81
 − hiatus of diaphragm　大動脈裂孔《横隔膜の》　**64**, 65, 80, 82
 − impression　大動脈溝　117
 − sinus　大動脈洞　99
 − valve　大動脈弁　**98**, 99, 135, 137
Aorticorenal ganglia　大動脈腎動脈神経節　217
Apex
 − of arytenoid cartilage　披裂軟骨尖　526
 − of bladder　膀胱尖　251-253, 267
 − of dens　歯突起尖　21
 − of heart　心尖　93, 96, 97, 99
 − of lung　肺尖　117
 − of patella　膝蓋骨尖　435
 − of petrous part　錐体尖　624
 − of prostate　前立腺尖　266
 − of sacrum　仙骨尖　12
 − of tongue　舌尖　646
Apical
 − axillary nodes　上腋窩リンパ節　76
 − foramen　歯根尖孔　668
 − ligament of dens　歯尖靱帯　18, 19
 − segment of right lung　肺尖区《右肺の》　118
 − segmental artery of lungs　肺尖動脈　125
 − vein of lungs　肺尖静脈　125
Apicoposterior
 − segment of left lung　肺尖後区《左肺の》　118, 133
 − vein of lungs　肺尖後静脈　125
Appendicular
 − artery　虫垂動脈　187
 − vein　虫垂静脈　195, 200
Arachnoid
 − granulations　クモ膜顆粒　590, 592, 684
 − mater　クモ膜　40, 590
 − trabeculae　クモ膜小柱　590
Arch/es
 − of cricoid cartilage　輪状軟骨弓　526, 527
 − of foot　足底弓　462
Arcuate
 − artery
　−− of dorsalis pedis artery　弓状動脈《足背動脈の》　472, 497
　−− of kidney　弓状動脈《腎臓の》　184, **189**
 − line
　−− of ilium　弓状線《腸骨の》　142, **230**, 233
　−− of rectus abdominis　弓状線《腹直筋の》　145, 146, 149, 152
 − popliteal ligament　弓状膝窩靱帯　437
 − veins of kidney　弓状静脈《腎臓の》　184
Areola　乳輪　74
Areolar
 − glands　乳輪腺　74
 − venous plexus　乳輪静脈叢　69

Arm　上腕　296
Arterial
 − circle of zinn　チン動脈輪　613
 − grooves　動脈溝　624
Artery
 − of bulb of vestibule　腟前庭球動脈　261, 285
 − of central sulcus　中心溝動脈　689
 − of postcentral sulcus　中心後溝動脈　689
 − of precentral sulcus　中心前溝動脈　689
 − of pterygoid canal　翼突管動脈　582, 601
 − to ductus deferens　精管動脈　155, 270, 271
 − to tail of pancreas　膵尾動脈　191
Articular
 − branch
　−− of median nerve　関節枝《正中神経の》　376
　−− of spinal nerve　関節枝《脊髄神経の》　43
 − circumference
　−− of radius　関節環状面《橈骨の》　324-326, 331
　−− of ulna　関節環状面《尺骨の》　324
 − disc
　−−（triangular disc）　関節円板《下橈尺関節の》　351
　−− of sternoclavicular joint　関節円板《胸鎖関節の》　303
　−− of temporomandibular joint　関節円板《顎関節の》　638, 639
 − facet
　−− of fibula　外果関節面《腓骨の》　433, 456, 457
　−− of tibia　内果関節面《脛骨の》　433, 456, 457
 − fossa of radius　関節窩《橈骨の》　324, 325, 330
 − surface
　−− for cuboid of calcaneum　立方骨関節面《踵骨の》　459
　−− for navicular of talus　舟状骨関節面《距骨の》　455, 459
　−− of arytenoid cartilage　関節面《披裂軟骨の》　526
　−− of patella　関節面《膝蓋骨の》　435, 442
 − tubercle of temporal bone　関節結節《側頭骨の》　624, 638, 639
Articularis genus　膝関節筋　419
Ary-epiglottic fold　披裂喉頭蓋ヒダ　528, **529**, 651
Arytenoid　披裂筋　655
 − articular surface of cricoid cartilage　披裂関節面《輪状軟骨の》　526
 − cartilage　披裂軟骨　526, 527, 664
Ascending
 − aorta　上行大動脈　**80**, 92, 93, 96, 99, 124, 136
 − branch
　−− of lateral circumflex femoral artery　上行枝《外側大腿回旋動脈の》　492
　−− of superficial petrosal artery　上行枝《浅錐体動脈の》　633
 − cervical artery　上行頸動脈　44, 365, 535
 − colon　上行結腸　162, 164, 165, 170, **172**, 173, 225
 − lumbar vein　上行腰静脈　37, 45, 67, 82, 83, **195**, 196, 199
 − palatine artery　上行口蓋動脈　584
 − part
　−− of duodenum　上行部《十二指腸の》　165, **168**, 169, 180
　−− of trapezius　上行部《僧帽筋の》　24, 312, 320, 380
 − pharyngeal artery　上行咽頭動脈　520, 583, 584, **585**, 632, 654
 − ramus of lateral sulcus　上行枝《外側溝の》　678
 − tracts of spinal cord　上行性(感覚性)伝導路《脊髄の》　691
Asterion　アステリオン　542, 544

Atlanto-occipital
 − capsule　環椎後頭靱帯　19, 20
 − joint　環椎後頭関節　**16**, 19, 20
Atlas（C1）　環椎（第1頸椎）　6, 8, 40, 59
Atrial branch of right coronary artery　心房枝《右冠状動脈の》　100
Atrioventricular
 − bundle（bundle of His）　房室束(ヒス束)　102
 − node　房室結節　102
Auditory
 − apparatus　聴覚器　634
 − ossicles　耳小骨　630
 − tube　耳管　626, **628**, 629, 660
Auricle　耳介　627
Auricular surface
 − of ilium　耳状面《腸骨の》　230
 − of sacrum　耳状面《仙骨の》　12, 13
Auricularis
 − anterior　前耳介筋　553, 556, **627**
 − posterior　後耳介筋　553, 556, **627**
 − superior　上耳介筋　553, **556**, 627
Auriculotemporal nerve　耳介側頭神経　567, 580, 581, 595, 596, **598**, 599, 600, 627, 639, 644
Axilla　腋窩　381
Axillary
 − artery　腋窩動脈　68, 72, 74, **364**, 365, 368, 383-386
 − fascia　腋窩筋膜　382
 − lymph nodes　腋窩リンパ節　76, 367
 − lymphatic plexus　腋窩リンパ叢　76
 − nerve　腋窩神経　39, 368, 369, **372**, 378, 379, 381, 385, 401
 − recess　腋窩陥凹　305, 306
 − region　腋窩部　54, 294
 − vein　腋窩静脈　69, 72, 74, **366**, 383-386
Axis（C2）　軸椎（第2頸椎）　6, 8
Azygos vein　奇静脈　37, 45, 66, 67, 69, 73, **82**, 83, 90, 109, 136

B

Bare area of liver　無漿膜野《肝臓の》　175, 176
Bartholin's gland（greater vestibular gland）　バルトリン腺（大前庭腺）　254, 262, 263
Basal
 − cistern　脳底槽　684
 − nuclei　大脳基底核　676
Base
 − of metacarpals　底《中手骨の》　343, 347
 − of middle phalanx of hand　底《手の中節骨の》　343
 − of prostate　前立腺底　266
 − of proximal phalanx of foot　底《足の基節骨の》　452
 − of sacrum　仙骨底　7, 13
 − of stapes　アブミ骨底　630
Basilar
 − artery　脳底動脈　44, 582, 662, 667, 671, **688**, 700, 701
 − plexus　脳底静脈叢　592
 − vein　脳底静脈　686, 687
Basilic
 − hiatus　尺側皮静脈の裂孔　**366**, 378
 − vein　尺側皮静脈　294, **366**, 378, 387, 399
 −− of forearm　尺側正中皮静脈　366, 387
Basivertebral veins　椎体静脈　45
Biceps
 − brachii　上腕二頭筋　294, 306, 308, 310, 311, **322**, 332, 333, 389, 396

(Central part of lateral ventricle)

– – tendon
– – – 上腕二頭筋の腱 332
– – – 停止腱《上腕二頭筋の》 310
– femoris 大腿二頭筋 409, 425, **431**, 446, 494, 502
Bicipital aponeurosis 上腕二頭筋腱膜 310, 332
Bifurcate ligament 二分靱帯 458, **460**, 461
Bile duct 総胆管 176, **178**, 179, 185, 190
Bochdalek's triangle (lumbocostal triangle) ボホダレク三角(腰肋三角) 64, 65
Body
– of bladder 膀胱体 251, 252, 267
– of clitoris 陰核体 263
– of gallbladder 胆嚢体 178
– of ilium 腸骨体 **230**, 231
– of incus キヌタ骨体 630
– of ischium 坐骨体 **230**, 231
– of mandible 下顎体 637
– of pancreas 膵体 180, 181
– of penis 陰茎体 264
– of pubis 恥骨体 231
– of rib 肋骨体 57, 59
– of sphenoid 蝶形骨体 551
– of sternum 胸骨体 56, **58**
– of stomach 胃体 166, 167
– of talus 距骨体 **452**, 453
– of tongue 舌体 646
– of uterus 子宮体 252, 256, 257, 260
Bony part of external acoustic meatus 骨性部《外耳道の》 626
Border of oval fossa 卵円窩縁 97
Boyd's veins ボイドの静脈群 475
Brachial
– artery 上腕動脈 364, 365, 384-387, 389, 398
– fascia 上腕筋膜 385
– nodes 上腕リンパ節 76
– plexus 腕神経叢 25, 78, 89, 103, 368, **369**, 374, 383, 535-537, 539
– veins 上腕静脈 **366**, 385, 387, 398
Brachialis 上腕筋 308, 311, **322**, 332, 333, 396, 398
Brachiocephalic
– nodes 腕頭リンパ節 90, 110
– trunk 腕頭動脈 36, 80, 81, 90, 93, 96, 135, **364**, 536, 655
Brachioradialis 腕橈骨筋 294, 314, 332, 334, 335, 338, **339**, 396
– tendon 腕橈骨筋の腱 339, 358
Brachium
– of inferior colliculus 下丘腕 681, 683
– of superior colliculus 上丘腕 683
Brain 脳 674, 676
Brainstem 脳幹 674, 683
Branch/es
– to angular gyrus of middle cerebral artery 角回枝《中大脳動脈の》 689
– to nerves of internal carotid artery 三叉神経枝《内頸動脈の》 582
– to trigeminal ganglion of internal carotid artery 三叉神経節枝《内頸動脈の》 582
Breast 乳房 **74**, 75
– cancer 乳癌 77
Bridging veins 架橋静脈 590, 671, 686
Broad ligament of uterus 子宮広間膜 244, 251
Bronchial
– branch 気管支動脈 80, 126
– tree 気管支樹 118, **121**
– veins 気管支静脈 127
Bronchioles 細気管支 121

Bronchomediastinal trunk 気管支縦隔リンパ本幹 84
Bronchopulmonary
– nodes 気管支肺リンパ節 85, 110, 111, 128, **129**
– segments 肺区域 118
Buccal
– artery 頬動脈 587, 599, **601**
– branches of facial nerve 頬筋枝《顔面神経の》 568, 580, 594, 596
– fat pad 頬脂肪体 657
– nerve 頬神経 **567**, 580, 581, 599, 644
– region 頬部 512
– space 頬隙 654
Buccinator 頬筋 552, 554, **557**, 652, 657, 663, 666
Buccopharyngeal part of superior constrictor 頬咽頭部《上咽頭収縮筋の》 652
Bulb
– of penis 尿道球 247, 253, 255, 264, 290
– of vestibule 前庭球 247, 261, **262**, 263
Bulbar conjunctiva 眼球結膜 612, 614
Bulbo-urethral gland 尿道球腺 255, 264, **266**, 267, 284
Bulbospongiosus 球海綿体筋 239, 240, 247, 261, 263, 264
Bundle of His (atrioventricular bundle) ヒス束(房室束) 102

C

C1 spinal nerve 第1頸神経 525, 577
C4
– spinal nerve 第4頸神経 370
– vertebra 第4頸椎 40
C5 spinal nerve 第5頸神経 369
C8 spinal nerve 第8頸神経 369
Calcaneal
– anastomosis 踵骨動脈網 494
– branches of fibular artery 踵骨枝《腓骨動脈の》 472
– sulcus 踵骨溝 459
– tendon (Achilles' tendon) 踵骨腱(アキレス腱) 409, 445, 446, 450, 457, 463, **467**, 494, 495, 509
– tubercle 踵骨結節 508
– tuberosity 踵骨隆起 408, **452**, 453, 456, 459, 464, 467
Calcaneocuboid joint 踵立方関節 454, 508
Calcaneofibular
– joint 踵腓関節 509
– ligament 踵腓靱帯 460
Calcaneus 踵骨 410, **452**, 453-459, 462, 508, 509
Calcarine sulcus 鳥距溝 678, 679, 698
Callosomarginal artery 脳梁縁動脈 689
Calvaria 頭蓋冠 545
Canal
– for tensor tympani 鼓膜張筋半管 571, 629
– of Schlemm シュレム管 612-614
Canine tooth 犬歯 640
Capitate 有頭骨 295, **342**, 343, 344, 346, 347, 404
Capitulotrochlear groove of humerus 小頭滑車溝《上腕骨の》 301, 329
Capitulum of humerus 上腕骨小頭 **300**, 301, 326, 329, 402
Capsular branches of renal artery 被膜枝《腎動脈の》 189
Cardia 噴門 166, 167

Cardiac
– branches of vagus nerve 心臓枝《迷走神経の》 87
– impression 心圧痕 117
 notch 心切痕 117
– plexus 心臓神経叢 87, 103
– surface 心表面 93
– tamponade 心タンポナーデ 95
Cardial orifice 噴門口 163-165
Cardinal ligament 子宮頸横靱帯(基靱帯) 244, 247, 258
Caroticotympanic
 arteries 頸鼓動脈 582, 632, 633
– nerves 頸鼓神経 573
Carotid
– artery atherosclerosis 頸動脈アテローム性硬化症 583
– bifurcation 頸動脈分岐部 537, 582, 583
– body 頸動脈小体 **537**, 654
– canal 頸動脈管 546, 548, 624
– sheath 頸動脈鞘 25, 533
– sinus 頸動脈洞 572
– triangle 頸動脈三角 **532**, 537
Carpal
– articular surface of radius 手根関節面《橈骨の》 324, 325
– bones 手根骨 296, **342**, 344
– region 手根 390
– tunnel 手根管 **350**, 390
Carpometacarpal joints 手根中手関節 346
Cartilaginous part
– of external acoustic meatus 軟骨性部《外耳道の》 626
– of pharyngotympanic (auditory) tube 軟骨部《耳管の》 628, 653
Cauda equina 馬尾 5, 40, 41, 482, 676
Caudate
– lobe of liver 尾状葉《肝臓の》 163, 177
– nucleus 尾状核 680, 689, 700
– process of liver 尾状突起《肝臓の》 177
Caval opening of diaphragm 大静脈孔《横隔膜の》 **64**, 65, 67, 82, 89
Cavernous
– branch of internal carotid artery 海綿静脈洞枝《内頸動脈の》 582
– nerves of penis 陰茎海綿体神経 280
– part of internal carotid artery 海綿静脈洞部《内頸動脈の》 582
– sinus 海綿静脈洞 521, 588, 589, **592**, 593, 606, 607, 658, 662, 671
– – syndrome 海綿静脈洞血栓症 606
Cavity of tunica vaginalis 精巣鞘膜腔 155
Cecal veins 盲腸静脈 200, 201
Cecum 盲腸 164, 170, **172**, 173, 225, 244, 245
Celiac
– branch of posterior vagal trunk 腹腔枝《後迷走神経の》 216, 218
– ganglia 腹腔神経節 214, 215, 218
– nodes 腹腔リンパ節 110, 204, 206-208
– trunk 腹腔動脈 66, 67, 156, 162, 185-188, **190**, 191, 196-199, 222, 224
Cementum セメント質 640
Central
– band 中間帯 359
– canal of spinal cord 中心管《脊髄の》 684, 685, 698
– gray substance 中心灰白質 564
– lobule of cerebellum 小脳中心小葉 682
– nodes 中心腋窩リンパ節 76
– part of lateral ventricle 側脳室の中心部 685

707

Central
 – retinal
 – – artery　網膜中心動脈　**606**, 612, 613
 – – vein　網膜中心静脈　613
 – sulcus　中心溝　677, **678**, 679
 – tegmental tract　中心被蓋路　682
 – tendon of diaphragm　腱中心《横隔膜の》　**64**, 65, 67, 73
Cephalic vein　橈側皮静脈　69, 72, 294, **366**, 378, 382-384, 387, 398
 – of forearm　橈側正中皮静脈　366
Ceratopharyngeal part of middle constrictor　大角咽頭部《中咽頭収縮筋の》　652
Cerebellar
 – fossa (posterior cranial fossa)　小脳窩 (後頭蓋窩)　547, 549
 – peduncles　小脳脚　682
 – veins　小脳静脈　700
Cerebellomedullary cistern (cisterna magna)　小脳延髄槽 (大槽)　21, 684
Cerebellum　小脳　660, 674, 677, **682**, 683, 700
Cerebral
 – aqueduct　中脳水道　564, 681, 683, **684**, 685, 689, 698
 – artery　大脳動脈　590
 – cortex　大脳皮質　590, 676
 – crus　大脳脚［狭義の］　685, 698, 699
 – fossa　大脳窩　547
 – part of internal carotid artery　大脳部《内頸動脈の》　582, **688**
 – peduncle　大脳脚［広義の］　681-683
 – surface of sphenoid　大脳面《蝶形骨の》　551
Cerebrum　大脳　678
Ceruminous gland　耳道腺　626
Cervical
 – branch of facial nerve　頸枝《顔面神経の》　534, 538, 568, 580, 596
 – canal　子宮頸管　256, 257
 – cardiac
 – – branches of vagus nerve　頸心臓枝《迷走神経の》　575
 – – nerves　頸心臓神経　87, 103
 – enlargement　頸膨大　40
 – fascia　頸筋膜　25, 530, **533**, 534
 – flexure　頸屈　677
 – lordosis　頸部前弯　4
 – nerves　頸神経　540
 – nodes　頸リンパ節　76
 – part
 – – (cervical segments)　頸髄　677, 701
 – – of esophagus　頸部《食道の》　89, 106
 – – of internal carotid artery　頸部《内頸動脈の》　582, **688**
 – – of parietal pleura　頸部《壁側胸膜の》　89
 – – of trachea　頸部《気管の》　120
 – pleura　胸膜頂　55
 – vertebrae[C1-C7]　頸椎　**4**, 6, 8
Cervicothoracic junction　頸胸椎境界　3, 4
Cervix of uterus　子宮頸　247, 252, 254, **256**, 286, 288
Chiasmatic cistern　視交叉槽　684
Choana　後鼻孔　546, **616**, 617, 620, 636
Chondro-osseous junction　骨軟骨性接合部　63
Chondropharyngeal part of middle constrictor　小角咽頭部《中咽頭収縮筋の》　652
Chorda tympani　鼓索神経　568, 569, **571**, 600, 629, 630, 632, 634, 645
Choroid　脈絡膜　612, 615

Choroid plexus
 – of fourth ventricle　脈絡叢《第4脳室の》　682, 684, 699
 – of lateral ventricle　脈絡叢《側脳室の》　684, 698, 699
 – of third ventricle　脈絡叢《第3脳室の》　679, 680, 682, 684
Ciliary
 – body　毛様体　610, 612, 614, **615**
 – ganglion　毛様体神経節　565, 567, 578, **607**, 609
 – glands　睫毛腺　610
 – muscle　毛様体筋　612, 614, **615**
 – processes　毛様体突起　615
Cingular branch of callosomarginal artery　帯状回枝《脳梁縁動脈の》　689
Cingulate
 – gyrus　帯状回　677, **679**, 698
 – sulcus　帯状溝　679
Circular
 – folds　輪状ヒダ　168, 170
 – layer
 – – of duodenum　輪筋層《十二指腸の》　168
 – – of esophagus　輪筋層《食道の》　107
 – – of rectum　輪筋層《直腸の》　249
 – – of stomach　輪筋層《胃の》　166
Circumflex
 – branch of left coronary artery　回旋枝《左冠状動脈の》　100, 134
 – scapular artery　肩甲回旋動脈　364, **365**, 381, 384, 385
Cistern of lamina terminalis　終板槽　684
Cisterna
 – ambiens　迂回槽　684
 – chyli　乳ビ槽　84, 204
 – magna (cerebellomedullary cistern)　大槽 (小脳延髄槽)　21, 684
Claustrum　前障　661, 689
Clavicle　鎖骨　54, 59, 294-296, **298**, 302-304
Clavicular
 – facet　鎖骨関節面　306
 – head
 – – of pectoralis major　鎖骨部《大胸筋の》　308, 318, 382
 – – of sternocleidomastoid　鎖骨頭《胸鎖乳突筋の》　515
 – notch　鎖骨切痕　56, **58**, 61
 – part of deltoid　鎖骨部《三角筋の》　316
Clavipectoral
 – fascia　鎖骨胸筋筋膜　382
 – triangle　鎖骨三角　54, 294
Clitoris　陰核　254, 260
Clivus　斜台　547, 659, 667
Coccygeal
 – cornu　尾骨角　12
 – nerve　尾骨神経　477
 – plexus　尾骨神経叢　477
Coccygeus　尾骨筋　238, 240
Coccyx　尾骨　4-6, **12**, 13, 229, 232, 233, 237, 238, 248, 286
Cochlea　蝸牛　571, 626, **634**
Cochlear
 – aqueduct　蝸牛水管　628, 634
 – communicating branch　蝸牛交通枝　635
 – duct　蝸牛管　634
 – nerve　蝸牛神経　570, 571, 626, 634, **635**
Cockett's veins　コケットの静脈群　475
Coeliac plexus　腹腔神経叢　213
Colic
 – branch of ileocolic artery　結腸枝《回結腸動脈の》　192, 193, 200

 – impression
 – – of liver　結腸圧痕《肝臓の》　174
 – – of spleen　結腸面《脾臓の》　180
 – veins　結腸静脈　195
Colitis　大腸炎　173
Collateral
 – branch
 – – of intercostal nerves　側副枝《肋間神経の》　73
 – – of posterior intercostal arteries　側副枝《肋間動脈の》　68
 – ligaments
 – – of DIP joint　側副靱帯《遠位指節間 (DIP) 関節の》　**348**, 353
 – – of MCP joint　側副靱帯《中手指節 (MCP) 関節の》　346, **348**, 352, 353
 – – of PIP joint　側副靱帯《近位指節間 (PIP) 関節の》　**348**, 352, 353
 – trigone of lateral ventricle　側副三角《側脳室の》　685
Colles' fracture　コレス骨折　331
Colliculus of arytenoid cartilage　小丘《披裂軟骨の》　526, 527
Colon　結腸　172
 – carcinoma　大腸癌　173
Commissural cusps　交連尖　99
Common
 – basal vein of lower lobe of lungs　総肺底静脈　125
 – carotid
 – – artery　総頸動脈　25, 36, 80, 81, 89, 96, 109, 135, 365, 383, **520**, 531, 534, 535, 537, 583-586, 654, 655, 669, 688
 – – plexus　総頸動脈神経叢　87
 – cochlear artery　総蝸牛動脈　635
 – fibular nerve　総腓骨神経　476, 477, **484**, 486, 487, 493-496
 – flexor sheath　指屈筋の総腱鞘　354
 – hepatic
 – – artery　総肝動脈　67, 162, 179, 187, **190**, 191, 192, 198
 – – duct　総肝管　178, 179
 – iliac
 – – artery　総腸骨動脈　156, 165, 186, **188**, 193, 196, 201, 242, 243, 250, 268, 270, 272-274, 277, 472
 – – nodes　総腸骨リンパ節　204, 205, 277-279
 – – vein　総腸骨静脈　45, 69, 83, 156, 165, **194**, 195, 196, 201, 242, 243, 270, 273, 274
 – interosseous artery　総骨間動脈　**364**, 365, 388
 – membranous limb of semicircular ducts　総脚《半規管の》　635
 – palmar digital
 – – arteries　総掌側指動脈　364, 365, **392**, 393
 – – nerves　総掌側指神経　376, 377, 379
 – plantar digital
 – – arteries　総底側趾動脈　472
 – – nerves　総底側趾神経　485, 498
 – tendinous ring　総腱輪　565, **604**
Communicating branch
 – of fibular artery　交通枝《腓骨動脈と後腓骨動脈との》　472
 – with zygomatic nerve　交通枝《涙腺神経と頬骨神経との》　567
Compartment syndrome　コンパートメント症候群　497
Complete oculomotor palsy　動眼神経完全麻痺　605
Compressor urethrae　尿道圧迫筋　252
Concha of auricle　耳甲介　627
Conducting system of heart　心臓刺激伝導系　102

Condylar
- canal　顆管　546, 548
- emissary vein　顆導出静脈　589, 661
- process　関節突起　4
Condyle of humerus　上腕骨顆　300
Cone of light　光錐　630
Confluence of sinuses　静脈洞交会　588-590, 592, 667, 671, 684, **686**
Conoid
- ligament　円錐靱帯　303
- tubercle　円錐靱帯結節《鎖骨の》　298
Constrictors　咽頭収縮筋　652
Conus
- arteriosus　動脈円錐　97, 136, 137
- branch of right coronary artery　円錐枝《右冠状動脈の》　100
- elasticus　弾性円錐　527, 528
- medullaris of spinal cord　脊髄円錐　5, 40, 41
Cooper's ligaments（suspensory ligaments of breast）　クーパー靱帯（乳房提靱帯）　75
Coraco-acromial
- arch　烏口肩峰弓　303, 305, 306
- ligament　烏口肩峰靱帯　302, 303, **305**, 306
Coracobrachialis　烏口腕筋　308, 309, 311, **318**, 396
Coracoclavicular ligament　烏口鎖骨靱帯　**303**, 305, 380
Coracohumeral ligament　烏口上腕靱帯　305
Coracoid process　烏口突起　54, 59, 295, **299**, 302, 304, 306
Cornea　角膜　610, 612, **614**
Corneal limbus　角膜縁　612
Corniculate
- cartilage　小角軟骨　526, 527
- tubercle　小角結節　529, 651
Corona of glans　亀頭冠　264, 275
Coronal suture　冠状縫合　542, 545, 667
Coronary
- ligament of liver　肝冠状間膜　175, 176
- sinus　冠状静脈洞　94, 96, 98, 100
- sulcus　冠状溝　96, 97
Coronoid
- fossa of humerus　鈎突窩《上腕骨の》　300, 327, 329
- process
- - of mandible　筋突起《下顎骨の》　597, 637, 638
- - of ulna　鈎状突起《尺骨の》　324-327, 329, 330
Corpus
- callosum　脳梁　658, 659, 667, 677, 679, **680**, 682, 685, 689, 700
- cavernosum penis　陰茎海綿体　253, 255, **264**, 267, 284, 287, 290
- spongiosum penis　尿道海綿体　253, 255, **264**, 267, 284, 290, 291
Corrugator
- cutis ani　肛門皺皮筋　249
- supercilii　皺眉筋　552, 554
Cortical margin　皮質縁　689
Corticobulbar fibers　皮質延髄線維　576
Corticonuclear fibers　皮質核線維　693
Corticospinal
- fibers　皮質脊髄線維　693
- tracts（pyramidal tract）　皮質脊髄路（錐体路）　693
Costal
- cartilage　肋軟骨　**56**, 57, 61, 144, 303, 309
- groove　肋骨溝　73
- margin（arch）　肋骨弓　56, 140, 309
- notches　肋骨切痕　58

- part
- - of diaphragm　肋骨部《横隔膜の》　**64**, 65, 67
- - of parietal pleura　肋骨胸膜（壁側胸膜の肋骨部）　65, 67, 73, 90, 91, 113, 115, 116
- process　肋骨突起《腰椎の》　6, 7, 11, 142
- surface
- - of lungs　肋骨面《肺の》　117
- - of scapula　肋骨面《肩甲骨の》　299, 303
Costocervical trunk　肋頸動脈　36, 365, 520
Costoclavicular ligament　肋鎖靱帯　303
Costodiaphragmatic recess　肋骨横隔洞　113, 115, 116
Costomediastinal recess　肋骨縦隔洞　55, 115, 130
Costotransverse
- joint　肋横突関節　56, 61
- ligament　肋横突靱帯　61
Costovertebral joints　肋椎関節　61
Costoxiphoid ligaments　肋剣靱帯　61
Cranial
- flexure　頭屈　677
- fossa　頭蓋窩　547
- nerves　脳神経　560, 676
- root　延髄根　576
Craniocervical junction　頸椎後頭境界　4
Cranium　頭蓋　542
Cremaster　精巣挙筋　144, 145, 150, 151
Cremasteric
- artery　精巣挙筋動脈　155, 271
- fascia　精巣挙筋膜　150, 151, 155
- vein　精巣挙筋静脈　155, 271
Crest
- of greater tubercle of humerus　大結節稜《上腕骨の》　300
- of head of rib　肋骨頭稜　61
- of lesser tubercle of humerus　小結節稜《上腕骨の》　300, 301
- of neck of rib　肋骨頸稜　59
Cribriform plate　篩板　547, 548, **550**, 591, 616, 617, 619, 620
Crico-arytenoid
- joint　輪状披裂関節　527
- ligament　輪状披裂靱帯　527
Cricoid cartilage　輪状軟骨　106, 120, **526**, 527, 648, 665, 669
Cricopharyngeal part of inferior constrictor　輪状咽頭部《下咽頭収縮筋の》　652
Cricothyroid　輪状甲状筋　**528**, 530, 534, 535, 575, 652
- branch of superior thyroid artery　輪状甲状枝《上甲状腺動脈の》　520, 531
- joint　輪状甲状関節　527
- ligament　輪状甲状靱帯　527
Cricotracheal ligament　輪状気管靱帯　527
Crista
- galli　鶏冠　550, 616
- terminalis　分界稜　97
Crohn's disease　クローン病　171
Crossing fiber systems of anulus fibrosus　交差線維束《線維輪の》　14
Crown of teeth　歯冠　640
Cruciform part of fibrous sheath　［線維鞘の］十字部　352-354, 464, 469
Crura of antihelix　対輪脚　627
Crural chiasm　下腿交叉　447, 451
Crus
- of clitoris　陰核脚　247, 254, 261
- of penis　陰茎脚　245, 247, 264
Cubital
- fossa　肘窩　387
- nodes　肘リンパ節　76, **367**

Cuboid　立方骨　**452**, 454, 455, 458, 462
Culmen　山頂　682
Cuneate
- nucleus　楔状束核　692
- tubercle　楔状束結節　683
Cuneiform tubercle　楔状結節　**528**, 529, 651
Cuneiforms　楔状骨群　457
Cuneocerebellar fibers　楔状束核小脳線維　692
Cuneocuboid joint　楔立方関節　454
Cuneonavicular joint　楔舟関節　454
Cuneus　楔部　679
Cutaneous
- branch
- - of deep fibular nerve　皮枝《深腓骨神経の》　496, 497
- - of obturator nerve　皮枝《閉鎖神経の》　480, 486, 492
- vein　皮静脈　69
Cymba conchae　耳甲介舟　627
Cystic
- artery　胆嚢動脈　176, **190**, 191
- duct　胆嚢管　176, 178, 179
- node　胆嚢リンパ節　207
- vein　胆嚢静脈　195

D

Dartos
- fascia　肉様膜　155
- muscle　肉様筋　154
Decussation of pyramids　錐体交叉　683, 693
Deep
- artery
- - of arm　上腕深動脈　**364**, 365, 381, 398
- - of clitoris　陰核深動脈　275
- - of penis　陰茎深動脈　264
- - of thigh　大腿深動脈　472, 492, 502
- auricular artery　深耳介動脈　587, 601, **632**, 633
- branch
- - of lateral plantar nerve　深枝《外側足底神経の》　498, 499
- - of medial plantar artery　深枝《内側足底動脈の》　472, 498, 499
- - of radial nerve　深枝《橈骨神経の》　368, 387, 389
- - of ulnar artery　深枝《尺骨動脈の》　390, 391, 393
- - of ulnar nerve　深枝《尺骨神経の》　377, 390, 391, 393
- cervical
- - artery　深頸動脈　520
- - node　深頸リンパ節　129
- - vein　深頸静脈　45, 521
- circumflex iliac
- - artery　深腸骨回旋動脈　**188**, 196, 271, 472
- - vein　深腸骨回旋静脈　196, 271
- dorsal vein
- - of clitoris　深陰核背静脈　261, 275
- - of penis　深陰茎背静脈　264, 269-271, **275**, 284
- facial vein　深顔面静脈　589
- fascia
- - of leg　下腿筋膜　494, 496
- - of penis　深陰茎筋膜　265, 267, 275
- fibular nerve　深腓骨神経　476, **484**, 486, 496, 497, 503
- head of flexor pollicis brevis　深頭《短母指屈筋の》　356
- infrapatellar bursa　深膝蓋下包　442, 443

(Deep inguinal nodes)

Deep
- inguinal
- – nodes　深鼠径リンパ節　204, 277, **278**, 279, 488
- – ring　深鼠径輪　145, **151**, 244
- layer of nuchal fascia　深葉《項筋膜の》　24, 25, 28
- lingual
- – artery　舌深動脈　647
- – vein　舌深静脈　647
- median cubital vein　深肘正中皮静脈　366, 387
- middle cerebral vein　深中大脳静脈　687
- palmar arch　深掌動脈弓　364, 365, 391, **393**
- parotid nodes　深耳下腺リンパ節　523
- part
- – of external anal sphincter　深部《外肛門括約筋の》　249
- – of masseter　深部《咬筋の》　553, 558, 559
- – of parotid gland　深部《耳下腺の》　649
- petrosal nerve　深錐体神経　569
- plantar
- – arch　深足底動脈弓　472, 499
- – artery　深足底動脈　497
- popliteal nodes　深膝窩リンパ節　495
- temporal
- – arteries　深側頭動脈　587, **601**
- – nerves (CN V₃)　深側頭神経　567, 580, 598, **599**, 639
- – veins　深側頭静脈　589
- transverse
- – metacarpal ligament　深横中手靱帯　**349**, 352-355, 359
- – metatarsal ligament　深横中足靱帯　462
- – perineal muscle　深会陰横筋　240, **247**, 260, 264, 266, 267
- vein/s
- – of clitoris　陰核深静脈　275
- – of thigh　大腿深静脈　474, 502
- – of penis　陰茎深静脈　269
- venous palmar arch　深掌静脈弓　366
Deferential plexus　精管神経叢　280
Deltoid　三角筋　2, 24, 54, 308-310, 312, 314, **316**, 380, 396, 401
- branch of thoraco-acromial artery　三角筋枝《胸肩峰動脈の》　364
- ligament　三角靱帯　**460**, 461
- region　三角筋部　3, 54, 294
- tuberosity of humerus　三角筋粗面《上腕骨の》　**300**, 316
Deltopectoral groove　三角筋胸筋溝　54, 366
Dens of axis (C2)　歯突起《軸椎 (第2頸椎) の》　5, 6, 8, 9, 59
Dental alveoli　歯槽　637
Dentate gyrus　歯状回　661, 698
Denticulate ligament　歯状靱帯　40
Dentin　象牙質　640
Depressor
- anguli oris　口角下制筋　515, 552-554, **557**
- labii inferioris　下唇下制筋　**552**, 553, 554, 557
- septi nasi　鼻中隔下制筋　554
Dermatome　デルマトーム　42
- of lower limb　デルマトーム《下肢の》　487
Descending
- aorta　下行大動脈　**81**, 91, 136
- branch
- – of lateral circumflex femoral artery　下行枝《外側大腿回旋動脈の》　492
- – of occipital artery　下行枝《後頭動脈の》　585
- – of superficial petrosal artery　下行枝《浅錐体動脈の》　633

- colon　下行結腸　161, 162, 164, 167, 169, **172**, 173, 193, 220, 225
- genicular artery　下行膝動脈　**472**, 492
- palatine artery　下行口蓋動脈　587, **601**, 620, 621
- part
- – of duodenum　下行部《十二指腸の》　162, 165, **168**, 169, 178, 180
- – of trapezius　下行部《僧帽筋の》　24, 312, 320, 380, 515
Detrusor　排尿筋　253
Development of the brain　脳の発生　677
Deviated septum　鼻中隔弯曲　619
Diagonal
- band　対角帯　562
- branch of left coronary artery　対角枝（外側枝）《左冠状動脈の》　100, 134
- conjugate of female pelvis　対角径《女性骨盤の》　235
Diaphragm　横隔膜　60, **64**, 65-67, 78, 89, 122
Diaphragma sellae　鞍隔膜　549, 590
Diaphragmatic
- constriction (lower esophageal constriction)　横隔膜狭窄 (下食道狭窄)　106
- hernia　横隔膜ヘルニア　147
- part of parietal pleura　横隔胸膜 (壁側胸膜の横隔部)　66, 67, 89, 107, **113**, 115, 116
- surface
- – of lungs　横隔面《肺の》　117
- – of spleen　横隔面《脾臓の》　180
Diencephalon　間脳　674, **680**, 683
Digastric　顎二腹筋　516, **517**, 537, 554, 555, 642, 652, 657
- branch of facial nerve　二腹筋枝《顔面神経の》　596, 645
- fossa　二腹筋窩　544
Dilator
- pupillae　瞳孔散大筋　614
- urethrae　尿道拡張筋　253
Diploe of calvaria　板間層《頭蓋冠の》　545, 592
Diploic veins　板間静脈　545, 590
Direct inguinal hernia　直接鼠径ヘルニア　153
Disc herniation　椎間板ヘルニア　15
Distal
- interphalangeal (DIP) joint/s
- – –　遠位指節間 (DIP) 関節　346, 348, 352, 353, 359
- – –　遠位趾節間 (DIP) 関節　454
- crease　遠位指節間 (DIP) 関節線　295
- phalanx
- – of foot　末節骨《足の》　449, 452-454, 508
- – of hand　末節骨《手の》　**342**, 346, 347, 353, 359, 404
- radio-ulnar joint　下橈尺関節　**325**, 330, 331, 346
- transverse crease　遠位横手掌線　295
- wrist crease　遠位手根線　295
Dodd's veins　ドッドの静脈群　475
Dorello's canal　ドレロ管　593
Dorsal
- aponeurosis　趾背腱膜　467
- artery
- – of clitoris　陰核背動脈　261, 285
- – of penis　陰茎背動脈　264, 271, **275**, 284
- branch
- – of posterior intercostal arteries　背枝《肋間動脈の》　36
- – of proper palmar digital nerves　背側枝《固有掌側指神経の》　392, 394
- – of ulnar nerve　背枝《尺骨神経の》　377, 378, 394

- – of posterior intercostal arteries　後枝《肋間動脈の》　44
- – to corpus callosum of medial occipital artery　背側脳梁枝《内側後頭動脈の》　689
- calcaneocuboid ligament　背側踵立方靱帯　458, 461
- carpal
- – arch　背側手根動脈網　365, 395
- – artery　背側手根動脈　365, 395
- – branch
- – – of radial artery　背側手根枝《橈骨動脈の》　395
- – – of ulnar artery　背側手根枝《尺骨動脈の》　365, 389, 395
- – tendinous sheaths　背側手根腱鞘　358
- carpometacarpal ligaments　背側手根中手靱帯　348
- digital
- – arteries
- – – 　背側指動脈　**365**, 392, 395
- – – 　背側趾動脈　497
- – expansion　指背腱膜　341, **359**
- – nerves
- – – 　背側指神経　377, 379, 392, 394
- – – 　背側趾神経　497
- – veins　背側指静脈　366, 378
- intercarpal ligaments　背側手根間靱帯　348
- intermediate sulcus　後中間溝　690
- interossei
- – of foot　背側骨間筋《足の》　463, 465, 470
- – of hand　背側骨間筋《手の》　357, 362, 363, 405
- longitudinal fasciculus　背側縦束　562
- metacarpal
- – arteries　背側中手動脈　365, 395
- – ligaments　背側中手靱帯　348
- metatarsal
- – arteries　背側中足動脈　472, 497
- – ligaments　背側中足靱帯　460
- motor nucleus of vagus nerve　迷走神経背側運動核　578
- nasal
- – artery　鼻背動脈　582, 584, 594, **606**, 608
- – vein　鼻背静脈　606, 608
- nerve
- – of clitoris　陰核背神経　261, 285
- – of penis　陰茎背神経　264, **280**, 284
- nucleus of vagus nerve　迷走神経背側核　561, **574**
- pancreatic artery　後膵動脈　191
- radio-ulnar ligament　背側橈骨尺骨靱帯　330, 331, **348**, 351
- radiocarpal ligament　背側橈骨手根靱帯　348
- ramus/i
- – of posterior intercostal arteries　後枝《肋間動脈の》　44
- – of sacral nerve　後枝《仙骨神経の》　43, 482
- – of spinal nerve　後枝《脊髄神経の》　42, **43**, 47, 71, 369, 380
- root
- – of sacral nerve　後根 (背側根)《仙骨神経の》　43, 482
- – of spinal nerve　後根《脊髄神経の》　40, 71, 369, 693
- scapular
- – artery　肩甲背動脈　365
- – nerve　肩甲背神経　368, 369, **370**
- talonavicular ligament　背側距舟靱帯　461
- tarsal ligaments　背側足根靱帯　460, 461

(Falx cerebri)

– tubercle of radius　背側結節《橈骨の》　**324**, 325, 334, 335, 344, 358
– venous
－－ arch of foot　足背静脈弓　474
－－ network
－－－ of foot　足背静脈網　474
－－－ of hand　手背静脈網　294, **366**, 378
Dorsalis pedis artery　足背動脈　472, 497
Dorsolateral arm territory　上腕背外側領域　367
Dorsomedial arm territory　上腕背内側領域　367
Dorsum
– of foot　足背部　408
– of hand　手背部　294
– of penis　陰茎背　271
– of tongue　舌背　646
– sellae　鞍背　547, 551, 662, 667
Ductus
– deferens　精管　**155**, 250, 251, 255, 271, 286
– reuniens　結合管　634
Duodenal
– branches of anterior superior pancreaticoduodenal artery　十二指腸枝《前上膵十二指腸動脈の》　191
– bulb　球部《十二指腸の》　168
– diverticula　十二指腸憩室　169
– impression of liver　十二指腸圧痕《肝臓の》　174
Duodenojejunal flexure　十二指腸空腸曲　164, 168, 170, 221
Duodenum　十二指腸　163, 167, **168**, 179, 181, 182, 190, 193, 220
Dupuytren's contracture　デュプイトラン拘縮　354
Dura mater
– of spinal cord　硬膜《脊髄の》　40
– of calvaria　硬膜《頭蓋冠の》　545, **592**, 635
Dural
– sac　硬膜嚢　41
– venous sinuses　硬膜静脈洞　545, **592**

E

Ectopic pregnancy　異所性妊娠　257
Edinger-Westphal nuclei (accessory nuclei of oculomotor nerve)　エディンガー−ウェストファル核（動眼神経副核）　561, **564**, 578
Efferent nerve fibers　遠心性線維　66
Ejaculatory duct　射精管　255, 267
Elbow joint　肘関節　296, **326**, 328
Electrocardiogram　心電図　102
Emissary vein　導出静脈　545, 592
Enamel　エナメル質　640
Endolymphatic
– duct　内リンパ管　634
– sac　内リンパ嚢　628, 634, 635
Endometrium　子宮内膜　256, 289
Endoneural space　神経内腔　684
Endothoracic fascia　胸内筋膜　113
Epicranial aponeurosis　帽状腱膜　552, 553, 592
Epididymis　精巣上体　154, **155**, 255, 271, 278
Epidural
– hematoma　硬膜外血腫　590, 591
– space　硬膜上腔　40
Epigastric region　上胃部　54
Epiglottic
– cartilage　喉頭蓋軟骨　526, 527, 664
– vallecula　喉頭蓋谷　659
Epiglottis　喉頭蓋　**529**, 648, 650, 651, 658, 659
Epiphrenic diverticulum　横隔膜上憩室　107
Epiphysial
– line of femur　骨端線《大腿骨の》　415
– ring (marginal ridge)　輪状骨端（辺縁隆起）　14

Episcleral space　強膜外隙　610
Episiotomy　会陰切開術　263
Epitympanum　上鼓室　629
Epoophoron　卵巣上体　257
Erb's point　神経点（エルブ点）　538
Erector spinae　脊柱起立筋　32
Esophageal
– branches　食道動脈　80, 109
－－ of inferior thyroid artery　食道枝《下甲状腺動脈の》　109
－－ of sympathetic trunk　食道枝《交感神経幹の》　108
– hiatus of diaphragm　食道裂孔《横隔膜の》　64, 67, 82, 89, **107**
– inlet　食道入口　106
– plexus　食道神経叢　86, 87, **108**
– varices　食道静脈瘤　199
– veins　食道静脈　**109**, 195, 198
Esophagus　食道　25, 89-91, **106**, 107, 116, 166, 167, 669
Ethmoid　篩骨　542, **550**, 602, 603, 616, 619, 636
Ethmoidal
– bulla　篩骨胞　550, 617
– cells　篩骨洞（篩骨蜂巣）　618, 619, 656, 660-662, 666, 667
– infundibulum　篩骨漏斗　550
Excretory duct　排出管　255
Extensor
– carpi
－－ radialis
－－－ brevis　短橈側手根伸筋　312, 314, 332, 334, 335, 338, **339**, 357, 399
－－－－ tendon　短橈側手根伸筋の腱　358
－－－ longus　長橈側手根伸筋　294, 312, 314, 332, 334, 335, 338, **339**, 357
－－－－ tendon　長橈側手根伸筋の腱　334, 358
－－ ulnaris　尺側手根伸筋　294, 312, 314, **334**, 341, 357, 358, 399
－－－ tendon　尺側手根伸筋の腱　358
– digiti minimi　小指伸筋　334, 340, **341**, 357, 358
－－ tendon　小指伸筋の腱　358
– digitorum　［総］指伸筋　294, 312, 314, 334, 340, **341**, 357, 358, 395, 399, 403
－－ brevis　短趾伸筋　444, 445, 467, **468**
－－－ tendon　短趾伸筋の腱　467
－－ longus　長趾伸筋　444, **449**, 467, 503
－－－ tendon　長趾伸筋の腱　449, 467
－－ tendon
－－－　［総］指伸筋の腱　294, 334, 353, 358, 359, 405
－－－　［総］趾伸筋の腱　409
– hallucis
－－ brevis　短母趾伸筋　444, **468**
－－－ tendon　短母趾伸筋の腱　468
－－ longus　長母趾伸筋　409, 444, 445, **449**, 456, 467, 503
－－－ tendon　長母趾伸筋の腱　449, **467**, 495
– indicis　示指伸筋　334, 335, **341**, 357, 399
－－ tendon　示指伸筋の腱　358
– pollicis
－－ brevis　短母指伸筋　334, 335, 341, 355-357, **358**
－－－ tendon　短母指伸筋の腱　358
－－ longus　長母指伸筋　334, 335, 340, **341**, 357, 399
－－－ tendon　長母指伸筋の腱　334, 358
– retinaculum of hand　伸筋支帯《手の》　358
External
– acoustic
－－ meatus　外耳道　542, 624, **626**, 627, 628

－－ opening　外耳孔　624
– anal sphincter　外肛門括約筋　239, 240, 242, 243, 248, **249**, 252, 283-285
– branch of superior laryngeal nerve　外枝《上喉頭神経の》　**531**, 534, 535, 575
– capsule　外包　661
– carotid
－－ artery　外頸動脈　520, 537, 582, **583**, 584-586, 647, 688
－－ plexus　外頸動脈神経叢　87, 579
– ear　外耳　626
– genitalia　外生殖器　254, 262
– iliac
－－ artery　外腸骨動脈　165, 188, 244, 247, 252, **270**, **272**, 273, 274, 472, 492
－－ nodes　外腸骨リンパ節　204, 277, **278**, 279, 488
－－ vein　外腸骨静脈　196, 244, 247, 252, 269, **270**, **272**, 273, 274, 488, 492
– intercostal
－－ membrane　外肋間膜　63
－－ muscle　外肋間筋　28, 29, 62, **63**, 73, 144
– jugular vein　外頸静脈　66, **521**, 534, 535, 538, 539, 588, 595, 596, 655, 665
– nasal nerve of anterior ethmoidal nerve　外鼻枝《前篩骨神経の》　596, 621
– oblique　外腹斜筋　2, 24, 28, 65, 73, 140, 144-146, 148, **149**, 308, 312, 313
－－ aponeurosis　外腹斜筋の腱膜　**144**, 146, 149-151, 488, 492
– occipital
－－ crest　外後頭稜　546
－－ protuberance　外後頭隆起　26, 27, 512, **544**, 546, 589
– os of uterus　外子宮口　**260**, 261
– palatine vein　外口蓋静脈　589
– pudendal
－－ arteries　外陰部動脈　**271**, 275, 472, 488, 492
－－ veins　外陰部静脈　69, **271**, 275, 474, 486, 488
– spermatic fascia　外精筋膜　150, 154, **155**, 275
– table of calvaria　外板《頭蓋冠の》　545, 592
– urethral
－－ orifice　外尿道口　229, 260, 262, 264, 285
－－ sphincter　外尿道括約筋　252, 253
– vertebral venous plexus　外椎骨静脈叢　**37**, 589
Extra-ocular muscle　外眼筋　604, 605
Extracerebral hemorrhage　脳外出血　591
Extreme capsule　最外包　661
Eyeball　眼球　610, **612**
Eyelids　眼瞼　610

F

Facet
– for dens　歯突起窩　9
– of rib　肋骨窩　4, 7
Facial
– artery　顔面動脈　583-585, 594, 598, 608
－－ plexus　顔面動脈神経叢　579
– canal　顔面神経管　568
– colliculus　顔面神経丘　683
– nerve (CN Ⅶ)　顔面神経　549, 560, **568**, **569**, 580, 594, 597, 598, 645, 649, 683, 693
– vein　顔面静脈　521, **588**, 589, 594, 595, 598, 608
Falciform ligament of liver　肝鎌状間膜　160, 167, **176**
False ribs　仮肋　57
Falx cerebri　大脳鎌　590, 592, 657, 658, 662, 666, 700

711

(Fascia lata)

Fascia
- lata 大腿筋膜 151, **490**, 492, 493
- of penis 浅陰茎筋膜 265, 267, 275

Fascial sheath of eyeball (Tenon's capsule) 眼球鞘（テノン嚢） 610

Female
- genital system 女性生殖器 254
- pelvis 女性骨盤 232

Femoral
- artery 大腿動脈 154, 188, 271, 286, **472**, 486, 488, 492, 502
- branch of genitofemoral nerve 大腿枝《陰部大腿神経の》 211, 478, 479, 488
- hernia 大腿ヘルニア 153
- nerve 大腿神経 152, 210, 211, 286, 476, 477, **481**, 486, 487, 492
- ring 大腿輪 152, 489
- triangle 大腿三角 408
- vein 大腿静脈 69, 154, 188, 271, 286, **474**, 475, 486, 488, 492, 502

Femoropatellar joint 膝蓋大腿関節 438
Femoropopliteal vein 大腿膝窩静脈 474
Femur 大腿骨 410, **412**, 416, 500, 502, 506

Fibrous
- appendix of liver 線維付着《肝臓の》 177
- capsule of kidney 線維被膜《腎臓の》 25, 184, 189
- lumbar triangle (of Grynfeltt) 上腰三角（グランフェルト三角） 47
- membrane 線維膜 417
- pericardium 線維性心膜 78, **89**, 90, 93, 94, 96
- stroma 線維性間質 155

Fibula 腓骨 410, **432**, 433, 456, 457, 467, 500, 503, 506, 509

Fibular
- artery 腓骨動脈 **472**, 494, 497, 503
- collateral ligament of knee 外側側副靱帯《膝関節の》 436-438, 440-442, 507
- veins 腓骨静脈 474, 503

Fibularis
- brevis 短腓骨筋 444-446, **448**, 456, 465-467, 494, 497, 503
- longus 長腓骨筋 409, 425, 444-446, **448**, 456, 462, 464, 465, 467, 494
- -- tendon 長腓骨筋の腱 **448**, 463, 465, 466, 471
- tertius 第3腓骨筋 444, 445, **449**, 467

Fimbria of hippocampus 海馬采 698
First dorsal interosseous 第1背側骨間筋 471

Flexor
- carpi
- -- radialis 橈側手根屈筋 294, 332, **336**, 337, 354, 357, 396, 399, 403
- --- tendon 橈側手根屈筋の腱 355, 356, 404
- -- ulnaris 尺側手根屈筋 294, 312, 314, 332, 334, **337**, 354, 357, 396, 399
- --- tendon 尺側手根屈筋の腱 349, 355, 356
- digiti minimi brevis
- -- 短小指屈筋 354-357, **360**, 361, 405
- -- 短小趾屈筋 464-466, **470**, 471
- digitorum
- -- brevis 短趾屈筋 456, 463, 464, **469**, 498, 499, 509
- --- tendon 短趾屈筋の腱 464, 465, 498, 499
- -- longus 長趾屈筋 446, 447, **451**, 463-465, 467, 471, 494, 495, 503
- --- tendon 長趾屈筋の腱 **465**, 471, 498, 499
- -- profundus 深指屈筋 333-335, **337**, 355, 357, 359, 399
- --- tendon 深指屈筋の腱 332, 333, 352, 353, **354**, 355, 356, 359, 363, 404, 405
- -- superficialis 浅指屈筋 332, 333, 336, **337**, 354, 357, 359, 390, 396, 399
- --- tendon 浅指屈筋の腱 332, 352-356, 359, 404, 405
- hallucis
- -- brevis 短母趾屈筋 463-466, 470, **471**, 499
- -- longus 長母趾屈筋 446, 447, **451**, 456, 463-465, 467, 494, 495, 503
- --- tendon 長母趾屈筋の腱 451, **464**, 498, 499
- of forearm 前腕屈筋 333
- pollicis
- -- brevis 短母指屈筋 354, 356, 357, 360, **361**
- -- longus 長母指屈筋 332, 333, 336, **337**, 354, 357, 396, 399
- --- tendon 長母指屈筋の腱 332, **333**, 354-356, 405
- retinaculum
- -- of foot 屈筋支帯《足の》 **467**, 494, 495
- -- of hand 屈筋支帯《手の》 350, **354**, 355, 356, 376, 377, 392, 404

Floating ribs 浮遊肋 57
Flocculonodular lobe 片葉小節葉 682
Flocculus 片葉 682
Follicular stigma 卵胞口 256
Foot 足 410

Foramen
- cecum of tongue 舌盲孔 646
- lacerum 破裂孔 546-548
- magnum 大後頭孔 **546**, 547, 548, 576, 659
- ovale 卵円孔 **546**, 547, 548, 551, 567, 600, 636
- rotundum 正円孔 548, 551, **567**, 602
- spinosum 棘孔 546-548, **551**
- transversarium 横突孔 7-9

Forearm 前腕 296
Forefoot 前足 452
Fornix 脳弓 679, **680**, 682, 685, 698, 700

Fossa
- for lacrimal sac 涙嚢窩 602
- of round window 蝸牛窓小窩 629

Fourth ventricle 第4脳室 669, 682, 683, **685**, 698, 700

Fovea
- centralis 中心窩 612
- for ligament of head of femur 大腿骨頭窩 412, 413, 417, 504

Free border of ovary 自由縁《卵巣の》 256
Frenulum of tongue 舌小帯 647

Frontal
- belly (frontalis) of occipitofrontalis 前頭筋《後頭前頭筋の》 552, 553
- bone 前頭骨 542, **543**, 545, 547, 602, 603, 616, 619, 700
- branch
- -- of middle meningeal artery 前頭枝《中硬膜動脈の》 587, 591
- -- of superficial temporal artery 前頭枝《浅側頭動脈の》 586, 595
- crest 前頭稜 545, 547
- lobe 前頭葉 677
- nerve 前頭神経 565, 567, **607**, 608, 609
- notch 前頭切痕 543, 602
- operculum 前頭弁蓋 678
- pole 前頭極 **678**, 679
- process
- -- of maxilla 前頭突起《上顎骨の》 543, 602, 616, 617
- -- of zygomatic bone 前頭突起《頬骨の》 542, 543, 597
- region 前頭部 512
- sinus 前頭洞 545, 547, 562, 603, 616-620, 659-661, 666, 667

Fundus
- of bladder 膀胱底 252, 253, 267
- of gallbladder 胆嚢底 178
- of stomach 胃底 166, 167
- of uterus 子宮底 244, 247, 252, 257, 261, 273

G

Galen's anastomosis ガレノス交通枝 531
Gallbladder 胆嚢 160, 162-164, 167, 171, 174, 176, **178**, 179, 190, 220
Gallstones 胆石 179
Ganglion impar 不対神経節 213

Gastric
- folds 胃粘膜ヒダ 166
- impression
- -- of liver 胃圧痕《肝臓の》 174
- -- of spleen 胃面《脾臓の》 164, 180, 181
- plexuses 胃神経叢 103, 216

Gastro-esophageal junction (Z line) 食道と胃の接合部（Z 線） 107
Gastrocnemius 腓腹筋 409, 444, 446, **450**, 494, 500
Gastrocolic ligament 胃結腸間膜 159, 162
Gastroduodenal artery 胃十二指腸動脈 187, 190, **191**, 192, 198-201
Gastrosplenic ligament 胃脾間膜 162, **164**, 165, 171

Gemellus
- inferior 下双子筋 422-424, **427**, 490, 491, 500
- superior 上双子筋 422-424, **427**, 490, 491, 500

General
- somatic efferent fiber (somatomotor function) 一般体性遠心性線維（体性運動機能） 561
- visceral efferent fiber (visceromotor function) 一般臓性遠心性線維（内臓運動機能） 561

Genial spines オトガイ棘 544
Genicular veins 膝静脈 474
Geniculate ganglion 膝神経節 **568**, 569, 634, 645
Genioglossus オトガイ舌筋 554, 555, **642**, 646-649, 656, 657, 661, 666
Geniohyoid オトガイ舌骨筋 516, **517**, 555, 642, 646, 648, 649, 656, 657, 659
- branch of C1 オトガイ舌骨筋枝《第1頸神経の》 645

Genital branch of genitofemoral nerve 陰部枝《陰部大腿神経の》 151, 155, 211, 284, 478, **479**, 488
Genitofemoral nerve 陰部大腿神経 185, 210, 211, 285, 476-478, **479**, 487, 488
Genu 脳梁膝 698, 700
Gingival margin 歯肉縁 640
Glabella 眉間 542

Glans
- of clitoris 陰核亀頭 229, 254, **262**, 263, 285
- penis 陰茎亀頭 155, 255, **264**, 267, 271, 275

Glaucoma 緑内障 614

Glenohumeral
- joint 肩関節 296, **302**, 304, 305, 307
- ligaments 関節上腕靱帯 305

Glenoid
- cavity of scapula 関節窩《肩甲骨の》 **299**, 303, 304, 306
- labrum 関節唇《肩関節の》 306, 401

Globus pallidus medial segment 淡蒼球内節 660

Glossopharyngeal
- nerve (CN IX) 舌咽神経 549, 560, **572**, 573, 645, 646, 683
- part of superior constrictor 舌咽頭部《上咽頭収縮筋の》 652

Gluteal
- aponeurosis 殿筋腱膜 24
- fascia 殿筋膜 490, 493
- fold (sulcus) 殿溝 490
- region 殿部 3, 490
- surface of ilium 殿筋面《腸骨の》 231, 233
- tuberosity of femur 殿筋粗面《大腿骨の》 412, 414

Gluteus
- maximus 大殿筋 2, 239, 284-286, 409, 421-426, **427**, 490, 493, 500, 505
- medius 中殿筋 2, 409, 419, 422-426, **427**, 490, 493, 500, 505
- minimus 小殿筋 419, 422-424, 426, **427**, 491, 493, 500

Graafian follicle グラーフ卵胞 256

Gracile
- nucleus 薄束核 692
- tubercle 薄束結節 683

Gracilis 薄筋 284, 285, 418, 419, 421-423, **428**, 490-494, 500, 502, 505

Granular foveolae クモ膜顆粒小窩 545

Gray
- commissure 灰白交連 690
- matter (substance)
- – of brain 灰白質《脳の》 676
- – of spinal cord 灰白質《脊髄の》 676, 690
- ramus communicans 灰白交通枝 42, 71, 281

Great
- anterior segmental medullary artery 大前髄節動脈 44
- auricular nerve 大耳介神経 39, 46, 382, **524**, 525, 534, 538-541, 595, 596
- cardiac vein 大心臓静脈 100
- cerebral vein 大大脳静脈 686, 687
- saphenous vein 大伏在静脈 69, **474**, 475, 486, 488, 494, 502

Greater
- curvature of stomach 大弯《胃の》 166, 167
- horn of hyoid bone 大角《舌骨の》 526, 637
- occipital nerve 大後頭神経 39, 46, **524**, 540, 541, 595, 596
- omentum 大網 156, 159, **160**, 162, 167, 181, 220
- palatine
- – artery 大口蓋動脈 587, **601**, 620, 621, 644, 656
- – canal 大口蓋管 636
- – foramen 大口蓋孔 546, 548, 636
- – nerve 大口蓋神経 621, **623**, 644
- pancreatic artery 大膵動脈 191
- petrosal nerve 大錐体神経 **568**, 569, 571
- sciatic
- – foramen 大坐骨孔 237, 491
- – notch 大坐骨切痕 **231**, 232, 491
- splanchnic nerve 大内臓神経 67, 86, 90, 108, 214-218, 694
- supraclavicular fossa 大鎖骨上窩 512
- trochanter of femur 大転子《大腿骨の》 2, 408, 410, **412**, 413-417, 422, 504
- tubercle of humerus 大結節《上腕骨の》 295, 300, 301, 303, **304**, 400
- vestibular gland (Bartholin's gland) 大前庭腺（バルトリン腺） 254, 262, 263

- wing of sphenoid 大翼《蝶形骨の》 542, 543, 547, **551**, 603, 619

Groove
- for flexor hallucis longus tendon
- – of calcaneum 長母趾屈筋腱溝《踵骨の》 459
- – of talus 長母趾屈筋腱溝《距骨の》 459
- for middle meningeal artery 中硬膜動脈溝 545
- for sigmoid sinus S状洞溝 547, 624
- for spinal nerve 脊髄神経溝 8, 9
- for subclavian
- – artery 鎖骨下動脈溝 59, 519
- – vein 鎖骨下静脈溝 59
- for subclavius 鎖骨下筋溝 298
- for superior sagittal sinus 上矢状洞溝 545
- for tendon of fibularis longus 長腓骨筋腱溝 453
- for transverse sinus 横洞溝 547
- for vena cava 大静脈溝 177
- for vertebral artery 椎骨動脈溝 **8**, 9, 18

Gruber's ligament グルーバー靱帯 593

H

Habenula 手綱 680
Habenular nuclei 手綱核 562
Hamate 有鈎骨 342, **344**, 346, 404
Hand 手 296
Handle of malleus ツチ骨柄 630, 632
Hangman's fracture ハングマン骨折 9
Hard palate 硬口蓋 628, 636, 667
Haustra of colon 結腸膨起 225

Head
- of caudate nucleus 尾状核頭 660
- of femur 大腿骨頭 247, 286, **412**, 413-415, 473, 504, 505
- of fibula 腓骨頭 408, 410, **432**, 433-435, 445, 506
- of humerus 上腕骨頭 **300**, 301-304, 401
- of malleus ツチ骨頭 630
- of mandible 下顎頭 517, 637-639, 669, 670
- of metacarpals 頭《中手骨の》 343, 347
- of middle phalanx of hand 頭《手の中節骨の》 343
- of pancreas 膵頭 180, 181, 222
- of proximal phalanx of foot 頭《足の基節骨の》 452
- of radius 橈骨頭《橈骨の》 295, 296, **325**, 326, 329, 403
- of rib 肋骨頭 57, 59
- of stapes アブミ骨頭 630
- of talus 距骨頭 **452**, 453, 457
- of tibia 脛骨頭 432
- of ulna 尺骨頭《尺骨の》 324, 325, 330

Heart 心臓 92, **96**
Heel region 踵部 409

Helicis
- major 大耳輪筋 627
- minor 小耳輪筋 627

Helicotrema 蝸牛孔 634
Helix 耳輪 512, 627
Hemi-azygos vein 半奇静脈 37, 45, 66, 67, 69, **82**, 83, 91, 109, 127, 194, 195
Hemorrhoidal plexus 痔静脈叢 274

Hepatic
- artery proper 固有肝動脈 176, 187, 191, 192, 200, 201
- branch
- – of anterior vagal trunk 肝枝《前迷走神経幹の》 216, 218

- – of posterior vagal trunk 肝枝《後迷走神経幹の》 216
- ducts 肝管 183
- flexure 肝弯曲 172
- lobes 肝葉 176
- nodes 肝リンパ節 206, 207
- plexus 肝神経叢 214, 216, 218
- portal vein ［肝］門脈（肝静脈） 92, 177, 190-192, 195, **198**, 199-201, 206
- segmentation 肝区域 177
- surface of diaphragm 肝臓の付着部《横隔膜の》 163
- veins 肝静脈 92, 196, 198, 199

Hepato-esophageal ligament 肝食道間膜 167
Hepatoduodenal ligament 肝十二指腸間膜 162-165, **167**, 171, 183
Hepatogastric ligament 肝胃間膜 156, 162, 164, **167**, 171

Hepatopancreatic
- ampulla 胆膵管膨大部 178
- duct 胆膵管 179

Hepatorenal recess 肝腎陥凹 182
Hesselbach's triangle ヘッセルバッハ三角 151, 152

Hiatus
- for greater petrosal nerve 大錐体神経管裂孔 548, 568
- for lesser petrosal nerve 小錐体神経管裂孔 548
- semilunaris 半月裂孔 618

Highest nuchal line 最上項線 544, 546

Hilum
- of kidney 腎門 182, 184
- of lung 肺門 117

Hindfoot 後足 452

Hip
- bone 寛骨 **230**, 231, 410
- joint 股関節 410, **414**, 415, 416

Hippocampus 海馬 689, 698, 699
Hook of hamate 有鈎骨鈎 295, 343, 345

Horizontal
- fissure
- – of cerebellum 水平裂《小脳の》 682
- – of right lung 水平裂《右肺の》 116, 117, 119, 130
- part of duodenum 水平部《十二指腸の》 156, 164, 165, **168**, 169, 178, 180
- plate of palatine bone 水平板《口蓋骨の》 617

Humeral
- head of pronator teres 上腕頭《円回内筋の》 333
- nodes 上腕腋窩リンパ節 76

Humero-ulnar
- head 上腕尺骨頭 336
- joint 腕尺関節 326, 327, 402

Humeroradial joint 腕橈関節 326, 327, 402, 403
Humerus 上腕骨 296, 297, **300**, 301, 303, 304, 396, 398, 402
Hyaline cartilage end plate 硝子軟骨板 14
Hyaloid fossa 硝子体窩 612
Hyo-epiglottic ligament 舌骨喉頭蓋靱帯 529
Hyoglossus 舌骨舌筋 555, **642**, 643, 646, 652, 657

Hyoid
- bone 舌骨 536, 555, **637**, 642, 660
- muscles 舌骨筋 554

Hypochondrium 下肋部 54
Hypogastric nerve 下腹神経 217, 219, 280, 281

Hypoglossal
- canal 舌下神経管 546-548, 577

（Hypoglossal canal）

(Hypoglossal nerve)

Hypoglossal
- nerve(CN XII) 舌下神経 537, 549, 560, **577**, 597, 645, 647, 683
- trigone 舌下神経三角 577

Hypophysial fossa of sphenoid 下垂体窩《蝶形骨の》 547, **551**, 616, 617, 620, 667
Hypophysis primordium 下垂体原基 677
Hypothalamic sulcus 視床下溝 680
Hypothalamus 視床下部 677, **680**, 682, 698, 701
Hypothenar
- eminence 小指球 294, 295
- muscles 小指球筋 360

Hypotympanum 下鼓室 629

I

Ileal
- arteries 回腸動脈 192, 200, 201
- branch of ileocolic artery 回腸枝《回結腸動脈の》 192, 193, 200
- orifice 回腸口 172
- veins 回腸静脈 195, 200, **201**

Ileocecal lip(inferior lip) 回盲唇(下唇) 172

Ileocolic
- artery 回結腸動脈 187, **192**, 193, 200, 201, 219
- lip(superior lip) 回結腸唇(上唇) 172
- nodes 回結腸リンパ節 208, 209
- vein 回結腸静脈 195, **200**, 201

Ileum 回腸 156, 160, **170**, 225, 245

Iliac
- crest 腸骨稜 2, 24, 142, **230**, 231-233, 312, 408, 410, 414, 416
- fossa 腸骨窩 230, 232, 233
- part of latissimus dorsi 腸骨部《広背筋の》 321
- plexus 腸骨動脈神経叢 217, 280, 282
- tuberosity 腸骨粗面 142, **230**, 232, 233, 237

Iliacus 腸骨筋 51, 146, 147, 149, 152, 250, 271, 418, 419, 421, 426, **427**, 505

Ilio-inguinal nerve 腸骨鼡径神経 150, 155, 182, 185, 210, 211, 275, 284, 285, 476-478, **479**, 487, 488

Iliococcygeus 腸骨尾骨筋 238, 240

Iliocostalis 腸肋筋 28, 32
- cervicis 頸腸肋筋 29, **32**, 33
- lumborum 腰腸肋筋 29, 32, **33**
- thoracis 胸腸肋筋 29, 33

Iliofemoral ligament 腸骨大腿靱帯 416, 419

Iliohypogastric nerve 腸骨下腹神経 39, 70, 182, 185, 210, 211, 476-478, **479**, 487, 490, 493

Iliolumbar
- artery 腸腰動脈 188, 269, 270
- ligament 腸腰靱帯 **236**, 416
- triangle(of Petit) 下腰三角(プチ三角) 47

Iliopectineal
- arch 腸恥筋膜弓 152, 489
- bursa 腸恥包 489

Iliopsoas 腸腰筋 147, 148, **149**, 152, 286, 418, 419, 481, 492, 505

Iliopubic
- ramus 腸恥隆起 142, 233, 489
- tract 腸骨恥骨靱帯 152

Iliotibial tract 腸脛靱帯 409, 418, 419, 422, **425**, 492, 493, 502

Ilium 腸骨 **231**, 237

Impression for costoclavicular ligament 肋鎖靱帯圧痕《鎖骨の》 298

Incisive
- canal 切歯管 548, 616
- foramen 切歯孔 544, 546, 636
- fossa 切歯窩 636, 640
- suture 切歯縫合 640

Incisor tooth 切歯 640
Incudomallear joint キヌタ-ツチ関節 630
Incudostapedial joint キヌタ-アブミ関節 630
Incus キヌタ骨 626, 628, 629, **630**
Indirect inguinal hernia 間接鼡径ヘルニア 153

Inferior
- alveolar
-- artery 下歯槽動脈 **587**, 599, 601
-- nerve 下歯槽神経 567, 580, 599, **644**, 645
- anastomotic vein 下吻合静脈 686
- angle of scapula 下角《肩甲骨の》 2, 295, **299**, 400
- articular
-- facet of vertebra 下関節面《椎骨の》 8-11
-- process 下関節突起 7-11
-- surface of tibia 下関節面《脛骨の》 433, 457
- basal vein of lower lobe of lungs 下肺底静脈 125
- belly of omohyoid 下腹《肩甲舌骨筋の》 517
- border
-- of liver 下縁《肝臓の》 176
-- of lungs 下縁《肺の》 117
-- of spleen 下縁《脾臓の》 180
- branch of oculomotor nerve 下枝《動眼神経の》 565, 607, 608
- cerebellar peduncle 下小脳脚 682, 683
- cerebral veins 下大脳静脈 592
- cervical ganglion 下頸神経節 103
- choroid vein 下脈絡叢静脈 687
- clunial nerves 下殿皮神経 47, 284, 285, 476, 482, 486, **490**, 493
- colliculus of tectal plate 下丘《蓋板の》 681, 683
- constrictor 下咽頭収縮筋 89, 107, **652**, 653, 661
- costal facet 下肋骨窩 7, 10
- dental branches of inferior alveolar nerve 下歯枝《下歯槽神経の》 567, 644
- diaphragmatic nodes 下横隔リンパ節 **111**, 128, 204, 209
- duodenal
-- flexure 下十二指腸曲 168
-- fossa 下十二指腸陥凹 161, 169
- epigastric
-- artery 下腹壁動脈 151, 152, 186, 188, 196, 250, **271**, 472
-- vein 下腹壁静脈 151, 152, 195, 196, 250, **271**
- extensor retinaculum 下伸筋支帯 467, 495
- fascia of pelvic diaphragm 下骨盤隔膜筋膜 239, 244, 245, **246**, 249, 261
- fibular retinaculum 下腓骨筋支帯 467
- frontal
-- gyrus 下前頭回 678
-- sulcus 下前頭溝 678
- ganglion 下神経節 572, 573, **574**
- glenohumeral ligament 下関節上腕靱帯 305
- gluteal
-- artery 下殿動脈 188, **269**, 270, 274, 472, 490-493
-- line of ilium 下殿筋線《腸骨の》 231
-- nerve 下殿神経 477, **483**, 490, 491, 493
-- veins 下殿静脈 196, **269**, 270, 490, 491
- head(part)of lateral pterygoid 下頭《外側翼突筋の》 559, 639
- horn
-- of lateral ventricle 下角《側脳室の》 685
-- of thyroid cartilage 下角《甲状軟骨の》 526, 527
- hypogastric plexus(pelvic plexus) 下下腹神経叢(骨盤神経叢) 212, 213, 215, **217**, **282**, 694

- hypophysial artery 下下垂体動脈 582
- ileocecal recess 下回盲陥凹 161
- inguinal nodes 下浅鼡径リンパ節 475, 488
- labial branch 下唇動脈 583, 584, 594
- lacrimal
-- canaliculus 下涙小管 611
-- punctum 下涙点 611
- laryngeal
-- artery 下喉頭動脈 531
-- nerve 下喉頭神経 535, 575, 655
-- vein 下喉頭静脈 **531**, 655
- lateral
-- brachial cutaneous nerve 下外側上腕皮神経 **373**, 378, 380
-- genicular artery 外側下膝動脈 472, 495
- lingular segment of left lung 下舌区《左肺の》 118, 133
- lip(ileocecal lip) 下唇(回盲唇) 172
- lobar bronchi 下葉気管支 89, 116
- lobe of lungs 下葉《肺の》 116, 117, 130
- longitudinal muscle of tongue 下縦舌筋 646
- medial genicular artery 内側下膝動脈 472, **495**
- mediastinum 下縦隔 78
- medullary velum 下髄帆 698
- mesenteric
-- artery 下腸間膜動脈 165, 186-188, **193**, 196, 197, 201, 250, 270, 273, 274
-- ganglion 下腸間膜動脈神経節 215, 217, 219
-- nodes 下腸間膜リンパ節 204, 209, 276, 278, 279
-- plexus 下腸間膜動脈神経叢 212, 213, 217, 219, 281, **282**
-- vein 下腸間膜静脈 195, 199, 200, **201**, 270, 274
- nasal
-- concha 下鼻甲介 543, 603, 611, **617**, 618-621, 636, 651, 656, 660, 666
-- meatus 下鼻道 **617**, 620, 621
- nuchal line 下項線 27, 30, **544**, 546
- oblique 下斜筋 565, **604**, 610, 656
- oblique part of longus colli 下斜部《頸長筋の》 31, 519
- olive オリーブ 574, 577, **682**, 683, 693
- ophthalmic vein 下眼静脈 521, 588, **606**, 608, 609
- orbital fissure 下眼窩裂 546, 567, **602**, 603, 636
- pancreatic
-- artery 下膵動脈 191, 199
-- nodes 下膵リンパ節 207
- pancreaticoduodenal
-- artery 下膵十二指腸動脈 187, **191**, 198
-- vein 下膵十二指腸静脈 195
- parathyroid glands 下副甲状腺(下上皮小体) 530
- parietal lobule 下頭頂小葉 678
- part
-- of nuclei of solitary tract 下部《孤束核の》 572, 574
-- of vestibular ganglion 下部《前庭神経節の》 571, 634, 635
- petrosal sinus 下錐体静脈洞 589, **592**, 671
- phrenic
-- artery 下横隔動脈 **66**, 67, 80, 185, 188, 197, 250
-- veins 下横隔静脈 185, 194, 196, 197, 250
- pole of kidney 下端《腎臓の》 184
- pubic
-- ligament 下恥骨靱帯 238

(Internal urethral sphincter)

- – ramus　恥骨下枝　230-232, 242, 243, 245, 247, 261, 504
- – recess of omental bursa　下陥凹《網嚢の》　163
- – rectal
- – – artery　下直腸動脈　270, 274, 284, 285
- – – nerves　下直腸神経　**280**, 283-285
- – – plexus　下直腸動脈神経叢　215, 280
- – – veins　下直腸静脈　195, 269, 270, 274, 284, 285
- – rectus　下直筋　565, **604**, 610, 656, 657, 661
- – root of ansa cervicalis　下根《頸神経ワナの》　524, 525, 645
- – sagittal sinus　下矢状静脈洞　549, 662, 671, 686
- – salivatory nucleus　下唾液核　561, 572, 578
- – segmental artery of renal artery　下区動脈《腎動脈の》　189
- – suprarenal artery　下副腎動脈　183-185, 188, **189**, 197, 250
- – tarsal muscle　下瞼板筋　610
- – tarsus　下瞼板　610
- – temporal
- – – gyrus　下側頭回　678
- – – line　下側頭線　597
- – – sulcus　下側頭溝　678
- – thoracic aperture　胸郭下口　56
- – thyroid
- – – artery　下甲状腺動脈　109, 365, 520, 530, **531**, 535, 537, 655, 665
- – – notch　下甲状切痕　526
- – – tubercle　下甲状結節　526
- – – vein　下甲状腺静脈　66, 82, 89, 109, **531**, 535, 536
- – tracheobronchial nodes　下気管気管支リンパ節　110, 111, 128, **129**
- – transverse rectal fold　下直腸横ヒダ　249
- – tympanic artery　下鼓室動脈　632, 633
- – ulnar collateral artery　下尺側側副動脈　**364**, 386-388
- – urogenital diaphragmatic fascia (perineal membrane)　下尿生殖隔膜筋膜（会陰膜）　239, 244, 245, 252, **261**, 263, 264, 285
- – vena cava　下大静脈　37, 67, 69, 82, 83, 92, 100, 188, 190-195, **196**, 197-200, 222
- – vertebral notch　下椎骨切痕　10, 11
- – vesical
- – – artery　下膀胱動脈　188, 269, 270, 273, 286
- – – vein　下膀胱静脈　196, 270, 272
- – vestibular nucleus　前庭神経下核　570
- Inflection points　内弯点　5
- Infra-orbital
- – artery　眼窩下動脈　584, 587, 594, **601**, 608
- – canal　眼窩下管　**602**, 603, 668
- – foramen　眼窩下孔　513, 542, 543, 567, **602**, 611
- – groove　眼窩下溝　602
- – margin　眼窩下縁　512, 543
- – nerve　眼窩下神経　567, 594-596, 608, 623
- – region　眼窩下部　512
- – vein　眼窩下静脈　606
- Infraclavicular fossa　鎖骨下窩　54, 382
- Infraglenoid tubercle　関節下結節《肩甲骨の》　**299**, 304
- Infraglottic cavity　声門下腔　529
- Infrahyoid
- – branch of superior thyroid artery　舌骨下枝《上甲状腺動脈の》　520
- – muscles　舌骨下筋群　525, 642
- Inframammary region　乳房下部　54

- Infrapatellar
- – branch of saphenous nerve　膝蓋下枝《伏在神経の》　481, 486
- – fat pad　膝蓋下脂肪体　442, 443
- Infrascapular region　肩甲下部　3
- Infraspinatus　棘下筋　24, 306, 313, 314, **317**, 380, 401
- Infraspinous fossa of scapula　棘下窩《肩甲骨の》　299, 304, 305
- Infrasternal angle　胸骨下角　60
- Infratemporal
- – fossa　側頭下窩　597, 598
- – region　側頭下部　512
- Infratrochlear nerve　滑車下神経　567, 596, 608, 609
- Infundibular
- – recess　漏斗陥凹　680, 685
- – stalk　漏斗茎　549
- Infundibulum
- – of gallbladder　胆嚢漏斗　178
- – of pituitary gland　漏斗《下垂体の》　680-682, 685
- – of uterine tube　卵管漏斗　257
- Inguinal
- – canal　鼠径管　**151**, 255
- – ligament　鼠径靱帯　140, 142, 144, 145, 149, **236**, 268, 271, 416, 418, 488, 489, 492
- – region　鼠径部　**150**, 488
- Inion　イニオン　**544**, 546
- Inner lip of iliac crest　内唇《腸骨稜の》　233
- Innermost intercostal muscle　最内肋間筋　62, **63**, 73
- Insula　島　679, 689, 698
- Insular
- – lobe　島葉　678
- – part (M2) of middle cerebral artery　島部（M2区）《中大脳動脈の》　688
- Interalveolar
- – septa　槽間中隔　640
- – septum　肺胞中隔　121
- Interatrial
- – bundle　心房間束　102
- – septum　心房中隔　97, 99
- Intercapitular veins　中手骨頭間静脈　366, 378
- Interclavicular ligament　鎖骨間靱帯　303
- Intercondylar
- – eminence of tibia　顆間隆起《脛骨の》　432-434
- – fossa of femur　顆間窩《大腿骨の》　412, 413, 434
- – line of femur　顆間線《大腿骨の》　412
- Intercostal
- – lymphatics　肋間リンパ管　84, 110
- – muscles　肋間筋　62
- – nerves　肋間神経　39, 47, 67, **70**, 72-74, 86, 90, 91, 108, 210, 220, 379
- – nodes　肋間リンパ節　85, 128
- Intercostobrachial nerves　肋間上腕神経　**70**, 369, 374, 378, 379
- Intercrural fibers　脚間線維　151, 489
- Intercuneiform joints　楔間関節　454
- Interfascicular fasciculus　束間束　691
- Interfoveolar ligament　窩間靱帯　151, 152
- Intergluteal cleft　殿裂　239
- Interlobar
- – arteries　葉間動脈　184, 189
- – veins　葉間静脈　184
- Interlobular
- – arteries　小葉間動脈　189
- – connective tissue　小葉間結合組織　75
- Intermaxillary suture　上顎間縫合　543

- Intermediate
- – cuneiform　中間楔状骨　**452**, 454, 455, 462, 508, 509
- – dorsal cutaneous nerve　中間足背皮神経　484, 486, 496, 497
- – hepatic vein　中間肝静脈　177
- – lacunar node　中間裂孔リンパ節　204, 279
- – lumbar nodes　中間腰リンパ節　**204**, 205, 220, 278, 279
- – nerve　中間神経　568, **571**, 635, 655, 683
- – nodes　中間腸間膜リンパ節　208
- – sacral crest　中間仙骨稜　12
- – supraclavicular nerves　中間鎖骨上神経　538, 539
- – tendon
- – – of digastric　中間腱《顎二腹筋の》　642
- – – of omohyoid　中間腱《肩甲舌骨筋の》　517
- – zone of iliac crest　中間線《腸骨稜の》　233
- Intermesenteric plexus　腸間膜動脈間神経叢　212, 213, 217, 219, 281
- Intermetatarsal joints　中足間関節　454
- Internal
- – acoustic
- – – meatus　内耳道　547, 548
- – – opening　内耳孔　624
- – anal sphincter　内肛門括約筋　248, 249, 283
- – branch of superior laryngeal nerve　内枝《上喉頭神経の》　531, 534, 575
- – capsule　内包　658, 660, 661, 689
- – carotid
- – – artery　内頸動脈　36, 520, 537, 549, 571, **582**, 583-585, 606, 607, 620, 631, 654, 671, 701
- – – plexus　内頸動脈神経叢　87, 571, **573**, 579
- – cerebral veins　内大脳静脈　671, 686, 687
- – genitalia　内生殖器　254
- – genu of facial nerve　顔面神経膝（内膝）　568
- – iliac
- – – artery　内腸骨動脈　**36**, 188, 250, 268-273, 472
- – – nodes　内腸骨リンパ節　204, **276**, 279
- – – vein　内腸骨静脈　**37**, 45, 196, 250, 269-271, 273
- – intercostal muscle　内肋間筋　62, **63**, 73, 144
- – jugular vein　内頸静脈　25, 37, 45, 66, 69, 82, 83, 89, 124, 129, 383, 521, 531, 534, 536, **588**, 589, 654, 655, 669, 671, 686, 701
- – nasal branches of anterior ethmoidal nerve　内鼻枝《前篩骨神経の》　621
- – oblique　内腹斜筋　24, 28, 29, 144, 145, 148, **149**, 151, 312, 313
- – – aponeurosis　内腹斜筋の腱膜　**144**, 146, 149
- – occipital
- – – protuberance　内後頭隆起　20
- – – vein　内後頭静脈　686
- – os　内子宮口　257
- – pudendal
- – – artery　内陰部動脈　188, 269, 270, 274, 275, 284, 491
- – – vein　内陰部静脈　196, 269, 270, 274, 275, 284, 491
- – spermatic fascia　内精筋膜　151, **155**, 271
- – table of calvaria　内板《頭蓋冠の》　545, 592
- – thoracic
- – – artery　内胸動脈　36, 66, 67, **68**, 72-74, 78, 80, 89, 109, 220, 364, 365
- – – veins　内胸静脈　67, **69**, 72-74, 78, 82, 89, 195, 220
- – urethral
- – – orifice　内尿道口　247, 252
- – – sphincter　内尿道括約筋　253

(Interneurons)

Interneurons 介在ニューロン 693
Interosseous/i
- border
-- of radius 骨間縁《橈骨の》 324, **325**
-- of ulna 骨間縁《尺骨の》 324, **325**
- membrane
-- of forearm 前腕骨間膜 325, **330**, 337, 339, 346, 365, 399
-- of leg 下腿骨間膜 **432**, 472, 503
- of foot 骨間筋《足の》 444, 454, 467, 509
- of hand 骨間筋《手の》 357
- sacro-iliac ligament 骨間仙腸靱帯 51, 237
- slip 骨間筋腱線維 359
Interpectoral nodes 胸筋間リンパ節 76
Interpeduncular
- cistern 脚間槽 684
- fossa 脚間窩 662, 683
- nucleus 脚間核 562
Interphalangeal (IP) joint/s
- crease 指節間 (IP) 関節線《手の》 295
- of foot 趾節間関節 408
- of hand 指節間 (IP) 関節《手の》 295, 346
Interscalene space 斜角筋隙 369, 519
Interscapular region 肩甲間部 3
Intersigmoid recess S 状結腸間陥凹 161
Interspinales 棘間筋 34, **35**
- cervicis 頸棘間筋 27, 29, 34, 35
- lumborum 腰棘間筋 29, 34, **35**
Interspinous
- distance of anterior superior iliac spines 上前腸骨棘間径 235
- ligaments 棘間靱帯 14, 20, 21, **22**
- plane 棘間平面 141
Intertarsal joint 足根間関節 508
Intertendinous connections of extensor digitorum 腱間結合《[総]指伸筋の》 334, 358
Interthalamic adhesion 視床間橋 679, 680, 685, 700
Intertragic incisure 珠間切痕 627
Intertransversarii 横突間筋 34
- cervicis 頸横突間筋 27
- laterales lumborum 腰外側横突間筋 29, 34, **35**
Intertransverse ligaments 横突間靱帯 18, 20, **22**, 23
Intertrochanteric
- crest of femur 転子間稜《大腿骨の》 412, 414, 416
- line of femur 転子間線《大腿骨の》 412, 414, 417
Intertubercular
- plane 結節間平面 141
- sulcus of humerus 結節間溝《上腕骨の》 **300**, 301, 303-306
- synovial sheath 結節間滑液鞘 305
Interureteric crest 尿管間ヒダ 252, **253**
Interventricular
- foramen 室間孔 **679**, 684, 685
- septum 心室中隔 **97**, 99, 102, 130, 137
Intervertebral
- disc 椎間円板 4-6, **14**, 22, 23, 48, 49, 56, 61
- foramen 椎間孔 4, **10**, 11, 14, 40, 701
- surface 椎間面 14
- vein 椎間静脈 37, 45
Intestinal trunks 腸リンパ本幹 204
Intra-articular ligament of head of rib 関節内肋骨頭靱帯 61
Intraparietal sulcus 頭頂内溝 678
Intraperitoneal organ 腹膜内器官 159
Intrapulmonary nodes 肺内リンパ節 85, 128, **129**

Investing layer of cervical fascia 浅葉《頸筋膜の》 25, 530, 533, 534, 537
Iridocorneal angle 虹彩角膜角 (隅角) 612, 614
Iris 虹彩 610, 612, **614**, 615
Ischial
- spine 坐骨棘 142, 229, **230**, 231-233, 238, 286, 410, 414, 416
- tuberosity 坐骨結節 2, 229, **230**, 231, 232, 237-239, 284, 285, 408, 410, 414, 416, 500, 504
Ischio-anal fossa 坐骨肛門窩 (坐骨直腸窩) 246, 247
Ischiocavernosus 坐骨海綿体筋 239, **240**, 247, 261, 263, 264, 284, 285
Ischiofemoral ligament 坐骨大腿靱帯 416
Ischiopubic ramus of hip bone 坐骨恥骨枝《寛骨の》 264
Ischium 坐骨 504, 505
Isthmus
- of thyloid gland 甲状腺峡部 530
- of prostate 前立腺峡部 266
- of uterine tube 卵管峡部 257
- of uterus 子宮峡部 256

J

Jejunal
- arteries 空腸動脈 **192**, 200, 201
- veins 空腸静脈 195, **200**, 201
Jejunum 空腸 156, 160, 168, 169, **170**, 179, 180, 222, 225
Joint
- capsule
-- of DIP joint 関節包《遠位指節間 (DIP) 関節の》 349
-- of elbow joint 関節包《肘関節の》 329
-- of glenohumeral joint 関節包《肩関節の》 305, 306
-- of knee joint 関節包《膝関節の》 442
-- of lateral atlanto-axial joint 関節包《外側環軸関節の》 19, 20
-- of metatarsophalangeal joint 《中足趾節関節の》 460, 461, 471
-- of MCP joint 関節包《中手指節 (MCP) 関節の》 349
-- of PIP joint 関節包《近位指節間 (PIP) 関節の》 349
-- of temporomandibular joint 関節包《顎関節の》 553, 638, 639
-- of zygapophysial joints 関節包《椎間関節の》 20
- of head of rib 肋骨頭関節 61
- space of sternocostal joints 関節腔《胸肋関節の》 61
Jugular
- foramen 頸静脈孔 546-548, 576, 592
- fossa 頸静脈窩 512, 624
- notch 頸切痕 54, 56, **58**
- trunk 頸リンパ本幹 84
- vein 頸静脈 588
- venous arch 頸静脈弓 521, 534
Jugum sphenoidale 蝶形骨隆起 547, 551
Juxta-esophageal nodes 食道傍リンパ節 85, 111
Juxta-intestinal mesenteric nodes 小腸傍リンパ節 208

K

Kidney 腎臓 25, 162, 165, 167, 169, 181, **182**, 183, **184**, 185, 198, 220, 223, 250, 254, 255
Kiesselbach's area キーゼルバッハ部位 620

Killian's triangle キリアン三角 107
Knee joint 膝関節 410, 434

L

L1 vertebra 第 1 腰椎 6
L4 vertebra 第 4 腰椎 11
L5 vertebra 第 5 腰椎 40, 242, 243, 416
Labial commissure 唇交連 512
Labium
- majus 大陰唇 229, 254, 261, **262**
- minus 小陰唇 229, 254, 260, 261, **262**, 285
Labyrinthine arteries 迷路動脈 688
Lacrimal
- apparatus 涙器 611
- artery 涙腺動脈 606, 609
- bone 涙骨 602, 617
- caruncle 涙丘 611
- gland 涙腺 565, **611**, 662, 666
- nerve 涙腺神経 565, 567, **607**, 608, 609
- part of orbicularis oculi 涙嚢部《眼輪筋の》 554
- punctum 涙点 611
- sac 涙嚢 608, 611
- vein 涙腺静脈 606
Lactiferous
- duct 乳管 75
- sinus 乳管洞 75
Lacunar ligament 裂孔靱帯 150, 151, **488**, 489
Lambdoid suture ラムダ縫合 542, **544**, 545
Lamina
- cribrosa of sclera 強膜篩板 612
- of cricoid cartilage 輪状軟骨板 526, 527
- of vertebral arch 椎弓板 7, 9, 10, 50
Large intestine 大腸 172
Laryngeal
- cartilage 喉頭軟骨 659
- glands 喉頭腺 529
- prominence 喉頭隆起 **526**, 527
- saccule 喉頭小嚢 529
- ventricle 喉頭室 529, 648
- vestibule (supraglottic space) 喉頭前庭 (声門上腔) 529
Laryngopharyngeal branch of superior cervical ganglion 喉頭咽頭枝《上頸神経節の》 127
Laryngopharynx [咽頭] 喉頭部 648
Lateral
- abdominal wall muscles 側腹筋 25
- ampullary nerve 外側膨大部神経 **571**, 634, 635
- angle of scapula 外側角《肩甲骨の》 299
- antebrachial cutaneous nerve 外側前腕皮神経 375, **378**, 387
- aortic nodes 外側大動脈リンパ節 **204**, 205, 277
- aperture 第 4 脳室外側口 683
- arcuate ligament 外側弓状靱帯 64, 65
- atlanto-axial joint 外側環軸関節 17
- bands of hand 外側帯《手の》 359
- basal
-- segment of lungs 外側肺底区《肺の》 118, 133
-- segmental artery of lungs 外側肺底動脈 125
- border
-- of humerus 外側縁《上腕骨の》 300
-- of kidney 外側縁《腎臓の》 184
-- of scapula 外側縁《肩甲骨の》 **299**, 304, 306, 400
- branch/es
-- of iliohypogastric nerve 外側枝《腸骨下腹神経の》 482, 490, 493

(Left gastro-omental nodes)

- – of left coronary artery 外側枝（対角枝）《左冠状動脈の》 100, 134
- – of sacral nerve 外側枝《仙骨神経の》 43
- – of supra-orbital nerve 外側枝《眼窩上神経の》 594
- calcaneal branches of sural nerve 外側踵骨枝《腓腹神経の》 485, 496
- caval nodes 外側大静脈リンパ節 204, 205, 277
- cervical region (posterior triangle) 外側頸三角部（後頸三角） 532, 538
- circumflex femoral artery 外側大腿回旋動脈 **472**, 492, 505
- – veins 外側大腿回旋静脈 474, 505
- condyle
- – of femur 外側顆《大腿骨の》 410, 412, 413, 434, 506
- – of tibia 外側顆《脛骨の》 408, 410, 432-434, 445, 506
- cord of brachial plexus 外側神経束《腕神経叢の》 368, 369, 374, **375**, 376, 384-386
- costotransverse ligament 外側肋横突靱帯 61
- crico-arytenoid 外側輪状披裂筋 528
- crus
- – of major alar cartilage 外側脚《大鼻翼軟骨の》 616
- – of superficial inguinal ring 外側脚《浅鼠径輪の》 150, 151, 489
- cuneiform 外側楔状骨 **452**, 454, 455, 462, 508, 509
- cutaneous
- branch
- – – of iliohypogastric nerve 外側皮枝《腸骨下腹神経の》 70, 211, 478, 479, 486
- – – of intercostal nerves 外側皮枝《肋間神経の》 39, 47, 70, 73, 374, 379
- – – of posterior intercostal arteries 外側皮枝《肋間動脈の》 36, 44, 47, **68**
- – – of spinal nerve 外側皮枝《脊髄神経の》 38, 39, **43**, 71
- nerve of thigh 外側大腿皮神経 211, 476-478, **479**, 486-488, 492
- dorsal cutaneous nerve of tibial nerve 外側足背皮神経《脛骨神経の》 485, **486**, 496, 497
- epicondyle
- – of femur 外側上顆《大腿骨の》 **408**, 412, 434, 506
- – of humerus 外側上顆《上腕骨の》 295, **300**, 301, 329, 402
- epicondylitis 外側上顆炎 338
- epidural veins 外側硬膜上静脈 45
- fasciculus proprius 側索固有束 691
- femoral intermuscular septum 外側大腿筋間中隔 501
- frontobasal artery 外側前頭底動脈 689
- funiculus of spinal cord 側索《脊髄の》 690, 691
- geniculate body 外側膝状体 **563**, 681, 682, 698, 699
- head
- – of flexor hallucis brevis 外側頭《短母趾屈筋の》 465, 471
- – of gastrocnemius 外側頭《腓腹筋の》 422, 423, 445, 446, 450, 494
- – of triceps brachii 外側頭《上腕三頭筋の》 294, 312, 314, **323**, 381, 398
- horn of spinal cord 側角《脊髄の》 690
- inguinal fossa 外側鼠径窩 **152**, 245
- intermuscular septum of arm 外側上腕筋間中隔 381, 397
- lacunae 外側裂孔 592

- ligament
- – of bladder 膀胱外側靱帯 258
- – of malleus 外側ツチ骨靱帯 630
- – of temporomandibular joint 外側靱帯《顎関節の》 553, 558, 638
- lip of femur 外側唇《粗線の》 412
- longitudinal patellar retinaculum 外側縦膝蓋支帯 436
- lumbar node 外側腰リンパ節 220
- malleolar
- – branches of fibular artery 外果枝《腓骨動脈の》 472
- – facet of talus 外果面《距骨の》 455, 457, 459
- malleolus 外果 408, 410, **432**, 433, 446, 456, 457, 494, 496, 508
- mammary branches
- – of intercostal nerves 外側乳腺枝《肋間神経の》 74
- – of lateral thoracic artery 外側乳腺枝《外側胸動脈の》 74
- masses of atlas (C1) 外側塊《環椎（第1頸椎）の》 9
- meniscus 外側半月 438, **439**, 440-442, 507
- nasal
- – branches of anterior ethmoidal nerve 外側鼻枝《前篩骨神経の》 621
- – cartilage 外側鼻軟骨 616
- occipital artery (P3) 外側後頭動脈（P3区） 688
- olfactory stria 外側嗅条 562
- palpebral ligament 外側眼瞼靱帯 608
- part/s
- – of vagina 外側部《腟の》 257
- – of cerebellum 外側部《小脳の》 682
- – of sacrum 外側部《仙骨の》 7, 12, 13
- pectoral
- nerve 外側胸筋神経 368, 369, 374, 382-384
- – region 外側胸筋部 3, 54
- pericardial nodes 心膜外側リンパ節 91
- plantar
- artery 外側足底動脈 **472**, 495, 498, 499
- nerve 外側足底神経 476, **485**, 495, 498, 499
- – septum 外側足底中隔 464
- – sulcus 外側足底溝 498
- – vein 外側足底静脈 **474**, 498, 499
- plate of pterygoid process 外側板《翼状突起の》 546, 551, 617, 636, 663
- process
- – of calcaneal tuberosity 外側突起《踵骨隆起の》 452, 459
- – of malleus 外側突起《ツチ骨の》 630
- pterygoid 外側翼突筋 553-555, **558**, 559, 639, 658, 661, 663, 669
- rays of foot 外側足放線 462
- recess of forth ventricle 第4脳室外側陥凹 685
- rectus 外側直筋 565, **604**, 609, 612, 657, 661, 662, 666
- retromalleolar region 外果後部 409
- root of median nerve 外側根《正中神経の》 376
- sacral
- – arteries 外側仙骨動脈 36, 188, **269**
- – crest 外側仙骨稜 12, 13
- – veins 外側仙骨静脈 196, **269**, 270
- segment of right lung 外側中葉区《右肺の》 118
- segmental artery of right lung 外側中葉動脈《右肺の》 125
- semicircular
- – canal 外側骨半規管 571, 626, 628, 629, **634**
- – duct 外側半規管 635
- sesamoid 外側種子骨 471

- subtendinous bursa of gastrocnemius 外側腱下包《腓腹筋の》 437
- sulcus 外側溝 677, **678**, 679
- superficial cervical nodes 外側頸リンパ節の浅リンパ節 523
- supraclavicular nerves 外側鎖骨上神経 538, 539
- supracondylar
- – line of femur 外側顆上線《大腿骨の》 412
- – ridge of humerus 外側顆上稜《上腕骨の》 300
- sural cutaneous nerve 外側腓腹皮神経 **484**, 486, 494, 496
- surface
- – of fibula 外側面《腓骨の》 432
- – of radius 外側面《橈骨の》 324
- – of tibia 外側面《脛骨の》 432
- tarsal artery 外側足根動脈 472, 497
- thoracic
- – artery 外側胸動脈 68, 72, 74, 364, 383, 385
- – vein 外側胸静脈 72, 74
- transverse patellar retinaculum 外側横膝蓋支帯 436
- tubercle of posterior process of talus 外側結節《距骨後突起の》 453, 457, 459
- umbilical fold 外側臍ヒダ 152, 160, 164, 244, 245
- ventricle 側脳室 563, 658, 662, 680, **685**, 689, 701
- vestibular nucleus 前庭神経外側核 570
Latissimus dorsi 広背筋 2, 24, 294, 312, **321**, 380
- aponeurosis 広背筋の腱膜 28
Least splanchnic nerve 最下内臓神経 215
Left
- anterior lateral segment (segment III) of left liver 左外側前区域（区域III）《左肝部の》 177
- atrioventricular valve (mitral valve) 左房室弁（僧帽弁） 97, **98**, 99
- atrium 左心房 92, 96, **97**, 99, 100, 137
- auricle 左心耳 93, **96**, 97, 100
- brachiocephalic vein 左腕頭静脈 37, 66, 82, 89, 109, 124, 130
- branch of hepatic artery proper 左枝《固有肝動脈の》 176, 190
- bronchomediastinal trunk 左気管支縦隔リンパ本幹 129
- bundle of atrioventricular bundle 左脚《房室束の》 102
- colic
- – artery 左結腸動脈 165, **187**, 201
- – flexure 左結腸曲 160, 161, 164, 169, **172**, 173, 181, 220, 225
- – nodes 左結腸リンパ節 209
- – vein 左結腸静脈 165, **195**
- coronary
- – artery 左冠状動脈 **100**, 134
- – trunk 左冠状リンパ本幹 110
- crus of diaphragm 左脚《横隔膜の》 **64**, 65
- dome of diaphragm 左天蓋《横隔膜の》 64
- duct of caudate lobe 左尾状葉胆管 178
- fibrous
- – ring 左線維輪 98
- – trigone 左線維三角 98
- gastric
- – artery 左胃動脈 162, 187, 190-192, **198**, 199-201
- – nodes 左胃リンパ節 **206**, 207
- – vein 左胃静脈 109, 195, **198**, 199-201
- gastro-omental
- – artery 左胃大網動脈 187, 190, 191, **198**, 199
- – nodes 左胃大網リンパ節 206

(Left gastro-omental vein)

Left
- gastro-omental vein　左胃大網静脈　195, **198**, 199
- hepatic
 -- duct　左肝管　176, 178, 179
 -- vein　左肝静脈　177
- inferior
 -- lobar bronchus　左下葉気管支　120, 136
 -- pulmonary vein　左下肺静脈　124, 125
- jugular trunk　左頸リンパ本幹　110, 129
- lamina of thyroid cartilage　左板《甲状軟骨の》　526
- lateral division of left liver　左外側区《左肝部の》　177
- liver　左肝部　177
- lobe
 -- of liver　左葉《肝臓の》　163, 174, 176
 -- of prostate　左葉《前立腺の》　266
 -- of thyroid gland　左葉《甲状腺の》　530
- lower quadrant　左下腹部　140
- lumbar
 -- nodes　左腰リンパ節　278
 -- trunk　左腰リンパ本幹　84, 204
- lung　左肺　78, 116, **117**, 133
- main bronchus　左主気管支　80, 81, 91, **120**, 133, 136
- marginal
 -- artery of left coronary artery　左縁枝（鈍角縁枝）《左冠状動脈の》　100, 134
 -- vein　左辺縁静脈　100
- medial
 -- division of left liver　左内側区《左肝部の》　177
 -- segment（segment Ⅳ）of left liver　左内側区域（区域Ⅳ）《左肝部の》　177
- ovarian vein　左卵巣静脈　196, 197, 199, **273**
- posterior lateral segment（segment Ⅱ）of left liver　左外側後区域（区域Ⅱ）《左肝部の》　177
- posterolateral artery of left coronary artery　左後側壁枝《左冠状動脈の》　134
- pulmonary
 -- artery　左肺動脈　78, 81, 89, 91, 93, 96, 116, **124**, 125, 133
 -- veins　左肺静脈　83, 89, 91, 96, 100, **124**, 133, 136
- semilunar cusp
 -- of aortic valve　左半月弁《大動脈弁の》　99
 -- of pulmonary valve　左半月弁《肺動脈弁の》　98
- subclavian trunk　左鎖骨下リンパ本幹　129
- superior
 -- lobar bronchus　左上葉気管支　120
 -- pulmonary vein　左上肺静脈　97, 124, 125
- suprarenal vein　左副腎静脈　185, 196, **197**, 199, 250
- testicular vein　左精巣静脈　**197**, 199, 250
- triangular ligament　左三角間膜　175, 177
- upper quadrant　左上腹部　140
- ventricle　左心室　92, 93, 96, **97**, 130, 135, 137
Lens　水晶体　610, 612, **614**, 615, 662
Lenticular process of incus　豆状突起《キヌタ骨の》　630
Lesser
- curvature of stomach　小弯《胃の》　166, 167
- horn of hyoid bone　小角《舌骨の》　526, 637
- occipital nerve　小後頭神経　39, 46, 524, **525**, 538-540, 595, 596
- omentum　小網　159, 162, 164, 167, 171, 174, 190
- palatine
 -- arteries　小口蓋動脈　587, **601**, 621, 644
 -- foramina　小口蓋孔　546, 548, 636
 -- nerves　小口蓋神経　621, 623, 644
- petrosal nerve　小錐体神経　573, 600
- sac　網嚢　157, 162, 220
- sciatic
 -- foramen　小坐骨孔　237, 491
 -- notch　小坐骨切痕　231, 232, 491
- splanchnic nerve　小内臓神経　215-218
- supraclavicular fossa　小鎖骨上窩　54, 532
- trochanter of femur　小転子《大腿骨の》　410, **412**, 414, 416, 417, 504
- tubercle of humerus　小結節《上腕骨の》　295, **300**, 301, 303, 304, 306, 400
- wing of sphenoid　小翼《蝶形骨の》　543, 547, **551**, 603, 617, 619
Levator
- anguli oris　口角挙筋　552, 554, **557**, 663
- ani　肛門挙筋　238, 239, **240**, 242-245, 247, 248, 252, 261, 263, 283-285, 505
- labii superioris　上唇挙筋　552, 553, **557**
 -- alaeque nasi　上唇鼻翼挙筋　552-554, **556**
- palpebrae superioris　上眼瞼挙筋　565, **604**, 608-610, 656
- scapulae　肩甲挙筋　24, 25, 313, **320**, 515, 665, 669
- veli palatini　口蓋帆挙筋　555, 628, **643**, 653, 661
Levatores costarum　肋骨挙筋　29, 34
- breves　短肋骨挙筋　29, 34, **35**
- longi　長肋骨挙筋　29, 34, **35**
Ligament
- of head of femur　大腿骨頭靱帯　286, 415, **417**, 473
- of ovary　固有卵巣索　243, 244, 252, **256**, 257
- of vena cava　大静脈靱帯　176
Ligamentum
- arteriosum　動脈管索　89, 91, **93**, 96, 105, 125
- flavum　黄色靱帯　14, 19-21, **22**, 23
- venosum　静脈管索　105, 177
Limen nasi　鼻限　620
Line of gravity　重心線　5, 411
Linea
- alba　白線　140, **144**, 145, 146, 149, 488
- aspera of femur　粗線《大腿骨の》　412, 414
- terminalis　分界線　157, 235
Lingual
- aponeurosis　舌腱膜　646
- artery　舌動脈　537, 583, **584**, 585, 647
- nerve（CN V₃）　舌神経　567-569, 580, 581, 600, 644, **645**, 647
- septum　舌中隔　646
- tonsil　舌扁桃　529, **646**, 648, 650
- vein　舌静脈　521, 647
Lingula
- of cerebellum　小脳小舌　682, 698
- of left lung　小舌《左肺の》　117
- of mandible　下顎小舌　638
Lingular
- artery of lungs　肺舌動脈　125
- vein of lungs　肺舌静脈　125
Lisfranc's joint line　リスフラン関節線　454
Liver　肝臓　163, **174**, 176, 220, 222, 224
Lobar bronchus　葉気管支　133
Lobes of mammary gland　乳腺葉　75
Lobule/s
- of auricle　耳垂　627
- of mammary gland　乳腺小葉　75
- of testis　精巣小葉　155, 265
Long
- ciliary nerves　長毛様体神経　567, **607**, 609
- head
 -- of biceps brachii　長頭《上腕二頭筋の》　306, 308, 310, 322, 398
 -- of biceps femoris　長頭《大腿二頭筋の》　422, 423, 425, 431, 493, 502
 -- of triceps brachii　長頭《上腕三頭筋の》　294, 312, 314, 323, 398
- limb of incus　長脚《キヌタ骨の》　630
- plantar ligament　長足底靱帯　458, **461**, 465, 466, 471
- posterior ciliary arteries　長後毛様体動脈　606, 613
- thoracic nerve　長胸神経　368, 369, **370**, 383-385
Longissimus　最長筋　28, **32**
- capitis　頭最長筋　26, 27, 29, 32, **33**, 541, 554, 555, 664
- cervicis　頸最長筋　32, 33, 664
- thoracis　胸最長筋　29, 32, **33**
Longitudinal
- bands　縦束《環椎十字靱帯の》　18, 21
- cerebral fissure　大脳縦裂　677, 679, 698, 699, 701
- cervical axis　子宮頸軸　256
- fascicles of hand　縦束《手の》　354
- fasciculus of posterior column　後柱縦束　691
- folds
 -- of esophagus　縦走ヒダ《食道の》　107
 -- of urethra　縦走ヒダ《尿道の》　252
- layer
 -- of duodenum　縦筋層《十二指腸の》　168
 -- of esophagus　縦筋層《食道の》　107
 -- of rectum　縦筋層《直腸の》　249
 -- of stomach　縦筋層《胃の》　166
- striae　縦条　562
- uterine axis　子宮体軸　256
- vaginal axis　膣軸　256
Longus
- capitis　頭長筋　**31**, 519, 555, 660, 669
- colli　頸長筋　25, **31**, 519, 664, 665
Lower
- abdomen　下腹部　141
- esophageal constriction（diaphragmatic constriction）　下食道狭窄（横隔膜狭窄）　106
- eyelid　下眼瞼　610, 611
- leg　下腿　410
- subscapular nerve　下肩甲下神経　**371**, 384, 385
- trunk（C8-T1）　下神経幹（第8頸神経・第1胸神経）　369
Lumbar
- arteries　腰動脈　44
- ganglia　腰神経節　217, 280
- lordosis　腰部前弯　4
- nerves　腰神経　281
- part of diaphragm　腰椎部《横隔膜の》　**64**, 67
- plexus　腰神経叢　210, 211, 477
- splanchnic nerves　腰内臓神経　212, 215, **280**
- triangle　腰三角　3, 24
- veins　腰静脈　37, 83, 194, 196
- vertebrae[L1-L5]　腰椎　4, 6, **11**
Lumbocostal triangle（Bochdalek's triangle）　腰肋三角（ボホダレク三角）　64, 65
Lumbosacral
- enlargement　腰膨大　40
- junction　腰仙椎境界　4
- trunk　腰仙骨神経幹　**280**, 477
Lumbrical slip　虫様筋腱線維　359
Lumbricals
- of foot　虫様筋《足の》　463-465, 470, **471**, 499
- of hand　虫様筋《手の》　355, 356, 362, **363**

Lunate 月状骨 **342**, 343, 344, 346, 347, 404
Lunate surface of acetabulum 月状面《寛骨臼の》 231, 417
Lung 肺 78, 116, **117**, 130
– cancer 肺癌 129
Lunules of semilunar cusps
– of aortic valve 半月弁半月《大動脈弁の》 99
– of pulmonary valve 半月弁半月《肺動脈弁の》 99
Lymph node リンパ節 85
Lymphatic vessel リンパ管 84
Lymphoid nodules (Peyer's patches) リンパ小節（パイエル板） 170

M

Macula 黄斑 612, 613
Major
– alar cartilage 大鼻翼軟骨 616
– calyces 大腎杯 184, 189
– circulus arteriosus of iris 大虹彩動脈輪 613, 614
– duodenal papilla 大十二指腸乳頭 168, 178
– salivary glands 大唾液腺 649
Male
– genital system 男性生殖器 255
– pelvis 男性骨盤 233
Malleolar
– fossa of fibula 外果窩《腓骨の》 432, 433
– groove of fibula 内果溝《腓骨の》 432
– prominence ツチ骨隆起 630
– stria ツチ骨条 630
Malleus ツチ骨 626, 628, 629, **630**
Mammary gland 乳腺 75
Mammillary
– body 乳頭体 679, 681, 682
– process of lumbar vertebrae 乳頭突起《腰椎の》 11
Mandible 下顎骨 542-544, 554, **637**, 638, 666
Mandibular
– canal 下顎管 668
– foramen 下顎孔 544, **567**, 637, 638, 668
– fossa 下顎窩 546, 624, **638**, 639
– nerve (CN V₃) 下顎神経 566, **567**, 569, 573, 580, 581, 600, 607, 639, 644, 645, 647
– notch 下顎切痕 637, 668
Manubrium of sternum 胸骨柄 56, **58**, 59
Marginal
– artery 結腸辺縁動脈 192
– mandibular branch of facial nerve 下顎縁枝《顔面神経の》 537, 568, **580**, 594, 596
– ridge (epiphysial ring) 辺縁隆起（輪状骨端） 14
– sinus 辺縁静脈洞 592
– sulcus 辺縁溝 679
Masseter 咬筋 538, 552-555, **558**, 653, 663, 669, 670
Masseteric
– artery 咬筋動脈 587, 601
– nerve 咬筋神経 567, 580, 581, 600, 639, **644**
Masticatory muscles 咀嚼筋 553
Mastoid
– antrum 乳突洞 632
– branch of occipital artery 乳突枝《後頭動脈の》 591
– cells 乳突蜂巣 571, 628, **629**, 645, 669
– emissary vein 乳突導出静脈 589, 663
– foramen 乳突孔 542, 544, 546, 548, **624**
– nodes 乳突リンパ節 523
– notch of temporal bone 乳突切痕《側頭骨の》 546, 624

– process of temporal bone 乳様突起《側頭骨の》 18, 26, 512, 542, 544, 546, **624**
Maxilla 上顎骨 **542**, 543, 544, 546, 603, 617, 636, 663, 666
Maxillary
– artery 顎動脈 583-586, **587**, 599, 601, 620, 632
– hiatus 上顎洞裂孔 602, 617
– nerve (CN V₂) 上顎神経 566, **567**, 581, 607, 621, 644
– sinus 上顎洞 602, 603, 610, **618**, 619, 636, 656, 657, 661, 666-669
– veins 顎静脈 521, **588**, 589
Medial
– antebrachial cutaneous nerve 内側前腕皮神経 369, **374**, 378, 379, 386, 387
– arcuate ligament 内側弓状靱帯 64, 65
– basal
– – segment of lungs 内側肺底区《肺の》 118, 133
– – segmental artery of lungs 内側肺底動脈 125
– border
– – of humerus 内側縁《上腕骨の》 300, 301
– – of kidney 内側縁《腎臓の》 184
– – of scapula 内側縁《肩甲骨の》 2, 24, **299**, 303, 313, 400
– brachial cutaneous nerve 内側上腕皮神経 368, 369, **374**, 378, 379, 386
– branch/es
– – of external carotid artery 内側枝《外頸動脈の》 583, 584
– – of spinal nerve 内側枝《脊髄神経の》 43
– – of supra-orbital nerve 内側枝《眼窩上神経の》 594
– calcaneal branch of tibial nerve 内側踵骨枝《脛骨神経の》 485, 494, 495
– circumflex femoral
– – artery 内側大腿回旋動脈 **472**, 473, 492, 493
– – veins 内側大腿回旋静脈 474
– clunial nerves 中殿皮神経 39, 47, 284, 285, 482, **486**, 490, 493
– condyle
– – of femur 内側顆《大腿骨の》 410, 412, 413, 434, 441, 506
– – of tibia 内側顆《脛骨の》 408, 410, 432-434, 506
– cord of brachial plexus 内側神経束《腕神経叢の》 368, **374**, 376, 377, 385, 386
– crus
– – of major alar cartilage 内側脚《大鼻翼軟骨の》 616
– – of superficial inguinal ring 内側脚《浅鼠径輪の》 150, 151, 489
– cuneiform 内側楔状骨 **452**, 454, 455, 458, 462, 508, 509
– cutaneous
– – branch
– – – of spinal nerve 内側皮枝《脊髄神経の》 38, 39
– – – of posterior intercostal arteries 内側皮枝《肋間動脈の》 36, 44, 68
– – nerve of leg of saphenous nerve 内側下腿皮枝《伏在神経の》 481
– dorsal cutaneous nerve 内側足背皮神経 484, **486**, 496, 497
– eminence of forth ventricle 内側隆起《第4脳室底の》 683
– epicondyle
– – of femur 内側上顆《大腿骨の》 408, 410, **412**, 434, 506

– – of humerus 内側上顆《上腕骨の》 295, **300**, 301, 308, 387, 402
– epidural veins 内側硬膜上静脈 45
– femoral intermuscular septum 内側大腿筋間中隔 501
– frontal gyrus 内側前頭回 679
– geniculate body 内側膝状体 563, 698, 699
– head
– – of clavicle 内側頭《鎖骨の》 54
– – of flexor hallucis brevis 内側頭《短母趾屈筋の》 465, 471
– – of gastrocnemius 内側頭《腓腹筋の》 422, 423, 444, 446, 450, 494
– – of triceps brachii 内側頭《上腕三頭筋の》 314, 323, 398
– inguinal fossa 内側鼠径窩 152
– intermuscular septum of arm 内側上腕筋間中隔 386, 397
– lemniscus 内側毛帯 692
– lip of femur 内側唇《粗線の》 412
– longitudinal patellar retinaculum 内側縦膝蓋支帯 436
– lumbar intertransversarii 腰内側横突間筋 29, 34, **35**
– malleolar
– – branches of posterior tibial artery 内果枝《後脛骨動脈の》 472, 495
– – facet of talus 内果面《距骨の》 455, 457, 459
– malleolus 内果 432, 433, 508
– mammary branches
– – of intercostal nerves 内側乳腺枝《肋間神経の》 74
– – of internal thoracic artery 内側乳腺枝《内胸動脈の》 68, 74
– meniscus 内側半月 438, **439**, 440-442, 507
– nasal branches of anterior ethmoidal nerve 内側鼻枝《前篩骨神経の》 620, 621
– occipital artery (P4) 内側後頭動脈 (P4区) 688, 689
– olfactory stria 内側嗅条 562
– palpebral
– – arteries 内側眼瞼動脈 606
– – ligament 内側眼瞼靱帯 608, 611
– pectoral nerve 内側胸筋神経 368, 369, **374**, 382-384
– plantar
– – artery 内側足底動脈 472, 473, 495, 498, **499**
– – nerve 内側足底神経 476, 485, 495, **498**, 499
– – septum 内側足底中隔 464
– – sulcus 内側足底溝 498
– – vein 内側足底静脈 474
– plate of pterygoid process 内側板《翼状突起の》 546, 551, 617, 636
– posterior cervical intertransversarii 頸内側横突間筋 35
– process of calcaneal tuberosity 内側突起《踵骨隆起の》 452, 453, 459
– pterygoid 内側翼突筋 553-555, **559**, 651, 653, 657, 658, 661, 663, 670
– rays of foot 内側足放線 462
– rectus 内側直筋 565, **604**, 612, 656, 657, 662
– root of median nerve 内側根《正中神経の》 376
– segment of right lung 内側中葉区《右肺の》 118
– segmental artery of right lung 内側中葉動脈《右肺の》 125
– sesamoid 内側種子骨 471
– subtendinous bursa of gastrocnemius 内側腱下包《腓腹筋の》 437
– supraclavicular nerves 内側鎖骨上神経 538

(Medial supracondylar line of femur)

Medial
- supracondylar
-- line of femur　内側顆上線《大腿骨の》　412
-- ridge of humerus　内側顆上稜《上腕骨の》　300, 301
- sural cutaneous nerve　内側腓腹皮神経　**485**, 486, 494, 496
- surface
-- of arytenoid cartilage　内側面《披裂軟骨の》　526
-- of fibula　内側面《腓骨の》　432
-- of ovary　内側面《卵巣の》　256
-- of tibia　内側面《脛骨の》　408, 432
-- of ulna　内側面《尺骨の》　324
- tarsal arteries　内側足根動脈　495
- transverse patellar retinaculum　内側横膝蓋支帯　436
- tubercle of posterior process of talus　内側結節《距骨後突起の》　**453**, 459
- umbilical
-- fold　内側臍ヒダ　**152**, 164, 244, 245
-- ligaments　内側臍索　105
- vestibular nucleus　前庭神経内側核　570
Median
- antebrachial vein　前腕正中皮静脈　**366**, 378, 387
- aperture　第4脳室正中口　684, 685
- arcuate ligament　正中弓状靱帯　64, 65
- atlanto-axial joint　正中環軸関節　18
- crico-arytenoid ligament　正中輪状披裂靱帯　528
- cricothyroid ligament　正中輪状甲状靱帯　120, 527, 530
- cubital vein　肘正中皮静脈　294, **366**, 378, 387
- nerve　正中神経　72, 368, **376**, 378, 379, 383-390, 393, 394, 399, 404
-- roots　正中神経根　384
- palatine suture　正中口蓋縫合　546, 636
- part of cerebellum　正中部《小脳の》　682
- sacral
-- artery　正中仙骨動脈　**36**, 188, 196, 250, 270, 273, 274
-- crest　正中仙骨稜　7, **12**, 13, 232, 233
-- vein　正中仙骨静脈　196, **250**, 273, 274
- sulcus of tongue　舌正中溝　646
- thyrohyoid ligament　正中甲状舌骨靱帯　**527**, 534, 535
- umbilical
-- fold　正中臍ヒダ　152, 160, 164, 244, 245
-- ligament　正中臍索　250, **251**, 254, 255
Mediastinal
- part of parietal pleura　縦隔胸膜《壁側胸膜の縦隔部》　66, 67, 89, 91, 93, 107, **113**, 115
- surface of lungs　縦隔面《肺の》　117
Mediastinum　縦隔　89, 90
- of testis　精巣縦隔　290
Medulla oblongata　延髄　40, 564, 669, 674, 677, 682, **683**, 685, 698, 700
Medullary striae of forth ventricle　第4脳室髄条　683
Membranous
- labyrinth　膜迷路　635
- lamina of pharyngotympanic (auditory) tube　膜性板《耳管の》　628
- part of interventricular septum　膜性部《心室中隔の》　99
- urethra　隔膜部《尿道の》　247, 264, 266
- wall of trachea　膜性壁《気管の》　529

Meningeal
- branch/es
-- of anterior ethmoidal nerve　硬膜枝《前篩骨神経の》　591
-- of cervical nerves　硬膜枝《頸神経の》　591
-- of internal carotid artery　硬膜枝《内頸動脈の》　582
-- of mandibular nerve　硬膜枝《下顎神経の》　591, 600
-- of maxillary nerve　硬膜枝《上顎神経の》　567, 591
-- of spinal nerve　硬膜枝《脊髄神経の》　42, **43**
-- of vagus nerve　硬膜枝《迷走神経の》　591
Mental
- branch of inferior alveolar artery　オトガイ動脈《下歯槽動脈の》　584, 587, 594
- foramen　オトガイ孔　542, 543, 637
- nerve　オトガイ神経　567, **581**, 595, 596, 644
- protuberance　オトガイ隆起　513, 542, 543, 637, 666, 668
- spines　オトガイ棘　544
- tubercle　オトガイ結節　543, 637
Mentalis　オトガイ筋　552-554, **557**
Mesencephalic nucleus of trigeminal nerve　三叉神経中脳路核　561, 566
Mesencephalon
-　中脳　674, 679, 683, 700
-　中脳胞　676
Mesentery　腸間膜　156, 159, **164**, 171, 173, 181
Meso-appendix　虫垂間膜　165, 172
Mesometrium　子宮間膜　**256**, 257, 279
Mesorectal space　直腸間膜腔　259
Mesosalpinx　卵管間膜　257
Mesotympanum　中鼓室　629
Mesovarian border　間膜縁　256
Mesovarium　卵巣間膜　256
Metacarpal muscles　中手筋　362
Metacarpals　中手骨　295, 296, **342**, 347, 352
Metacarpophalangeal (MCP) joint　中手指節 (MCP) 関節　295, 346, 352, 359, 392
- crease　中手指節 (MCP) 関節線　295
Metatarsals　中足骨　410, 452, 455, 508
Metatarsophalangeal joint　中足趾節関節　408, 508
Metatarsus　中足　452
Meyer's loop　マイヤーのループ　563
Mid-abdomen　中腹部　141
Midaxillary line　中腋窩線　55, 112
Midcarpal joint　手根中央関節　346
Midclavicular line (MCL)　鎖骨中線　54, 112
Middle
- arm territory　上腕中間領域　367
- cardiac vein　中心臓静脈　100
- cerebellar peduncle　中小脳脚　682, 683, 698
- cerebral artery　中大脳動脈　582, 671, **688**, 689
- cervical ganglion　中頸神経節　86, 87, 103, 108, **535**, 655
- colic
-- artery　中結腸動脈　156, 170, **187**, 192, 193, 200, 201
-- nodes　中結腸リンパ節　209
-- vein　中結腸静脈　170, **195**, 198-201
- collateral artery　中側副動脈　364
- constrictor　中咽頭収縮筋　652, 653
- cranial fossa　中頭蓋窩　547, 549, 593
- crease　中位手掌線　295
- ear　中耳　626, 628
- esophageal constriction (thoracic constriction)　中食道狭窄 (胸部狭窄)　106
- ethmoidal cells　中篩骨洞　619

- facet for calcaneus of talus　中踵骨関節面《距骨の》　459
- forearm territory　前腕中間領域　367
- frontal gyrus　中前頭回　678
- genicular artery　中膝動脈　472, 495
- glenohumeral ligament　中関節上腕靱帯　305
- internodal bundles　中結節間束　102
- layer of thoracolumbar fascia　中葉《胸腰筋膜の》　25, 29
- lobar
-- artery of right lung　中葉動脈《右肺の》　125
-- bronchus　右中葉気管支　120
- lobe
-- of right lung　中葉《右肺の》　116, 117, 130
-- vein of right lung　中葉静脈《右肺の》　125
- mediastinum　中縦隔　79, 88
- meningeal
-- artery　中硬膜動脈　**587**, 591, 599, 601, 606, 632
-- veins　中硬膜静脈　592
- nasal
-- concha　中鼻甲介　543, 550, 603, **617**, 618-621, 636, 651, 660, 666, 669
-- meatus　中鼻道　**617**, 619, 620
- phalanx
-- of foot　中節骨《足の》　452, 508
-- of hand　中節骨《手の》　342, **343**, 346, 347, 353, 404
- rectal
-- artery　中直腸動脈　188, **269**, 270, 273, 274
-- plexus　中直腸神経叢　215, 217, **280**, 282
-- veins　中直腸静脈　195, 196, **269**, 270, 274
- scalene　中斜角筋　63, 365, **518**, 519, 665
- superior alveolar branch of superior alveolar nerves　中上歯槽枝《上歯槽神経の》　567, 644
- suprarenal artery　中副腎動脈　183, **184**, 185, 188, 197, 250
- talar articular surface of calcaneum　中距骨関節面《踵骨の》　459
- temporal
-- artery　中側頭動脈　586
-- branch of middle cerebral artery　中側頭枝《中大脳動脈の》　689
-- gyrus　中側頭回　678
- thyroid veins　中甲状腺静脈　531
- transverse rectal fold　中直腸横ヒダ　249
- trunk (C7)　中神経幹 (第7頸神経)　369
Minor
- alar cartilages　小鼻翼軟骨　616
- calyces　小腎杯　184
- circulus arteriosus of iris　小虹彩動脈輪　613, 614
- duodenal papilla　小十二指腸乳頭　168, 178
Mitral valve (left atrioventricular valve)　僧帽弁 (左房室弁)　97, **98**, 99
Modiolus　蝸牛軸　634, 635
Molar tooth　大臼歯　640
Mons pubis　恥丘　229, 262
Motor
- branches of radial nerve　運動枝《橈骨神経の》　385
- nuclei　運動性核　690
- nucleus
-- of facial nerve　顔面神経核　561, 568
-- of trigeminal nerve　三叉神経運動核　561, 566
- root of trigeminal nerve　運動根《三叉神経の》　683
Mucosa of esophagus　粘膜《食道の》　107
Mucous membrane
- of mouth　口腔粘膜　642

– – of tongue　舌粘膜　646
Multifidus　多裂筋　29, 34, **35**, 669
Muscles
  – of back proper　固有背筋　25, 65, 73
  – of facial expression　表情筋　552
  – of tongue　舌筋　555
Muscular
  – branches
  – – of femoral nerve　筋枝《大腿神経の》　477, 481
  – – of fibular artery　筋枝《腓骨動脈の》　472
  – – of inferior gluteal nerve　筋枝《下殿神経の》　483
  – – of obturator nerve　筋枝《閉鎖神経の》　480
  – – of pudendal nerve　筋枝《陰部神経の》　284
  – – of radial nerve　筋枝《橈骨神経の》　381, 387, 389
  – – of sciatic nerve　筋枝《坐骨神経の》　477, 485
  – coat
  – – of duodenum　筋層《十二指腸の》　168
  – – of esophagus　筋層《食道の》　107
  – – of stomach　筋層《胃の》　166
  – – of urinary bladder　筋層《膀胱の》　252
  – part of interventricular septum　筋性部《心室中隔の》　99
  – portion of pretracheal layer　気管前葉の筋側部　530, 533
  – process of arytenoid cartilage　筋突起《披裂軟骨の》　526, 527
  – space　筋裂孔　489
  – triangle　筋三角　532
Musculocutaneous nerve　筋皮神経　368, **375**, 378, 379, 383, 384, 386, 387, 389
Musculophrenic artery　筋横隔動脈　66, 67, 68, 73
Musculus uvulae　口蓋垂筋　**643**, 653
Mylohyoid　顎舌骨筋　516, **517**, 555, 642, 646, 647, 652, 657, 659-661
  – branch of inferior alveolar artery　顎舌骨筋枝《下歯槽動脈の》　587
  – groove　顎舌骨筋神経溝　544, 638
  – line　顎舌骨筋線　517, 544, 637
  – raphe　顎舌骨筋縫線　517, 642
Mylopharyngeal part of superior constrictor　顎咽頭部《上咽頭収縮筋の》　652
Myometrium　子宮筋層　256, 257, 289

N

Nail　爪　353
Nasal
  – bone　鼻骨　542, 543, 602, **616**, 669
  – cavity　鼻腔　616, 618, 657, 662
  – conchae　鼻甲介　650
  – crest　鼻稜　616, 636
  – region　鼻部　512
  – septum　鼻中隔　618, 651, 657, 662, 666, 668, 669
  – vestibule　鼻前庭　620
Nasalis　鼻筋　552-554, **556**
Nasion　ナジオン　543, 616
Nasociliary
  – nerve　鼻毛様体神経　567, **607**, 609
  – root　鼻毛様体神経根　567, 607
Nasolacrimal duct　鼻涙管　**611**, 618, 669
Nasopalatine nerve　鼻口蓋神経　**620**, 621, 644
Nasopharynx　［咽頭］鼻部　648
Navicular　舟状骨《足の》　**452**, 453-458, 508
  – articular surface of talus　舟状骨関節面《距骨の》　455, 459
Navicular fossa of urethra　尿道舟状窩　264, 267

Neck
  – of bladder　膀胱頸　252, 266, 267
  – of femur　大腿骨頸　410, 412-415, 417, 504
  – of fibula　腓骨頸　432, 434
  – of gallbladder　胆嚢頸　178
  – of malleus　ツチ骨頸　630
  – of mandible　下顎頸　638
  – of pancreas　膵頸　156
  – of radius　橈骨頸　324, 330
  – of rib　肋骨頸　57, 59
  – of scapula　肩甲頸　299, 305
  – of stapes　アブミ骨頸　630
  – of talus　距骨頸　**452**, 453, 457
  – of teeth　歯頸　640
Nerve
  – of pterygoid canal　翼突管神経　569, 623
  – to lateral pterygoid　外側翼突筋神経　580, 600
  – to medial pterygoid　内側翼突筋神経　567, 580, 600, **644**
  – to mylohyoid　顎舌骨筋神経　581, 600, **645**
  – to obturator internus　内閉鎖筋神経　483
  – to piriformis　梨状筋神経　483
  – to quadratus femoris　大腿方形筋神経　483
  – to stapedius　アブミ骨筋神経　568
  – to tensor
  – – tympani　鼓膜張筋神経　600
  – – veli palatini　口蓋帆張筋神経　600
Neurocranium　脳頭蓋　542
Neurohypophysis（posterior lobe of pituitary gland）神経下垂体（下垂体の後葉）　680, 682
Neurothelium　内皮様細胞層　590
Nipple　乳頭　74, 75
Nodes around cardia　噴門リンパ輪　111, 206
Nodule　小節　682
Nodules of semilunar cusps　半月弁結節　99
Nuchal
  – fascia　項筋膜　**25**, 28
  – ligament　項靭帯　18, 19, 21, **320**, 512, 659, 667
Nucleus/i
  – ambiguus　疑核　561, 572, **574**, 576
  – of abducent nerve　外転神経核　**561**, 564
  – of hypoglossal nerve　舌下神経核　561, 577
  – of oculomotor nerve　動眼神経核　561, **564**
  – of solitary tract　孤束核　561, 568, 569, **572**, 574
  – of trochlear nerve　滑車神経核　561, **564**
  – pulposus　髄核　14, 22
Nutrient foramina　栄養孔　23

O

Oblique
  – arytenoid　斜披裂筋　**528**, 653, 655
  – cord　斜索　330
  – diameter of pelvis　斜径《骨盤の》　235
  – fibers of stomach　斜線維《胃の》　166
  – fissure of lungs　斜裂《肺の》　116, 117, 119, 130
  – head
  – – of adductor hallucis　斜頭《母趾内転筋の》　462, 465, 466, 471, 499
  – – of adductor pollicis　斜頭《母指内転筋の》　355, 356, 361
  – line
  – – of mandible　斜線《下顎骨の》　637
  – – of thyroid cartilage　斜線《甲状軟骨の》　526
  – muscle of auricle　耳介斜筋　627
  – part of cricothyroid　斜部《輪状甲状筋の》　528
  – pericardial sinus　心膜斜洞　94
  – popliteal ligament　斜膝窩靱帯　437
  – vein of left atrium　左心房斜静脈　100

Obliquus capitis
  – inferior　下頭斜筋　26, 27, 29, 30, 518, **519**, 541, 660, 661
  – superior　上頭斜筋　26, 27, 29, 30, 518, **519**, 554, 555
Obliterated part of umbilical artery　閉塞部《臍動脈の》　273
Obturator
  – artery　閉鎖動脈　188, **269**, 270, 272-274, 286, 473
  – canal　閉鎖管　238, 286
  externus　外閉鎖筋　247, 419, 424, **429**, 505
  – fascia　閉鎖筋膜　238, 239
  – foramen　閉鎖孔　**230**, 231, 232, 238, 504
  – internus　内閉鎖筋　147, 238-240, 244, 245, 247, 286, 421-424, 426, **427**, 490, 491, 500, 505
  – – fascia　内閉鎖筋筋膜　238
  – membrane　閉鎖膜　236, 237, 417
  – nerve　閉鎖神経　210, 211, 281, 286, 476, 477, **480**, 486, 487, 492
  – nodes　閉鎖リンパ節　279
  – veins　閉鎖静脈　196, **269**, 270, 272-274, 286
Occipital
  – artery　後頭動脈　46, **540**, 541, 583, 585, 595, 632, 654, 655, 663
  – belly（occipitalis）of occipitofrontalis　後頭筋《後頭前頭筋の》　553, 554
  – bone　後頭骨　**544**, 545, 663, 669, 700
  – branches of occipital artery　後頭枝《後頭動脈の》　585
  – condyle　後頭顆　18, 544, **546**
  – emissary vein　後頭導出静脈　589
  – lobe　後頭葉　677
  – nodes　後頭リンパ節　523, **540**
  – pole　後頭極　563, **678**, 679
  – region　後頭部　512
  – sinus　後頭静脈洞　592, 671, 686
  – vein　後頭静脈　**540**, 588, 589
Occipitofrontalis　後頭前頭筋　552, 553
Oculomotor
  – nerve（CN III）動眼神経　549, 560, **564**, 565, 593, 607-609, 683, 688
  – palsy　眼球運動麻痺　605
Olecranon　肘頭　24, 294-296, **312**, 324, 325, 327, 334, 402
  – fossa of humerus　肘頭窩《上腕骨の》　**300**, 301, 327, 402
Olfactory
  – bulb　嗅球　**562**, 620, 621
  – mucosa　嗅粘膜　562
  – nerve（CN I）嗅神経　560, **562**, 679
  – nerves　嗅神経糸　549, 562, 620, 621
  – tract　嗅索　549, 562
  – trigone　嗅三角　562
Omental
  – appendices　腹膜垂　170, 172
  – bursa　網嚢　157, 162, 220
  – foramen　網嚢孔　156, 164
Omohyoid　肩甲舌骨筋　380, **517**, 534, 555, 664
Opening/s
  – of sphenoidal sinus　蝶形骨洞口　551
  – of ejaculatory ducts　射精管開口部　253
Opercular part of inferior frontal gyrus　弁蓋部《下前頭回の》　678
Ophthalmic
  – artery　眼動脈　582, 584, **606**, 608, 620, 671
  – nerve（CN V$_1$）眼神経　566, **567**, 581, 621
  – vein　眼静脈　606

(Opponens digiti minimi)

Opponens
- digiti minimi
-- 小指対立筋 355-357, 360, **361**, 405
-- 小趾対立筋 465, 466, 470, **471**
- pollicis 母指対立筋 346, 354-357, **360**, 361, 405

Optic
- canal 視神経管 547, 548, 551, 563, **602**, 603, 636, 662
- chiasm 視交叉 **563**, 593, 682, 685, 689, 698, 699
- cup 眼杯 677
- disc 視神経円板（視神経乳頭） 612
- fundus 眼底 613
- nerve（CN II） 視神経 549, 560, 562 **563**, 565, 609, 657, 658
- part of retina 網膜視部 615
- radiation 視放線 563
- tract 視索 **563**, 681

Ora serrata 鋸状縁 612, 615

Oral
- cavity 口腔 648
- region 口部 512

Orbicularis
- oculi 眼輪筋 **552**, 553, 554, 556
- oris 口輪筋 552-554, **557**, 661, 669

Orbit 眼窩 543, **602**, 618

Orbital
- branch of maxillary nerve 眼窩枝《上顎神経の》 623
- floor 眼窩下壁 603, 610
- part
-- of inferior frontal gyrus 眼窩部《下前頭回の》 678
-- of lacrimal gland 眼窩部《涙腺の》 608, 611
-- of orbicularis oculi 眼窩部《眼輪筋の》 554
- plate of ethmoid 眼窩板《篩骨の》 550, 602, 603, 619
- region 眼窩部《体表解剖の》 512
- septum 眼窩隔膜 608, 610, 611
- surface
-- of frontal bone 眼窩面《前頭骨の》 602, 603
-- of maxilla 眼窩面《上顎骨の》 602, 603
-- of sphenoid 眼窩面《蝶形骨の》 551
-- of zygomatic bone 眼窩面《頬骨の》 603

Orfice of vermiform appendix 虫垂口 172
Oropharynx ［咽頭］口部 648
Ossicular chain 耳小骨連鎖 631
Osteoporosis 骨粗鬆症 11
Otic ganglion 耳神経節 573, 578
Otitis media 中耳炎 633

Outer
- lip of iliac crest 外唇《腸骨稜の》 233
- sheath of optic nerve 視神経外鞘 610

Oval
- fossa 卵円窩 97
- window 前庭窓 **571**, 629, 630, 634

Ovarian
- artery 卵巣動脈 185, 188, 196, 197, 199, 256, 257, **272, 273**
- plexus 卵巣動脈神経叢 **213**, 218, 281
- vein 卵巣静脈 256, 257, **272**

Ovary 卵巣 244, 247, 252, 254, **256**, 257, 261, 273, 279

P

Palatine
- aponeurosis 口蓋腱膜 643
- bone 口蓋骨 546, 617, **636**
- process of maxilla 口蓋突起《上顎骨の》 544, 546, 603, 617, **636**
- tonsil 口蓋扁桃 646, 648, **650**, 658

Palatoglossal arch 口蓋舌弓 646, 648, **650**
Palatoglossus 口蓋舌筋 646
Palatopharyngeal arch 口蓋咽頭弓 646, 648, **650**, 651
Palatopharyngeus 口蓋咽頭筋 653, 660, 661
Palatovaginal canal 口蓋骨鞘突管 546
Pallidum 淡蒼球 689
Palm 手掌部 294

Palmar
- aponeurosis 手掌腱膜 337, 354, 378, 396
- branch
-- of median nerve 掌枝《正中神経の》 376, 379
-- of ulnar nerve 掌枝《尺骨神経の》 377-379
- carpal
-- ligament 掌側手根靱帯 295
-- network 掌側手根動脈網 365
- carpometacarpal ligaments 掌側手根中手靱帯 349
- digital
-- arteries 掌側指動脈 364, 365
-- veins 掌側指静脈 366
- intercarpal ligaments 掌側手根間靱帯 349
- interossei 掌側骨間筋 362, 363, 405
- ligaments 掌側靱帯 **349**, 353, 356, 359
- metacarpal
-- arteries 掌側中手動脈 365, 393
-- ligaments 掌側中手靱帯 349
-- veins 掌側中手静脈 366
- radio-ulnar ligament 掌側橈骨尺骨靱帯 330, 331, 349
- radiocarpal ligament 掌側橈骨手根靱帯 349, 405
- ulnocarpal ligament 掌側尺骨手根靱帯 349

Palmaris
- brevis 短掌筋 354, 396
- longus 長掌筋 332, **336**, 337, 396
-- tendon 長掌筋の腱 294, 354

Palpebral part of lacrimal gland 眼瞼部《涙腺の》 608, 611

Pampiniform plexus 蔓状静脈叢 155, **271**
Pancreas 膵臓 162-164, 168, 169, 179, **180**, 183, 190, 220

Pancreatic
- branches of splenic artery 膵枝《脾動脈の》 187
- duct 膵管 168, 178, 179, **180**
- nodes 膵リンパ節 206
- plexus 膵神経叢 214, 216
- veins 膵静脈 195

Pancreaticoduodenal
- artery 膵十二指腸動脈 200
- nodes 膵十二指腸リンパ節 207
- veins 膵十二指腸静脈 198, 199

Para-umbilical veins 臍傍静脈 69, 195
Parabronchial diverticulum 気管分岐部憩室 107

Paracentral
- lobule 中心傍小葉 679
- sulcus 中心傍溝 679

Paracolic
- gutters 結腸傍溝 165
- nodes 結腸傍リンパ節 209

Paracolpium 傍腟結合組織 258
Paranasal sinuses 副鼻腔 618
Parapharyngeal space 咽頭傍隙 654

Parasternal
- line 胸骨傍線 55
- nodes 胸骨傍リンパ節 **76**, 85, 128

Parasympathetic
- ganglion 副交感神経節 694
- nervous system 副交感神経系 87, 212
- root 副交感神経根 607

Parathyroid glands 副甲状腺（上皮小体） 530
Paratracheal nodes 気管傍リンパ節 85, 110, 111, 128, **129**
Paravaginal tissue 腟傍組織 247

Paravertebral
- ganglion（sympathetic ganglion） 椎傍神経節（幹神経節） 38, 42, 43, 212
- line 椎骨傍線 3, 112

Paravesical fossa 膀胱傍陥凹 244, 247

Parietal
- bone 頭頂骨 542, 544, **545**, 546, 619
- branch
-- of middle meningeal artery 頭頂枝《中硬膜動脈の》 587, 591
-- of superficial temporal artery 頭頂枝《浅側頭動脈の》 586, 595
- emissary vein 頭頂導出静脈 589
- foramen 頭頂孔 544, 545
- layer
-- of serous pericardium 壁側板《漿膜性心膜の》 93, 95, 115
-- of testis 壁側板《精巣の》 154, 155
- lobe 頭頂葉 677, 700
- operculum 頭頂弁蓋 678
- pelvic fascia 壁側骨盤筋膜 246
- peritoneum 壁側腹膜 25, 113, 146, **152**, 158, 160, 165, 167, 169, 182, 242, 244, 245, 248, 249, 251
- pleura 壁側胸膜 65, 107, **113**
- region 頭頂部 512

Parieto-occipital
- branch of medial occipital artery 頭頂後頭枝《内側後頭動脈の》 671, 689
- sulcus 頭頂後頭溝 **678**, 679, 698

Parotid
- branches of auriculotemporal nerve 耳下腺枝《耳介側頭神経の》 600
- duct 耳下腺管 595-597, **649**
- gland 耳下腺 538, 539, 595, **649**, 701
- plexus 耳下腺神経叢 568, 580, 595, **649**
- region 耳下腺咬筋部 512
- space 耳下腺隙 654

Pars
- flaccida of tympanic membrane 弛緩部《鼓膜の》 630
- plana of ciliary body 平滑部《毛様体の》 615
- plicata of ciliary body 皺襞部《毛様体の》 615
- tensa of tympanic membrane 緊張部《鼓膜の》 630

Patella 膝蓋骨 408, 410, 413, 418, **435**, 442, 443, 506

Patellar
- ligament 膝蓋靱帯 418, 419, 421, 425, **436**, 438, 442, 444, 445, 507
- surface of femur 膝蓋面《大腿骨の》 412, 413, 441
- vascular network 膝蓋血管網 492

Patent part of umbilical artery 開存部《臍動脈の》 273

Pecten pubis 恥骨櫛 230, 232, **233**, 237
Pectinate muscles 櫛状筋 97

Pectineal
- ligament 恥骨櫛靱帯 151
- line of femur 恥骨筋線《大腿骨の》 412, 414

Pectineus 恥骨筋 151, 286, 418, 419, **428**, 488, 492

（Posterior band of inferior glenohumeral ligament）

Pectoral
- axillary nodes 胸筋腋窩リンパ節 76
- branches of thoraco-acromial artery 胸筋枝《胸肩峰動脈の》 364
- region 胸筋部 54

Pectoralis
- major 大胸筋 54, 144, 294, 308, 310, **318**, 382, 396
- minor 小胸筋 309, 310, **319**

Pedicle of vertebral arch 椎弓根 7, 9, 10
Peduncle of flocculus 片葉脚 682
Peduncular veins 大脳脚静脈 687

Pelvic
- floor 骨盤底 238
-- muscle 骨盤底の筋 240
- girdle 下肢帯 **230**, 410
- inlet 骨盤上口 235
- outlet 骨盤下口 235
- part of ureter 骨盤部《尿管の》 250
- plexus (inferior hypogastric plexus) 骨盤神経叢（下下腹神経叢） 212, 213, 215, **217**, 282, 694
- splanchnic nerves 骨盤内臓神経 212, 215, 217, **280**, 282, 694
- surface of sacrum 前面《仙骨の》 233

Pelvis 骨盤 246

Penile
- fascia 陰茎筋膜 253
- skin 陰茎皮膚 265

Penis 陰茎 229, 255, **264**, 278

Perforating
- arteries 貫通動脈 472, 492, 497
- branch/es
-- of deep palmar arch 貫通枝《深掌動脈弓の》 365
-- of fibular artery 貫通枝《腓骨動脈の》 472, 494
-- of internal thoracic artery 貫通枝《内胸動脈の》 74
-- of median antebrachial vein 貫通枝《前腕正中皮静脈の》 378

Perianal skin 肛門周囲皮膚 249
Peribronchial network 気管支周囲リンパ管叢 128

Pericallosal
- artery 脳梁周囲動脈 689
- cistern 脳梁周囲槽 684

Pericardiacophrenic
- artery 心膜横隔動脈 **66**, **67**, 78, 89, 115
- veins 心膜横隔静脈 78, 89, 115

Pericardial
- branches of phrenic nerve 心膜枝《横隔神経の》 66
- cavity 心膜腔 95

Pericardium 心膜 67, **94**

Perineal
- artery 会陰動脈 261, **275**
- body 会陰筋中心（会陰体） 239, **242**, 243-245
- branches
-- of posterior cutaneous nerve of thigh 会陰枝《後大腿皮神経の》 285, 482, 490
-- of pudendal nerve 会陰枝《陰部神経の》 490
- fascia 浅会陰筋膜 **239**, 244, 247, 261
- flexure 会陰曲 248
- membrane (inferior urogenital diaphragmatic fascia) 会陰膜（下尿生殖隔膜筋膜） 239, 244, 245, 247, 252, **261**, 263, 264, 285
- nerves 会陰神経 284, **285**
- raphe 会陰縫線 229, 262
- region 会陰部（域） 229

Perineum 会陰 **246**, 284, 285
Periorbita 眼窩骨膜 610

Perirenal fat capsule of kidney 脂肪被膜《腎臓の》 182-184, 220
Peritoneal cavity 腹膜腔 159, 160, 246
Peritoneum 腹膜 **159**, 246
Peritonsillar space 扁桃周囲隙 654
Periumbilical region 臍周囲部 140
Permanent teeth 永久歯 640

Perpendicular plate
- of ethmoid 垂直板《篩骨の》 543, **550**, 603, 616, 619, 636
- of palatine bone 垂直板《口蓋骨の》 617, 636

Pes anserinus 鵞足 418, 419, 421, 422, **444**
Petrosal vein 錐体静脈 686
Petrosquamous sinus 側頭錐体鱗部静脈洞 592
Petrotympanic fissure 錐体鼓室裂 546, 548, 568, 624, **631**

Petrous
- branch of middle meningeal artery 岩様部枝《中硬膜動脈の》 587
- part
-- of internal carotid artery 錐体部《内頸動脈の》 582, **688**
-- of temporal bone 岩様部《側頭骨の》 544, 547, **625**

Peyer's patches (Lymphoid nodules) パイエル板（リンパ小節） 170

Phalanges
- 指骨 295, 296, **342**, 347
- 前足骨（趾骨） 410, 452

Phalangoglenoid ligament 指節関節靱帯 352

Pharyngeal
- artery 咽頭動脈 584
- branch
-- of glossopharyngeal nerve 咽頭枝《舌咽神経の》 572
-- of vagus nerve 咽頭枝《迷走神経の》 572, 574, 575
- elevators 咽頭挙筋 653
- muscles 咽頭筋 652
- opening of auditory tube 耳管咽頭口 620, 648, 650
- plexus 咽頭神経叢 87, **572**
- raphe 咽頭縫線 107, 653
- recess 咽頭陥凹 669
- tonsil 咽頭扁桃 **650**, 651, 653
- tubercle 咽頭結節 546
- venous plexus 咽頭静脈叢 654

Pharyngo-esophageal constriction (upper esophageal constriction) 咽頭食道狭窄（上食道狭窄） 106

Pharyngobasilar fascia 咽頭頭底板 653
Pharyngotympanic tube 耳管 626, **628**, 629, 660
Pharynx 咽頭 651
Phrenic nerve 横隔神経 **66**, 67, 78, 86, 89, 91, 103, 115, 130, 369, 524, 525, 535, 537, 539
Phrenicocolic ligament 横隔結腸間膜 162
Phrenicosplenic ligament 横隔脾間膜 169
Physiological cup 円板陥凹 613
Pia mater 軟膜 40, 590
Pial vascular plexus 軟膜血管叢 613
Pigment epithelium of ciliary body 毛様体色素上皮 612
Pigmented iris epithelium 虹彩色素上皮 614

Pineal
- gland 松果体 677, 681-683, **685**, 698
- recess 松果体陥凹 685

Piriform
- aperture 梨状口 543, 617
- fossa 梨状陥凹 529, 651, 664, 665

Piriformis 梨状筋 147, **238**, 240, 268, 418, 419, 421-423, 427, 472, 490, 491, 493, 500
Pisiform 豆状骨 295, 343, 346, 404
Pituitary gland 下垂体 658, 659, 662, 667, 677, 679, **680**, 683, 685, 698, 700
Placenta 胎盤 104

Plantar
- aponeurosis 足底腱膜 458, 463, **464**, 498, 499, 509
- calcaneocuboid ligament 底側踵立方靱帯 463
- calcaneonavicular ligament 底側踵舟靱帯 458, **461**, 463, 466, 471, 509
- chiasm 足底交叉 447, 451
- digital veins 底側趾静脈 474
- interossei 底側骨間筋 466, 470
- ligaments 底側靱帯 462
- metatarsal
-- arteries 底側中足動脈 **472**, 498, 499
-- veins 底側中足静脈 474
- vault 土踏まず 462
- venous arch 足底静脈弓 474

Plantaris 足底筋 422, 423, 446, **450**, 494, 500
- tendon 足底筋の腱 446, 450

Platysma 広頸筋 **515**, 534, 552-554, 664, 669
Pleural cavity 胸膜腔 55, **78**, 89
Pneumothorax 気胸 123
Polar frontal artery 前頭極動脈 689
Pons 橋 564, 568, 674, 677, **682**, 683, 685, 698, 700

Pontine
- arteries 橋枝 688
- nuclei (principal sensory nucleus of trigeminal nerve) 橋核（三叉神経主感覚核） 561, 566

Pontocerebellar cistern 橋小脳槽 660

Pontomedullary
- cistern 橋延髄槽 684
- junction 橋延髄境界 565

Pontomesencephalic vein 橋中脳静脈 687

Popliteal
- artery 膝窩動脈 472, 473, 493, 494, **495**, 507
- surface of femur 膝窩面《大腿骨の》 412, 434
- vein 膝窩静脈 474, 493, **495**, 507

Popliteus 膝窩筋 431, 437, 446, **451**, 494
Portal circulation 門脈循環 92
Postaortic nodes 大動脈後リンパ節 204
Postcaval nodes 大静脈後リンパ節 204, 205
Postcentral gyrus (primary somatosensory cortex) 中心後回（一次体性感覚野） 677, **678**, 692, 693

Postcommunicating part
- (A2) of anterior cerebral artery 交通後部（A2区）《前大脳動脈の》 688
- (P2) of posterior cerebral artery 交通後部（P2区）《大脳動脈の》 688

Posterior
- ampullary nerve 後膨大部神経 571, **634**, 635
- antebrachial cutaneous nerve 後前腕皮神経 373, **378**, 394
- arch
-- of atlas (C1) 後弓《環椎（第1頸椎）の》 8, 9
-- vein 後弓状静脈 474, 475
- articular facet of vertebra 後関節面《椎骨の》 8
- atlanto-occipital membrane 後環椎後頭膜 18, **19**, 20, 21, 27
- auricular
-- artery 後耳介動脈 583, 585, 627, **632**
-- nerve 後耳介神経 568, 580, 596
-- vein 後耳介静脈 521, 588
- axillary line 後腋窩線 55
- band of inferior glenohumeral ligament 後帯《下関節上腕靱帯の》 305

(Posterior basal segment of lungs)

Posterior
- basal
-- segment of lungs　後肺底区《肺の》　118, 133
-- segmental artery of lungs　後肺底動脈　125
- belly of digastric　後腹《顎二腹筋の》　517, 642, 652, 653
- border
-- of radius　後縁《橈骨の》　324
-- of root of scrotum　陰嚢後縁　229
-- of ulna　後縁《尺骨の》　324
- brachial cutaneous nerve　後上腕皮神経　373, **378**, 380, 385, 386
- branch/es
-- of anterior interosseous artery　後枝《前骨間動脈の》　365
-- of external carotid artery　後枝《外頸動脈の》　583, 585
-- of inferior pancreaticoduodenal artery　後下膵十二指腸動脈　191, 192, **199**
-- of obturator nerve　後枝《閉鎖神経の》　477, 480
-- of posterior intercostal arteries　後枝《胸大動脈の》　44
-- of renal artery　後枝《腎動脈の》　189
- calcaneal articular facet of talus　後踵骨関節面《距骨の》　459
- cecal artery　後盲腸動脈　192, 193, 200, **201**
- cerebral artery　後大脳動脈　671, 688, 689, 701
- cervical
-- intertransversarii　頸後横突間筋　541
-- region　後頸部　532
- chamber of eyeball　後眼房　612, 614
- circumflex humeral artery　後上腕回旋動脈　364, 365, **381**
- clinoid process　後床突起　547, 551
- cochlear nucleus　蝸牛神経後核　570
- commissure
--　後陰唇交連　229, **262**, 263
--　後交連　698
- communicating artery　後交通動脈　582, 671, 688
- cord of brachial plexus　後神経束《腕神経叢の》　368, 369, 385
- cranial fossa（cerebellar fossa）　後頭蓋窩（小脳窩）　547, 549
- crico-arytenoid　後輪状披裂筋　**528**, 653, 655
- cruciate ligament　後十字靱帯　439, **440**, 441, 507
- crural artery　後脚動脈　633
- cusp
-- of left atrioventricular valve　後尖《左房室弁の》　98, 99
-- of right atrioventricular valve　後尖《右房室弁の》　98, 99
- cutaneous
-- branch of cervical nerves　後皮枝《頸神経の》　540
-- nerve of thigh　後大腿皮神経　284, 285, 476, 477, **482**, 486, 487, 490, 493
- deep temporal artery　後深側頭動脈　601
- diameter of trochlea of talus　後径《距骨滑車の》　457
- ethmoidal
-- artery　後篩骨動脈　582, 606, 609, **620**, 621
-- cells　後篩骨洞　617
-- foramen　後篩骨孔　550, **602**
-- nerve　後篩骨神経　**567**, 591, 609
- extremity of spleen　後端《脾臓の》　180
- funiculus of spinal cord　後索《脊髄の》　690, 691

- gastric
-- artery　後胃動脈　191
-- plexus　後胃神経叢　109, 214
- gluteal line of ilium　後殿筋線《腸骨の》　231, 427
- horn
-- of lateral ventricle　後角《側脳室の》　685
-- of spinal cord　後角《脊髄の》　44, 690
- inferior
-- cerebellar artery　後下小脳動脈　688
-- iliac spine　下後腸骨棘　230, **231**, 232, 233, 414
-- nasal nerves of greater palatine nerve　下後鼻枝《大口蓋神経の》　621
- intercavernous sinus　後海綿間静脈洞　592
- intercondylar area of tibia　後顆間区《脛骨の》　433
- intercostal
-- arteries　肋間動脈　36, 44, 47, **68**, 72, 73, 80, 89, 108, 109, 220
-- veins　肋間静脈　37, 45, 47, 66, **69**, 72, 73, 82, 83, 109, 220
- intermediate sulcus　後中間溝　690
- intermuscular septum of leg　後下腿筋間中隔　501
- internal vertebral venous plexus　後内椎骨静脈叢　37, 40, 45, **69**
- internodal bundles　後結節間束　102
- interosseous
-- artery　後骨間動脈　364, 365, **388**, 389
-- nerve　後［前腕］骨間神経　373, 389
- interventricular
-- branch of right coronary artery　後室間枝（後下行枝）《右冠状動脈の》　100, 134
-- sulcus　後室間溝　96
- labial
-- branches of internal pudendal artery　後陰唇枝《内陰部動脈の》　275
-- nerves　後陰唇神経　285
-- veins　後陰唇静脈　275
- lacrimal crest　後涙嚢稜　602
- lateral
-- nasal arteries of sphenopalatine artery　外側後鼻枝《蝶口蓋動脈の》　620, 621
-- segment（segment Ⅶ）of right liver　右外側後区域（区域Ⅶ）《右肝部の》　177
- layer
-- of rectus sheath　後葉《腹直筋鞘の》　146, 147, 152
-- of renal fascia　後葉《腎筋膜の》　25, 182
-- of thoracolumbar fascia　後葉《胸腰筋膜の》　25, 28
- ligament
-- of fibular head　後腓骨頭靱帯　438, 440
-- of incus　後キヌタ骨靱帯　631
- limb of stapes　後脚《アブミ骨の》　630
- lip of external os of uterus　後唇《外子宮口の》　260
- lobe
-- of cerebellum　小脳後葉　682, 699
-- of pituitary gland（neurohypophysis）　後葉《下垂体の》（神経下垂体）　680, 682
- longitudinal ligament　後縦靱帯　19, **20**, 21, 23
- malleolar fold　後ツチ骨ヒダ　630
- medial segment（segment Ⅷ）of right liver　右内側後区域（区域Ⅷ）《右肝部の》　177
- median
-- line　後正中線　3
-- sulcus　後正中溝《脊髄の》　690
- mediastinum　後縦隔　79, **88**

- meniscofemoral ligament　後半月大腿靱帯　439, 440
- nasal spine　後鼻棘　636
- nuclear complex of thalamus　視床後核　660
- papillary muscle　後乳頭筋　97, 99
- parietal artery　後頭頂動脈　689
- part of knee　膝窩　422
- process
-- of nasal cartilages　後突起《鼻軟骨の》　616
-- of talus　距骨後突起　452, 453, 459
- radicular vein　後根静脈　45
- ramus/i
-- of intercostal nerves　後枝《肋間神経の》　374
-- of lateral sulcus　後枝《外側溝の》　678
-- of posterior intercostal arteries　後枝《肋間動脈の》　44
-- of sacral nerve　後枝《仙骨神経の》　43, 482
-- of spinal nerve　後枝《脊髄神経の》　42, **43**, 47, 71, 369, 380
- region
-- of arm　後上腕部　294
-- of elbow　後肘部　294
-- of forearm　後前腕部　294
-- of knee　後膝部　409
-- of leg　後下腿部　408, 409
-- of thigh　後大腿部　409
-- of wrist　後手根部　294
- root
-- of sacral nerve　後根（背側根）《仙骨神経の》　43, 482
-- of spinal nerve　後根《脊髄神経の》　40, 71, 369, 693
- rootlets　後根糸　42
- sacral foramina　後仙骨孔　6, **12**, 13, 233, 482
- sacro-iliac ligament　後仙腸靱帯　51, 236, 237, **416**
- scalene　後斜角筋　63, 365, 518, **519**, 665
- scrotal
-- branches of internal pudendal artery　後陰嚢枝《内陰部動脈の》　270
-- nerves　後陰嚢神経　**280**, 284
-- veins　後陰嚢静脈　**269**, 270
- segment of right lung　後上葉区《右肺の》　118
- segmental
-- artery
--- of kidney　後区動脈《腎臓の》　189
--- of lungs　後上葉動脈《肺の》　125
-- medullary artery　後髄節動脈　44
- semicircular
-- canal　後骨半規管　571, 626, 628, 629, **634**
-- duct　後半規管　635
- semilunar cusp of aortic valve　後半月弁《大動脈弁の》　98
- septal branches of sphenopalatine artery　中隔後鼻枝《蝶口蓋動脈の》　587, 601, 620, 644
- spinal
-- artery　後脊髄動脈　44
-- veins　後脊髄静脈　45
- sternoclavicular ligament　後胸鎖靱帯　302
- superior
-- alveolar
--- artery　後上歯槽動脈　587, **601**
--- branches of superier alveolar nerves　後上歯槽枝《上歯槽神経の》　623, 644
-- iliac spine　上後腸骨棘　2, 230-233, 237, **408**, 414, 491
-- lateral nasal branches of maxillary nerve　外側上後鼻枝《上顎神経の》　621, 623
-- medial nasal branches of maxillary nerve　内側上後鼻枝《上顎神経の》　**620**, 621, 623

（Pyramidal process of palatine bone）

- - pancreaticoduodenal
- - - artery　後上膵十二指腸動脈　187, 190, 191, 198, **199**
- - - vein　後上膵十二指腸静脈　195
- surface
- - of arytenoid cartilage　後面《披裂軟骨の》　526
- - of fibula　後面《腓骨の》　432
- - of kidney　後面《腎臓の》　184
- - of radius　後面《橈骨の》　324
- - of scapula　後面《肩甲骨の》　299
- - of ulna　後面《尺骨の》　324
- - talar articular surface of calcaneum　後距骨関節面《踵骨の》　459
- - talofibular ligament　後距腓靱帯　460, 461, 509
- - temporal branches of middle cerebral artery　後側頭枝《中大脳動脈の》　689
- - tibial
- - - artery　後脛骨動脈　456, 472, **473**, 494, 495, 503
- - - recurrent artery　後脛骨反回動脈　472, 495
- - - veins　後脛骨静脈　456, **474**, 475, 503
- - tibiofibular ligament　後脛腓靱帯　460, 461
- - tibiotalar part of deltoid ligament　後脛距部《三角靱帯の》　461
- - triangle (lateral cervical region)　後頸三角（外側頸三角部）　532, 538
- - tubercle
- - - of atlas (C1)　後結節《環椎（第 1 頸椎）の》　9, 18
- - - of cervical vertebrae　後結節《頸椎の》　8, 9
- - - of vertebra　後結節《椎骨の》　7
- - tympanic artery　後鼓室動脈　631, **632**, 633
- - vagal trunk　後迷走神経幹　109, 214, 215, **216**, 217, 218
- - vaginal fornix　後部《腟円蓋の》　252, 256
- - vein
- - - of left ventricle　左心室後静脈　100
- - - of superior lobe of right lung　後上葉静脈《右肺の》　125
- - venous confluence　後静脈洞交会　687
- - wall
- - - of stomach　後壁《胃の》　162, 220
- - - of tympanic cavity　後壁（乳突壁）《鼓室の》　571
- - - of vagina　後壁《腟の》　260
Posterolateral
- bundle of lymphatics of lower limb　後外側束《下肢リンパ管の》　475
- fissure of cerebellum　後外側裂《小脳の》　682
- sulcus　後外側溝　683
Posteromedian medullary vein　後正中延髄静脈　686, 687
Postglenoid tubercle　関節後結節　542
Pre-aortic nodes　大動脈前リンパ節　205
Prebiventral fissure　二腹小葉前裂　682
Prececal nodes　盲腸前リンパ節　209
Precentral gyrus (primary motor cortex)　中心前回（一次運動野）　677, **678**, 693
Precommunicating part
- (A1) of anterior cerebral artery　交通前部（A1 区）《前大脳動脈の》　688
- (P1) of posterior cerebral artery　交通前部（P1 区）《後大脳動脈の》　688
Precuneal branches of pericallosal artery　楔前部枝《脳梁周囲動脈の》　689
Precuneus　楔前部　679
Prefrontal artery　前頭前動脈　689
Premolar tooth　小臼歯　640
Preoccipital notch　後頭前切痕　678
Preoptic area　視索前野　680

Prepiriform area　梨状前野　562
Preprostatic part of urethra　前立腺前部《尿道の》　264
Prepuce
- of clitoris　陰核包皮　229, 262, 263
- of penis　陰茎包皮　253, 267
Prerectal fibers　直腸前線維　238
Presacral space　仙骨前隙　259
Presternal region　胸骨前部　54
Pretracheal layer of cervical fascia　気管前葉《頸筋膜の》　25, 530, 534
Prevertebral
- layer of cervical fascia　椎前葉《頸筋膜の》　25, 533
- muscles　椎前筋　31
- nodes　脊椎前リンパ節　110
Primary
- fissure　第一裂　682
- motor cortex (precentral gyrus)　一次運動野（中心前回）　677, **678**, 693
- somatosensory cortex (postcentral gyrus)　一次体性感覚野（中心後回）　677, **678**, 692, 693
Principal sensory nucleus of trigeminal nerve (pontine nuclei)　三叉神経主感覚核（橋核）　561, 566
Procerus　鼻根筋　552, 556, 661
Prominence of lateral semicircular canal　外側骨半規管隆起　629
Promontorial nodes　岬角リンパ節　205, 278, 279
Promontory
- of sacrum　岬角《仙骨の》　4, 5, 7, 12, 13, 142, 232, 233, 416, 418
- of tympanic cavity　岬角《鼓室の》　629
Pronator
- quadratus　方形回内筋　332, 333, 336, **337**, 354
- teres　円回内筋　310, 332, 333, 335, 336, **337**, 396, 403
Proper
- cochlear artery　固有蝸牛動脈　635
- palmar digital
- - arteries　固有掌側指動脈　365, 392, **393**
- - nerves　固有掌側指神経　376, 377, 379, **392**, 393
- plantar digital
- - arteries　固有底側趾動脈　472, **498**, 499
- - nerves　固有底側趾神経　485, **498**, 499
Prosencephalon　前脳胞　676
Prostate　前立腺　242, 245, 247, 253, 255, 264, **266**, 267, 270, 287, 290
Prostatic
- carcinoma　前立腺癌　267
- ducts　前立腺管　264
- hypertrophy　前立腺肥大　267
- plexus　前立腺神経叢　217, **280**, 282
- urethra　前立腺部《尿道の》　**253**, 266, 287
- utricle　前立腺小室　253
- venous plexus　前立腺静脈叢　269
Proximal
- interphalangeal (PIP) joint/s
- - 近位指節間（PIP）関節　346, 348, 352, 359
- - 近位趾節間（PIP）関節　454
- - crease　近位指節間（PIP）関節線　295
- phalanx
- - of foot　基節骨《足の》　452, 453, 508
- - of hand　基節骨《手の》　346, 347, 352
- radio-ulnar joint　上橈尺関節　325, **326**, 327, 330, 331, 402, 403
- transverse crease　近位横手掌線　295
- wrist crease　近位手根線　295
Psoas
- fascia　腰筋筋膜　25

- major　大腰筋　25, 51, 64, 147, 149, 250, 271, 418, 419, 421, 426, **427**, 505
- minor　小腰筋　64, 147, 421, **427**
Pterion　プテリオン　542
Pterygoid
- branches of maxillary artery　翼突筋枝《顎動脈の》　587, 601
- canal　翼突管　636
- fossa　翼突窩　551, 636
- fovea of mandible　翼突筋窩《下顎骨の》　637, 638
- hamulus　翼突鈎　551, 643
- plexus　翼突静脈叢　521, 588, **589**
- process of sphenoid　翼状突起《蝶形骨の》　544, 546, **551**, 617, 636, 653
Pterygomandibular
- raphe　翼突下顎縫線　652
- space　翼下顎隙　654
Pterygopalatine
- fossa　翼口蓋窩　601, 602, **622**
- ganglion　翼口蓋神経節　567-569, 578, 581, 621, **623**, 644
Pterygopharyngeal part of superior constrictor　翼突咽頭部《上咽頭収縮筋の》　652
Pterygospinous ligament　翼棘靱帯　638
Pubic
- arch　恥骨弓　232, 233
- symphysis　恥骨結合　140, 142, 230, 232, 233, **236**, 237, 238, 252, 253, 261, 267, 408, 418, 421
- tubercle　恥骨結節　140, 142, 231-233, **236**, 238, 408, 410, 414, 416
Pubis　恥骨　**231**, 248, 251, 286, 504
Pubococcygeus　恥骨尾骨筋　238, 240, 248
Pubofemoral ligament　恥骨大腿靱帯　416
Puborectalis　恥骨直腸筋　238, 240, 248
Pubovesical ligament　恥骨膀胱靱帯　258
Pudendal
- canal (Alcock's canal)　陰部神経管（アルコック管）　491
- nerve　陰部神経　280, 283, 284, **285**, 476, 477, 490, 491, 493
Pulmonary
- alveoli　肺胞　121, 126
- arteries　肺動脈　124
- circulation　肺循環　92
- embolism　肺塞栓　125
- ligament　肺間膜　117
- plexus　肺神経叢　87, 103, 127
- trunk　肺動脈幹　81, 89, 93, 96, 99, 102, 103, 116, **124**, 125
- valve　肺動脈弁　**98**, 99, 100
- veins　肺静脈　92, 124
Pulp cavity　歯髄腔　640
Pulvinar　視床枕　680-682
Pupil　瞳孔　615
Putamen　被殻　658, 661, 689, 700, 701
Pyloric
- antrum　幽門洞　166, 167
- branch of anterior vagal trunk　幽門枝《前迷走神経幹の》　214, 216, 218
- canal　幽門管　166, 167
- orifice　幽門口　166
- part of stomach　幽門部《胃の》　220
- sphincter　幽門括約筋　166
Pyramid　延髄錐体　682, 683, 693
Pyramidal
- lobe of thyroid gland　錐体葉《甲状腺の》　530
- process of palatine bone　錐体突起《口蓋骨の》　636

Pyramidal
- tract（corticospinal tracts） 錐体路（皮質脊髄路） 693
Pyramidalis 錐体筋 145, 149
Pyramis 虫部錐体 682

Q

Quadrangular
- lobule of cerebellum 四角小葉《小脳の》 682
- membrane of laryngeal cavity 四角膜《喉頭腔の》 529

Quadrate lobe of liver 方形葉《肝臓の》 176
Quadratus
- femoris 大腿方形筋 247, 422, 423, 426, **427**, 490, 491, 493, 500
- lumborum 腰方形筋 25, 29, 64, 147, 148, **149**
- plantae 足底方形筋 456, 463, 465, 470, **471**, 498, 499, 509

Quadriceps femoris 大腿四頭筋 140, **430**, 481, 492

R

Radial
- artery 橈骨動脈 **364**, 365, 387-390, 392, 393, 395
- bundle territory 橈側リンパ管束領域 367
- carpal eminence 橈側手根隆起 350
- collateral
-- artery 橈側側副動脈 364, 389
-- ligament
--- of proximal radio-ulnar joint 外側側副靱帯《上橈尺関節の》 328-330
--- of wrist joint 外側手根側副靱帯 346, 349
- groove of humerus 橈骨神経溝《上腕骨の》 300
- group of lymphatics 橈側リンパ管群 367
- head of flexor digitorum superficialis 橈骨頭《浅指屈筋の》 333, 336
- nerve 橈骨神経 368, **373**, 378, 379, 381, 385, 387-389, 394
- notch of ulna 橈骨切痕《尺骨の》 324, 325, 331
- recurrent artery 橈側反回動脈 364, 387
- styloid process 茎状突起《橈骨の》 295, **324**, 325, 330, 331, 344
- tuberosity 橈骨粗面 322, 324, **325**
- tunnel 橈骨神経管 373, 387
- veins 橈骨静脈 366

Radiate
- ligament of head of rib 放線状肋骨頭靱帯 61
- sternocostal ligaments 放線状胸肋靱帯 61, 63

Radio-ulnar joints 橈尺関節 330
Radiotriquetral ligament 橈骨三角骨靱帯 351
Radius 橈骨 296, 297, **324**, 357, 396, 399

Ramus
- of ischium 坐骨枝 230-232
- of mandible 下顎枝 542, 637, 670

Rectal
- ampulla 直腸膨大部 249
- plexus 直腸動脈神経叢 283
- venous plexus 直腸静脈叢 196

Recto-uterine
- fold（uterosacral fold） 直腸子宮ヒダ（子宮仙骨ヒダ） 244, **248**
- ligament（uterosacral ligament） 直腸子宮靱帯（子宮仙骨靱帯） 257, 258, 286
- pouch 直腸子宮窩（ダグラス窩） 243, 244, 251, 256, 260, 286, 288

Recto-vesical
- pouch 直腸膀胱窩 156, 157, 242, 245, **253**, 267
- septum 直腸膀胱中隔 **245**, 253, 286

Rectoprostatic fascia 直腸前立腺筋膜 242, 267, 287, 290
Rectovaginal septum 直腸腟中隔 244, 260
Rectum 直腸 156, 242-245, **248**, 249-253, 267, 286

Rectus
- abdominis 腹直筋 67, 140, 144, 145, 148, **149**, 151, 152, 156, 242, 244, 245, 252, 286
- capitis
-- anterior 前頭直筋 31, 555
-- lateralis 外側頭直筋 31, **519**, 555
-- posterior
--- major 大後頭直筋 26, 27, 29, 30, **519**, 541, 554, 555, 661
--- minor 小後頭直筋 26, 27, 29, 30, 518, **519**, 541, 554, 555, 667
- femoris 大腿直筋 409, 418, 419, 421, 425, **430**, 481, 492, 500, 502
- sheath 腹直筋鞘 **146**, 149, 308

Recurrent
- branch of median nerve 反回枝《正中神経の》 390
- interosseous artery 反回骨間動脈 365, 389
- laryngeal nerve 反回神経 78, 86, 87, 89, 91, 103, 108, 127, 531, 535, **575**, 655

Red nucleus 赤核 564, 681, 693, 699
Reflected ligament 反転靱帯 151, 488, 489

Renal
- artery 腎動脈 156, 183-186, 188, **189**, 192, 196, 197, 200, 201, 220, 250
- columns 腎柱 184
- cortex 腎皮質 184
- fascia 腎筋膜 25
- impression of liver 腎圧痕《肝臓の》 174
- medulla ［腎］髄質 184
- papilla 腎乳頭 184
- pelvis 腎盂（腎盤） 184, 224
- plexus 腎神経叢 213, 215, 217, 218
- pyramids 腎錐体 184
- veins 腎静脈 83, 156, 183-185, 192, 194, 196, **197**, 250

Respiratory bronchioles 呼吸細気管支 121, 126
Rete testis 精巣網 155
Reticular formation 網様体 562
Retina 網膜 610, 612
Retro-auricular nodes 耳介後リンパ節 523
Retrobulbar fat 眼窩脂肪体 **610**, 666
Retrocecal recess 盲腸後陥凹 161
Retromandibular
- region 下顎後部 512
- vein 下顎後静脈 521, 588, 589
Retroperitoneal space 腹膜後隙 157, 244, 245, 259
Retropharyngeal space 咽頭後隙 654, 661
Retropubic space 恥骨後隙 244, 245, 253, 259, 267
Retropyloric nodes 幽門後リンパ節 207
Retrorectal space 直腸後隙 259
Rhombencephalon 菱脳胞 676
Rhomboid
- fossa 菱形窩 683, 699
- major 大菱形筋 24, 28, 313, **320**
- minor 小菱形筋 24, 28, 313, **320**, 515

Ribs 肋骨 57, **59**

Right
- atrioventricular
-- orifice 右房室口 97
-- valve（tricuspid valve） 右房室弁（三尖弁） 97, **98**, 99, 135, 137
- atrium 右心房 92, 96, **97**, 102, 137
- auricle 右心耳 93, **96**, 97, 100
- brachiocephalic vein 右腕頭静脈 69, **82**, 83, 90, 93, 109, 124, 130
- branch of hepatic artery proper 右枝《固有肝動脈の》 177, 190
- bronchomediastinal trunk 右気管支縦隔リンパ本幹 129
- bundle of atrioventricular bundle 右脚《房室束の》 102
- choana 右後鼻孔 648
- colic
-- artery 右結腸動脈 187, 192, **200**, 201
-- flexure 右結腸曲 162, 164, 167, 169, **172**, 173, 225
-- nodes 右結腸リンパ節 209
-- vein 右結腸静脈 195, **200**, 201
- coronary artery 右冠状動脈 98, **100**, 134
- crus of diaphragm 右脚《横隔膜の》 64, 65
- dome of diaphragm 右天蓋《横隔膜の》 64
- duct of caudate lobe 右尾状葉胆管 178
- fibrous
-- ring 右線維輪 98
-- trigone 右線維三角 98
- gastric
-- artery 右胃動脈 187, **190**, 191, 192, 198-201
-- vein 右胃静脈 195, 198, 200
- gastro-omental
-- artery 右胃大網動脈 187, 190, 192, **198**, 199-201
-- nodes 右胃大網リンパ節 206
-- vein 右胃大網静脈 195, **198**, 199-201
- hepatic
-- duct 右肝管 176, 178, 179
-- vein 右肝静脈 177
- inferior
-- lobar bronchus 右下葉気管支 120, 136
-- pulmonary vein 右下肺静脈 124, 125
- jugular trunk 右頸リンパ本幹 129
- lamina of thyroid cartilage 右板《甲状軟骨の》 526
- liver 右肝部 177
- lobe
-- of liver 右葉《肝臓の》 163, 174, 176, 220
-- of prostate 右葉《前立腺の》 266
-- of thyroid gland 右葉《甲状腺の》 530
- lower quadrant 右下腹部 140
- lumbar
-- nodes 右腰リンパ節 278
-- trunk 右腰リンパ本幹 84, 204
- lung 右肺 78, 116, **117**, 133, 182
- lymphatic duct 右リンパ本幹 84
- main bronchus 右主気管支 89, 120, 133, 136
- marginal
-- branch of right coronary artery 右縁枝（鋭角縁枝）《右冠状動脈の》 100, 134
-- vein 右辺縁静脈 100
- medial division of right liver 右内側区《右肝部の》 177
- ovarian vein 右卵巣静脈 185, 196, 197
- posterolateral artery of right coronary artery 右後側壁枝《右冠状動脈の》 134
- pulmonary
-- artery 右肺動脈 89, 90, 96, 116, **124**, 125, 133, 136

－－ veins 右肺静脈 83, 89, 90, 96, 100, 116, **124**, 133
－ semilunar cusp
－－ of aortic valve 右半月弁《大動脈弁の》 98, 99
－－ of pulmonary valve 右半月弁《肺動脈弁の》 98
－ subclavian trunk 右鎖骨下リンパ本幹 129
－ superior
－－ lobar bronchus 右上葉気管支 120
－－ pulmonary vein 右上肺静脈 124, 125
－－ suprarenal vein 右副腎静脈 184, 196, **197**, 250
－－ testicular vein 右精巣静脈 185, **197**, 250
－－ triangular ligament 右三角間膜 175, 177
－－ upper quadrant 右上腹部 140
－ ventricle 右心室 92, 93, 96, **97**, 102, 130, 135, 137
Rima
－ glottidis 声門裂 529
－ vestibuli 前庭裂 529
Risorius 笑筋 552, 553
Root
－ apex 歯根尖 640
－ of mesentery 腸間膜根 165, 169
－ of penis 陰茎根 264
－ of teeth 歯根 640
－ of tongue 舌根 646, 651
－ sleeve 根嚢 40
Rosenmüller's nodes ローゼンミュラーのリンパ節 488
Rotator/es 回旋筋 34
－ breves 短回旋筋 35
－ cuff 回旋筋腱板 317
－ longi 長回旋筋 34, 35
－ thoracis
－－ breves 胸短回旋筋 29
－－ longi 胸長回旋筋 29
Round
－ ligament
－－ of liver 肝円索 105, 171, 174, 176, **177**
－－ of uterus 子宮円索 243, 244, **251**, 252, 254, 261, 272, 273
－ window 蝸牛窓 571, 634, **635**

S

S1 vertebra 第1仙椎 51
Sacciform recess of elbow joint 囊状陥凹《肘関節の》 328, 329
Saccular nerve 球形嚢神経 **571**, 634, 635
Saccule 球形嚢 **571**, 634
Sacculo-ampullary nerve 球形嚢膨大部神経 571
Sacral
－ canal 仙骨管 7, 12, 13, 51, 232, 233, 237
－ flexure 仙骨曲 248
－ ganglia 仙骨神経節 213, 217
－ hiatus 仙骨裂孔 12, 40, 232, 233, 237
－ horn 仙骨角 12
－ kyphosis 仙尾後弯 4
－ nerve 仙骨神経 482
－ nodes 仙骨リンパ節 204, 277-279
－ plexus 仙骨神経叢 210, 281, 283, **477**, 492
－ promontory 岬角《仙骨の》 4, 5, 7, 12, 13, 142, 232, 233, 416, 418
－ region 仙骨部 3
－ splanchnic nerves 仙骨内臓神経 212, 215, 283
－ tuberosity 仙骨粗面 12, 13, 237
－ vertebrae［S1-S5］ 仙椎 4
Sacro-iliac joint 仙腸関節 13, 51, 230, 232, 237, 504
Sacrococcygeal joint 仙尾関節 12

Sacrospinous ligament 仙棘靱帯 **236**, 237, 238, 286, 416, 491
Sacrotuberous ligament 仙結節靱帯 **236**, 237, 416, 422, 423, 427, 490, 491, 493
Sacrum 仙骨 2, 4, 6, **12**, 51, 142, 229, 230, 232, 233, 237, 238, 408, 416
Sagittal suture 矢状縫合 544, 545
Salivatory nuclei 唾液核 561
Salpingopharyngeal fold 耳管咽頭ヒダ 620, 648, 650
Salpingopharyngeus 耳管咽頭筋 628
Saphenous
－ nerve 伏在神経 476, 477, **481**, 486, 492, 494
－ opening 伏在裂孔 271, 488
Sartorius 縫工筋 140, 418, 419, 421, 425, **430**, 492, 500, 505
Scala
－ tympani 鼓室階 634
－ vestibuli 前庭階 634
Scalene 斜角筋 25, **62**, 519
－ tubercle 前斜角筋結節 519
Scalenus
－ anterior 前斜角筋 63, 89, 365, 369, 518, **519**, 535, 537
－ medius 中斜角筋 63, 365, **518**, 519, 665
－ posterior 後斜角筋 63, 365, 518, **519**, 665
Scalp 頭皮 545, 592
Scaphoid 舟状骨《手の》 342, **344**, 346, 347, 404
－ fossa 舟状窩 627
Scapula 肩甲骨 64, 296, 297, 306, 316
Scapular
－ foramen 肩甲孔 299
－ line 肩甲線 3, 112
－ part of latissimus dorsi 肩甲骨部《広背筋の》 321
－ region 肩甲部 3, 294
Scapulothoracic joint 肩甲胸郭関節 302
Scarpa's fascia スカルパ筋膜 146
Sciatic nerve 坐骨神経 210, 286, 476, 477, 483, **484**, 487, 490, 491, 493, 500, 502, 505
Sclera 強膜 610, 612, **614**, 615
Scleral venous sinus 強膜静脈洞 612-614
Scoliotic curve 側弯カーブ 5
Scrotum 陰嚢 **154**, 155, 156, 229, 255, 267, 278, 284
Sebaceous glands of eyelids 脂腺《眼瞼の》 610
Segmental
－ arteries of kidney 区域動脈《腎臓の》 184
－ bronchus 区域気管支 121, 133
－ medullary artery of posterior intercostal arteries 髄節動脈《肋間動脈の》 44
－ veins of kidney 区域静脈《腎臓の》 184
Sella turcica トルコ鞍 21
Semicircular
－ canals 骨半規管 570, 634
－ ducts 半規管 571, 635
Semilunar
－ fold 半月ヒダ 172
－ gyrus 半月回 562
－ line 半月線 140, **145**
Semimembranosus 半膜様筋 409, 421-423, **431**, 446, 490, 493, 494, 500, 502
Seminal
－ colliculus 精丘 247, 253, **264**, 266
－ gland 精嚢 242, 255, 267, **270**, 280, 286, 287, 290
Semispinalis 半棘筋 34
－ capitis 頭半棘筋 26-29, 34, **35**, 312, 313, 554, 555, 660, 661, 663
－ cervicis 頸半棘筋 26, **34**, 35, 664, 665, 669

－ thoracis 胸半棘筋 34, 35
Semitendinosus 半腱様筋 409, 421, 422, **431**, 490, 491, 493, 494, 500, 502
Sensory
－ nuclei 感覚性核 690
－ root of trigeminal nerve 感覚根《三叉神経の》 683
－ tracts of spinal cord 感覚性(上行性)伝導路《脊髄神経の》 691
Septal
－ cusp of right atrioventricular valve 中隔尖《右房室弁の》 98, 99
－ defects 中隔欠損症 105
－ nasal cartilage 鼻中隔軟骨 616
－ papillary muscle 中隔乳頭筋 97, 99
Septomarginal
－ fasciculus 中隔辺縁束 691
－ trabecula 中隔縁柱 97, 99, 102
Septum
－ of scrotum 陰嚢中隔 **155**, 156, 253, 267
－ of sphenoidal sinuses 蝶形骨洞中隔 636
－ pellucidum 透明中隔 667, **679**, 680, 685, 689, 698, 700, 701
－ penis 陰茎中隔 265
Serous pericardium 漿膜性心膜 93, 95, 115
Serratus
－ anterior 前鋸筋 24, 54, 73, 144, 302, 308, 310, 313, **319**
－ posterior 後鋸筋 32
－－ inferior 下後鋸筋 24, 25, 28, 32, **33**, 313
－－ superior 上後鋸筋 28, 33
Sesamoid bones
－ of foot 種子骨《足の》 **453**, 455, 456, 508
－ of hand 種子骨《手の》 343
Shaft
－ of clavicle 鎖骨体 298
－ of femur 大腿骨体 412, 415
－ of fibula 腓骨体 432
－ of humerus 上腕骨体 300, 301
－ of metacarpals 体《中手骨の》 343, 347
－ of middle phalanx of hand 体《手の中節骨の》 343
－ of proximal phalanx of foot 体《足の基節骨の》 452
－ of radius 橈骨体 324
－ of rib 肋骨体 57, 59
－ of tibia 脛骨体 432, 449
－ of ulna 尺骨体 295, 324
Short
－ ciliary nerves 短毛様体神経 567, **607**, 609
－ gastric
－－ arteries 短胃動脈 191
－－ veins 短胃静脈 195, 198, 199
－ head
－－ of biceps brachii 短頭《上腕二頭筋の》 306, 308, 310, 311, 322, 398
－－ of biceps femoris 短頭《大腿二頭筋の》 423, 425, 431, 493, 502
－ limb of incus 短脚《キヌタ骨の》 630
－ pedal muscles 短足筋群 457
－ posterior ciliary arteries 短後毛様体動脈 **606**, 609, 613
Shoulder
－ girdle 上肢帯 296
－ joint 肩関節 296, **302**, 304, 305, 307
Sigmoid
－ arteries S状結腸動脈 187, **193**, 201, 274
－ colon S状結腸 161, **172**, 193, 225, 242-245, 248

Sigmoid
- mesocolon　S状結腸間膜　161, **164**, 171, 172, 242, 243, 248
- nodes　S状結腸リンパ節　209
- sinus　S状静脈洞　37, 571, 588, **589**, 592, 628, 654, 669, 671
- veins　S状結腸静脈　195, **201**, 274

Simple lobule　単小葉　682

Sinu-atrial
- nodal branch　洞房結節枝　100
- node　洞房結節　102

Sinusitis　副鼻腔炎　619

Small
- cardiac vein　小心臓静脈　100
- saphenous vein　小伏在静脈　**474**, 475, 486, 494, 495, 503

Soft palate　軟口蓋（口蓋帆）　**643**, 648, **650**, 651, 659

Sole　足底部　409

Soleal line of tibia　ヒラメ筋線《脛骨の》　432, 434

Soleus　ヒラメ筋　444, **450**, 494, 497, 500, 503

Somatomotor function（general somatic efferent fiber）　体性運動機能（一般体性遠心性線維）　561

Special visceral efferent fiber　特殊臓性遠心性線維　561

Spermatic cord　精索　144, 145, 150, 151, **154**, 270, 284, 287, 290, 488, 492

Spheno-ethmoidal recess　蝶篩陥凹　617, 620

Sphenofrontal suture　蝶前頭縫合　542

Sphenoid　蝶形骨　544, 547, **551**, 603, 617, 618
- part（M1）of middle cerebral artery　蝶形骨部（M1区）《中大脳動脈の》　688

Sphenoidal
- crest　蝶形骨稜　551
- sinus　蝶形骨洞　**616**, 617, 618, 620, 621, 658-661, 668, 700

Sphenomandibular ligament　蝶下顎靱帯　638

Sphenopalatine
- artery　蝶口蓋動脈　**587**, 599, 601, 620, 644
- foramen　蝶口蓋孔　617, 621

Sphenoparietal sinus　蝶形［骨］頭頂静脈洞　592

Sphenosquamous suture　蝶鱗縫合　542

Sphincter
- of bile duct　総胆管括約筋　178
- of hepatopancreatic ampulla　胆膵管膨大部括約筋　178
- of pancreatic duct　膵管括約筋　178
- pupillae　瞳孔括約筋　614
- urethrovaginalis　尿道腟括約筋　252

Spina bifida　二分脊椎　40

Spinal
- branch of posterior intercostal arteries　脊髄枝《肋間動脈の》　36, 44, 68
- cord　脊髄　5, 25, **40**, 43, 48, 73, 663, 674, 676, 684
- - segment　脊髄分節　690
- fusion　脊椎固定術　22
- ganglion　脊髄神経節　**40**, 43, 71
- nerve　脊髄神経　39, 40, **42**, 43, 47, 71, 676, 684
- nucleus
- - of accessory nerve　副神経脊髄核　561, 576
- - of trigeminal nerve　三叉神経脊髄路核　561, 566, 572, 574
- part of deltoid　肩甲棘部《三角筋の》　316
- root　脊髄根　576

Spinalis　棘筋　28, 29, **32**
- cervicis　頸棘筋　29, 32, **33**, 660, 669
- thoracis　胸棘筋　29, 32, **33**

Spine of scapula　肩甲棘　2, 24, 295, 296, **299**, 304, 305, 312, 313, 380, 400, 515

Spinous process　棘突起　4, 6, **7**, 8-11, 14, 20, 57
- of T1　棘突起《第1胸椎の》　56

Spiral ganglion　ラセン神経節　**570**, 571, 634, 635

Splanchnic nerves　内臓神経　42

Spleen　脾臓　162-164, 167, 169, 174, 179, **180**, 190, 198, 220

Splenic
- artery　脾動脈　67, 156, 162, 179, **180**, 181, 183, 185, 187, 190-192, 198-201
- flexure　脾彎曲　172
- hilum of spleen　脾門《脾臓の》　180
- nodes　脾リンパ節　206, 207
- plexus　脾神経叢　214, 216, 218
- recess of omental bursa　脾陥凹《網囊の》　163
- vein　脾静脈　156, **180**, 181, 185, 191, 195, 198-201, 222

Splenium　脳梁膨大　698, 700

Splenius　板状筋　32, 33
- capitis　頭板状筋　26-29, 32, **33**, 312, 313, 554, 555, 660, 661, 663, 664, 669
- cervicis　頸板状筋　26, 28, 29, **32**, 33, 313, 664, 665

Spondylophyte　変形性脊椎症　15

Spongy urethra　海綿体部《尿道の》　253, 255, 264-267

Squamous
- part of temporal bone　鱗部《側頭骨の》　544, **625**
- suture　鱗状縫合　542

Stalk of epiglottis　喉頭蓋茎　526

Stapedial membrane　アブミ骨膜　631

Stapes　アブミ骨　626, **630**

Stellate ganglion　星状神経節　87, 535, **655**, 694

Sternal
- angle　胸骨角　54, 56, **58**
- branches
- - of intercostal nerves　胸骨枝《肋間神経の》　70
- - of internal thoracic artery　胸骨枝《内胸動脈の》　36
- end of clavicle　胸骨端《鎖骨の》　298, 303
- facet of clavicle　胸骨関節面《鎖骨の》　298
- head of sternocleidomastoid　胸骨頭《胸鎖乳突筋の》　515
- line　胸骨線　55, 112
- part of diaphragm　胸骨部《横隔膜の》　**64**, 65

Sternoclavicular joint　胸鎖関節　59, 302, **303**

Sternocleidomastoid　胸鎖乳突筋　26, 54, 308, **515**, 532, 534, 539, 554, 596, 665
- paralysis　胸鎖乳突筋麻痺　576

Sternocostal
- head of pectoralis major　胸肋部《大胸筋の》　144, 308, 318, 382
- joints　胸肋関節　**61**, 303
- triangle　胸肋三角　65

Sternohyoid　胸骨舌骨筋　516, **517**, 534, 537, 555, 665, 669

Sternothyroid　胸骨甲状筋　516, **517**, 534, 537, 665, 669

Sternum　胸骨　56, 57, **58**, 61, 73, 144, 145

Stomach　胃　160, 163, **166**, 167, 190, 220, 222

Straight
- part of cricothyroid　直部《輪状甲状筋の》　528
- sinus　直静脈洞　592, 667, 684, **686**, 700

Stria medullaris of thalamus　視床髄条　680

Striate area　有線野　563, 699

Stroma of iris　虹彩支質　614

Styloglossus　茎突舌筋　555, **646**, 647, 652

Stylohyoid　茎突舌骨筋　517, 555, **642**, 652, 653
- branch of facial nerve　茎突舌骨筋枝《顔面神経の》　596, 645

Styloid process of temporal bone　茎状突起《側頭骨の》　19, 542, 544, 546, 553, **624**, 625, 626

Stylomandibular ligament　茎突下顎靱帯　638

Stylomastoid
- artery　茎乳突孔動脈　632, 633
- foramen　茎乳突孔　546, 548, 568, 569, 600, **624**, 645

Stylopharyngeal branch of glossopharyngeal nerve　茎突咽頭筋枝《舌咽神経の》　572

Stylopharyngeus　茎突咽頭筋　555, 572, **652**, 653

Subacromial
- bursa　肩峰下包　306, 307, 401
- space　肩峰下腔　302

Subarachnoid
- hemorrhage　クモ膜下出血　591
- space　クモ膜下腔　40, **590**, 684

Subarcuate artery　弓下動脈　633

Subcallosal gyrus　梁下野　679

Subclavian
- artery　鎖骨下動脈　36, 66, 68, 74, 78, 80, 89-91, 96, 109, 135, 364, **365**, 382, 520, 531, 582, 583, 655
- nerve　鎖骨下筋神経　368, 369, **370**
- plexus　鎖骨下動脈神経叢　87
- trunk　鎖骨下リンパ本幹　84
- vein　鎖骨下静脈　37, 66, 74, 78, 82, 83, 89-91, 124, 195, **366**, 383, 521, 531, 535, 539

Subclavius　鎖骨下筋　309, 310, **319**

Subcoracoid bursa　烏口腕筋包　304

Subcostal
- artery　肋下動脈　36
- nerve　肋下神経　70, 182, 185, 210, 477
- plane　肋骨下平面　54, 141
- vein　肋下静脈　37, 45, 69

Subcostales　肋下筋　63

Subcutaneous
- acromial bursa　肩峰皮下包　307
- bursa of medial malleolus　内果皮下包　495
- olecranon bursa　肘頭皮下包　327
- part of external anal sphincter　皮下部《外肛門括約筋の》　249
- perineal space　会陰皮下隙　247
- prepatellar bursa　膝蓋前皮下包　443
- venous plexus　皮下静脈叢　249

Subdeltoid bursa　三角筋下包　306, 307

Subdural
- hematoma　硬膜下血腫　591
- hemorrhage　硬膜下出血　590
- space　硬膜下腔　40

Subendocardial branches　心内膜下枝　102

Subglottic space　声門下腔　529

Sublingual
- artery　舌下動脈　647
- caruncle　舌下小丘　642, 647
- fold　舌下ヒダ　642, 647
- gland　舌下腺　646, **649**

Submandibular
- duct　顎下腺管　647, 649
- fossa　顎下腺窩　544
- ganglion　顎下神経節　569, 578, **645**, 647
- gland　顎下腺　537, 597, **649**, 661
- nodes　顎下リンパ節　523
- triangle　顎下三角　532

Submasseteric space　咬筋下隙　654

Submental
- artery　オトガイ下動脈　584
- nodes　オトガイ下リンパ節　523

(Superior nasal meatus)

- triangle オトガイ下三角 532
- vein オトガイ下静脈 588
Submucosa
- of esophagus 粘膜下組織《食道の》 107
- of urinary bladder 粘膜下組織《膀胱の》 252
Suboccipital
- muscles 後頭下筋 27, 30
- nerve 後頭下神経 39, 46, **524**, 541
Subperitoneal space 腹膜下隙 157, 246
Subpleural
- connective tissue 胸膜下結合組織 126
- network 胸膜下リンパ管叢 128
Subpopliteal recess 膝窩筋下陥凹 437, 442
Subpubic angle 恥骨下角 234
Subpyloric nodes 幽門下リンパ節 206, 207
Subscapular
- artery 肩甲下動脈 **364**, 365, 383, 385
- fossa 肩甲下窩 299
- nerves 肩甲下神経 368, 369
- nodes 肩甲下腋窩リンパ節 76
Subscapularis 肩甲下筋 302, 306, 309, 310, **317**, 401
Substantia nigra 黒質 564, 681, 693, 699
Subtalar joint 距骨下関節 454, **456**, 458, 508, 509
Subtendinous bursa of subscapularis 腱下包《肩甲下筋の》 306, 307
Sulcal
- artery 溝動脈 44
- vein 溝静脈 45
Sulcomarginal fasciculus 溝縁束 691
Sulcus
- of corpus callosum 脳梁溝 679
- tali 距骨溝 459
Superciliary arch 眉弓 543
Superficial
- abdominal fascia 浅腹筋膜 267, 488
- branch
- - of lateral plantar nerve 浅枝《外側足底神経の》 485, 498
- - of medial plantar artery 浅枝《内側足底動脈の》 472, 495, 498
- - of medial plantar nerve 浅枝《内側足底神経の》 498
- - of radial nerve 浅枝《橈骨神経の》 368, 373, 378, 387-389, 394
- - of ulnar artery 浅枝《尺骨動脈の》 391
- - of ulnar nerve 浅枝《尺骨神経の》 377, 390, 391, 393
- cervical
- - artery 浅頸動脈 **365**, 537-539
- - node 浅頸リンパ節 538
- - vein 浅頸静脈 538, 539
- circumflex iliac
- - artery 浅腸骨回旋動脈 **472**, 488, 492
- - vein 浅腸骨回旋静脈 69, **474**, 486, 488
- dorsal veins of penis 浅陰茎背静脈 265, 267, 275
- epigastric
- - artery 浅腹壁動脈 **472**, 492
- - vein 浅腹壁静脈 69, 474, 486, **488**
- fascia 浅筋膜 387
- fibular nerve 浅腓骨神経 476, **484**, 486, 496, 497
- head of flexor pollicis brevis 浅頭《短母指屈筋の》 355, 356
- inguinal
- - nodes 浅鼠径リンパ節 204, **277**, 278, 279, 475, 488
- - ring 浅鼠径輪 140, 144, 149, **150**, 151, 153, 154, 275, 488, 489

- layer
- - of cervical fascia 浅葉《頸筋膜の》 25, 530, 533, 534, 537
- - of nuchal fascia 浅葉《項筋膜の》 25
- middle cerebral vein 浅中大脳静脈 686, 687
- nodes
- - 浅前頭リンパ節 523
- - 浅膝窩リンパ節 475
- palmar
- - arch 浅掌動脈弓 364, 365, 390, 391, **393**
- - artery 浅掌動脈 391
- - branch of radial artery 浅掌枝《橈骨動脈の》 364, 390, 392, 393
- - vein 浅掌静脈 391
- parotid nodes 浅耳下腺リンパ節 523
- part
- - of external anal sphincter 浅部《外肛門括約筋の》 249
- - of masseter 浅部《咬筋の》 553, 558, 559
- - of parotid gland 浅部《耳下腺の》 649
- petrosal artery 浅錐体動脈 633
- temporal
- - artery 浅側頭動脈 583-585, **586**, 594, 595, 598, 599, 627
- - veins 浅側頭静脈 521, 588, **589**, 594, 598, 599
- thoracic fascia 浅胸筋膜 382
- transverse
- - metacarpal ligament 浅横中手靱帯 354
- - metatarsal ligament 浅横中足靱帯 464
- - perineal muscle 浅会陰横筋 **239**, 240, 263, 284, 285
- venous palmar arch 浅掌静脈弓 366
Superior
- alveolar nerves 上歯槽神経 644
- anastomotic vein 上吻合静脈 686
- angle of scapula 上角《肩甲骨の》 295, 299, 303, 400
- articular
- - facet of vertebra 上関節面《椎骨の》 **7**, 8-11
- - process 上関節突起 **7**, 8-13, 233
- - surface
- - - of sacrum 上関節面《仙骨の》 12
- - - of tibia 上関節面《脛骨の》 410, 432, 434
- basal vein of lower lobe of lungs 上肺底静脈 125
- belly of omohyoid 上腹《肩甲舌骨筋の》 517
- border
- - of scapula 上縁《肩甲骨の》 299
- - of spleen 上縁《脾臓の》 164, 180, 181
- branch of oculomotor nerve 上枝《動眼神経の》 607, 608
- cerebellar
- - artery 上小脳動脈 671, 688, 701
- - peduncle 上小脳脚 682, 683, 698
- - vein 上小脳静脈 686, 687
- cerebral veins 上大脳静脈 686
- cervical ganglion 上頸神経節 87, 537, 579, 597, **654**, 655, 694
- clunial nerves 上殿皮神経 39, 47, 70, 284, 285, 482, **486**, 490, 493
- colliculus of tectal plate 上丘《蓋板の》 681, 683
- conjunctival fornix 上結膜円蓋 610
- constrictor 上咽頭収縮筋 **652**, 653
- costal facet 上肋骨窩 7, 10
- costotransverse ligament 上肋横突靱帯 61
- diaphragmatic nodes 上横隔リンパ節 91, 95, 110
- duodenal
- - flexure 上十二指腸曲 168

- - fossa 上十二指腸陥凹 161, 169
- epigastric
- - artery 上腹壁動脈 68
- - veins 上腹壁静脈 195
- extensor retinaculum 上伸筋支帯 467, 495, 497
- fascia of pelvic diaphragm 上骨盤隔膜筋膜 244-246, **249**
- fibular retinaculum 上腓骨筋支帯 467
- frontal
- - gyrus 上前頭回 666, 678
- - sulcus 上前頭溝 678
- ganglion
- - of glossopharyngeal nerve 上神経節《舌咽神経の》 572, 573
- - of vagus nerve 上神経節《迷走神経の》 574
- glenohumeral ligament 上関節上腕靱帯 305
- gluteal
- - artery 上殿動脈 188, 269, 472, 490-493
- - nerve 上殿神経 477, **483**, 490, 491, 493
- - veins 上殿静脈 196, 269, 490, 493
- head (part) of lateral pterygoid 上頭《外側翼突筋の》 559, 639
- horn of thyroid cartilage 上角《甲状軟骨の》 526, 627
- hypogastric plexus 上下腹神経叢 213, 217, 219, 281
- hypophysial artery 上下垂体動脈 582
- intercostal vein 上肋間静脈 91
- labial
- - branch 上唇動脈 583, 584
- - branches of infra-orbital nerve 上唇枝《眼窩下神経の》 644
- lacrimal
- - canaliculus 上涙小管 611
- - punctum 上涙点 611
- laryngeal
- - artery 上喉頭動脈 **520**, 531, 534, 535, 583
- - nerve 上喉頭神経 127, **531**, 534, 535, 537, 574, **575**, 654
- - vein 上喉頭静脈 531
- lateral
- - brachial cutaneous nerve 上外側上腕皮神経 372, 378, 380
- - genicular artery 外側上膝動脈 **472**, 495
- ligament
- - of incus 上キヌタ骨靱帯 631
- - of malleus 上ツチ骨靱帯 631
- lingular segment of left lung 上舌区《左肺の》 118, 133
- lip (ileocolic lip) 上唇（回結腸唇） 172
- lobar bronchi 上葉気管支 89, 90, 116
- lobe of lungs 上葉《肺の》 116, 117, 130
- longitudinal muscle of tongue 上縦舌筋 646
- malleolar fold 上ツチ骨ヒダ 630
- medial genicular artery 内側上膝動脈 472, **495**
- mediastinum 上縦隔 **78**, 88
- medullary velum 上髄帆 682, 683, 698
- mesenteric
- - artery 上腸間膜動脈 156, 165, 168, 180, 186-188, 191, **192**, 199, 200, 220, 224, 250
- - ganglion 上腸間膜動脈神経節 214, 215, 217, 218
- - nodes 上腸間膜リンパ節 204, 207-209, 276
- - plexus 上腸間膜動脈神経叢 212, **213**, 216, 218
- - vein 上腸間膜静脈 165, 168, 191, 195, 200, 220
- nasal
- - concha 上鼻甲介 550, 603, **617**, 618-621
- - meatus 上鼻道 **617**, 619, 620

(Superior nuchal line)

Superior
- nuchal line　上項線　18, 26, 27, 30, 313, **544**, 546
- oblique　上斜筋　565, 604, 657
- oblique part of longus colli　上斜部《頸長筋の》　31, 519
- ophthalmic
- – artery　上眼動脈　608
- – vein　上眼静脈　521, 588, 589, 592, **606**, 608, 609
- orbital fissure　上眼窩裂　548, 551, 567, **602**, 603, 619, 636
- pancreatic nodes　上膵リンパ節　207
- parathyroid glands　上副甲状腺（上上皮小体）　530
- parietal lobule　上頭頂小葉　678
- part
- – of duodenum　上部《十二指腸の》　164, 165, **168**, 169, 178, 180
- – of nuclei of solitary tract　上部《孤束核の》　572, 574
- – of vestibular ganglion　上部《前庭神経節の》　571, 634, 635
- petrosal
- – sinus　上錐体静脈洞　589, 592, 671
- – vein　上錐体静脈　687
- phrenic arteries　上横隔動脈　66, 67, 73
- pole of kidney　上端《腎臓の》　184
- pubic ramus　恥骨上枝　142, 151, 230-232, 242, 243, 504
- recess
- – of omental bursa　上陥凹《網嚢の》　163
- – of tympanic membrane　上鼓膜陥凹　630
- rectal
- – artery　上直腸動脈　**187**, 193, 201, 274
- – nodes　上直腸リンパ節　209
- – plexus　上直腸動脈神経叢　215
- – vein　上直腸静脈　195, **201**, 274
- rectus　上直筋　565, **604**, 606, 609, 610, 657, 661
- root of ansa cervicalis　上根《頸神経ワナの》　524, 525, 537, 645
- sagittal sinus　上矢状静脈洞　37, 521, 549, 588-590, 592, 657, 658, 662, 666, 667, 671, 684, **686**, 700
- salivatory nucleus　上唾液核　561, 568, 569, 578
- segment of lungs　上-下葉区《肺の》　118, 133
- segmental artery
- – of kidney　上区動脈《腎臓の》　189
- – of lungs　上-下葉動脈《肺の》　125
- semilunar lobule　上半月小葉　682
- suprarenal arteries　上副腎動脈　67, 183-185, 188, **197**, 250
- tarsal muscle　上瞼板筋　608, 610
- tarsus　上瞼板　610
- temporal
- – gyrus　上側頭回　678
- – line　上側頭線　597
- – sulcus　上側頭溝　678
- thoracic
- – aperture　胸郭上口　56
- – artery　最上胸動脈　68, 364, **383**, 384, 385
- thyroid
- – artery　上甲状腺動脈　520, 530, 534-537, 582-584, **585**, 654
- – notch　上甲状切痕　513, 526
- – tubercle　上甲状結節　526
- – vein　上甲状腺静脈　521, 531, 536, **588**
- tracheobronchial nodes　上気管気管支リンパ節　128, 129
- transverse
- – rectal fold　上直腸横ヒダ　249

- – scapular ligament　上肩甲横靱帯　303, 304, 306
- tympanic artery　上鼓室動脈　632
- ulnar collateral artery　上尺側側副動脈　**364**, 386-388
- vein of lower lobe of lungs　上-下葉静脈《肺の》　125
- vena cava　上大静脈　37, 45, 66, 69, 78, **82**, 83, 89, 90, 93, 100, 124, 136
- vertebral notch　上椎切痕　**7**, 10, 11, 14
- vesical
- – arteries　上膀胱動脈　272, 273
- – vein　上膀胱静脈　270
- – vestibular nucleus　前庭神経上核　570
Superolateral superficial inguinal nodes　上外側浅鼠径リンパ節　475, 488
Superomedial superficial inguinal nodes　上内側浅鼠径リンパ節　475
Supinator　回外筋　332, 333, 335, 340, **341**, 403
Supplementary motor cortex　補助運動野　693
Supra-optic recess　視索上陥凹　680, 685
Supra-orbital
- artery　眼窩上動脈　582, **606**, 608, 609
- foramen　眼窩上孔　542, 543, **602**
- margin　眼窩上縁　512, 543
- nerve　眼窩上神経　565, 567, 581, **594**, 595, 596, 608, 609
- notch　眼窩上切痕　513
Supraclavicular
- nerves　鎖骨上神経　39, 70, 74, 378-380, 382, **524**, 525, 534, 538
- nodes　鎖骨上リンパ節　76
Supracristal plane　稜上平面　141
Supraduodenal artery　十二指腸上動脈　191
Supraglenoid tubercle　関節上結節《肩甲骨の》　**299**, 304
Supraglottic space (laryngeal vestibule)　声門上腔（喉頭前庭）　529
Suprahyoid muscles　舌骨上筋群　642
Supramarginal gyrus　縁上回　678
Supramastoid crest　乳突上稜　597
Suprapatellar pouch　膝蓋上陥凹　443
Suprapineal recess　松果体上陥凹　685
Suprapyloric node　幽門上リンパ節　206, 207
Suprarenal
- gland　副腎　162, 165, 169, 181, **182**, 183-185, 220, 250
- impression of liver　副腎圧痕《肝臓の》　174
- plexus　副腎神経叢　213, 217
- vein　副腎静脈　185
Suprascapular
- artery　肩甲上動脈　364, **365**, 380, 381, 383
- nerve　肩甲上神経　368, 369, **370**, 381, 535
- notch　肩甲切痕　59, 299, 303, **304**, 305
- region　肩甲上部　3
- vein　肩甲上静脈　588
Supraspinatus　棘上筋　24, 306, 309, 310, 313, 314, **317**, 380, 401
Supraspinous
- fossa of scapula　棘上窩《肩甲骨の》　59, 299
- ligament　棘上靱帯　20, 21, **22**
Supratrochlear
- artery　滑車上動脈　582, **606**, 609
- nerve　滑車上神経　567, 581, 594-596, 608, 609
- nodes　滑車上リンパ節　76
- veins　滑車上静脈　606
Supravaginal part of cervix of uterus　腟上部《子宮頸の》　256, 257
Supraventricular crest　室上稜　97
Supravesical fossa　膀胱上窩　152, 244

Supreme intercostal
- artery　最上肋間動脈　365, 520
- vein　最上肋間静脈　82
Sural nerve　腓腹神経　476, 485, 486, **494**, 496
Surfactant　サーファクタント　121
Surgical neck of humerus　外科頸《上腕骨の》　300
Suspensory ligament/s
- of breast (Cooper's ligaments)　乳房提靱帯（クーパー靱帯）　75
- of duodenum　十二指腸提筋　168
- of ovary　卵巣提靱帯（卵巣提索）　**244**, 247, 252, 254
- of penis　陰茎提靱帯　253, 271, 275
Sustentaculum tali　載距突起《踵骨の》　**453**, 455-459, 462
Sympathetic
- ganglion (paravertebral ganglion)　幹神経節（椎傍神経）　38, 42, 43, 212
- nervous system　交感神経系　87, 212
- root　交感神経根　607
- trunk　交感神経幹　**86**, 87, 90, 91, 103, 108, 214, 215, 217, 280, 535, 537, 654, 655, 694
Symphysial surface　恥骨結合面　230, 237
Synovial membrane　滑膜　304, 417

T

T1 spinal nerve　第 1 胸神経　40, 369
Taenia cinerea　第 4 脳室ヒモ　683
Tail of pancreas　膵尾　180, 181
Talocalcaneal
- interosseous ligament　骨間距踵靱帯　454, 457, 458, **461**
- joint　距骨下関節　454, **456**, 458, 508, 509
Talocalcaneonavicular joint　距踵舟関節　457, 508
Talofibular joint　距腓関節　509
Talonavicular joint　距舟関節　454, 508, 509
Talus　距骨　452, 453, 455, 457, 458, **459**, 508, 509
Tarsal
- bones　足根骨　410, 452
- glands　瞼板腺　610
- sinus　足根洞　459, 508
- tunnel　足根管　495
Tarsometatarsal joints　足根中足関節　454, 508
Tectal plate　蓋板　681-683, 685, 698
Tectorial membrane of lateral atlanto-axial joint　蓋膜《外側環軸関節の》　19, 20
Tectum of midbrain　中脳蓋　564
Teeth　歯　640
Tegmen tympani　鼓室蓋　571
Tegmental nucleus　被蓋核　562, 693
Telodiencephalic sulcus　終脳間脳溝　677
Temporal
- bone　側頭骨　18, 544, 547, 619, **624**, 625, 670
- branches
- – of facial nerve　側頭枝《顔面神経の》　568, 580, 594, 596
- – of lateral occipital artery　側頭枝《外側後頭動脈の》　671
- fossa　側頭窩　597
- lobe　側頭葉　670, 677, 700
- operculum　側頭弁蓋　678
- pole　側頭極　678
- process of zygomatic bone　側頭突起《頬骨の》　542
- region　側頭部　512
- surface
- – of sphenoid　側頭面《蝶形骨の》　551
- – of zygomatic bone　側頭面《頬骨の》　546

(Transverse sinus)

Temporalis　側頭筋　553-555, **558**, 597, 598, 662, 669, 670
Temporo-occipital branch of middle cerebral artery　側頭後頭枝《中大脳動脈の》　689
Temporomandibular joint　顎関節　638, 639
Temporoparietalis　側頭頭頂筋　553
Tendinous
－arch
－－of levator ani　肛門挙筋腱弓　238, 258
－－of pelvic fascia　骨盤筋膜腱弓　258
－－of soleus　ヒラメ筋[の]腱弓　450, 494
－cords　腱索　97, 99
－intersections　腱画　145, 149
－part of adductor magnus　大内転筋の腱　429
Tendon
－of infundibulum　動脈円錐腱　98
－of supraspinatus　棘上筋の腱　401
－of tensor tympani　鼓膜張筋の腱　629
－sheath　腱鞘　467
Tenia coli　結腸ヒモ　160, 164, 170-172, 242
Tenon's capsule (fascial sheath of eyeball)　テノン嚢（眼球鞘）　610
Tensor
－fasciae latae　大腿筋膜張筋　409, 418, 419, 422, 423, 425, 426, **427**, 491, 492, 505
－tympani　鼓膜張筋　**626**, 629, 632
－veli palatini　口蓋帆張筋　628, **643**, 653
Tentorial
－basal branch of internal carotid artery　テント底枝《内頸動脈の》　582
－branches of ophthalmic nerve　テント枝《眼神経の》　591
－marginal branch of internal carotid artery　テント縁枝《内頸動脈の》　582
－notch　テント切痕　590
Tentorium cerebelli　小脳テント　549, **590**, 591, 592, 660, 662
Teres
－major　大円筋　2, 24, 294, 308-314, **321**, 380, 396
－minor　小円筋　2, 306, 313, 314, **317**, 401
Terminal
－branch/es of external carotid artery　終枝《外頸動脈の》　583, 586
－bronchioles　終末細気管支　121
－duct　終末乳管　75
－－lobular unit (TDLU)　終末乳管小葉単位　75
－part of ileum　終末部《回腸の》　172
－sulcus of tongue　分界溝　646
Testicular
－artery　精巣動脈　154, 155, 185, **197**, 199, 250, **271**
－plexus　精巣動脈神経叢　154, 155, 213, 217, 218
－vein　精巣静脈　154, 155, **271**
Testis　精巣　**155**, 255, 271, 278, 290
Thalamostriate vein　視床線条体静脈　686
Thalamus　視床　563, **680**, 681, 682, 689, 692, 700
Thenar
－crease　母指線　295
－eminence　母指球　294, 295
－muscles　母指球筋　360, 396
Thigh　大腿　410
Third
－ventricle　第3脳室　679, 680, **685**, 689, 698, 700, 701
－plantar interosseous　第3底側骨間筋　471
Thoracic
－aorta　胸大動脈　36, 44, 67, 68, 73, 80, 89, 91, 108, 109, 116, 130, 364
－aortic plexus　胸大動脈神経叢　87, 103

－cavity　胸腔　78
－constriction (middle esophageal constriction)　胸部狭窄（中食道狭窄）　106
－duct　胸管　84, 91, **110**, 129, 535
－ganglia　胸神経節　86, 90, 103
－kyphosis　胸部後弯　4
－nerves　胸神経　369
－part
－－of esophagus　胸部《食道の》　89, 106, 116
－－of spinal cord　胸髄　48
－－of trachea　胸部《気管の》　120
－splanchnic nerves　胸内臓神経　212
－vertebrae [T1-T12]　胸椎　4, 6, **10**
Thoraco-acromial artery　胸肩峰動脈　68, **364**, 382-385
Thoraco-epigastric veins　胸腹壁静脈　69, 72, **366**
Thoracodorsal
－artery　胸背動脈　364, 384, **385**
－nerve　胸背神経　368, 369, **371**, 384, 385
Thoracolumbar
－fascia　胸腰筋膜　2, 24, **25**, 28, 29, 312, 313, 321
－junction　胸腰椎境界　4
Thorax　胸部（胸郭）　56, 89
Thymus　胸腺　78, **89**, 90
Thyro-arytenoid　甲状披裂筋　528
Thyro-epiglottic
－ligament　甲状喉頭蓋靱帯　527
－part of thyro-arytenoid muscle　甲状喉頭蓋部《甲状披裂筋の》　528
Thyrocervical trunk　甲状頸動脈　36, 68, 80, 135, 364, 365, 383, 520, **531**, 535, 665
Thyrohyoid　甲状舌骨筋　516, **517**, 534, 537, 652, 664, 669
－branch of ansa cervicalis　甲状舌骨筋枝《頸神経ワナの》　534, 537
－ligament　甲状舌骨靱帯　**527**, 529, 648
－membrane　甲状舌骨膜　527
Thyroid
－articular surface of cricoid cartilage　甲状関節面《輪状軟骨の》　526
－cartilage　甲状軟骨　54, 120, 517, **526**, 527, 530, 534-536, 669
－gland　甲状腺　78, 89, **530**, 536, 648, 651, 665, 669
－venous plexus　甲状腺静脈叢　531
Thyropharyngeal part of inferior constrictor　甲状咽頭部《下咽頭収縮筋の》　652
Tibia　脛骨　408, 410, **432**, 433, 434, 456, 457, 500, 503, 506, 509
Tibial
－collateral ligament of knee　内側側副靱帯《膝関節の》　436-438, **440**, 507
－nerve　脛骨神経　476, 477, **485**, 486, 487, 494, 495, 502, 503
－tuberosity　脛骨粗面　408, 410, 425, 432, 433, 444
Tibialis
－anterior　前脛骨筋　409, 421, 425, 444, 445, **449**, 456, 467, 495, 503
－posterior　後脛骨筋　446, 447, **451**, 456, 462, 464, 465, 467, 494, 495, 503
－－tendon　後脛骨筋の腱　451, **465**, 471
Tibiocalcaneal part of deltoid ligament　脛踵部《三角靱帯の》　461
Tibiofibular
－joint　脛腓関節　432, 434, 507
－syndesmosis　脛腓靱帯結合　432, 456, 461
Tibionavicular part of deltoid ligament　脛舟部《三角靱帯の》　461
Tongue　舌　646

Tonsil　扁桃　650
Tonsil of cerebellum　小脳扁桃　682
Tonsillar fossa　扁桃窩　650
Tooth sockets　歯槽　637
Torus tubarius　耳管隆起　620, 648, 650
Trabeculae carneae of interventricular septum　肉柱《心室中隔の》　97
Trachea　気管　25, 118, **120**, 526
Tracheal
－bifurcation　気管分岐部　120
－cartilages　気管軟骨　120
Tracheobronchial nodes　気管気管支リンパ節　85, 110, 111, **128**
Tragicus　耳珠筋　627
Tragus　耳珠　512, 627
Transpyloric plane　幽門平面　141
Transumbilical plane　臍平面　140
Transversalis fascia　横筋筋膜　25, **145**, 146, 151, 152
Transverse
－acetabular ligament　寛骨臼横靱帯　417
－arytenoid　横披裂筋　**528**, 653, 655
－carpal ligament　横手根靱帯　350, 392
－cervical
－－artery　頸横動脈　47, 365, **535**
－－nerve　頸横神経　**524**, 525, 534, 538, 539
－colon　横行結腸　156, 160, 162-164, 169, 170, **172**, 173, 182, 220, 225
－costal facet　横突肋骨窩　10
－facial artery　顔面横動脈　586, **594**, 595, 627
－fascicles
－－of palmar aponeurosis　横束（横線維束）《手掌腱膜の》　354
－－of plantar aponeurosis　横束（横繊維束）《足底腱膜の》　464
－folds of rectum　直腸横ヒダ　248
－head
－－of adductor hallucis　横頭《母趾内転筋の》　462, 465, 471, 499
－－of adductor pollicis　横頭《母指内転筋の》　355, 356, 361
－intermuscular septum of leg　横下腿筋間中隔　501
－ligament
－－of atlas　環椎横靱帯　18, 19, 21
－－of humerus　上腕横靱帯　304, 306
－－of knee　膝横靱帯　439, 440
－medullary veins　横延髄静脈　687
－mesocolon　横行結腸間膜　156, 162-164, 170-173, 181, 183, 221
－muscle
－－of tongue　横舌筋　646
－－of auricle　耳介横筋　627
－occipital sulcus　横後頭溝　678
－palatine suture　横口蓋縫合　546, 636
－part
－－of nasalis　横部《鼻筋の》　554
－－of trapezius　横行部《僧帽筋の》　24, 312, 320, 380, 515
－pericardial sinus　心膜横洞　94, 95
－perineal ligament　会陰横靱帯　**261**, 284
－pontine veins　横橋静脈　687
－process　横突起　6, **7**, 20, 22, 56, 57, 61
－－of atlas (C1)　横突起《環椎（第1頸椎）の》　31
－－of axis (C2)　横突起《軸椎（第2頸椎）の》　9
－－of cervical vertebrae　横突起《頸椎の》　8
－－of thoracic vertebra　横突起《胸椎の》　10
－ridges of sacrum　横線《仙骨の》　12
－sinus　横静脈洞　37, 521, 588, 589, 592, 659, 661, 671, **686**

Transverse
- tarsal joint　横足根関節（ショパール関節）　454
- thoracic dimension　胸部横径　60
- vesical fold　横膀胱ヒダ　244, **245**

Transversospinales　横突棘筋　35

Transversus
- abdominis　腹横筋　29, 64, 145-147, **148**, 149, 151, 152
-- aponeurosis　腹横筋の腱膜　145, **146**, 149
- thoracis　胸横筋　62, **63**

Trapezium　大菱形骨　**342**, 344, 346, 347, 404

Trapezius　僧帽筋　2, 25-28, 308, 310, 312, **320**, 380, 515, 554, 555, 661, 665, 669
- paralysis　僧帽筋麻痺　576

Trapezoid　小菱形骨　**342**, 343, 344, 346, 347, 363, 404

Trapezoid ligament　菱形靱帯　303

Triangular
- disc (articular disc)　関節円板《下橈尺関節の》　351
- fossa　三角窩　627
- part of inferior frontal gyrus　三角部《下前頭回の》　678

Triceps
- brachii　上腕三頭筋　2, 24, 294, 312, 314, **323**, 332, 334, 381
- surae　下腿三頭筋　445, **450**, 467, 500

Tricuspid valve (right atrioventricular valve)　三尖弁（右房室弁）　97, **98**, 99, 135, 137

Trigeminal
- ganglion　三叉神経節　**566**, 567, 568, 580, 581, 593, 621, 645
- nerve (CN V)　三叉神経　549, 560, **566**, 573, 593, 607, 644, 682, 683, 687
-- nuclei　三叉神経核群　561

Trigone
- of bladder　膀胱三角　252, 253
- of vagus nerve　迷走神経三角　683

Triquetrum　三角骨　295, **342**, 343, 344, 346, 404

Triradiate cartilage　Y軟骨　231

Trochanteric
- bursa of femur　転子包《大腿骨の》　415, 491, 493
- fossa of femur　転子窩《大腿骨の》　412

Trochlea
- of humerus　上腕骨滑車　**300**, 301, 326, 327, 329, 402
- of superior oblique　滑車《上斜筋の》　604
- of talus　距骨滑車　455-457, 459, 508

Trochlear
- nerve (CN IV)　滑車神経　549, 560, **564**, 565, 593, 607-609, 683
-- palsy　滑車神経麻痺　605
- notch of ulna　滑車切痕《尺骨の》　324, 325, 327

True
- conjugate　産科的真結合線　235
- ribs　真肋　57

Trunk　脳梁幹　698, 700

Tubal
- artery　耳管動脈　633
- branch
-- of tympanic plexus　耳管枝《鼓室神経叢の》　573
-- of uterine artery　卵管枝《子宮動脈の》　273
- tonsil　耳管扁桃　650

Tuber cinereum　灰白隆起　680, 681

Tubercle
- of rib　肋骨結節　56, 57, 59, 61
- of scaphoid　舟状骨結節《手の》　295, 343
- of trapezium　大菱形骨結節　295, **343**

Tuberculum
- of iliac crest　腸骨結節　233
- sellae　鞍結節　551

Tuberosity
- for serratus anterior　前鋸筋粗面　59
- of 5th metatarsal　第5中足骨粗面　408, 452, **453**, 455, 456, 462, 464, 465, 467, 469
- of cuboid　立方骨粗面　**453**, 469
- of distal phalanx of hand　末節骨粗面《手の》　343, 347, 353
- of navicular　舟状骨粗面《足の》　408, 455
- of ulna　尺骨粗面　322, 324, **325**

Tunica
- albuginea　白膜《精巣の》　155
-- of corpora cavernosa　陰茎海綿体白膜　265, 275
- vaginalis　精巣鞘膜　154, 155

Tympanic
- canaliculus　鼓室神経小管　573
- cavity　鼓室　571, 626, **628**, 629
- membrane　鼓膜　568, 626, 629, **630**, 632
- nerve　鼓室神経　571, 572, **573**, 629
- notch　鼓膜切痕　630
- part of temporal bone　鼓室部《側頭骨の》　625
- plexus　鼓室神経叢　571, **573**, 629, 645

Tympanomastoid fissure　鼓室乳突裂　542, 624

Type
- I pneumocyte　I型肺胞上皮細胞　121
- II pneumocyte　II型肺胞上皮細胞　121

U

Ulna　尺骨　296, 297, **324**, 357, 396, 399

Ulnar
- artery　尺骨動脈　364, 365, 387-389, **390**, 391-393, 395
- bundle territory　尺側リンパ管束領域　367
- carpal eminence　尺側手根隆起　350
- collateral ligament
-- of elbow joint　内側側副靱帯《肘関節の》　**328**, 329, 330, 403
-- of wrist joint　内側手根側副靱帯　346, 348, 351
- groove of humerus　尺骨神経溝《上腕骨の》　300, 301
- group of lymphatics　尺側リンパ管群　367
- head of pronator teres　尺骨頭《円回内筋の》　333
- nerve　尺骨神経　72, 369, **377**, 379, 383-394, 404
- notch of radius　尺骨切痕《橈骨の》　325, 331
- recurrent artery　尺側反回動脈　364
- styloid process　茎状突起《尺骨の》　295, **325**, 330, 331, 344
- tunnel　尺骨神経管（ギヨン管）　295, 390-392
- veins　尺骨静脈　366

Ulnocarpal
- complex　尺骨手根領域　351
- meniscus homologue　半月様構造　351

Ulnolunate ligament　尺骨月状骨靱帯　351

Ulnotriquetral ligament　尺骨三角骨靱帯　351

Umbilical
- artery　臍動脈　**104**, 105, 188, 271, 272
- cord　臍帯　105
- ring　臍輪　149
- vein　臍静脈　104

Umbilicus　臍　**104**, 105, 144-146, 152

Umbo of tympanic membrane　鼓膜臍　630

Uncinate process
- of cervical vertebrae　鉤状突起《頸椎の》　8, 9
- of ethmoid　鉤状突起《篩骨の》　550, 617, 619
- of pancreas　鉤状突起《膵臓の》　156, 180, 181

Uncovertebral joint　鉤椎関節　17

Uncus of limbic lobe　鉤《辺縁葉の》　562, 660

Upper
- abdomen　上腹部　141
- esophageal (pharyngo-esophageal) constriction　上食道狭窄（咽頭食道狭窄）　106
- eyelid　上眼瞼　610, 611
- subscapular nerve　上肩甲下神経　**371**, 385
- trunk (C5-C6)　上神経幹（第5・6頸神経）　369

Ureter　尿管　165, 183-185, 196, 242, 243, 248, 251, 252, 254, 255, 273, 286

Ureteral branches of renal artery　尿管枝《腎動脈の》　189

Ureteric
- orifice　尿管口　252-255
- plexus　尿管神経叢　215, 217, 280, 282

Urethra　尿道　247, **252**, 254, 260, 266

Urethral
- ampulla　膨大部《尿道の》　264
- artery　尿道動脈　265
- carina of vagina　尿道隆起《腟の》　260
- glands　尿道腺　264

Urinary bladder　膀胱　156, 242-245, 247, 250, **252**, **253**, 254, 255, 260, 264, 273, 279, 286

Urogenital
- hiatus　尿生殖裂孔　238
- triangle　尿生殖三角　229

Uterine
- artery　子宮動脈　188, 269, 272, 273
- cavity　子宮腔　256, 257
- extremity　子宮端　256
- ostium of uterine tube　卵管子宮口　257
- part of uterine tube　子宮部《卵管の》　257
- tube　卵管　243, 244, 247, 252, 254, 256, **257**, 261, 273, 279
- veins　子宮静脈　196, 269, 272, 273
- venous plexus　子宮静脈叢　196, 269, **272**

Uterosacral
- fold (recto-uterine fold)　子宮仙骨ヒダ（直腸子宮ヒダ）　244, **248**
- ligament (recto-uterine ligament)　子宮仙骨靱帯（直腸子宮靱帯）　257, 258, 286

Uterovaginal
- plexus　子宮腟神経叢　281
- venous plexus　子宮腟静脈叢　286

Uterus　子宮　243, 244, 254, **256**, 257, 279, 289

Utricle　卵形嚢　634

Utricular nerve　卵形嚢神経　634, 635

Utriculo-ampullary nerve　卵形嚢膨大部神経　571

Uvula
- 口蓋垂　620, **643**, 648, 650, 651, 658
- 虫部垂　682
- of bladder　膀胱垂　252

V

Vagina　腟　243, 244, 247, 252, 254, 257, **260**, 261

Vaginal
- artery　腟動脈　**269**, 272, 273
- fornix　腟円蓋　257, 260
- orifice　腟口　229, 260-262, 285
- part of cervix of uterus　腟部《子宮頸の》　256, 257
- rugae　腟粘膜ヒダ　260, 261
- venous plexus　腟静脈叢　269, 272

Vagus nerve (CN X)　迷走神経　25, 78, 86, 87, 89-91, 103, 108, 212, 535, 537, 549, 560, 572, **574**, 575, 646, 654, 683

Vallecula of cerebellum 小脳谷 682
Valve
 – of coronary sinus 冠状静脈弁 97
 – of foramen ovale 卵円孔弁 97
 – of inferior vena cava 下大静脈弁 97
Valves of kerckring ケルクリングヒダ 168
Vascular
 – pole of ovary 血管極《卵巣の》 256, 257
 – space 血管裂孔 489
Vasocorona 血管冠 44
Vastus
 – intermedius 中間広筋 418, 419, 423, **430**, 481, 492, 500, 502
 – lateralis 外側広筋 409, 418, 419, 423, 425, **430**, 481, 492, 500, 502
 – medialis 内側広筋 409, 418, 419, 421, **430**, 481, 492, 500, 502
Vault of pharynx 咽頭円蓋 650
Vein/s
 – of bulb
 – – of penis 尿道球静脈 269
 – – of vestibule 腟前庭球静脈 275
 – of cochlear
 – – aqueduct 蝸牛水管静脈 635
 – – window 蝸牛窓静脈 635
 – of ductus deferens 精管静脈 155, 271
 – of spinal cord 脊髄静脈 45
 – of vestibular aqueduct 前庭水管静脈 635
Venous
 – plexus
 – – around foramen magnum 大後頭孔周囲静脈叢 589
 – – of foramen ovale 卵円孔静脈叢 592
 – ring 静脈輪 45
Ventral
 – intermediate nucleus 中間腹側核 693
 – ramus/i
 – – of intercostal nerves 前枝《肋間神経の》 73
 – – of sacral nerve 前枝《仙骨神経の》 43, 217, 281
 – – of spinal nerve 前枝《脊髄神経の》 40, 42, **43**, 71, 369
 – root
 – – of sacral nerve 前根《仙骨神経の》 43
 – – of spinal nerve 前根《脊髄神経の》 40, **42**, 71, 369, 482, 535, 693
Ventricle 脳室 685
Vermian cistern of cerebellum 小脳虫部槽 684
Vermiform appendix 虫垂 **172**, 245
Vermis of cerebellum 小脳虫部 682
Vertebra prominens(C7) 隆椎(第7頸椎) 2, 6, 8, 40
Vertebral
 – arch 椎弓 **7**, 8, 9, 11, 14

 – artery 椎骨動脈 36, 40, 44, 46, 68, 80, 135, 364, 365, **520**, 535, 582, 583, 688, 701
 – body 椎体 6-10, 14, 57
 – canal 脊柱管 5, 14, 22, 48
 – column 脊柱 4
 – foramen 椎孔 **7**, 9, 11, 14, 57
 – part of latissimus dorsi 椎骨部《広背筋の》 321
 – plexus 椎骨動脈神経叢 87
 – region 脊柱部 3
 – vein 椎骨静脈 40, 45, 521
 – venous plexus 椎骨静脈叢 37, 220, 684
Vertical
 – muscle of tongue 垂直舌筋 646
 – part of longus colli 垂直部《頸長筋の》 31, 519
Vesical
 – plexus 膀胱神経叢 217, **280**, 282
 – veins 膀胱静脈 269, **272**, 273
 – venous plexus 膀胱静脈叢 196, 269
Vesico-uterine
 – ligament 膀胱子宮靱帯 258
 – pouch 膀胱子宮窩 243, 244, 256, 260
Vesicoprostatic venous plexus 膀胱前立腺静脈叢 286
Vesicovaginal septum 膀胱腟中隔 260
Vesicular appendices 胞状垂《卵巣上体の》 257
Vestibular
 – apparatus 前庭器 634
 – aqueduct 前庭水管 635
 – area 前庭神経野 683
 – artery 前庭動脈 635
 – fold 前庭ヒダ 529, 648
 – ganglion 前庭神経節 570, **571**, 571, 635
 – ligament 前庭靱帯 527
 – nerve(CN VIII) 前庭神経 570, **571**, 626
Vestibule 前庭 626, 628
Vestibule
 – of omental bursa 網嚢前庭 162, 163
 – of vagina 腟前庭 247, 254, **260**, 261, 262
Vestibulocochlear
 – artery 前庭蝸牛動脈 635
 – nerve(CN VIII) 内耳神経 549, 560, **570**, 571, 626, 682, 683
Vestige of processus vaginalis 鞘状突起痕跡 154
Visceral
 – layer
 – – of serous pericardium 臓側板《漿膜性心膜の》 93, 95
 – – of testis 臓側板《精巣の》 154, 155
 – – pelvic fascia 臓側骨盤筋膜 242, 243, **246**
 – – peritoneum 臓側腹膜 113, **158**, 242, 243, 267
 – – portion of pretracheal layer 気管前葉の臓側部 530, 533
Viscerocranium 顔面頭蓋 542

Visceromotor function(general visceral efferent fiber) 内臓運動機能(一般臓性遠心性線維) 561
Vitreous body 硝子体 612, 656, 662
Vocal
 – fold 声帯ヒダ 529, 648
 – ligament 声帯靱帯 527
 – process of arytenoid cartilage 声帯突起《披裂軟骨の》 526, 527
Vocalis 声帯筋 528
Vomer 鋤骨 543, 603, **616**, 619, 636, 656
Vorticose veins 渦静脈 613

W

Waldeyer's ring ワルダイエル咽頭輪 650
White matter(substance)
 – of brain 白質《脳の》 676
 – of spinal cord 白質《脊髄の》 691
 – ramus communicans of spinal nerve 白交通枝《脊髄神経の》 42, 71
 – zone(anal pecten) 白帯(肛門櫛) 249
Wrist joint 橈骨手根関節 346

X・Y・Z

Xiphoid process of sternum 剣状突起《胸骨の》 54, 56, 58
Yellow spot 黄斑 612, 613
Z line(gastro-esophageal junction) Z線(食道と胃の接合部) 107
Zenker's diverticulum ツェンケル憩室 107
Zonular fibers 小帯線維 612, **614**, 615
Zygapophysial joints 椎間関節 8, 10, 11, **16**
Zygomatic
 – arch 頬骨弓 542, 546, 657
 – bone 頬骨 **542**, 543, 546, 602, 603, 619
 – branches of facial nerve 頬骨枝《顔面神経の》 568, 580, 594, 596
 – nerve 頬骨神経 623, 644
 – process
 – – of frontal bone 頬骨突起《前頭骨の》 597
 – – of maxilla 頬骨突起《上顎骨の》 542, 543, 546
 – – of temporal bone 頬骨突起《側頭骨の》 542, 624, 670
 – region 頬骨部 512
Zygomatico-orbital
 – artery 頬骨眼窩動脈 586, 595
 – foramen 頬骨眼窩孔 602, 603
Zygomaticus
 – major 大頬骨筋 552-554, **557**, 594
 – minor 小頬骨筋 552-554, **557**

和文索引
Index of Japanese Term

- 索引語は，アルファベット，片仮名，平仮名，漢字（1 文字目の読み）の順に配列し，読みが同じ漢字は画数の少ない順に配列している．
- 項目の主要掲載ページは太字で示す．
- 「右」は「う」，「左」は「さ」，「手」は「しゅ」，「足」は「そく」，「肩」は「けん」，「歯」は「し」，「肘」は「ちゅう」，「膝」は「しつ」，「頬」は「きょう」に配列している．
- 英文中の a., aa. は artery, arteries を，br., brs. は branch, branches を，lig., ligs. は ligament, ligaments を，m., mm. は muscle, muscles を，n., nn. は nerve, nerves を，v., vv. は vein, veins を表す．

あ

α運動ニューロン　α-motor neuron　692, 693
アキレス腱（踵骨腱）　Achilles'(calcaneal)tendon　409, 445, 446, 450, 457, 463, **467**, 494, 495, 509
アステリオン　Asterion　542, 544
アブミ骨　Stapes　626, **630**
― の後脚　Posterior limb of stapes　630
― の前脚　Anterior limb of stapes　630
アブミ骨筋神経　N. to stapedius　568
アブミ骨頸　Neck of stapes　630
アブミ骨底　Base of stapes　630
アブミ骨頭　Head of stapes　630
アブミ骨膜　Stapedial membrane　631
アブミ骨輪状靱帯　Anular lig. of stapes　630
アルコック管（陰部神経管）　Alcock's(pudendal) canal　491
［足-］→「そく-」の項をみよ
鞍隔膜　Diaphragma sellae　549, 590
鞍結節　Tuberculum sellae　551
鞍背　Dorsum sellae　547, 551, 662, 667

い

I型肺胞上皮細胞　Type I pneumocyte　121
イニオン　Inion　**544**, 546
胃　Stomach　160, 163, **166**, 167, 190, 220, 222
― と食道の結合部（Z線）　Gastro-esophageal junction(Z line)　107
― の角切痕　Angular incisure of stomach　166
― の筋層　Muscular coat of stomach　166
― の後壁　Posterior wall of stomach　162, 220
― の斜線維　Oblique fibers of stomach　166
― の縦筋層　Longitudinal layer of stomach　166
― の小弯　Lesser curvature of stomach　166, 167
― の前壁　Anterior wall of stomach　220
― の大弯　Greater curvature of stomach　166, 167
― の幽門部　Pyloric part of stomach　220
― の輪層　Circular layer of stomach　166
胃圧痕《肝臓の》　Gastric impression of liver　174
胃結腸間膜　Gastrocolic lig.　159, 162
胃十二指腸動脈　Gastroduodenal a.　187, 190, **191**, 192, 198-201
胃神経叢　Gastric plexuses　103, 216
胃体　Body of stomach　166, 167
胃底　Fundus of stomach　166, 167
胃粘膜ヒダ　Gastric folds　166
胃脾間膜　Gastrosplenic lig.　162, **164**, 165, 171
胃面《脾臓の》　Gastric impression of spleen　164, 180, 181
異所性妊娠　Ectopic pregnancy　257
一次運動野（中心前回）　Primary motor cortex (precentral gyrus)　677, **678**, 693
一次体性感覚野（中心後回）　Primary somatosensory cortex(postcentral gyrus)　677, **678**, 692, 693
一般臓性遠心性線維（内臓運動機能）　General visceral efferent fiber(visceromotor function)　561
一般体性遠心性線維（体性運動機能）　General somatic efferent fiber(somatomotor function)　561
咽頭　Pharynx　651
［咽頭］口部　Oropharynx　648
［咽頭］喉頭部　Laryngopharynx　648
［咽頭］鼻部　Nasopharynx　648

咽頭円蓋　Vault of pharynx　650
咽頭陥凹　Pharyngeal recess　669
咽頭挙筋　Pharyngeal elevators　653
咽頭筋　Pharyngeal mm.　652
咽頭結節　Pharyngeal tubercle　546
咽頭後隙　Retropharyngeal space　654, 661
咽頭枝　Pharyngeal br.
― 《舌咽神経の》　Pharyngeal br. of glossopharyngeal n.　572
― 《迷走神経の》　Pharyngeal br. of vagus n.　572, 574, 575
咽頭収縮筋　Constrictors　652
咽頭静脈叢　Pharyngeal venous plexus　654
咽頭食道狭窄（上食道狭窄）　Pharyngo-esophageal (upper esophageal)constriction　106
咽頭神経叢　Pharyngeal plexus　87, **572**
咽頭頭底板　Pharyngobasilar fascia　653
咽頭動脈　Pharyngeal a.　584
咽頭扁桃　Pharyngeal tonsil　**650**, 651, 653
咽頭縫線　Pharyngeal raphe　107, 653
咽頭傍隙　Parapharyngeal space　654
陰核　Clitoris　254, 260
陰核亀頭　Glans of clitoris　229, 254, **262**, 263, 285
陰核脚　Crus of clitoris　247, 254, 261
陰核深静脈　Deep vv. of clitoris　275
陰核深動脈　Deep a. of clitoris　275
陰核体　Body of clitoris　263
陰核背神経　Dorsal n. of clitoris　261, 285
陰核背動脈　Dorsal a. of clitoris　261, 285
陰核包皮　Prepuce of clitoris　229, 262, 263
陰茎　Penis　229, 255, **264**, 278
陰茎海綿体　Corpus cavernosum penis　253, 255, **264**, 267, 284, 287, 290
陰茎海綿体神経　Cavernous nn. of penis　280
陰茎海綿体白膜　Tunica albuginea of corpora cavernosa　265, 275
陰茎亀頭　Glans penis　155, 255, **264**, 267, 271, 275
陰茎脚　Crus of penis　245, 247, 264
陰茎筋膜　Penile fascia　253
陰茎根　Root of penis　264
陰茎深静脈　Deep vv. of penis　269
陰茎深動脈　Deep a. of penis　264
陰茎体　Body of penis　264
陰茎中隔　Septum penis　265
陰茎提靱帯　Suspensory lig. of penis　253, 271, 275
陰茎背　Dorsum of penis　271
陰茎背神経　Dorsal n. of penis　264, **280**, 284
陰茎背動脈　Dorsal a. of penis　264, 271, **275**, 284
陰茎皮膚　Penile skin　265
陰茎包皮　Prepuce of penis　253, 267
陰囊　Scrotum　**154**, 155, 156, 229, 255, 267, 278, 284
陰囊後縁　Posterior border of root of scrotum　229
陰囊中隔　Septum of scrotum　**155**, 156, 253, 267
陰部神経　Pudendal n.　280, 283, 284, **285**, 476, 477, 490, 491, 493
― の会陰枝　Perineal brs. of pudendal n.　490
― の筋枝　Muscular brs. of pudendal n.　284
陰部神経管（アルコック管）　Pudendal(Alcock's) canal　491
陰部大腿神経　Genitofemoral n.　185, 210, 211, 285, 476-478, **479**, 487, 488
― の陰部枝　Genital br. of genitofemoral n.　151, 155, 211, 284, 478, **479**, 488
― の大腿枝　Femoral br. of genitofemoral n.　211, 478, 479, 488

う

右胃静脈　Right gastric v.　195, 198, 200
右胃大網静脈　Right gastro-omental v.　195, **198**, 199-201
右胃大網動脈　Right gastro-omental a.　187, 190, 192, **198**, 199-201
右胃大網リンパ節　Right gastro-omental nodes　206
右胃動脈　Right gastric a.　187, **190**, 191, 192, 198-201
右下肺静脈　Right inferior pulmonary v.　124, 125
右下腹部　Right lower quadrant　140
右下葉気管支　Right inferior lobar bronchus　120, 136
右肝管　Right hepatic duct　176, 178, 179
右肝静脈　Right hepatic v.　177
右肝部　Right liver　177
― の右外側後区域（区域Ⅶ）　Posterior lateral segment(segment Ⅶ)of right liver　177
― の右外側前区域（区域Ⅵ）　Anterior lateral segment(segment Ⅵ)of right liver　177
― の右内側区　Right medial division of right liver　177
― の右内側後区域（区域Ⅷ）　Posterior medial segment(segment Ⅷ)of right liver　177
― の右内側前区域（区域Ⅴ）　Anterior medial segment(segment Ⅴ)of right liver　177
右冠状動脈　Right coronary a.　98, **100**, 134
― の右縁枝（鋭角縁枝）　Right marginal br. of right coronary a.　100, 134
― の右後側壁枝　Right posterolateral a. of right coronary a.　134
― の円錐枝　Conus br. of right coronary a.　100
― の後室間枝（後下行枝）　Posterior interventricular br. of right coronary a.　100, 134
― の心房枝　Atrial br. of right coronary a.　100
右気管支縦隔リンパ本幹　Right bronchomediastinal trunk　129
右脚
― 《横隔膜の》　Right crus of diaphragm　64, 65
― 《房室束の》　Right bundle of atrioventricular bundle　102
右頸リンパ本幹　Right jugular trunk　129
右結腸曲　Right colic flexure　162, 164, 167, 169, **172**, 173, 225
右結腸静脈　Right colic v.　195, **200**, 201
右結腸動脈　Right colic a.　187, 192, **200**, 201
右結腸リンパ節　Right colic nodes　209
右後鼻孔　Right choana　648
右鎖骨下リンパ本幹　Right subclavian trunk　129
右三角間膜　Right triangular lig.　175, 177
右枝《固有肝動脈の》　Right br. of hepatic a. proper　177, 190
右主気管支　Right main bronchus　89, 120, 133, 136
右上肺静脈　Right superior pulmonary v.　124, 125
右上腹部　Right upper quadrant　140
右上葉気管支　Right superior lobar bronchus　120
右心耳　Right auricle　93, **96**, 97, 100
右心室　Right ventricle　92, 93, 96, **97**, 102, 130, 135, 137
右心房　Right atrium　92, 96, **97**, 102, 137
右精巣静脈　Right testicular v.　185, **197**, 250
右線維三角　Right fibrous trigone　98
右線維輪　Right fibrous ring　98
右中葉気管支　Middle lobar bronchus　120

右天蓋《横隔膜の》 Right dome of diaphragm 64
右肺 Right lung 78, 116, **117**, 133, 182
　— の下葉 Inferior lobe of right lung 116, 117, 130
　— の外側中葉区 Lateral segment of right lung 118
　— の外側中葉動脈 Lateral segmental a. of right lung 125
　— の後上葉区 Posterior segment of right lung 118
　— の後上葉静脈 Posterior v. of superior lobe of right lung 125
　— の斜裂 Oblique fissure of right lung 116, 117, 119, 130
　— の上葉 Superior lobe of right lung 116, 117, 130
　— の水平裂 Horizontal fissure of right lung 116, 117, 119, 130
　— の中葉 Middle lobe of right lung 116, 117, 130
　— の中葉静脈 Middle lobe v. of right lung 125
　— の中葉動脈 Middle lobar a. of right lung 125
　— の内側中葉区 Medial segment of right lung 118
　— の内側中葉動脈 Medial segmental a. of right lung 125
　— の肺尖区 Apical segment of right lung 118
右肺静脈 Right pulmonary vv. 83, 89, 90, 96, 100, 116, **124**, 133
右肺動脈 Right pulmonary a. 89, 90, 96, 116, **124**, 125, 133, 136
右半月弁 Right semilunar cusp
　— 《大動脈弁の》 Right semilunar cusp of aortic valve 98, 99
　— 《肺動脈弁の》 Right semilunar cusp of pulmonary valve 98
右板《甲状軟骨の》 Right lamina of thyroid cartilage 526
右尾状葉胆管 Right duct of caudate lobe 178
右副腎静脈 Right suprarenal v. 184, 196, **197**, 250
右辺縁静脈 Right marginal v. 100
右房室口 Right atrioventricular orifice 97
右房室弁(三尖弁) Right atrioventricular (tricuspid) valve 97, **98**, 99, 135, 137
　— の後尖 Posterior cusp of right atrioventricular valve 98, 99
　— の前尖 Anterior cusp of right atrioventricular valve 97-99
　— の中隔尖 Septal cusp of right atrioventricular valve 98, 99
右葉 Right lobe
　— 《肝臓の》 Right lobe of liver 163, 174, 176, 220
　— 《甲状腺の》 Right lobe of thyroid gland 530
　— 《前立腺の》 Right lobe of prostate 266
右腰リンパ節 Right lumbar nodes 278
右腰リンパ本幹 Right lumbar trunk 84, 204
右卵巣静脈 Right ovarian v. 185, 196, 197
右リンパ本幹 Right lymphatic duct 84
右腕頭静脈 Right brachiocephalic v. 69, **82**, 83, 90, 93, 109, 124, 130
迂回回 Ambient gyrus 562
迂回槽 Ambient cistern (cisterna ambiens) 684
烏口肩峰弓 Coraco-acromial arch 303, 305, 306
烏口肩峰靱帯 Coraco-acromial lig. 302, 303, **305**, 306
烏口鎖骨靱帯 Coracoclavicular lig. **303**, 305, 380
烏口上腕靱帯 Coracohumeral lig. 305
烏口突起 Coracoid process 54, 59, 295, **299**, 302, 304, 306
烏口腕筋 Coracobrachialis 308, 309, 311, **318**, 396

烏口腕筋包 Subcoracoid bursa 304
運動根《三叉神経の》 Motor root of trigeminal n. 683
運動枝《橈骨神経の》 Motor brs. of radial n. 385
運動性核 Motor nuclei 690

え

S状結腸 Sigmoid colon 161, **172**, 193, 225, 242-245, 248
S状結腸間陥凹 Intersigmoid recess 161
S状結腸間膜 Sigmoid mesocolon 161, **164**, 171, 172, 242, 243, 248
S状結腸静脈 Sigmoid vv. 195, **201**, 274
S状結腸動脈 Sigmoid aa. 187, **193**, 201, 274
S状結腸リンパ節 Sigmoid nodes 209
S状静脈洞 Sigmoid sinus 37, 571, 588, **589**, 592, 628, 654, 669, 671
S状洞溝 Groove for sigmoid sinus 547, 624
エディンガー-ウェストファル核(動眼神経副核) Edinger-Westphal nuclei (accessory nuclei of oculomotor n.) 561, **564**, 578
エナメル質 Enamel 640
エルプ点(神経点) Erb's point 538
会陰 Perineum **246**, 284, 285
会陰横靱帯 Transverse perineal lig. **261**, 284
会陰曲 Perineal flexure 248
会陰腱中心(会陰体) Perineal body 239, **242**, 243-245
会陰枝 Perineal brs.
　— 《陰部神経の》 Perineal brs. of pudendal n. 490
　— 《後大腿皮神経の》 Perineal brs. of posterior cutaneous n. of thigh 285, 482, 490
会陰神経 Perineal nn. 284, **285**
会陰切開術 Episiotomy 263
会陰動脈 Perineal a. 261, **275**
会陰皮下隙 Subcutaneous perineal space 247
会陰部(域) Perineal region 229
会陰縫線 Perineal raphe 229, 262
会陰膜(下尿生殖隔膜筋膜) Perineal membrane (inferior urogenital diaphragmatic fascia) 239, 244, 245, 252, **261**, 263, 264, 285
永久歯 Permanent teeth 640
栄養孔 Nutrient foramina 23
鋭角縁枝(右縁枝)《右冠状動脈の》 Right marginal br. of right coronary a. 100, 134
腋窩 Axilla 381
腋窩陥凹 Axillary recess 305, 306
腋窩筋膜 Axillary fascia 382
腋窩静脈 Axillary v. 69, 72, 74, **366**, 383-386
腋窩神経 Axillary n. 39, 368, 369, **372**, 378, 379, 381, 385, 401
腋窩動脈 Axillary a. 68, 72, 74, **364**, 365, 368, 383-386
腋窩部 Axillary region 54, 294
腋窩リンパ節 Axillary lymph nodes **76**, 367
腋窩リンパ叢 Axillary lymphatic plexus 76
円回内筋 Pronator teres 310, 332, 333, 335, 336, **337**, 396, 403
　— の尺骨頭 Ulnar head of pronator teres 333
　— の上腕頭 Humeral head of pronator teres 333
円錐枝《右冠状動脈の》 Conus br. of right coronary a. 100
円錐靱帯 Conoid lig. 303
円錐靱帯結節《鎖骨の》 Conoid tubercle 298
円板陥凹 Physiological cup 613
延髄 Medulla oblongata 40, 564, 669, 674, 677, 682, **683**, 685, 698, 700
延髄根 Cranial root 576
延髄錐体 Pyramid 682, 683, 693

遠位横手掌線 Distal transverse crease 295
遠位指節間(DIP)関節 Distal interphalangeal (DIP) joint 346, 348, 352, 353, 359
　— の関節包 Joint capsule of DIP joint 349
　— の側副靱帯 Collateral ligs. of DIP joint **348**, 353
遠位指節間(DIP)関節線 Distal interphalangeal (DIP) joint crease 295
遠位趾節間(DIP)関節 Distal interphalangeal (DIP) joint 454
遠位手根線 Distal wrist crease 295
遠心性線維 Efferent n. fibers 66
縁上回 Supramarginal gyrus 678

お

オトガイ下三角 Submental triangle 532
オトガイ下静脈 Submental v. 588
オトガイ下動脈 Submental a. 584
オトガイ下リンパ節 Submental nodes 523
オトガイ棘 Mental (genial) spines 544
オトガイ筋 Mentalis 552-554, **557**
オトガイ結節 Mental tubercle 543, 637
オトガイ孔 Mental foramen 542, 543, 637
オトガイ神経 Mental n. 567, **581**, 595, 596, 644
オトガイ舌筋 Genioglossus 554, 555, **642**, 646-649, 656, 657, 661, 666
オトガイ舌骨筋 Geniohyoid 516, **517**, 555, 642, 646, 648, 649, 656, 657, 659
オトガイ舌骨筋枝《第1頸神経の》 Geniohyoid br. of C1 645
オトガイ動脈《下歯槽動脈の》 Mental br. of inferior alveolar n. 584, 587, 594
オトガイ隆起 Mental protuberance 513, 542, 543, 637, 666, 668
オリーブ Inferior olive 574, 577, **682**, 683, 693
黄色靱帯 Ligamenta flava 14, 19-21, **22**, 23
黄斑 Macula (yellow spot) 612, 613
横延髄静脈 Transverse medullary vv. 687
横下腿筋間中隔 Transverse intermuscular septum of leg 501
横隔胸膜(壁側胸膜の横隔部) Diaphragmatic part of parietal pleura 66, 67, 89, 107, **113**, 115, 116
横隔結腸間膜 Phrenicocolic lig. 162
横隔神経 Phrenic n. **66**, 67, 78, 86, 89, 91, 103, 115, 130, 369, 524, 525, 535, 537, 539
　— の心膜枝 Pericardial brs. of phrenic n. 66
横隔脾間膜 Phrenicosplenic lig. 169
横隔膜 Diaphragm 60, **64**, 65-67, 78, 89, 122
　— の右脚 Right crus of diaphragm 64, 65
　— の右天蓋 Right dome of diaphragm 64
　— の肝臓の付着部 Hepatic surface of diaphragm 163
　— の胸骨部 Sternal part of diaphragm **64**, 65
　— の腱中心 Central tendon of diaphragm **64**, 65, 67, 73
　— の左脚 Left crus of diaphragm **64**, 65
　— の左天蓋 Left dome of diaphragm 64
　— の食道裂孔 Esophageal hiatus of diaphragm 64, 67, 82, 89, **107**
　— の大静脈裂孔 Caval opening of diaphragm **64**, 65, 67, 82, 89
　— の大動脈裂孔 Aortic hiatus of diaphragm **64**, 65, 80, 82
　— の腰椎部 Lumbar part of diaphragm **64**, 67
　— の肋骨部 Costal part of diaphragm **64**, 65, 67
横隔膜狭窄(下食道狭窄) Diaphragmatic (lower esophageal) constriction 106
横隔膜上憩室 Epiphrenic diverticulum 107
横隔膜ヘルニア Diaphragmatic hernia 147

（おうかくめん）

横隔面　Diaphragmatic surface
　—《肺の》　Diaphragmatic surface of lungs　117
　—《脾臓の》　Diaphragmatic surface of spleen　180
横橋静脈　Transverse pontine vv.　687
横筋筋膜　Transversalis fascia　25, **145**, 146, 151, 152
横口蓋縫合　Transverse palatine suture　546, 636
横行結腸　Transverse colon　156, 160, 162-164, 169, 170, **172**, 173, 182, 220, 225
横行結腸間膜　Transverse mesocolon　156, 162-164, 170-173, 181, 183, 221
横行部《僧帽筋の》　Transverse part of trapezius　24, 312, 320, 380, 515
横後頭溝　Transverse occipital sulcus　678
横手根靱帯　Transverse carpal lig.　350, 392
横静脈洞　Transverse sinus　37, 521, 588, 589, 592, 659, 661, 671, **686**
横舌筋　Transverse m. of tongue　646
横線《仙骨の》　Transverse ridges of sacrum　12
横束（横線維束）　Transverse fascicles
　—《手掌腱膜の》　Transverse fascicles of palmar aponeurosis　354
　—《足底腱膜の》　Transverse fascicles of plantar aponeurosis　464
横足根関節（ショパール関節）　Transverse tarsal joint　454
横頭　Transverse head
　—《母指内転筋の》　Transverse head of adductor pollicis　355, 356, 361
　—《母趾内転筋の》　Transverse head of adductor hallucis　462, 465, 471, 499
横洞溝　Groove for transverse sinus　547
横突間筋　Intertransversarii　34
横突間靱帯　Intertransverse ligs.　18, 20, **22**, 23
横突起　Transverse process　6, **7**, 20, 22, 56, 57, 61
　—《環椎（第1頸椎）の》　Transverse process of atlas（C1）　31
　—《胸椎の》　Transverse process of thoracic vertebra　10
　—《頸椎の》　Transverse process of cervical vertebrae　8
　—《軸椎（第2頸椎）の》　Transverse process of axis（C2）　9
横突棘筋　Transversospinales　35
横突孔　Foramen transversarium　7-9
横突肋骨窩　Transverse costal facet　10
横披裂筋　Transverse arytenoid　**528**, 653, 655
横部《鼻筋の》　Transverse part of nasalis　554
横膀胱ヒダ　Transverse vesical fold　244, **245**

【か】

ガレノス交通枝　Galen's anastomosis　531
下咽頭収縮筋　Inferior constrictor　89, 107, **652**, 653, 661
　—の甲状咽頭部　Thyropharyngeal part of inferior constrictor　652
　—の輪状咽頭部　Cricopharyngeal part of inferior constrictor　652
下縁　Inferior border
　—《肝臓の》　Inferior border of liver　176
　—《肺の》　Inferior border of lungs　117
　—《脾臓の》　Inferior border of spleen　180
下横隔静脈　Inferior phrenic vv.　185, 194, 196, 197, 250
下横隔動脈　Inferior phrenic a.　**66**, 67, 80, 185, 188, 197, 250
下横隔リンパ節　Inferior diaphragmatic nodes　**111**, 128, 204, 205
下下垂体動脈　Inferior hypophysial a.　582

下下腹神経叢（骨盤神経叢）　Inferior hypogastric (pelvic) plexus　212, 213, 215, **217**, 282, 694
下回盲陥凹　Inferior ileocecal recess　161
下外側上腕皮神経　Inferior lateral brachial cutaneous n.　**373**, 378, 380
下角
　—《肩甲骨の》　Inferior angle of scapula　2, 295, **299**, 400
　—《甲状軟骨の》　Inferior horn of thyroid cartilage　526, 527
　—《側脳室の》　Inferior horn of lateral ventricle　685
下顎縁枝《顔面神経の》　Marginal mandibular br. of facial n.　537, 568, **580**, 594, 596
下顎窩　Mandibular fossa　546, 624, **638**, 639
下顎角　Angle of mandible　512, 513, 666, 668
下顎管　Mandibular canal　668
下顎頸　Neck of mandible　638
下顎孔　Mandibular foramen　544, **567**, 637, 638, 668
下顎後静脈　Retromandibular v.　521, 588, 589
下顎後部　Retromandibular region　512
下顎骨　Mandible　542-544, 554, **637**, 638, 666
　—の筋突起　Coronoid process of mandible　597, 637, 638
　—の歯槽部　Alveolar part of mandible　637
　—の斜線　Oblique line of mandible　637
　—の翼突筋窩　Pterygoid fovea of mandible　637, 638
下顎枝　Ramus of mandible　542, 637, 670
下顎小舌　Lingula of mandible　638
下顎神経　Mandibular n.（CN V$_3$）　566, **567**, 569, 573, 580, 581, 600, 607, 639, 644, 645, 647
　—の硬膜枝　Meningeal br. of mandibular n.　591, 600
下顎切痕　Mandibular notch　637, 668
下顎体　Body of mandible　637
下顎頭　Head of mandible　517, 637-639, 669, 670
下陥凹《網嚢の》　Inferior recess of omental bursa　163
下関節上腕靱帯　Inferior glenohumeral lig.　305
　—の後帯　Posterior band of inferior glenohumeral lig.　305
　—の前帯　Anterior band of inferior glenohumeral lig.　305
下関節突起　Inferior articular process　7-11
下関節面
　—《脛骨の》　Inferior articular surface of tibia　433, 457
　—《椎骨の》　Inferior articular facet of vertebra　8-11
下眼窩裂　Inferior orbital fissure　546, 567, **602**, 603, 636
下眼瞼　Lower eyelid　610, 611
下眼静脈　Inferior ophthalmic v.　521, 588, **606**, 608, 609
下気管気管支リンパ節　Inferior tracheobronchial nodes　110, 111, 128, **129**
下丘《蓋板》　Inferior colliculus of tectal plate　681, 683
下丘腕　Brachium of inferior colliculus　681, 683
下区動脈《腎動脈の》　Inferior segmental a. of renal a.　189
下頸神経節　Inferior cervical ganglion　103
下肩甲下神経　Lower subscapular n.　**371**, 384, 385
下瞼板　Inferior tarsus　610
下瞼板筋　Inferior tarsal m.　610
下鼓室　Hypotympanum　629
下鼓室動脈　Inferior tympanic a.　632, 633
下甲状結節　Inferior thyroid tubercle　526
下甲状切痕　Inferior thyroid notch　526

下甲状腺静脈　Inferior thyroid v.　66, 82, 89, 109, **531**, 535, 536
下甲状腺動脈　Inferior thyroid a.　109, 365, 520, 530, **531**, 535, 537, 655, 665
　—の食道枝　Esophageal brs. of inferior thyroid a.　109
下行結腸　Descending colon　161, 162, 164, 167, 169, **172**, 173, 193, 220, 225
下行口蓋動脈　Descending palatine a.　587, **601**, 620, 621
下行枝　Descending br.
　—《外側大腿回旋動脈の》　Descending br. of lateral circumflex femoral a.　492
　—《後頭動脈の》　Descending br. of occipital a.　585
　—《浅錐体動脈の》　Descending br. of superficial petrosal a.　633
下行膝動脈　Descending genicular a.　**472**, 492
下行大動脈　Descending aorta　**81**, 91, 136
下行部　Descending part
　—《十二指腸の》　Descending part of duodenum　162, 165, **168**, 169, 178, 180
　—《僧帽筋の》　Descending part of trapezius　24, 312, 320, 380, 515
下後鋸筋　Serratus posterior inferior　24, 25, 28, 32, **33**, 313
下後腸骨棘　Posterior inferior iliac spine　230, **231**, 232, 233, 414
下後鼻枝《大口蓋神経の》　Posterior inferior nasal nn. of greater palatine n.　621
下喉頭静脈　Inferior laryngeal v.　**531**, 655
下喉頭神経　Inferior laryngeal n.　535, 575, 655
下喉頭動脈　Inferior laryngeal a.　531
下項線　Inferior nuchal line　27, 30, **544**, 546
下骨盤隔膜筋膜　Inferior fascia of pelvic diaphragm　239, 244, 245, **246**, 249, 261
下根《頸神経ワナの》　Inferior root of ansa cervicalis　524, 525, 645
下矢状静脈洞　Inferior sagittal sinus　549, 662, 671, 686
下枝《動眼神経の》　Inferior br. of oculomotor n.　565, 607, 608
下肢帯　Pelvic girdle　230, 410
下肢のデルマトーム　Dermatomes of lower limb　487
下肢リンパ管　lymphatics of lower limb
　—の後外側束　Posterolateral bundle of lymphatics of lower limb　475
　—の前内側束　Anteromedial bundle of lymphatics of lower limb　475
下歯槽神経　Inferior alveolar n.　567, 580, 599, **644**, 645
　—の下歯枝　Inferior dental brs. of inferior alveolar n.　567, 644
下歯槽動脈　Inferior alveolar a.　**587**, 599, 601
　—のオトガイ動脈　Mental br. of inferior alveolar a.　584, 587, 594
　—の顎舌骨筋枝　Mylohyoid br. of inferior alveolar a.　587
下斜筋　Inferior oblique　565, **604**, 610, 656
下斜部《頸長筋の》　Inferior oblique part of longus colli　31, 519
下尺側側副動脈　Inferior ulnar collateral a.　**364**, 386-388
下十二指腸陥凹　Inferior duodenal fossa　161, 169
下十二指腸曲　Inferior duodenal flexure　168
下縦隔　Inferior mediastinum　78
下縦舌筋　Inferior longitudinal m. of tongue　646
下小脳脚　Inferior cerebellar peduncle　682, 683
下上皮小体（下副甲状腺）　Inferior parathyroid glands　530

（がいいんぶじょうみゃく）

下食道狭窄（横隔膜狭窄） Lower esophageal (diaphragmatic) constriction 106
下伸筋支帯 Inferior extensor retinaculum 467, 495
下神経幹（第8頸神経・第1胸神経） Lower trunk (C8-T1) 369
下神経節 Inferior ganglion 572, 573, **574**
下唇（回盲唇） Inferior (ileocecal) lip 172
下唇下制筋 Depressor labii inferioris **552**, 553, 554, 557
下唇動脈 Inferior labial br. 583, 584, 594
下垂体 Pituitary gland 658, 659, 662, 667, 677, 679, **680**, 683, 685, 698, 700
— の後葉（神経下垂体） Posterior lobe of pituitary gland (neurohypophysis) 680, 682
— の前葉（腺下垂体） Anterior lobe of pituitary gland (adenohypophysis) 680, 682
— の漏斗 Infundibulum of pituitary gland 680-682, 685
下垂体窩《蝶形骨の》 Hypophysial fossa of sphenoid 547, **551**, 616, 617, 620, 667
下垂体原基 Hypophysis primordium 677
下膵十二指腸静脈 Inferior pancreaticoduodenal v. 195
下膵十二指腸動脈 Inferior pancreaticoduodenal a. 187, **191**, 198
下膵動脈 Inferior pancreatic a. 191, 199
下膵リンパ節 Inferior pancreatic nodes 207
下錐体静脈洞 Inferior petrosal sinus 589, **592**, 671
下髄帆 Inferior medullary velum 698
下舌区《左肺の》 Inferior lingular segment of left lung 118, 133
下浅鼠径リンパ節 Inferior inguinal nodes 475, 488
下前区動脈《腎臓の》 Anterior inferior segmental a. of kidney 189
下前腸骨棘 Anterior inferior iliac spine **230**, 231-233, 236
下前頭回 Inferior frontal gyrus 678
— の眼窩部 Orbital part of inferior frontal gyrus 678
— の三角部 Triangular part of inferior frontal gyrus 678
— の弁蓋部 Opercular part of inferior frontal gyrus 678
下前頭溝 Inferior frontal sulcus 678
下双子筋 Gemellus inferior 422-424, **427**, 490, 491, 500
下側頭回 Inferior temporal gyrus 678
下側頭溝 Inferior temporal sulcus 678
下側頭線 Inferior temporal line 597
下唾液核 Inferior salivatory nucleus 561, 572, 578
下腿 Lower leg 410
下腿筋膜 Deep fascia of leg 494, 496
下腿交叉 Crural chiasm 447, 451
下腿骨間膜 Interosseous membrane of leg **432**, 502, 503
下腿三頭筋 Triceps surae 445, **450**, 467, 500
下大静脈 Inferior vena cava 37, 67, 69, 82, 83, 92, 100, 188, 190-195, **196**, 197-200, 222
下大静脈弁 Valve of inferior vena cava 97
下大脳静脈 Inferior cerebral vv. 592
下端《腎臓の》 Inferior pole of kidney 184
下恥骨靱帯 Inferior pubic lig. 238
下腸間膜静脈 Inferior mesenteric v. 195, 199, 200, **201**, 270, 274
下腸間膜動脈 Inferior mesenteric a. 165, 186-188, **193**, 196, 197, 201, 250, 270, 273, 274
下腸間膜動脈神経節 Inferior mesenteric ganglion 215, 217, 219

下腸間膜動脈神経叢 Inferior mesenteric plexus 212, 213, 217, 219, 281, **282**
下腸間膜リンパ節 Inferior mesenteric nodes 204, 209, 276, 278, 279
下直筋 Inferior rectus 565, **604**, 610, 656, 657, 661
下直腸横ヒダ Inferior transverse rectal fold 249
下直腸静脈 Inferior rectal vv. 195, 269, 270, 274, 284, 285
下直腸神経 Inferior rectal nn. **280**, 283-285
下直腸動脈 Inferior rectal a. 270, 274, 284, 285
下直腸動脈神経叢 Inferior rectal plexus 215, 280
下椎切痕 Inferior vertebral notch 10, 11
下殿筋線《腸骨の》 Inferior gluteal line of ilium 231
下殿静脈 Inferior gluteal vv. 196, **269**, 270, 490, 491
下殿神経 Inferior gluteal n. 477, **483**, 490, 491, 493
— の筋枝 Muscular brs. of inferior gluteal n. 483
下殿動脈 Inferior gluteal a. 188, **269**, 270, 274, 472, 490-493
下殿皮神経 Inferior clunial nn. 47, 284, 285, 476, 482, 486, **490**, 493
下頭《外側翼突筋の》 Inferior head (part) of lateral pterygoid 559, 639
下頭斜筋 Obliquus capitis inferior 26, 27, 29, 30, 518, **519**, 541, 660, 661
下頭頂小葉 Inferior parietal lobule 678
下橈尺関節 Distal radio-ulnar joint **325**, 330, 331, 346
— の関節円板 Articular disc (triangular disc) 351
下尿生殖隔膜筋膜（会陰膜） Inferior urogenital diaphragmatic fascia (perineal membrane) 239, 244, 245, 252, **261**, 263, 264, 285
下肺底静脈 Inferior basal v. of lower lobe of lungs 125
下腓骨筋支帯 Inferior fibular retinaculum 467
下鼻甲介 Inferior nasal concha 543, 603, 611, **617**, 618-621, 636, 651, 656, 660, 666
下鼻道 Inferior nasal meatus **617**, 620, 621
下部 Inferior part
—《孤束核の》 Inferior part of nuclei of solitary tract 572, 574
—《前庭神経節の》 Inferior part of vestibular ganglion 571, 634, 635
下副甲状腺（下上皮小体） Inferior parathyroid glands 530
下副腎動脈 Inferior suprarenal a. 183-185, 188, **189**, 197, 250
下腹《肩甲舌骨筋の》 Inferior belly of omohyoid 517
下腹神経 Hypogastric n. 217, 219, 280, 281
下腹部 Lower abdomen 141
下腹壁静脈 Inferior epigastric v. 151, 152, 195, 196, 250, **271**
下腹壁動脈 Inferior epigastric a. 151, 152, 186, 188, 196, 250, **271**, 472
下吻合静脈 Inferior anastomotic v. 686
下膀胱静脈 Inferior vesical v. 196, 270, 272
下膀胱動脈 Inferior vesical a. 188, 269, 270, 273, 286
下脈絡叢静脈 Inferior choroid v. 687
下葉《肺の》 Inferior lobe of lungs 116, 117, 130
下葉気管支 Inferior lobar bronchi 89, 116
下腰三角（プチ三角） Iliolumbar triangle (of Petit) 47
下涙小管 Inferior lacrimal canaliculus 611
下涙点 Inferior lacrimal punctum 611
下肋骨窩 Inferior costal facet 7, 10

下肋部 Hypochondrium 54
仮肋 False ribs 57
架橋静脈 Bridging vv. 590, 671, 686
渦静脈 Vorticose vv. 613
窩間靱帯 Interfoveolar lig. 151, 152
蝸牛 Cochlea 571, 626, **634**
蝸牛管 Cochlear duct 634
蝸牛孔 Helicotrema 634
蝸牛交通枝 Cochlear communicating br. 635
蝸牛軸 Modiolus 634, 635
蝸牛神経 Cochlear n. 570, 571, 626, 634, **635**
蝸牛神経後核 Posterior cochlear nucleus 570
蝸牛神経前核 Anterior cochlear nucleus 570
蝸牛水管 Cochlear aqueduct 628, 634
蝸牛水管静脈 V. of cochlear aqueduct 635
蝸牛窓 Round window 571, 634, **635**
蝸牛窓小窩 Fossa of round window 629
蝸牛窓静脈 V. of cochlear window 635
顆間窩《大腿骨の》 Intercondylar fossa of femur 412, 413, 434
顆間線《大腿骨の》 Intercondylar line of femur 412
顆間隆起《脛骨の》 Intercondylar eminence of tibia 432-434
顆管 Condylar canal 546, 548
顆導出静脈 Condylar emissary v. 589, 661
鵞足 Pes anserinus 418, 419, 421, 422, **444**
介在ニューロン Interneurons 693
灰白交通枝 Gray ramus communicans 42, 71, 281
灰白交連 Gray commissure 690
灰白質 Gray matter (substance)
—《脊髄の》 Gray matter (substance) of spinal cord 676, 690
—《脳の》 Gray matter (substance) of brain 676
灰白隆起 Tuber cinereum 680, 681
回外筋 Supinator 332, 333, 335, 340, **341**, 403
回結腸静脈 Ileocolic v. 195, **200**, 201
回結腸唇（上唇） Ileocolic (superior) lip 172
回結腸動脈 Ileocolic a. 187, **192**, 193, 200, 201, 219
— の回腸枝 Ileal br. of ileocolic a. 192, 193, 200
— の結腸枝 Colic br. of ileocolic a. 192, 193, 200
回結腸リンパ節 Ileocolic nodes 208, 209
回旋筋 Rotator 34
回旋筋腱板 Rotator cuff 317
回旋枝《左冠状動脈の》 Circumflex br. of left coronary a. 100, 134
回腸 Ileum 156, 160, **170**, 225, 245
— の終末部 Terminal part of ileum 172
回腸口 Ileal orifice 172
回腸静脈 Ileal vv. 195, 200, **201**
回腸動脈 Ileal aa. 192, 200, 201
回盲唇（下唇） Ileocecal (inferior) lip 172
海馬 Hippocampus 689, 698, 699
海馬采 Fimbria of hippocampus 698
海綿静脈洞 Cavernous sinus 521, 588, 589, **592**, 593, 606, 607, 658, 662, 671
海綿静脈洞血栓症 Cavernous sinus syndrome 606
海綿静脈洞枝《内頸動脈の》 Cavernous br. of internal carotid a. 582
海綿静脈洞部《内頸動脈の》 Cavernous part of internal carotid a. 582
海綿体部《尿道の》 Spongy urethra 253, 255, 264-267
開存部《臍動脈の》 Patent part of umbilical a. 273
解剖学的嗅ぎタバコ入れ（橈骨窩） Anatomic (anatomical) snuffbox 394
解剖頸《上腕骨の》 Anatomical neck of humerus **300**, 301, 304
外陰部静脈 External pudendal vv. 69, **271**, 275, 474, 486, 488

737

外陰部動脈　External pudendal aa.　**271**, 275, 472, 488, 492
外果　Lateral malleolus　408, 410, **432**, 433, 446, 456, 457, 494, 496, 508
外果窩《腓骨の》　Malleolar fossa of fibula　432, 433
外果関節面《腓骨の》　Articular facet of fibula　433, 456, 457
外果後部　Lateral retromalleolar region　409
外果枝《腓骨動脈の》　Lateral malleolar brs. of fibular a.　472
外果面《距骨の》　Lateral malleolar facet of talus　455, 457, 459
外眼筋　Extra-ocular m.　604, 605
外頸静脈　External jugular v.　66, **521**, 534, 535, 538, 539, 588, 595, 596, 655, 665
外頸動脈　External carotid a.　520, 537, 582, **583**, 584-586, 647, 688
　—の後枝　Posterior br./brs. of external carotid a.　583, 586
　—の終枝　Terminal br./brs. of external carotid a.　583, 586
　—の前枝　Anterior br./brs. of external carotid a.　583, 584
　—の内側枝　Medial br./brs. of external carotid a.　583, 584
外頸動脈神経叢　External carotid plexus　87, 579
外口蓋静脈　External palatine v.　589
外肛門括約筋　External anal sphincter　239, 240, 242, 243, 248, **249**, 252, 283-285
　—の深部　Deep part of external anal sphincter　249
　—の浅部　Superficial part of external anal sphincter　249
　—の皮下部　Subcutaneous part of external anal sphincter　249
外後頭隆起　External occipital protuberance　26, 27, 512, **544**, 546, 589
外後頭稜　External occipital crest　546
外子宮口　External os of uterus　**260**, 261
　—の後唇　Posterior lip of external os of uterus　260
　—の前唇　Anterior lip of external os of uterus　260
外枝《上喉頭神経の》　External br. of superior laryngeal n.　**531**, 534, 535, 575
外耳　External ear　626
外耳孔　External acoustic opening　624
外耳道　External acoustic meatus　542, 624, **626**, 627, 628
　—の骨性部　Bony part of external acoustic meatus　626
　—の軟骨性部　Cartilaginous part of external acoustic meatus　626
外唇《腸骨稜の》　Outer lip of iliac crest　233
外生殖器　External genitalia　254, 262
外精筋膜　External spermatic fascia　150, 154, **155**, 275
外側縁　Lateral border
　—《肩甲骨の》　Lateral border of scapula　**299**, 304, 306, 400
　—《上腕骨の》　Lateral border of humerus　300
　—《腎臓の》　Lateral border of kidney　184
外側横膝蓋支帯　Lateral transverse patellar retinaculum　436
　—《大腿骨の》　Lateral condyle of femur　410, 412, 413, 434, 506
外側顆上線《大腿骨の》　Lateral supracondylar line of femur　412
外側顆上稜《上腕骨の》　Lateral supracondylar ridge of humerus　300
外側塊《環椎（第1頸椎）の》　Lateral masses of atlas (C1)　9
外側角《肩甲骨の》　Lateral angle of scapula　299
外側環軸関節　Lateral atlanto-axial joint　17
　—の蓋膜　Tectorial membrane of lateral atlanto-axial joint　19, 20
　—の関節包　Joint capsule of lateral atlanto-axial joint　19, 20
外側眼瞼靱帯　Lateral palpebral lig.　608
外側脚　Lateral crus
　—《浅鼠径輪の》　Lateral crus of superficial inguinal ring　150, 151, 489
　—《大鼻翼軟骨の》　Lateral crus of major alar cartilage　616
外側弓状靱帯　Lateral arcuate lig.　64, 65
外側嗅条　Lateral olfactory stria　562
外側胸筋神経　Lateral pectoral n.　368, 369, 374, 382-384
外側胸筋部　Lateral pectoral region　3, 54
外側胸静脈　Lateral thoracic v.　72, 74
外側胸動脈　Lateral thoracic a.　68, 72, 74, 364, 383-385
　—の外側乳腺枝　Lateral mammary brs. of lateral thoracic a.　74
外側頸三角部（後頸三角）　Lateral cervical region (posterior triangle)　532, 538
外側頸リンパ節の浅リンパ節　Lateral superficial cervical nodes　523
外側結節《距骨後突起の》　Lateral tubercle of posterior process of talus　453, 457, 459
外側楔状骨　Lateral cuneiform　**452**, 454, 455, 462, 508, 509
外側腱下包《腓腹筋の》　Lateral subtendinous bursa of gastrocnemius　437
外側広筋　Vastus lateralis　409, 418, 419, 423, 425, **430**, 481, 492, 500, 502
外側後頭動脈（P3区）　Lateral occipital a. (P3)　688
　—の側頭枝　Temporal brs. of lateral occipital a.　671
外側後鼻枝《蝶口蓋動脈の》　Posterior lateral nasal aa. of sphenopalatine a.　620, 621
外側硬膜上静脈　Lateral epidural vv.　45
外側溝　Lateral sulcus　677, **678**, 679
　—の後枝　Posterior ramus of lateral sulcus　678
　—の上行枝　Ascending ramus of lateral sulcus　678
　—の前枝　Anterior ramus of lateral sulcus　678
外側骨半規管　Lateral semicircular canal　571, 626, 628, 629, **634**
外側骨半規管隆起　Prominence of lateral semicircular canal　629
外側根《正中神経の》　Lateral root of median n.　376
外側鎖骨上神経　Lateral supraclavicular nn.　538, 539
外側臍ヒダ　Lateral umbilical fold　152, 160, 164, 244, 245
外側枝　Lateral br./brs.
　—《眼窩上神経の》　Lateral brs. of supra-orbital n.　594
　—《左冠状動脈の》　Lateral (diagonal) br. of left coronary a.　100, 134
　—《仙骨神経の》　Lateral br. of sacral n.　43
　—《腸骨下腹神経の》　Lateral br. of iliohypogastric n.　482, 490, 493
外側膝状体　Lateral geniculate body　**563**, 681, 682, 698, 699
外側手根側副靱帯　Radial collateral lig. of wrist joint　346, 349
外側種子骨　Lateral sesamoid　471
外側縦膝蓋支帯　Lateral longitudinal patellar retinaculum　436
外側踵骨枝《腓腹神経の》　Lateral calcaneal brs. of sural n.　485, 496
外側上顆　Lateral epicondyle
　—《上腕骨の》　Lateral epicondyle of humerus　295, **300**, 301, 329, 402
　—《大腿骨の》　Lateral epicondyle of femur　**408**, 412, 434, 506
外側上顆炎　Lateral epicondylitis　338
外側上後鼻枝《上顎神経の》　Posterior superior lateral nasal brs. of maxillary n.　621, 623
外側上膝動脈　Superior lateral genicular a.　**472**, 495
外側上腕筋間中隔　Lateral intermuscular septum of arm　381, 397
外側神経束《腕神経叢の》　Lateral cord of brachial plexus　368, 369, 374, **375**, 376, 384-386
外側唇《粗線の》　Lateral lip of femur　412
外側靱帯《顎関節の》　Lateral lig. of temporomandibular joint　553, 558, 638
外側仙骨静脈　Lateral sacral vv.　196, **269**, 270
外側仙骨動脈　Lateral sacral aa.　36, 188, **269**
外側仙骨稜　Lateral sacral crest　12, 13
外側前頭底動脈　Lateral frontobasal a.　689
外側前腕皮神経　Lateral antebrachial cutaneous n.　375, **378**, 387
外側鼠径窩　Lateral inguinal fossa　152, 245
外側足根動脈　Lateral tarsal a.　472, 497
外側足底溝　Lateral plantar sulcus　498
外側足底静脈　Lateral plantar v.　474, 498, 499
外側足底神経　Lateral plantar n.　476, **485**, 495, 498, 499
　—の深枝　Deep br. of lateral plantar n.　498, 499
　—の浅枝　Superficial br. of lateral plantar n.　485, 498
外側足底中隔　Lateral plantar septum　464
外側足底動脈　Lateral plantar a.　**472**, 495, 498, 499
外側足背皮神経《脛骨神経の》　Lateral dorsal cutaneous n. of tibial n.　485, **486**, 496, 497
外側足放線　Lateral rays of foot　462
外側側副靱帯
　—《膝関節の》　Fibular collateral lig. of knee　436-438, 440-442, 507
　—《上橈尺関節の》　Radial collateral lig. of proximal radio-ulnar joint　328-330
外側帯《手の》　Lateral bands of hand　359
外側大静脈リンパ節　Lateral caval nodes　204, 205, 277
外側大腿回旋静脈　Lateral circumflex femoral vv.　474, 505
外側大腿回旋動脈　Lateral circumflex femoral a.　**472**, 492, 505
　—の下行枝　Descending br. of lateral circumflex femoral a.　492
　—の上行枝　Ascending br. of lateral circumflex femoral a.　492
外側大腿筋間中隔　Lateral femoral intermuscular septum　501
外側大腿皮神経　Lateral cutaneous n. of thigh　211, 476-478, **479**, 486-488, 492
外側大動脈リンパ節　Lateral aortic nodes　**204**, 205, 277
外側中葉区《右肺の》　Lateral segment of right lung　118
外側中葉動脈《右肺の》　Lateral segmental a. of right lung　125

外側直筋　Lateral rectus　565, **604**, 609, 612, 657, 661, 662, 666
外側ツチ骨靱帯　Lateral lig. of malleus　630
外側頭　Lateral head
— 《上腕三頭筋の》　Lateral head of triceps brachii　294, 312, 314, **323**, 381, 398
— 《短母趾屈筋の》　Lateral head of flexor hallucis brevis　465, 471
— 《腓腹筋の》　Lateral head of gastrocnemius　422, 423, 445, 446, 450, 494
外側頭直筋　Rectus capitis lateralis　31, **519**, 555
外側突起　Lateral process
— 《踵骨隆起の》　Lateral process of calcaneal tuberosity　452, 459
— 《ツチ骨の》　Lateral process of malleus　630
外側乳腺枝　Lateral mammary brs.
— 《外側胸動脈の》　Lateral mammary brs. of lateral thoracic a.　74
— 《肋間神経の》　Lateral mammary brs. of intercostal nn.　74
外側肺底区《肺の》　Lateral basal segment of lungs　118, 133
外側肺底動脈　Lateral basal segmental a. of lungs　125
外側半規管　Lateral semicircular duct　635
外側半月　Lateral meniscus　438, **439**, 440-442, 507
外側板《翼状突起の》　Lateral plate of pterygoid process　546, 551, 617, 636, 663
外側皮枝　Lateral cutaneous br.
— 《脊髄神経の》　Lateral cutaneous br. of spinal n.　38, 39, **43**, 71
— 《腸骨下腹神経の》　Lateral cutaneous br. of iliohypogastric n.　70, 211, 478, 479, 486
— 《肋間神経の》　Lateral cutaneous br. of intercostal nn.　39, 47, 70, 73, 374, 379
— 《肋間動脈の》　Lateral cutaneous br. of posterior intercostal aa.　36, 44, 47, **68**
外側腓腹皮神経　Lateral sural cutaneous n.　**484**, 486, 494, 496
外側鼻枝《前篩骨神経の》　Lateral nasal brs. of anterior ethmoidal n.　621
外側鼻軟骨　Lateral nasal cartilage　616
外側部　Lateral part/s
— 《小脳の》　Lateral parts of cerebellum　682
— 《仙骨の》　Lateral part of sacrum　7, 12, 13
— 《腟の》　Lateral part of vagina　257
外側膨大部神経　Lateral ampullary n.　**571**, 634, 635
外側面　Lateral surface
— 《脛骨の》　Lateral surface of tibia　432
— 《橈骨の》　Lateral surface of radius　324
— 《腓骨の》　Lateral surface of fibula　432
外側腰リンパ節　Lateral lumbar node　220
外側翼突筋　Lateral pterygoid　553-555, **558**, 559, 639, 658, 661, 663, 669
— の下頭　Inferior head (part) of lateral pterygoid　559, 639
— の上頭　Superior head (part) of lateral pterygoid　559, 639
外側翼突筋神経　N. to lateral pterygoid　580, 600
外側輪状披裂筋　Lateral crico-arytenoid　528
外側裂孔　Lateral lacunae　592
外側肋横突靱帯　Lateral costotransverse lig.　61
外腸骨静脈　External iliac v.　196, 244, 247, 252, 269, **270**, 272, 273, 274, 488, 492
外腸骨動脈　External iliac a.　165, 188, 244, 247, 252, **270**, 272, 273, 274, 472, 492
外腸骨リンパ節　External iliac nodes　204, 277, **278**, 279, 488
外椎骨静脈叢　External vertebral venous plexus　**37**, 589

外転神経　Abducent n. (CN VI)　549, 560, 565, 593, 607-609, 683, 688
外転神経核　Nucleus of abducent n.　**561**, 564
外転神経麻痺　Abducent n. palsy　605
外尿道括約筋　External urethral sphincter　252, 253
外尿道口　External urethral orifice　229, 260, 262, 264, 285
外板《頭蓋冠の》　External table of calvaria　545, 592
外鼻枝《前篩骨神経の》　External nasal n. of anterior ethmoidal n.　596, 621
外腹斜筋　External oblique　2, 24, 28, 65, 73, 140, 144-146, 148, **149**, 308, 312, 313
— の腱膜　External oblique aponeurosis　**144**, 146, 149-151, 488, 492
外閉鎖筋　Obturator externus　247, 419, 424, **429**, 505
外包　External capsule　661
外膜《膀胱の》　Adventitia of urinary bladder　252
外肋間筋　External intercostal m.　28, 29, 62, **63**, 73, 144
外肋間膜　External intercostal membrane　63
蓋板　Tectal plate　681-683, 685, 698
— の下丘　Inferior colliculus of tectal plate　681, 683
— の上丘　Superior colliculus of tectal plate　681, 683
蓋膜《外側環軸関節の》　Tectorial membrane of lateral atlanto-axial joint　19, 20
角回　Angular gyrus　678
角回枝《中大脳動脈の》　Br. to angular gyrus of middle cerebral a.　689
角切痕《胃の》　Angular incisure of stomach　166
角膜　Cornea　610, 612, **614**
角膜縁　Corneal limbus　612
隔膜部《尿道の》　Membranous urethra　247, 264, 266
顎咽頭部《上咽頭収縮筋の》　Mylopharyngeal part of superior constrictor　652
顎下三角　Submandibular triangle　532
顎下神経節　Submandibular ganglion　569, 578, **645**, 647
顎下腺　Submandibular gland　537, 597, **649**, 661
顎下腺窩　Submandibular fossa　544
顎下腺管　Submandibular duct　647, 649
顎下リンパ節　Submandibular nodes　523
顎関節　Temporomandibular joint　638, 639
— の外側靱帯　Lateral lig. of temporomandibular joint　553, 558, 638
— の関節円板　Articular disc of temporomandibular joint　638, 639
— の関節包　Joint capsule of temporomandibular joint　553, 638, 639
顎静脈　Maxillary vv.　521, **588**, 589
顎舌骨筋　Mylohyoid　516, **517**, 555, 642, 646, 647, 652, 657, 659-661
顎舌骨筋枝《下歯槽動脈の》　Mylohyoid br. of inferior alveolar a.　587
顎舌骨筋神経　N. to mylohyoid　581, 600, **645**
顎舌骨筋神経溝　Mylohyoid groove　544, 638
顎舌骨筋線　Mylohyoid line　517, 544, 637
顎舌骨筋縫線　Mylohyoid raphe　517, 642
顎動脈　Maxillary a.　583-586, **587**, 599, 601, 620, 632
— の翼突筋枝　Pterygoid brs. of maxillary a.　587, 601
顎二腹筋　Digastric　516, **517**, 537, 554, 555, 642, 652, 657
— の後腹　Posterior belly of digastric　517, 642, 652, 653
— の前腹　Anterior belly of digastric　**517**, 554, 642, 652

— の中間腱　Intermediate tendon of digastric　642
[肩-] → 「けん-」の項をみよ
滑車《上斜筋の》　Trochlea of superior oblique　604
滑車下神経　Infratrochlear n.　567, 596, 608, 609
滑車上静脈　Supratrochlear vv.　606
滑車上神経　Supratrochlear n.　567, 581, 594-596, 608, 609
滑車上動脈　Supratrochlear a.　582, **606**, 609
滑車上リンパ節　Supratrochlear nodes　76
滑車神経　Trochlear n. (CN IV)　549, 560, **564**, 565, 593, 607-609, 683
滑車神経核　Nucleus of trochlear n.　561, **564**
滑車神経麻痺　Trochlear n. palsy　605
滑車切痕《尺骨の》　Trochlear notch of ulna　324, 325, 327
滑膜　Synovial membrane　304, 417
肝胃間膜　Hepatogastric lig.　156, 162, 164, **167**, 171
肝円索　Round lig. of liver　105, 171, 174, 176, **177**
肝鎌状間膜　Falciform lig. of liver　160, 167, **176**
肝冠状間膜　Coronary lig. of liver　175, 176
肝管　Hepatic ducts　183
肝区域　Hepatic segmentation　177
肝枝　Hepatic br.
— 《後迷走神経幹の》　Hepatic br. of posterior vagal trunk　216
— 《前迷走神経幹の》　Hepatic br. of anterior vagal trunk　216, 218
肝十二指腸間膜　Hepatoduodenal lig.　162-165, **167**, 171, 183
肝静脈　Hepatic vv.　92, 196, 198, 199
肝食道間膜　Hepato-esophageal lig.　167
肝神経叢　Hepatic plexus　214, 216, 218
肝腎陥凹　Hepatorenal recess　182
肝臓　Liver　163, **174**, 176, 220, 222, 224
— の胃圧痕　Gastric impression of liver　174
— の右葉　Right lobe of liver　163, 174, 176, 220
— の下縁　Inferior border of liver　176
— の結腸圧痕　Colic impression of liver　174
— の左葉　Left lobe of liver　163, 174, 176
— の十二指腸圧痕　Duodenal impression of liver　174
— の腎圧痕　Renal impression of liver　174
— の線維付着　Fibrous appendix of liver　177
— の尾状突起　Caudate process of liver　177
— の尾状葉　Caudate lobe of liver　163, 177
— の付着部《横隔膜の》　Hepatic surface of diaphragm　163
— の副腎圧痕　Suprarenal impression of liver　174
— の方形葉　Quadrate lobe of liver　176
— の無漿膜野　Bare area of liver　175, 176
[肝]門脈（肝門脈）　Hepatic portal v.　92, 177, 190-192, 195, **198**, 199-201, 206
肝葉　Hepatic lobes　176
肝リンパ節　Hepatic nodes　206, 207
肝弯曲　Hepatic flexure　172
冠状溝　Coronary sulcus　96, 97
冠状静脈洞　Coronary sinus　94, 96, 98, 100
冠状静脈弁　Valve of coronary sinus　97
冠状縫合　Coronal suture　542, 545, 667
貫通枝　Perforating br./brs.
— 《深掌動脈弓の》　Perforating brs. of deep palmar arch　365
— 《前腕正中皮静脈の》　Perforating brs. of median antebrachial v.　378
— 《内胸動脈の》　Perforating brs. of internal thoracic a.　74
— 《腓骨動脈の》　Perforating br. of fibular a.　472, 494
貫通動脈　Perforating aa.　472, 492, 497

間接鼠径ヘルニア　Indirect inguinal hernia　153
間脳　Diencephalon　674, **680**, 683
間膜縁　Mesovarian border　256
寛骨　Hip bone　**230**, 231, 410
　—の坐骨恥骨枝　Ischiopubic ramus of hip bone　264
寛骨臼　Acetabulum　**230**, 231, 233, 237, 413, 415, 504
　—の月状面　Lunate surface of acetabulum　231, 417
寛骨臼縁　Acetabular margin　230, **231**, 232, 233, 414
寛骨臼横靱帯　Transverse acetabular lig.　417
寛骨臼窩　Acetabular fossa　**231**, 415, 417, 473
寛骨臼蓋　Acetabular roof　417, 473
寛骨臼切痕　Acetabular notch　231
幹神経節（椎傍神経節）　Sympathetic (paravertebral) ganglion　38, 42, 43, 212
感覚根《三叉神経の》　Sensory root of trigeminal n.　683
感覚性核　Sensory nuclei　690
感覚性伝導路《脊髄の》　Sensory (ascending) tracts of spinal cord　691
関節円板　Articular disc
　—《下橈尺関節の》　Articular disc (triangular disc)　351
　—《顎関節の》　Articular disc of temporomandibular joint　638, 639
　—《胸鎖関節の》　Articular disc of sternoclavicular joint　303
関節下結節《肩甲骨の》　Infraglenoid tubercle　**299**, 304
関節窩
　—《肩甲骨の》　Glenoid cavity of scapula　**299**, 303, 304, 306
　—《橈骨の》　Articular fossa of radius　324, 325, 330
関節環状面　Articular circumference
　—《尺骨の》　Articular circumference of ulna　324
　—《橈骨の》　Articular circumference of radius　324-326, 331
関節隙《胸肋関節の》　Joint space of sternocostal joints　61
関節結節《側頭骨の》　Articular tubercle of temporal bone　624, 638, 639
関節後結節　Postglenoid tubercle　542
関節枝　Articular br.
　—《正中神経の》　Articular br. of median n.　376
　—《脊髄神経の》　Articular br. of spinal n.　43
関節上結節《肩甲骨の》　Supraglenoid tubercle　**299**, 304
関節上腕靱帯　Glenohumeral ligs.　305
関節唇
　—《肩関節の》　Glenoid labrum　306, 401
　—《股関節の》　Acetabular labrum　413, 415, 417, 473
関節突起　Condylar process　4
関節内肋骨頭靱帯　Intra-articular lig. of head of rib　61
関節包　Joint capsule
　—《遠位指節間 (DIP) 関節の》　Joint capsule of DIP joint　349
　—《外側環軸関節の》　Joint capsule of lateral atlanto-axial joint　19, 20
　—《顎関節の》　Joint capsule of temporomandibular joint　553, 638, 639
　—《近位指節間 (PIP) 関節の》　Joint capsule of PIP joint　349
　—《肩関節の》　Joint capsule of glenohumeral joint　305, 306
　—《膝関節の》　Joint capsule of knee joint　442

　—《中手指節 (MCP) 関節の》　Joint capsule of MCP joint　349
　—《中足趾節関節の》　Joint capsules of metatarsophalangeal joint　460, 461, 471
　—《肘関節の》　Joint capsule of elbow joint　329
　—《椎間関節の》　Joint capsule of zygapophysial joints　20
関節面　Articular surface
　—《膝蓋骨の》　Articular surface of patella　435, 442
　—《披裂軟骨の》　Articular surface of arytenoid cartilage　526
環椎（第1頚椎）　Atlas (C1)　6, 8, 40, 59
　—の横突起　Transverse process of atlas (C1)　31
　—の外側塊　Lateral masses of atlas (C1)　9
　—の後弓　Posterior arch of atlas (C1)　8, 9
　—の後結節　Posterior tubercle of atlas (C1)　9, 18
　—の前弓　Anterior arch of atlas (C1)　9
　—の前結節　Anterior tubercle of atlas (C1)　9
環椎横靱帯　Transverse lig. of atlas　18, 19, 21
環椎後頭関節　Atlanto-occipital joint　**16**, 19, 20
環椎後頭靱帯　Atlanto-occipital capsule　19, 20
環椎十字靱帯の縦束　Longitudinal bands　18, 21
岩様部《側頭骨の》　Petrous part of temporal bone　544, 547, **625**
岩様部枝《中硬膜動脈の》　Petrous br. of middle meningeal a.　587
眼窩　Orbit　543, **602**, 618
眼窩下縁　Infra-orbital margin　512, 543
眼窩下管　Infra-orbital canal　**602**, 603, 668
眼窩下孔　Infra-orbital foramen　513, 542, 543, 567, **602**, 611
眼窩下溝　Infra-orbital groove　602
眼窩下静脈　Infra-orbital v.　606
眼窩下神経　Infra-orbital n.　567, 594-596, 608, 623
　—の上唇枝　Superior labial brs. of infra-orbital n.　644
眼窩下動脈　Infra-orbital a.　584, 587, 594, **601**, 608
眼窩下部　Infra-orbital region　512
眼窩下壁　Orbital floor　603, 610
眼窩隔膜　Orbital septum　608, 610, 611
眼窩骨膜　Periorbita　610
眼窩枝《上顎神経の》　Orbital br. of maxillary n.　623
眼窩脂肪体　Retrobulbar fat　**610**, 666
眼窩上縁　Supra-orbital margin　512, 543
眼窩上孔　Supra-orbital foramen　542, 543, **602**
眼窩上神経　Supra-orbital n.　565, 567, 581, **594**, 595, 596, 608, 609
　—の外側枝　Lateral brs. of supra-orbital n.　594
　—の内側枝　Medial brs. of supra-orbital n.　594
眼窩上切痕　Supra-orbital notch　513
眼窩上動脈　Supra-orbital a.　582, **606**, 608, 609
眼窩板《篩骨の》　Orbital plate of ethmoid　550, 602, 603, 619
眼窩部
　—《下前頭回の》　Orbital part of inferior frontal gyrus　678
　—《眼輪筋の》　Orbital part of orbicularis oculi　554
　—《体表解剖の》　Orbital region　512
　—《涙腺の》　Orbital part of lacrimal gland　608, 611
眼窩面　Orbital surface
　—《頬骨の》　Orbital surface of zygomatic bone　603
　—《上顎骨の》　Orbital surface of maxilla　602, 603

　—《前頭骨の》　Orbital surface of frontal bone　602, 603
　—《蝶形骨の》　Orbital surface of sphenoid　551
眼角静脈　Angular v.　521, 588, 589, 594, **606**, 608
眼角動脈　Angular a.　583, 584, 594, 608
眼球　Eyeball　610, **612**
眼球運動麻痺　Oculomotor palsy　605
眼球結膜　Bulbar conjunctiva　612, 614
眼球鞘（テノン嚢）　Fascial sheath of eyeball (Tenon's capsule)　610
眼瞼　Eyelids　610
　—の脂腺　Sebaceous glands of eyelids　610
眼瞼部《涙腺の》　Palpebral part of lacrimal gland　608, 611
眼静脈　Ophthalmic v.　606
眼神経　Ophthalmic n. (CN V₁)　566, **567**, 581, 621
　—のテント枝　Tentorial brs. of ophthalmic n.　591
眼底　Optic fundus　613
眼動脈　Ophthalmic a.　582, 584, **606**, 608, 620, 671
眼杯　Optic cup　677
眼輪筋　Orbicularis oculi　**552**, 553, 554, 556
　—の眼窩部　Orbital part of orbicularis oculi　554
　—の涙嚢部　Lacrimal part of orbicularis oculi　554
顔面横動脈　Transverse facial a.　586, **594**, 595, 627
顔面静脈　Facial v.　521, **588**, 589, 594, 595, 598, 608
顔面神経　Facial n. (CN VII)　549, 560, **568**, **569**, 580, 594, 597, 598, 645, 649, 683, 693
　—の下顎縁枝　Marginal mandibular br. of facial n.　537, 568, **580**, 594, 596
　—の頬筋枝　Buccal brs. of facial n.　568, 580, 594, 596
　—の頬骨枝　Zygomatic brs. of facial n.　568, 580, 594, 596
　—の頚枝　Cervical br. of facial n.　534, 538, 568, 580, 596
　—の茎突舌骨筋枝　Stylohyoid br. of facial n.　596, 645
　—の側頭枝　Temporal brs. of facial n.　568, 580, 594, 596
　—の二腹筋枝　Digastric br. of facial n.　596, 645
顔面神経核　Motor nucleus of facial n.　561, 568
顔面神経管　Facial canal　568
顔面神経丘　Facial colliculus　683
顔面神経膝（内膝）　Internal genu of facial n.　568
顔面頭蓋　Viscerocranium　542
顔面動脈　Facial a.　583-585, 594, 598, 608
顔面動脈神経叢　Facial a. plexus　579

き

キーゼルバッハ部位　Kiesselbach's area　620
キヌタ-アブミ関節　Incudostapedial joint　630
キヌタ骨　Incus　626, 628, 629, **630**
　—の短脚　Short limb of incus　630
　—の長脚　Long limb of incus　630
　—の豆状突起　Lenticular process of incus　630
キヌタ骨体　Body of incus　630
キヌタ-ツチ関節　Incudomallear joint　630
キリアン三角　Killian's triangle　107
ギヨン管（尺骨神経管）　Ulnar tunnel　295, 390-392
気管　Trachea　25, 118, **120**, 526
　—の胸部　Thoracic part of trachea　120
　—の頚部　Cervical part of trachea　120
　—の膜性壁　Membranous wall of trachea　529
　—の輪状靱帯　Anular ligs.　120

(きょうこつ)

気管気管支リンパ節　Tracheobronchial nodes　85, 110, 111, **128**
気管支樹　Bronchial tree　118, **121**
気管支周囲リンパ管叢　Peribronchial network　128
気管支縦隔リンパ本幹　Bronchomediastinal trunk　84
気管支静脈　Bronchial vv.　127
気管支動脈　Bronchial br.　80, 126
気管支肺リンパ節　Bronchopulmonary nodes　85, 110, 111, 128, **129**
気管前葉《頸筋膜の》　Pretracheal layer of cervical fascia　25, 530, 534
　—の筋側部　Muscular portion of pretracheal layer　530, 533
　—の臓側部　Visceral portion of pretracheal layer　530, 533
気管軟骨　Tracheal cartilages　120
気管分岐部　Tracheal bifurcation　120
気管分岐部憩室　Parabronchial diverticulum　107
気管傍リンパ節　Paratracheal nodes　85, 110, 111, 128, **129**
気胸　Pneumothorax　123
奇静脈　Azygos v.　37, 45, 66, 67, 69, 73, **82**, 83, 90, 109, 136
基靱帯(子宮頸横靱帯)　Cardinal lig.　244, 247, 258
基節骨　Proximal phalanx
　—《手の》　Proximal phalanx of hand　346, 347, 352
　—《足の》　Proximal phalanx of foot　452, 453, 508
亀頭冠　Corona of glans　264, 275
疑核　Nucleus ambiguus　561, 572, **574**, 576
脚間窩　Interpeduncular fossa　662, 683
脚間核　Interpeduncular nucleus　562
脚間線維　Intercrural fibers　151, 489
脚間槽　Interpeduncular cistern　684
弓下動脈　Subarcuate a.　633
弓状膝窩靱帯　Arcuate popliteal lig.　437
弓状静脈《腎臓の》　Arcuate vv. of kidney　184
弓状線　Arcuate line
　—《腸骨の》　Arcuate line of ilium　142, **230**, 233
　—《腹直筋の》　Arcuate line of rectus abdominis　145, 146, 149, 152
弓状動脈　Arcuate a.
　—《腎臓の》　Arcuate a. of kidney　184, **189**
　—《足背動脈の》　Arcuate a. of dorsalis pedis a.　472, 497
求心性線維　Afferent n. fibers　66
球海綿体筋　Bulbospongiosus　239, 240, 247, 261, 263, 264
球形嚢　Saccule　**571**, 634
球形嚢神経　Saccular n.　**571**, 634, 635
球形嚢膨大部神経　Sacculo-ampullary n.　571
球部《十二指腸の》　Duodenal bulb　168
嗅球　Olfactory bulb　**562**, 620, 621
嗅索　Olfactory tract　549, 562
嗅三角　Olfactory trigone　562
嗅神経　Olfactory n.(CN I)　560, **562**, 679
嗅神経糸　Olfactory nn.　549, 562, 620, 621
嗅粘膜　Olfactory mucosa　562
距骨　Talus　452, 453, 455, 457, 458, **459**, 508, 509
　—の外果面　Lateral malleolar facet of talus　455, 457, 459
　—の後踵骨関節面　Posterior calcaneal articular facet of talus　459
　—の舟状骨関節面　Articular surface for navicular (navicular articular surface) of talus　455, 459
　—の前踵骨関節面　Anterior facet for calcaneus of talus　459
　—の中踵骨関節面　Middle facet for calcaneus of talus　459

　—の長母趾屈筋腱溝　Groove for flexor hallucis longus tendon of talus　459
　—の内果面　Medial malleolar facet of talus　455, 457, 459
距骨下関節　Subtalar(talocalcaneal)joint　454, **456**, 458, 508, 509
距骨滑車　Trochlea of talus　455-457, 459, 508
　—の後径　Posterior diameter of trochlea of talus　457
　—の前径　Anterior diameter of trochlea of talus　457
距骨頸　Neck of talus　**452**, 453, 457
距骨後突起　Posterior process of talus　452, 453, 459
　—の外側結節　Lateral tubercle of posterior process of talus　453, 457, 459
　—の内側結節　Medial tubercle of posterior process of talus　**453**, 459
距骨溝　Sulcus tali　459
距骨体　Body of talus　**452**, 453
距骨頭　Head of talus　**452**, 453, 457
距舟関節　Talonavicular joint　454, 508, 509
距踵舟関節　Talocalcaneonavicular joint　457, 508
距腿関節　Ankle joint　410, 454, 456, **457**, 508, 509
距腓関節　Talofibular joint　509
鋸状縁　Ora serrata　612, 615
胸横筋　Transversus thoracis　62, **63**
胸郭下口　Inferior thoracic aperture　56
胸郭上口　Superior thoracic aperture　56
胸管　Thoracic duct　84, 91, **110**, 129, 535
胸棘筋　Spinalis thoracis　29, 32, **33**
胸筋腋窩リンパ節　Pectoral axillary nodes　76
胸筋間リンパ節　Interpectoral nodes　76
胸筋部　Pectoral region　54
胸腔　Thoracic cavity　78
胸肩峰動脈　Thoraco-acromial a.　68, **364**, 382-385
　—の胸筋枝　Pectoral brs. of thoraco-acromial a.　364
　—の肩峰枝　Acromial br. of thoraco-acromial a.　364
　—の三角筋枝　Deltoid br. of thoraco-acromial a.　364
胸骨　Sternum　56, 57, **58**, 61, 73, 144, 145
　—の剣状突起　Xiphoid process of sternum　54, 56, 58
胸骨下角　Infrasternal angle　60
胸骨角　Sternal angle　54, 56, **58**
胸骨関節面《鎖骨の》　Sternal facet of clavicle　298
胸骨甲状筋　Sternothyroid　516, **517**, 534, 537, 665, 669
胸骨枝　Sternal brs.
　—《内胸動脈の》　Sternal brs. of internal thoracic a.　36
　—《肋間神経の》　Sternal brs. of intercostal nn.　70
胸骨舌骨筋　Sternohyoid　516, **517**, 534, 537, 555, 665, 669
胸骨線　Sternal line　55, 112
胸骨前部　Presternal region　54
胸骨体　Body of sternum　56, **58**
胸骨端《鎖骨の》　Sternal end of clavicle　298, 303
胸骨部《横隔膜の》　Sternal part of diaphragm　**64**, 65
胸骨柄　Manubrium of sternum　56, **58**, 59
胸骨傍線　Parasternal line　55
胸骨傍リンパ節　Parasternal nodes　76, 85, 128
胸鎖関節　Sternoclavicular joint　59, 302, **303**
　—の関節円板　Articular disc of sternoclavicular joint　303

胸鎖乳突筋　Sternocleidomastoid　26, 54, 308, **515**, 532, 534, 539, 554, 596, 665
　—の胸骨頭　Sternal head of sternocleidomastoid　515
　—の鎖骨頭　Clavicular head of sternocleidomastoid　515
胸鎖乳突筋麻痺　Sternocleidomastoid paralysis　576
胸最長筋　Longissimus thoracis　29, 32, **33**
胸神経　Thoracic nn.　369
胸神経節　Thoracic ganglia　86, 90, 103
胸髄　Thoracic part of spinal cord　48
胸腺　Thymus　87, **89**, 90
胸大動脈　Thoracic aorta　36, 44, 67, 68, 73, 80, 89, 91, 108, 109, 116, 130, 364
胸大動脈神経叢　Thoracic aortic plexus　87, 103
胸短回旋筋　Rotatores thoracis breves　29
胸長回旋筋　Rotatores thoracis longi　29
胸腸肋筋　Iliocostalis thoracis　29, **33**
胸椎　Thoracic vertebrae[T1-T12]　4, 6, **10**
　—の横突起　Transverse process of thoracic vertebra　10
胸内筋膜　Endothoracic fascia　113
胸内臓神経　Thoracic splanchnic nn.　212
胸背神経　Thoracodorsal n.　368, 369, **371**, 384, 385
胸背動脈　Thoracodorsal a.　364, 384, **385**
胸半棘筋　Semispinalis thoracis　34, 35
胸部(胸郭)　Thorax　56, 89
胸部　Thoracic part
　—《気管の》　Thoracic part of trachea　120
　—《食道の》　Thoracic part of esophagus　89, 106, 116
胸部横径　Transverse thoracic dimension　60
胸部狭窄(中食道狭窄)　Thoracic(middle esophageal)constriction　106
胸部後弯　Thoracic kyphosis　4
胸部前後径　Anteroposterior(AP)dimension　60
胸腹壁静脈　Thoraco-epigastric vv.　69, 72, **366**
胸膜下結合組織　Subpleural connective tissue　126
胸膜下リンパ管叢　Subpleural network　128
胸膜腔　Pleural cavity　55, **78**, 89
胸膜頂　Cervical pleura　55
胸腰筋膜　Thoracolumbar fascia　2, 24, **25**, 28, 29, 312, 313, 321
　—の後葉　Posterior layer of thoracolumbar fascia　25, 28
　—の中葉　Middle layer of thoracolumbar fascia　25, 29
胸腰椎境界　Thoracolumbar junction　4
胸肋関節　Sternocostal joints　**61**, 303
　—の関節腔　Joint space of sternocostal joints　61
胸肋三角　Sternocostal triangle　65
胸肋部《大胸筋の》　Sternocostal head of pectoralis major　144, 308, 318, 382
強膜　Sclera　610, 612, **614**, 615
強膜外隙　Episcleral space　610
強膜篩板　Lamina cribrosa of sclera　612
強膜静脈洞　Scleral venous sinus　612-614
頬咽頭部《上咽頭収縮筋の》　Buccopharyngeal part of superior constrictor　652
頬筋　Buccinator　552, 554, **557**, 652, 657, 663, 666
頬筋枝《顔面神経の》　Buccal brs. of facial n.　568, 580, 594, 596
頬隙　Buccal space　654
頬骨　Zygomatic bone　**542**, 543, 546, 602, 603, 619
　—の眼窩面　Orbital surface of zygomatic bone　603
　—の前頭突起　Frontal process of zygomatic bone　542, 543, 597

741

頬骨（つづき）
　—の側頭突起　Temporal process of zygomatic bone　542
　—の側頭面　Temporal surface of zygomatic bone　546
頬骨眼窩孔　Zygomatico-orbital foramen　602, 603
頬骨眼窩動脈　Zygomatico-orbital a.　586, 595
頬骨弓　Zygomatic arch　542, 546, 657
頬骨枝《顔面神経の》　Zygomatic brs. of facial n.　568, 580, 594, 596
頬骨神経　Zygomatic n.　623, 644
　—と涙腺神経との交通枝　Communicating br. with zygomatic n.　567
頬骨突起　Zygomatic process
　—《上顎骨の》　Zygomatic process of maxilla　542, 543, 546
　—《前頭骨の》　Zygomatic process of frontal bone　597
　—《側頭骨の》　Zygomatic process of temporal bone　542, 624, 670
頬骨部　Zygomatic region　512
頬脂肪体　Buccal fat pad　657
頬神経　Buccal n.　**567**, 580, 581, 599, 644
頬動脈　Buccal a.　587, 599, **601**
頬部　Buccal region　512
橋　Pons　564, 568, 674, 677, **682**, 683, 685, 698, 700
橋延髄境界　Pontomedullary junction　565
橋延髄槽　Pontomedullary cistern　684
橋核（三叉神経主感覚核）　Pontine nuclei (principal sensory nucleus of trigeminal n.)　561, 566
橋枝　Pontine aa.　688
橋小脳槽　Pontocerebellar cistern　660
橋中脳静脈　Pontomesencephalic v.　687
棘下窩《肩甲骨の》　Infraspinous fossa of scapula　299, 304, 305
棘下筋　Infraspinatus　24, 306, 313, 314, **317**, 380, 401
棘間筋　Interspinales　34, **35**
棘間靱帯　Interspinous ligs.　14, 20, 21, **22**
棘間平面　Interspinous plane　141
棘筋　Spinalis　28, 29, **32**
棘孔　Foramen spinosum　546-548, **551**
棘上窩《肩甲骨の》　Supraspinous fossa of scapula　59, 299
棘上筋　Supraspinatus　24, 306, 309, 310, 313, 314, **317**, 380, 401
　—の腱　Tendon of supraspinatus　401
棘上靱帯　Supraspinous lig.　20, 21, **22**
棘突起　Spinous process　4, 6, **7**, 8-11, 14, 20, 57
　—《第1胸椎の》　Spinous process of T1　56
近位横手掌線　Proximal transverse crease　295
近位指節間(PIP)関節　Proximal interphalangeal (PIP) joint　346, 348, 352, 359
　—の関節包　Joint capsule of PIP joint　349
　—の側副靱帯　Collateral ligs. of PIP joint　**348**, 352, 353
近位指節間(PIP)関節線　Proximal interphalangeal (PIP) joint crease　295
近位趾節間(PIP)関節　Proximal interphalangeal (PIP) joint/s　454
近位手根線　Proximal wrist crease　295
筋横隔動脈　Musculophrenic a.　**66**, 67, 68, 73
筋三角　Muscular triangle　532
筋枝　Muscular brs.
　—《陰部神経の》　Muscular brs. of pudendal n.　284
　—《下殿神経の》　Muscular brs. of inferior gluteal n.　483
　—《坐骨神経の》　Muscular brs. of sciatic n.　477, 485

　—《大腿神経の》　Muscular brs. of femoral n.　477, 481
　—《橈骨神経の》　Muscular brs. of radial n.　381, 387, 389
　—《腓骨動脈の》　Muscular brs. of fibular a.　472
　—《閉鎖神経の》　Muscular brs. of obturator n.　480
筋性部《心室中隔の》　Muscular part of interventricular septum　99
筋層　Muscular coat
　—《胃の》　Muscular coat of stomach　166
　—《十二指腸の》　Muscular coat of duodenum　168
　—《食道の》　Muscular coat of esophagus　107
　—《膀胱の》　Muscular coat of urinary bladder　252
筋突起
　—《下顎骨の》　Coronoid process of mandible　597, 637, 638
　—《披裂軟骨の》　Muscular process of arytenoid cartilage　526, 527
筋皮神経　Musculocutaneous n.　368, **375**, 378, 379, 383, 384, 386, 387, 389
筋裂孔　Muscular space　489
緊張部《鼓膜の》　Pars tensa of tympanic membrane　630

く

クーパー靱帯（乳房提靱帯）　Cooper's ligs. (suspensory ligs. of breast)　75
クモ膜　Arachnoid mater　40, 590
クモ膜下腔　Subarachnoid space　40, **590**, 684
クモ膜下出血　Subarachnoid hemorrhage　591
クモ膜顆粒　Arachnoid granulations　590, 592, 684
クモ膜顆粒小窩　Granular foveolae　545
クモ膜小柱　Arachnoid trabeculae　590
クローン病　Crohn's disease　171
グラーフ卵胞　Graafian follicle　256
グランフェルト三角（上腰三角）　Fibrous lumbar triangle (of Grynfeltt)　47
グルーバー靱帯　Gruber's lig.　593
区域気管支　Segmental bronchus　121, 133
区域静脈《腎臓の》　Segmental vv. of kidney　184
区域動脈《腎臓の》　Segmental aa. of kidney　184
空腸　Jejunum　156, 160, 168, 169, **170**, 179, 180, 222, 225
空腸静脈　Jejunal vv.　195, **200**, 201
空腸動脈　Jejunal aa.　**192**, 200, 201
屈筋支帯　Flexor retinaculum
　—《手の》　Flexor retinaculum of hand　350, **354**, 355, 356, 376, 377, 392, 404
　—《足の》　Flexor retinaculum of foot　**467**, 494, 495

け

ケルクリングヒダ　Valves of kerckring　168
外科頚《上腕骨の》　Surgical neck of humerus　300
茎状突起　Styloid process
　—《尺骨の》　Ulnar styloid process　295, **325**, 330, 331, 344
　—《側頭骨の》　Styloid process of temporal bone　19, 542, 544, 546, 553, **624**, 625, 626
　—《橈骨の》　Radial styloid process　295, **324**, 325, 330, 331, 344
茎突咽頭筋　Stylopharyngeus　555, 572, **652**, 653
茎突咽頭筋枝《舌咽神経の》　Stylopharyngeal br. of glossopharyngeal n.　572
茎突下顎靱帯　Stylomandibular lig.　638
茎突舌筋　Styloglossus　555, **646**, 647, 652
茎突舌骨筋　Stylohyoid　517, 555, **642**, 652, 653

茎突舌骨筋枝《顔面神経の》　Stylohyoid br. of facial n.　596, 645
茎乳突孔　Stylomastoid foramen　546, 548, 568, 569, 600, **624**, 645
茎乳突孔動脈　Stylomastoid a.　632, 633
脛骨　Tibia　408, 410, **432**, 433, 434, 456, 457, 500, 503, 506, 509
　—の下関節面　Inferior articular surface of tibia　433, 457
　—の顆間隆起　Intercondylar eminence of tibia　432-434
　—の外側顆　Lateral condyle of tibia　408, 410, 432-434, 445, 506
　—の外側面　Lateral surface of tibia　432
　—の後顆間区　Posterior intercondylar area of tibia　433
　—の上関節面　Superior articular surface of tibia　410, 432, 434
　—の前縁　Anterior border of tibia　432
　—の前顆間区　Anterior intercondylar area of tibia　433, 443
　—の内果関節面　Articular facet of tibia　433, 456, 457
　—の内側顆　Medial condyle of tibia　408, 410, 432-434, 506
　—の内側面　Medial surface of tibia　408, 432
　—のヒラメ筋線　Soleal line of tibia　432, 434
脛骨神経　Tibial n.　476, 477, **485**, 486, 487, 494, 495, 502, 503
　—の外側足皮神経　Lateral dorsal cutaneous n. of tibial n.　485, **486**, 496, 497
　—の内側踵骨枝　Medial calcaneal br. of tibial n.　485, 494, 495
脛骨粗面　Tibial tuberosity　408, 410, 425, 432, 433, 444
脛骨体　Shaft of tibia　432, 449
脛骨頭　Head of tibia　432
脛舟部《三角靱帯の》　Tibionavicular part of deltoid lig.　461
脛踵部《三角靱帯の》　Tibiocalcaneal part of deltoid lig.　461
脛腓関節　Tibiofibular joint　432, 434, 507
脛腓靱帯結合　Tibiofibular syndesmosis　432, 456, 461
頚横神経　Transverse cervical n.　**524**, 525, 534, 538, 539
頚横動脈　Transverse cervical a.　47, 365, **535**
頚横突間筋　Intertransversarii cervicis　27
頚胸椎境界　Cervicothoracic junction　3, 4
頚棘間筋　Interspinales cervicis　27, 29, 34, 35
頚棘筋　Spinalis cervicis　29, 32, **33**, 660, 669
頚筋膜　Cervical fascia　25, 530, **533**, 534
　—の気管前葉　Pretracheal layer of cervical fascia　25, 530, 534
　—の浅葉　Superficial (investing) layer of cervical fascia　25, 530, 533, 534, 537
　—の椎前葉　Prevertebral layer of cervical fascia　25, 533
頚屈　Cervical flexure　677
頚鼓神経　Caroticotympanic nn.　573
頚鼓動脈　Caroticotympanic aa.　582, 632, 633
頚後横突間筋　Posterior cervical intertransversarii　541
頚最長筋　Longissimus cervicis　32, 33, 664
頚枝《顔面神経の》　Cervical br. of facial n.　534, 538, 568, 580, 596
頚静脈　Jugular v.　588
頚静脈窩　Jugular fossa　512, 624
頚静脈弓　Jugular venous arch　521, 534
頚静脈孔　Jugular foramen　546-548, 576, 592
頚心臓枝《迷走神経の》　Cervical cardiac brs. of vagus n.　575

（こゆうしょうそくしどうみゃく）

頸心臓神経　Cervical cardiac nn.　87, 103
頸神経　Cervical nn.　540
　—の後皮枝　Posterior cutaneous br. of cervical nn.　540
　—の硬膜枝　Meningeal br. of cervical nn.　591
　—の前枝　Anterior rami of cervical nn.　525, 645
頸神経ワナ　Ansa cervicalis　**524**, 525, 537, 645
　—の下根　Inferior root of ansa cervicalis　524, 525, 645
　—の甲状舌骨筋枝　Thyrohyoid br. of ansa cervicalis　534, 537
　—の上根　Superior root of ansa cervicalis　524, 525, 537, 645
頸髄　Cervical part（cervical segments）　677, 701
頸切痕　Jugular notch　54, 56, **58**
頸長筋　Longus colli　25, **31**, 519, 664, 665
　—の下斜部　Inferior oblique part of longus colli　31, 519
　—の上斜部　Superior oblique part of longus colli　31, 519
　—の垂直部　Vertical part of longus colli　31, 519
頸腸肋筋　Iliocostalis cervicis　29, **32**, 33
頸椎　Cervical vertebrae［C1-C7］　**4**, 6, 8
　—の横突起　Transverse process of cervical vertebrae　8
　—の後結節　Posterior tubercle of cervical vertebrae　8, 9
　—の鉤状突起　Uncinate process of cervical vertebrae　8, 9
　—の前結節　Anterior tubercle of cervical vertebrae　8, 9
頸椎後頭境界　Craniocervical junction　4
頸動脈アテローム性硬化症　Carotid a. atherosclerosis　583
頸動脈管　Carotid canal　546, 548, 624
頸動脈三角　Carotid triangle　**532**, 537
頸動脈鞘　Carotid sheath　25, 533
頸動脈小体　Carotid body　**537**, 654
頸動脈洞　Carotid sinus　572
頸動脈分岐部　Carotid bifurcation　537, 582, 583
頸動脈壁《鼓室の》　Anterior wall of tympanic cavity　571
頸内側後横突間筋　Medial posterior cervical intertransversarii　35
頸半棘筋　Semispinalis cervicis　26, **34**, 35, 664, 665, 669
頸板状筋　Splenius cervicis　26, 28, 29, **32**, 33, 313, 664, 665
頸部　Cervical part
　—《気管の》　Cervical part of trachea　120
　—《食道の》　Cervical part of esophagus　89, 106
　—《内頸動脈の》　Cervical part of internal carotid a.　582, **688**
　—《壁側胸膜の》　Cervical part of parietal pleura　89
頸部前弯　Cervical lordosis　4
頸膨大　Cervical enlargement　40
頸リンパ節　Cervical nodes　76
頸リンパ本幹　Jugular trunk　84
鶏冠　Crista galli　550, 616
血管冠　Vasocorona　44
血管極《卵巣の》　Vascular pole of ovary　256, 257
血管裂孔　Vascular space　489
結合管　Ductus reuniens　634
結節間滑液鞘　Intertubercular synovial sheath　305
結節間溝《上腕骨の》　Intertubercular sulcus of humerus　**300**, 301, 303-306
結節間平面　Intertubercular plane　141
結腸　Colon　172
結腸圧痕《肝臓の》　Colic impression of liver　174
結腸枝《回結腸動脈の》　Colic br. of ileocolic a.　192, 193, 200

結腸静脈　Colic vv.　195
結腸ヒモ　Tenia coli　160, 164, 170-172, 242
結腸辺縁動脈　Marginal a.　192
結腸傍溝　Paracolic gutters　165
結腸傍リンパ節　Paracolic nodes　209
結腸膨起　Haustra of colon　225
結腸面《脾臓の》　Colic impression of spleen　180
楔間関節　Intercuneiform joints　454
楔舟関節　Cuneonavicular joint　454
楔状結節　Cuneiform tubercle　**528**, 529, 651
楔状骨群　Cuneiforms　457
楔状束核　Cuneate nucleus　692
楔状束核小脳線維　Cuneocerebellar fibers　692
楔状束結節　Cuneate tubercle　683
楔前部　Precuneus　679
楔前部枝《脳梁周囲動脈の》　Precuneal brs. of pericallosal a.　689
楔部　Cuneus　679
楔立方関節　Cuneocuboid joint　454
月状骨　Lunate　**342**, 343, 344, 346, 347, 404
月状面《寛骨臼の》　Lunate surface of acetabulum　231, 417
犬歯　Canine tooth　640
肩関節　Glenohumeral joint（shoulder joint）　296, **302**, 304, 305, 307
　—の関節唇　Glenoid labrum　306, 401
　—の関節包　Joint capsule of glenohumeral joint　305, 306
肩甲下腋窩リンパ節　Subscapular nodes　76
肩甲下窩　Subscapular fossa　299
肩甲下筋　Subscapularis　302, 306, 309, 310, **317**, 401
　—の腱下包　Subtendinous bursa of subscapularis　306, 307
肩甲下神経　Subscapular nn.　368, 369
肩甲下動脈　Subscapular a.　**364**, 365, 383, 385
肩甲下部　Infrascapular region　3
肩甲回旋動脈　Circumflex scapular a.　364, **365**, 381, 384, 385
肩甲間部　Interscapular region　3
肩甲挙筋　Levator scapulae　24, 25, 313, **320**, 515, 665, 669
肩甲胸郭関節　Scapulothoracic joint　302
肩甲棘　Spine of scapula　2, 24, 295, 296, **299**, 304, 305, 312, 313, 380, 400, 515
肩甲棘部《三角筋の》　Spinal part of deltoid　316
肩甲頸　Neck of scapula　299, 305
肩甲孔　Scapular foramen　299
肩甲骨　Scapula　64, 296, 297, 306, 316
　—の下角　Inferior angle of scapula　2, 295, **299**, 400
　—の外側縁　Lateral border of scapula　**299**, 304, 306, 400
　—の外側角　Lateral angle of scapula　299
　—の関節窩　Glenoid cavity of scapula　**299**, 303, 304, 306
　—の関節下結節　Infraglenoid tubercle　**299**, 304
　—の関節上結節　Supraglenoid tubercle　**299**, 304
　—の棘下窩　Infraspinous fossa of scapula　299, 304, 305
　—の棘上窩　Supraspinous fossa of scapula　59, 299
　—の肩峰角　Acromial angle of scapula　299
　—の後面　Posterior surface of scapula　299
　—の上縁　Superior border of scapula　299
　—の上角　Superior angle of scapula　295, 299, 303, 400
　—の内側縁　Medial border of scapula　2, 24, **299**, 303, 313, 400
　—の肋骨面　Costal surface of scapula　299, 303

肩甲骨部《広背筋の》　Scapular part of latissimus dorsi　321
肩甲上静脈　Suprascapular v.　588
肩甲上神経　Suprascapular n.　368, 369, **370**, 381, 535
肩甲上動脈　Suprascapular a.　364, **365**, 380, 381, 383
　—の肩峰枝　Acromial br. of suprascapular a.　365
肩甲上部　Suprascapular region　3
肩甲切痕　Suprascapular notch　59, 299, 303, **304**, 305
肩甲舌骨筋　Omohyoid　380, **517**, 534, 555, 664
　—の下腹　Inferior belly of omohyoid　517
　—の上腹　Superior belly of omohyoid　517
　—の中間腱　Intermediate tendon of omohyoid　517
肩甲線　Scapular line　3, 112
肩甲背神経　Dorsal scapular n.　368, 369, **370**
肩甲背動脈　Dorsal scapular a.　365
肩甲部　Scapular region　3, 294
肩鎖関節　Acromioclavicular joint　59, 296, 302, **303**, 400, 401
肩鎖靱帯　Acromioclavicular lig.　303, 305
肩峰　Acromion　2, 24, 295, **299**, 302-306, 401
肩峰下腔　Subacromial space　302
肩峰下包　Subacromial bursa　306, 307, 401
肩峰角《肩甲骨の》　Acromial angle of scapula　299
肩峰関節面《鎖骨の》　Acromial facet of clavicle　298
肩峰枝　Acromial br.
　—《胸肩峰動脈の》　Acromial br. of thoracoacromial a.　364
　—《肩甲上動脈の》　Acromial br. of suprascapular a.　365
肩峰端《鎖骨の》　Acromial end of clavicle　298, 303
肩峰皮下包　Subcutaneous acromial bursa　307
肩峰部《三角筋の》　Acromial part of deltoid　309, 316
剣状突起《胸骨の》　Xiphoid process of sternum　54, 56, 58
腱下包《肩甲下筋の》　Subtendinous bursa of subscapularis　306, 307
腱画　Tendinous intersections　145, 149
腱間結合《[総]指伸筋の》　Intertendinous connections of extensor digitorum　334, 358
腱索　Tendinous cords　97, 99
腱鞘　Tendon sheath　467
腱中心《横隔膜の》　Central tendon of diaphragm　**64**, 65, 67, 73
腱裂孔 →［内転筋］腱裂孔　Adductor hiatus
瞼板腺　Tarsal glands　610

こ

コケットの静脈群　Cockett's vv.　475
コレス骨折　Colles' fracture　331
コンパートメント症候群　Compartment syndrome　497
呼吸細気管支　Respiratory bronchioles　121, 126
固有蝸牛動脈　Proper cochlear a.　635
固有肝動脈　Hepatic a. proper　176, 187, 191, 192, 200, 201
　—の右枝　Right br. of hepatic a. proper　177, 190
　—の左枝　Left br. of hepatic a. proper　176, 190
固有掌側指神経　Proper palmar digital nn.　376, 377, 379, **392**, 393
　—の背側枝　Dorsal br. of proper palmar digital nn.　392, 394
固有掌側指動脈　Proper palmar digital aa.　365, 392, **393**

固有底側趾神経　Proper plantar digital nn.　485, **498**, 499
固有底側趾動脈　Proper plantar digital aa.　472, **498**, 499
固有背筋　Mm. of back proper　25, 65, 73
固有卵巣索　Lig. of ovary　243, 244, 252, **256**, 257
股関節　Hip joint　410, **414**, 415, 416
　― の関節唇　Acetabular labrum　413, 415, 417, 473
孤束核　Nuclei of solitary tract　561, 568, 569, **572**, 574
　― の下部　Inferior part of nuclei of solitary tract　572, 574
　― の上部　Superior part of nuclei of solitary tract　572, 574
鼓索神経　Chorda tympani　568, 569, **571**, 600, 629, 630, 632, 634, 645
鼓室　Tympanic cavity　571, 626, **628**, 629
　― の岬角　Promontory of tympanic cavity　629
　― の後壁(乳突壁)　Posterior wall of tympanic cavity　571
　― の前壁(頸動脈壁)　Anterior wall of tympanic cavity　571
鼓室階　Scala tympani　634
鼓室蓋　Tegmen tympani　571
鼓室神経　Tympanic n.　571, 572, **573**, 629
鼓室神経小管　Tympanic canaliculus　573
鼓室神経叢　Tympanic plexus　571, **573**, 629, 645
　― の耳管枝　Tubal br. of tympanic plexus　573
鼓室乳突裂　Tympanomastoid fissure　542, 624
鼓室部《側頭骨の》　Tympanic part of temporal bone　625
鼓膜　Tympanic membrane　568, 626, 629, **630**, 632
　― の緊張部　Pars tensa of tympanic membrane　630
　― の弛緩部　Pars flaccida of tympanic membrane　630
鼓膜臍　Umbo of tympanic membrane　630
鼓膜切痕　Tympanic notch　630
鼓膜張筋　Tensor tympani　**626**, 629, 632
　― の腱　Tendon of tensor tympani　629
鼓膜張筋神経　N. to tensor tympani　600
鼓膜張筋半管　Canal for tensor tympani　571, 629
口蓋咽頭弓　Palatopharyngeal arch　646, 648, **650**, 651
口蓋咽頭筋　Palatopharyngeus　653, 660, 661
口蓋腱膜　Palatine aponeurosis　643
口蓋骨　Palatine bone　546, 617, **636**
　― の水平板　Horizontal plate of palatine bone　617
　― の垂直板　Perpendicular plate of palatine bone　617, 636
　― の錐体突起　Pyramidal process of palatine bone　636
口蓋骨鞘突管　Palatovaginal canal　546
口蓋垂　Uvula　620, **643**, 648, 650, 651, 658
口蓋垂筋　Musculus uvulae　**643**, 653
口蓋舌筋　Palatoglossus　646
口蓋舌弓　Palatoglossal arch　646, 648, **650**
口蓋突起《上顎骨の》　Palatine process of maxilla　544, 546, 603, 617, **636**
口蓋帆(軟口蓋)　Soft palate　**643**, 648, **650**, 651, 659
口蓋帆挙筋　Levator veli palatini　555, 628, **643**, 653, 661
口蓋帆張筋　Tensor veli palatini　628, **643**, 653
口蓋帆張筋神経　N. to tensor veli palatini　600
口蓋扁桃　Palatine tonsil　646, 648, **650**, 658
口角下制筋　Depressor anguli oris　515, 552-554, **557**
口角挙筋　Levator anguli oris　552, 554, **557**, 663

口腔　Oral cavity　648
口腔粘膜　Mucous membrane of mouth　642
口部　Oral region　512
口輪筋　Orbicularis oris　552-554, **557**, 661, 669
広筋内転筋間中隔　Anteromedial intermuscular septum　481
広頸筋　Platysma　**515**, 534, 552-554, 664, 669
広背筋　Latissimus dorsi　2, 24, 294, 312, **321**, 380
　― の肩甲骨部　Scapular part of latissimus dorsi　321
　― の腱膜　Latissimus dorsi aponeurosis　28
　― の腸骨部　Iliac part of latissimus dorsi　321
　― の椎骨部　Vertebral part of latissimus dorsi　321
甲状咽頭部《下咽頭収縮筋の》　Thyropharyngeal part of inferior constrictor　652
甲状関節面《輪状軟骨の》　Thyroid articular surface of cricoid cartilage　526
甲状頸動脈　Thyrocervical trunk　36, 68, 80, 135, 364, 365, 383, 520, **531**, 535, 665
甲状喉頭蓋靱帯　Thyro-epiglottic lig.　527
甲状舌骨筋　Thyrohyoid　516, **517**, 534, 537, 652, 664, 669
甲状舌骨筋枝《頸神経ワナの》　Thyrohyoid br. of ansa cervicalis　534, 537
甲状舌骨靱帯　Thyrohyoid lig.　**527**, 529, 648
甲状舌骨膜　Thyrohyoid membrane　527
甲状腺　Thyroid gland　78, 89, **530**, 536, 648, 651, 665, 669
　― の右葉　Right lobe of thyroid gland　530
　― の左葉　Left lobe of thyroid gland　530
　― の錐体葉　Pyramidal lobe of thyroid gland　530
甲状腺峡部　Isthmus of thyroid gland　530
甲状腺静脈叢　Thyroid venous plexus　531
甲状軟骨　Thyroid cartilage　54, 120, 517, **526**, 527, 530, 534-536, 669
　― の右板　Right lamina of thyroid cartilage　526
　― の下角　Inferior horn of thyroid cartilage　526, 527
　― の左板　Left lamina of thyroid cartilage　526
　― の斜線　Oblique line of thyroid cartilage　526
　― の上角　Superior horn of thyroid cartilage　526, 527
甲状披裂筋　Thyro-arytenoid　528
　― の甲状喉頭蓋部　Thyro-epiglottic part of thyro-arytenoid m.　528
交感神経幹　Sympathetic trunk　**86**, 87, 90, 91, 103, 108, 214, 215, 217, 280, 535, 537, 654, 655, 694
交感神経系　Sympathetic nervous system　87, 212
交感神経根　Sympathetic root　567
交差線維束《線維輪の》　Crossing fiber systems of anulus fibrosus　14
交通後部　Postcommunicating part
　― (A2区)《前大脳動脈の》　Postcommunicating part(A2)of anterior cerebral a.　688
　― (P2区)《後大脳動脈の》　Postcommunicating part(P2)of posterior cerebral a.　688
交通枝
　― 《腓骨動脈と後腓骨動脈との》　Communicating br. of fibular a.　472
　― 《涙腺神経と頬骨神経との》　Communicating br. with zygomatic n.　567
交通前部　Precommunicating part
　― (A1区)《前大脳動脈の》　Precommunicating part(A1)of anterior cerebral a.　688
　― (P1区)《後大脳動脈の》　Precommunicating part(P1)of posterior cerebral a.　688
交連尖　Commissural cusps　99
光錐　Cone of light　630
肛門　Anus　229, 249, 262, 284, 285
肛門管　Anal canal　248, 249

肛門挙筋　Levator ani　238, 239, **240**, 242-245, 247, 248, 252, 261, 263, 283-285, 505
肛門挙筋腱弓　Tendinous arch of levator ani　238, 258
肛門三角　Anal triangle　229
肛門周囲皮膚　Perianal skin　249
肛門櫛(白帯)　Anal pecten(white zone)　249
肛門皺皮筋　Corrugator cutis ani　249
肛門前縁　Anterior border of anus　229
肛門柱　Anal columns　249
肛門直腸結合　Anorectal junction　249
肛門洞　Anal sinuses　249
肛門皮膚線　Anocutaneous line　249
肛門尾骨神経　Anococcygeal n.　284, 285
肛門尾骨靱帯　Anococcygeal lig.　238-240
肛門尾骨縫線　Anococcygeal raphe　238
肛門部　Anal region　3
肛門弁　Anal valves　249
岬角　Promontory
　― 《鼓室の》　Promontory of tympanic cavity　629
　― 《仙骨の》　Promontory of sacrum(sacral promontory)　4, 5, 7, 12, 13, 142, 232, 233, 416, 418
岬角リンパ節　Promontorial nodes　205, 278, 279
虹彩　Iris　610, 612, **614**, 615
虹彩角膜角(隅角)　Iridocorneal angle　612, 614
虹彩支質　Stroma of iris　614
虹彩色素上皮　Pigmented iris epithelium　614
咬筋　Masseter　538, 552-555, **558**, 653, 663, 669, 670
　― の深部　Deep part of masseter　553, 558, 559
　― の浅部　Superficial part of masseter　553, 558, 559
咬筋下隙　Submasseteric space　654
咬筋神経　Masseteric n.　567, 580, 581, 600, 639, **644**
咬筋動脈　Masseteric a.　587, 601
後胃神経叢　Posterior gastric plexus　109, 214
後胃動脈　Posterior gastric a.　191
後陰唇交連　Posterior commissure　229, **262**, 263
後陰唇枝《内陰部動脈の》　Posterior labial brs. of internal pudendal a.　275
後陰唇静脈　Posterior labial vv.　275
後陰唇神経　Posterior labial nn.　285
後陰嚢枝《内陰部動脈の》　Posterior scrotal brs. of internal pudendal a.　270
後陰嚢静脈　Posterior scrotal vv.　**269**, 270
後陰嚢神経　Posterior scrotal nn.　**280**, 284
後腋窩線　Posterior axillary line　55
後縁　Posterior border
　― 《尺骨の》　Posterior border of ulna　324
　― 《橈骨の》　Posterior border of radius　324
後下行枝(後室間枝)《右冠状動脈の》　Posterior interventricular br. of right coronary a.　100, 134
後下小脳動脈　Posterior inferior cerebellar a.　688
後下膵十二指腸動脈　Posterior br. of inferior pancreaticoduodenal a.　191, 192, **199**
後下腿筋間中隔　Posterior intermuscular septum of leg　501
後下腿部　Posterior region of leg　408, 409
後顆間区《脛骨の》　Posterior intercondylar area of tibia　433
後海綿間静脈洞　Posterior intercavernous sinus　592
後外側溝　Posterolateral sulcus　683
後外側束《下肢リンパ管の》　Posterolateral bundle of lymphatics of lower limb　475
後外側裂《小脳の》　Posterolateral fissure of cerebellum　682

後角　Posterior horn
　—《脊髄の》　Posterior horn of spinal cord　44, 690
　—《側脳室の》　Posterior horn of lateral ventricle　685
後関節面《椎骨の》　Posterior articular facet of vertebra　8
後環椎後頭膜　Posterior atlanto-occipital membrane　18, **19**, 20, 21, 27
後眼房　Posterior chamber of eyeball　612, 614
後キヌタ骨靱帯　Posterior lig. of incus　631
後脚《アブミ骨の》　Posterior limb of stapes　630
後脚筋　Posterior crural a.　633
後脚動脈　Posterior crural a.　633
後弓《環椎（第1頸椎）の》　Posterior arch of atlas (C1)　8, 9
後弓状静脈　Posterior arch v.　474, 475
後距骨関節面《踵骨の》　Posterior talar articular surface of calcaneum　459
後距腓靱帯　Posterior talofibular lig.　460, 461, 509
後鋸筋　Serratus posterior　32
後胸鎖靱帯　Posterior sternoclavicular lig.　302
後区動脈《腎臓の》　Posterior segmental a. of kidney　189
後径《距骨滑車の》　Posterior diameter of trochlea of talus　457
後脛距部《三角靱帯の》　Posterior tibiotalar part of deltoid lig.　461
後脛骨筋　Tibialis posterior　446, 447, **451**, 456, 462, 464, 465, 467, 494, 495, 503
　—の腱　Tibialis posterior tendon　451, **465**, 471
後脛骨静脈　Posterior tibial vv.　456, **474**, 475, 503
後脛骨動脈　Posterior tibial a.　456, 472, **473**, 494, 495, 503
　—の内果枝　Medial malleolar brs. of posterior tibial a.　472, 495
後脛骨反回動脈　Posterior tibial recurrent a.　472, 495
後脛腓靱帯　Posterior tibiofibular lig.　460, 461
後頸三角（外側頸三角部）　Posterior triangle (lateral cervical region)　532, 538
後頸部　Posterior cervical region　532
後結節　Posterior tubercle
　—《環椎（第1頸椎）の》　Posterior tubercle of atlas (C1)　9, 18
　—《頸椎の》　Posterior tubercle of cervical vertebrae　8, 9
　—《椎骨の》　Posterior tubercle of vertebra　7
後結節間束　Posterior internodal bundles　102
後鼓室動脈　Posterior tympanic a.　631, **632**, 633
後交通動脈　Posterior communicating a.　582, 671, 688
後交連　Posterior commissure　698
後骨間動脈　Posterior interosseous a.　364, 365, **388**, 389
後骨半規管　Posterior semicircular canal　571, 626, 628, 629, **634**
後根　Posterior (dorsal) root
　—《脊髄神経の》　Posterior (dorsal) root of spinal n.　40, 71, 369, 693
　—《仙骨神経の》　Posterior (dorsal) root of sacral n.　43, 482
後根糸　Posterior rootlets　42
後根静脈　Posterior radicular v.　45
後索《脊髄の》　Posterior funiculus of spinal cord　690, 691
後枝
　—《外頸動脈の》　Posterior br./brs. of external carotid a.　583, 585
　—《外側溝の》　Posterior ramus of lateral sulcus　678
　—《腎動脈の》　Posterior br. of renal a.　189

　—《脊髄神経の》　Posterior (dorsal) ramus of spinal n.　42, **43**, 47, 71, 369, 380
　—《仙骨神経の》　Posterior (dorsal) ramus of sacral n.　43, 482
　—《前骨間動脈の》　Posterior br./brs. of anterior interosseous a.　365
　—《閉鎖神経の》　Posterior br. of obturator n.　477, 480
　—《肋間神経の》　Posterior rami of intercostal nn.　374
　—《肋間動脈の》　Posterior (dorsal) br. (ramus) of posterior intercostal aa.　44
後篩骨孔　Posterior ethmoidal foramen　550, **602**
後篩骨神経　Posterior ethmoidal n.　**567**, 591, 609
後篩骨洞　Posterior ethmoidal cells　617
後篩骨動脈　Posterior ethmoidal a.　582, 606, 609, **620**, 621
後耳介筋　Auricularis posterior　553, 556, **627**
後耳介静脈　Posterior auricular v.　521, 588
後耳介神経　Posterior auricular n.　568, 580, 596
後耳介動脈　Posterior auricular a.　583, 585, 627, **632**
後室間溝　Posterior interventricular sulcus　96
後室間枝（後下行枝）《右冠状動脈の》　Posterior interventricular br. of right coronary a.　100, 134
後膝部　Posterior region of knee　409
後斜角筋　Posterior scalene (scalenus posterior)　63, 365, 518, **519**, 665
後手根部　Posterior region of wrist　294
後十字靱帯　Posterior cruciate lig.　439, **440**, 441, 507
後縦隔　Posterior mediastinum　79, **88**
後縦靱帯　Posterior longitudinal lig.　19, **20**, 21, 23
後床突起　Posterior clinoid process　547, 551
後踵骨関節面《距骨の》　Posterior calcaneal articular facet of talus　459
後上歯槽枝《上歯槽神経の》　Posterior superior alveolar brs. of superier alveolar nn.　623, 644
後上歯槽動脈　Posterior superior alveolar a.　587, **601**
後上膵十二指腸静脈　Posterior superior pancreaticoduodenal v.　195
後上膵十二指腸動脈　Posterior superior pancreaticoduodenal a.　187, 190, 191, 198, **199**
後上葉区《右肺の》　Posterior segment of right lung　118
後上葉静脈《右肺の》　Posterior v. of superior lobe of right lung　125
後上葉動脈《肺の》　Posterior segmental a. of lungs　125
後上腕回旋動脈　Posterior circumflex humeral a.　364, 365, **381**
後上腕皮神経　Posterior brachial cutaneous n.　373, **378**, 380, 385, 386
後上腕部　Posterior region of arm　294
後静脈洞交会　Posterior venous confluence　687
後神経束《腕神経叢の》　Posterior cord of brachial plexus　368, 369, 385
後唇《外子宮口の》　Posterior lip of external os of uterus　260
後深側頭動脈　Posterior deep temporal a.　601
後膵動脈　Dorsal pancreatic a.　191
後髄節動脈　Posterior segmental medullary a.　44
後正中延髄静脈　Posteromedian medullary v.　686, 687
後正中溝《脊髄の》　Posterior median sulcus　690
後正中線　Posterior median line　3
後脊髄静脈　Posterior spinal vv.　45
後脊髄動脈　Posterior spinal a.　44

後仙骨孔　Posterior sacral foramina　6, **12**, 13, 233, 482
後仙腸靱帯　Posterior sacro-iliac lig.　51, 236, 237, **416**
後尖　Posterior cusp
　—《右房室弁の》　Posterior cusp of right atrioventricular valve　98, 99
　—《左房室弁の》　Posterior cusp of left atrioventricular valve　98, 99
後［前腕］骨間神経　Posterior interosseous n.　373, 389
後前腕皮神経　Posterior antebrachial cutaneous n.　373, **378**, 394
後前腕部　Posterior region of forearm　294
後足　Hindfoot　452
後側頭枝《中大脳動脈の》　Posterior temporal brs. of middle cerebral a.　689
後帯《下関節上腕靱帯の》　Posterior band of inferior glenohumeral lig.　305
後大腿皮神経　Posterior cutaneous n. of thigh　284, 285, 476, 477, **482**, 486, 487, 490, 493
　—の会陰枝　Perineal brs. of posterior cutaneous n. of thigh　285, 482, 490
後大腿部　Posterior region of thigh　409
後大脳動脈　Posterior cerebral a.　671, 688, 689, 701
　—の交通後部（P2区）　Postcommunicating part (P2) of posterior cerebral a.　688
　—の交通前部（P1区）　Precommunicating part (P1) of posterior cerebral a.　688
後端《脾臓の》　Posterior extremity of spleen　180
後中間溝　Posterior (dorsal) intermediate sulcus　690
後肘部　Posterior region of elbow　294
後柱縦束　Longitudinal fasciculus of posterior column　691
後ツチ骨ヒダ　Posterior malleolar fold　630
後殿筋線《腸骨の》　Posterior gluteal line of ilium　231, 427
後頭下筋　Suboccipital mm.　27, 30
後頭下神経　Suboccipital n.　39, 46, **524**, 541
後頭顆　Occipital condyle　18, 544, **546**
後頭蓋窩（小脳窩）　Posterior cranial (cerebellar) fossa　547, 549
後頭極　Occipital pole　563, **678**, 679
後頭骨　Occipital bone　**544**, 545, 663, 669, 700
後頭静脈　Occipital v.　**540**, 588, 589
後頭静脈洞　Occipital sinus　592, 671, 686
後頭前切痕　Preoccipital notch　678
後頭前頭筋　Occipitofrontalis　552, 553
　—の後頭筋　Occipital belly (occipitalis) of occipitofrontalis　553, 558
　—の前頭筋　Frontal belly (frontalis) of occipitofrontalis　552, 553
後頭頂動脈　Posterior parietal a.　689
後頭動脈　Occipital a.　46, **540**, 541, 583, 585, 595, 632, 654, 655, 663
　—の下行枝　Descending br. of occipital a.　585
　—の後頭枝　Occipital brs. of occipital a.　585
　—の乳突枝　Mastoid br. of occipital a.　591
後頭導出静脈　Occipital emissary v.　589
後頭部　Occipital region　512
後頭葉　Occipital lobe　677
後頭リンパ節　Occipital nodes　523, **540**
後突起《鼻軟骨の》　Posterior process of nasal cartilages　616
後内椎骨静脈叢　Posterior internal vertebral venous plexus　37, 40, 45, **69**
後乳頭筋　Posterior papillary m.　97, 99
後肺底区《肺の》　Posterior basal segment of lungs　118, 133

（こうはいていどうみゃく）

後肺底動脈　Posterior basal segmental a. of lungs　125
後半規管　Posterior semicircular duct　635
後半月大腿靱帯　Posterior meniscofemoral lig.　439, 440
後半月弁《大動脈弁の》　Posterior semilunar cusp of aortic valve　98
後皮枝《頸神経の》　Posterior cutaneous br. of cervical nn.　540
後腓骨頭靱帯　Posterior lig. of fibular head　438, 440
後腓骨動脈と腓骨動脈の交通枝　Communicating br. of fibular a.　472
後鼻棘　Posterior nasal spine　636
後鼻孔　Choana　546, **616**, 617, 620, 636
後部《腟円蓋の》　Posterior vaginal fornix　252, 256
後腹《顎二腹筋の》　Posterior belly of digastric　517, 642, 652, 653
後壁　Posterior wall
　—《胃の》　Posterior wall of stomach　162, 220
　—《鼓室の》　Posterior wall of tympanic cavity　571
　—《腟の》　Posterior wall of vagina　260
後膨大部神経　Posterior ampullary n.　571, **634**, 635
後迷走神経幹　Posterior vagal trunk　109, 214, 215, **216**, 217, 218
　— の肝枝　Hepatic br. of posterior vagal trunk　216
　— の腹腔枝　Celiac br. of posterior vagal trunk　216, 218
後面　Posterior surface
　—《肩甲骨の》　Posterior surface of scapula　299
　—《尺骨の》　Posterior surface of ulna　324
　—《腎臓の》　Posterior surface of kidney　184
　—《橈骨の》　Posterior surface of radius　324
　—《腓骨の》　Posterior surface of fibula　432
　—《披裂軟骨の》　Posterior surface of arytenoid cartilage　526
後盲腸動脈　Posterior cecal a.　192, 193, 200, **201**
後葉
　—《下垂体の》（神経下垂体）　Posterior lobe of pituitary gland（neurohypophysis）　680, 682
　—《胸腰筋膜の》　Posterior layer of thoracolumbar fascia　25, 28
　—《腎筋膜の》　Posterior layer of renal fascia　25, 182
　—《腹直筋鞘の》　Posterior layer of rectus sheath　146, 147, 152
後輪状披裂筋　Posterior crico-arytenoid　**528**, 653, 655
後涙嚢稜　Posterior lacrimal crest　602
鈎《辺縁葉の》　Uncus of limbic lobe　562, 660
鈎状突起
　—《頸椎の》　Uncinate process of cervical vertebrae　8, 9
　—《篩骨の》　Uncinate process of ethmoid　550, 617, 619
　—《尺骨の》　Coronoid process of ulna　324-327, 329, 330
　—《膵臓の》　Uncinate process of pancreas　156, 180, 181
鈎椎関節　Uncovertebral joint　17
鈎突窩《上腕骨の》　Coronoid fossa of humerus　300, 327, 329
喉頭咽頭枝《上頸神経節の》　Laryngopharyngeal br. of superior cervical ganglion　127
喉頭蓋　Epiglottis　**529**, 648, 650, 651, 658, 659
喉頭蓋茎　Stalk of epiglottis　526
喉頭蓋谷　Epiglottic vallecula　659
喉頭蓋軟骨　Epiglottic cartilage　526, 527, 664

喉頭腔の四角膜　Quadrangular membrane of laryngeal cavity　529
喉頭室　Laryngeal ventricle　529, 648
喉頭小嚢　Laryngeal saccule　529
喉頭腺　Laryngeal glands　529
喉頭前庭（声門上腔）　Laryngeal vestibule（supraglottic space）　529
喉頭軟骨　Laryngeal cartilage　659
喉頭隆起　Laryngeal prominence　**526**, 527
硬口蓋　Hard palate　628, 636, 667
硬膜　Dura mater
　—《脊髄の》　Dura mater of spinal cord　40
　—《頭蓋冠の》　Dura mater of calvaria　545, **592**, 635
硬膜下腔　Subdural space　40
硬膜下血腫　Subdural hematoma　591
硬膜下出血　Subdural hemorrhage　590
硬膜外血腫　Epidural hematoma　590, 591
硬膜枝　Meningeal br./brs.
　—《下顎神経の》　Meningeal br. of mandibular n.　591, 600
　—《頸神経の》　Meningeal br. of cervical nn.　591
　—《上顎神経の》　Meningeal br. of maxillary n.　567, 591
　—《脊髄神経の》　Meningeal br. of spinal n.　42, 43
　—《前篩骨神経の》　Meningeal brs. of anterior ethmoidal n.　591
　—《内頸動脈の》　Meningeal br. of internal carotid a.　582
　—《迷走神経の》　Meningeal br. of vagus n.　591
硬膜上腔　Epidural space　40
硬膜静脈洞　Dural venous sinuses　545, **592**
硬膜嚢　Dural sac　41
項筋膜　Nuchal fascia　**25**, 28
　— の深葉　Deep layer of nuchal fascia　24, 25, 28
　— の浅葉　Superficial layer of nuchal fascia　25
項靱帯　Nuchal lig.　18, 19, 21, **320**, 512, 659, 667
溝縁束　Sulcomarginal fasciculus　691
溝静脈　Sulcal v.　45
溝動脈　Sulcal a.　44
黒質　Substantia nigra　564, 681, 693, 699
骨間縁　Interosseous border
　—《尺骨の》　Interosseous border of ulna　324, 325
　—《橈骨の》　Interosseous border of radius　324, 325
骨間距踵靱帯　Talocalcaneal interosseous lig.　454, 457, 458, **461**
骨間筋　Interossei
　—《手の》　Interossei of hand　357
　—《足の》　Interossei of foot　444, 454, 467, 509
骨間筋腱線維　Interosseous slip　359
骨間仙腸靱帯　Interosseous sacro-iliac lig.　51, 237
骨性部《外耳道の》　Bony part of external acoustic meatus　626
骨粗鬆症　Osteoporosis　11
骨端《大腿骨の》　Epiphysial line of femur　415
骨軟骨性接合部　Chondro-osseous junction　63
骨半規管　Semicircular canals　570, 634
骨盤　Pelvis　246
　— の斜径　Oblique diameter of pelvis　235
骨盤下口　Pelvic outlet　235
骨盤筋膜腱弓　Tendinous arch of pelvic fascia　258
骨盤上口　Pelvic inlet　235
骨盤神経叢（下下腹神経叢）　Pelvic（inferior hypogastric）plexus　212, 213, 215, **217**, **282**, 694
骨盤底　Pelvic floor　238
　— の筋　Pelvic floor m.　240
骨盤内臓神経　Pelvic splanchnic nn.　212, 215, 217, **280**, 282, 694

骨盤部《尿管の》　Pelvic part of ureter　250
根嚢　Root sleeve　40

【さ】

サーファクタント　Surfactant　121
左胃静脈　Left gastric v.　109, 195, **198**, 199-201
左胃大網静脈　Left gastro-omental v.　195, **198**, 199
左胃大網動脈　Left gastro-omental a.　187, 190, 191, **198**, 199
左胃大網リンパ節　Left gastro-omental nodes　206
左胃動脈　Left gastric a.　162, 187, 190-192, **198**, 199-201
左胃リンパ節　Left gastric nodes　**206**, 207
左下肺静脈　Left inferior pulmonary v.　124, 125
左下腹部　Left lower quadrant　140
左下葉気管支　Left inferior lobar bronchus　120, 136
左肝管　Left hepatic duct　176, 178, 179
左肝静脈　Left hepatic v.　177
左肝部　Left liver　177
　— の左外側区　Left lateral division of left liver　177
　— の左外側後区域（区域Ⅱ）　Left posterior lateral segment（segmentⅡ）of left liver　177
　— の左外側前区域（区域Ⅲ）　Left anterior lateral segment（segmentⅢ）of left liver　177
　— の左内側区　Left medial division of left liver　177
　— の左内側区域（区域Ⅳ）　Left medial segment（segmentⅣ）of left liver　177
左冠状動脈　Left coronary a.　**100**, 134
　— の回旋枝　Circumflex br. of left coronary a.　100, 134
　— の外側枝（対角枝）　Lateral（diagonal）br. of left coronary a.　100, 134
　— の左縁枝（鈍角縁枝）　Left marginal a. of left coronary a.　100, 134
　— の左後側壁枝　Left posterolateral a. of left coronary a.　134
　— の前室間枝（前下行枝）　Anterior interventricular br. of left coronary a.　93, 100, 134
左冠状リンパ本幹　Left coronary trunk　110
左気管支縦隔リンパ本幹　Left bronchomediastinal trunk　129
左脚
　—《横隔膜の》　Left crus of diaphragm　**64**, 65
　—《房室束の》　Left bundle of atrioventricular bundle　102
左頸リンパ本幹　Left jugular trunk　110, 129
左結腸曲　Left colic flexure　160, 161, 164, 169, **172**, 173, 181, 220, 225
左結腸静脈　Left colic v.　165, **195**
左結腸動脈　Left colic a.　165, **187**, 201
左結腸リンパ節　Left colic nodes　209
左鎖骨下リンパ本幹　Left subclavian trunk　129
左三角間膜　Left triangular lig.　175, 177
左枝《固有肝動脈の》　Left br. of hepatic a. proper　176, 190
左主気管支　Left main bronchus　80, 81, 91, **120**, 133, 136
左上肺静脈　Left superior pulmonary v.　97, 124, 125
左上腹部　Left upper quadrant　140
左上葉気管支　Left superior lobar bronchus　120
左心耳　Left auricle　93, **96**, 97, 100
左心室　Left ventricle　92, 93, 96, **97**, 130, 135, 137
左心室後静脈　Posterior v. of left ventricle　100
左心房　Left atrium　92, 96, **97**, 99, 100, 137
左心房斜静脈　Oblique v. of left atrium　100

(しきゅうぶ)

左精巣静脈　Left testicular v.　**197**, 199, 250
左線維三角　Left fibrous trigone　98
左線維輪　Left fibrous ring　98
左天蓋《横隔膜の》　Left dome of diaphragm　64
左肺　Left lung　78, 116, **117**, 133
　—の下舌区　Inferior lingular segment of left lung　118, 133
　—の下葉　Inferior lobe of left lung　116, 117, 130
　—の斜裂　Oblique fissure of left lung　116, 117, 119, 130
　—の小舌　Lingula of left lung　117
　—の上舌区　Superior lingular segment of left lung　118, 133
　—の上葉　Superior lobe of left lung　116, 117, 130
　—の肺尖後区　Apicoposterior segment of left lung　118, 133
左肺静脈　Left pulmonary vv.　83, 89, 91, 96, 100, **124**, 133, 136
左肺動脈　Left pulmonary a.　78, 81, 89, 91, 93, 96, 116, **124**, 125, 133
左半月弁　Left semilunar cusp
　—《大動脈弁の》　Left semilunar cusp of aortic valve　99
　—《肺動脈弁の》　Left semilunar cusp of pulmonary valve　98
左板《甲状軟骨の》　Left lamina of thyroid cartilage　526
左尾状葉胆管　Left duct of caudate lobe　178
左副腎静脈　Left suprarenal v.　185, 196, **197**, 199, 250
左辺縁静脈　Left marginal v.　100
左房室弁(僧帽弁)　Left atrioventricular(mitral)valve　97, **98**, 99
　—の後尖　Posterior cusp of left atrioventricular valve　98, 99
　—の前尖　Anterior cusp of left atrioventricular valve　98, 99
左葉　Left lobe
　—《肝臓の》　Left lobe of liver　163, 174, 176
　—《甲状腺の》　Left lobe of thyroid gland　530
　—《前立腺の》　Left lobe of prostate　266
左腰リンパ節　Left lumbar nodes　278
左腰リンパ本幹　Left lumbar trunk　84, 204
左卵巣静脈　Left ovarian v.　196, 197, 199, **273**
左腕頭静脈　Left brachiocephalic v.　37, 66, 82, 89, 109, 124, 130
鎖胸三角　Clavipectoral triangle　54, 294
鎖骨　Clavicle　54, 59, 294-296, **298**, 302-304
　—の円錐靱帯結節　Conoid tubercle　298
　—の胸骨関節面　Sternal facet of clavicle　298
　—の胸骨端　Sternal end of clavicle　298, 303
　—の肩峰関節面　Acromial facet of clavicle　298
　—の肩峰端　Acromial end of clavicle　298, 303
　—の内側頭　Medial head of clavicle　54
　—の肋鎖靱帯圧痕　Impression for costoclavicular lig.　298
鎖骨下窩　Infraclavicular fossa　54, 382
鎖骨下筋　Subclavius　309, 310, **319**
鎖骨下筋溝　Groove for subclavius　298
鎖骨下筋神経　Subclavian n.　368, 369, **370**
鎖骨下静脈　Subclavian v.　37, 66, 74, 78, 82, 83, 89-91, 124, 195, **366**, 383, 521, 531, 535, 539
鎖骨下静脈溝　Groove for subclavian v.　59
鎖骨下動脈　Subclavian a.　36, 66, 68, 74, 78, 80, 89-91, 96, 109, 135, 364, **365**, 382, 520, 531, 582, 583, 655
鎖骨下動脈溝　Groove for subclavian a.　59, 519
鎖骨下動脈神経叢　Subclavian plexus　87
鎖骨下リンパ本幹　Subclavian trunk　84
鎖骨間靱帯　Interclavicular lig.　303
鎖骨関節面　Clavicular facet　306
鎖骨胸筋筋膜　Clavipectoral fascia　382
鎖骨上神経　Supraclavicular nn.　39, 70, 74, 378-380, 382, **524**, 525, 534, 538
鎖骨上リンパ節　Supraclavicular nodes　76
鎖骨切痕　Clavicular notch　56, **58**, 61
鎖骨体　Shaft of clavicle　298
鎖骨中線　Midclavicular line(MCL)　54, 112
鎖骨頭《胸鎖乳突筋の》　Clavicular head of sternocleidomastoid　515
鎖骨部
　—《三角筋の》　Clavicular part of deltoid　316
　—《大胸筋の》　Clavicular head of pectoralis major　308, 318, 382
坐骨　Ischium　504, 505
坐骨海綿体筋　Ischiocavernosus　239, **240**, 247, 261, 263, 264, 284, 285
坐骨棘　Ischial spine　142, 229, **230**, 231-233, 238, 286, 410, 414, 416
坐骨結節　Ischial tuberosity　2, 229, **230**, 231, 232, 237-239, 284, 285, 408, 410, 414, 416, 500, 504
坐骨肛門窩(坐骨直腸窩)　Ischio-anal fossa　246, 247
坐骨枝　Ramus of ischium　230-232
坐骨神経　Sciatic n.　210, 286, 476, 477, 483, **484**, 487, 490, 491, 493, 500, 502, 505
　—の筋枝　Muscular brs. of sciatic n.　477, 485
坐骨体　Body of ischium　230, 231
坐骨大腿靱帯　Ischiofemoral lig.　416
坐骨恥骨枝《寛骨の》　Ischiopubic ramus of hip bone　264
細気管支　Bronchioles　121
最外包　Extreme capsule　661
最胸内臓神経　Least splanchnic n.　215
最上胸動脈　Superior thoracic a.　68, 364, **383**, 384, 385
最上項線　Highest nuchal line　544, 546
最上肋間静脈　Supreme intercostal v.　82
最上肋間動脈　Supreme intercostal a.　365, 520
最長筋　Longissimus　28, **32**
最内肋間筋　Innermost intercostal m.　62, **63**, 73
載距突起《踵骨の》　Sustentaculum tali　**453**, 455-459, 462
臍　Umbilicus　**104**, 105, 144-146, 152
臍周囲部　Periumbilical region　140
臍静脈　Umbilical v.　104
臍帯　Umbilical cord　105
臍動脈　Umbilical a.　**104**, 105, 188, 271, 272
　—の開存部　Patent part of umbilical a.　273
　—の閉塞部　Obliterated part of umbilical a.　273
臍平面　Transumbilical plane　140
臍傍静脈　Para-umbilical vv.　69, 195
臍輪　Umbilical ring　149
三角窩　Triangular fossa　627
三角筋　Deltoid　2, 24, 54, 294, 308-310, 312, 314, **316**, 380, 396, 401
　—の肩甲棘部　Spinal part of deltoid　316
　—の肩峰部　Acromial part of deltoid　309, 316
　—の鎖骨部　Clavicular part of deltoid　316
三角筋下包　Subdeltoid bursa　306, 307
三角筋胸筋溝　Deltopectoral groove　54, 366
三角筋枝《胸肩峰動脈の》　Deltoid br. of thoraco-acromial a.　364
三角筋粗面《上腕骨の》　Deltoid tuberosity of humerus　**300**, 316
三角筋部　Deltoid region　3, 54, 294
三角骨　Triquetrum　295, **342**, 343, 344, 346, 404
三角靱帯　Deltoid lig.　**460**, 461
　—の脛舟部　Tibionavicular part of deltoid lig.　461

　—の脛踵部　Tibiocalcaneal part of deltoid lig.　461
　—の後脛距部　Posterior tibiotalar part of deltoid lig.　461
　—の前脛距部　Anterior tibiotalar part of deltoid lig.　461
三角部《下前頭回の》　Triangular part of inferior frontal gyrus　678
三叉神経　Trigeminal n.(CN V)　549, 560, **566**, 573, 593, 607, 644, 682, 683, 687
　—の運動根　Motor root of trigeminal n.　683
　—の感覚根　Sensory root of trigeminal n.　683
三叉神経運動核　Motor nucleus of trigeminal n.　561, 566
三叉神経核群　Trigeminal n. nuclei　561
三叉神経枝《内頸動脈の》　Brs. to nn. of internal carotid a.　582
三叉神経主感覚核(橋核)　Principal sensory nucleus of trigeminal n.(pontine nuclei)　561, 566
三叉神経脊髄路核　Spinal nucleus of trigeminal n.　561, 566, 572, 574
三叉神経節　Trigeminal ganglion　**566**, 567, 568, 580, 581, 593, 621, 645
三叉神経節枝《内頸動脈の》　Brs. to trigeminal ganglion of internal carotid a.　582
三叉神経中脳核　Mesencephalic nucleus of trigeminal n.　561, 566
三尖弁 → 右房室弁　Tricuspid valve
山頂　Culmen　682
産科的真結合線　True conjugate　235

【し】

シュレム管　Canal of Schlemm　612-614
ショパール関節(横足根関節)　Transverse tarsal joint　454
子宮　Uterus　243, 244, 254, **256**, 257, 279, 289
子宮円索　Round lig. of uterus　243, 244, **251**, 252, 254, 261, 272, 273
子宮間膜　Mesometrium　**256**, 257, 279
子宮峡部　Isthmus of uterus　256
子宮筋層　Myometrium　256, 257, 289
子宮腔　Uterine cavity　256, 257
子宮頸　Cervix of uterus　247, 252, 254, **256**, 286, 288
　—の腟上部　Supravaginal part of cervix of uterus　256, 257
　—の腟部　Vaginal part of cervix of uterus　256, 257
子宮頸横靱帯(基靱帯)　Cardinal lig.　244, 247, 258
子宮頸管　Cervical canal　256, 257
子宮頸軸　Longitudinal cervical axis　256
子宮広間膜　Broad lig. of uterus　244, 251
子宮静脈　Uterine vv.　196, 269, 272, 273
子宮静脈叢　Uterine venous plexus　196, 269, **272**
子宮仙骨靱帯(直腸子宮靱帯)　Uterosacral (recto-uterine)lig.　257, 258, 286
子宮仙骨ヒダ(直腸子宮ヒダ)　Uterosacral (recto-uterine)fold　244, **248**
子宮体　Body of uterus　252, 256, 257, 260
子宮体軸　Longitudinal uterine axis　256
子宮端　Uterine extremity　256
子宮腟静脈叢　Uterovaginal venous plexus　286
子宮腟神経叢　Uterovaginal plexus　281
子宮底　Fundus of uterus　244, 247, 252, 257, 261, 273
子宮動脈　Uterine a.　188, 269, 272, 273
　—の卵管枝　Tubal br. of uterine a.　273
子宮内膜　Endometrium　256, 289
子宮部《卵管の》　Uterine part of uterine tube　257

（しかくしょうよう）

四角小葉《小脳の》　Quadrangular lobule of cerebellum　682
四角膜《喉頭腔の》　Quadrangular membrane of larnageal cavity　529
矢状縫合　Sagittal suture　544, 545
弛緩部《鼓膜の》　Pars flaccida of tympanic membrane　630
指屈筋の総腱鞘　Common flexor sheath　354
指骨　Phalanges　295, 296, **342**, 347
指節間（IP）関節《手の》　Interphalangeal（IP）joints of hand　295, 346
指節間（IP）関節線《手の》　Interphalangeal（IP）joint crease　295
指節関節靱帯　Phalangoglenoid lig.　352
指背腱膜　Dorsal digital expansion　341, **359**
脂腺《眼瞼の》　Sebaceous glands of eyelids　610
脂肪被膜《腎臓の》　Perirenal fat capsule of kidney　182-184, 220
視交叉　Optic chiasm　**563**, 593, 682, 685, 689, 698, 699
視交叉槽　Chiasmatic cistern　684
視索　Optic tract　**563**, 681
視索上陥凹　Supra-optic recess　680, 685
視索前野　Preoptic area　680
視床　Thalamus　563, **680**, 681, 682, 689, 692, 700
視床下溝　Hypothalamic sulcus　680
視床下部　Hypothalamus　677, **680**, 682, 698, 701
視床間橋　Interthalamic adhesion　679, 680, 685, 700
視床後核　Posterior nuclear complex of thalamus　660
視床髄条　Stria medullaris of thalamus　680
視床線条体静脈　Thalamostriate v.　686
視床枕　Pulvinar　680-682
視神経　Optic n.（CN II）　549, 560, 562, **563**, 565, 609, 657, 658
視神経円板（視神経乳頭）　Optic disc　612
視神経外鞘　Outer sheath of optic n.　610
視神経管　Optic canal　547, 548, 551, 563, **602**, 603, 636, 662
視放線　Optic radiation　563
趾骨（前足骨）　Phalanges　410, 452
趾節間関節　Interphalangeal joints of foot　408
趾背腱膜　Dorsal aponeurosis　467
歯　Teeth　640
歯冠　Crown of teeth　640
歯頸　Neck of teeth　640
歯根　Root of teeth　640
歯根尖　Root apex　640
歯根尖孔　Apical foramen　668
歯状回　Dentate gyrus　661, 698
歯状靱帯　Denticulate lig.　40
歯髄腔　Pulp cavity　640
歯尖靱帯　Apical lig. of dens　18, 19
歯槽　Dental alveoli（tooth sockets）　637
歯槽骨　Alveolar bone　640
歯槽突起《上顎骨の》　Alveolar process of maxilla　543
歯槽部《下顎骨の》　Alveolar part of mandible　637
歯突起《軸椎（第2頸椎）の》　Dens of axis（C2）　5, 6, 8, 9, 59
歯突起窩　Facet for dens　9
歯突起尖　Apex of dens　21
歯肉縁　Gingival margin　640
篩骨　Ethmoid　542, **550**, 602, 603, 616, 619, 636
　—の眼窩板　Orbital plate of ethmoid　550, 602, 603, 619
　—の鈎状突起　Uncinate process of ethmoid　550, 617, 619
　—の垂直板　Perpendicular plate of ethmoid　543, **550**, 603, 616, 619, 636

篩骨洞（篩骨蜂巣）　Ethmoidal cells　618, 619, 656, 660-662, 666, 667
篩骨胞　Ethmoidal bulla　550, 617
篩骨漏斗　Ethmoidal infundibulum　550
篩板　Cribriform plate　547, 548, **550**, 591, 616, 617, 619, 620
示指伸筋　Extensor indicis　334, 335, **341**, 357, 399
　—の腱　Extensor indicis tendon　358
耳下腺　Parotid gland　538, 539, 595, **649**, 701
　—の深部　Deep part of parotid gland　649
　—の浅部　Superficial part of parotid gland　649
耳下腺管　Parotid duct　595-597, **649**
耳下腺隙　Parotid space　654
耳下腺咬筋部　Parotid region　512
耳下腺神経叢　Parotid plexus　568, 580, 595, **649**
耳下腺神経叢の枝→「顔面神経」の項をみよ
耳介　Auricle　627
耳介横筋　Transverse m. of auricle　627
耳介後リンパ節　Retro-auricular nodes　523
耳介斜筋　Oblique m. of auricle　627
耳介側頭神経　Auriculotemporal n.　567, 580, 581, 595, 596, **598**, 599, 600, 627, 639, 644
　—の耳下腺枝　Parotid brs. of auriculotemporal n.　600
耳管　Pharyngotympanic（auditory）tube　626, **628**, 629, 660
　—の軟骨部　Cartilaginous part of pharyngotympanic tube　628, 653
　—の膜性板　Membranous lamina of pharyngotympanic tube　628
耳管咽頭筋　Salpingopharyngeus　628
耳管咽頭口　Pharyngeal opening of auditory tube　620, 648, 650
耳管咽頭ヒダ　Salpingopharyngeal fold　620, 648, 650
耳管枝《鼓室神経叢の》　Tubal br. of tympanic plexus　573
耳管動脈　Tubal a.　633
耳管扁桃　Tubal tonsil　650
耳管隆起　Torus tubarius　620, 648, 650
耳甲介　Concha of auricle　627
耳甲介舟　Cymba conchae　627
耳珠　Tragus　512, 627
耳珠筋　Tragicus　627
耳小骨　Auditory ossicles　630
耳小骨連鎖　Ossicular chain　631
耳状面　Auricular surface
　—《仙骨の》　Auricular surface of sacrum　12, 13
　—《腸骨の》　Auricular surface of ilium　230
耳神経節　Otic ganglion　573, 578
耳垂　Lobule of auricle　627
耳道腺　Ceruminous gland　626
耳輪　Helix　512, 627
自由縁《卵巣の》　Free border of ovary　256
痔静脈叢　Hemorrhoidal plexus　274
軸椎（第2頸椎）　Axis（C2）　6, 8
　—の横突起　Transverse process of axis（C2）　9
　—の歯突起　Dens of axis（C2）　5, 6, 8, 9, 59
室間孔　Interventricular foramen　679, 684, 685
室上稜　Supraventricular crest　97
膝横靱帯　Transverse lig. of knee　439, 440
膝窩　Posterior part of knee　422
膝窩筋　Popliteus　431, 437, 446, **451**, 494
膝窩筋下陥凹　Subpopliteal recess　437, 442
膝窩静脈　Popliteal v.　474, 493, **495**, 507
膝窩動脈　Popliteal a.　472, 473, 493, 494, **495**, 507
膝窩面《大腿骨の》　Popliteal surface of femur　412, 434
膝蓋下枝《伏在神経の》　Infrapatellar br. of saphenous n.　481, 486
膝蓋下脂肪体　Infrapatellar fat pad　442, 443

膝蓋血管網　Patellar vascular network　492
膝蓋骨　Patella　408, 410, 413, 418, **435**, 442, 443, 506
　—の関節面　Articular surface of patella　435, 442
　—の前面　Anterior surface of patella　435
膝蓋骨尖　Apex of patella　435
膝蓋上陥凹　Suprapatellar pouch　443
膝蓋靱帯　Patellar lig.　418, 419, 421, 425, **436**, 438, 442, 444, 445, 507
膝蓋前皮下包　Subcutaneous prepatellar bursa　443
膝蓋大腿関節　Femoropatellar joint　438
膝蓋面《大腿骨の》　Patellar surface of femur　412, 413, 441
膝関節　Knee joint　410, 434
　—の外側側副靱帯　Fibular collateral lig. of knee　436-438, 440-442, 507
　—の関節包　Joint capsule of knee joint　442
　—の内側側副靱帯　Tibial collateral lig. of knee　436-438, **440**, 507
膝関節筋　Articularis genus　419
膝静脈　Genicular vv.　474
膝神経節　Geniculate ganglion　568, 569, 634, 645
櫛状筋　Pectinate mm.　97
射精管　Ejaculatory duct　255, 267
射精管開口部　Openings of ejaculatory ducts　253
斜角筋　Scalene　25, **62**, 519
斜角筋隙　Interscalene space　369, 519
斜径《骨盤の》　Oblique diameter of pelvis　235
斜索　Oblique cord　330
斜膝窩靱帯　Oblique popliteal lig.　437
斜線　Oblique line
　—《下顎骨の》　Oblique line of mandible　637
　—《甲状軟骨の》　Oblique line of thyroid cartilage　526
斜線維《胃の》　Oblique fibers of stomach　166
斜台　Clivus　547, 659, 667
斜頭　Oblique head
　—《母指内転筋の》　Oblique head of adductor pollicis　355, 356, 361
　—《母趾内転筋の》　Oblique head of adductor hallucis　462, 465, 466, 471, 499
斜披裂筋　Oblique arytenoid　**528**, 653, 655
斜部《輪状甲状筋の》　Oblique part of cricothyroid　528
斜裂《肺の》　Oblique fissure of lungs　116, 117, 119, 130
尺骨　Ulna　296, 297, **324**, 357, 396, 399
　—の滑車切痕　Trochlear notch of ulna　324, 325, 327
　—の関節環状面　Articular circumference of ulna　324
　—の茎状突起　Ulnar styloid process　295, **325**, 330, 331, 344
　—の後縁　Posterior border of ulna　324
　—の後面　Posterior surface of ulna　324
　—の鈎状突起　Coronoid process of ulna　324-327, 329, 330
　—の骨間縁　Interosseous border of ulna　324, **325**
　—の橈骨切痕　Radial notch of ulna　324, 325, 331
　—の内側面　Medial surface of ulna　324
尺骨月状骨靱帯　Ulnolunate lig.　351
尺骨三角骨靱帯　Ulnotriquetral lig.　351
尺骨手根領域　Ulnocarpal complex　351
尺骨静脈　Ulnar vv.　366
尺骨神経　Ulnar n.　72, 369, **377**, 379, 383-394, 404
　—の掌枝　Palmar br. of ulnar n.　377-379

748

―の深枝　Deep br. of ulnar n.　377, 390, 391, 393
　―の浅枝　Superficial br. of ulnar n.　377, 390, 391, 393
　―の背側枝　Dorsal br. of ulnar n.　377, 378, 394
尺骨神経管（ギヨン管）　Ulnar tunnel　295, 390-392
尺骨神経溝《上腕骨の》　Ulnar groove of humerus　300, 301
尺骨切痕《橈骨の》　Ulnar notch of radius　325, 331
尺骨粗面　Tuberosity of ulna　322, 324, **325**
尺骨体　Shaft of ulna　295, 324
尺骨頭
　―《円回内筋の》　Ulnar head of pronator teres　333
　―《尺骨の》　Head of ulna　324, 325, 330
尺骨動脈　Ulnar a.　364, 365, 387-389, **390**, 391-393, 395
　―の深枝　Deep br. of ulnar a.　390, 391, 393
　―の浅枝　Superficial br. of ulnar a.　391
　―の背側手根枝　Dorsal carpal br. of ulnar a.　365, 389, 395
尺側手根屈筋　Flexor carpi ulnaris　294, 312, 314, 332, 334, **337**, 354, 357, 396, 399
　―の腱　Flexor carpi ulnaris tendon　349, 355, 356
尺側手根伸筋　Extensor carpi ulnaris　294, 312, 314, **334**, 341, 357, 358, 399
　―の腱　Extensor carpi ulnaris tendon　358
尺側手根隆起　Ulnar carpal eminence　350
尺側正中皮静脈　Basilic v. of forearm　366, 387
尺側反回動脈　Ulnar recurrent a.　364
尺側皮静脈　Basilic v.　294, **366**, 378, 387, 399
　―の裂孔　Basilic hiatus　**366**, 378
尺側リンパ管群　Ulnar group of lymphatics　367
尺側リンパ管束領域　Ulnar bundle territory　367
手　Hand　296
　―の外側帯　Lateral bands of hand　359
　―の基節骨　Proximal phalanx of hand　346, 347, 352
　―の屈筋支帯　Flexor retinaculum of hand　350, **354**, 355, 356, 376, 377, 392, 404
　―の骨間筋　Interossei of hand　357
　―の指節間（IP）関節　Interphalangeal (IP) joints of hand　295, 346
　―の指節間（IP）関節線　Interphalangeal (IP) joint crease　295
　―の種子骨　Sesamoid bones of hand　343
　―の舟状骨　Scaphoid　342, **344**, 346, 347, 404
　―の舟状骨結節　Tubercle of scaphoid　295, 343
　―の縦束　Longitudinal fascicles of hand　354
　―の伸筋支帯　Extensor retinaculum of hand　358
　―の中節骨　Middle phalanx of hand　342, **343**, 346, 347, 353, 404
　――の体　Shaft of middle phalanx of hand　343
　――の底　Base of middle phalanx of hand　343
　――の頭　Head of middle phalanx of hand　343
　―の虫様筋　Lumbricals of hand　355, 356, 362, **363**
　―の背側骨間筋　Dorsal interossei of hand　357, 362, 363, 405
　―の末節骨　Distal phalanx of hand　**342**, 346, 347, 353, 359, 404
　―の末節骨粗面　Tuberosity of distal phalanx of hand　343, 347, 353
手根　Carpal region　390
手根管　Carpal tunnel　**350**, 390
手根関節面《橈骨の》　Carpal articular surface of radius　324, 325
手根骨　Carpal bones　296, **342**, 344
手根中央関節　Midcarpal joint　346

手根中手関節　Carpometacarpal joints　346
手掌腱膜　Palmar aponeurosis　337, 354, 378, 396
　―の横束（横線維束）　Transverse fascicles of palmar aponeurosis　354
手掌部　Palm　294
手背静脈網　Dorsal venous network of hand　294, **366**, 378
手背部　Dorsum of hand　294
珠間切痕　Intertragic incisure　627
種子骨　Sesamoid bones
　―《手の》　Sesamoid bones of hand　343
　―《足の》　Sesamoid bones of foot　**453**, 455, 456, 508
舟状窩　Scaphoid fossa　627
舟状骨
　―《手の》　Scaphoid　342, **344**, 346, 347, 404
　―《足の》　Navicular　**452**, 453-458, 508
舟状骨関節面《距骨の》　Articular surface for navicular (navicular articular surface) of talus　455, 459
舟状骨結節《手の》　Tubercle of scaphoid　295, 343
舟状骨粗面《足の》　Tuberosity of navicular　408, 455
終枝《外頸動脈の》　Terminal br./brs. of external carotid a.　583, 586
終脳間脳溝　Telodiencephalic sulcus　677
終板槽　Cistern of lamina terminalis　684
終末細気管支　Terminal bronchioles　121
終末乳管　Terminal duct　75
終末乳管小葉単位　Terminal duct lobular unit (TDLU)　75
終末部《回腸の》　Terminal part of ileum　172
十二指腸　Duodenum　163, 167, **168**, 179, 181, 182, 190, 193, 220
　―の下行部　Descending part of duodenum　162, 165, **168**, 169, 178, 180
　―の球部　Duodenal bulb　168
　―の筋層　Muscular coat of duodenum　168
　―の縦筋層　Longitudinal layer of duodenum　168
　―の上行部　Ascending part of duodenum　165, **168**, 169, 180
　―の上部　Superior part of duodenum　164, 165, **168**, 169, 178, 180
　―の水平部　Horizontal part of duodenum　156, 164, 165, **168**, 169, 178, 180
　―の輪筋層　Circular layer of duodenum　168
十二指腸圧痕《肝臓の》　Duodenal impression of liver　174
十二指腸空腸曲　Duodenojejunal flexure　164, 168, 170, 221
十二指腸憩室　Duodenal diverticula　169
十二指腸枝《前上膵十二指腸動脈の》　Duodenal brs. of anterior superior pancreaticoduodenal a.　191
十二指腸上動脈　Supraduodenal a.　191
十二指腸提筋　Suspensory lig. of duodenum　168
重心線　Line of gravity　5, 411
縦隔　Mediastinum　89, 90
縦隔胸膜（壁側胸膜の縦部）　Mediastinal part of parietal pleura　66, 67, 89, 91, 93, 107, **113**, 115
縦隔面《肺の》　Mediastinal surface of lungs　117
縦筋層　Longitudinal layer
　―《胃の》　Longitudinal layer of stomach　166
　―《十二指腸の》　Longitudinal layer of duodenum　168
　―《食道の》　Longitudinal layer of esophagus　107
　―《直腸の》　Longitudinal layer of rectum　249
縦条　Longitudinal striae　562

縦走ヒダ　Longitudinal folds
　―《食道の》　Longitudinal folds of esophagus　107
　―《尿道の》　Longitudinal folds of urethra　252
縦束
　―《環椎十字靱帯の》　Longitudinal bands　18, 21
　―《手の》　Longitudinal fascicles of hand　354
女性骨盤　Female pelvis　232
　―の対角径　Diagonal conjugate of female pelvis　235
女性生殖器　Female genital system　254
鋤骨　Vomer　543, 603, **616**, 619, 636, 656
小陰唇　Labium minus　229, 254, 260, 261, **262**, 285
小円筋　Teres minor　2, 306, 313, 314, **317**, 401
小角《舌骨の》　Lesser horn of hyoid bone　526, 637
小角咽頭部《中咽頭収縮筋の》　Chondropharyngeal part of middle constrictor　652
小角結節　Corniculate tubercle　529, 651
小角軟骨　Corniculate cartilage　526, 527
小丘《披裂軟骨の》　Colliculus of arytenoid cartilage　526, 527
小臼歯　Premolar tooth　640
小胸筋　Pectoralis minor　309, 310, **319**
小頬骨筋　Zygomaticus minor　552-554, **557**
小結節《上腕骨の》　Lesser tubercle of humerus　295, **300**, 301, 303, 304, 306, 400
小結節稜《上腕骨の》　Crest of lesser tubercle of humerus　300, 301
小口蓋孔　Lesser palatine foramina　546, 548, 636
小口蓋神経　Lesser palatine nn.　621, 623, 644
小口蓋動脈　Lesser palatine aa.　587, **601**, 621, 644
小虹彩動脈輪　Minor circulus arteriosus of iris　613, 614
小後頭神経　Lesser occipital n.　39, 46, 524, **525**, 538-540, 595, 596
小後頭直筋　Rectus capitis posterior minor　26, 27, 29, 30, 518, **519**, 541, 554, 555, 667
小鎖骨上窩　Lesser supraclavicular fossa　54, 532
小坐骨孔　Lesser sciatic foramen　237, 491
小坐骨切痕　Lesser sciatic notch　231, 232, 491
小指外転筋　Abductor digiti minimi　346, 354-358, 360, **361**, 405
小指球　Hypothenar eminence　294, 295
小指球筋　Hypothenar mm.　360
小指伸筋　Extensor digiti minimi　334, 340, **341**, 357, 358
　―の腱　Extensor digiti minimi tendon　358
小指対立筋　Opponens digiti minimi　355-357, 360, **361**, 405
小趾外転筋　Abductor digiti minimi　454, 464, 465, 467, **469**, 485, 498, 509
小趾対立筋　Opponens digiti minimi　465, 466, 470, **471**
小耳輪筋　Helicis minor　627
小十二指腸乳頭　Minor duodenal papilla　168, 178
小心臓静脈　Small cardiac v.　100
小腎杯　Minor calyces　184
小錐体神経　Lesser petrosal n.　573, 600
小錐体神経管裂孔　Hiatus for lesser petrosal n.　548
小節　Nodule　682
小舌《左肺の》　Lingula of left lung　117
小帯線維　Zonular fibers　612, **614**, 615
小腸傍リンパ節　Juxta-intestinal mesenteric nodes　208
小転子《大腿骨の》　Lesser trochanter of femur　410, **412**, 414, 416, 417, 504
小殿筋　Gluteus minimus　419, 422-424, 426, **427**, 491, 493, 500
小頭滑車溝《上腕骨の》　Capitulotrochlear groove of humerus　301, 329

（しょうないぞうしんけい）

小内臓神経　Lesser splanchnic n.　215-218	漿膜性心膜　Serous pericardium　93, 95, 115	—《甲状軟骨の》　Superior horn of thyroid cartilage　526, 527
小脳　Cerebellum　660, 674, 677, **682**, 683, 700	—の臓側板　Visceral layer of serous pericardium　93, 95	上顎間縫合　Intermaxillary suture　543
—の外側部　Lateral parts of cerebellum　682	—の壁側板　Parietal layer of serous pericardium　93, 95, 115	上顎骨　Maxilla　**542**, 543, 544, 546, 603, 617, 636, 663, 666
—の後外側裂　Posterolateral fissure of cerebellum　682	鞘状突起痕跡　Vestige of processus vaginalis　154	—の眼窩面　Orbital surface of maxilla　602, 603
—の四角小葉　Quadrangular lobule of cerebellum　682	踵骨　Calcaneus　410, **452**, 453-459, 462, 508, 509	—の頬骨突起　Zygomatic process of maxilla　542, 543, 546
—の水平裂　Horizontal fissure of cerebellum　682	—の後距骨関節面　Posterior talar articular surface of calcaneum　459	—の口蓋突起　Palatine process of maxilla　544, 546, 603, 617, **636**
—の正中部　Median part of cerebellum　682	—の載距突起　Sustentaculum tali　**453**, 455-459, 462	—の歯槽突起　Alveolar process of maxilla　543
小脳延髄槽（大槽）　Cerebellomedullary cistern（cisterna magna）　21, 684	—の前距骨関節面　Anterior talar articular surface of calcaneum　459	—の前頭突起　Frontal process of maxilla　543, 602, 616, 617
小脳窩（後頭蓋窩）　Cerebellar（posterior cranial）fossa　547, 549	—の中距骨関節面　Middle talar articular surface of calcaneum　459	上顎神経　Maxillary n.（CN V$_2$）　566, **567**, 581, 607, 621, 644
小脳脚　Cerebellar peduncles　682	—の長母趾屈筋腱溝　Groove for flexor hallucis longus tendon of calcaneum　459	—の外側上後鼻枝　Posterior superior lateral nasal brs. of maxillary n.　621, 623
小脳後葉　Posterior lobe of cerebellum　682, 699	—の立方骨関節面　Articular surface for cuboid of calcaneum　459	—の眼窩枝　Orbital br. of maxillary n.　623
小脳谷　Vallecula of cerebellum　682	踵骨結節　Calcaneal tubercle　508	—の硬膜枝　Meningeal br. of maxillary n.　567, 591
小脳小舌　Lingula of cerebellum　682, 698	踵骨腱（アキレス腱）　Calcaneal（Achilles'）tendon　409, 445, 446, 450, 457, 463, **467**, 494, 495, 509	—の内側上後鼻枝　Posterior superior medial nasal brs. of maxillary n.　**620**, 621, 623
小脳静脈　Cerebellar vv.　700	踵骨溝　Calcaneal sulcus　459	上顎洞　Maxillary sinus　602, 603, 610, **618**, 619, 636, 656, 657, 661, 666-669
小脳前葉　Anterior lobe of cerebellum　682, 698, 699	踵骨枝《腓骨動脈の》　Calcaneal brs. of fibular a.　472	上顎洞裂孔　Maxillary hiatus　602, 617
小脳中心小葉　Central lobule of cerebellum　682	踵骨動脈網　Calcaneal anastomosis　494	上陥凹《網嚢の》　Superior recess of omental bursa　163
小脳虫部　Vermis of cerebellum　682	踵骨隆起　Calcaneal tuberosity　408, **452**, 453, 456, 459, 464, 467	上関節上腕靱帯　Superior glenohumeral lig.　305
小脳虫部槽　Vermian cistern of cerebellum　684	—の外側突起　Lateral process of calcaneal tuberosity　452, 459	上関節突起　Superior articular process　**7**, 8-13, 233
小脳テント　Tentorium cerebelli　549, **590**, 591, 592, 663, 684	—の内側突起　Medial process of calcaneal tuberosity　452, 453, 459	上関節面
小脳扁桃　Tonsil of cerebellum　682	踵腓関節　Calcaneofibular joint　509	—《脛骨の》　Superior articular surface of tibia　410, 432, 434
小鼻翼軟骨　Minor alar cartilages　616	踵腓靱帯　Calcaneofibular lig.　460	—《仙骨の》　Superior articular surface of sacrum　12
小伏在静脈　Small saphenous v.　**474**, 475, 486, 494, 495, 503	踵部　Heel region　409	—《椎骨の》　Superior articular facet of vertebra　**7**, 8-11
小網　Lesser omentum　159, 162, 164, 167, 171, 174, 190	踵立方関節　Calcaneocuboid joint　454, 508	上眼窩裂　Superior orbital fissure　548, 551, 567, **602**, 603, 619, 636
小葉間結合組織　Interlobular connective tissue　75	上胃部　Epigastric region　54	上眼瞼　Upper eyelid　610, 611
小葉間動脈　Interlobular aa.　189	上咽頭収縮筋　Superior constrictor　**652**, 653	上眼瞼挙筋　Levator palpebrae superioris　565, **604**, 608-610, 656
小腰筋　Psoas minor　64, 147, 421, **427**	—の頬咽頭部　Mylopharyngeal part of superior constrictor　652	上眼静脈　Superior ophthalmic v.　521, 588, 589, 592, **606**, 608, 609
小翼《蝶形骨の》　Lesser wing of sphenoid　543, 547, **551**, 603, 617, 619	—の頬咽頭部　Buccopharyngeal part of superior constrictor　652	上眼動脈　Superior ophthalmic a.　608
小菱形筋　Rhomboid minor　24, 28, 313, **320**, 515	—の舌咽頭部　Glossopharyngeal part of superior constrictor　652	上キヌタ骨靱帯　Superior lig. of incus　631
小菱形骨　Trapezoid　**342**, 343, 344, 346, 347, 363, 404	—の翼突咽頭部　Pterygopharyngeal part of superior constrictor　652	上気管気管支リンパ節　Superior tracheobronchial nodes　128, 129
小弯《胃の》　Lesser curvature of stomach　166, 167	上腋窩リンパ節　Apical axillary nodes　76	上丘《蓋板の》　Superior colliculus of tectal plate　681, 683
松果体　Pineal gland　677, 681-683, **685**, 698	上縁　Superior border	上丘腕　Brachium of superior colliculus　683
松果体陥凹　Pineal recess　685	—《肩甲骨の》　Superior border of scapula　299	上区動脈《腎臓の》　Superior segmental a. of kidney　189
松果体上陥凹　Suprapineal recess　685	—《脾臓の》　Superior border of spleen　164, 180, 181	上頸神経節　Superior cervical ganglion　87, 537, 579, 597, **654**, 655, 694
笑筋　Risorius　552, 553	上横隔動脈　Superior phrenic aa.　66, 67, 73	—の喉頭咽頭枝　Laryngopharyngeal br. of superior cervical ganglion　127
掌枝　Palmar br.	上横隔リンパ節　Superior diaphragmatic nodes　91, 95, 110	上結膜円蓋　Superior conjunctival fornix　610
—《尺骨神経の》　Palmar br. of ulnar n.　377-379	上下垂体動脈　Superior hypophysial a.　582	上肩甲横靱帯　Superior transverse scapular lig.　303, 304, 306
—《正中神経の》　Palmar br. of median n.　376, 379	上下腹神経叢　Superior hypogastric plexus　213, 217, 219, 281	上肩甲下神経　Upper subscapular n.　**371**, 385
硝子体　Vitreous body　612, 656, 662	上-下葉区《肺の》　Superior segment of lungs　118, 133	上瞼板　Superior tarsus　610
硝子体窩　Hyaloid fossa　612	上-下葉静脈《肺の》　Superior v. of lower lobe of lungs　125	上瞼板筋　Superior tarsal m.　608, 610
硝子軟骨板　Hyaline cartilage end plate　14	上-下葉動脈《肺の》　Superior segmental a. of lungs　125	上鼓室　Epitympanum　629
掌側骨間筋　Palmar interossei　362, 363, 405	上外側上腕皮神経　Superior lateral brachial cutaneous n.　372, 378, 380	上鼓室動脈　Superior tympanic a.　632
掌側指静脈　Palmar digital vv.　366	上外側浅鼠径リンパ節　Superolateral superficial inguinal nodes　475, 488	上鼓膜陥凹　Superior recess of tympanic membrane　630
掌側指動脈　Palmar digital aa.　364, 365	上角	上甲状結節　Superior thyroid tubercle　526
掌側尺骨手根靱帯　Palmar ulnocarpal lig.　349	—《肩甲骨の》　Superior angle of scapula　295, 299, 303, 400	上甲状切痕　Superior thyroid notch　513, 526
掌側手根間靱帯　Palmar intercarpal ligs.　349		上甲状腺静脈　Superior thyroid v.　521, 531, 536, **588**
掌側手根靱帯　Palmar carpal lig.　295		
掌側手根中手靱帯　Palmar carpometacarpal ligs.　349		
掌側手根動脈網　Palmar carpal network　365		
掌側靱帯　Palmar ligs.　**349**, 353, 356, 359		
掌側中手静脈　Palmar metacarpal vv.　366		
掌側中手靱帯　Palmar metacarpal ligs.　349		
掌側中手動脈　Palmar metacarpal aa.　365, 393		
掌側橈骨尺骨靱帯　Palmar radio-ulnar lig.　330, 331, 349		
掌側橈骨手根靱帯　Palmar radiocarpal lig.　349, 405		
睫毛腺　Ciliary glands　610		

（じょうわんこつ）

上甲状腺動脈　Superior thyroid a.　520, 530, 534-537, 582-584, **585**, 654
― の舌骨下枝　Infrahyoid br. of superior thyroid a.　520
― の輪状甲状枝　Cricothyroid br. of superior thyroid a.　520, 531
上行咽頭動脈　Ascending pharyngeal a.　520, 583, 584, **585**, 632, 654
上行頸動脈　Ascending cervical a.　44, 365, 535
上行結腸　Ascending colon　162, 164, 165, 170, **172**, 173, 225
上行口蓋動脈　Ascending palatine a.　584
上行枝
― 《外側溝の》　Ascending ramus of lateral sulcus　678
― 《外側大腿回旋動脈の》　Ascending br. of lateral circumflex femoral a.　492
― 《浅錐体動脈の》　Ascending br. of superficial petrosal a.　633
上行性伝導路《脊髄の》　Ascending (sensory) tracts of spinal cord　691
上行大動脈　Ascending aorta　**80**, 92, 93, 96, 99, 124, 136
上行部　Ascending part
― 《十二指腸の》　Ascending part of duodenum　165, **168**, 169, 180
― 《僧帽筋の》　Ascending part of trapezius　24, 312, 320, 380
上行腰静脈　Ascending lumbar v.　37, 45, 67, 82, 83, **195**, 196, 199
上後鋸筋　Serratus posterior superior　28, 33
上後腸骨棘　Posterior superior iliac spine　2, 230-233, 237, **408**, 414, 491
上喉頭静脈　Superior laryngeal v.　531
上喉頭神経　Superior laryngeal n.　127, **531**, 534, 535, 537, 574, **575**, 654
― の外枝　External br. of superior laryngeal n.　**531**, 534, 535, 575
― の内枝　Internal br. of superior laryngeal n.　531, 534, 575
上喉頭動脈　Superior laryngeal a.　**520**, 531, 534, 535, 583
上項線　Superior nuchal line　18, 26, 27, 30, 313, **544**, 546
上骨盤隔膜筋膜　Superior fascia of pelvic diaphragm　244-246, **249**
上根《頸神経ワナの》　Superior root of ansa cervicalis　524, 525, 537, 645
上矢状静脈洞　Superior sagittal sinus　37, 521, 549, 588-590, 592, 657, 658, 662, 666, 667, 671, 684, **686**, 700
上矢状洞溝　Groove for superior sagittal sinus　545
上枝《動眼神経の》　Superior br. of oculomotor n.　607, 608
上肢帯　Shoulder girdle　296
上歯槽神経　Superior alveolar nn.　644
― の後上歯槽枝　Posterior superior alveolar brs. of superier alveolar nn.　623, 644
― の前上歯槽枝　Anterior superior alveolar brs. of superior alveolar nn.　567, 644
― の中上歯槽枝　Middle superior alveolar br. of superior alveolar nn.　567, 644
上耳介筋　Auricularis superior　553, **556**, 627
上斜筋　Superior oblique　565, 604, 657
― の滑車　Trochlea of superior oblique　604
上斜部《頭長筋の》　Superior oblique part of longus colli　311
上尺側側副動脈　Superior ulnar collateral a.　**364**, 386-388
上十二指腸陥凹　Superior duodenal fossa　161, 169
上十二指腸曲　Superior duodenal flexure　168

上縦隔　Superior mediastinum　**78**, 88
上縦舌筋　Superior longitudinal m. of tongue　646
上小脳脚　Superior cerebellar peduncle　682, 683, 698
上小脳静脈　Superior cerebellar v.　686, 687
上小脳動脈　Superior cerebellar a.　671, 688, 701
上上皮小体（上副甲状腺）　Superior parathyroid glands　530
上食道狭窄（咽頭食道狭窄）　Upper esophageal (pharyngo-esophageal) constriction　106
上伸筋支帯　Superior extensor retinaculum　467, 495, 497
上神経幹（第5・6頸神経）　Upper trunk (C5-C6)　369
上神経節　Superior ganglion
― 《舌咽神経の》　Superior ganglion of glossopharyngeal n.　572, 753
― 《迷走神経の》　Superior ganglion of vagus n.　574
上唇（回結腸唇）　Superior (ileocolic) lip　172
上唇挙筋　Levator labii superioris　552, 553, **557**
上唇枝《眼窩下神経の》　Superior labial brs. of infra-orbital n.　644
上唇動脈　Superior labial br.　583, 584
上唇鼻翼挙筋　Levator labii superioris alaeque nasi　552-554, **556**
上膵リンパ節　Superior pancreatic nodes　207
上錐体静脈　Superior petrosal v.　687
上錐体静脈洞　Superior petrosal sinus　589, 592, 671
上髄帆　Superior medullary velum　682, 683, 698
上舌区《左肺の》　Superior lingular segment of left lung　118, 133
上前区動脈《腎臓の》　Anterior superior segmental a. of kidney　189
上前腸骨棘　Anterior superior iliac spine　2, 140, 142, **230**, 231-233, 237, 408, 410, 414, 504
上前腸骨棘間径　Interspinous distance of anterior superior iliac spines　235
上前頭回　Superior frontal gyrus　666, 678
上前頭溝　Superior frontal sulcus　678
上双子筋　Gemellus superior　422-424, **427**, 490, 491, 500
上側頭回　Superior temporal gyrus　678
上側頭溝　Superior temporal sulcus　678
上側頭線　Superior temporal line　597
上唾液核　Superior salivatory nucleus　561, 568, 569, 578
上大静脈　Superior vena cava　37, 45, 66, 69, 78, **82**, 83, 89, 90, 93, 100, 124, 136
上大脳静脈　Superior cerebral vv.　686
上端《腎臓の》　Superior pole of kidney　184
上腸間膜静脈　Superior mesenteric v.　165, 168, 191, 195, 200, 220
上腸間膜動脈　Superior mesenteric a.　156, 165, 168, 180, 186-188, 191, **192**, 199, 200, 220, 224, 250
上腸間膜動脈神経節　Superior mesenteric ganglion　214, 215, 217, 218
上腸間膜動脈神経叢　Superior mesenteric plexus　212, **213**, 216, 218
上腸間膜リンパ節　Superior mesenteric nodes　204, 207-209, 276
上直筋　Superior rectus　565, **604**, 609, 610, 657, 661
上直腸横ヒダ　Superior transverse rectal fold　249
上直腸静脈　Superior rectal v.　195, **201**, 274
上直腸動脈　Superior rectal a.　**187**, 193, 201, 274
上直腸動脈神経叢　Superior rectal plexus　215
上直腸リンパ節　Superior rectal nodes　209
上ツチ骨靱帯　Superior lig. of malleus　631
上ツチ骨ヒダ　Superior malleolar fold　630

上椎切痕　Superior vertebral notch　**7**, 10, 11, 14
上殿静脈　Superior gluteal vv.　196, 269, 490, 493
上殿神経　Superior gluteal n.　477, **483**, 490, 491, 493
上殿動脈　Superior gluteal a.　188, 269, 472, 490-493
上殿皮神経　Superior clunial nn.　39, 47, 70, 284, 285, 482, **486**, 490, 493
上頭《外側翼突筋の》　Superior head (part) of lateral pterygoid　559, 639
上頭斜筋　Obliquus capitis superior　26, 27, 29, 30, 518, **519**, 554, 555
上頭頂小葉　Superior parietal lobule　678
上橈尺関節　Proximal radio-ulnar joint　325, **326**, 327, 330, 331, 402, 403
― の外側側副靱帯　Radial collateral lig. of proximal radio-ulnar joint　328-330
上内側浅鼡径リンパ節　Superomedial superficial inguinal nodes　475
上肺底静脈　Superior basal v. of lower lobe of lungs　125
上半月小葉　Superior semilunar lobule　682
上皮小体（副甲状腺）　Parathyroid glands　530
上腓骨筋支帯　Superior fibular retinaculum　467
上鼻甲介　Superior nasal concha　550, 603, **617**, 618-621
上鼻道　Superior nasal meatus　**617**, 619, 620
上部　Superior part
― 《孤束核の》　Superior part of nuclei of solitary tract　572, 574
― 《十二指腸の》　Superior part of duodenum　164, 165, **168**, 169, 178, 180
― 《前庭神経節の》　Superior part of vestibular ganglion　571, 634, 635
上副甲状腺（上上皮小体）　Superior parathyroid glands　530
上副腎動脈　Superior suprarenal aa.　67, 183-185, 188, **197**, 250
上腹《肩甲舌骨筋の》　Superior belly of omohyoid　517
上腹部　Upper abdomen　141
上腹壁静脈　Superior epigastric vv.　195
上腹壁動脈　Superior epigastric a.　68
上吻合静脈　Superior anastomotic v.　686
上膀胱静脈　Superior vesical v.　270
上膀胱動脈　Superior vesical aa.　272, 273
上葉《肺の》　Superior lobe of lungs　116, 117, 130
上葉気管支　Superior lobar bronchi　89, 90, 116
上腰三角（グランフェルト三角）　Fibrous lumbar triangle (of Grynfeltt)　47
上涙小管　Superior lacrimal canaliculus　611
上涙点　Superior lacrimal punctum　611
上肋横突靱帯　Superior costotransverse lig.　61
上肋間静脈　Superior intercostal v.　91
上肋骨窩　Superior costal facet　7, 10
上腕　Arm　296
上腕腋窩リンパ節　Humeral nodes　76
上腕横靱帯　Transverse lig. of humerus　304, 306
上腕筋　Brachialis　308, 311, **322**, 332, 333, 396, 398
上腕筋膜　Brachial fascia　385
上腕骨　Humerus　296, 297, **300**, 301, 303, 304, 396, 398, 402
― の解剖頸　Anatomical neck of humerus　**300**, 301, 304
― の外側縁　Lateral border of humerus　300
― の外側顆上稜　Lateral supracondylar ridge of humerus　300
― の外側上顆　Lateral epicondyle of humerus　295, **300**, 301, 329, 402
― の外科頸　Surgical neck of humerus　300

751

上腕骨（つづき）
― の結節間溝　Intertubercular sulcus of humerus　**300**, 301, 303-306
― の鉤突窩　Coronoid fossa of humerus　300, 327, 329
― の三角筋粗面　Deltoid tuberosity of humerus　**300**, 316
― の尺骨神経溝　Ulnar groove of humerus　300, 301
― の小結節　Lesser tubercle of humerus　295, **300**, 301, 303, 304, 306, 400
― の小結節稜　Crest of lesser tubercle of humerus　300, 301
― の小頭滑車溝　Capitulotrochlear groove of humerus　301, 329
― の前外側面　Anterolateral surface of humerus　300
― の前内側面　Anteromedial surface of humerus　300
― の大結節　Greater tubercle of humerus　295, 300, 301, 303, **304**, 400
― の大結節稜　Crest of greater tubercle of humerus　300
― の肘頭窩　Olecranon fossa of humerus　**300**, 301, 324, 329
― の橈骨神経溝　Radial groove of humerus　300
― の内側縁　Medial border of humerus　300, 301
― の内側顆上稜　Medial supracondylar ridge of humerus　300, 301
― の内側上顆　Medial epicondyle of humerus　295, **300**, 301, 308, 387, 402
上腕骨顆　Condyle of humerus　300
上腕骨滑車　Trochlea of humerus　**300**, 301, 326, 327, 329, 402
上腕骨小頭　Capitulum of humerus　**300**, 301, 326, 329, 402
上腕骨体　Shaft of humerus　300, 301
上腕骨頭　Head of humerus　**300**, 301-304, 401
上腕三頭筋　Triceps brachii　2, 24, 294, 312, 314, **323**, 332, 334, 381
― の外側頭　Lateral head of triceps brachii　294, 312, 314, **323**, 381, 398
― の長頭　Long head of triceps brachii　294, 312, 314, 323, 398
― の内側頭　Medial head of triceps brachii　314, 323, 398
上腕尺骨頭　Humero-ulnar head　336
上腕静脈　Brachial vv.　**366**, 385, 387, 398
上腕深動脈　Deep a. of arm　**364**, 365, 381, 398
上腕中間領域　Middle arm territory　367
上腕頭《円回内筋の》　Humeral head of pronator teres　333
上腕動脈　Brachial a.　364, 365, 384-387, 389, 398
上腕二頭筋　Biceps brachii　294, 306, 308, 310, 311, **322**, 332, 333, 389, 396
― の腱　Biceps brachii tendon　332
― の短頭　Short head of biceps brachii　306, 308, 310, 311, 322, 398
― の長頭　Long head of biceps brachii　306, 308, 310, 322, 398
― の停止腱　Biceps brachii tendon　310
上腕二頭筋腱膜　Bicipital aponeurosis　310, 332
上腕骨外側領域　Dorsolateral arm territory　367
上腕骨背内側領域　Dorsomedial arm territory　367
上腕リンパ節　Brachial nodes　76
静脈管索　Ligamentum venosum　105, 177
静脈洞交会　Confluence of sinuses　588-590, 592, 667, 671, 684, **686**
静脈輪　Venous ring　45
食道　Esophagus　25, 89-91, **106**, 107, 116, 166, 167, 669

―と胃の接合部（Z線）　Gastro-esophageal junction (Z line)　107
―の胸部　Thoracic part of esophagus　89, 106, 116
―の筋層　Muscular coat of esophagus　107
―の頸部　Cervical part of esophagus　89, 106
―の縦筋層　Longitudinal layer of esophagus　107
―の縦走ヒダ　Longitudinal folds of esophagus　107
―の粘膜　Mucosa of esophagus　107
―の粘膜下組織　Submucosa of esophagus　107
―の腹部　Abdominal part of esophagus　106
―の輪筋層　Circular layer of esophagus　107
食道枝　Esophageal brs.
―《下甲状腺動脈の》　Esophageal brs. of inferior thyroid a.　109
―《交感神経幹の》　Esophageal brs. of sympathetic trunk　108
食道静脈　Esophageal vv.　**109**, 195, 198
食道静脈瘤　Esophageal varices　199
食道神経叢　Esophageal plexus　86, 87, **108**
食道動脈　Esophageal brs.　80, 109
食道入口　Esophageal inlet　106
食道傍リンパ節　Juxta-esophageal nodes　85, 111
食道裂孔《横隔膜の》　Esophageal hiatus of diaphragm　64, 67, 82, 89, **107**
心圧痕　Cardiac impression　117
心室中隔　Interventricular septum　**97**, 99, 102, 130, 137
―の筋性部　Muscular part of interventricular septum　99
―の肉柱　Trabeculae carneae of interventricular septum　97
―の膜性部　Membranous part of interventricular septum　99
心切痕　Cardiac notch　117
心尖　Apex of heart　93, 96, 97, 99
心臓　Heart　92, **96**
心臓枝《迷走神経の》　Cardiac brs. of vagus n.　87
心臓刺激伝導系　Conducting system of heart　102
心臓神経叢　Cardiac plexus　87, 103
心タンポナーデ　Cardiac tamponade　95
心電図　Electrocardiogram　102
心内膜下枝　Subendocardial brs.　102
心表面　Cardiac surface　93
心房間束　Interatrial bundle　102
心房枝《右冠状動脈の》　Atrial br. of right coronary a.　100
心房中隔　Interatrial septum　97, 99
心膜　Pericardium　67, **94**
心膜横隔静脈　Pericardiacophrenic vv.　78, 89, 115
心膜横隔動脈　Pericardiacophrenic a.　**66**, **67**, 78, 89, 115
心膜横洞　Transverse pericardial sinus　94, 95
心膜外側リンパ節　Lateral pericardial nodes　91
心膜腔　Pericardial cavity　95
心膜枝《横隔神経の》　Pericardial brs. of phrenic n.　66
心膜斜洞　Oblique pericardial sinus　94
伸筋支帯《手の》　Extensor retinaculum of hand　358
神経下垂体（下垂体の後葉）　Neurohypophysis (posterior lobe of pituitary gland)　680, 682
神経点（エルブ点）　Erb's point　538
神経内腔　Endoneural space　684
唇交連　Labial commissure　512
真肋　True ribs　57
深陰核背静脈　Deep dorsal v. of clitoris　261, 275
深陰茎筋膜　Deep fascia of penis　265, 267, 275
深陰茎背静脈　Deep dorsal v. of penis　264, 269-271, **275**, 284

深会陰横筋　Deep transverse perineal m.　240, **247**, 260, 264, 266, 267
深横中手靱帯　Deep transverse metacarpal lig.　**349**, 352-355, 359
深横中足靱帯　Deep transverse metatarsal lig.　462
深顔面静脈　Deep facial v.　589
深頸静脈　Deep cervical v.　45, 521
深頸動脈　Deep cervical a.　520
深頸リンパ節　Deep cervical node　129
深枝　Deep br.
―《外側足底神経の》　Deep br. of lateral plantar n.　498, 499
―《尺骨神経の》　Deep br. of ulnar n.　377, 390, 391, 393
―《尺骨動脈の》　Deep br. of ulnar a.　390, 391, 393
―《橈骨神経の》　Deep br. of radial n.　368, 387, 389
―《内側足底動脈の》　Deep br. of medial plantar a.　472, 498, 499
深指屈筋　Flexor digitorum profundus　333-335, **337**, 355, 357, 359, 399
―の腱　Flexor digitorum profundus tendon　332, 333, 352, 353, **354**, 355, 356, 359, 363, 404, 405
深耳下腺リンパ節　Deep parotid nodes　523
深耳介動脈　Deep auricular a.　587, 601, **632**, 633
深膝窩リンパ節　Deep popliteal nodes　495
深膝蓋下包　Deep infrapatellar bursa　442, 443
深掌静脈弓　Deep venous palmar arch　366
深掌動脈弓　Deep palmar arch　364, 365, 391, **393**
―の貫通枝　Perforating brs. of deep palmar arch　365
深錐体神経　Deep petrosal n.　569
深鼠径リンパ節　Deep inguinal nodes　204, 277, **278**, 279, 488
深鼠径輪　Deep inguinal ring　145, **151**, 244
深足底動脈　Deep plantar a.　497
深足底動脈弓　Deep plantar arch　472, 499
深側頭静脈　Deep temporal vv.　589
深側頭神経　Deep temporal nn. (CN V₃)　567, 580, 598, **599**, 639
深側頭動脈　Deep temporal aa.　587, **601**
深中大脳静脈　Deep middle cerebral v.　687
深肘正中皮静脈　Deep median cubital v.　366, 387
深腸骨回旋静脈　Deep circumflex iliac v.　196, 271
深腸骨回旋動脈　Deep circumflex iliac a.　**188**, 196, 271, 472
深頭《短母指屈筋の》　Deep head of flexor pollicis brevis　356
深腓骨神経　Deep fibular n.　476, **484**, 486, 496, 497, 503
―の皮枝　Cutaneous br. of deep fibular n.　496, 497
深部　Deep part
―《外肛門括約筋の》　Deep part of external anal sphincter　249
―《咬筋の》　Deep part of masseter　553, 558, 559
―《耳下腺の》　Deep part of parotid gland　649
深葉《項筋膜の》　Deep layer of nuchal fascia　24, 25, 28
腎圧痕《肝臓の》　Renal impression of liver　174
腎盂（腎盤）　Renal pelvis　184, 224
腎筋膜　Renal fascia　25
―の後葉　Posterior layer of renal fascia　25, 182
―の前葉　Anterior layer of renal fascia　25, 182
腎静脈　Renal vv.　83, 156, 183-185, 192, 194, 196, **197**, 250
腎神経叢　Renal plexus　213, 215, 217, 218
腎錐体　Renal pyramids　184
［腎］髄質　Renal medulla　184

腎臓　Kidney　25, 162, 165, 167, 169, 181, **182**, 183, **184**, 185, 198, 220, 223, 250, 254, 255
— の下前区動脈　Anterior inferior segmental a. of kidney　189
— の下端　Inferior pole of kidney　184
— の外側縁　Lateral border of kidney　184
— の弓状静脈　Arcuate vv. of kidney　184
— の弓状動脈　Arcuate a. of kidney　184, **189**
— の区域静脈　Segmental vv. of kidney　184
— の区域動脈　Segmental aa. of kidney　184
— の後区動脈　Posterior segmental a. of kidney　189
— の後面　Posterior surface of kidney　184
— の脂肪被膜　Perirenal fat capsule of kidney　182-184, 220
— の上区動脈　Superior segmental a. of kidney　189
— の上前区動脈　Anterior superior segmental a. of kidney　189
— の上端　Superior pole of kidney　184
— の線維被膜　Fibrous capsule of kidney　25, 184, 189
— の前面　Anterior surface of kidney　184
— の内側縁　Medial border of kidney　184
腎柱　Renal columns　184
腎動脈　Renal a.　156, 183-186, 188, **189**, 192, 196, 197, 200, 201, 220, 250
— の下区動脈　Inferior segmental a. of renal a.　189
— の後枝　Posterior br. of renal a.　189
— の前枝　Anterior br. of renal a.　189
— の尿管枝　Ureteral brs. of renal a.　189
— の被膜枝　Capsular brs. of renal a.　189
腎乳頭　Renal papilla　184
腎皮質　Renal cortex　184
腎門　Hilum of kidney　182, 184

【す】

スカルパ筋膜　Scarpa's fascia　146
水晶体　Lens　610, 612, **614**, 615, 662
水平板《口蓋骨の》　Horizontal plate of palatine bone　617
水平部《十二指腸の》　Horizontal part of duodenum　156, 164, 165, **168**, 169, 178, 180
水平裂　Horizontal fissure
— 《右肺の》　Horizontal fissure of right lung　116, 117, 119, 130
— 《小脳の》　Horizontal fissure of cerebellum　682
垂直舌筋　Vertical m. of tongue　646
垂直板　Perpendicular plate
— 《口蓋骨の》　Perpendicular plate of palatine bone　617, 636
— 《篩骨の》　Perpendicular plate of ethmoid　543, **550**, 603, 616, 619, 636
垂直部《頸長筋の》　Vertical part of longus colli　31, 519
膵管　Pancreatic duct　168, 178, 179, **180**
膵管括約筋　Sphincter of pancreatic duct　178
膵頸　Neck of pancreas　156
膵枝《脾動脈の》　Pancreatic brs. of splenic a.　187
膵十二指腸静脈　Pancreaticoduodenal vv.　198, 199
膵十二指腸動脈　Pancreaticoduodenal a.　200
膵十二指腸リンパ節　Pancreaticoduodenal nodes　207
膵静脈　Pancreatic vv.　195
膵神経叢　Pancreatic plexus　214, 216
膵臓　Pancreas　162-164, 168, 169, 179, **180**, 183, 190, 220

— の鈎状突起　Uncinate process of pancreas　156, 180, 181
膵体　Body of pancreas　180, 181
膵頭　Head of pancreas　180, 181, 222
膵尾　Tail of pancreas　180, 181
膵尾動脈　A. to tail of pancreas　191
膵リンパ節　Pancreatic nodes　206
錐体筋　Pyramidalis　145, 149
錐体鼓室裂　Petrotympanic fissure　546, 548, 568, 624, **631**
錐体交叉　Decussation of pyramids　683, 693
錐体静脈　Petrosal v.　686
錐体尖　Apex of petrous part　624
錐体突起《口蓋骨の》　Pyramidal process of palatine bone　636
錐体部《内頸動脈の》　Petrous part of internal carotid a.　582, **688**
錐体葉《甲状腺の》　Pyramidal lobe of thyroid gland　530
錐体路（皮質脊髄路）　Pyramidal (corticospinal) tracts　693
髄核　Nucleus pulposus　14, 22
髄節動脈《肋間動脈の》　Segmental medullary a. of posterior intercostal aa.　44
皺眉筋　Corrugator supercilii　552, 554
皺襞部《毛様体の》　Pars plicata of ciliary body　615

【せ】

セメント質　Cementum　640
正円孔　Foramen rotundum　548, 551, **567**, 602
正中環軸関節　Median atlanto-axial joint　18
正中弓状靱帯　Median arcuate lig.　64, 65
正中口蓋縫合　Median palatine suture　546, 636
正中甲状舌骨靱帯　Median thyrohyoid lig.　**527**, 534, 535
正中臍索　Median umbilical lig.　250, **251**, 254, 255
正中臍ヒダ　Median umbilical fold　152, 160, 164, 244, 245
正中神経　Median n.　72, 368, **376**, 378, 379, 383-390, 393, 394, 399, 404
— の外側根　Lateral root of median n.　376
— の関節枝　Articular br. of median n.　376
— の掌枝　Palmar br. of median n.　376, 379
— の内側根　Medial root of median n.　376
— の反回枝　Recurrent br. of median n.　390
正中神経根　Median n. roots　384
正中仙骨静脈　Median sacral v.　196, **250**, 273, 274
正中仙骨動脈　Median sacral a.　**36**, 188, 196, 250, 270, 273, 274
正中仙骨稜　Median sacral crest　7, **12**, 13, 232, 233
正中部《小脳の》　Median part of cerebellum　682
正中輪状甲状靱帯　Median cricothyroid lig.　120, 527, 530
正中輪状披裂靱帯　Median crico-arytenoid lig.　528
声帯筋　Vocalis　528
声帯靱帯　Vocal lig.　527
声帯突起《披裂軟骨の》　Vocal process of arytenoid cartilage　526, 527
声帯ヒダ　Vocal fold　529, 648
声門下腔　Subglottic space (infraglottic cavity)　529
声門上腔（喉頭前庭）　Supraglottic space (laryngeal vestibule)　529
声門裂　Rima glottidis　529
星状神経節　Stellate ganglion　87, 535, **655**, 694
精管　Ductus deferens　**155**, 250, 251, 255, 271, 286
精管静脈　V. of ductus deferens　155, 271
精管神経叢　Deferential plexus　280
精管動脈　A. to ductus deferens　155, 270, 271

精管膨大部　Ampulla of ductus deferens　156, 253, 255, 266
精丘　Seminal colliculus　247, 253, **264**, 266
精索　Spermatic cord　144, 145, 150, 151, **154**, 270, 284, 287, 290, 488, 492
精巣　Testis　**155**, 255, 271, 278, 290
— の臓側板　Visceral layer of testis　154, 155
— の白膜　Tunica albuginea　155
— の壁側板　Parietal layer of testis　154, 155
精巣挙筋　Cremaster　144, 145, 150, 151
精巣挙筋静脈　Cremasteric v.　155, 271
精巣挙筋動脈　Cremasteric a.　155, 271
精巣挙筋膜　Cremasteric fascia　150, 151, 155
精巣縦隔　Mediastinum of testis　290
精巣小葉　Lobules of testis　155, 265
精巣鞘膜　Tunica vaginalis　154, 155
精巣鞘膜腔　Cavity of tunica vaginalis　155
精巣上体　Epididymis　154, **155**, 255, 271, 278
精巣静脈　Testicular v.　154, 155, **271**
精巣動脈　Testicular a.　154, 155, 185, **197**, 199, 250, **271**
精巣動脈神経叢　Testicular plexus　154, 155, 213, 217, 218
精巣網　Rete testis　155
精囊　Seminal gland　242, 255, 267, **270**, 280, 286, 287, 290
赤核　Red nucleus　564, 681, 693, 699
脊髄　Spinal cord　5, 25, **40**, 43, 48, 73, 663, 674, 676, 684
— の灰白質　Gray matter (substance) of spinal cord　676, 690
— の後角　Posterior horn of spinal cord　44, 690
— の後索　Posterior funiculus of spinal cord　690, 691
— の後正中溝　Posterior median sulcus　690
— の硬膜　Dura mater of spinal cord　40
— の上行性（感覚性）伝導路　Ascending (sensory) tracts of spinal cord　691
— の前角　Anterior horn of spinal cord　690
— の前索　Anterior funiculus of spinal cord　690, 691
— の側角　Lateral horn of spinal cord　690
— の側索　Lateral funiculus of spinal cord　690, 691
— の中心管　Central canal of spinal cord　684, 685, 698
— の白質　White matter (substance) of spinal cord　691
脊髄円錐　Conus medullaris of spinal cord　5, 40, 41
脊髄根　Spinal root　576
脊髄枝《肋間動脈の》　Spinal br. of posterior intercostal aa.　36, 44, 68
脊髄静脈　Vv. of spinal cord　45
脊髄神経　Spinal n.　39, 40, **42**, 43, 47, 71, 676, 684
— の外側皮枝　Lateral cutaneous br. of spinal n.　38, 39, **43**, 71
— の関節枝　Articular br. of spinal n.　43
— の後根　Posterior (dorsal) root of spinal n.　40, 71, 369, 693
— の後枝　Posterior (dorsal) ramus of spinal n.　42, **43**, 47, 71, 369, 380
— の硬膜枝　Meningeal br. of spinal n.　42, **43**
— の前根　Anterior (ventral) root of spinal n.　40, **42**, 71, 369, 482, 535, 693
— の前枝　Anterior (ventral) ramus of spinal n.　40, 42, **43**, 71, 369
— の前皮枝　Anterior cutaneous br./brs. of spinal n.　**43**, 71
— の内側枝　Medial br./brs. of spinal n.　43

（せきずいしんけい）

脊髄神経（つづき）
— の内側皮枝　Medial cutaneous br. of spinal n.　38, 39
— の白交通枝　White ramus communicans of spinal n.　42, 71
脊髄神経溝　Groove for spinal n.　8, 9
脊髄神経節　Spinal ganglion　**40**, 43, 71
脊髄分節　Spinal cord segment　690
脊柱　Vertebral column　4
脊柱管　Vertebral canal　5, 14, 22, 48
脊柱起立筋　Erector spinae　32
脊柱部　Vertebral region　3
脊椎固定術　Spinal fusion　22
脊椎前リンパ節　Prevertebral nodes　110
切歯　Incisor tooth　640
切歯窩　Incisive fossa　636, 640
切歯管　Incisive canal　548, 616
切歯孔　Incisive foramen　544, 546, 636
切歯縫合　Incisive suture　640
舌　Tongue　646
舌咽神経　Glossopharyngeal n. (CN IX)　549, 560, **572**, 573, 645, 646, 683
— の咽頭枝　Pharyngeal br. of glossopharyngeal n.　572
— の茎突咽頭筋枝　Stylopharyngeal br. of glossopharyngeal n.　572
— の上神経節　Superior ganglion of glossopharyngeal n.　572, 753
舌咽頭部《上咽頭収縮筋の》　Glossopharyngeal part of superior constrictor　652
舌下小丘　Sublingual caruncle　642, 647
舌下神経　Hypoglossal n. (CN XII)　537, 549, 560, **577**, 597, 645, 647, 683
舌下神経核　Nucleus of hypoglossal n.　561, 577
舌下神経管　Hypoglossal canal　546-548, 577
舌下神経三角　Hypoglossal trigone　577
舌下腺　Sublingual gland　646, **649**
舌下動脈　Sublingual a.　647
舌下ヒダ　Sublingual fold　642, 647
舌筋　Mm. of tongue　555
舌腱膜　Lingual aponeurosis　646
舌骨　Hyoid bone　536, 555, **637**, 642, 660
— の小角　Lesser horn of hyoid bone　526, 637
— の大角　Greater horn of hyoid bone　526, 637
舌骨下筋群　Infrahyoid mm.　525, 642
舌骨下枝《上甲状腺動脈の》　Infrahyoid br. of superior thyroid a.　520
舌骨筋　Hyoid mm.　554
舌骨喉頭蓋靱帯　Hyo-epiglottic lig.　529
舌骨上筋群　Suprahyoid mm.　642
舌骨舌筋　Hyoglossus　555, **642**, 643, 646, 652, 657
舌根　Root of tongue　646, 651
舌小帯　Frenulum of tongue　647
舌静脈　Lingual v.　521, 647
舌神経　Lingual n. (CN V₃)　567-569, 580, 581, 600, 644, **645**, 647
舌深静脈　Deep lingual v.　647
舌深動脈　Deep lingual a.　647
舌正中溝　Median sulcus of tongue　646
舌尖　Apex of tongue　646
舌体　Body of tongue　646
舌中隔　Lingual septum　646
舌動脈　Lingual a.　537, 583, **584**, 585, 647
舌粘膜　Mucous membrane of tongue　646
舌背　Dorsum of tongue　646
舌扁桃　Lingual tonsil　529, **646**, 648, 650
舌盲孔　Foramen cecum of tongue　646
仙棘靱帯　Sacrospinous lig.　**236**, 237, 238, 286, 416, 491
仙結節靱帯　Sacrotuberous lig.　**236**, 237, 416, 422, 423, 427, 490, 491, 493

仙骨　Sacrum　2, 4, 6, **12**, 51, 142, 229, 230, 232, 233, 237, 238, 408, 416
— の横線　Transverse ridges of sacrum　12
— の外側部　Lateral part of sacrum　7, 12, 13
— の岬角　Promontory of sacrum (sacral promontory)　4, 5, 7, 12, 13, 142, 232, 233, 416, 418
— の耳状面　Auricular surface of sacrum　12, 13
— の上関節面　Superior articular surface of sacrum　12
— の前面　Pelvic surface of sacrum　233
仙骨角　Sacral horn　12
仙骨管　Sacral canal　7, 12, 13, 51, 232, 233, 237
仙骨曲　Sacral flexure　248
仙骨神経　Sacral n.　482
— の外側枝　Lateral br. of sacral n.　43
— の後根（背側根）　Posterior (dorsal) root of sacral n.　43, 482
— の後枝　Posterior (dorsal) ramus of sacral n.　43, 482
— の前根　Anterior (ventral) root of sacral n.　43
— の前枝　Anterior (ventral) ramus of sacral n.　43, 217, 281
仙骨神経節　Sacral ganglia　213, 217
仙骨神経叢　Sacral plexus　210, 281, 283, **477**, 492
仙骨尖　Apex of sacrum　12
仙骨前隙　Presacral space　259
仙骨粗面　Sacral tuberosity　12, 13, 237
仙骨底　Base of sacrum　7, 13
仙骨内臓神経　Sacral splanchnic nn.　212, 215, 283
仙骨部　Sacral region　3
仙骨翼　Ala of sacrum　7, 12, 13
仙骨リンパ節　Sacral nodes　204, 277-279
仙骨裂孔　Sacral hiatus　12, 40, 232, 233, 237
仙腸関節　Sacro-iliac joint　13, 51, 230, 232, 237, 504
仙椎　Sacral vertebrae [S1-S5]　4
仙尾関節　Sacrococcygeal joint　12
仙尾後弯　Sacral kyphosis　4
浅陰茎筋膜　Fascia of penis　265, 267, 275
浅陰茎背静脈　Superficial dorsal vv. of penis　265, 267, 275
浅会陰横筋　Superficial transverse perineal m.　**239**, 240, 263, 284, 285
浅会陰筋膜　Perineal fascia　**239**, 244, 247, 261
浅横中手靱帯　Superficial transverse metacarpal lig.　354
浅横中足靱帯　Superficial transverse metatarsal lig.　464
浅胸筋膜　Superficial thoracic fascia　382
浅筋膜　Superficial fascia　387
浅頸静脈　Superficial cervical v.　538, 539
浅頸動脈　Superficial cervical a.　**365**, 537-539
浅頸リンパ節　Superficial cervical node　538
浅枝　Superficial br.
— 《外側足底神経の》　Superficial br. of lateral plantar n.　485, 498
— 《尺骨神経の》　Superficial br. of ulnar n.　377, 390, 391, 393
— 《尺骨動脈の》　Superficial br. of ulnar a.　391
— 《橈骨神経の》　Superficial br. of radial n.　368, 373, 378, 387-389, 394
— 《内側足底神経の》　Superficial br. of medial plantar n.　498
— 《内側足底動脈の》　Superficial br. of medial plantar a.　472, 495, 498
浅指屈筋　Flexor digitorum superficialis　332, 333, 336, **337**, 354, 357, 359, 390, 396, 399
— の腱　Flexor digitorum superficialis tendon　332, 352-356, 359, 404, 405
— の橈骨頭　Radial head of flexor digitorum superficialis　333, 336

浅耳下腺リンパ節　Superficial parotid nodes　523
浅膝窩リンパ節　Superficial nodes　475
浅掌枝《橈骨動脈の》　Superficial palmar br. of radial a.　364, 390, 392, 393
浅掌静脈　Superficial palmar v.　391
浅掌静脈弓　Superficial venous palmar arch　366
浅掌動脈　Superficial palmar a.　391
浅掌動脈弓　Superficial palmar arch　364, 365, 390, 391, **393**
浅錐体動脈　Superficial petrosal a.　633
— の下行枝　Descending br. of superficial petrosal a.　633
— の上行枝　Ascending br. of superficial petrosal a.　633
浅前頭リンパ節　Superficial nodes　523
浅鼠径リンパ節　Superficial inguinal nodes　204, **277**, 278, 279, 475, 488
浅鼠径輪　Superficial inguinal ring　140, 144, 149, **150**, 151, 153, 154, 275, 488, 489
— の外側脚　Lateral crus of superficial inguinal ring　150, 151, 489
— の内側脚　Medial crus of superficial inguinal ring　150, 151, 489
浅側頭静脈　Superficial temporal vv.　521, 588, **589**, 594, 598, 599
浅側頭動脈　Superficial temporal a.　583-585, **586**, 594, 595, 598, 599, 627
— の前頭枝　Frontal br. of superficial temporal a.　586, 595
— の頭頂枝　Parietal br. of superficial temporal a.　586, 595
浅中大脳静脈　Superficial middle cerebral v.　686, 687
浅腸骨回旋静脈　Superficial circumflex iliac v.　69, **474**, 486, 488
浅腸骨回旋動脈　Superficial circumflex iliac a.　**472**, 488, 492
浅頭《短母指屈筋の》　Superficial head of flexor pollicis brevis　355, 356
浅腓骨神経　Superficial fibular n.　476, **484**, 486, 496, 497
浅部　Superficial part
— 《外肛門括約筋の》　Superficial part of external anal sphincter　249
— 《咬筋の》　Superficial part of masseter　553, 558, 559
— 《耳下腺の》　Superficial part of parotid gland　649
浅腹筋膜　Superficial abdominal fascia　267, 488
浅腹壁静脈　Superficial epigastric v.　69, 474, 486, **488**
浅腹壁動脈　Superficial epigastric a.　472, 492
浅葉　Superficial layer
— 《頸筋膜の》　Superficial (investing) layer of cervical fascia　25, 530, 533, 534, 537
— 《項筋膜の》　Superficial layer of nuchal fascia　25
腺下垂体（下垂体の前葉）　Adenohypophysis (anterior lobe of pituitary gland)　680, 682
腺房　Acinus　121
［線維鞘の］十字部　Cruciform part of fibrous sheath　352-354, 464, 469
［線維鞘の］輪状部　Anular part of fibrous sheath　353, 354, 359, 464
線維性間質　Fibrous stroma　155
線維性心膜　Fibrous pericardium　78, **89**, 90, 93, 94, 96
線維被膜《腎臓の》　Fibrous capsule of kidney　25, 184, 189
線維付着《肝臓の》　Fibrous appendix of liver　177
線維膜　Fibrous membrane　417

線維輪　Anulus fibrosus　14, 22
　─ の交差線維束　Crossing fiber systems of anulus fibrosus　14
前胃神経叢　Anterior gastric plexus　108, 214, 216
前陰唇交連　Anterior commissure　262
前陰唇神経　Anterior labial nn.　285
前陰嚢枝《腸骨鼡径神経の》　Anterior scrotal brs. of ilio-inguinal n.　478
前陰嚢静脈　Anterior scrotal vv.　275
前陰嚢動脈　Anterior scrotal a.　275
前右心室静脈　Anterior vv. of right ventricle　100
前腋窩線　Anterior axillary line　55
前縁　Anterior border
　─《脛骨の》　Anterior border of tibia　432
　─《橈骨の》　Anterior border of radius　324, 325
　─《肺の》　Anterior border of lungs　117
前下行枝（前室間枝）《左冠状動脈の》　Anterior interventricular br. of left coronary a.　93, 100, 134
前下小脳動脈　Anterior inferior cerebellar a.　688, 701
前下膵十二指腸動脈　Anterior br. of inferior pancreaticoduodenal a.　191, 192, 199
前下腿筋間中隔　Anterior intermuscular septum of leg　496, 501
前下腿部　Anterior region of leg　408
前顆間区《脛骨の》　Anterior intercondylar area of tibia　433, 443
前海綿間静脈洞　Anterior intercavernous sinus　592
前外果動脈　Anterior lateral malleolar a.　472, 497
前外側橋静脈　Anterolateral pontine v.　687
前外側溝　Anterolateral sulcus　683
前外側脊髄視床路　Anterolateral system (spinothalamic tracts)　692
前外側面　Anterolateral surface
　─《上腕骨の》　Anterolateral surface of humerus　300
　─《披裂軟骨の》　Anterolateral surface of arytenoid cartilage　526
前外椎骨静脈叢　Anterior external vertebral venous plexus　37, 45, 69
前角　Anterior horn
　─《脊髄の》　Anterior horn of spinal cord　690
　─《側脳室の》　Anterior horn of lateral ventricle　685
前関節面《椎骨の》　Anterior articular facet of vertebra　8, 9
前環椎後頭膜　Anterior atlanto-occipital membrane　20, 21
前眼房　Anterior chamber of eyeball　612, 614
前脚《アブミ骨の》　Anterior limb of stapes　630
前脚動脈　Anterior crural a.　633
前弓《環椎（第 1 頸椎）の》　Anterior arch of atlas (C1)　9
前距骨関節面《踵骨の》　Anterior talar articular surface of calcaneum　459
前距腓靱帯　Anterior talofibular lig.　460
前鋸筋　Serratus anterior　24, 54, 73, 144, 302, 308, 310, 313, **319**
前鋸筋粗面　Tuberosity for serratus anterior　59
前胸鎖靱帯　Anterior sternoclavicular lig.　302, 303
前径《距骨滑車の》　Anterior diameter of trochlea of talus　457
前脛距部《三角靱帯の》　Anterior tibiotalar part of deltoid lig.　461
前脛骨筋　Tibialis anterior　409, 421, 425, 444, 445, **449**, 456, 467, 495, 503
前脛骨静脈　Anterior tibial vv.　**474**, 497, 503
前脛骨動脈　Anterior tibial a.　472, 473, 497, 503
前脛骨反回動脈　Anterior tibial recurrent a.　472
前脛腓靱帯　Anterior tibiofibular lig.　460, 461

前頸三角（前頸部）　Anterior (anterior cervical) triangle　532, 534
前頸静脈　Anterior jugular v.　521, 534, **588**, 669
前結節　Anterior tubercle
　─《環椎（第 1 頸椎）の》　Anterior tubercle of atlas (C1)　9
　─《頸椎の》　Anterior tubercle of cervical vertebrae　8, 9
　─《椎骨の》　Anterior tubercle of vertebra　7, 9, 20
前結節間束　Anterior internodal bundles　102
前結膜動脈　Anterior conjunctival aa.　613
前鼓室動脈　Anterior tympanic a.　587, 601, 632
前交通静脈　Anterior communicating v.　687
前交通動脈　Anterior communicating a.　671, 688
前交連　Anterior commissure　680, 682, 685, 689, 698
前骨間静脈　Anterior interosseous vv.　366
前骨間動脈　Anterior interosseous a.　364, **365**, 388, 393
　─ の後枝　Posterior br./brs. of anterior interosseous a.　365
前骨半規管　Anterior semicircular canal　626, 628, 629, **634**
前根　Anterior (ventral) root
　─《脊髄神経の》　Anterior (ventral) root of spinal n.　40, **42**, 71, 369, 482, 535, 693
　─《仙骨神経の》　Anterior (ventral) root of sacral n.　43
前根糸　Anterior rootlets　42
前根静脈　Anterior radicular v.　45
前索《脊髄の》　Anterior funiculus of spinal cord　690, 691
前枝
　─《外頸動脈の》　Anterior br./brs. of external carotid a.　583, 584
　─《外側溝の》　Anterior ramus of lateral sulcus　678
　─《頸神経の》　Anterior rami of cervical nn.　525, 645
　─《腎動脈の》　Anterior br. of renal a.　189
　─《脊髄神経の》　Anterior (ventral) ramus of spinal n.　40, 42, **43**, 71, 369
　─《仙骨神経の》　Anterior (ventral) ramus of sacral n.　43, 217, 281
　─《内腸骨静脈の》　Anterior trunk of internal iliac v.　250
　─《内腸骨動脈の》　Anterior trunk of internal iliac a.　250
　─《閉鎖神経の》　Anterior br. of obturator n.　477, 480
　─《腰神経の》　Anterior rami of lumbar nn.　280
　─《肋間神経の》　Anterior (ventral) rami of intercostal nn.　73
前篩骨孔　Anterior ethmoidal foramen　550, 602
前篩骨神経　Anterior ethmoidal n.　567, 609, 621
　─ の外側枝　Lateral nasal brs. of anterior ethmoidal n.　621
　─ の外鼻枝　External nasal n. of anterior ethmoidal n.　596, 621
　─ の硬膜枝　Meningeal brs. of anterior ethmoidal n.　591
　─ の内側鼻枝　Medial nasal brs. of anterior ethmoidal n.　620, 621
　─ の内鼻枝　Internal nasal brs. of anterior ethmoidal n.　621
前篩骨動脈　Anterior ethmoidal a.　606, 609, **620**, 621
　─ の中隔前鼻枝　Anterior septal brs. of anterior ethmoidal a.　620
前耳介筋　Auricularis anterior　553, 556, **627**
前耳介動脈　Anterior auricular aa.　627

前室間溝　Anterior interventricular sulcus　96
前室間枝（前下行枝）《左冠状動脈の》　Anterior interventricular br. of left coronary a.　93, 100, 134
前膝部　Anterior region of knee　408
前斜角筋　Anterior scalene (scalenus anterior)　63, 89, 365, 369, 518, **519**, 535, 537
前斜角筋結節　Scalene tubercle　519
前手根部　Anterior region of wrist　294
前十字靱帯　Anterior cruciate lig.　439, **440**, 441, 507
前縦隔　Anterior mediastinum　79, 88, 115
前縦靱帯　Anterior longitudinal lig.　**20**, 21-23, 63, 236, 416, 418
前床突起　Anterior clinoid process　547, 551, 636, 667
前障　Claustrum　661, 689
前踵骨関節面《距骨の》　Anterior facet for calcaneus of talus　459
前上歯槽枝《上歯槽神経の》　Anterior superior alveolar brs. of superior alveolar nn.　567, 644
前上歯槽動脈　Anterior superior alveolar aa.　587
前上膵十二指腸動脈　Anterior superior pancreaticoduodenal a.　187, **191**, 192, 198, 199
　─ の十二指腸枝　Duodenal brs. of anterior superior pancreaticoduodenal a.　191
前上葉区《肺の》　Anterior segment of lungs　118, 133
前上葉静脈《肺の》　Anterior v. of superior lobe of lungs　125
前上葉動脈《肺の》　Anterior segmental a. of lungs　125
前上腕回旋動脈　Anterior circumflex humeral a.　364, 365
前上腕部　Anterior region of arm　294
前唇《外子宮口の》　Anterior lip of external os of uterus　260
前深側頭動脈　Anterior deep temporal a.　601
前髄節動脈　Anterior segmental medullary a.　44
前皺柱《腟の》　Anterior vaginal column　260
前正中橋静脈　Anteromedian pontine v.　687
前正中線　Anterior median line　55
前正中裂　Anterior median fissure　683, 690
前脊髄小脳路　Anterior spinocerebellar tract　682
前脊髄静脈　Anterior spinal vv.　45
前脊髄動脈　Anterior spinal a.　688
前舌腺　Anterior lingual salivary gland　647
前仙骨孔　Anterior sacral foramina　6, 12, 13, 51, 233, 237
前仙腸靱帯　Anterior sacro-iliac lig.　51, **236**, 237, 238, 416
前仙尾靱帯　Anterior sacrococcygeal lig.　237
前尖　Anterior cusp
　─《右房室弁の》　Anterior cusp of right atrioventricular valve　97-99
　─《左房室弁の》　Anterior cusp of left atrioventricular valve　98, 99
前［前腕］骨間神経　Anterior interosseous n.　368, 376
前前腕部　Anterior region of forearm　294
前足　Forefoot　452
前足骨（趾骨）　Phalanges　410, 452
前側頭枝《中大脳動脈の》　Anterior temporal brs. of middle cerebral a.　689
前側頭動脈（P3 区）　Anterior temporal a. (P3)　689
前帯《下関節上腕靱帯の》　Anterior band of inferior glenohumeral lig.　305
前大腿皮静脈　Anterior femoral cutaneous v.　474, 488
前大腿部　Anterior region of thigh　408

（ぜんだいのうじょうみゃく）

前大脳静脈　Anterior cerebral vv.　686, 687
前大脳動脈　Anterior cerebral a.　582, 671, 688, 689, 700
　──の交通後部(A2区)　Postcommunicating part (A2) of anterior cerebral a.　688
　──の交通前部(A1区)　Precommunicating part (A1) of anterior cerebral a.　688
前端《脾臓の》　Anterior extremity of spleen　180
前肘部　Anterior region of elbow　294
前ツチ骨靱帯　Anterior lig. of malleus　631
前ツチ骨ヒダ　Anterior malleolar fold　630
前庭　Vestibule　626, 628
前庭蝸牛動脈　Vestibulocochlear a.　635
前庭階　Scala vestibuli　634
前庭器　Vestibular apparatus　634
前庭球　Bulb of vestibule　247, 261, **262**, 263
前庭神経　Vestibular n. (CN VIII)　570, **571**, 626
前庭神経下核　Inferior vestibular nucleus　570
前庭神経外側核　Lateral vestibular nucleus　570
前庭神経上核　Superior vestibular nucleus　570
前庭神経節　Vestibular ganglion　570, **571**, 635
　──の下部　Inferior part of vestibular ganglion　571, 634, 635
　──の上部　Superior part of vestibular ganglion　571, 634, 635
前庭神経内側核　Medial vestibular nucleus　570
前庭神経野　Vestibular area　683
前庭靱帯　Vestibular lig.　527
前庭水管　Vestibular aqueduct　635
前庭水管静脈　V. of vestibular aqueduct　635
前庭窓　Oval window　**571**, 629, 630, 634
前庭動脈　Vestibular a.　635
前庭ヒダ　Vestibular fold　529, 648
前庭裂　Rima vestibuli　529
前殿筋線《腸骨の》　Anterior gluteal line of ilium　231
前透明中隔静脈　Anterior v. of septum pellucidum　686
前頭蓋窩　Anterior cranial fossa　547, 549, 619, 659
前頭極　Frontal pole　**678**, 679
前頭極動脈　Polar frontal a.　689
前頭筋《後頭前頭筋の》　Frontal belly (frontalis) of occipitofrontalis　552, 553
前頭骨　Frontal bone　542, **543**, 545, 547, 602, 603, 616, 619, 700
　──の眼窩面　Orbital surface of frontal bone　602, 603
　──の頬骨突起　Zygomatic process of frontal bone　597
前頭枝　Frontal br.
　──《浅側頭動脈の》　Frontal br. of superficial temporal a.　586, 595
　──《中硬膜動脈の》　Frontal br. of middle meningeal a.　587, 591
前頭神経　Frontal n.　565, 567, **607**, 608, 609
前頭切痕　Frontal notch　543, 602
前頭前動脈　Prefrontal a.　689
前頭直筋　Rectus capitis anterior　31, 555
前頭洞　Frontal sinus　545, 547, 562, 603, 616-620, 659-661, 666, 667
前頭突起　Frontal process
　──《頬骨の》　Frontal process of zygomatic bone　542, 543, 597
　──《上顎骨の》　Frontal process of maxilla　543, 602, 616, 617
前頭部　Frontal region　512
前頭弁蓋　Frontal operculum　678
前頭葉　Frontal lobe　677
前頭稜　Frontal crest　545, 547
前突起《ツチ骨の》　Anterior process of malleus　630

前内果動脈　Anterior medial malleolar a.　472
前内側束《下肢リンパ管の》　Anteromedial bundle of lymphatics of lower limb　475
前内側面《上腕骨の》　Anteromedial surface of humerus　300
前内椎骨静脈叢　Anterior internal vertebral venous plexus　37, 40, 45, **69**
前乳頭筋　Anterior papillary m.　97, 99, 102
前脳胞　Prosencephalon　676
前肺底区《肺の》　Anterior basal segment of lungs　118, 133
前肺底静脈　Anterior basal v. of lungs　125
前肺底動脈　Anterior basal segmental a. of lungs　125
前半規管　Anterior semicircular duct　634, 635
前半月弁《肺動脈弁の》　Anterior semilunar cusp of pulmonary valve　98, 99
前皮枝　Anterior cutaneous br./brs.
　──《脊髄神経の》　Anterior cutaneous br./brs. of spinal n.　**43**, 71
　──《大腿神経の》　Anterior cutaneous brs. of femoral n.　211, 477, 478, 481, 486
　──《腸骨下腹神経の》　Anterior cutaneous br. of iliohypogastric n.　151, 211, 478, 479
　──《肋間神経の》　Anterior cutaneous br. of intercostal nn.　70, 73, 374, 379
前腓骨頭靱帯　Anterior lig. of fibular head　438, 440
前鼻棘　Anterior nasal spine　542, 543, 636
前部《腟円蓋の》　Anterior vaginal fornix　252, 256
前腹《顎二腹筋の》　Anterior belly of digastric　**517**, 554, 642, 652
前壁　Anterior wall
　──《胃の》　Anterior wall of stomach　220
　──《鼓室の》　Anterior wall of tympanic cavity　571
　──《腟の》　Anterior wall of vagina　257, 260
前膨大部神経　Anterior ampullary n.　571, 634, **635**
前脈絡叢動脈　Anterior choroidal a.　582, 688
前迷走神経幹　Anterior vagal trunk　**108**, 214, 216-218
　──の肝枝　Hepatic br. of anterior vagal trunk　216, 218
　──の幽門枝　Pyloric br. of anterior vagal trunk　214, 216, 218
前面
　──《膝蓋骨の》　Anterior surface of patella　435
　──《腎臓の》　Anterior surface of kidney　184
　──《仙骨の》　Pelvic surface of sacrum　233
前毛様体動脈　Anterior ciliary aa.　613
前盲腸動脈　Anterior cecal a.　192, 193, **200**, 201
前有孔質　Anterior perforated substance　562
前葉
　──《下垂体の》(腺下垂体)　Anterior lobe of pituitary gland (adenohypophysis)　680, 682
　──《腎筋膜の》　Anterior layer of renal fascia　25, 182
　──《腹直筋鞘の》　Anterior layer of rectus sheath　146
前立腺　Prostate　242, 245, 247, 253, 255, 264, **266**, 267, 270, 287, 290
　──の右葉　Right lobe of prostate　266
　──の左葉　Left lobe of prostate　266
前立腺管　Prostatic ducts　264
前立腺癌　Prostatic carcinoma　267
前立腺峡部　Isthmus of prostate　266
前立腺小室　Prostatic utricle　253
前立腺静脈叢　Prostatic venous plexus　269
前立腺神経叢　Prostatic plexus　217, **280**, 282
前立腺尖　Apex of prostate　266

前立腺前部《尿道の》　Preprostatic part of urethra　264
前立腺底　Base of prostate　266
前立腺肥大　Prostatic hypertrophy　267
前立腺部《尿道の》　Prostatic urethra　**253**, 266, 287
前涙嚢稜　Anterior lacrimal crest　602
前肋間枝《内胸動脈の》　Anterior intercostal brs. of internal thoracic a.　36, 68
前肋間静脈　Anterior intercostal vv.　37, 69
前腕　Forearm　296
前腕筋膜　Antebrachial fascia　354
前腕屈筋　Flexor of forearm　333
前腕骨間膜　Interosseous membrane of forearm　325, **330**, 337, 339, 346, 365, 399
前腕正中皮静脈　Median antebrachial v.　**366**, 378, 387
　──の貫通枝　Perforating brs. of median antebrachial v.　378
前腕中間領域　Middle forearm territory　367

【そ】

鼠径管　Inguinal canal　**151**, 255
鼠径靱帯　Inguinal lig.　140, 142, 144, 145, 149, **236**, 268, 271, 416, 418, 488, 489, 492
鼠径部　Inguinal region　**150**, 488
咀嚼筋　Masticatory mm.　553
粗線《大腿骨の》　Linea aspera of femur　412, 414
　──の外側唇　Lateral lip of femur　412
　──の内側唇　Medial lip of femur　412
僧帽筋　Trapezius　2, 25-28, 308, 310, 312, **320**, 380, 515, 554, 555, 661, 665, 669
　──の横行部　Transverse part of trapezius　24, 312, 320, 380, 515
　──の下行部　Descending part of trapezius　24, 312, 320, 380, 515
　──の上行部　Ascending part of trapezius　24, 312, 320, 380
僧帽筋麻痺　Trapezius paralysis　576
僧帽弁 → 左房室弁　Mitral valve
総蝸牛動脈　Common cochlear a.　635
総肝管　Common hepatic duct　178, 179
総肝動脈　Common hepatic a.　67, 162, 179, 187, **190**, 191, 192, 198
総脚《半規管の》　Common membranous limb of semicircular ducts　635
総頸動脈　Common carotid a.　25, 36, 80, 81, 89, 96, 109, 135, 365, 383, **520**, 531, 534, 535, 537, 583-586, 654, 655, 669, 688
総頸動脈神経叢　Common carotid plexus　87
総腱輪　Common tendinous ring　565, **604**
総骨間動脈　Common interosseous a.　**364**, 365, 388
[総]指伸筋　Extensor digitorum　294, 312, 314, 334, 340, **341**, 357, 358, 395, 399, 403
　──の腱　Extensor digitorum tendon　294, 334, 353, 358, 359, 405
　──の腱間結合　Intertendinous connections of extensor digitorum　334, 358
[総]趾伸筋の腱　Extensor digitorum tendon　409
総掌側指神経　Common palmar digital nn.　376, 377, 379
総掌側指動脈　Common palmar digital aa.　364, 365, **392**, 393
総胆管　Bile duct　176, **178**, 179, 185, 190
総胆管括約筋　Sphincter of bile duct　178
総腸骨静脈　Common iliac v.　45, 69, 83, 156, 165, **194**, 195, 196, 201, 242, 243, 270, 273, 274
総腸骨動脈　Common iliac a.　156, 165, 186, **188**, 193, 196, 201, 242, 243, 250, 268, 270, 272-274, 277, 472

総腸骨リンパ節　Common iliac nodes　204, 205, 277-279
総底側指神経　Common plantar digital nn.　485, 498
総底側指動脈　Common plantar digital aa.　472
総肺底静脈　Common basal v. of lower lobe of lungs　125
総腓骨神経　Common fibular n.　476, 477, **484**, 486, 487, 493-496
槽間中隔　Interalveolar septa　640
象牙質　Dentin　640
臓側骨盤筋膜　Visceral pelvic fascia　242, 243, **246**
臓側板　Visceral layer
— 《漿膜性心膜の》　Visceral layer of serous pericardium　93, 95
— 《精巣の》　Visceral layer of testis　154, 155
臓側腹膜　Visceral peritoneum　113, **158**, 242, 243, 267
束間束　Interfascicular fasciculus　691
足　Foot　410
— の基節骨　Proximal phalanx of foot　452, 453, 508
— — の体　Shaft of proximal phalanx of foot　452
— — の底　Base of proximal phalanx of foot　452
— — の頭　Head of proximal phalanx of foot　452
— の屈筋支帯　Flexor retinaculum of foot　**467**, 494, 495
— の骨間筋　Interossei of foot　444, 454, 467, 509
— の種子骨　Sesamoid bones of foot　**453**, 455, 456, 508
— の舟状骨　Navicular　**452**, 453-458, 508
— の舟状骨粗面　Tuberosity of navicular　408, 455
— の中節骨　Middle phalanx of foot　452, 508
— の虫様筋　Lumbricals of foot　463-465, 470, **471**, 499
— の背側骨間筋　Dorsal interossei of foot　463, 465, 470
— の末節骨　Distal phalanx of foot　449, 452-454, 508
足関節窩　Ankle mortise　410, 432, **456**, 457
足根間関節　Intertarsal joint　508
足根管　Tarsal tunnel　495
足根骨　Tarsal bones　410, 452
足根中足関節　Tarsometatarsal joints　454, 508
足根洞　Tarsal sinus　459, 508
足底弓　Arches of foot　462
足底筋　Plantaris　422, 423, 446, **450**, 494, 500
— の腱　Plantaris tendon　446, 450
足底腱膜　Plantar aponeurosis　458, 463, **464**, 498, 499, 509
— の横束（横繊維束）　Transverse fascicles of plantar aponeurosis　464
足底交叉　Plantar chiasm　447, 451
足底静脈弓　Plantar venous arch　474
足底部　Sole　409
足底方形筋　Quadratus plantae　456, 463, 465, 470, **471**, 498, 499, 509
足背静脈弓　Dorsal venous arch of foot　474
足背静脈網　Dorsal venous network of foot　474
足背動脈　Dorsalis pedis a.　472, 497
— の弓状動脈　Arcuate a. of dorsalis pedis a.　472, 497
足背部　Dorsum of foot　408
側角《脊髄の》　Lateral horn of spinal cord　690
側索《脊髄の》　Lateral funiculus of spinal cord　690, 691
側索固有束　Lateral fasciculus proprius　691
側頭下窩　Infratemporal fossa　597, 598
側頭下部　Infratemporal region　512
側頭窩　Temporal fossa　597

側頭極　Temporal pole　678
側頭筋　Temporalis　553-555, **558**, 597, 598, 662, 669, 670
側頭後頭枝《中大脳動脈の》　Temporo-occipital br. of middle cerebral a.　689
側頭骨　Temporal bone　18, 544, 547, 619, **624**, 625, 670
— の関節結節　Articular tubercle of temporal bone　624, 638, 639
— の岩様部　Petrous part of temporal bone　544, 547, **625**
— の頬骨突起　Zygomatic process of temporal bone　542, 624, 670
— の茎状突起　Styloid process of temporal bone　19, 542, 544, 546, 553, **624**, 625, 626
— の鼓室部　Tympanic part of temporal bone　625
— の乳突切痕　Mastoid notch of temporal bone　546, 624
— の乳様突起　Mastoid process of temporal bone　18, 26, 512, 542, 544, 546, **624**
— の鱗部　Squamous part of temporal bone　544, **625**
側頭枝　Temporal brs.
— 《外側後頭動脈の》　Temporal brs. of lateral occipital a.　671
— 《顔面神経の》　Temporal brs. of facial n.　568, 580, 594, 596
側頭錐体鱗部静脈洞　Petrosquamous sinus　592
側頭頭頂筋　Temporoparietalis　553
側頭突起《頬骨の》　Temporal process of zygomatic bone　542
側頭部　Temporal region　512
側頭弁蓋　Temporal operculum　678
側頭面　Temporal surface
— 《頬骨の》　Temporal surface of zygomatic bone　546
— 《蝶形骨の》　Temporal surface of sphenoid　551
側頭葉　Temporal lobe　670, 677, 700
側脳室　Lateral ventricle　563, 658, 662, 680, **685**, 689, 701
— の下角　Inferior horn of lateral ventricle　685
— の後角　Posterior horn of lateral ventricle　685
— の前角　Anterior horn of lateral ventricle　685
— の側副三角　Collateral trigone of lateral ventricle　685
— の中心部　Central part of lateral ventricle　685
— の脈絡叢　Choroid plexus of lateral ventricle　684, 698, 699
側副枝　Collateral br.
— 《肋間神経の》　Collateral br. of intercostal nn.　73
— 《肋間動脈の》　Collateral br. of posterior intercostal aa.　68
側副靱帯　Collateral ligs.
— 《遠位指節間（DIP）関節の》　Collateral ligs. of DIP joint　**348**, 353
— 《近位指節間（PIP）関節の》　Collateral ligs. of PIP joint　**348**, 352, 353
— 《中手指節（MCP）関節の》　Collateral ligs. of MCP joint　346, **348**, 352, 353
側腹筋　Lateral abdominal wall mm.　25
側弯カーブ　Scoliotic curve　5

[た]

ダグラス窩（直腸子宮窩）　Recto-uterine pouch　243, 244, 251, 256, 260, 286, 288
手綱　Habenula　680
手綱核　Habenular nuclei　562
多裂筋　Multifidus　29, 34, **35**, 669

唾液核　Salivatory nuclei　561
体　Shaft
— 《手の中節骨の》　Shaft of middle phalanx of hand　343
— 《足の基節骨の》　Shaft of proximal phalanx of foot　452
— 《中手骨の》　Shaft of metacarpals　343, 347
体性運動機能（一般体性遠心性線維）　Somatomotor function (general somatic efferent fiber)　561
対角径《女性骨盤の》　Diagonal conjugate of female pelvis　235
対角枝《左冠状動脈の》　Diagonal (lateral) br. of left coronary a.　100, 134
対角帯　Diagonal band　562
対珠　Antitragus　512, 627
対珠筋　Antitragicus　627
対輪　Antihelix　512, 627
対輪脚　Crura of antihelix　627
胎盤　Placenta　104
帯状回　Cingulate gyrus　677, **679**, 698
帯状回枝《脳梁縁動脈の》　Cingular br. of callosomarginal a.　689
帯状溝　Cingulate sulcus　679
大陰唇　Labium majus　229, 254, 261, **262**
大円筋　Teres major　2, 24, 294, 308-314, **321**, 380, 396
大角《舌骨の》　Greater horn of hyoid bone　526, 637
大角咽頭部《中咽頭収縮筋の》　Ceratopharyngeal part of middle constrictor　652
大臼歯　Molar tooth　640
大胸筋　Pectoralis major　54, 144, 294, 308, 310, **318**, 382, 396
— の胸肋部　Sternocostal head of pectoralis major　144, 308, 318, 382
— の鎖骨部　Clavicular head of pectoralis major　308, 318, 382
— の腹部　Abdominal part of pectoralis major　144, 308, 318
大頬骨筋　Zygomaticus major　552-554, **557**, 594
大結節《上腕骨の》　Greater tubercle of humerus　295, 300, 301, 303, **304**, 400
大結節稜《上腕骨の》　Crest of greater tubercle of humerus　300
大口蓋管　Greater palatine canal　636
大口蓋孔　Greater palatine foramen　546, 548, 636
大口蓋神経　Greater palatine n.　621, **623**, 644
— の下後鼻枝　Posterior inferior nasal nn. of greater palatine n.　621
大口蓋動脈　Greater palatine a.　587, **601**, 620, 621, 644, 656
大虹彩動脈輪　Major circulus arteriosus of iris　613, 614
大後頭孔　Foramen magnum　**546**, 547, 548, 576, 659
大後頭孔周囲静脈叢　Venous plexus around foramen magnum　589
大後頭神経　Greater occipital n.　39, 46, **524**, 540, 541, 595, 596
大後頭直筋　Rectus capitis posterior major　26, 27, 29, 30, **519**, 541, 554, 555, 661
大鎖骨上窩　Greater supraclavicular fossa　512
大坐骨孔　Greater sciatic foramen　237, 491
大坐骨切痕　Greater sciatic notch　**231**, 232, 491
大耳介神経　Great auricular n.　39, 46, 382, **524**, 525, 534, 538-541, 595, 596
大耳輪筋　Helicis major　627
大十二指腸乳頭　Major duodenal papilla　168, 178
大静脈孔《横隔膜の》　Caval opening of diaphragm　**64**, 65, 67, 82, 89
大静脈後リンパ節　Postcaval nodes　204, 205
大静脈溝　Groove for vena cava　177

（だいじょうみゃくじんたい）

大静脈靱帯　Lig. of vena cava　176
大心臓静脈　Great cardiac v.　100
大腎杯　Major calyces　184, 189
大膵動脈　Greater pancreatic a.　191
大錐体神経　Greater petrosal n.　**568**, 569, 571
大錐体神経管裂孔　Hiatus for greater petrosal n.　548, 568
大前髄節動脈　Great anterior segmental medullary a.　44
大前庭腺（バルトリン腺）　Greater vestibular（Bartholin's）gland　254, 262, 263
大槽（小脳延髄槽）　Cisterna magna（cerebellomedullary cistern）　21, 684
大唾液腺　Major salivary glands　649
大腿　Thigh　410
大腿筋膜　Fascia lata　151, **490**, 492, 493
大腿筋膜張筋　Tensor fasciae latae　409, 418, 419, 422, 423, 425, 426, **427**, 491, 492, 505
大腿骨　Femur　410, **412**, 416, 500, 502, 506
　― の顆間窩　Intercondylar fossa of femur　412, 413, 434
　― の顆間線　Intercondylar line of femur　412
　― の外側顆　Lateral condyle of femur　410, 412, 413, 434, 506
　― の外側顆上線　Lateral supracondylar line of femur　412
　― の外側上顆　Lateral epicondyle of femur　**408**, 412, 434, 506
　― の骨端線　Epiphysial line of femur　415
　― の膝窩面　Popliteal surface of femur　412, 434
　― の膝蓋面　Patellar surface of femur　412, 413, 441
　― の小転子　Lesser trochanter of femur　410, **412**, 414, 416, 417, 504
　― の粗線　Linea aspera of femur　412, 414
　― の大転子　Greater trochanter of femur　2, 408, 410, **412**, 413-417, 422, 504
　― の恥骨筋線　Pectineal line of femur　412, 414
　― の殿筋粗面　Gluteal tuberosity of femur　412, 414
　― の転子窩　Trochanteric fossa of femur　412
　― の転子間線　Intertrochanteric line of femur　412, 414, 417
　― の転子間稜　Intertrochanteric crest of femur　412, 414, 416
　― の転子包　Trochanteric bursa of femur　415, 491, 493
　― の内側顆　Medial condyle of femur　410, 412, 413, 434, 441, 506
　― の内側顆上線　Medial supracondylar line of femur　412
　― の内側上顆　Medial epicondyle of femur　**408**, 410, **412**, 434, 506
大腿骨頚　Neck of femur　410, 412-415, 417, 504
大腿骨体　Shaft of femur　412, 415
大腿骨頭　Head of femur　247, 286, **412**, 413-415, 473, 504, 505
大腿骨頭窩　Fovea for lig. of head of femur　412, 413, 417, 504
大腿骨頭靱帯　Lig. of head of femur　286, 415, **417**, 473
大腿三角　Femoral triangle　408
大腿四頭筋　Quadriceps femoris　140, **430**, 481, 492
大腿枝《陰部大腿神経の》　Femoral br. of genitofemoral n.　211, 478, 479, 488
大腿膝窩静脈　Femoropopliteal v.　474
大腿静脈　Femoral v.　69, 154, 188, 271, 286, **474**, 475, 486, 488, 492, 502
大腿神経　Femoral n.　152, 210, 211, 286, 476, 477, **481**, 486, 487, 492
　― の筋枝　Muscular brs. of femoral n.　477, 481

　― の前皮枝　Anterior cutaneous brs. of femoral n.　211, 477, 478, 481, 486
大腿深静脈　Deep v. of thigh　474, 502
大腿深動脈　Deep a. of thigh　472, 492, 502
大腿直筋　Rectus femoris　409, 418, 419, 421, 425, **430**, 481, 492, 500, 502
大腿動脈　Femoral a.　154, 188, 271, 286, **472**, 486, 488, 492, 502
大腿二頭筋　Biceps femoris　409, 425, **431**, 446, 494, 502
　― の短頭　Short head of biceps femoris　423, 425, 431, 493, 502
　― の長頭　Long head of biceps femoris　422, 423, 425, 431, 493, 502
大腿ヘルニア　Femoral hernia　153
大腿方形筋　Quadratus femoris　247, 422, 423, 426, **427**, 490, 491, 493, 500
大腿方形筋神経　N. to quadratus femoris　483
大腿輪　Femoral ring　152, 489
大大脳静脈　Great cerebral v.　686, 687
大腸　Large intestine　172
大腸炎　Colitis　173
大腸癌　Colon carcinoma　173
大転子《大腿骨の》　Greater trochanter of femur　2, 408, 410, **412**, 413-417, 422, 504
大殿筋　Gluteus maximus　2, 239, 284-286, 409, 421-426, **427**, 490, 493, 500, 505
大動脈　Aorta　89
大動脈解離　Aortic dissection　81
大動脈弓　Aortic arch　36, **80**, 89, 91, 93, 96, 102, 105, 109, 124, 132, 133, 135
大動脈後リンパ節　Postaortic nodes　204
大動脈溝　Aortic impression　117
大動脈腎動脈神経節　Aorticorenal ganglia　217
大動脈前リンパ節　Pre-aortic nodes　205
大動脈洞　Aortic sinus　99
大動脈分岐部　Aortic bifurcation　68, 186, 193
大動脈弁　Aortic valve　**98**, 99, 135, 137
　― の右半月弁　Right semilunar cusp of aortic valve　98, 99
　― の後半月弁　Posterior semilunar cusp of aortic valve　98
　― の左半月弁　Left semilunar cusp of aortic valve　99
　― の半月弁半月　Lunules of semilunar cusps of aortic valve　99
大動脈裂孔《横隔膜の》　Aortic hiatus of diaphragm　**64**, 65, 80, 82
大内臓神経　Greater splanchnic n.　67, 86, 90, 108, 214-218, 694
大内転筋　Adductor magnus　284, 285, 418-424, 472, 491, 493, 500, 502
　― の腱　Tendinous part of adductor magnus　429
大脳　Cerebrum　678
大脳窩　Cerebral fossa　547
大脳鎌　Falx cerebri　590, 592, 657, 658, 662, 666, 700
大脳基底核　Basal nuclei　676
大脳脚
　― ［狭義の］　Cerebral crus　685, 698, 699
　― ［広義の］　Cerebral peduncle　681-683
大脳脚静脈　Peduncular vv.　687
大脳縦裂　Longitudinal cerebral fissure　677, 679, 698, 699, 701
大脳動脈　Cerebral a.　590
大脳皮質　Cerebral cortex　590, 676
大脳部《内頸動脈の》　Cerebral part of internal carotid a.　582, **688**
大脳面《蝶形骨の》　Cerebral surface of sphenoid　551

大鼻翼軟骨　Major alar cartilage　616
　― の外側脚　Lateral crus of major alar cartilage　616
　― の内側脚　Medial crus of major alar cartilage　616
大伏在静脈　Great saphenous v.　69, **474**, 475, 486, 488, 494, 502
大網　Greater omentum　156, 159, **160**, 162, 167, 181, 220
大腰筋　Psoas major　25, 51, 64, 147, 149, 250, 271, 418, 419, 421, 426, **427**, 505
大翼《蝶形骨の》　Greater wing of sphenoid　542, 543, 547, **551**, 603, 619
大菱形筋　Rhomboid major　24, 28, 313, **320**
大菱形骨　Trapezium　**342**, 344, 346, 347, 404
大菱形骨結節　Tubercle of trapezium　295, **343**
大弯《胃の》　Greater curvature of stomach　166, 167
第1胸神経　T1 spinal n.　40, 369
第1胸椎の棘突起　Spinous process of T1　56
第1頚神経　C1 spinal n.　525, 577
　― のオトガイ舌骨筋枝　Geniohyoid br. of C1　645
第1頚椎 → 環椎　C1（Atlas）
第1仙椎　S1 vertebra　51
第1背側骨間筋　1st dorsal interosseous　471
第1腰椎　L1 vertebra　6
第一裂　Primary fissure　682
第2頚椎 → 軸椎　C2（Axis）
第3底側骨間筋　3rd plantar interosseous　471
第3脳室　Third ventricle　679, 680, **685**, 689, 698, 700, 701
　― の脈絡叢　Choroid plexus of third ventricle　679, 680, 682, 684
第3腓骨筋　Fibularis tertius　444, 445, **449**, 467
第4頚神経　C4 spinal n.　370
第4頚椎　C4 vertebra　40
第4脳室　Fourth ventricle　669, 682, 683, **685**, 698, 700
　― の脈絡叢　Choroid plexus of fourth ventricle　682, 684, 699
第4脳室外側陥凹　Lateral recess of forth ventricle　685
第4脳室外側口　Lateral aperture　683
第4脳室髄条　Medullary striae of forth ventricle　683
第4脳室正中口　Median aperture　684, 685
第4脳室底の内側隆起　Medial eminence of forth ventricle　683
第4脳室ヒモ　Taenia cinerea　683
第4腰椎　L4 vertebra　11
第5頚神経　C5 spinal n.　369
第5中足骨粗面　Tuberosity of 5th metatarsal　408, 452, **453**, 455, 456, 462, 464, 465, 467, 469
第5腰椎　L5 vertebra　40, 242, 243, 416
第5・6頚神経（上神経幹）　C5-C6（Upper trunk）　369
第7頚神経（中神経幹）　C7（Middle trunk）　369
第7頚椎（隆椎）　C7（Vertebra prominens）　2, 6, 8, 40
第8頚神経　C8 spinal n.　369
第8頚神経・第1胸神経（下神経幹）　C8-T1（Lower trunk）　369
単小葉　Simple lobule　682
胆膵管　Hepatopancreatic duct　179
胆膵管膨大部　Hepatopancreatic ampulla　178
胆膵管膨大部括約筋　Sphincter of hepatopancreatic ampulla　178
胆石　Gallstones　179
胆嚢　Gallbladder　160, 162-164, 167, 171, 174, 176, **178**, 179, 190, 220
胆嚢管　Cystic duct　176, 178, 179

胆嚢頸　Neck of gallbladder　178
胆嚢静脈　Cystic v.　195
胆嚢体　Body of gallbladder　178
胆嚢底　Fundus of gallbladder　178
胆嚢動脈　Cystic a.　176, **190**, 191
胆嚢リンパ節　Cystic node　207
胆嚢漏斗　Infundibulum of gallbladder　178
淡蒼球　Pallidum　689
淡蒼球内節　Globus pallidus medial segment　660
短胃静脈　Short gastric vv.　195, 198, 199
短胃動脈　Short gastric aa.　191
短回旋筋　Rotatores breves　35
短脚《キヌタ骨の》　Short limb of incus　630
短後毛様体動脈　Short posterior ciliary aa.　**606**, 609, 613
短趾屈筋　Flexor digitorum brevis　456, 463, 464, **469**, 498, 499, 509
　— の腱　Flexor digitorum brevis tendon　464, 465, 498, 499
短趾伸筋　Extensor digitorum brevis　444, 445, 467, **468**
　— の腱　Extensor digitorum brevis tendon　467
短小指屈筋　Flexor digiti minimi brevis　354-357, **360**, 361, 405
短小趾屈筋　Flexor digiti minimi brevis　464-466, **470**, 471
短掌筋　Palmaris brevis　354, 396
短足筋群　Short pedal mm.　457
短頭　Short head
　—《上腕二頭筋の》　Short head of biceps brachii　306, 308, 310, 311, 322, 398
　—《大腿二頭筋の》　Short head of biceps femoris　423, 425, 431, 493, 502
短橈側手根伸筋　Extensor carpi radialis brevis　312, 314, 332, 334, 335, 338, **339**, 357, 399
　— の腱　Extensor carpi radialis brevis tendon　358
短内転筋　Adductor brevis　419, 424, **428**, 492, 500
短腓骨筋　Fibularis brevis　444-446, **448**, 456, 465-467, 494, 497, 503
短母指外転筋　Abductor pollicis brevis　354-357, 360, **361**, 405
短母指屈筋　Flexor pollicis brevis　354, 356, 357, 360, **361**
　— の深頭　Deep head of flexor pollicis brevis　356
　— の浅頭　Superficial head of flexor pollicis brevis　355, 356
短母指伸筋　Extensor pollicis brevis　334, 335, 341, 355-357, **358**
　— の腱　Extensor pollicis brevis tendon　358
短母趾屈筋　Flexor hallucis brevis　463-466, 470, **471**, 499
　— の外側頭　Lateral head of flexor hallucis brevis　465, 471
　— の内側頭　Medial head of flexor hallucis brevis　465, 471
短母趾伸筋　Extensor hallucis brevis　444, **468**
　— の腱　Extensor hallucis brevis tendon　468
短毛様体神経　Short ciliary nn.　567, **607**, 609
短肋骨挙筋　Levatores costarum breves　29, 34, **35**
男性骨盤　Male pelvis　233
男性生殖器　Male genital system　255
弾性円錐　Conus elasticus　527, 528

ち

チン動脈輪　Arterial circle of zinn　613
恥丘　Mons pubis　229, 262
恥骨　Pubis　**231**, 248, 251, 286, 504
恥骨下角　Subpubic angle　234
恥骨下枝　Inferior pubic ramus　230-232, 242, 243, 245, 247, 261, 504
恥骨弓　Pubic arch　232, 233

恥骨筋　Pectineus　151, 286, 418, 419, **428**, 488, 492
恥骨筋線《大腿骨の》　Pectineal line of femur　412, 414
恥骨結節　Pubic tubercle　140, 142, 231-233, **236**, 238, 408, 410, 414, 416
恥骨結合　Pubic symphysis　140, 142, 230, 232, 233, **236**, 237, 238, 252, 253, 261, 267, 408, 418, 421
恥骨結合面　Symphysial surface　230, 237
恥骨後隙　Retropubic space　244, 245, 253, 259, 267
恥骨櫛　Pecten pubis　230, 232, **233**, 237
恥骨櫛靱帯　Pectineal lig.　151
恥骨上枝　Superior pubic ramus　142, 151, 230-232, 242, 243, 504
恥骨体　Body of pubis　231
恥骨大腿靱帯　Pubofemoral lig.　416
恥骨直腸筋　Puborectalis　238, 240, 248
恥骨尾骨筋　Pubococcygeus　238, 240, 248
恥骨膀胱靱帯　Pubovesical lig.　258
腟　Vagina　243, 244, 247, 252, 254, 257, **260**, 261
　— の外側部　Lateral part of vagina　257
　— の後壁　Posterior wall of vagina　260
　— の前皺柱　Anterior vaginal column　260
　— の前壁　Anterior wall of vagina　257, 260
　— の尿道隆起　Urethral carina of vagina　260
腟円蓋　Vaginal fornix　257, 260
　— の後部　Posterior vaginal fornix　252, 256
　— の前部　Anterior vaginal fornix　252, 256
腟口　Vaginal orifice　229, 260-262, 285
腟軸　Longitudinal vaginal axis　256
腟静脈叢　Vaginal venous plexus　269, 272
腟前庭　Vestibule of vagina　247, 254, **260**, 261, 262
腟前庭球静脈　V. of bulb of vestibule　275
腟前庭球動脈　A. of bulb of vestibule　261, 285
腟動脈　Vaginal a.　**269**, 272, 273
腟粘膜ヒダ　Vaginal rugae　260, 261
腟部《子宮頸の》　Vaginal part of cervix of uterus　256, 257
腟傍組織　Paravaginal tissue　247
中位手掌線　Middle crease　295
中咽頭収縮筋　Middle constrictor　652, 653
　— の小角咽頭部　Chondropharyngeal part of middle constrictor　652
　— の大角咽頭部　Ceratopharyngeal part of middle constrictor　652
中腋窩線　Midaxillary line　55, 112
中隔縁柱　Septomarginal trabecula　97, 99, 102
中隔欠損症　Septal defects　105
中隔後鼻枝《蝶口蓋動脈の》　Posterior septal brs. of sphenopalatine a.　587, 601, 620, 644
中隔尖《右房室弁の》　Septal cusp of right atrioventricular valve　98, 99
中隔前鼻枝《前篩骨動脈の》　Anterior septal brs. of anterior ethmoidal a.　620
中隔乳頭筋　Septal papillary m.　97, 99
中隔辺縁束　Septomarginal fasciculus　691
中間肝静脈　Intermediate hepatic v.　177
中間楔状骨　Intermediate cuneiform　**452**, 454, 455, 462, 508, 509
中間腱　Intermediate tendon
　—《顎二腹筋の》　Intermediate tendon of digastric　642
　—《肩甲舌骨筋の》　Intermediate tendon of omohyoid　517
中間広筋　Vastus intermedius　418, 419, 423, **430**, 481, 492, 500, 502

中間鎖骨上神経　Intermediate supraclavicular nn.　538, 539
中間神経　Intermediate n.　568, **571**, 635, 655, 683
中間仙骨稜　Intermediate sacral crest　12
中間線《腸骨稜の》　Intermediate zone of iliac crest　233
中間足背皮神経　Intermediate dorsal cutaneous n.　484, 486, 496, 497
中間帯　Central band　359
中間腸間膜リンパ節　Intermediate nodes　208
中間腹側核　Ventral intermediate nucleus　693
中間腰リンパ節　Intermediate lumbar nodes　**204**, 205, 220, 278, 279
中間裂孔リンパ節　Intermediate lacunar node　204, 279
中関節上腕靱帯　Middle glenohumeral lig.　305
中距骨関節面《踵骨の》　Middle talar articular surface of calcaneum　459
中頸神経節　Middle cervical ganglion　86, 87, 103, 108, **535**, 655
中結節間束　Middle internodal bundles　102
中結腸静脈　Middle colic v.　170, **195**, 198-201
中結腸動脈　Middle colic a.　156, 170, **187**, 192, 193, 200, 201
中結腸リンパ節　Middle colic nodes　209
中鼓室　Mesotympanum　629
中甲状腺静脈　Middle thyroid vv.　531
中硬膜静脈　Middle meningeal vv.　592
中硬膜動脈　Middle meningeal a.　**587**, 591, 599, 601, 606, 632
　— の岩様部枝　Petrous br. of middle meningeal a.　587
　— の前頭枝　Frontal br. of middle meningeal a.　587, 591
　— の頭頂枝　Parietal br. of middle meningeal a.　587, 591
　— の涙腺動脈との吻合枝　Anastomotic br. with lacrimal a. of middle meningeal a.　587
中硬膜動脈溝　Groove for middle meningeal a.　545
中篩骨洞　Middle ethmoidal cells　619
中耳　Middle ear　626, 628
中耳炎　Otitis media　633
中膝動脈　Middle genicular a.　472, 495
中斜角筋　Middle scalene (scalenus medius)　63, 365, **518**, 519, 665
中手筋　Metacarpal mm.　362
中手骨　Metacarpals　295, 296, **342**, 347, 352
　— の体　Shaft of metacarpals　343, 347
　— の底　Base of metacarpals　343, 347
　— の頭　Head of metacarpals　343, 347
中手骨頭間静脈　Intercapitular vv.　366, 378
中手指節（MCP）関節　Metacarpophalangeal (MCP) joint　295, 346, 352, 359, 392
　— の関節包　Joint capsule of MCP joint　349
　— の側副靱帯　Collateral ligs. of MCP joint　346, **348**, 352, 353
中手指節（MCP）関節線　Metacarpophalangeal (MCP) joint crease　295
中縦隔　Middle mediastinum　79, 88
中小脳脚　Middle cerebellar peduncle　682, 683, 698
中踵骨関節面《距骨の》　Middle facet for calcaneus of talus　459
中上歯槽枝《上歯槽神経の》　Middle superior alveolar br. of superior alveolar nn.　567, 644
中食道狭窄（胸部狭窄）　Middle esophageal (thoracic) constriction　106
中心腋窩リンパ節　Central nodes　76
中心窩　Fovea centralis　612
中心灰白質　Central gray substance　564

（ちゅうしんかん）

中心管《脊髄の》 Central canal of spinal cord 684, 685, 698
中心後回（一次体性感覚野） Postcentral gyrus (primary somatosensory cortex) 677, **678**, 692, 693
中心後溝動脈 A. of postcentral sulcus 689
中心溝 Central sulcus 677, **678**, 679
中心溝動脈 A. of central sulcus 689
中心前回（一次運動野） Precentral gyrus (primary motor cortex) 677, **678**, 693
中心前溝動脈 A. of precentral sulcus 689
中心臓静脈 Middle cardiac v. 100
中心被蓋路 Central tegmental tract 682
中心傍溝 Paracentral sulcus 679
中心傍小葉 Paracentral lobule 679
中神経幹（第7頸神経） Middle trunk(C7) 369
中節骨 Middle phalanx
　—《手の》 Middle phalanx of hand 342, **343**, 346, 347, 353, 404
　—《足の》 Middle phalanx of foot 452, 508
中前頭回 Middle frontal gyrus 678
中足 Metatarsus 452
中足間関節 Intermetatarsal joints 454
中足骨 Metatarsals 410, 452, 455, 508
中足趾節関節 Metatarsophalangeal joint 408, 508
　— の関節包 Joint capsule of metatarsophalangeal joint 460, 461, 471
中側頭回 Middle temporal gyrus 678
中側頭動脈 Middle temporal a. 586
中側副動脈 Middle collateral a. 364
中大脳動脈 Middle cerebral a. 582, 671, **688**, 689
　— の角回枝 Br. to angular gyrus of middle cerebral a. 689
　— の後側頭枝 Posterior temporal brs. of middle cerebral a. 689
　— の前側頭枝 Anterior temporal brs. of middle cerebral a. 689
　— の側頭後枝 Temporo-occipital br. of middle cerebral a. 689
　— の中側頭枝 Middle temporal br. of middle cerebral a. 689
　— の蝶形骨部（M1区） Sphenoid part(M1) of middle cerebral a. 688
　— の島部（M2区） Insular part(M2) of middle cerebral a. 688
中直腸横ヒダ Middle transverse rectal fold 249
中直腸静脈 Middle rectal vv. 195, 196, **269**, 270, 274
中直腸動脈 Middle rectal a. 188, **269**, 270, 273, 274
中直腸動脈神経叢 Middle rectal plexus 215, 217, **280**, 282
中殿筋 Gluteus medius 2, 409, 419, 422–426, **427**, 490, 493, 500, 505
中殿皮神経 Medial clunial nn. 39, 47, 284, 285, 482, **486**, 490, 493
中頭蓋窩 Middle cranial fossa 547, 549, 593
中脳 Mesencephalon 674, 679, 683, 700
中脳蓋 Tectum of midbrain 564
中脳水道 Cerebral aqueduct 564, 681, 683, **684**, 685, 689, 698
中脳胞 Mesencephalon 676
中鼻甲介 Middle nasal concha 543, 550, 603, **617**, 618–621, 636, 651, 660, 666, 669
中鼻道 Middle nasal meatus **617**, 619, 620
中副腎動脈 Middle suprarenal a. 183, **184**, 185, 188, 197, 250
中腹部 Mid-abdomen 141
中葉
　—《右肺の》 Middle lobe of right lung 116, 117, 130

　—《胸腰筋膜の》 Middle layer of thoracolumbar fascia 25, 29
中葉静脈《右肺の》 Middle lobe v. of right lung 125
中葉動脈《右肺の》 Middle lobar a. of right lung 125
虫垂 Vermiform appendix **172**, 245
虫垂間膜 Meso-appendix 165, 172
虫垂口 Orfice of vermiform appendix 172
虫垂静脈 Appendicular v. 195, 200
虫垂動脈 Appendicular a. 187
虫部垂 Uvula 682
虫部錐体 Pyramis 682
虫様筋 Lumbricals
　—《手の》 Lumbricals of hand 355, 356, 362, **363**
　—《足の》 Lumbricals of foot 463–465, 470, **471**, 499
虫様筋腱線維 Lumbrical slip 359
肘窩 Cubital fossa 387
肘関節 Elbow joint 296, **326**, 328
　— の関節包 Joint capsule of elbow joint 329
　— の内側側副靱帯 Ulnar collateral lig. of elbow joint **328**, 329, 330, 403
　— の囊状陥凹 Sacciform recess of elbow joint 328, 329
肘筋 Anconeus 312, 314, **323**, 334
肘正中皮静脈 Median cubital v. 294, **366**, 378, 387
肘頭 Olecranon 24, 294–296, **312**, 324, 325, 327, 334, 402
肘頭窩《上腕骨の》 Olecranon fossa of humerus **300**, 301, 327, 402
肘頭皮下包 Subcutaneous olecranon bursa 327
肘リンパ節 Cubital nodes 76, **367**
長回旋筋 Rotatores longi 34, 35
長脚《キヌタ骨の》 Long limb of incus 630
長胸神経 Long thoracic n. 368, 369, **370**, 383–385
長後毛様体動脈 Long posterior ciliary aa. 606, 613
長趾屈筋 Flexor digitorum longus 446, 447, **451**, 463–465, 467, 471, 494, 495, 503
　— の腱 Flexor digitorum longus tendon **465**, 471, 498, 499
長趾伸筋 Extensor digitorum longus 444, **449**, 467, 503
　— の腱 Extensor digitorum longus tendon 449, 467
長掌筋 Palmaris longus 332, **336**, 337, 396
　— の腱 Palmaris longus tendon 294, 354
長足底靱帯 Long plantar lig. 458, **461**, 465, 466, 471
長頭 Long head
　—《上腕三頭筋の》 Long head of triceps brachii 294, 312, 314, 323, 398
　—《上腕二頭筋の》 Long head of biceps brachii 306, 308, 310, 322, 398
　—《大腿二頭筋の》 Long head of biceps femoris 422, 423, 425, 431, 493, 502
長橈側手根伸筋 Extensor carpi radialis longus 294, 312, 314, 332, 334, 335, 338, **339**, 357
　— の腱 Extensor carpi radialis longus tendon 334, 358
長内転筋 Adductor longus 418, 419, 421, 424, **428**, 492, 500, 502, 505
長腓骨筋 Fibularis longus 409, 425, 444–446, **448**, 456, 462, 464, 465, 467, 494
　— の腱 Fibularis longus tendon **448**, 463, 465, 466, 471
長腓骨筋腱溝 Groove for tendon of fibularis longus 453

長母指外転筋 Abductor pollicis longus 332, 334, 335, 340, **341**, 355, 357, 396, 399
　— の腱 Abductor pollicis longus tendon 355, 356, 358, 404
長母指屈筋 Flexor pollicis longus 332, 333, 336, **337**, 354, 357, 396, 399
　— の腱 Flexor pollicis longus tendon 332, **333**, 354–356, 405
長母指伸筋 Extensor pollicis longus 334, 335, 340, **341**, 357, 399
　— の腱 Extensor pollicis longus tendon 334, 358
長母趾屈筋 Flexor hallucis longus 446, 447, **451**, 456, 463–465, 467, 494, 495, 503
　— の腱 Flexor hallucis longus tendon 451, **464**, 498, 499
長母趾屈筋腱溝 Groove for flexor hallucis longus tendon
　—《距骨の》 Groove for flexor hallucis longus tendon of talus 459
　—《踵骨の》 Groove for flexor hallucis longus tendon of calcaneum 459
長母趾伸筋 Extensor hallucis longus 409, 444, 445, **449**, 456, 467, 503
　— の腱 Extensor hallucis longus tendon 449, **467**, 495
長毛様体神経 Long ciliary nn. 567, **607**, 609
長肋骨挙筋 Levatores costarum longi 29, 34, **35**
鳥距溝 Calcarine sulcus 678, 679, 698
腸間膜 Mesentery 156, 159, **164**, 171, 173, 181
腸間膜根 Root of mesentery 165, 169
腸間膜動脈間神経叢 Intermesenteric plexus 212, 213, 217, 219, 281
腸脛靱帯 Iliotibial tract 409, 418, 419, 422, **425**, 492, 493, 502
腸骨 Ilium **231**, 237
　— の下殿筋線 Inferior gluteal line of ilium 231
　— の弓状線 Arcuate line of ilium 142, **230**, 233
　— の後殿筋線 Posterior gluteal line of ilium 231, 427
　— の耳状面 Auricular surface of ilium 230
　— の前殿筋線 Anterior gluteal line of ilium 231
　— の殿筋面 Gluteal surface of ilium 231, 233
腸骨下腹神経 Iliohypogastric n. 39, 70, 182, 185, 210, 211, 476–478, **479**, 487, 490, 493
　— の外側枝 Lateral br. of iliohypogastric n. 482, 490, 493
　— の外側皮枝 Lateral cutaneous br. of iliohypogastric n. 70, 211, 478, 479, 486
　— の前皮枝 Anterior cutaneous br. of iliohypogastric n. 151, 211, 478, 479
腸骨窩 Iliac fossa 230, 232, 233
腸骨筋 Iliacus 51, 146, 147, 149, 152, 250, 271, 418, 419, 421, 426, **427**, 505
腸骨結節 Tuberculum of iliac crest 233
腸骨鼠径神経 Ilio-inguinal n. 150, 155, 182, 185, 210, 211, 275, 284, 285, 476–478, **479**, 487, 488
　— の前陰囊枝 Anterior scrotal brs. of ilio-inguinal n. 478
腸骨粗面 Iliac tuberosity 142, **230**, 232, 233, 237
腸骨体 Body of ilium **230**, 231
腸骨大腿靱帯 Iliofemoral lig. 416, 419
腸骨恥骨靱帯 Iliopubic tract 152
腸骨動脈神経叢 Iliac plexus 217, 280, 282
腸骨尾骨筋 Iliococcygeus 238, 240
腸骨部《広背筋の》 Iliac part of latissimus dorsi 321
腸骨翼 Ala of ilium 142, 231, 232
腸骨稜 Iliac crest 2, 24, 142, **230**, 231–233, 312, 408, 410, 414, 416
　— の外唇 Outer lip of iliac crest 233
　— の中間線 Intermediate zone of iliac crest 233

— の内唇　Inner lip of iliac crest　233
腸恥筋膜弓　Iliopectineal arch　152, 489
腸恥包　Iliopectineal bursa　489
腸恥隆起　Iliopubic ramus　142, 233, 489
腸腰筋　Iliopsoas　147, 148, **149**, 152, 286, 418, 419, 481, 492, 505
腸腰靱帯　Iliolumbar lig.　**236**, 416
腸腰動脈　Iliolumbar a.　188, 269, 270
腸リンパ本幹　Intestinal trunks　204
腸肋筋　Iliocostalis　28, 32
蝶下顎靱帯　Sphenomandibular lig.　638
蝶形骨　Sphenoid　544, 547, **551**, 603, 617, 618
— の下垂体窩　Hypophysial fossa of sphenoid　547, **551**, 616, 617, 620, 667
— の眼窩面　Orbital surface of sphenoid　551
— の小翼　Lesser wing of sphenoid　543, 547, **551**, 603, 617, 619
— の側頭面　Temporal surface of sphenoid　551
— の大脳面　Cerebral surface of sphenoid　551
— の大翼　Greater wing of sphenoid　542, 543, 547, **551**, 603, 619
— の翼状突起　Pterygoid process of sphenoid　544, 546, **551**, 617, 636, 653
蝶形骨体　Body of sphenoid　551
蝶形［骨］頭頂静脈洞　Sphenoparietal sinus　592
蝶形骨洞　Sphenoidal sinus　**616**, 617, 618, 620, 621, 658-661, 668, 700
蝶形骨洞口　Opening of sphenoidal sinus　551
蝶形骨洞中隔　Septum of sphenoidal sinuses　636
蝶形骨部(M1区)《中大脳動脈の》　Sphenoid part (M1) of middle cerebral a.　688
蝶形骨隆起　Jugum sphenoidale　547, 551
蝶形骨稜　Sphenoidal crest　551
蝶口蓋孔　Sphenopalatine foramen　617, 621
蝶口蓋動脈　Sphenopalatine a.　**587**, 599, 601, 620, 644
— の外側後鼻枝　Posterior lateral nasal aa. of sphenopalatine a.　620, 621
— の中隔後鼻枝　Posterior septal brs. of sphenopalatine a.　587, 601, 620, 644
蝶篩陥凹　Spheno-ethmoidal recess　617, 620
蝶前頭縫合　Sphenofrontal suture　542
蝶鱗縫合　Sphenosquamous suture　542
聴覚器　Auditory apparatus　634
直静脈洞　Straight sinus　592, 667, 684, **686**, 700
直接鼠径ヘルニア　Direct inguinal hernia　153
直腸　Rectum　156, 242-245, **248**, 249-253, 267, 286
— の縦筋層　Longitudinal layer of rectum　249
— の輪筋層　Circular layer of rectum　249
直腸横ヒダ　Transverse folds of rectum　248
直腸間膜腔　Mesorectal space　259
直腸後隙　Retrorectal space　259
直腸子宮窩（ダグラス窩）　Recto-uterine pouch　243, 244, 251, 256, 260, 286, 288
直腸子宮靱帯（子宮仙骨靱帯）　Recto-uterine (uterosacral) lig.　257, 258, 286
直腸子宮ヒダ（子宮仙骨ヒダ）　Recto-uterine (uterosacral) fold　244, **248**
直腸静脈叢　Rectal venous plexus　196
直腸前線維　Prerectal fibers　238
直腸前立腺筋膜　Rectoprostatic fascia　242, 267, 287, 290
直腸腟中隔　Rectovaginal septum　244, 260
直腸動脈神経叢　Rectal plexus　283
直腸膀胱窩　Recto-vesical pouch　156, 157, 242, 245, **253**, 267
直腸膀胱中隔　Recto-vesical septum　**245**, 253, 286
直腸膨大部　Rectal ampulla　249
直部《輪状甲状筋の》　Straight part of cricothyroid　528

つ

ツェンケル憩室　Zenker's diverticulum　107
ツチ骨　Malleus　626, 628, 629, **630**
— の外側突起　Lateral process of malleus　630
— の前突起　Anterior process of malleus　630
ツチ骨頚　Neck of malleus　630
ツチ骨条　Malleolar stria　630
ツチ骨頭　Head of malleus　630
ツチ骨柄　Handle of malleus　630, 632
ツチ骨隆起　Malleolar prominence　630
椎間円板　Intervertebral disc　4-6, **14**, 22, 23, 48, 49, 56, 61
椎間関節　Zygapophysial joints　8, 10, 11, **16**
— の関節包　Joint capsule of zygapophysial joints　20
椎間孔　Intervertebral foramen　4, **10**, 11, 14, 40, 701
椎間静脈　Intervertebral v.　37, 45
椎間板ヘルニア　Disc herniation　15
椎間面　Intervertebral surface　14
椎弓　Vertebral arch　**7**, 8, 9, 11, 14
椎弓根　Pedicle of vertebral arch　7, 9, 10
椎弓板　Lamina of vertebral arch　7, 9, 10, 50
椎孔　Vertebral foramen　**7**, 9, 11, 14, 57
椎骨　Vertebra
— の下関節面　Inferior articular facet of vertebra　8-11
— の後関節面　Posterior articular facet of vertebra　8
— の後結節　Posterior tubercle of vertebra　7
— の上関節面　Superior articular facet of vertebra　**7**, 8-11
— の前関節面　Anterior articular facet of vertebra　8, 9
— の前結節　Anterior tubercle of vertebra　7, 9, 20
椎骨静脈　Vertebral v.　40, 45, 521
椎骨静脈叢　Vertebral venous plexus　37, 220, 684
椎骨動脈　Vertebral a.　36, 40, 44, 46, 68, 80, 135, 364, 365, **520**, 535, 582, 583, 688, 701
椎骨動脈溝　Groove for vertebral a.　**8**, 9, 18
椎骨動脈神経叢　Vertebral plexus　87
椎骨部《広背筋の》　Vertebral part of latissimus dorsi　321
椎骨傍線　Paravertebral line　3, 112
椎前筋　Prevertebral mm.　31
椎前葉《頚筋膜の》　Prevertebral layer of cervical fascia　25, 533
椎体　Vertebral body　6-10, 14, 57
椎体静脈　Basivertebral vv.　45
椎傍神経節（幹神経節）　Paravertebral (sympathetic) ganglion　38, 42, 43, 212
土踏まず　Plantar vault　462
爪　Nail　353
蔓状静脈叢　Pampiniform plexus　155, **271**

て

テノン嚢（眼球鞘）　Tenon's capsule (fascial sheath of eyeball)　610
テント縁枝《内頚動脈の》　Tentorial marginal br. of internal carotid a.　582
テント枝《眼神経の》　Tentorial brs. of ophthalmic n.　591
テント切痕　Tentorial notch　590
テント底枝《内頚動脈の》　Tentorial basal br. of internal carotid a.　582
デュプイトラン拘縮　Dupuytren's contracture　354
デルマトーム　Dermatome　42
— 《下肢の》　Dermatomes of lower limb　487

［手-］→「しゅ-」の項をみよ
底　Base
— 《手の中節骨の》　Base of middle phalanx of hand　343
— 《足の基節骨の》　Base of proximal phalanx of foot　452
— 《中手骨の》　Base of metacarpals　343, 347
底側骨間筋　Plantar interossei　466, 470
底側趾静脈　Plantar digital vv.　474
底側踵舟靱帯　Plantar calcaneonavicular lig.　458, **461**, 463, 466, 471, 509
底側踵立方靱帯　Plantar calcaneocuboid lig.　463
底側靱帯　Plantar ligs.　462
底側中足静脈　Plantar metatarsal vv.　474
底側中足動脈　Plantar metatarsal aa.　**472**, 498, 499
停止腱《上腕二頭筋の》　Biceps brachii tendon　310
転子窩《大腿骨の》　Trochanteric fossa of femur　412
転子間線《大腿骨の》　Intertrochanteric line of femur　412, 414, 417
転子間稜《大腿骨の》　Intertrochanteric crest of femur　412, 414, 416
転子包《大腿骨の》　Trochanteric bursa of femur　415, 491, 493
殿筋腱膜　Gluteal aponeurosis　24
殿筋粗面《大腿骨の》　Gluteal tuberosity of femur　412, 414
殿筋膜　Gluteal fascia　490, 493
殿筋面《腸骨の》　Gluteal surface of ilium　231, 233
殿溝　Gluteal fold (sulcus)　490
殿部　Gluteal region　3, 490
殿裂　Intergluteal cleft　239

と

トルコ鞍　Sella turcica　21
ドッドの静脈群　Dodd's vv.　475
ドレロ管　Dorello's canal　593
豆状骨　Pisiform　295, 343, 346, 404
豆状突起《キヌタ骨の》　Lenticular process of incus　630
島　Insula　679, 689, 698
島部(M2区)《中大脳動脈の》　Insular part (M2) of middle cerebral a.　688
島葉　Insular lobe　678
透明中隔　Septum pellucidum　667, **679**, 680, 685, 689, 698, 700, 701
頭　Head
— 《手の中節骨の》　Head of middle phalanx of hand　343
— 《足の基節骨の》　Head of proximal phalanx　452
— 《中手骨の》　Head of metacarpals　343, 347
頭蓋　Cranium　542
頭蓋窩　Cranial fossa　547
頭蓋冠　Calvaria　545
— の外板　External table of calvaria　545, 592
— の硬膜　Dura mater of calvaria　545, **592**, 635
— の内板　Internal table of calvaria　545, 592
— の板間層　Diploe of calvaria　545, 592
頭屈　Cranial flexure　677
頭最長筋　Longissimus capitis　26, 27, 29, 32, **33**, 541, 554, 555, 664
頭長筋　Longus capitis　**31**, 519, 555, 660, 669
頭頂孔　Parietal foramen　544, 545
頭頂後頭溝　Parieto-occipital sulcus　**678**, 679, 698
頭頂後頭枝《内側後頭動脈の》　Parieto-occipital br. of medial occipital a.　671, 689
頭頂骨　Parietal bone　542, 544, **545**, 546, 619

（とうちょうし）

頭頂枝　Parietal br.
　—《浅側頭動脈の》　Parietal br. of superficial temporal a.　586, 595
　—《中硬膜動脈の》　Parietal br. of middle meningeal a.　587, 591
頭頂導出静脈　Parietal emissary v.　589
頭頂内溝　Intraparietal sulcus　678
頭頂部　Parietal region　512
頭頂弁蓋　Parietal operculum　678
頭頂葉　Parietal lobe　677, 700
頭半棘筋　Semispinalis capitis　26-29, 34, **35**, 312, 313, 554, 555, 660, 661, 663
頭板状筋　Splenius capitis　26-29, 32, **33**, 312, 313, 554, 555, 660, 661, 663, 664, 669
頭皮　Scalp　545, 592
橈骨　Radius　296, 297, **324**, 357, 396, 399
　—の外側面　Lateral surface of radius　324
　—の関節窩　Articular fossa of radius　324, 325, 330
　—の関節環状面　Articular circumference of radius 324-326, 331
　—の茎状突起　Radial styloid process　295, **324**, 325, 330, 331, 344
　—の後縁　Posterior border of radius　324
　—の後面　Posterior surface of radius　324
　—の骨間縁　Interosseous border of radius　324, **325**
　—の尺骨切痕　Ulnar notch of radius　325, 331
　—の手根関節面　Carpal articular surface of radius 324, 325
　—の前縁　Anterior border of radius　324, 325
　—の背側結節　Dorsal tubercle of radius　**324**, 325, 334, 335, 344, 358
橈骨窩（解剖学的嗅ぎタバコ入れ）　Anatomic (anatomical) snuffbox　394
橈骨頚　Neck of radius　324, 330
橈骨三角骨靱帯　Radiotriquetral lig.　351
橈骨手根関節　Wrist joint　346
橈骨静脈　Radial vv.　366
橈骨神経　Radial n.　368, **373**, 378, 379, 381, 385, 387-389, 394
　—の運動枝　Motor brs. of radial n.　385
　—の筋枝　Muscular brs. of radial n.　381, 387, 389
　—の深枝　Deep br. of radial n.　368, 387, 389
　—の浅枝　Superficial br. of radial n.　368, 373, 378, 387-389, 394
橈骨神経管　Radial tunnel　373, 387
橈骨神経溝《上腕骨の》　Radial groove of humerus 300
橈骨切痕《尺骨の》　Radial notch of ulna　324, 325, 331
橈骨粗面　Radial tuberosity　322, 324, **325**
橈骨体　Shaft of radius　324
橈骨頭
　—《浅指屈筋の》　Radial head of flexor digitorum superficialis　333, 336
　—《橈骨の》　Head of radius　295, 296, **325**, 326, 329, 403
橈骨動脈　Radial a.　**364**, 365, 387-390, 392, 393, 395
　—の浅掌枝　Superficial palmar br. of radial a. 364, 390, 392, 393
　—の背側手根枝　Dorsal carpal br. of radial a. 395
橈骨輪状靱帯　Anular lig. of radius　327-331
橈尺関節　Radio-ulnar joints　330
橈側手根屈筋　Flexor carpi radialis　294, 332, **336**, 337, 354, 357, 396, 399, 403
　—の腱　Flexor carpi radialis tendon　355, 356, 404
橈側手根隆起　Radial carpal eminence　350

橈側正中皮静脈　Cephalic v. of forearm　366
橈側側副動脈　Radial collateral a.　364, 389
橈側反回動脈　Radial recurrent a.　364, 387
橈側皮静脈　Cephalic v.　69, 72, 294, **366**, 378, 382-384, 387, 398
橈側リンパ管群　Radial group of lymphatics　367
橈側リンパ管束領域　Radial bundle territory　367
洞房結節　Sinu-atrial node　102
洞房結節枝　Sinu-atrial nodal br.　100
動眼神経　Oculomotor n. (CN III)　549, 560, **564**, 565, 593, 607-609, 683, 688
　—の下枝　Inferior br. of oculomotor n.　565, 607, 608
　—の上枝　Superior br. of oculomotor n.　607, 608
動眼神経核　Nucleus of oculomotor n.　561, **564**
動眼神経完全麻痺　Complete oculomotor palsy 605
動眼神経副核（エディンガー-ウェストファル核）　Accessory nuclei of oculomotor n. (Edinger-Westphal nuclei)　561, **564**, 578
動脈円錐　Conus arteriosus　97, 136, 137
動脈円錐腱　Tendon of infundibulum　98
動脈管索　Ligamentum arteriosum　89, 91, **93**, 96, 105, 125
動脈溝　Arterial grooves　624
導出静脈　Emissary v.　545, 592
瞳孔　Pupil　615
瞳孔括約筋　Sphincter pupillae　614
瞳孔散大筋　Dilator pupillae　614
特殊臓性遠心性線維　Special visceral efferent fiber 561
鈍角縁枝《左冠状動脈の》　Left marginal a. of left coronary a.　100, 134

な

ナジオン　Nasion　543, 616
内陰部静脈　Internal pudendal v.　196, 269, 270, 274, 275, 284, 491
内陰部動脈　Internal pudendal a.　188, 269, 270, 274, 275, 284, 491
　—の後陰唇枝　Posterior labial brs. of internal pundendal a.　275
　—の後陰嚢枝　Posterior scrotal brs. of internal pundendal a.　270
内果　Medial malleolus　432, 433, 508
内果関節面《脛骨の》　Articular facet of tibia　433, 456, 457
内果溝《腓骨の》　Malleolar groove of fibula　432
内果枝《後脛骨動脈の》　Medial malleolar brs. of posterior tibial a.　472, 495
内果皮下包　Subcutaneous bursa of medial malleolus　495
内果面《距骨の》　Medial malleolar facet of talus 455, 457, 459
内胸静脈　Internal thoracic vv.　67, **69**, 72-74, 78, 82, 89, 195, 220
内胸動脈　Internal thoracic a.　36, 66, 67, **68**, 72-74, 78, 80, 89, 109, 220, 364, 365
　—の貫通枝　Perforating brs. of internal thoracic a. 74
　—の胸骨枝　Sternal brs. of internal thoracic a. 36
　—の前肋間枝　Anterior intercostal brs. of internal thoracic a.　36, 68
　—の内側乳腺枝　Medial mammary brs. of internal thoracic a.　68, 74
内頸静脈　Internal jugular v.　25, 37, 45, 66, 69, 82, 83, 89, 124, 129, 383, 521, 531, 534, 536, **588**, 589, 654, 655, 669, 671, 686, 701

内頸動脈　Internal carotid a.　36, 520, 537, 549, 571, **582**, 583-585, 606, 607, 620, 631, 654, 671, 701
　—の海綿静脈洞枝　Cavernous br. of internal carotid a.　582
　—の海綿静脈洞部　Cavernous part of internal carotid a.　582
　—の頸部　Cervical part of internal carotid a. 582, **688**
　—の硬膜枝　Meningeal br. of internal carotid a. 582
　—の三叉神経枝　Brs. to nn. of internal carotid a. 582
　—の三叉神経節枝　Brs. to trigeminal ganglion of internal carotid a.　582
　—の錐体部　Petrous part of internal carotid a. 582, **688**
　—の大脳部　Cerebral part of internal carotid a. 582, **688**
　—のテント縁枝　Tentorial marginal br. of internal carotid a.　582
　—のテント底枝　Tentorial basal br. of internal carotid a.　582
内頸動脈神経叢　Internal carotid plexus　87, 571, **573**, 579
内肛門括約筋　Internal anal sphincter　248, 249, 283
内後頭静脈　Internal occipital v.　686
内後頭隆起　Internal occipital protuberance　20
内子宮口　Internal os　257
内枝《上喉頭神経の》　Internal br. of superior laryngeal n.　531, 534, 575
内耳孔　Internal acoustic opening　624
内耳神経　Vestibulocochlear n. (CN VIII)　549, 560, **570**, 571, 626, 682, 683
内耳道　Internal acoustic meatus　547, 548
内唇《腸骨稜の》　Inner lip of iliac crest　233
内生殖器　Internal genitalia　254
内精筋膜　Internal spermatic fascia　151, **155**, 271
内臓運動機能（一般臓性遠心性線維）　Visceromotor function (general visceral efferent fiber)　561
内臓神経　Splanchnic nn.　42
内側縁　Medial border
　—《肩甲骨の》　Medial border of scapula　2, 24, **299**, 303, 313, 400
　—《上腕骨の》　Medial border of humerus　300, 301
　—《腎臓の》　Medial border of kidney　184
内側横膝蓋支帯　Medial transverse patellar retinaculum　436
内側下膝動脈　Inferior medial genicular a.　472, **495**
内側下腿皮枝《伏在神経の》　Medial cutaneous n. of leg of saphenous n.　481
内側顆　Medial condyle
　—《脛骨の》　Medial condyle of tibia　408, 410, 432-434, 506
　—《大腿骨の》　Medial condyle of femur　410, 412, 413, 434, 441, 506
内側顆上線《大腿骨の》　Medial supracondylar line of femur　412
内側顆上稜《上腕骨の》　Medial supracondylar ridge of humerus　300, 301
内側眼瞼靱帯　Medial palpebral lig.　608, 611
内側眼瞼動脈　Medial palpebral aa.　606
内側脚　Medial crus
　—《浅鼠径輪の》　Medial crus of superficial inguinal ring　150, 151, 489
　—《大鼻翼軟骨の》　Medial crus of major alar cartilage　616
内側弓状靱帯　Medial arcuate lig.　64, 65
内側嗅条　Medial olfactory stria　562

内側胸筋神経　Medial pectoral n.　368, 369, **374**, 382-384
内側結節《距骨後突起の》　Medial tubercle of posterior process of talus　**453**, 459
内側楔状骨　Medial cuneiform　**452**, 454, 455, 458, 462, 508, 509
内側腱下包《腓腹筋の》　Medial subtendinous bursa of gastrocnemius　437
内側広筋　Vastus medialis　409, 418, 419, 421, **430**, 481, 492, 500, 502
内側後頭動脈（P4区）　Medial occipital a.（P4）　688, 689
　― の頭頂後頭枝　Parieto-occipital br. of medial occipital a.　671, 689
　― の背側脳梁枝　Dorsal br. to corpus callosum of medial occipital a.　689
内側硬膜上静脈　Medial epidural vv.　45
内側根《正中神経の》　Medial root of median n.　376
内側鎖骨上神経　Medial supraclavicular nn.　538
内側臍索　Medial umbilical ligs.　105
内側臍ヒダ　Medial umbilical fold　**152**, 164, 244, 245
内側枝　Medial br./brs.
　― 《外頸動脈の》　Medial br./brs. of external carotid a.　583, 584
　― 《眼窩上神経の》　Medial brs. of supra-orbital n.　594
　― 《脊髄神経の》　Medial br./brs. of spinal n.　43
内側膝状体　Medial geniculate body　563, 698, 699
内側手根側副靱帯　Ulnar collateral lig. of wrist joint　346, 348, 351
内側種子骨　Medial sesamoid　471
内側縦膝蓋支帯　Medial longitudinal patellar retinaculum　436
内側踵骨枝《脛骨神経の》　Medial calcaneal br. of tibial n.　485, 494, 495
内側上顆　Medial epicondyle
　― 《上腕骨の》　Medial epicondyle of humerus　295, **300**, 301, 308, 387, 402
　― 《大腿骨の》　Medial epicondyle of femur　408, 410, **412**, 434, 506
内側上後鼻枝《上顎神経の》　Posterior superior medial nasal brs. of maxillary n.　**620**, 621, 623
内側上膝動脈　Superior medial genicular a.　472, **495**
内側上腕筋間中隔　Medial intermuscular septum of arm　386, 397
内側上腕皮神経　Medial brachial cutaneous n.　368, 369, **374**, 378, 379, 386
内側神経束《腕神経叢の》　Medial cord of brachial plexus　368, **374**, 376, 377, 385, 386
内側唇《粗線の》　Medial lip of femur　412
内側前頭回　Medial frontal gyrus　679
内側前腕皮神経　Medial antebrachial cutaneous n.　369, **374**, 378, 379, 386, 387
内側鼡径窩　Medial inguinal fossa　152
内側足根動脈　Medial tarsal aa.　495
内側足底溝　Medial plantar sulcus　498
内側足底静脈　Medial plantar v.　474
内側足底神経　Medial plantar n.　476, 485, 495, **498**, 499
　― の浅枝　Superficial br. of medial plantar n.　498
内側足底中隔　Medial plantar septum　464
内側足底動脈　Medial plantar a.　472, 473, 495, **498**, 499
　― の深枝　Deep br. of medial plantar a.　472, 498, 499
　― の浅枝　Superficial br. of medial plantar a.　472, 495, 498

内側足背皮神経　Medial dorsal cutaneous n.　484, **486**, 496, 497
内側足放線　Medial rays of foot　462
内側側副靱帯
　― 《膝関節の》　Tibial collateral lig. of knee　436-438, **440**, 507
　― 《肘関節の》　Ulnar collateral lig. of elbow joint　**328**, 329, 330, 403
内側大腿回旋静脈　Medial circumflex femoral vv.　474
内側大腿回旋動脈　Medial circumflex femoral a.　**472**, 473, 492, 493
内側大腿筋間中隔　Medial femoral intermuscular septum　501
内側中葉区《右肺の》　Medial segment of right lung　118
内側中葉動脈《右肺の》　Medial segmental a. of right lung　125
内側直筋　Medial rectus　565, **604**, 612, 656, 657, 662
内側頭　Medial head
　― 《鎖骨の》　Medial head of clavicle　54
　― 《上腕三頭筋の》　Medial head of triceps brachii　314, 323, 398
　― 《短母趾屈筋の》　Medial head of flexor hallucis brevis　465, 471
　― 《腓腹筋の》　Medial head of gastrocnemius　422, 423, 444, 446, 450, 494
内側突起《踵骨隆起の》　Medial process of calcaneal tuberosity　452, 453, 459
内側乳腺枝　Medial mammary brs.
　― 《内胸動脈の》　Medial mammary brs. of internal thoracic a.　68, 74
　― 《肋間神経の》　Medial mammary brs. of intercostal nn.　74
内側肺底区《肺の》　Medial basal segment of lungs　118, 133
内側肺底動脈　Medial basal segmental a. of lungs　125
内側半月　Medial meniscus　438, **439**, 440-442, 507
内側板《翼状突起の》　Medial plate of pterygoid process　546, 551, 617, 636
内側皮枝　Medial cutaneous br.
　― 《脊髄神経の》　Medial cutaneous br. of spinal n.　38, 39
　― 《肋間神経の》　Medial cutaneous br. of posterior intercostal aa.　36, 44, 68
内側腓腹皮神経　Medial sural cutaneous n.　**485**, 486, 494, 496
内側鼻枝《前篩骨神経の》　Medial nasal brs. of anterior ethmoidal n.　620, 621
内側面　Medial surface
　― 《脛骨の》　Medial surface of tibia　408, 432
　― 《尺骨の》　Medial surface of ulna　324
　― 《腓骨の》　Medial surface of fibula　432
　― 《披裂軟骨の》　Medial surface of arytenoid cartilage　526
　― 《卵巣の》　Medial surface of ovary　256
内側毛帯　Medial lemniscus　692
内側翼突筋　Medial pterygoid　553-555, **559**, 651, 653, 657, 658, 661, 663, 670
内側翼突筋神経　N. to medial pterygoid　567, 580, 600, **644**
内側隆起《第4脳室底の》　Medial eminence of forth ventricle　683
内大脳静脈　Internal cerebral vv.　671, 686, 687
内腸骨静脈　Internal iliac v.　**37**, 45, 196, 250, 269-271, 273
　― の前枝　Anterior trunk of internal iliac v.　250

内腸骨動脈　Internal iliac a.　**36**, 188, 250, 268-273, 472
　― の前枝　Anterior trunk of internal iliac a.　250
内腸骨リンパ節　Internal iliac nodes　204, **276**, 279
内転筋管　Adductor canal　472, 474
内転筋群　Adductor mm.　247
内転筋結節　Adductor tubercle　412, 420
[内転筋]腱裂孔　Adductor hiatus　429, 472-474, 493
内尿道括約筋　Internal urethral sphincter　253
内尿道口　Internal urethral orifice　247, 252
内板《頭蓋冠の》　Internal table of calvaria　545, 592
内皮様細胞層　Neurothelium　590
内鼻枝《前篩骨神経の》　Internal nasal brs. of anterior ethmoidal n.　621
内腹斜筋　Internal oblique　24, 28, 29, 144, 145, 148, **149**, 151, 312, 313
　― の腱膜　Internal oblique aponeurosis　**144**, 146, 149
内閉鎖筋　Obturator internus　147, 238-240, 244, 245, 247, 286, 421-424, 426, **427**, 490, 491, 500, 505
内閉鎖筋筋膜　Obturator internus fascia　238
内閉鎖筋神経　N. to obturator internus　483
内包　Internal capsule　658, 660, 661, 689
内リンパ管　Endolymphatic duct　634
内リンパ嚢　Endolymphatic sac　628, 634, 635
内肋間筋　Internal intercostal m.　62, **63**, 73, 144
内弯点　Inflection points　5
軟口蓋（口蓋帆）　Soft palate　**643**, 648, **650**, 651, 659
軟骨性部《外耳道の》　Cartilaginous part of external acoustic meatus　626
軟骨部《耳管の》　Cartilaginous part of pharyngotympanic（auditory）tube　628, 653
軟膜　Pia mater　40, 590
軟膜血管叢　Pial vascular plexus　613

に

Ⅱ型肺胞上皮細胞　Type Ⅱ pneumocyte　121
二腹筋窩　Digastric fossa　544
二腹筋枝《顔面神経の》　Digastric br. of facial n.　596, 645
二葉小葉前裂　Prebiventral fissure　682
二分靱帯　Bifurcate lig.　458, **460**, 461
二分脊椎　Spina bifida　40
肉柱《心室中隔の》　Trabeculae carneae of interventricular septum　97
肉様筋　Dartos m.　154
肉様膜　Dartos fescia　155
乳管　Lactiferous duct　75
乳管洞　Lactiferous sinus　75
乳癌　Breast cancer　77
乳腺　Mammary gland　75
乳腺小葉　Lobules of mammary gland　75
乳腺葉　Lobes of mammary gland　75
乳頭　Nipple　74, 75
乳頭体　Mammillary body　679, 681, 682
乳頭突起《腰椎の》　Mammillary process of lumbar vertebrae　11
乳突孔　Mastoid foramen　542, 544, 546, 548, **624**
乳突枝《後頭動脈の》　Mastoid br. of occipital a.　591
乳突上稜　Supramastoid crest　597
乳突切痕《側頭骨の》　Mastoid notch of temporal bone　546, 624
乳突洞　Mastoid antrum　632
乳突洞口　Aditus to mastoid antrum　629
乳突導出静脈　Mastoid emissary v.　589, 663

(にゅうとつへき)

乳突壁《鼓室の》　Posterior wall of tympanic cavity　571
乳突蜂巣　Mastoid cells　571, 628, **629**, 645, 669
乳突リンパ節　Mastoid nodes　523
乳ビ槽　Cisterna chyli　84, 204
乳房　Breast　**74**, 75
乳房下部　Inframammary region　54
乳房提靱帯（クーパー靱帯）　Suspensory ligs. of breast (Cooper's ligs.)　75
乳様突起《側頭骨の》　Mastoid process of temporal bone　18, 26, 512, 542, 544, 546, **624**
乳輪　Areola　74
乳輪静脈叢　Areolar venous plexus　69
乳輪腺　Areolar glands　74
尿管　Ureter　165, 183-185, 196, 242, 243, 248, 251, 252, 254, 255, 273, 286
　─の骨盤部　Pelvic part of ureter　250
　─の腹部　Abdominal part of ureter　250
尿管間ヒダ　Interureteric crest　252, **253**
尿管口　Ureteric orifice　252-255
尿管枝《腎動脈の》　Ureteral brs. of renal a.　189
尿管神経叢　Ureteric plexus　215, 217, 280, 282
尿生殖三角　Urogenital triangle　229
尿生殖裂孔　Urogenital hiatus　238
尿道　Urethra　247, **252**, 254, 260, 266
　─の海綿体部　Spongy urethra　253, 255, 264-267
　─の隔膜部　Membranous urethra　247, 264, 266
　─の縦走ヒダ　Longitudinal folds of urethra　252
　─の前立腺前部　Preprostatic part of urethra　264
　─の前立腺部　Prostatic urethra　**253**, 266, 287
　─の膨大部　Urethral ampulla　264
尿道圧迫筋　Compressor urethrae　252
尿道海綿体　Corpus spongiosum penis　253, 255, **264**, 267, 284, 290, 291
尿道拡張筋　Dilator urethrae　253
尿道球　Bulb of penis　247, 253, 255, 264, 290
尿道球静脈　V. of bulb of penis　269
尿道球腺　Bulbo-urethral gland　255, 264, **266**, 267, 284
尿道舟状窩　Navicular fossa of urethra　264, 267
尿道腺　Urethral glands　264
尿道腟括約筋　Sphincter urethrovaginalis　252
尿道動脈　Urethral a.　265
尿道隆起《腟の》　Urethral carina of vagina　260

ね

粘膜《食道の》　Mucosa of esophagus　107
粘膜下組織　Submucosa
　─《食道の》　Submucosa of esophagus　107
　─《膀胱の》　Submucosa of urinary bladder　252

の

脳　Brain　674, 676
　─の灰白質　Gray matter (substance) of brain　676
　─の白質　White matter (substance) of brain　676
　─の発生　Development of the brain　677
脳外出血　Extracerebral hemorrhage　591
脳幹　Brainstem　674, 683
脳弓　Fornix　679, **680**, 682, 685, 698, 700
脳室　Ventricle　685
脳神経　Cranial n.　560, 676
脳底静脈　Basilar v.　686, 687
脳底静脈叢　Basilar plexus　592
脳底槽　Basal cistern　684
脳底動脈　Basilar a.　44, 582, 662, 667, 671, **688**, 700, 701

脳頭蓋　Neurocranium　542
脳梁　Corpus callosum　658, 659, 667, 677, 679, **680**, 682, 685, 689, 700
脳梁縁動脈　Callosomarginal a.　689
　─の帯状回枝　Cingular br. of callosomarginal a.　689
脳梁幹　Trunk　698, 700
脳梁溝　Sulcus of corpus callosum　679
脳梁膝　Genu　698, 700
脳梁周囲槽　Pericallosal cistern　684
脳梁周囲動脈　Pericallosal a.　689
　─の楔前部枝　Precuneal brs. of pericallosal a.　689
脳梁膨大　Splenium　698, 700
嚢状陥凹《肘関節の》　Sacciform recess of elbow joint　328, 329

は

ハングマン骨折　Hangman's fracture　9
バルトリン腺（大前庭腺）　Bartholin's (greater vestibular) gland　254, 262, 263
パイエル板（リンパ小節）　Peyer's patches (Lymphoid nodules)　170
破裂孔　Foramen lacerum　546-548
［歯-］→「し-」の項をみよ
馬尾　Cauda equina　5, 40, 41, 482, 676
背枝《肋間動脈の》　Dorsal br. of posterior intercostal aa.　36
背側根《仙骨神経の》　Posterior (dorsal) root of sacral n.　43, 482
背側距舟靱帯　Dorsal talonavicular lig.　461
背側結節《橈骨の》　Dorsal tubercle of radius　**324**, 325, 334, 335, 344, 358
背側骨間筋　Dorsal interossei
　─《手の》　Dorsal interossei of hand　357, 362, 363, 405
　─《足の》　Dorsal interossei of foot　463, 465, 470
背側枝　Dorsal br.
　─《固有掌側指神経の》　Dorsal br. of proper palmar digital nn.　392, 394
　─《尺骨神経の》　Dorsal br. of ulnar n.　377, 378, 394
背側指静脈　Dorsal digital vv.　366, 378
背側指神経　Dorsal digital nn.　377, 379, 392, 394
背側指動脈　Dorsal digital aa.　**365**, 392, 395
背側趾神経　Dorsal digital nn.　497
背側趾動脈　Dorsal digital aa.　497
背側手根間靱帯　Dorsal intercarpal ligs.　348
背側手根腱鞘　Dorsal carpal tendinous sheaths　358
背側手根枝　Dorsal carpal br.
　─《尺骨動脈の》　Dorsal carpal br. of ulnar a.　365, 389, 395
　─《橈骨動脈の》　Dorsal carpal br. of radial a.　395
背側手根中手靱帯　Dorsal carpometacarpal ligs.　348
背側手根動脈　Dorsal carpal a.　365, 395
背側手根動脈網　Dorsal carpal arch　365, 395
背側縦束　Dorsal longitudinal fasciculus　562
背側踵立方靱帯　Dorsal calcaneocuboid lig.　458, 461
背側足根靱帯　Dorsal tarsal ligs.　460, 461
背側中手靱帯　Dorsal metacarpal ligs.　348
背側中手動脈　Dorsal metacarpal aa.　365, 395
背側中足靱帯　Dorsal metatarsal ligs.　460
背側中足動脈　Dorsal metatarsal aa.　472, 497
背側橈骨尺骨靱帯　Dorsal radio-ulnar lig.　330, 331, **348**, 351
背側橈骨手根靱帯　Dorsal radiocarpal lig.　348

背側脳梁枝《内側後頭動脈の》　Dorsal br. to corpus callosum of medial occipital a.　689
肺　Lungs　78, 116, **117**, 130
　─の横隔面　Diaphragmatic surface of lungs　117
　─の下縁　Inferior border of lungs　117
　─の下葉　Inferior lobe of lungs　116, 117, 130
　─の外側肺底区　Lateral basal segment of lungs　118, 133
　─の後上葉動脈　Posterior segmental a. of lungs　125
　─の後肺底区　Posterior basal segment of lungs　118, 133
　─の斜裂　Oblique fissure of lungs　116, 117, 119, 130
　─の縦隔面　Mediastinal surface of lungs　117
　─の上-下葉区　Superior segment of lungs　118, 133
　─の上-下葉静脈　Superior v. of lower lobe of lungs　125
　─の上-下葉動脈　Superior segmental a. of lungs　125
　─の上葉　Superior lobe of lungs　116, 117, 130
　─の前縁　Anterior border of lungs　117
　─の前上葉区　Anterior segment of lungs　118, 133
　─の前上葉静脈　Anterior v. of superior lobe of lungs　125
　─の前上葉動脈　Anterior segmental a. of lungs　125
　─の前肺底区　Anterior basal segment of lungs　118, 133
　─の内側肺底区　Medial basal segment of lungs　118, 133
　─の肋骨面　Costal surface of lungs　117
肺間膜　Pulmonary lig.　117
肺癌　Lung cancer　129
肺区域　Bronchopulmonary segments　118
肺循環　Pulmonary circulation　92
肺静脈　Pulmonary vv.　92, 124
肺神経叢　Pulmonary plexus　87, 103, 127
肺舌静脈　Lingular v. of lungs　125
肺舌動脈　Lingular a. of lungs　125
肺尖　Apex of lung　117
肺尖区《右肺の》　Apical segment of right lung　118
肺尖後区《左肺の》　Apicoposterior segment of left lung　118, 133
肺尖後静脈　Apicoposterior v. of lungs　125
肺尖静脈　Apical v. of lungs　125
肺尖動脈　Apical segmental a. of lungs　125
肺塞栓　Pulmonary embolism　125
肺動脈　Pulmonary aa.　124
肺動脈幹　Pulmonary trunk　81, 89, 93, 96, 99, 102, 103, 116, **124**, 125
肺動脈弁　Pulmonary valve　**98**, 99, 100
　─の右半月弁　Right semilunar cusp of pulmonary valve　98
　─の左半月弁　Left semilunar cusp of pulmonary valve　98
　─の前半月弁　Anterior semilunar cusp of pulmonary valve　98, 99
　─の半月弁半月　Lunules of semilunar cusps of pulmonary valve　99
肺内リンパ節　Intrapulmonary nodes　85, 128, **129**
肺胞　Alveoli (pulmonary alveoli)　121, 126
肺胞管　Alveolar ducts　121
肺胞大食細胞　Alveolar macrophage　121
肺胞中隔　Interalveolar septum　121
肺胞嚢　Alveolar sacs　121
肺門　Hilum of lung　117
排出管　Excretory duct　255
排尿筋　Detrusor　253

白交通枝《脊髄神経の》 White ramus communicans of spinal n. 42, 71
白質 White matter (substance)
— 《脊髄の》 White matter (substance) of spinal cord 691
— 《脳の》 White matter (substance) of brain 676
白線 Linea alba 140, **144**, 145, 146, 149, 488
白帯（肛門櫛） White zone (anal pecten) 249
白膜《精巣の》 Tunica albuginea 155
薄筋 Gracilis 284, 285, 418, 419, 421-423, **428**, 490-494, 500, 502, 505
薄束核 Gracile nucleus 692
薄束結節 Gracile tubercle 683
反回骨間動脈 Recurrent interosseous a. 365, 389
反回枝《正中神経の》 Recurrent br. of median n. 390
反回神経 Recurrent laryngeal n. 78, 86, 87, 89, 91, 103, 108, 127, 531, 535, **575**, 655
反転靱帯 Reflected lig. 151, 488, 489
半奇静脈 Hemi-azygos v. 37, 45, 66, 67, 69, **82**, 83, 91, 109, 127, 194, 195
半規管 Semicircular ducts 571, 635
— の総脚 Common membranous limb of semicircular ducts 635
半棘筋 Semispinalis 34
半月回 Semilunar gyrus 562
半月線 Semilunar line 140, **145**
半月ヒダ Semilunar fold 172
半月弁結節 Nodules of semilunar cusps 99
半月弁半月 Lunules of semilunar cusps
— 《大動脈弁の》 Lunules of semilunar cusps of aortic valve 99
— 《肺動脈弁の》 Lunules of semilunar cusps of pulmonary valve 99
半月様構造 Ulnocarpal meniscus homologue 351
半月裂孔 Hiatus semilunaris 618
半腱様筋 Semitendinosus 409, 421, 422, **431**, 490, 491, 493, 494, 500, 502
半膜様筋 Semimembranosus 409, 421-423, **431**, 446, 490, 493, 494, 500, 502
板間静脈 Diploic vv. 545, 590
板間層《頭蓋冠の》 Diploe of calvaria 545, 592
板状筋 Splenius 32, 33

ひ

ヒス束 → 房室束 Bundle of His
ヒラメ筋 Soleus 444, **450**, 494, 497, 500, 503
— ［の］腱弓 Tendinous arch of soleus 450, 494
ヒラメ筋線《脛骨の》 Soleal line of tibia 432, 434
皮下静脈叢 Subcutaneous venous plexus 249
皮下部《外肛門括約筋の》 Subcutaneous part of external anal sphincter 249
皮枝 Cutaneous br.
— 《深腓骨神経の》 Cutaneous br. of deep fibular n. 496, 497
— 《閉鎖神経の》 Cutaneous br. of obturator n. 480, 486, 492
皮質延髄線維 Corticobulbar fibers 576
皮質縁 Cortical margin 689
皮質核線維 Corticonuclear fibers 693
皮質脊髄線維 Corticospinal fibers 693
皮質脊髄路（錐体路） Corticospinal (pyramidal) tract 693
皮静脈 Cutaneous v. 69
披裂関節面《輪状軟骨の》 Arytenoid articular surface of cricoid cartilage 526
披裂筋 Arytenoid 655
披裂喉頭蓋ヒダ Ary-epiglottic fold 528, **529**, 651
披裂軟骨 Arytenoid cartilage 526, 527, 664
— の関節面 Articular surface of arytenoid cartilage 526
— の筋突起 Muscular process of arytenoid cartilage 526, 527
— の後面 Posterior surface of arytenoid cartilage 526
— の小丘 Colliculus of arytenoid cartilage 526, 527
— の声帯突起 Vocal process of arytenoid cartilage 526, 527
— の前外側面 Anterolateral surface of arytenoid cartilage 526
— の内側面 Medial surface of arytenoid cartilage 526
披裂軟骨尖 Apex of arytenoid cartilage 526
被蓋核 Tegmental nucleus 562, 693
被殻 Putamen 658, 661, 689, 700, 701
被膜枝《腎動脈の》 Capsular brs. of renal a. 189
脾陥凹《網嚢の》 Splenic recess of omental bursa 163
脾静脈 Splenic v. 156, **180**, 181, 185, 191, 195, 198-201, 222
脾神経叢 Splenic plexus 214, 216, 218
脾臓 Spleen 162-164, 167, 169, 174, 179, **180**, 190, 198, 220
— の胃面 Gastric impression of spleen 164, 180, 181
— の横隔面 Diaphragmatic surface of spleen 180
— の下縁 Inferior border of spleen 180
— の結腸面 Colic impression of spleen 180
— の後端 Posterior extremity of spleen 180
— の上縁 Superior border of spleen 164, 180, 181
— の前端 Anterior extremity of spleen 180
— の脾門 Splenic hilum of spleen 180
脾動脈 Splenic a. 67, 156, 162, 179, **180**, 181, 183, 185, 187, 190-192, 198-201
— の膵枝 Pancreatic brs. of splenic a. 187
脾リンパ節 Splenic nodes 206, 207
脾弯曲 Splenic flexure 172
腓骨 Fibula 410, **432**, 433, 456, 457, 467, 500, 503, 506, 509
— の外果窩 Malleolar fossa of fibula 432, 433
— の外果関節面 Articular facet of fibula 433, 456, 457
— の外側面 Lateral surface of fibula 432
— の後面 Posterior surface of fibula 432
— の内果溝 Malleolar groove of fibula 432
— の内側面 Medial surface of fibula 432
腓骨頚 Neck of fibula 432, 434
腓骨静脈 Fibular vv. 474, 503
腓骨体 Shaft of fibula 432
腓骨頭 Head of fibula 408, 410, **432**, 433-435, 445, 506
腓骨動脈 Fibular a. **472**, 494, 497, 503
— の外果枝 Lateral malleolar brs. of fibular a. 472
— の貫通枝 Perforating br. of fibular a. 472, 494
— の筋枝 Muscular brs. of fibular a. 472
— と後脛骨動脈との交通枝 Communicating br. of fibular a. 472
— の踵骨枝 Calcaneal brs. of fibular a. 472
腓腹筋 Gastrocnemius 409, 444, 446, **450**, 494, 500
— の外側腱下包 Lateral subtendinous bursa of gastrocnemius 437
— の外側頭 Lateral head of gastrocnemius 422, 423, 445, 446, 450, 494
— の内側腱下包 Medial subtendinous bursa of gastrocnemius 437
— の内側頭 Medial head of gastrocnemius 422, 423, 444, 446, 450, 494

腓腹神経 Sural n. 476, 485, 486, **494**, 496
— の外側踵骨枝 Lateral calcaneal brs. of sural n. 485, 496
尾骨 Coccyx 4-6, **12**, 13, 229, 232, 233, 237, 238, 248, 286
尾骨角 Coccygeal cornu 12
尾骨筋 Coccygeus 238, 240
尾骨神経 Coccygeal n. 477
尾骨神経叢 Coccygeal plexus 477
尾状核 Caudate nucleus 680, 689, 700
尾状核頭 Head of caudate nucleus 660
尾状突起《肝臓の》 Caudate process of liver 177
尾状葉《肝臓の》 Caudate lobe of liver 163, 177
眉弓 Superciliary arch 543
鼻筋 Nasalis 552-554, **556**
— の横部 Transverse part of nasalis 554
— の翼部 Alar part of nasalis 554
鼻腔 Nasal cavity 616, 618, 657, 662
鼻孔 Limen nasi 620
鼻口蓋神経 Nasopalatine n. **620**, 621, 644
鼻甲介 Nasal conchae 650
鼻骨 Nasal bone 542, 543, 602, **616**, 669
鼻根筋 Procerus 552, 556, 661
鼻前庭 Nasal vestibule 620
鼻中隔 Nasal septum 618, 651, 657, 662, 666, 668, 669
鼻中隔下制筋 Depressor septi nasi 554
鼻中隔軟骨 Septal nasal cartilage 616
鼻中隔弯曲 Deviated septum 619
鼻軟骨の後突起 Posterior process of nasal cartilages 616
鼻背静脈 Dorsal nasal v. 606, 608
鼻背動脈 Dorsal nasal a. 582, 584, 594, **606**, 608
鼻部 Nasal region 512
鼻毛様体神経 Nasociliary n. 567, **607**, 609
鼻毛様体神経根 Nasociliary root 567, 607
鼻稜 Nasal crest 616, 636
鼻涙管 Nasolacrimal duct **611**, 618, 669
［膝-］ → ［しつ-］の項をみよ
［肘-］ → ［ちゅう-］の項をみよ
［左-］ → ［さ-］の項をみよ
表情筋 Mm. of facial expression 552

ふ

プチ三角（下腰三角） Iliolumbar triangle (of Petit) 47
プテリオン Pterion 542
不対神経節 Ganglion impar 213
付属生殖腺 Accessory sex glands 266
浮遊肋 Floating ribs 57
伏在神経 Saphenous n. 476, 477, **481**, 486, 492, 494
— の膝蓋下枝 Infrapatellar br. of saphenous n. 481, 486
— の内側下腿皮枝 Medial cutaneous n. of leg of saphenous n. 481
伏在裂孔 Saphenous opening 271, 488
副筋線維束 Accessory m. bundle 653
副楔状束核 Accessory cuneate nucleus 692
副甲状腺（上皮小体） Parathyroid glands 530
副交感神経系 Parasympathetic nervous system 87, 212
副交感神経根 Parasympathetic root 607
副交感神経節 Parasympathetic ganglion 694
副耳下腺 Accessory parotid gland 649
副神経 Accessory n. (CN XI) 535, 537-540, 549, 560, **576**, 654, 683
副神経脊髄核 Spinal nucleus of accessory n. 561, 576
副腎 Suprarenal gland 162, 165, 169, 181, **182**, 183-185, 220, 250

副腎圧痕《肝臓の》 Suprarenal impression of liver 174
副腎静脈 Suprarenal v. 185
副腎神経叢 Suprarenal plexus 213, 217
副膵管 Accessory pancreatic duct 168, 178, 180
副側副靱帯 Accessory collateral lig. 352
副橈側皮静脈 Accessory cephalic v. 366, 378
副突起 Accessory process 7, 11
副半奇静脈 Accessory hemi-azygos v. 37, 45, 69, **82**, 83, 91, 109, 127
副鼻腔 Paranasal sinuses 618
副鼻腔炎 Sinusitis 619
副伏在静脈 Accessory saphenous v. 474, 486
腹横筋 Transversus abdominis 29, 64, 145-147, **148**, 149, 151, 152
　— の腱膜 Transversus abdominis aponeurosis 145, **146**, 149
腹腔枝《後迷走神経幹の》 Celiac br. of posterior vagal trunk 216, 218
腹腔神経節 Celiac ganglia 214, 215, 218
腹腔神経叢 Coeliac plexus 213
腹腔動脈 Celiac trunk 66, 67, 156, 162, 185-188, **190**, 191, 196-199, 222, 224
腹腔リンパ節 Celiac nodes 110, 204, 206-208
腹大動脈 Abdominal aorta 25, 36, 67, 68, 156, 163, 165, 186, 187, **188**, 190, 193, 220, 222, 250
腹直筋 Rectus abdominis 67, 140, 144, 145, 148, **149**, 151, 152, 156, 242, 244, 245, 252, 286
　— の弓状線 Arcuate line of rectus abdominis 145, 146, 149, 152
腹直筋鞘 Rectus sheath **146**, 149, 308
　— の後葉 Posterior layer of rectus sheath 146, 147, 152
　— の前葉 Anterior layer of rectus sheath 146
腹部 Abdominal part
　—《食道の》 Abdominal part of esophagus 106
　—《大胸筋の》 Abdominal part of pectoralis major 144, 308, 318
　—《尿管の》 Abdominal part of ureter 250
腹膜 Peritoneum **159**, 246
腹膜下隙 Subperitoneal space 157, 246
腹膜腔 Peritoneal cavity 159, 160, 246
腹膜後隙 Retroperitoneal space 157, 244, 245, 259
腹膜垂 Omental appendices 170, 172
腹膜内器官 Intraperitoneal organ 159
噴門 Cardia 166, 167
噴門口 Cardial orifice 163-165
噴門リンパ輪 Nodes around cardia 111, 206
分界溝 Terminal sulcus of tongue 646
分界線 Linea terminalis 157, 235
分界稜 Crista terminalis 97

ヘ

ヘッセルバッハ三角 Hesselbach's triangle 151, 152
平滑部《毛様体の》 Pars plana of ciliary body 615
閉鎖管 Obturator canal 238, 286
閉鎖筋膜 Obturator fascia 238, 239
閉鎖孔 Obturator foramen **230**, 231, 232, 238, 504
閉鎖静脈 Obturator vv. 196, **269**, 270, 272-274, 286
閉鎖神経 Obturator n. 210, 211, 281, 286, 476, 477, **480**, 486, 487, 492
　— の筋枝 Muscular brs. of obturator n. 480
　— の後枝 Posterior br. of obturator n. 477, 480
　— の前枝 Anterior br. of obturator n. 477, 480
　— の皮枝 Cutaneous br. of obturator n. 480, 486, 492

閉鎖動脈 Obturator a. 188, **269**, 270, 272-274, 286, 473
閉鎖膜 Obturator membrane 236, 237, 417
閉鎖リンパ節 Obturator nodes 279
閉塞部《臍動脈の》 Obliterated part of umbilical a. 273
壁側胸膜 Parietal pleura 65, 107, **113**
　— の横隔部（横隔胸膜） Diaphragmatic part of parietal pleura 66, 67, 89, 107, **113**, 115, 116
　— の頸部 Cervical part of parietal pleura 89
　— の縦隔部（縦隔胸膜） Mediastinal part of parietal pleura 66, 67, 89, 91, 93, 107, **113**, 115
　— の肋骨部（肋骨胸膜） Costal part of parietal pleura 65, 67, 73, 90, 91, 113, 115, 116
壁側骨盤筋膜 Parietal pelvic fascia 246
壁側板 Parietal layer
　—《漿膜性心膜の》 Parietal layer of serous pericardium 93, 95, 115
　—《精巣の》 Parietal layer of testis 154, 155
壁側腹膜 Parietal peritoneum 25, 113, 146, **152**, 158, 160, 165, 167, 169, 182, 242, 244, 245, 248, 249, 251
片葉 Flocculus 682
片葉脚 Peduncle of flocculus 682
片葉小節葉 Flocculonodular lobe 682
辺縁溝 Marginal sulcus 679
辺縁静脈洞 Marginal sinus 592
辺縁葉の鈎 Uncus of limbic lobe 562, 660
辺縁隆起（輪状骨端） Marginal ridge (epiphysial ring) 14
変形性脊椎症 Spondylophyte 15
扁桃 Tonsil 650
扁桃窩 Tonsillar fossa 650
扁桃周囲隙 Peritonsillar space 654
扁桃体 Amygdaloid body 562, 661, 699
弁蓋部《下前頭回の》 Opercular part of inferior frontal gyrus 678

ほ

ボイドの静脈群 Boyd's vv. 475
ボホダレク三角（腰肋三角） Bochdalek's (lumbocostal) triangle 64, 65
補助運動野 Supplementary motor cortex 693
母指球 Thenar eminence 294, 295
母指球筋 Thenar mm. 360, 396
母指線 Thenar crease 295
母指対立筋 Opponens pollicis 346, 354-357, **360**, 361, 405
母指内転筋 Adductor pollicis 354, 356, 357, 360, **361**, 405
　— の横頭 Transverse head of adductor pollicis 355, 356, 361
　— の斜頭 Oblique head of adductor pollicis 355, 356, 361
母趾外転筋 Abductor hallucis 454, 456, 463-466, **469**, 472, 495, 498, 499, 509
母趾内転筋 Adductor hallucis 463, 465, 466, 470, **471**, 499
　— の横頭 Transverse head of adductor hallucis 462, 465, 471, 499
　— の斜頭 Oblique head of adductor hallucis 462, 465, 466, 471, 499
方形回内筋 Pronator quadratus 332, 333, 336, **337**, 354
方形葉《肝臓の》 Quadrate lobe of liver 176
放線状胸肋靱帯 Radiate sternocostal ligs. 61, 63
放線状肋骨頭靱帯 Radiate lig. of head of rib 61
胞状垂《卵巣上体の》 Vesicular appendices 257

縫工筋 Sartorius 140, 418, 419, 421, 425, **430**, 492, 500, 505
房室結節 Atrioventricular node 102
房室束（ヒス束） Atrioventricular bundle (bundle of His) 102
　— の右脚 Right bundle of atrioventricular bundle 102
　— の左脚 Left bundle of atrioventricular bundle 102
傍腟結合組織 Paracolpium 258
帽状腱膜 Epicranial aponeurosis 552, 553, 592
膀胱 Urinary bladder 156, 242-245, 247, 250, **252**, **253**, 254, 255, 260, 264, 273, 279, 286
　— の外膜 Adventitia of urinary bladder 252
　— の筋層 Muscular coat of urinary bladder 252
　— の粘膜下組織 Submucosa of urinary bladder 252
膀胱外側靱帯 Lateral lig. of bladder 258
膀胱頸 Neck of bladder 252, 266, 267
膀胱三角 Trigone of bladder 252, 253
膀胱子宮窩 Vesico-uterine pouch 243, 244, 256, 260
膀胱子宮靱帯 Vesico-uterine lig. 258
膀胱上窩 Supravesical fossa 152, 244
膀胱静脈 Vesical vv. 269, **272**, 273
膀胱静脈叢 Vesical venous plexus 196, 269
膀胱神経叢 Vesical plexus 217, **280**, 282
膀胱垂 Uvula of bladder 252
膀胱尖 Apex of bladder 251-253, 267
膀胱前立腺静脈叢 Vesicoprostatic venous plexus 286
膀胱体 Body of bladder 251, 252, 267
膀胱腟中隔 Vesicovaginal septum 260
膀胱底 Fundus of bladder 252, 253, 267
膀胱傍陥凹 Paravesical fossa 244, 247
膨大部《尿道の》 Urethral ampulla 264
［頬-］→「きょう-」の項をみよ

ま

マイヤーのループ Meyer's loop 563
膜性板《耳管の》 Membranous lamina of pharyngotympanic (auditory) tube 628
膜性部《心室中隔の》 Membranous part of interventricular septum 99
膜性壁《気管の》 Membranous wall of trachea 529
膜迷路 Membranous labyrinth 635
末節骨 Distal phalanx
　—《手の》 Distal phalanx of hand **342**, 346, 347, 353, 359, 404
　—《足の》 Distal phalanx of foot 449, 452-454, 508
末節骨粗面《手の》 Tuberosity of distal phalanx of hand 343, 347, 353

み

眉間 Glabella 542
［右-］→「う-」の項をみよ
脈絡叢 Choroid plexus
　—《側脳室の》 Choroid plexus of lateral ventricle 684, 698, 699
　—《第3脳室の》 Choroid plexus of third ventricle 679, 680, 682, 684
　—《第4脳室の》 Choroid plexus of fourth ventricle 682, 684, 699
脈絡膜 Choroid 612, 615

む

無漿膜野《肝臓の》 Bare area of liver 175, 176

め

迷走神経　Vagus n. (CN X)　25, 78, 86, 87, 89-91, 103, 108, 212, 535, 537, 549, 560, 572, **574**, 575, 646, 654, 683
― の咽頭枝　Pharyngeal br. of vagus n.　572, 574, 575
― の頸心臓枝　Cervical cardiac brs. of vagus n.　575
― の硬膜枝　Meningeal br. of vagus n.　591
― の上神経節　Superior ganglion of vagus n.　574
― の心臓枝　Cardiac brs. of vagus n.　87
迷走神経三角　Trigone of vagus n.　683
迷走神経背側運動核　Dorsal motor nucleus of vagus n.　578
迷走神経背側核　Dorsal nucleus of vagus n.　561, **574**
迷路動脈　Labyrinthine aa.　688

も

毛様体　Ciliary body　610, 612, 614, **615**
― の皺襞部　Pars plicata of ciliary body　615
― の平滑部　Pars plana of ciliary body　615
毛様体筋　Ciliary m.　612, 614, **615**
毛様体色素上皮　Pigment epithelium of ciliary body　612
毛様体神経節　Ciliary ganglion　565, 567, 578, **607**, 609
毛様体突起　Ciliary processes　615
盲腸　Cecum　164, 170, **172**, 173, 225, 244, 245
盲腸後陥凹　Retrocecal recess　161
盲腸静脈　Cecal vv.　200, 201
盲腸前リンパ節　Prececal nodes　209
網嚢　Omental bursa (lesser sac)　157, 162, 220
― の下陥凹　Inferior recess of omental bursa　163
― の上陥凹　Superior recess of omental bursa　163
― の脾陥凹　Splenic recess of omental bursa　163
網嚢孔　Omental foramen　156, 164
網嚢前庭　Vestibule of omental bursa　162, 163
網膜　Retina　610, 612
網膜視部　Optic part of retina　615
網膜中心静脈　Central retinal v.　613
網膜中心動脈　Central retinal a.　**606**, 612, 613
網様体　Reticular formation　562
門脈 → [肝]門脈　Hepatic portal v.
門脈循環　Portal circulation　92

ゆ

有鈎骨　Hamate　342, **344**, 346, 404
有鈎骨鈎　Hook of hamate　295, 343, 345
有線野　Striate area　563, 699
有頭骨　Capitate　295, **342**, 343, 344, 346, 347, 404
幽門下リンパ節　Subpyloric nodes　206, 207
幽門括約筋　Pyloric sphincter　166
幽門管　Pyloric canal　166, 167
幽門口　Pyloric orifice　166
幽門後リンパ節　Retropyloric nodes　207
幽門枝《前迷走神経幹の》　Pyloric br. of anterior vagal trunk　214, 216, 218
幽門上リンパ節　Suprapyloric node　206, 207
幽門洞　Pyloric antrum　166, 167
幽門部《胃の》　Pyloric part of stomach　220
幽門平面　Transpyloric plane　141

よ

葉間静脈　Interlobar vv.　184
葉間動脈　Interlobar aa.　184, 189
葉気管支　Lobar bronchus　133
腰外側横突間筋　Intertransversarii laterales lumborum　29, 34, **35**
腰棘間筋　Interspinales lumborum　29, 34, **35**
腰筋筋膜　Psoas fascia　25
腰三角　Lumbar triangle　3, 24
腰静脈　Lumbar vv.　37, 83, 194, 196
腰神経　Lumbar nn.　281
― の前枝　Anterior rami of lumbar nn.　280
腰神経節　Lumbar ganglia　217, 280
腰神経叢　Lumbar plexus　210, 211, 477
腰仙骨神経幹　Lumbosacral trunk　**280**, 477
腰仙椎境界　Lumbosacral junction　4
腰腸肋筋　Iliocostalis lumborum　29, 32, **33**
腰椎　Lumbar vertebrae [L1-L5]　4, 6, **11**
― の乳頭突起　Mammillary process of lumbar vertebrae　11
― の肋骨突起　Costal process　6, 7, 11, 142
腰椎部《横隔膜の》　Lumbar part of diaphragm　**64**, 67
腰動脈　Lumbar aa.　44
腰内臓神経　Lumbar splanchnic nn.　212, 215, **280**
腰内側横突間筋　Medial lumbar intertransversarii　29, 34, **35**
腰部前弯　Lumbar lordosis　4
腰方形筋　Quadratus lumborum　25, 29, 64, 147, 148, **149**
腰膨大　Lumbosacral enlargement　40
腰肋三角（ボホダレク三角）　Lumbocostal (Bochdalek's) triangle　64, 65
翼下顎隙　Pterygomandibular space　654
翼棘靱帯　Pterygospinous lig.　638
翼口蓋窩　Pterygopalatine fossa　601, 602, **622**
翼口蓋神経節　Pterygopalatine ganglion　567-569, 578, 581, 621, **623**, 644
翼状靱帯　Alar ligs.　19
翼状突起《蝶形骨の》　Pterygoid process of sphenoid　544, 546, **551**, 617, 636, 653
― の外側板　Lateral plate of pterygoid process　546, 551, 617, 636, 663
― の内側板　Medial plate of pterygoid process　546, 551, 617, 636
翼状ヒダ　Alar folds　442
翼突咽頭部《上咽頭収縮筋の》　Pterygopharyngeal part of superior constrictor　652
翼突下顎縫線　Pterygomandibular raphe　652
翼突窩　Pterygoid fossa　551, 636
翼突管　Pterygoid canal　636
翼突管神経　N. of pterygoid canal　569, 623
翼突管動脈　A. of pterygoid canal　582, 601
翼突筋窩《下顎骨の》　Pterygoid fovea of mandible　637, 638
翼突筋枝《顎動脈の》　Pterygoid brs. of maxillary a.　587, 601
翼突筋静脈叢　Pterygoid plexus　521, 588, **589**
翼突鈎　Pterygoid hamulus　551, 643
翼部《鼻筋の》　Alar part of nasalis　554

ら

ラセン神経節　Spiral ganglion　**570**, 571, 634, 635
ラムダ縫合　Lambdoid suture　542, **544**, 545
卵円窩　Oval fossa　97
卵円窩縁　Border of oval fossa　97
卵円孔　Foramen ovale　546, 547, 548, 551, 567, 600, 636

卵円孔静脈叢　Venous plexus of foramen ovale　592
卵円孔弁　Valve of foramen ovale　97
卵管　Uterine tube　243, 244, 247, 252, 254, 256, **257**, 261, 273, 279
― の子宮部　Uterine part of uterine tube　257
卵管間膜　Mesosalpinx　257
卵管峡部　Isthmus of uterine tube　257
卵管子宮口　Uterine ostium of uterine tube　257
卵管枝《子宮動脈の》　Tubal br. of uterine a.　273
卵管膨大部　Ampulla of uterine tube　257
卵管漏斗　Infundibulum of uterine tube　257
卵形嚢　Utricle　634
卵形嚢神経　Utricular n.　634, 635
卵形嚢膨大部神経　Utriculo-ampullary n.　571
卵巣　Ovary　244, 247, 252, 254, **256**, 257, 261, 273, 279
― の血管極　Vascular pole of ovary　256, 257
― の自由縁　Free border of ovary　256
― の内側面　Medial surface of ovary　256
卵巣間膜　Mesovarium　256
卵巣上体　Epoophoron　257
― の胞状垂　Vesicular appendices　257
卵巣静脈　Ovarian v.　256, 257, **272**
卵巣提索（卵巣提索）　Suspensory lig. of ovary　**244**, 252, 254
卵巣動脈　Ovarian a.　185, 188, 196, 197, 199, 256, 257, **272**, **273**
卵巣動脈神経叢　Ovarian plexus　**213**, 218, 281
卵胞口　Follicular stigma　256

り

リスフラン関節線　Lisfranc's joint line　454
リンパ管　Lymphatic vessel　84
リンパ小節（パイエル板）　Lymphoid nodules (Peyer's patches)　170
リンパ節　Lymph node　85
梨状陥凹　Piriform fossa　529, 651, 664, 665
梨状筋　Piriformis　147, **238**, 240, 268, 418, 419, 421-423, 427, 472, 490, 491, 493, 500
梨状筋神経　N. to piriformis　483
梨状口　Piriform aperture　543, 617
梨状前野　Prepiriform area　562
立方骨　Cuboid　**452**, 454, 455, 458, 462
立方骨関節面《踵骨の》　Articular surface for cuboid of calcaneum　459
立方骨粗面　Tuberosity of cuboid　**453**, 469
隆椎（第7頸椎）　Vertebra prominens (C7)　2, 6, 8, 40
菱形窩　Rhomboid fossa　683, 699
菱形靱帯　Trapezoid lig.　303
菱脳胞　Rhombencephalon　676
稜上平面　Supracristal plane　141
梁下野　Subcallosal gyrus　679
緑内障　Glaucoma　614
輪筋層　Circular layer
― 《胃の》　Circular layer of stomach　166
― 《十二指腸の》　Circular layer of duodenum　168
― 《食道の》　Circular layer of esophagus　107
― 《直腸の》　Circular layer of rectum　249
輪状咽頭部《下咽頭収縮筋の》　Cricopharyngeal part of inferior constrictor　652
輪状気管靱帯　Cricotracheal lig.　527
輪状甲状関節　Cricothyroid joint　527
輪状甲状筋　Cricothyroid　**528**, 530, 534, 535, 575, 652
― の斜部　Oblique part of cricothyroid　528
― の直部　Straight part of cricothyroid　528
輪状甲状枝《上甲状腺動脈の》　Cricothyroid br. of superior thyroid a.　520, 531

輪状甲状靱帯　Cricothyroid lig.　527
輪状骨端（辺縁隆起）　Epiphysial ring (marginal ridge)　14
輪状靱帯《気管の》　Anular ligs.　120
輪状軟骨　Cricoid cartilage　106, 120, **526**, 527, 648, 665, 669
— の甲状関節面　Thyroid articular surface of cricoid cartilage　526
— の披裂関節面　Arytenoid articular surface of cricoid cartilage　526
輪状軟骨弓　Arch of cricoid cartilage　526, 527
輪状軟骨板　Lamina of cricoid cartilage　526, 527
輪状ヒダ　Circular folds　168, 170
輪状披裂関節　Crico-arytenoid joint　527
輪状披裂靱帯　Crico-arytenoid lig.　527
鱗状縫合　Squamous suture　542
鱗部《側頭骨の》　Squamous part of temporal bone　544, **625**

る

涙器　Lacrimal apparatus　611
涙丘　Lacrimal caruncle　611
涙骨　Lacrimal bone　602, 617
涙腺　Lacrimal gland　565, **611**, 662, 666
— の眼窩部　Orbital part of lacrimal gland　608, 611
— の眼瞼部　Palpebral part of lacrimal gland　608, 611
涙腺静脈　Lacrimal v.　606
涙腺神経　Lacrimal n.　565, 567, **607**, 608, 609
— と頬骨神経との交通枝　Communicating br. with zygomatic n.　567
涙腺動脈　Lacrimal a.　606, 609
— との吻合枝《中硬膜動脈の》　Anastomotic br. with lacrimal a. of middle meningeal a.　587
涙点　Lacrimal punctum　611
涙嚢　Lacrimal sac　608, 611
涙嚢窩　Fossa for lacrimal sac　602
涙嚢部《眼輪筋の》　Lacrimal part of orbicularis oculi　554

れ・ろ

裂孔靱帯　Lacunar lig.　150, 151, **488**, 489
ローゼンミュラーのリンパ節　Rosenmüller's nodes　488
漏斗《下垂体の》　Infundibulum of pituitary gland　680-682, 685
漏斗陥凹　Infundibular recess　680, 685
漏斗茎　Infundibular stalk　549
肋横突関節　Costotransverse joint　56, 61
肋横突靱帯　Costotransverse lig.　61
肋下静脈　Subcostal v.　37, 45, 69
肋下動脈　Subcostal a.　36
肋頸動脈　Costocervical trunk　36, 365, 520
肋剣靱帯　Costoxiphoid ligs.　61
肋鎖靱帯　Costoclavicular lig.　303
肋鎖靱帯圧痕《鎖骨の》　Impression for costoclavicular lig.　298
肋椎関節　Costovertebral joints　61
肋軟骨　Costal cartilage　**56**, 57, 61, 144, 303, 309
肋下筋　Subcostales　63
肋下神経　Subcostal n.　70, 182, 185, 210, 477
肋間筋　Intercostal mm.　62
肋間上腕神経　Intercostobrachial nn.　**70**, 369, 374, 378, 379
肋間静脈　Posterior intercostal vv.　37, 45, 47, 66, **69**, 72, 73, 82, 83, 109, 220
肋間神経　Intercostal nn.　39, 47, 67, **70**, 72-74, 86, 90, 91, 108, 210, 220, 379
— の外側乳腺枝　Lateral mammary brs. of intercostal nn.　74
— の外側皮枝　Lateral cutaneous br. of intercostal nn.　39, 47, 70, 73, 374, 379
— の胸骨枝　Sternal brs. of intercostal nn.　70
— の後枝　Posterior rami of intercostal nn.　374
— の前枝　Anterior (ventral) rami of intercostal nn.　73
— の前皮枝　Anterior cutaneous br. of intercostal nn.　70, 73, 374, 379
— の側副枝　Collateral br. of intercostal nn.　73
— の内側乳腺枝　Medial mammary brs. of intercostal nn.　74
肋間動脈　Posterior intercostal aa.　36, 44, 47, **68**, 72, 73, 80, 89, 108, 109, 220
— の外側皮枝　Lateral cutaneous br. of posterior intercostal aa.　36, 44, 47, **68**
— の後枝　Posterior (dorsal) br. (ramus) of posterior intercostal aa.　44
— の髄節動脈　Segmental medullary a. of posterior intercostal aa.　44
— の脊髄枝　Spinal br. of posterior intercostal aa.　36, 44, 68
— の側副枝　Collateral br. of posterior intercostal aa.　68
— の内側皮枝　Medial cutaneous br. of posterior intercostal aa.　36, 44, 68
— の背枝　Dorsal br. of posterior intercostal aa.　36
肋間リンパ管　Intercostal lymphatics　84, 110
肋間リンパ節　Intercostal nodes　85, 128
肋骨　Ribs　57, **59**
肋骨横隔洞　Costodiaphragmatic recess　113, 115, 116
肋骨下平面　Subcostal plane　54, 141
肋骨窩　Facet of rib　4, 7
肋骨角　Angle of rib　57, 59
肋骨弓　Costal margin (arch)　56, 140, 309
肋骨挙筋　Levatores costarum　29, 34
肋骨胸膜（壁側胸膜の肋骨部）　Costal part of parietal pleura　65, 67, 73, 90, 91, 113, 115, 116
肋骨頸　Neck of rib　57, 59
肋骨頸稜　Crest of neck of rib　59
肋骨結節　Tubercle of rib　56, 57, 59, 61
肋骨溝　Costal groove　73
肋骨縦隔洞　Costomediastinal recess　55, 115, 130
肋骨切痕　Costal notches　58
肋骨体　Body (shaft) of rib　57, 59
肋骨頭　Head of rib　57, 59
肋骨頭関節　Joint of head of rib　61
肋骨頭稜　Crest of head of rib　61
肋骨突起《腰椎の》　Costal process　6, 7, 11, 142
肋骨部《横隔膜の》　Costal part of diaphragm　**64**, 65, 67
肋骨面　Costal surface
—《肩甲骨の》　Costal surface of scapula　299, 303
—《肺の》　Costal surface of lungs　117

わ

Y 軟骨　Triradiate cartilage　231
ワルダイエル咽頭輪　Waldeyer's ring　650
腕尺関節　Humero-ulnar joint　326, 327, 402
腕神経叢　Brachial plexus　25, 78, 89, 103, 368, **369**, 374, 383, 535-537, 539
— の外側神経束　Lateral cord of brachial plexus　368, 369, 374, **375**, 376, 384-386
— の後神経束　Posterior cord of brachial plexus　368, 369, 385
— の内側神経束　Medial cord of brachial plexus　368, **374**, 376, 377, 385, 386
腕頭動脈　Br+achiocephalic trunk　36, 80, 81, 90, 93, 96, 135, **364**, 536, 655
腕頭リンパ節　Brachiocephalic nodes　90, 110
腕橈関節　Humeroradial joint　326, 327, 402, 403
腕橈骨筋　Brachioradialis　294, 314, 332, 334, 335, 338, **339**, 396
— の腱　Brachioradialis tendon　339, 358